MISSIE SAIGON

Nelson DeMille

MISSIE
SAIGON

the house of books

Eerste druk, oktober 2002
Tweede druk, december 2002

Oorspronkelijke titel
Up Country
Uitgave
Warner Books, New York
Copyright © 2002 by Nelson DeMille
Copyright voor het Nederlandse taalgebied © 2002 by The House of Books, Vianen/Antwerpen

Vertaling
Lucien Duzee
Omslagontwerp
Studio Jan de Boer BNO, Amsterdam
Omslagdia's
Photonica/Image Bank
Foto auteur
Ginny DeMille

ISBN 90 443 0557 3
D/2002/8899/192
NUR 332

Voor hen die gehoor gaven...

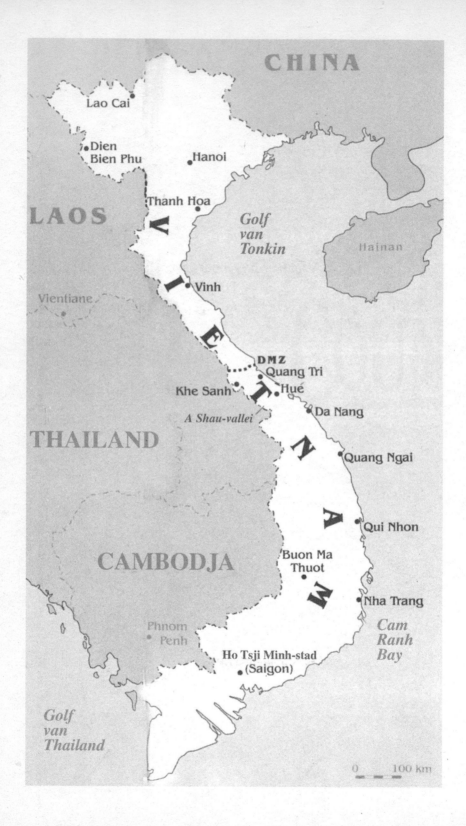

Aantekening van de auteur

Het huidige Vietnam, zoals beschreven in dit boek, is voor een deel gebaseerd op mijn ervaringen in januari en februari 1997, toen ik na een afwezigheid van negenentwintig jaar naar dat land terugkeerde. Plaatsen als restaurants, hotels, de vroegere Amerikaanse ambassade en andere achtergronden zijn precies zoals ze er te vinden waren in 1997, de tijd waarin dit verhaal is gesitueerd.

Waarheid bestaat; alleen valsheid moet worden uitgevonden.
Georges Braque

DEEL EEN

Washington, D.C.

1

Alle kwaden bestaan uit drie.

Het eerste kwaad was een voicemail van Cynthia Sunhill, mijn vroegere partner bij de CID, de criminele recherche, van het leger. Cynthia zit nog steeds bij de CID, en is ook mijn belangrijke wederhelft, maar we hebben enige problemen met het invullen van die relatie.

Het bericht luidde: 'Paul, ik moet je spreken. Bel me vanavond, het geeft niet hoe laat. Ik zit net weer met een nieuwe zaak en moet morgenochtend weg. We moeten praten.'

'Goed.' Ik keek op de klok op de schoorsteenmantel van mijn kleine werkkamer. Het was net tien uur 's avonds, of tweeëntwintighonderd uur, zoals ik vroeger, nog niet zo lang geleden, in het leger zei.

Ik woon in een stenen boerderijtje net buiten Falls Church in Virginia, op minder dan een halfuur rijden van het hoofdkwartier van de CID, hoewel rijtijd er eigenlijk niet toe doet, omdat ik niet meer voor de CID werk. Ik werk eigenlijk voor niemand meer. Ik ben met pensioen, of misschien wel ontslagen.

In ieder geval was het ongeveer een halfjaar geleden dat ik uit het leger stapte; ik begon me te vervelen en ik had nog wel twintig of dertig jaar voor de boeg.

Miss Sunhill was gestationeerd in Fort Benning in Georgia, ongeveer veertien uur rijden van Falls Church, of twaalf uur als ik heel opgewonden ben. Haar werkdruk is hoog, en de weekends zijn in het leger vaak gewone werkdagen. Het afgelopen halfjaar had onze betrekkelijk prille relatie er niet gemakkelijker op gemaakt, en met haar interessante carrière en mijn groeiende verslaving aan talkshows 's middags, hebben we elkaar eigenlijk weinig te zeggen.

Goed, het tweede kwaad. Ik controleerde mijn e-mail en zag een bericht met de simpele tekst: *1600 uur, morgen, de Wall*. Hij was getekend met *K*.

K is kolonel Karl Hellmann, mijn vroegere baas op het Hoofdkwartier en Cynthia's huidige commandant. Zoveel was duidelijk. Maar wat niet duidelijk was, was waarom Hellmann me wilde spreken bij het Vietnamese Oorlogsmonument. Ik zette dit intuïtief onder de kop 'kwaden'.

Ik overwoog verscheidene net zo beknopte antwoorden, en allemaal even negatief. Natuurlijk, ik hoefde helemaal niet te antwoorden; ik was gepensioneerd. Maar in tegenstelling tot een civiele loopbaan, komt er aan een militaire carrière nooit echt een einde. Het gezegde luidt: 'eenmaal een officier, altijd een officier.' En ik was beroepsmilitair geweest met de rang van onderluitenant, in de functie van opsporingsambtenaar.

In ieder geval blijven ze een soort wettige greep op je houden, al weet ik niet precies wat dat inhoudt. Misschien is het alleen maar dat je de voordelen van de militaire winkel kwijtraakt.

Ik keek weer naar Karls bericht en merkte dat die was gericht aan Mr. Brenner. Onderofficieren worden aangesproken met Mister, dus zijn aanhef was een herinnering aan mijn vroegere – of misschien huidige – legerrang, en geen huldiging aan mijn civiele status. Karl is niet subtiel. Dus ik liet mijn antwoord even rusten.

En ten slotte het derde, hoewel niet mindere kwaad. Ik was blijkbaar vergeten bij mijn boekenclub een boek te bestellen, waardoor ik er een van Danielle Steel toegestuurd had gekregen. Zou ik het terugsturen? Of met de kerst aan mijn moeder geven? Misschien was ze wel gauw jarig.

Goed, ik kon het telefoontje aan Cynthia niet langer uitstellen, dus ik ging aan mijn bureau zitten en draaide het nummer. Terwijl de telefoon aan de andere kant overging, keek ik uit het raam. Het was een koude januarinacht in Noord-Virginia en er viel een lichte sneeuw.

Cynthia nam op. 'Hallo.'

'Hoi,' zei ik.

Een halve seconde bleef ze stil, toen: 'Hoi, Paul. Hoe is het?'

Het begin was al verkeerd, en daarom zei ik: 'Laten we eens beginnen met je zaak, Cynthia.'

Ze aarzelde en zei toen: 'Nou... Mag ik je eerst vragen hoe je dag was?'

'Ik heb een fantastische dag gehad. Een oude kantinekok gaf me zijn recept voor chili – en ik had niet in de gaten dat het voor tweehonderd man was bedoeld, dus ik maakte het helemaal volgens recept. Ik heb het in zakjes ingevroren. Ik stuur je wel wat. Daarna ben ik naar de sportschool gegaan om een spelletje te basketballen tegen een ploeg rolstoelers – glansrijk gewonnen natuurlijk – en ben vervolgens met de jongens naar de buurtkroeg gegaan voor bier en hamburgers. Hoe was jouw dag?'

'Nou... ik ben klaar met de verkrachtingszaak waarover ik je heb verteld. Maar in plaats van verlof te krijgen moet ik naar Fort Rucker voor een onderzoek naar ongewenste intimiteiten, en dat ziet er nogal lastig uit. Ik blijf daar tot de zaak rond is. Misschien een paar weken. Ik zit in de officierskwartieren voor alleenstaanden als je me wilt bellen.'

Ik gaf geen antwoord.

Ze zei: 'Hé, ik moet nog steeds aan Kerstmis denken.'

'Ik ook.' Dat was een maand geleden en ik had haar sindsdien niet meer gezien. 'Wat doen we met Pasen?'

'Weet je, Paul... je zou hierheen kunnen verhuizen.'

'Maar jij zou elk moment weer ergens anders heen gestuurd kunnen worden. Dan doe ik uiteindelijk niets anders dan je carrière achterna reizen. Hebben we het hier niet over gehad?'

'Ja, maar...'

'Ik vind het hier prima. Je zou hier gestationeerd kunnen worden.'

'Is dat een aanzoek?'

Oeps. Ik antwoordde: 'Het zou wel eens goed kunnen zijn voor je carrière. Hoofdkwartier.'

'Laat mijn carrière maar aan mij over. En ik wil echt niet op kantoor zitten. Ik ben opsporingsambtenaar. Net als jij was. Ik wil daarheen waar ik van nut kan zijn.'

Ik zei: 'Nou, ik kan niet achter je aan blijven rennen als een jong hondje, of wat in je flat rondhangen, terwijl je voor een opdracht weg bent. Het is niet goed voor mijn ego.'

'Je zou hier een baan kunnen krijgen bij de politie.'

'Ik zit eraan te denken. Hier in Virginia.'

Enzovoort. Het is moeilijk als een man niet werkt en een vrouw een reizend beroep heeft. En om alles nog erger te maken, houdt het leger ervan je thuisbasis te veranderen zodra je je er net lekker begint te voelen, wat vragen oproept bij de definitie van het leger voor thuisbasis. Bovendien zijn er tegenwoordig een heleboel tijdelijke opdrachten – in landen als Bosnië, Somalië, Zuid-Amerika – waardoor je weleens tot een jaar weg bent, wat de definitie van tijdelijk weer oprekt. Waar het op neerkwam, was dat Cynthia en ik wat ze tegenwoordig GO noemden – geografisch onverenigbaar – waren.

De krijgsmacht is, zoals ik altijd heb gezegd, moeilijk voor relaties; het is geen baan, het is een roeping, een verbintenis die alle andere verbintenissen echt moeilijk maakt. Soms onmogelijk.

'Ben je er nog?' vroeg ze.

'Ik ben er nog.'

'Zo kunnen we niet door blijven gaan, Paul. Het doet pijn.'

'Ik weet het.'

'Wat moeten we doen?'

Ik denk dat ze bereid was ontslag te nemen en veel van haar pensioen kwijt te raken, in ruil voor het jawoord. Vervolgens zouden we besluiten waar we gingen wonen, een baan zoeken en nog lang en gelukkig leven. En waarom niet? We waren verliefd.

'Paul?'

'Ja... ik denk na.'

'Je had er al over nagedacht moeten hebben.'

'Inderdaad. Luister, volgens mij moeten we dit niet door de telefoon bespreken. Gewoon bij elkaar.'

'Het enige dat we bij elkaar doen is neuken.'

'Dat is niet... nou, we zullen het erover hebben tijdens een etentje. In een restaurant.'

'Goed. Ik bel je als ik terug ben uit Rucker. Ik kom bij jou, of jij komt bij mij.'

'Goed. Hé, hoe gaat het met je scheiding?'

'Die is bijna rond.'

'Goed.' Doelend op haar liefhebbende echtgenoot, vroeg ik: 'Zie je majoor Oelewapper nog vaak?'

'Niet vaak. Af en toe in de officiersclub. Die situaties zijn niet te vermijden.'

'Wil hij je nog steeds terug hebben?'

'Maak een eenvoudige situatie niet ingewikkelder.'

'Doe ik niet. Ik maak me alleen zorgen dat hij misschien weer zal proberen mij te vermoorden.'

'Hij heeft nooit geprobeerd je te vermoorden, Paul.'

'Ik zal het dan wel verkeerd begrepen hebben toen hij een geladen pistool op me richtte.'

'Kunnen we het niet ergens anders over hebben?'

'Natuurlijk. Hé, lees jij Danielle Steel?'

'Nee, waarom?'

'Ik heb haar laatste boek gekocht. Ik zal het je toesturen.'

'Misschien vind je moeder het wel leuk. Ze is 10 februari jarig. Vergeet het niet.'

'Ik heb het genoteerd. Tussen haakjes, ik heb een e-mail van Karl gekregen. Hij wil me morgen spreken.'

'Waarom?'

'Ik dacht dat jij het misschien wist.'

'Nee,' zei ze. 'Misschien wil hij alleen maar wat drinken, en praten over vroeger.'

'Hij wil me spreken bij het Vietnamese Oorlogsmonument.'

'O? Dat is vreemd.'

'Ja. En heeft hij nooit iets tegen jou gezegd?'

'Nee,' antwoordde ze. 'Waarom zou hij?'

'Ik weet het niet. Ik kan er maar niet achter komen wat hij van plan is.'

'Waarom denk je dat hij iets van plan is? Jullie hebben jaren samengewerkt. Hij mag je.'

'Nee, dat doet hij niet,' zei ik. 'Hij heeft een hekel aan me.'

'Hij heeft geen hekel aan je. Maar jij bent een moeilijk mens om mee te werken. Het is zelfs moeilijk om van je te houden.'

'Mijn moeder houdt van me.'

'Dat zou ik dan nog maar eens vragen. Wat Karl betreft: hij heeft respect voor je, en hij weet dat je gewoon briljant bent. Of hij wil advies hebben, of hij heeft informatie nodig over een oude zaak.'

'Waarom de Wall?'

'Nou... ik weet het niet. Daar kom je wel achter als je hem ziet.'

'Het is hier koud. Hoe is het daar?'

'Zo rond de achttien.'

'Hier sneeuwt het.'

'Rij voorzichtig.'

'Ja.' Allebei zwegen we een tijdje, terwijl ik dacht aan onze geschiedenis samen. We hadden elkaar leren kennen in het NAVO-hoofdkwartier in Brussel. Ze was verloofd met majoor hoe-heet-die, een man van de speciale eenheden. We raakten bevriend, hij werd nijdig en richtte het eerder genoemde pistool op me. Ik trok me terug, zij trouwden en een jaar later liepen Cynthia en ik elkaar weer toevallig tegen het lijf.

Het was in de officiersclub in Fort Hadley, in Georgia, en we waren allebei bezig met een zaak. Ik was undercover een diefstal en verkoop van legerwapens aan het onderzoeken en zij was bijna klaar met een verkrachtingszaak. Dat is haar specialiteit. Seksmisdaden. Ik zou liever weer in de oorlog zitten dan die baan hebben. Maar iemand moet het doen, en zij is er goed in. En wat belangrijker is: zij kan het van zich af zetten en lijkt door haar werk niet aangedaan te worden, hoewel ik het me soms afvraag.

Maar terug naar Fort Hadley, de vorige zomer. Terwijl we daar allebei waren, werd de dochter van de commandant, kapitein Ann Campbell, op een schietbaan gevonden, aan een paal vastgebonden, naakt, gewurgd en duidelijk verkracht. Dus mij wordt gevraagd mijn wapenhandeltje te laten vallen en Cynthia wordt gevraagd mij te assisteren. De moordzaak losten we op, daarna probeerden we ons eigen zaakje op te lossen, maar dat bleek moeilijker te zijn. In ieder geval kwam ze van majoor Oelewapper af.

'Paul, waarom laten we dit niet met rust tot we elkaar weer kunnen zien? Is dat goed?'

'Klinkt goed.' Om eerlijk te zijn was het mijn idee. Maar waarom zou ik dat zeggen? 'Goed idee.'

'We moeten allebei nadenken over hoeveel we ervoor op moeten geven en hoeveel we ermee winnen.'

'Heb je die zin geoefend?'

'Ja. Maar het is waar. Luister, ik hou van je...'

'En ik hou van jou.'

'Dat weet ik. Daarom is het zo moeilijk.' We zeiden allebei een tijdje niets, toen zei ze: 'Ik ben jonger dan jij...'

'Maar ik ben onvolwassener.'

'Hou alsjeblieft je kop. En ik vind het leuk wat ik doe. Ik hou van mijn leven, mijn baan, mijn onafhankelijkheid. Maar... ik zou het opgeven als ik dacht...'

'Ik hoor het wel. Dat is een grote verantwoordelijkheid voor mij.'

'Ik zet je niet onder druk, Paul. Ik weet zelfs niet of ik wel wil wat ik denk dat ik wil.'

Ik ben een slimme vent, maar ik raak in de war als ik met vrouwen praat. In plaats van haar om uitleg te vragen, zei ik: 'Ik begrijp het.'

'Echt waar?'

'Volledig.' Ik had absoluut geen enkel idee.

'Mis je me?'

'Elke dag,' zei ik.

'Ik mis jou. Echt waar. Ik verlang ernaar je weer te zien. Ik neem wat tijd vrij. Dat beloof ik.'

'Ik neem ook wat tijd vrij.'

'Jij werkt niet.'

'Dat klopt. Maar als ik dat wel deed, zou ik tijd vrij hebben genomen om bij je te zijn. Deze keer kom ik naar jou toe. Het is daar warmer.'

'Goed. Dat zou leuk zijn.'

'Hou je van chili?'

'Nee.'

'Ik dacht dat je wel van chili hield. Goed, veel geluk met de zaak.

Laat het me een dag van tevoren weten en dan ben ik er.'

'Dat zal over twee weken zijn. Misschien drie. Ik zal het je laten weten wanneer ik met de zaak begin.'

'Goed.'

'Doe Karl de groeten van me. Laat me weten wat hij wilde.'

'Misschien wil hij praten over zijn ontvoering door marsmannetjes.'

Ze lachte.

Net toen we op het punt stonden er op een goed moment mee te kappen, zei ze: 'Weet je, Paul, je had geen ontslag hoeven nemen.'

'Je meent het?' De zaak van de generaalsdochter was al vanaf de start narigheid geweest, een politiek, emotioneel en professioneel mijnenveld, en ik kwam er middenin terecht. Het zou beter voor me zijn geweest als ik de zaak niet had opgelost, omdat de oplossing ervan over dingen bleek te gaan die niemand wilde weten. Ik zei tegen Cynthia: 'Een officiële berisping in mijn dossier is de manier waarop het leger zegt: "Ga je pensioen maar vast regelen." Een beetje subtiel misschien, maar...'

'Volgens mij heb jij het verkeerd geïnterpreteerd wat er gebeurde. Je werd berispt, je werd heel verontwaardigd en reageerde impulsief, omdat je ego beschadigd was.'

'O ja? Nou, bedankt dat je me vertelt dat ik een carrière van dertig jaar heb weggegooid omdat ik een driftaanval kreeg.'

'Daar zul je mee moeten leren leven. Ik zal je nog iets vertellen – als jij niet iets vindt dat net zo belangrijk en uitdagend is, word je depressief...'

'Ik ben nu depressief. Door jou ben ik net depressief geworden. Bedankt.'

'Sorry, maar ik ken je. Je was niet zo opgebrand als je dacht. De Campbell-zaak heeft je gewoon aangegrepen. Dat geeft niet. Iedereen was erdoor aangegrepen. Ik ook. Het was een heel trieste, uiterst deprimerende zaak...'

'Ik wil er niet over praten.'

'Goed. Maar wat je nodig had, was een verlof van een maand, geen permanente vakantie. Je bent nog steeds jong...'

'Jij bent jonger.'

'Jij hebt nog een heleboel energie, een heleboel te geven, maar je moet er een vervolg op schrijven, Paul.'

'Dank je. Ik ben mijn mogelijkheden aan het verkennen.' Het was in de kamer en aan de telefoon merkbaar koeler geworden.

'Ben je boos?'

'Nee. Als je hier was geweest zou je me hebben zien glimlachen. Ik glimlach.'

'Nou, als ik niet van je zou houden, zou ik deze dingen niet zeggen.'

'Ik glimlach nog steeds.'

'Ik zie je over een paar weken.' Ze zei: 'Pas een beetje op jezelf.'

'Jij ook.'

Stilte, toen: 'Welterusten.'

'Dag.'

We hingen allebei op. Ik stond op, liep naar de bar en schonk voor mezelf iets te drinken in. Whisky, een scheut soda en ijs.

Ik ging in mijn werkkamer zitten met mijn voeten op het bureau en keek naar de sneeuw buiten. De whisky rook lekker.

Dus daar zat ik met een boek van Danielle Steel achter mijn bureau, met een onaangenaam telefoontje dat nog nagonsde in mijn oren, en een onheilspellend bericht van Karl Hellmann op mijn computerscherm.

Sommige dingen die geen samenhang lijken te hebben, maken eigenlijk deel uit van een groter plan. Geloof me, niet jouw plan, maar het plan van iemand anders. Ik moest maar geloven dat Karl en Cynthia niet over mij spraken, maar mevrouw Brenner had geen idioot grootgebracht.

Ik zou nijdig moeten worden als mensen mijn intelligentie onderschatten, maar in werkelijkheid speel ik een zekere machodebiliteit waardoor mensen de neiging krijgen mijn vernuft te onderschatten. Op die manier heb ik een heleboel mensen achter de tralies gekregen.

Ik keek weer naar het bericht. *1600 uur, morgen, de Wall*. Zelfs geen 'alsjeblieft'. Kolonel Karl Gustav Hellmann kan een beetje arrogant zijn. Hij is Duitser van geboorte, zoals de naam al suggereert, terwijl Paul Xavier Brenner een typische Ierse jongen uit Zuid-Boston is, verrukkelijk onverantwoordelijk en heerlijk bijdehand. Herr Hellmann is totaal het tegenovergestelde. Toch, op een vreemde manier, konden we het met elkaar vinden. Hij was een goede commandant, streng maar eerlijk, en uiterst gemotiveerd. Maar ik vertrouwde zijn motieven niet.

Hoe dan ook, ik ging rechtop zitten en ramde er een e-mail aan Karl uit: *Ik zie je daar*. Ik ondertekende met *Paul Brenner, PFC*, hetgeen hier niet betekende Private First Class (soldaat eerste klas), maar, zoals Karl en ik allebei wisten: Private F-ing Civilian (verdomde burger).

2

Het was drie uur en ik was in de de National Mall, een park in Washington, D.C., een rechthoekige strook gras met bomen die van het Capitool in het oosten naar het Lincoln Memorial in het westen liep, een afstand van ongeveer drie kilometer.

De Mall was een goede plek om te joggen, met mooie uitzichten, dus in plaats van een rit naar het centrum te verspillen door alleen maar Karl Hellman te zien, ging ik gekleed in een joggingpak en sportschoenen, en had ik een gebreide muts over mijn oren getrokken.

Ik begon aan mijn rondje om de vijver waarin het Capitool weerspiegeld werd, in een tempo dat me op de afgesproken tijd bij de Wall zou brengen, voor mij 4 uur 's middags, voor Karl 1600 uur.

Het was koud, maar de zon stond nog boven de horizon en er was geen wind. De bomen waren allemaal kaal en op het gras lag de sneeuw van de afgelopen nacht.

Ik zette er een goede vaart in, nam de zuidkant van de Mall, langs het National Air and Space Museum, het Smithsonian, en andere musea ertussenin.

Dit is, zoals ik al zei, officieel een park, maar het is ook iets waar iedereen iets belangrijks wil neerzetten: monumenten, musea, gedenktekens en standbeelden, en als deze marmerwoede blijft voortduren, zal de Mall op een dag lijken op het Forum Romanum, volgepakt met allerlei tempels. Ik geef geen oordeel – belangrijke mensen en gebeurtenissen hebben een gedenkteken of monument nodig. Ik heb mijn gedenkplaat: de Wall. Het is een heel goed gedenkteken omdat mijn naam er niet op staat.

De zon zakte, de schaduwen werden langer en het was heel stil en rustig, op de sneeuw na die onder mijn voeten knerpte.

Ik wierp een blik op mijn horloge en zag dat het tien minuten voor het afgesproken uur was. Herr Hellmann, zoals velen van zijn etnische groep, is fanatiek over op tijd zijn. Ik bedoel, ik wil niet generaliseren wat betreft ras, religie en dat alles, maar Ieren en Duitsers hebben niet hetzelfde idee over tijd.

Ik ging wat harder lopen, naar het noorden, om de weerspiegelende plas heen. Ik begon last van mijn rug te krijgen en mijn longen deden pijn door de koude lucht.

Terwijl ik het landschap van Constitution Gardens doorkruiste, kwam het Vietnam Women's Memorial in zicht: drie verpleegsters in gevechtstenue rond een gewonde man die ik nog niet kon zien.

Ongeveer honderd meter verderop, dichter bij de Wall, stond het beeld van de drie veteranen – drie bronzen jongens in gevechtstenue bij een vlaggenstok.

Achter de twee bronzen beeldengroepen stond de zwarte muur, scherp afstekend tegen de witte sneeuw.

De Wall is wellicht het meest bezochte monument in Washington, maar op deze koude, doordeweekse dag stonden er niet zoveel mensen bij. Toen ik naderbij kwam, kreeg ik het gevoel dat de mensen die aandachtig naar de Wall stonden te staren, daar móesten zijn.

Opzij van de kleine menigte stond een man alleen; het was kolonel Karl Hellmann, gekleed in een burgerregenjas en een jagershoed, die natuurlijk op zijn horloge keek en waarschijnlijk bij zichzelf mompelde met zijn lichte accent: 'Vaar is die kerel?'

Ik ging langzamer lopen om mijn voormalige chef niet te laten schrikken door op volle snelheid op hem af te komen rennen, en toen ik op het pad evenwijdig aan de Wall liep, op ongeveer twintig meter van Herr Hellmann vandaan, sloeg ergens een kerkklok, daarna een tweede keer, en een derde keer. Ik vertraagde tot gewone pas en bereikte Karl Hellmann van achteren net toen de klok vier uur had geslagen.

Hij voelde mijn aanwezigheid, of misschien zag hij me in de weerspiegeling van de zwarte muur, en zonder zich om te draaien, zei hij: 'Hallo, Paul.'

Hij scheen blij me te zien – of me te voelen – hoewel het niet te zeggen viel hoe opgetogen hij was. In ieder geval was ik precies op tijd en dat geeft hem een goed humeur.

Ik beantwoordde zijn groet niet, en we gingen naast elkaar naar de Wall staan kijken. Ik wil na het rennen altijd een stukje lopen, maar ik bleef staan en probeerde op adem te komen, terwijl witte wolken uit mijn neusgaten kwamen als bij een paard en het zweet op mijn gezicht koud begon te worden.

Dus daar stonden we, zwijgend, om elkaar weer af te tasten na een scheiding van een halfjaar, zoiets als bij honden die elkaar besnuffelen om te kijken wie de leider is.

Ik merkte dat het deel van de Wall waar wij voor stonden het jaartal *1968* had. Dit besloeg het grootste deel van de Wall, omdat het een ongelukkig jaar was met de hoogste Amerikaanse verliezen: Het Tet-offensief, de belegering van Khe Sanh, de slag om de A Shau-vallei, en andere, minder bekende maar niet minder afschuwelijke veldslagen. Karl Hellmann had daar, net als ik, in 1968 gezeten en hij kende een paar van die plaatsen en gebeurtenissen uit de eerste hand.

Het thuisfront was in 1968 ook niet zo fantastisch: de moord op Martin Luther King jr. en Bobby Kennedy, de studentenoproeren, de stadsrellen, enzovoort. Op alle fronten een slecht jaar. Ik begreep waarom Hellmann voor 1968 was gaan staan, hoewel ik verder geen enkel idee had waarom we hier waren. Maar als veteraan sprak ik nooit tegen een hogere officier voordat die me aangesproken had. Soms zelfs niet nadat ik al aangesproken was, zoals nu. Het had me geen moer kunnen schelen als we daar tot middernacht zwijgend waren blijven staan.

Ten slotte zei Karl: 'Bedankt dat je bent gekomen.'

Ik antwoordde: 'Het klonk als een bevel.'

'Maar je bent met pensioen.'

'Om eerlijk te zijn, heb ik ontslag genomen.'

'Het kan me niet schelen wat jij hebt gedaan. Ik heb er een pensionering van gemaakt. Dat is veel prettiger voor iedereen.'

'Ik wilde echt ontslag nemen.'

'Dan hadden we dat leuke feestje niet gehad – waarop jij je officiële berisping aan iedereen voorlas.'

'Jij hebt me gevraagd een paar woorden te zeggen.'

Hellmann gaf geen antwoord, maar zei: 'Nou, je ziet er fit uit.'

'Ik moet wel. Ik ben heel Washington door gerend om mensen bij monumenten te spreken. Jij bent de derde vandaag.'

Hellmann stak een sigaret op en zei: 'Jouw sarcasme en slechte gevoel voor humor zijn niet veranderd.'

'Goed. Maar als ik vragen mag, wat is er aan de hand?'

'Eerst wil ik gewoon wat babbelen. Hoe heb je het gehad?'

'Fantastisch. Ik ben weer aardig bij met lezen. Hé, lees jij Danielle Steel?'

'Wie?'

'Ik zal je een boek sturen. Hou je van chili?'

Hellmann nam een haal van zijn sigaret en was zichzelf waarschijnlijk aan het afvragen wat hem bezield had om contact met mij op te nemen.

'Zeg eens, Paul, vind je dat je oneerlijk behandeld bent door het leger?'

'Niet oneerlijker dan een paar miljoen andere mensen, kolonel.'

'Ik denk dat de vriendschappelijke babbel voorbij is.'

'Goed.'

'Twee administratieve dingen. Ten eerste jouw officiële berisping. Die kan uit je dossier verwijderd worden. Ten tweede jouw pensioen. Die kan anders in de computer komen, en dat zou een aanzienlijke smak geld kunnen betekenen gezien je vermoedelijke levensverwachting.'

'Eigenlijk werd mijn vermoedelijke levensverwachting groter toen ik uit het leger stapte, dus wat minder geld vind ik prima.'

'Wil je meer weten over die twee dingen?'

'Nee, ik ruik narigheid.'

Dus we stonden daar in de kou de lucht op te snuiven en vijf of zes zetten vooruit te denken. Ik ben er goed in, maar Karl is beter. Hij is niet zo slim als ik, zeker niet zo rad van tong, maar hij kan diep en lang nadenken.

Ik mag die man eigenlijk wel. Echt waar. Om eerlijk te zijn, was ik eigenlijk een beetje gekwetst toen ik niets meer van hem hoorde. Misschien was hij geïrriteerd door mijn lichtzinnigheid op het afscheidsfeestje. Ik had wat gedronken, maar ik kan me vaag herinneren dat ik een imitatie deed van een Pruisische veldmaarschalk die, meen ik, von Hellmann heette.

Ten slotte zei Karl: 'Op deze muur staat de naam van een man die niet in de strijd gesneuveld is. Een man die eigenlijk vermoord is.'

Ik gaf geen antwoord op die opmerkelijke bewering.

Karl vroeg me: 'Hoeveel mannen op deze muur ken je?'

Ik zei een tijdje niets en antwoordde toen: 'Te veel.' Ik vroeg hem: 'Hoeveel kerels hiervan ken jij?'

'Hetzelfde. Jij hebt twee detacheringen in Vietnam gehad. Klopt dat?'

'Dat klopt. Die keer in '68 en daarna in '72, maar toen zat ik bij de MP, en de meeste gevechten heb ik geleverd met dronken soldaten van de luchtmachtbasis bij Bien Hoa.'

'Maar de eerste keer zat jij aan het front als infanterist... Je hebt veel gevechtsacties meegemaakt. Heb je ervan genoten?'

Dit was zo'n vraag die alleen oorlogsveteranen konden begrijpen. Het viel me in dat we, in alle jaren dat ik Karl kende, niet veel over onze oorlogservaringen hebben gesproken. Dit is niet zo ongewoon. Ik keek hem aan en zei: 'Het was de ultieme kick. De eerste paar keer. Daarna... raakte ik eraan gewend en werd het normaal voor me... weer later, de laatste paar maanden voordat ik naar huis ging, werd ik heel paranoïde, alsof ze persoonlijk zouden proberen mij te doden, alsof ze me niet naar huis wilden laten gaan. Ik denk niet dat ik de laatste twee maanden dat ik in het binnenland zat veel heb geslapen.' We keken elkaar aan.

Karl knikte. 'Zo heb ik het ook ervaren.' Hij stapte naar de Wall toe en concentreerde zich op de individuele namen. 'We waren toen jong, Paul. Deze mannen blijven voor eeuwig jong.' Hij raakte een van de namen aan. 'Ik heb deze man gekend.'

Hellmann leek ongewoon somber, bijna chagrijnig. Ik denk dat het iets te maken had met waar we waren, de winter, de schemering en alles. Ik voelde me ook niet zo bijzonder monter.

Hij haalde een gouden sigarettenkoker en een bijpassende aansteker tevoorschijn. 'Wil jij er een?'

'Nee, bedankt. Jij hebt er net een gehad.'

Hij negeerde me, zoals alle rokers doen, en stak een volgende op.

Karl Gustav Hellmann. Ik wist weinig van zijn persoonlijke leven, maar ik wist dat hij was opgegroeid in het Duitsland van na de oorlog. Door de jaren heen heb ik nog een paar andere Duits-Amerikaanse soldaten leren kennen, en dat waren voornamelijk officieren die inmiddels met pensioen waren. Het gebruikelijke levensverhaal van deze gegalvaniseerde yankees was dat ze geen vader hadden of wees waren en klusten voor het Amerikaanse bezettingsleger om te overleven. Op hun achttiende namen ze dienst in het Amerikaanse leger op een militaire basis in Duitsland, als uitweg uit de ellende van de verslagen natie. Ooit had er een behoorlijk aantal van die mannen in het leger gezeten, en Karl was waarschijnlijk een van de laatsten.

Ik wist niet hoeveel er van dit kenmerkende levensverhaal van toepassing was op Karl Hellmann, maar hij moest heel dicht tegen zijn verplichte pensioen aan zitten, tenzij hem in de onmiddellijke toekomst een generaalsster wachtte, zodat hij kon aanblijven. Ik had het idee dat deze afspraak daarmee te maken had.

Tegen mij, of misschien tegen zichzelf, zei hij: 'Het is lang geleden. Toch lijkt het soms pas gisteren.' Hij keek naar de Wall en daarna naar mij. 'Vind je niet?'

'Ja, 1968 is me net zo duidelijk als een diavoorstelling, een opeenvolging van heldere, geluidloze beelden, bevroren in de tijd...' We keken elkaar aan en hij knikte.

Dus waar ging dit naartoe?

Het helpt te weten waar het begon. Zoals ik al zei ben ik een Ier uit Boston-Zuid, wat arbeidersklasse betekent. Mijn vader was een veteraan uit de Tweede Wereldoorlog, zoals de vader van iedereen destijds in die buurt. Hij diende drie jaar bij de infanterie, kwam naar huis, trouwde, kreeg drie zoons, en werkte dertig jaar voor de stad Boston bij het onderhoud van de stadsbussen. Hij heeft me een keer toegegeven dat zijn baan niet zo opwindend was als de invasie in Normandië, maar dat de werktijden wel beter waren.

Vlak na mijn achttiende verjaardag werd ik opgeroepen voor dienst. Ik belde Harvard met het oog op een plaatsje als eerstejaars en uitstel als student, maar zij wezen er terecht op dat ik me nooit had aangemeld. Hetzelfde met Boston University en zelfs Boston College, waar een heleboel van mijn soortgenoten asiel hadden gevonden voor militaire dienst.

Dus ik pakte een weekendtas. Pa gaf me een hand, mijn jongere broers vonden het prachtig, ma huilde en ik was op weg per militaire trein naar Fort Hadley in Georgia voor mijn rekrutentijd en daarna de opleiding tot infanterist. Om de een of andere idiote reden schreef ik me in voor de luchtlandingstroepen – dat is een opleiding tot parachutist – in Fort Benning, ook in Georgia, en werd aangenomen. Om mijn verdere opleiding op het gebied van doden te voltooien, meldde ik me aan bij de commando-opleiding, misschien met de gedachte dat er een einde aan de oorlog zou komen voordat alle opleidingen op waren, maar het leger zei: 'Het is goed met je. Je mag meteen gaan, jongen.' En al snel na de parachutistenopleiding zat ik als infanterist aan het front bij een plaats die Bong Son heette, en dat was niet in Californië.

Ik wierp een blik op Karl, wetend dat hij daar ongeveer in dezelfde tijd had gezeten, na heel andere wegen naar de oorlog toe belopen te hebben. Maar misschien eigenlijk toch niet echt anders.

Karl zei: 'Het leek me goed elkaar hier te treffen.'

Ik gaf geen antwoord.

Na Vietnam bleven we allebei in het leger; ik denk omdat het leger ons wilde hebben en iemand anders waarschijnlijk niet. Ik kwam bij de MP en deed voor een deel een tweede detachering in Vietnam. Door de jaren heen maakte ik gebruik van het leger om verder te studeren en ik behaalde een graad in criminologie, waarna ik bij de criminele recherche van het leger kwam te werken, voornamelijk omdat ze daar burgerkleding droegen.

Ik werd wat ze noemen bij volmacht aangesteld: een pseudo-officier zonder leidinggevende verantwoordelijkheid; maar met een belangrijke baan, in dit geval: als rechercheur bij de moordbrigade.

Karl volgde een iets andere en iets chiquere route en ging op kosten van het leger studeren aan een echte universiteit, waar hij een soort halfgare graad in de filosofie behaalde, terwijl hij vier jaar lang een opleiding tot reserveofficier volgde, waarna hij weer in actieve dienst ging als luitenant.

Bijna kruisten onze levens zich in Vietnam, en daarna kwamen ze weer samen in Falls Church. En hier stonden we dan, letterlijk en fi-guurlijk in de schemering, geen strijders meer, maar mannen van mid-delbare leeftijd die stonden te kijken naar de doden van onze genera-tie: 58.000 namen, gegrift in het zwarte steen, en plotseling zag ik die mannen als kinderen die nauwgezet hun namen in bomen, in school-banken en houten schuttingen kerfden. Ik besefte dat er voor elke naam in het graniet eenzelfde naam ergens in Amerika stond gegrift. En deze namen stonden ook gegrift in de harten van hun families en in het hart van de natie.

Karl en ik begonnen langs de Wall te lopen, onze adem wit in de koude lucht. Tegen de onderkant van de muur lagen bloemen, daar neergelegd door vrienden en familie, en ik herinnerde me de laatste keer dat ik hier was geweest, lang geleden, en dat iemand daar een honkbalhandschoen had achtergelaten; en toen ik die zag, liepen, voordat ik wist wat er gebeurde, de tranen over mijn gezicht.

In de beginjaren van het gedenkteken werden een heleboel van dat soort dingen bij de Wall achtergelaten: ik zag destijds foto's, petten, speelgoed, zelfs lievelingseten, zoals een doos creamcrackers. Ik merkte dat er geen persoonlijke dingen meer lagen, alleen maar bloe-men en een paar samengevouwen briefjes die in de naden van de Wall waren gestoken.

De jaren gaan voorbij, de ouders sterven, de vrouwen trekken ver-der, de broers en zussen vergeten niet, maar ze zijn er al geweest en hoeven niet nog eens. De doden, zo jong als ze voor het merendeel wa-ren, lieten niet veel kinderen achter, maar de laatste keer dat ik er was, ontmoette ik een dochter, een vrouw van begin twintig, die haar vader nooit had gekend. Ik had nooit een dochter gekend, dus ongeveer tien minuten vulden we bij elkaar de leegte, de ontbrekende delen, en daar-na gingen we elk ons weegs.

Om de een of andere reden deed dit me denken aan Cynthia, aan een huwelijk, aan kinderen, aan huis en haard, en allerlei warme en zachte dingen. Als Cynthia hier was geweest, zou ik haar misschien ten hu-welijk hebben gevraagd, maar ze was hier niet en ik wist dat ik de vol-gende ochtend weer mezelf zou zijn.

Karl, die waarschijnlijk dezelfde gedachten had over oorlog en vrede, sterfelijkheid en onsterfelijkheid, zei: 'Ik probeer hier een keer per jaar te komen, op 17 augustus, de dag dat ik in een veldslag zat.' Hij zweeg een tijdje en ging toen verder: 'De slag om Highway 13... De Elfde Pantserdivisie, de rubberplantage van Michelin. Misschien heb je ervan gehoord. Een heleboel mensen om me heen gingen dood. Dus ik kom hier op 17 augustus en zeg een gebed voor hen en een dankgebed voor mezelf. Het is de enige keer dat ik bid.'

'Ik dacht dat je zondags naar de kerk ging.'

'Je gaat alleen maar naar de kerk met vrouw en kinderen.'

Hij ging er niet verder op door en ik vroeg er niet naar. We draaiden ons om en liepen de weg terug die we gekomen waren.

Op andere toon zei hij: 'En, ben je nieuwsgierig naar de man die werd vermoord?'

'Misschien ben ik nieuwsgierig. Maar ik wil het echt niet weten.'

'Als dat zo was, zou je al weg zijn.'

'Ik ben beleefd, kolonel.'

'Die beleefdheid zou ik leuk hebben gevonden toen je nog voor me werkte. Maar zolang je nog beleefd bent, luister je naar me.'

'Als ik luister, kan ik gedagvaard worden voor de een of andere toekomstige rechtszaak. Dat staat in het handboek.'

'Geloof me, deze ontmoeting en dit gesprek hebben nooit plaatsgevonden. Daarom zijn we hier en niet in Falls Church.'

'Zoiets meende ik al te begrijpen.'

'Kan ik beginnen?'

Ik stond nog op vaste grond; de volgende stap werd een glibberige afdaling. Ik kon absoluut geen enkele goede reden bedenken waarom ik naar deze man zou luisteren. Maar ik dacht niet goed genoeg na. *Cynthia*. Zoek een baan, maak wat van je leven, of wat ze ook zei.

Karl vroeg: 'Kan ik beginnen?'

'Kan ik afhaken wanneer ik maar wil?'

'Nee. Als ik begin, luister je, en ik beëindig het.'

'Is dit een criminele aangelegenheid?'

'Ik dacht dat moord crimineel was, ja. Heb je nog meer stomme vragen?'

Ik glimlachte, niet door de belediging, maar omdat ik hem op de zenuwen begon te werken. 'Weet je wat? Om te bewijzen hoe stom ik eigenlijk ben, zal ik luisteren.'

'Dank je.'

Karl was van de Wall weggelopen in de richting van het Women's Memorial en ik liep mee. Hij zei: 'De CID kreeg te horen dat een jonge

luitenant die geregistreerd stond als gedood of vermist tijdens gevechtshandelingen in werkelijkheid was vermoord in de stad Quang
Tri, op 7 februari 1968, tijdens het Tet-offensief in de slag om die
stad.' Hij voegde eraan toe: 'Ik geloof dat jij in die tijd in de provincie
Quang Tri zat.'

'Ja, maar ik heb een alibi voor die dag.'

'Ik noem dat alleen als toevalligheid. In werkelijkheid zat jouw eenheid op die dag een paar kilometer van de provinciale hoofdstad, die
ook Quang Tri heet, vandaan. Maar je kent de omgeving en je kunt je
die tijd en plaats voor de geest halen.'

'Reken maar. Ik begrijp ook dat je mijn dienstdossier hebt nagekeken.'

Hellmann negeerde dit en vervolgde: 'Ik zat, zoals ik al heb gezegd,
bij de Elfde Pantserdivisie, gestationeerd in Xuan Loc, maar opereerde rond die tijd in Cu Chi. Ik kan me die bepaalde dag niet herinneren,
maar die hele maand tijdens het Tet-offensief was onaangenaam.'

'Het was klote.'

'Ja, het was klote.' Hij bleef staan en keek me aan. 'Wat deze Amerikaanse luitenant betreft, hebben we bewijs dat hij vermoord werd
door een Amerikaanse legerkapitein.'

Karl liet dat bezinken, maar ik reageerde niet. Nu had ik gehoord
wat ik niet had willen horen en nu was ik in het bezit van een Geheim.
Bijzonderheden zouden volgen.

We staarden naar het Vietnam Women's Memorial, de drie verpleegsters, één die de gewonde man op de zandzakken verzorgde, één
die naast hem knielde en de laatste die de hemel afzocht naar de medische helikopter. De vier personen waren licht gekleed en ik kreeg het
koud door alleen al naar hen te kijken.

Ik zei tegen Karl: 'Deze beeldengroep hoort dichter bij de Wall te
staan. De laatste persoon die een heleboel van die jongens heeft gezien
voor ze stierven, was een verpleegster van het leger.'

'Ja, maar misschien zou die plaatsing te morbide zijn. Deze man
hier ziet eruit alsof hij blijft leven.'

'Ja... die haalt het wel.'

Dus we zwegen een tijdje, verloren in onze gedachten. Ik bedoel,
dit zijn beelden, maar ze brengen het allemaal weer terug.

Karl verbrak de stilte en vervolgde: 'We kennen de naam van deze
vermeende moordenaar niet, en ook kennen we het vermeende slachtoffer niet. We weten alleen dat deze kapitein deze luitenant in koelen
bloede heeft vermoord. We hebben geen lijk – of moet ik zeggen: we
hebben een heleboel lijken, allemaal gedood door de vijand, behalve

de man in kwestie. We weten wel dat het slachtoffer gedood werd door een enkel schot in het voorhoofd, en misschien beperkt dat het aantal mogelijkheden wat betreft de naam van het slachtoffer door uit te gaan van de overlijdensaktes die er op dat moment zijn opgemaakt. Tenzij natuurlijk het lichaam nooit is gevonden en het slachtoffer geregistreerd staat als vermist tijdens gevechtsacties. Volg je me?'

'Ja. Een Amerikaanse legerkapitein trekt zijn pistool en schiet een Amerikaanse legerluitenant in het voorhoofd. Dit is waarschijnlijk een fatale wond. Dit is bijna dertig jaar geleden in het heetst van de strijd gebeurd. Maar laat me even voor verdediger spelen – misschien was het geen moord. Misschien was het een van die ongelukkige momenten dat een hogere officier een lagere doodschoot wegens lafheid in het aangezicht van de vijand. Dat soort dingen gebeuren en het is niet noodzakelijk moord, of zelfs maar onwettig. Misschien was het zelfverdediging, of een ongeluk. Je moet geen overhaaste conclusies trekken.' Ik voegde eraan toe: 'Maar natuurlijk heb je een getuige. Dus ik hoef niet te speculeren.'

We draaiden ons om en liepen terug naar de Wall. Het licht werd minder, mensen kwamen en gingen, een man van middelbare leeftijd legde een krans onder tegen het zwarte graniet en veegde met een zakdoek in zijn ogen.

Hellmann keek een tijdje naar de man en zei toen: 'Ja, er was een getuige. En de getuige beschreef een koelbloedige moord.'

'En dit is een betrouwbare getuige?'

'Ik weet het niet.'

'Wie en waar is deze getuige?'

'We weten niet waar hij is, maar we hebben zijn naam.'

'En jij wilt dat ik hem vind.'

'Dat klopt.'

'Hoe heb je voor het eerst van deze getuige gehoord?'

'Hij schreef een brief.'

'Ik begrijp het... dus je hebt een vermiste getuige van een moord van dertig jaar geleden, geen verdachte, geen lijk, geen moordwapen, geen motief, geen forensisch bewijs, en de moord werd gepleegd in een godvergeten land hier heel ver vandaan. En jij wilt dat ik deze moord oplos.'

'Zo is dat.'

'Het klinkt simpel. Mag ik je vragen waarom? Wie kan het wat schelen na dertig jaar?'

'Mij kan het schelen. Het leger kan het schelen. Er is een moord gepleegd. Er bestaat geen verjaring voor moord.'

'Oké. Je beseft dat de familie van deze luitenant die de dood vond of vermist werd, gelooft dat hij een eervolle dood in een veldslag heeft gevonden. Wat win je ermee als je bewijst dat hij vermoord is? Vind je niet dat zijn familie niet al genoeg geleden heeft?' Ik knikte in de richting van de man bij de Wall.

'Dat is geen overweging,' zei Hellmann geheel in stijl.

'Voor mij wel,' gaf ik hem te kennen.

'Het is niet dat je te veel denkt, Paul, maar je denkt aan de verkeerde dingen.'

'Nee, dat doe ik niet. Ik denk dat er een naam op deze muur staat die je het beste met rust kunt laten.'

'Er loopt een moordenaar vrij rond.'

'Misschien, misschien niet. Voor zover ik weet, is de vermeende moordenaar gedood tijdens een actie. Dat was een smerige tijd, en er bestaat alle kans op dat deze kapitein tijdens een gevechtsactie is gedood.'

'Dan hoort zijn naam niet op deze muur met al die mannen die eervol gestorven zijn.'

'Ik wist dat je dat zou zeggen.'

'Ik wist dat jij het zou begrijpen.'

'Volgens mij hebben we te lang samengewerkt.'

'We hebben goed samengewerkt.'

Dit was nieuw voor mij. Misschien bedoelde hij dat we samen zaken hadden opgelost, wat waar was, ondanks de grote verschillen in onze persoonlijkheden, en het feit dat een van ons een voorstander was van de regels en de andere zeer beslist niet.

We bleven staan bij de drie bronzen beelden van mannen: twee blanken en een zwarte, die een marinier, een legersoldaat en een marineman moesten voorstellen, maar aangezien ze allemaal in gevechtstenue waren gekleed, viel het moeilijk te zeggen wie wat was. Ze staarden naar de Wall alsof ze mijmerden over de namen van de doden, maar op een enge manier leken deze mannen zelf dood.

Karl draaide zich om naar de muur en zei: 'In het begin vond ik die Wall maar niks. Ik gaf de voorkeur aan deze heroïsche bronzen sculpturen omdat de Wall door al zijn abstractheid en metaforische nuances in werkelijkheid alleen maar een enorme grafsteen was, een gemeenschappelijk graf met de naam van iedereen erop. Dat hinderde me. Daarna... daarna accepteerde ik hem. Wat vind jij?'

'Ik denk dat we hem moet accepteren voor wat hij is. Een grafsteen.'

'Voel je je ooit schuldig omdat jij het hebt overleefd?'

'Misschien wel als ik er niet had gezeten. Kunnen we van onderwerp veranderen?'

'Nee. Je hebt een keer tegen me gezegd dat je niets had tegen de mannen die niet hadden gediend. Is dat waar?'

'Nog steeds. Waarom?'

'Je zei dat je kwader was op de mannen die wel naar Vietnam waren gegaan en niet hadden gedaan wat ze hadden moeten doen – mannen die anderen hebben laten zakken, mannen die zich hebben beziggehouden met smerige praktijken zoals verkrachting en roof. Mannen die zonder meer burgers hebben vermoord. Is dat nog steeds zo?'

'Maak je briefing af.'

'Ja. Dus we hebben die kapitein die hoogstwaarschijnlijk een lagere officier heeft vermoord. Ik wil de naam van deze kapitein en de naam van de vermoorde luitenant.'

Ik merkte dat de voor de hand liggende vraag van het waarom – het motief – niet speciaal ter sprake was gekomen. Misschien omdat het motief, zoals in de meeste moordzaken in oorlogstijd, kleingeestig, onlogisch en onbelangrijk was. Maar misschien was het wel de hoofdreden waarom een dertig jaar oude misdaad weer opgegraven werd. En als het zo was, en als Karl het niet ter sprake bracht, zou ik het zeker niet ter sprake brengen. Ik bleef me aan de voor de hand liggende feiten houden en zei: 'Goed, als je je aan de werkelijkheid wilt houden, denk er dan eens aan dat deze kapitein – deze vermoedelijke moordenaar – dat hij, als hij niet tijdens een gevecht is gesneuveld, weleens dood zou kunnen zijn door natuurlijke oorzaken. Het is dertig jaar geleden.'

'Ik leef nog. Jij leeft nog. We moeten erachter zien te komen of híj nog leeft.'

'Goed. Hoe staat het met de getuige? Weten we of híj nog leeft?'

'Nee, dat weten we niet. Maar als hij niet meer leeft, willen we dat ook weten.'

'Wat is de laatste keer dat de getuige nog een teken van leven gaf?'

'8 februari 1968. Dat is de datum op de brief.'

'Ik weet dat de legerpost langzaam is, maar dit is een record.'

'Om eerlijk te zijn, was de getuige geen Amerikaanse soldaat. Hij was soldaat in het Noord-Vietnamese leger en heette Tran Van Vinh. Hij raakte gewond tijdens de slag om Quan Tri en hield zich verscholen in de ruïnes. Hij zag deze twee Amerikanen met elkaar ruziemaken en zag de kapitein zijn pistool trekken en de luitenant doodschieten. In zijn brief, die hij aan zijn broer schreef, noemde hij de moordenaar *dai-uy* – kapitein – en het moordslachtoffer *trung-uy* – luitenant.'

'Er zaten in die tijd mariniers rond Quang Tri. Misschien is dit geen zaak voor het leger.'

Hellmann antwoordde: 'Tran Van Vinh noemde in zijn brief de twee mannen *ky-binh* – cavalerie. Dus klaarblijkelijk heeft hij hun schouderbedekkingen van de Eerste Cavalerie van het Amerikaanse Leger gezien, en hij kende die.

Ik zei: 'De Eerste Cavaleriedivisie, waar ik deel van uitmaakte, bestond uit meer dan twintigduizend man.'

'Dat is zo. Maar het reduceert het.'

Ik dacht een tijdje over alles na en vroeg Karl: 'En jij hebt die brief?'

'Natuurlijk. Daarom zijn we hier.'

'Juist. En de brief was geadresseerd aan de broer van die man. Hoe heb jij hem te pakken gekregen?'

'Op een heel interessante manier. De broer was ook een soldaat van het Noord-Vietnamese leger en heette Tran Quan Lee. De brief werd midden mei van hetzelfde jaar in de A Shau-vallei gevonden op Tran Quan Lee's lichaam door een Amerikaanse soldaat die Victor Ort heet en die hem meenam als souvenir. De brief werd door Ort naar huis gestuurd en lag bijna dertig jaar lang in zijn hutkoffer vol andere oorlogsherinneringen. Nog maar kortgeleden stuurde Ort de brief naar de Vietnam Veteranen van Amerika, hier in Washington. Deze organisatie vraagt zijn leden gevonden en in beslag genomen vijandelijke documenten en bezittingen in te leveren, en om inlichtingen te verschaffen die deze veteranen kunnen hebben over de dode vijand. Deze informatie wordt dan overgedragen aan de Vietnamese regering in Hanoi om de Vietnamezen te helpen achter het lot van hun vermiste soldaten te komen.'

'Waarom?'

'Ze zijn de vijand niet meer. In Saigon hebben ze McDonald's en Kentucky Fried Chicken. In ieder geval willen wij dat zij ons helpen onze vermiste soldaten te vinden. We hebben er nog altijd tweeduizend waar we geen verklaring voor hebben. Zij hebben het ontstellende aantal van driehonderdduizend vermisten.'

'Volgens mij zitten ze allemaal in San Diego.'

'Nee, ze zijn allemaal dood. Ook Tran Quan Lee, die in de A Shau-vallei werd gedood, mogelijk door Mr. Ort, hoewel hij daarover vaag deed.' Hellmann vervolgde: 'Dus deze Amerikaanse veteraan, Victor Ort, stuurde de brief die hij had gevonden naar de Vietnam Veteranen van Amerika, met een briefje over hoe, waar en wanneer hij de brief op het lichaam had gevonden. Als dank aan de mannen die dat soort brieven sturen, liet de VVA de brief vertalen, en wilde net de vertaling naar Ort sturen, toen iemand bij de VVA – een gepensioneerd legerofficier – de vertaling las en besefte dat dit een ooggetuigenverslag was van een moord. Die man nam toen contact met ons op. Een burger zou contact opgenomen hebben met de FBI.'

'Onze geluksdag. En heeft iemand de vertaling naar Mr. Ort gestuurd?'

'Mr. Ort kreeg een vertaling van een liefdesbrief toegestuurd, samen met een bedankje.'

'Oké. En heb jij het origineel van de brief?'

'Ja, en we hebben de authenticiteit ervan laten onderzoeken wat betreft papier en inkt, en we hebben er drie vertalers op gezet. Ze kwamen allemaal met ongeveer dezelfde tekst. Er bestaat geen enkele twijfel dat Tran Van Vinh aan zijn broer, Tran Quan Lee, een moord beschrijft. Het is een heel boeiende en verontrustende brief.' Hij voegde eraan toe: 'Ik zal je er natuurlijk een vertaling van laten zien.'

'Heb ik die nodig?'

Hellmann antwoordde: 'Er staan niet veel meer aanwijzingen in de brief dan wat ik je heb verteld, maar misschien motiveert het je.'

'Om wat te doen?'

'Om de schrijver van de brief te vinden. Tran Van Vinh.'

'En wat zijn de kansen dat Tran Van Vinh nog in leven is? Ik bedoel, echt Karl, die hele generatie Vietnamezen was bijna weggevaagd.'

'Bijna is het woord waar het om gaat.'

'Om maar te zwijgen van een korte natuurlijke levensverwachting.'

'We moeten proberen deze getuige, sergeant Tran Van Vinh, te vinden.' Hellmann voegde eraan toe: 'Helaas zijn er in Vietnam zo ongeveer maar driehonderd familienamen, en de Vietnamese bevolking bestaat uit acht miljoen mensen.'

'Dus je hebt weinig aan een telefoonboek.'

'Ze hebben geen telefoonboeken. Maar we hebben het geluk dat de familienaam van deze man niet Nguyen was. De helft van de Vietnamese families heet Nguyen. Gelukkig is de familienaam Tran niet zo gewoon en de tweede en eerste naam van Van Vinh en Tran Lee reduceert het aantal verder.'

'Heb je een geboorteplaats en geboortedatum?'

'Geen geboortedatum, maar natuurlijk wel zo ongeveer de leeftijd – onze leeftijdsgroep. De envelop was geadresseerd aan een legereenheid en ook stond er de legereenheid van Tran Van Vinh als afzender op. We weten door die twee legeradressen dat deze twee mannen in het Noord-Vietnamese leger zaten en niet bij de plaatselijke Zuid-Vietnamese Vietcong, dus het zijn noorderlingen. Eigenlijk wordt er in de brief wel over hun dorp of gehucht gerept, een plaats die Tam Ki heet, maar dat dorp kunnen we op geen enkele kaart van Vietnam, Noord noch Zuid, vinden. Dat is niet zo ongewoon, zoals je misschien nog weet – de bewoners benoemden hun dorp of gehucht met de ene naam en de officiële kaarten hadden een andere voor dezelfde plaats. Maar daar zijn we mee bezig. Het dorp Tam Ki zal een belangrijke aanwijzing worden in het vinden van deze man, Tran Van Vinh.'

'En als je hem vindt? Wat kan hij je nog vertellen dat hij al niet in de brief heeft gezet?'

'Hij zou mogelijk de moordenaar kunnen herkennen aan de hand van oude pasfoto's van het leger.'

'Na dertig jaar?'

'Het is mogelijk.'

'Goed, heb je verdachten?'

'Op dit moment niet. Maar we zoeken alle legerdossiers door en proberen de namen te vinden van alle kapiteins van de Eerste Cavaleriedivisie van het Amerikaanse leger die in of bij de stad Quang Tri waren op of rond 7 februari 1968. Natuurlijk zoeken we ook naar luitenants van de Eerste Cavalerie die of gedood of vermist werden op dezelfde tijd en plaats. Meer hebben we niet – twee rangen, een kapitein en een luitenant, hun divisie, de Eerste Cavalerie, een plaats, de stad Quang Tri, en de datum, 7 februari 1968, de datum van de moord die in de brief van de daaropvolgende dag werd beschreven.'

Karl en ik liepen weg van de beeldengroepen en ik dacht over alles na. Ik zag waar dit heen ging, maar ik wilde daar niet heen.

Karl vervolgde: 'We kunnen dit nog verder reduceren tot we een lijst van mogelijke verdachten hebben op basis van de legerdossiers. Dan zullen we de FBI vragen al die voormalige kapiteins te ondervragen als ze burger zijn geworden en wij ondervragen degenen die nog steeds in het leger zitten. Tegelijkertijd zijn we op zoek naar deze getuige van een moord. Het klinkt allemaal vergezocht, Paul, maar er zijn met minder aanwijzingen moorden opgelost, zoals je heel goed weet.'

'Wat wil je van me?'

'Ik wil dat je naar Vietnam gaat, Paul.'

'O, ik denk het niet, Karl. Ik ben daar geweest, ik heb het gedaan. Ik heb de medailles om het te bewijzen.'

'Vietnam in januari is werkelijk heel aangenaam, wat het weer betreft.'

'Aruba ook. En daar ga ik volgende week naartoe,' loog ik.

'Een reis terug daarheen zou je weleens goed kunnen doen.'

'Ik dacht het niet. Dat land was toen klote, en is nu klote.'

'Veteranen die zijn teruggekeerd, hebben het over een louterende ervaring.'

'Het is een totalitaire, communistische politiestaat met tweehonderdduizend ton aan niet-geëxplodeerde mijnen, boobytraps en artilleriegranaten die nog overal liggen, en die erop wachten mij op te blazen.'

'Nou, je zult voorzichtig moeten zijn.'

'Ga je met me mee?'

'Natuurlijk niet. Dat land is klote.'

Ik lachte. 'Met alle respect, kolonel, maar je kunt deze zaak iemand anders in zijn maag splitsen.'

'Luister, Paul – we kunnen geen man van de dienst naar Vietnam sturen. Dit is een... nou, onofficieel onderzoek. Je gaat erheen als toerist, een veteraan die terugkeert, zoals duizenden andere mannen...'

'Je bedoelt dat ik geen officiële status of diplomatieke immuniteit krijg?'

'We komen je helpen als je in moeilijkheden zit.'

Ik vroeg: 'Wat voor soort hulp? Het binnensmokkelen van gif in mijn cel?'

'Nee, maar zoiets als iemand van de ambassade die je komt opzoeken als je in de gevangenis zit, plus dat we natuurlijk een officieel protest indienen.'

'Dat is heel geruststellend, maar ik denk niet dat ik de binnenkant van een communistische gevangenis wil zien, Karl. Ik heb twee vrienden die een heleboel jaren in het Hanoi Hilton hebben gezeten. Ze vonden het niet leuk.'

'Als je in aanvaring komt met de autoriteiten, schoppen ze je het land uit.'

'Kan ik hun vertellen dat jij dat hebt gezegd?'

Hellmann gaf geen antwoord.

Ik dacht een ogenblik na en zei: 'Ik neem aan dat de VVA het origineel van deze brief naar Hanoi heeft gestuurd. Als onderdeel van hun humanitaire programma om de Noord-Vietnamezen te helpen achter het lot van hun doden en vermisten te komen. Bijgevolg zal Hanoi de familie van de overleden Tran Quan Lee lokaliseren en zullen ze weten of zijn broer, Tran Van Vinh, nog leeft en waar hij zit. Klopt dat? Dus waarom speel je het niet via de gewone diplomatieke kanalen en laat je Hanoi doen waar ze het beste in zijn – het in het oog houden van haar armzalige burgers.'

Hellmann legde het me uit: 'Om eerlijk te zijn hebben we de VVA gevraagd de brief niet naar Hanoi te sturen.'

Ik wist dat, maar ik vroeg: 'Waarom?'

'Nou... Om een aantal redenen meenden we dat Hanoi op dit moment de brief beter nog niet kon zien.'

'Geef me een van die redenen.'

'Hoe minder zij weten, hoe beter. Hetzelfde geldt voor jou.'

We keken elkaar in de ogen, en ik besefte dat er meer aan vastzat dan alleen maar een moord van dertig jaar geleden. Het moest wel, want anders was dit allemaal flauwekul. Maar ik vroeg niet verder. Ik zei: 'Goed, ik heb al te veel gehoord. Bedankt voor je vertrouwen in mij, maar niet heus.'

'Waar ben je bang voor?'

'Probeer dat niet bij mij, Karl. Ik heb heel vaak voor dit land mijn leven op het spel gezet. Maar dit is mijn leven of het leven van iemand anders niet waard. Het is voorbij. Laat het rusten.'

'Het is een kwestie van gerechtigheid.'

'Dit heeft niets met gerechtigheid te maken. Het is iets anders, en aangezien ik niet weet wat dat is, ga ik niet naar Vietnam om een reden die niemand me vertelt. De laatste twee keer dat ik daar zat, wist ik waarom.'

'We dachten dat we wisten waarom. Ze hebben ons voorgelogen. Nu liegt niemand tegen jou. We vertellen alleen niet waarom. Maar vertrouw me dat dit heel belangrijk is.'

'Dat zeiden ze toen ook.'

'Dat zal ik niet betwisten.'

De zon was bijna onder en er was een koude wind opgestoken. We waren bijna alleen en we stonden allebei zwijgend en in gedachten verzonken. Ten slotte zei Hellmann zacht: 'Het schemert. De schaduwen zijn lang.' Hij keek me aan. 'De schaduwen strekken zich van daar naar hier uit, Paul. Meer kan ik je niet vertellen.'

Ik gaf geen antwoord.

Er verscheen een man, gekleed in een oud legerjasje en met een vechtpet op. Hij was ongeveer van onze leeftijd, maar leek ouder door een volle, grijze baard. Hij zette een bugel aan zijn mond en speelde oude trompetsignalen. Toen de laatste klaaglijke toon wegstierf in de wind, draaide de man zich om naar de Wall, bracht een saluut en liep weg.

Karl en ik bleven nog even hangen en toen zei Hellmann: 'Oké, ik begrijp het. Het zou weleens een beetje riskant kunnen worden en mannen van middelbare leeftijd riskeren hun leven niet voor iets dat weleens dwaas of nutteloos zou kunnen zijn. Om je eerlijk te zeggen, die man Tran Van Vinh is heel waarschijnlijk dood, en zelfs als hij dat niet is, zouden we waarschijnlijk niets aan hem hebben. Kom mee, ik trakteer je op een borrel. We gaan naar die kroeg in Twenty-third Street, die je leuk vindt.'

Zwijgend liepen we door de Mall en Hellmann vroeg: 'Kan ik je dan minstens de brief laten zien?'

'Welke krijg ik te zien? De liefdesbrief of de echte?'

'De vertaling van Tran Van Vinh's brief.'

'Een echte, volledige vertaling?'

Karl gaf geen antwoord.

Ik zei tegen hem: 'Geef me de oorspronkelijke brief in het Vietnamees en ik laat hem vertalen.'

'Dat is niet nodig.'

Ik glimlachte. 'Dus er staat iets in de brief dat niet voor mijn ogen bestemd is. Maar je wilt mijn hulp en je houdt een heleboel achter.'

'Het is voor je eigen bestwil. Alles wat ik niet vertel, is irrelevant voor de missie om Tran Van Vinh te vinden.'

'Het is wel ergens relevant voor, anders zou jij er niet zo melodramatisch over doen.'

Karl zei niets.

Ik vroeg: 'Hoelang geleden heb je die brief van de VVA gekregen?'

'Twee dagen geleden.'

'En ik neem aan dat je met het doorzoeken van de legerdossiers bent begonnen?'

'Ja, maar dat zal een week of twee in beslag nemen. Ook hebben we die brand in de dossieropslag gehad...'

'Karl, die brand in 1973 is gebruikt om meer narigheid te verdoezelen dan enige andere brand in de geschiedenis.'

'Dat kan zijn, maar er ontbréken dossiers. Toch denk ik dat ik met een paar weken op de proppen kan komen met een lijst van kapiteins van de Eerste Cavalerie die misschien op die tijd daar hebben gezeten. De lijst legerluitenants die werkelijk tijdens de slag om Quang Tri om het leven zijn gekomen, op of rond 7 februari, zal veel korter zijn en veel gedetailleerder. Ik kan me niet voorstellen dat er meer dan twee of drie namen op die dodenlijst staan. We veronderstellen dat de kapitein en de luitenant in dezelfde eenheid zaten, waardoor de lijst van mogelijk verdachte kapiteins weer korter wordt. Daarom denk ik dat het niet zo'n blinde gok is.'

Ik antwoordde: 'Nou, misschien dat je met een hoofdverdachte komt, maar je krijgt nooit een veroordeling.'

Karl antwoordde: 'Laten we eerst de getuige en de verdachte vinden en ons daarna pas zorgen maken over de consequenties.'

Ik dacht een tijdje na en zei toen tegen Karl: 'Zoals je al hebt gezegd, zat ik in die tijd daar. En, ter informatie, de stad zelf was een garnizoensplaats van het Zuid-Vietnamese leger, niet van het Amerikaanse leger. Onze jongens lagen om de stad heen. Weet je zeker dat die twee cavalerieofficieren ín de stad waren?'

'De brief geeft dat duidelijk aan. Waarom?'

'Nou, misschien zaten die twee Amerikanen wel bij het Zuid-Vietnamese leger als adviseurs – het Militaire Advies Commando Vietnam. MACV. Juist?'

'Dat is een mogelijkheid.'

'Dus dat reduceert de lijst nog verder. Doe hier eerst wat bureauwerk voor je iemand naar Vietnam stuurt.'

'We willen tegelijkertijd samenvallende onderzoeken.'

'Het is jouw pakkie-an.' Eigenlijk vermoedde ik dat de CID hier al veel langer mee bezig was dan Karl aangaf. Ook vermoedde ik dat de CID de lijst mogelijke verdachten en mogelijke slachtoffers ook al veel kleiner had gemaakt, en misschien hadden ze hun hoofdverdachte al. Maar dat vertelden ze Paul Brenner niet. Wat de CID nu wilde, was dat ik de enige getuige van deze misdaad vond. Ik zei tegen kolonel Hellmann: 'Een interessante zaak en mijn bloedhondinstincten zijn gewekt. Maar ik heb al die airmiles naar Zuidoost-Azië niet nodig. Ik kan wel een paar andere mannen bedenken die heel graag zouden gaan.'

'Geen probleem.' Hellmann veranderde van onderwerp. 'Zie je miss Sunhill nog steeds?'

Ik vind het heerlijk als mensen je dingen vragen die ze al weten. Ik antwoordde: 'Waarom vraag je het haar niet?'

'Om eerlijk te zijn, heb ik dat al gedaan. Ik kreeg min of meer de indruk dat er wat problemen zijn met de relatie, en daarom dacht ik dat je misschien openstond voor een opdracht overzee.'

'Dat doe ik. Aruba. En blijf een beetje buiten mijn persoonlijke leven, alsjeblieft.'

'Miss Sunhill is nog steeds CID en ik, als haar bevelvoerend officier, heb het recht haar bepaalde persoonlijke vragen te stellen.'

'Dat mis ik zo aan het leger.'

Karl negeerde dit en vroeg: 'Tussen haakjes, ben je op zoek naar een burgerbaan als rechercheur?'

'Misschien wel.'

'Ik kan me niet voorstellen dat je niets doet nu je gepensioneerd bent.'

'Ik heb genoeg te doen.'

'Misschien kan ik je helpen met een baan bij de overheid. De FBI neemt veel voormalige CID-mensen aan. Deze buitenlandse opdracht zou heel goed staan op je cv.'

'Om maar te zwijgen van mijn necrologie.'

'Daar zou het ook heel goed in staan.'

Karl maakt niet zoveel grappen, dus uit beleefdheid grinnikte ik.

Ik denk dat dit voor hem een aanmoediging was om door te gaan. Hij zei: 'Heb ik al gezegd dat het ministerie van Defensie je met terugwerkende kracht wil promoveren en je pensioen zal opwaarderen?'

'Bedank ze namens mij.'

'In ruil voor ongeveer twee of drie weken van je tijd?'

'Er zit altijd iets achter.'

Hellmann bleef staan en stak weer een sigaret op. We keken elkaar aan in het licht van een lantaarn. Hellmann blies een rookwolk uit en zei: 'We kunnen iemand anders krijgen, maar jouw naam verscheen als eerste, tweede en derde. Ik heb je nooit om een gunst gevraagd...'

'Natuurlijk wel.'

'En ik heb je uit een paar behoorlijk netelige situaties gehaald, Paul.'

'Waar jij me in hebt gebracht, Karl.'

'De meeste waren je eigen schuld. Wees eerlijk tegen jezelf.'

'Het is koud hier. Ik wil wat drinken. Jij rookt te veel.' Ik draaide me om en liep weg.

Einde gesprek. Einde Karl. Ik bleef doorlopen, en stelde me Karl voor in het lantaarnlicht, terwijl hij zijn sigaret rookte en me nakeek. Nou, een van de kwaden was opgelost.

Om de een of andere reden ging ik langzamer lopen. Mijn verkilde hersenen vulden zich plotseling met allerlei gedachten. Cynthia was er natuurlijk één van. Schrijf een vervolg op je leven, Paul. Werd ik erin geluisd, of hoe zat het?

Natuurlijk moest ik iets doen om de sappen weer te laten stromen. Maar ik kon me niet voorstellen dat Cynthia zou willen dat ik mijn leven op het spel zette om onze relatie wat op te krikken. Waarschijnlijk wist ze niet precies wat Karl van plan was.

Onder het lopen dacht ik aan mijn lievelingsonderwerp – mezelf. Wat was het beste voor Paul Brenner? Plotseling kreeg ik dit beeld voor ogen dat ik naar Vietnam ging en terugkeerde als een held; dat was de laatste twee keren niet gebeurd, maar misschien gebeurde het deze keer wel. Toen kreeg ik dat andere beeld: dat ik naar huis kwam in een kist.

Ik bereikte een lichtcirkel onder een lantaarnpaal en bleef staan. Ik draaide me om naar Karl Hellmann. We keken naar elkaar door de duisternis, allebei gevangen in een plas licht. Ik riep naar hem: 'Heb ik ook contactpersonen in Vietnam?'

'Natuurlijk,' riep hij terug. 'Je hebt een contact in Saigon en een in Hanoi. Plus dat er misschien iemand in Hué is die kan helpen. De missie is rond. Er ontbreekt alleen nog iemand die hem uitvoert.'

'Hoelang zal die iemand nodig hebben om hem uit te voeren?'

'Je hebt een toeristenvisum voor eenentwintig dagen. Langer zou verdacht zijn. Met een beetje geluk ben je eerder thuis.'

'Met pech ben ik zelfs nog eerder thuis.'

'Denk positief. Je moet succes voor ogen houden.'

Om eerlijk te zijn maakte ik me een voorstelling van een heleboel mensen die ter ere van mij waren samengekomen, en iedereen die whisky dronk: een feestje ter ere van mijn thuiskomst, of een Ierse dodenwake.

Ik vind gevaarlijke opdrachten niet erg. Ooit waren die mijn drijfveer. Maar het ging om Vietnam... het idee dat ik aan mijn noodlot was ontsnapt en dat het noodlot me bleef achtervolgen. Het was eng.

Ik vroeg Karl: 'Als ik het deze keer niet haal, krijg ik dan mijn naam op de Wall?'

'Ik zal dat nakijken. Maar denk positief.'

'Weet je zeker dat je niet mee wilt?'

'Ik ben positief.'

We lachten allebei.

'Wanneer vertrek ik?'

'Morgenochtend. Wees om achthonderd uur op Dulles. Ik zal je per e-mail laten weten wie je op het vliegveld treft.'

'Mijn eigen paspoort?'

'Ja. We willen weinig dekmantel. Jouw vriend op het vliegveld heeft je visum, tickets en hotelreserveringen, geld, en een paar andere dingen die je in je geheugen moet opslaan. Je moet daar blanco naar binnen.'

'Dat is alles?'

'Dat is alles. Kan ik je een borrel aanbieden?'

'Als ik terugkom. Tot ziens.'

Karl zei: 'O, nog één ding. Ik neem aan dat je Cynthia wilt laten weten dat je weggaat. Hou het zo oppervlakkig mogelijk. Wil je dat ik met haar praat als je eenmaal weg bent?'

'Bedoel je verdwenen, dood, of op weg naar Azië?'

'Ik zal met haar praten als je bent opgestegen.'

Ik gaf geen antwoord.

Karl zei: 'Nou, veel geluk dan en bedankt.'

Als we dichter bij elkaar waren geweest, zouden we elkaar een hand hebben gegeven, maar nu salueerden we halfbakken met een hand tegen het hoofd. We draaiden ons om en liepen van elkaar weg.

3

Na mijn ontmoeting met Karl nam ik thuis een paar borrels, alleen, stuurde vervolgens een e-mail naar Cynthia. Je moet nooit drinken als je toegang hebt tot welke vorm van communicatie ook – e-mail, mobiel, telefoon of fax. Ik draaide mijn bericht aan haar uit en deed het in mijn weekendtas met de bedoeling het de volgende ochtend te herlezen om te zien hoe dronken ik was geweest. Ik wiste het bericht op mijn computer voor het geval Interne Veiligheid van CID de volgende mensen waren die mijn computer in gingen.

Er was een e-mail van Karl met instructies voor mijn rendez-vous, zoals hij had beloofd. Zijn kortere bericht eindigde met 'Nogmaals bedankt. Veel geluk. Tot later.'

Ik zag dat hij geen telefoontje of e-mail terug verwachtte. Eigenlijk viel er niets meer te zeggen. Ik wiste zijn boodschap.

Ik liet een briefje achter voor mijn huishoudster om haar te laten weten dat ik voor ongeveer drie weken weg zou zijn en om te vragen of ze voor alles wilde zorgen. Ik ruimde wat op voor het geval dat de CID vóór de huishoudster arriveerde op zoek naar gevoelig materiaal dat achtergelaten kon zijn door de overledene. Ik ruim altijd op; ik wil herinnerd worden als een man die niet zijn vuile onderbroeken op de grond achterliet.

De volgende ochtend om 7 uur controleerde ik mijn e-mail, maar er was geen antwoord van Cynthia op het bericht van de avond ervoor. Misschien had ze haar mail nog niet gelezen.

Buiten klonk een claxon, en ik pakte mijn kleine koffer en weekendtas en ging naar buiten, de koude, donkere ochtend in, zonder overjas, zoals Karl me had gezegd. In Saigon was het zevenentwintig graden en zonnig, volgens de efficiënte Herr Hellmann.

Ik stapte in de wachtende taxi, wenste de chauffeur goedemorgen, en we gingen op weg naar Dulles Airport; op deze tijd van de ochtend een halfuur rijden. Normaal zou ik zelf naar Dulles zijn gereden, maar deze reis kon weleens te lang duren voor de parkeerplaats voor langparkeerders.

Het was een mistroostige dag, wat misschien de reden was voor mijn morbide gedachten.

Ik herinnerde me een soortgelijke vroege rit naar het vliegveld, jaren geleden. Het vliegveld was Logan van Boston en de chauffeur was mijn vader in zijn Chevy uit 1956. Die was daarna een klassieker geworden, maar destijds was het een oude brik.

Mijn dertig dagen verlof voordat ik naar Vietnam zou gaan waren voorbij en het was tijd geworden om naar San Francisco te vliegen, en van daaruit verder naar het westen.

We hadden ma thuisgelaten, huilend, te zeer van streek om zelfs roereieren te maken. Mijn broers sliepen.

Pa was nogal stil tijdens de rit, en pas jaren later dacht ik eraan wat hij moest hebben gedacht. Ik vroeg me af hoe zíjn vader hem uitgeleide had gedaan naar de oorlog.

We waren op het vliegveld aangekomen, hadden geparkeerd en liepen samen naar de vertrekhal. Daar waren veel jongens in uniform met plunjezakken en weekendtassen, een heleboel vaders en moeders, vrouwen en misschien vriendinnen, en zelfs kinderen, waarschijnlijk broertjes en zusjes.

Onberispelijk geklede militaire politie liep in paren door de hal, een heel ander gezicht dan een jaar eerder. Het thuisfront is in een tijd van oorlog een studie van uitersten: verdriet en vreugde, scheidingen en herenigingen, vaderlandsliefde en cynisme, parades en begrafenissen.

Ik vloog met Eastern Air Lines naar San Francisco en stapte op de aansluitende vlucht, die voornamelijk gevuld was met soldaten, matrozen en mensen van de luchtmacht, en een paar burgers die zich niet zo op hun gemak voelden op dezelfde vlucht.

Mijn vader wilde wachten, maar het leek alsof de meeste familieleden waren vertrokken, dus ik praatte het hem uit zijn hoofd. Hij pakte mijn hand en zei: 'Kom terug, jongen.'

Even dacht ik dat hij bedoelde met hem mee terug te gaan en die flauwekul te vergeten. Toen besefte ik dat hij bedoelde levend terug te komen. Ik keek hem in de ogen en zei: 'Dat zal ik doen. Zorg voor ma.'

'Ja. Veel geluk, Paul.' En hij was weg. Een paar minuten later ving ik een glimp van hem op terwijl hij door de glazen deuren naar me stond te kijken. We maakten oogcontact, hij draaide zich om en was weer verdwenen.

Ik checkte in bij de balie en liep naar de uitgang, waar ik ontdekte dat alle families daar naartoe waren gegaan. In die tijd kon je doorlopen tot de uitgang om mensen uit te wuiven. Ik dacht dat mijn vader misschien zou terugkomen, of zelfs mijn vriendin, Peggy, die ik had bezworen niet naar het vliegveld te komen. Ik besefte dat ik haar eigenlijk nog een keer had willen zien.

Ondanks het enorme aantal jongens van mijn leeftijd uit dezelfde buurt van Boston, zag ik niemand die ik kende. Dit was het begin van het jaar dat ik uitkeek naar bekende gezichten en die soms meende te herkennen in andere mensen.

Dus ik stond daar in mijn eentje terwijl mensen om me heen zwegen, zacht spraken of zacht huilden. Ik had nog nooit zoveel mensen zo weinig geluid horen maken.

Aan de rand van de menigte stond een aantal MP's te letten op tekenen van problemen onder de jongemannen die op het punt stonden ingescheept te worden naar de oorlog.

Terugblikkend had dat hele beeld me onrustig gemaakt: de MP's, de voornamelijk onwillige soldaten, de stille familieleden; met een totale som van dit heel on-Amerikaanse gevoel van regeringstoezicht en dwang. Maar het was oorlogstijd – hoewel niet de oorlog van mijn vader, die zo'n beetje de populairste oorlog ooit was – en in oorlogstijd wordt zelfs de goedaardigste regering wel een beetje dwingerig.

Dit was november 1967, en de anti-oorlogsbeweging draaide nog niet op volle toeren, waardoor er geen protesteerders of demonstranten bij Logan waren, hoewel er wel een groepje was toen we in San Francisco aankwamen, en een heleboel van hen later bij de legerbasis in Oakland, die de soldaten toeriepen niet te gaan, of beter nog 'to make love, not war'.

Wat dat onderwerp betreft: mijn schoolvriendinnetje, Peggy Walsh, was een knappe, maar zeer ingetogen jongedame die op zaterdag ging biechten en 's zondags ter communie ging; tijdens een dans in de gymnastiekzaal van St. Brigid's High School moesten we allemaal onze rechterhand opsteken, terwijl pastoor Bennett ons voorging in het afzweren van satan, verleiding en de zonden van het vlees.

De kans dat Peggy en ik in vredestijd ooit seks zouden hebben, was ongeveer net zo groot als dat mijn vader de Ierse Sweepstakes zou winnen.

Ik moest glimlachen door die gedachte en keerde terug naar het heden. De taxi vorderde goed, net zoals mijn vader zoveel jaren geleden had gedaan. Ik herinnerde me dat ik toen dacht: *als je naar de oorlog gaat, waarom dan zo'n haast?*

Ik sloot mij ogen en liet mijn gedachten teruggaan naar de maanden voordat ik stond te wachten om aan boord te gaan van het vliegtuig op Logan.

Toen ik in het leger kwam, was ik nog maagd, maar tijdens mijn verdere militaire scholing in Fort Hale ontdekten een paar avontuurlijke maatjes uit de kazerne en ik de jongedames van de katoenfabrieken – vlokkenkoppen noemden we ze, omdat ze katoenplukken in hun haar hadden zitten door het werken in die helse fabrieken, wat voor werk ze dan ook deden. Het uurloon was slecht, maar door de oorlog konden ze veel uren maken. Er bestond echter een betere manier om meer geld te verdienen met minder werk. De meisjes waren geen prostituees en ze zorgden er wel voor dat je dat begreep; zij waren fabrieksarbeidsters, patriottische jonge vrouwen, en ze vroegen twintig dollar. Ik verdiende ongeveer vijfentachtig dollar per maand, dus die deal was niet zo goed als hij klonk.

In ieder geval bracht ik al mijn vrije zondagmiddagen door in een goedkoop hotel, waar ik goedkope wijn dronk en katoen plukte uit het haar van een meisje dat Jenny heette en dat haar ouders had verteld dat ze dubbele diensten in de fabriek draaide. Ze had ook een vriend, een jongen uit de buurt, die klonk als een totale minkukel.

Natuurlijk raakte ik verliefd op Jenny, maar een paar dingen werkten tegen de relatie, zoals de tachtig uur per week training die ik volgde, haar werkweek van zestig uur, onze slecht betaalde banen, ik die altijd blut was (omdat ik haar die twintig dollar per wip betaalde), haar andere afspraakjes, waardoor ik een beetje jaloers werd, mijn aanstaande vertrek naar Vietnam, en niet in de laatste plaats haar enorme afkeer van yankees en haar liefde voor haar minkukelige vriendje.

Buiten die dingen denk ik dat we het wel hadden kunnen proberen.

En dan had je natuurlijk Peggy, die erop stond dat onze liefde puur bleef. Met andere woorden: er werd niet gewipt. Maar omdat ik de verboden geneugten van het vlees had ontdekt, raakte ik erdoor geobsedeerd Peggy te laten zien wat Jenny me had geleerd.

Dus na de opleiding tot infanterist en parachutist, terug in Boston voor mijn verlof van dertig dagen voor mijn vertrek naar Vietnam, bewerkte ik Peggy dag en nacht.

Waar het op neerkwam, was dat ik door de opleiding wel wist hoe je een sterk verdedigde heuvel moest bestormen, maar dat het bestormen van de verdediging van Peggy Walsh' maagdelijkheid moeilijker was.

In een stompzinnig moment van eerlijkheid vertelde ik haar over Jenny. Peggy was echt nijdig, maar had ook haar eigen hormonen aan het werk, dus in plaats van mij de bons te geven, schonk ze me vergiffenis tegelijk met een stomp in mijn gezicht.

Ze liet me weten dat ze begreep dat mannen hun dierlijke lusten niet in bedwang konden houden, en erkende het feit dat ik op het punt stond naar Vietnam verscheept te worden en dat de mogelijkheid bestond dat ik nooit meer terug zou komen, of dat mijn pik eraf geschoten zou worden, of zoiets.

En dus werden de laatste zeven dagen van mijn verlof, terwijl haar ouders weg waren, de intieme uren met Peggy doorgebracht op haar slaapkamer. Ik was verrast – eigenlijk geschokt – te ontdekken dat Peggy Walsh ongeveer tien keer zo geil was als Jenny, van wie ik de achternaam nooit heb geweten. En nog beter was, dat ik geen vlokken uit Peggy's haar hoefde te plukken.

Terug naar het heden. Ik zag de taxichauffeur in zijn achteruitkijkspiegel naar me kijken. Hij vroeg me: 'Welke maatschappij?'

Ik keek uit het raampje en zag dat we op Dulles waren. Ik antwoordde: 'Asiana.'

'Waar ga je naartoe?'

'Vietnam.'

'Ja? Ik dacht dat je naar een leuk oord ging. Ik zag je glimlachen.'

'Ik kom net terug uit een leuk oord.'

Volgens de instructies per e-mail van Herr Hellmann ging ik direct naar de lounge van Asiana Airlines, die de Morning Calm Club heette.

Ik werd binnen gezoemd en toonde, zoals me was gezegd, mijn paspoort aan de knappe Oost-Aziatische dame achter de balie, die volgens haar naamplaatje Rita Chang heette. Gewoonlijk moet je clublid zijn, of moet je tickets voor de First of Business Class laten zien om de lounge van een maatschappij te mogen gebruiken, maar miss Chang keek in mijn paspoort en zei: 'O, ja, Mr. Brenner. Vergaderruimte B.'

Ik ging naar de garderobe en liet daar mijn koffer achter, bekeek mezelf vervolgens in een lange staande spiegel en kamde mijn haar. Ik droeg een kakibroek, een fantasieloos blauw hemd zonder das, een blauw sportjasje en instappers; volgens Karl de gepaste reiskleding voor Business Class en om in te checken in het Rex Hotel in Saigon.

Ik pakte mijn tas, liep naar de lounge en schonk voor mezelf een koffie in. Er stond een ontbijtbuffet met onder andere rijst, inktvis, zeewier en gezouten vis, maar geen chili. Ik pakte drie zakjes zoute pinda's en stak die in mijn zak.

Ik ging naar vergaderruimte B, die een kleine, met panelen afgezette ruimte was met een ronde tafel en stoelen. Het vertrek was leeg.

Ik zette mijn tas neer, ging zitten en nipte van mijn zwarte koffie. Ik maakte een zakje nootjes open, deed er een paar in mijn mond en wachtte op wie er ook mocht komen.

Ik was er duidelijk op vooruitgegaan in het leven sinds mijn laatste vertrek naar Vietnam, maar wat ik in mijn ingewanden voelde was niet veel anders.

Ik dacht weer aan Peggy Walsh.

Ze had erop gestaan dat ik zou gaan biechten voor ik vertrok naar Vietnam. Nou, ik had liever weer een klap op mijn kaken gekregen van Peggy Walsh, dan de gramschrap van pastoor Bennett over me heen te krijgen als hij me hoorde vertellen dat ik zijn op een na meest favoriete maagd had liggen naaien.

Ach wat, ik moest absolutie hebben, dus ik ging zaterdag met Peggy naar de biecht in St. Brigid's. Godzijdank was pastoor Bennett die dag niet een van de biechtvaders. Peggy ging één biechtstoel in, ik een andere. Ik kan me de naam van de priester niet meer herinneren, en ik kende hem niet, maar hij klonk jong achter het zwarte scherm. Hoe dan ook, ik begon rustig, met dingen als liegen en vloeken, kwam toen toe aan waar het om ging. Hij ging niet volledig door het lint, maar hij was ook niet echt gelukkig met me. Hij vroeg me wie de jongedame was en ik vertelde hem dat het Sheila O'Connor was, die ik altijd al had willen naaien, maar nooit had gedaan. Sheila had toch al een woeste reputatie, dus ik voelde me niet al te slecht dat ik haar noemde in plaats van Peggy. Ik ben een echte heer.

De priester wilde me waarschijnlijk ongeveer zo'n honderdduizend weesgegroetjes en onzevaders opleggen, maar ik zei tegen hem: 'Eerwaarde, ik vertrek over twee dagen naar Vietnam.'

Er volgde een lange stilte, toen zei hij: 'Zeg een weesgegroetje en een onzevader als boetedoening. Veel geluk, mijn zoon, en moge God je zegenen. Ik zal voor je bidden.'

Ik liep naar de communiebank, blij dat ik er zo makkelijk vanaf gekomen was, maar halverwege mijn weesgegroetje, besefte ik dat het zeggen dat je naar Vietnam ging, net zoiets was als zeggen: 'Eerwaarde vader, ontferm u over mij', en de koude rillingen liepen over mijn rug.

De arme Peggy was ongeveer een uur op haar knieën de rozenkrans aan het bidden, terwijl ik een bal overgooide met een paar jongens op het schoolplein van St. Brigid's High School.

Daarna zwoeren we dat we het jaar dat ik weg was seksueel trouw zouden blijven. Er werden dat jaar waarschijnlijk wel een half miljoen van die eden gezworen tussen scheidende stelletjes en misschien zijn een paar van die beloftes wel nagekomen.

Peggy en ik spraken erover te trouwen voordat ik ingescheept werd, maar ze had haar maagdelijkheid zo lang verdedigd dat het, tegen de tijd dat ik erachter kwam dat ze er wel soep van lustte, te laat was om nog een ambtelijke toestemming te krijgen.

In ieder geval waren we onofficieel verloofd en ik hoopte dat ze officieel niet in verwachting was.

Dit verhaal had een gelukkige afloop kunnen hebben, denk ik, omdat we elkaar regelmatig schreven, zij thuisbleef en werkte in de kleine ijzerwinkel van haar vader waar haar moeder ook werkte. Belangrijker was dat ze zich niet tegen de oorlog afzette, zoals het grootste deel van het land in 1968, en haar brieven stonden dan ook vol patriottische en positieve gevoelens ten aanzien van de oorlog, die ikzelf niet deelde.

Ik kwam thuis in één stuk, klaar om het weer op te pakken waar ik het had laten liggen. Ik had dertig dagen verlof en verheugde me op elke minuut ervan.

Maar tijdens mijn afwezigheid was er iets veranderd. Het land was veranderd, mijn vrienden zaten of in militaire dienst, of waren naar de universiteit, of waren er niet in geïnteresseerd om te praten met terugkerende soldaten. Zelfs Boston-Zuid, bolwerk van het arbeiderspatriottisme, was net zo verdeeld als de rest van het land.

Om eerlijk te zijn zat de grootste verandering in mij en ik kreeg mijn hoofd niet op orde tijdens mijn lange verlof.

Peggy had op de een of andere manier haar maagdelijkheid weer teruggekregen en weigerde seks te hebben voordat we getrouwd waren. Dit in een tijd dat mensen zich helemaal te pletter neukten met wildvreemden.

Peggy Walsh was nog net zo knap en heerlijk als altijd, maar Paul Brenner was koud, afstandelijk en verward geworden. Ik wist het en zij wist het. In werkelijkheid zei ze iets tegen mij dat ik nooit ben vergeten. Ze zei: 'Jij bent net zo geworden als de anderen die zijn teruggekomen.' Vertaling: *Jij bent dood. Waarom loop je dan nog?*

Ik vertelde haar dat ik gewoon nog wat tijd nodig had, en we besloten het nog een halfjaar aan te zien tot ik uit het leger kwam. Ze schreef me in Fort Hadley, maar ik schreef niet terug, en haar brieven hielden op met komen.

Toen mijn tijd in het leger erop zat, nam ik de noodlottige beslissing bij te tekenen voor drie jaar, die uiteindelijk bijna dertig jaar zouden worden. Ik heb er geen spijt van, maar vaak vraag ik me af hoe mijn leven gelopen zou zijn als er geen oorlog was geweest en als ik met Peggy Walsh was getrouwd.

Peggy en ik hebben elkaar nooit meer gezien en ik hoorde van vrienden dat ze was getrouwd met een jongen uit de buurt die een rugbybeurs had gekregen voor de staat Iowa. Om de een of andere reden gingen ze daar wonen, twee kinderen uit Boston, midden in het niemandsland, en ik hoop dat ze een goed leven hebben gekregen. Klaarblijkelijk denk ik zo nu en dan nog aan haar. Vooral nu, nu ik op het punt stond terug te keren naar het land dat ons uit elkaar had gedreven en dat ons leven had veranderd.

Mijn contactpersoon was nog steeds niet verschenen en ik had mijn koffie en al twee zakjes pinda's op. De wandklok gaf tien over acht aan. Ik overwoog deze keer te doen wat ik de vorige keer had moeten doen: als de sodemieter van het vliegveld weg en terug naar huis.

Maar ik bleef daar zitten en dacht aan van alles: aan Vietnam, Peggy Walsh, Vietnam, Cynthia Sunhill.

Ik haalde mijn e-mail aan Cynthia uit mijn tas en begon te lezen:

Lieve Cynthia,
Zoals Karl je heeft gezegd, heb ik een opdracht in Zuidoost-Azië aangenomen. Ik zal over twee of drie weken terug zijn. Natuurlijk bestaat er de mogelijkheid dat ik misschien wat moeilijkheden tegenkom. Als het zo is, is het belangrijk dat je weet dat het mijn beslissing was om deze opdracht aan te nemen en dat het niets met jou te maken had; het heeft met mij te maken.
Wat ons betreft, dit is wat je noemt een stormachtige relatie, al sinds de eerste dag in Brussel. Eigenlijk spannen noodlot, werk en leven samen om ons uit elkaar te houden en te verhinderen dat we elkaar echt beter leren kennen.
Hier volgt een plan om ons bij elkaar te brengen, om elkaar halverwege tegemoet te komen, letterlijk en figuurlijk. Tijdens de oorlog namen de alleenstaande jongens hun verlof van een week om wat bij te komen in exotische oorden waar ze zich een beetje konden ontspannen. De getrouwde mannen en de mannen die een serieuze relatie hadden, troffen hun dames in Honolulu. Dus kom vandaag over eenentwintig dagen naar Honolulu, naar het Royal Hawaiian Hotel, en daar zijn reserveringen onder allebei onze namen. Plan een periode van twee weken relaxen op een van de afgelegen eilanden.
Als je besluit niet te komen, begrijp ik het, en weet ik dat je een be-

*slissing hebt genomen. Beantwoord dit alsjeblieft niet, kom ge-
woon, of kom niet.
Liefs,
Paul*

Nou, dat was niet al te pijnlijk slordig en sentimenteel, en ik had er
geen spijt van dat ik hem had verstuurd. Het was helemaal goed ge-
speld, wat zeldzaam was voor een e-mail.

Over deze ochtend heb ik gezegd dat er geen antwoord was gekomen, en dat kon inhouden dat ze haar e-mail niet had geopend of dat ze
me letterlijk had genomen toen ik schreef *Beantwoord dit alsjeblieft
niet*, net zoals Peggy Walsh mij letterlijk had genomen toen ik haar zei
niet naar het vliegveld te komen.

De deur ging open en een goedgeklede man van ongeveer mijn leeftijd kwam binnen, met twee koppen koffie en een plastic zak uit een
cadeauwinkel. Hij zette de zak en de koffie op tafel, stak zijn hand uit
en zei: 'Hallo, ik ben Doug Conway. Sorry dat ik laat ben.'

'Het spijt me dat je hier überhaupt bent.'

Doug Conway glimlachte en ging tegenover me zitten. 'Hier, deze
koffie is voor jou. Zwart, toch?'

'Bedankt. Wil je pinda's?'

'Ik heb ontbeten. In de eerste plaats is me opgedragen je te bedanken dat je deze opdracht hebt aangenomen.'

'Wie bedankt me?'

'Iedereen. Verder is het niet belangrijk.'

Ik nipte van de koffie en bestudeerde Mr. Conway. Hij zag er snug
ger uit en klonk tot dusver ter zake. Hij droeg een donkerblauw pak
met een zachtblauwe das, en zag er min of meer eerlijk uit, waardoor
hij dus geen CIA was. Ook herken ik de CID op een kilometer afstand,
en dat was hij ook niet, dus ik vroeg: 'FBI'?'

'Ja. Deze zaak zal, als hij opgelost wordt, een binnenlandse aangelegenheid worden. Geen CIA erbij, geen militaire geheime dienst, geen
geheime dienst van Buitenlandse Zaken. Alleen maar FBI en de CID van
het leger. Het klinkt als een moord, dus we behandelen het als moord.'

Nou, hij zág er eerlijk uit, maar hij was het niet. Ik vroeg hem: 'Is
iemand van de ambassade in Hanoi van mijn aanwezigheid op de
hoogte?'

'We hebben besloten die informatie beperkt te leveren.'

'Aan wie?'

'Aan degenen die het moeten weten, en dat is bijna niemand. De
mensen van de ambassade en het consulaat zijn net zo bruikbaar als

uiers aan een stier. Ik heb dit niet gezegd. Maar gelukkig hebben we een FBI-man in de ambassade van Hanoi, die daar is aangesteld om de Vietnamese politie te instrueren over de drugshandel. Hij heet John Eagan en hij is op de hoogte gesteld van jouw komst. Hij is jouw man als je in de problemen komt en contact moet opnemen met de Amerikaanse ambassade.'

'Waarom gaat John Eagan die man niet zoeken die ik moet vinden?'

'Hij is bezig met de voorlichting. Bovendien kan hij minder rondreizen dan een toerist.'

'En ook wil je in deze zaak geen directe betrokkenheid van de Amerikaanse regering. Klopt dat?'

Mr. Conway gaf natuurlijk geen antwoord. In plaats daarvan zei hij: 'Heb je nog vragen voordat ik met mijn briefing begin?'

'Ik dacht dat ik er net een had gesteld.'

'Oké, dan zal ik beginnen. Ten eerste: jouw missie is duidelijk, maar niet eenvoudig. Je moet een Vietnamees zien te lokaliseren die Tran Van Vinh heet – dat weet je. Hij was ooggetuige van een mogelijke moordzaak.'

Mr. Conway ging een tijdje zo door, op de manier van de FBI, alsof het een van die moorden was die gewoon moesten worden aangepakt om kant-en-klaar aan het Amerikaanse OM over te dragen. Ik nipte van mijn koffie en maakte mijn laatste zakje pinda's open.

Ik onderbrak zijn officiële geneuzel en zei: 'Oké. Dus ik vind Tran Van Vinh en ik vertel hem dat hij een volledig betaalde reis naar Washington, D.C. heeft gewonnen. Toch?'

'Nou... ik weet het niet.'

'Nou, ik ook niet. Wat wil je dat ik met die man doe als ik hem levend vind?'

'Dat weten we nog niet. Ondertussen proberen we met een paar mogelijke verdachten en/of het mogelijk moordslachtoffer op de proppen te komen. Als dat zo is, sturen we foto's naar je toe van die mannen uit de tijd dat ze in het leger zaten. Als dat gebeurt en als je Tran vindt, laat je hem die reeks foto's zien – net zoals in elke criminele zaak, en kijk je of hij de vermoedelijke dader en/of slachtoffer kan identificeren.'

'Ja, ik denk dat ik dat wel een paar duizend keer heb gedaan. Maar mijn Vietnamees is een beetje gaan roesten.'

'Je kunt overal een tolk huren.'

'Goed. Waarom neem ik geen videocamera of bandrecorder mee?'

'Daar hebben we aan gedacht. Maar soms geeft dat problemen aan de grens. Misschien dat we jouw contact in Saigon je een videocamera of bandrecorder kunnen laten bezorgen. Heb je een gewone camera bij je?'

'Ja, zoals me geïnstrueerd is. Ik ben een toerist. Hoe staat het met een internationaal mobieltje?'

'Hetzelfde probleem. Ze zijn heel paranoïde op het vliegveld, en als ze je bagage doorzoeken en dat soort dingen vinden, worden ze nieuwsgierig. Visum of geen visum, ze kunnen je zo laten omkeren en bijna zonder enige reden het land uitschoppen. We hebben je ín het land nodig.'

'Goed.'

'Maar misschien kunnen we een mobiel leveren in Saigon. Hou er echter rekening mee dat hun mobiele systeem heel primitief is en dat ze meer dode zones hebben dan een begraafplaats.'

'Goed, dus als je besluit dat je die man in Washington wilt hebben, wat dan?'

'We zouden naar de Vietnamese regering kunnen stappen en de situatie uitleggen. Die werken wel mee.'

'Als je nu hun medewerking niet wilt hebben bij het vinden van deze man, waarom denk je dan dat ze wel zullen meewerken als je hun hebt verteld dat je in hun politiestaatje hebt rondgeneusd en een van hun burgers hebt gevonden die je nodig hebt voor een moordzaak?'

Doug Conway keek me een ogenblik aan en zei: 'Karl had gelijk over jou.'

'Karl heeft gelijk over alles. Geef alsjeblieft antwoord op mijn vraag.'

Conway roerde een tijdje in zijn koffie en zei: 'Goed, Mr. Brenner, hier is het antwoord op je vragen, gisteren, vandaag en morgen. Het antwoord is: we verkopen je lulkoek. Jij weet dat, wij weten dat. Elke keer dat we je lulkoek verkopen, vind jij er een inconsistentie in, dus je stelt een volgende vraag. Dan verkopen we je nog meer lulkoek, en jij hebt meer vragen over de nieuwe lulkoek. Dit is echt irritant en het kost tijd. Dus ik vertel je nu een paar dingen die geen lulkoek zijn. Klaar?'

Ik knikte.

'Eén: dit is meer dan alleen maar een moord van dertig jaar geleden, maar dat weet je. Twee: het is voor je eigen bestwil dat je niet weet waar het om gaat. Drie: het is werkelijk heel belangrijk voor ons land. Vier: we hebben je nodig omdat je goed bent, maar ook omdat jij, als je in moeilijkheden komt, niet voor de regering werkt. En als je daar gepakt wordt, weet je niets, en dat vertel je hun, omdat het waar is. Hou je gewoon aan je verhaal – je bent op een nostalgische trip naar Vietnam. Oké? Wil je nog altijd gaan?'

'Ik heb nooit willen gaan.'

'Hé, ik neem het je niet kwalijk. Maar jij weet dat je gaat en ik weet dat je gaat. Op dit moment heb je genoeg van je pensioen, je hebt een diep ingeworteld plichtsgevoel, en je houdt van gevaarlijk leven. Ooit was je infanterist, je bent gedecoreerd wegens dapperheid, daarna werd je agent bij de militaire politie, vervolgens agent bij de criminele recherche. Je bent nooit boekhouder of dameskapper geweest. En hier praat je met mij. Daardoor weten we allebei dat je deze ochtend niet naar huis gaat.'

'Zijn we klaar met dat psychologisch geleuter?'

'Natuurlijk. Goed, ik heb je tickets, Asiana Airlines naar Seoel, in Korea, daarna Vietnam Airlines naar Ho Tsji Minh-stad, voor ons, oude knarren beter bekend als Saigon. Je bent geboekt in het Rex Hotel – duur, maar Saigon is goedkoop, dus het is te betalen voor Mr. Paul Brenner, gepensioneerd onderluitenant.'

Conway haalde een vel papier uit de plastic zak en zei tegen me: 'Dit is je visum, dat we hebben losgekregen van de Vietnamese ambassade met een geautoriseerde kopie van je paspoort dat Buitenlandse Zaken zo vriendelijk was ons te leveren.' Hij gaf me een vel goedkoop papier dat bedrukt was met rode inkt, en ik keek er even naar.

'En hier is een nieuw paspoort, een exacte kopie van dat van jou en dat je me nu zult geven. In dit paspoort staat het stempel van de Vietnamese ambassade waarmee je het land in komt, en de andere pagina's zijn leeg omdat de Vietnamezen wantrouwig worden door mensen die te veel stempels in hun paspoort hebben staan, zoals jij.'

Hij gaf me mijn nieuwe paspoort en ik gaf Conway mijn oude. Ik keek in het paspoort dat hij me had gegeven. Ik merkte dat zelfs de foto dezelfde was als mijn oude, en een ervaren FBI-vervalser was zo vriendelijk geweest het voor mij te tekenen. 'Het is verbazend dat het jullie is gelukt een kopie van mijn paspoort te laten maken, het te gebruiken om ermee bij de Vietnamese ambassade een visum te krijgen, en alles klaar te hebben in minder dan twaalf uur nadat ik wist van deze opdracht.'

'Het is verbazend,' beaamde Mr. Conway. Hij gaf me een potlood en zei: 'Vul de persoon in met wie contact moet worden opgenomen indien er iets gebeurt, zoals je die in je oude paspoort hebt staan – je advocaat, meen ik.'

'Juist.' Eigenlijk een CID-advocaat, maar waarom zou ik dat noemen? Ik vulde de informatie in, gaf hem zijn potlood terug en stak het paspoort in mijn borstzakje.

Mr. Conway zei: 'Maak een paar fotokopieën van je paspoort en visum als je in Seoel bent. In Vietnam wil iedereen je paspoort en visum vasthouden – hotels, scooterverhuurders, en soms de politie. Gewoonlijk kun je ze tevredenstellen met een fotokopie.'

'Waarom sturen we geen fotokopie van mij naar Vietnam?'

Hij negeerde dat en vervolgde: 'In Vietnam zorg jij voor je eigen vervoer. Je blijft drie dagen in Saigon en zolang hebben we ook geboekt in het Rex – vrijdagavond, dat is de avond van je aankomst, zaterdag en zondag. Je vertrekt maandag uit Saigon. Doe in Saigon wat je wilt, zorg alleen dat je er niet uitgetrapt wordt voor het roken van wiet of door een prostituee mee naar je kamer te nemen, of zoiets.'

'Ik heb geen zedenpreek nodig van de FBI.'

'Dat begrijp ik, maar ik moet je instrueren volgens de regels van mijn mensen. Ik was al op de hoogte gebracht door Karl, en ik weet dat je een pro bent. Goed? Vervolgens wordt er contact met je opgenomen door een Amerikaanse inwoner van Saigon. Die persoon heeft geen connecties met de Amerikaanse overheid – gewoon een zakenpersoon die Uncle Sam een kleine dienst bewijst. De ontmoeting vindt plaats in het dakrestaurant van het Rex, zaterdag om ongeveer 7 uur 's avonds, je tweede nacht daar. Meer hoef je niet te weten. Hoe minder er gepland wordt, hoe minder gepland het eruit zal zien. Goed?'

'Tot zover.'

'Deze persoon zal je een nummercode geven. Die nummercode komt overeen met een kaartensleutel in je reisgids.' Mr. Conway stak zijn hand in de plastic tas en legde het boek op de tafel. 'Dit is *The Lonely Planet Guide* voor Vietnam, derde editie. Dit is het meest gebruikte boek daar, dus als het om de een of andere reden door de idioten van de douane op Tan Son Nhat Airport wordt ingenomen, of je verliest het, of iemand jat het, dan kun je er gewoonlijk wel eentje kopen van een rugzaktoerist, of jouw contact in Saigon kan er een fourneren. Je zult het boek een paar keer nodig hebben. Goed?'

'Goed.'

'Ik zal de nummercode zo direct verder uitleggen. Als je maandag Saigon verlaat, heb je tot zaterdag om eruit te zien en je te gedragen als een toerist. Doe wat je wilt, maar je zou een paar van je oude slagvelden moeten bekijken.' Hij voegde eraan toe: 'Ik geloof dat je een deel van je detachering in de omgeving van Bong Son doorbracht.'

Ik zei: 'Als dat geen deel uitmaakt van mijn missie, sla ik dat over.'

Hij keek me lange tijd aan en zei: 'Nou, het is geen bevel, maar wel een sterke aanbeveling.'

Ik gaf geen antwoord.

Mr. Conway boog zich naar me toe en zei: 'Ter informatie: ik zat daar in '70 – Vierde Infanteriedivisie, Centrale Hooglanden en de Cambodjaanse invasie – en ik ben vorig jaar teruggegaan om met bepaalde dingen tot een vergelijk te komen. Daarom stuurden ze mij om jou te instrueren. We hebben een band. Begrijp je?'

'Niet helemaal, maar ga door.'

Mr. Conway vervolgde: 'Tijdens die vijf dagen reizen zul je weten of je in de gaten wordt gehouden of wordt gevolgd. Maar zelfs als dat zo is, trek dan geen conclusies. Vaak houden ze westerlingen om geen enkele duidelijk reden in de gaten of volgen die.'

'Vooral Amerikanen.'

'Dat klopt. Goed, na vijf dagen rondtrekken arriveer je op zaterdag in Hué, de dag voor het Vietnamese nieuwjaar – Tet – waar je bent geboekt in het Century Riverside Hotel. Op dit moment, uitgaand van de nummercode die je hebt gekregen van je contact in Saigon, kijk je in je reisgids op de stadskaart van Hué, die een genummerde sleutel heeft voor de diverse bezienswaardigheden in en rond de stad, en daar ga je om twaalf uur de volgende dag heen, zondag, wat dan nieuwjaarsdag is, een feestdag met een heleboel mensen en weinig politie. Oké?'

'Oké.'

'Er zijn alternatieve ontmoetingspunten en die zal ik nu uitleggen.' Conway gaf me de bijzonderheden van mijn ontmoeting in Hué en eindigde met: 'Die persoon die je in Hué zult treffen is een ingezetene van Vietnam. Hij zal jou vinden. Er is een vraag en een tegenvraag. Hij zal zeggen: 'Ik ben een heel goede gids.' Jij antwoordt dan: 'Hoeveel rekent u?' en hij zal antwoorden: 'Wat u me maar wilt betalen.'

Ik vroeg: 'Heb ik dit niet al eens in een film gezien?'

Mr. Conway glimlachte en zei: 'Ik weet dat je aan dit soort gedoe niet gewend bent, en om eerlijk te zijn, ik ook niet. We zijn allebei agenten, Mr. Brenner, en dit is iets anders. Maar je bent een slimme kerel, je groeide op tijdens de koude oorlog, we lazen allemaal James Bond, keken naar spionagefilms en al dat gedoe. Dus dit is niet helemaal vreemd voor mensen van onze generatie. Oké?'

'Oké. Vertel me waarom ik een contactpersoon nodig heb in Saigon, als ik alleen maar een nummercode moet hebben? Je kunt me het nummer faxen.'

'We hebben besloten dat je in Saigon misschien wel een vriend kon gebruiken, en wij hebben iemand nodig met wie we contact kunnen opnemen voor het geval je van de radar verdwijnt.'

'Gesnopen. Hebben we al een consulaat in Saigon?'

'Ik stond op het punt het daarover te hebben. Zoals je weet hebben

we net weer diplomatieke betrekkingen met Vietnam aangeknoopt, en
we hebben een nieuwe ambassade en een nieuwe ambassadeur in
Hanoi. De ambassade zal niet direct contact met je opnemen als je in
Hanoi bent of tijdens je reis. Maar als Amerikaans staatsburger kun je
contact met hen opnemen als dat nodig is, en dan vraag je naar John
Eagan, en naar niemand anders. Wat Saigon alias Ho Tsji Minh-stad
betreft, we hebben er recentelijk een consulaire delegatie heen gestuurd en zij zijn gehuisvest in een tijdelijk, niet-veilige, gehuurde
ruimte. Je neemt geen contact op met het consulaat in Saigon, behalve
via jouw contactpersoon in Saigon.'

Ik zei: 'Dus ik kan niet het consulaat in Saigon binnenrennen en om
asiel vragen?'

Hij dwong zich tot een glimlach en antwoordde: 'Ze hebben weinig
kantoorruimte en je zult in de weg lopen.' Als extra voegde hij eraan
toe: 'Vietnam wordt weer belangrijk voor ons.'

Ik vroeg hem niet waarom. Maar belangrijk voor de Amerikaanse
regering betekende altijd olie, soms drugs en zo nu en dan strategische
militaire planning. Kies maar uit.

Mr. Conway keek me aan en verwachte een vraag over 'belangrijk',
maar ik zei: 'Goed. Wat nog meer?'

Hij zei: 'Iets anders dat je in gedachten moet houden, is dat het, zoals ik al zei, de Tet-feestdagen zijn, het Vietnamese nieuwjaar – Je herinnert je Tet '68 toch? Dus iedereen in het hele land bezoekt de graven
in het geboortedorp, en wat ze verder allemaal nog meer kunnen doen.
Transport, communicatie en accommodatie zijn een nachtmerrie, de
helft van de bevolking is niet aan het werk en de toch al enorme inefficiëntie is nog groter. Je zult vindingrijk en geduldig moeten zijn. Maar
wees op tijd.'

'Begrepen. Vertel me wat meer over die gast in Hué.'

Doug Conway legde uit: 'Het contact in Hué zal je vertellen waar je
daarna heen moet, als hij het weet. Tran Van Vinh zit, als hij nog leeft,
hoogstwaarschijnlijk in het noorden, dus je kunt verwachten vanuit
Hué naar het noorden te reizen. Vreemdelingen, vooral Amerikanen,
zijn niet bijzonder welkom op het platteland van het voormalige
Noord-Vietnam. Er zullen een heleboel reisbeperkingen gelden, om
maar te zwijgen van ontbrekend vervoer. Maar daar zul je iets op moeten vinden als jouw bestemming het platteland is. Goed?'

'Geen probleem.'

'Nou, dat is het wel. In de eerste plaats is het vreemdelingen verboden auto's te huren, maar je kunt een officiële door de overheid goed-
gekeurde auto met chauffeur krijgen bij het door de staat beheerde

reisbureau dat Vidotour heet – maar dat wil je niet door de geheime kant van je missie. Oké?'

'Klinkt zinnig.'

'Er zijn privé-reisbureaus en privé-auto's met chauffeur, maar de regering erkent die officieel niet, en soms, op sommige plaatsen, bestaan ze niet of kun je er geen gebruik van maken. Begrepen?'

'Kan ik een fiets huren?'

'Natuurlijk. Het land wordt geregeerd door de plaatselijke partijleiders, zoals de vroegere krijgsheren, en zij bepalen de regels, plus dat de regering in Hanoi de regels voor buitenlanders blijft veranderen. Het is een chaos, maar gewoonlijk kun je sommige beperkingen omzeilen door donaties te doen aan sleutelfiguren. Toen ik daar was, kon je gewoonlijk met vijf dollar wel terecht. Goed?'

'Goed.'

'Er zijn ook intercitybussen – martelbussen noemen ze die – en je begrijpt wel waarom als je er een keer in moet zitten. En langs de kust heb je de oude Franse spoorweg die nu weer functioneert. Tijdens het Tet-festival kun je geen kaartjes voor welk openbaar vervoer dan ook meer kopen, maar met een briefje van vijf kun je op alles komen dat maar beweegt, behalve een vliegtuig. In ieder geval moet je plaatselijke vliegvelden mijden. Daar is te veel veiligheidspersoneel.'

'Heb ik al gezegd dat ik van plan was naar Aruba te gaan?'

'Dit is belangrijker en het weer zal er net zo aangenaam zijn.'

'Ja ja. Ga alsjeblieft verder.'

'Dank je.' Hij vervolgde: 'Wat reizen, steekgeld enzovoort betreft, kun je je contact in Saigon om advies vragen. Deze persoon moet het klappen van de zweep kennen. Maar wees niet al te specifiek.'

'Oké.'

'Tegen de tijd dat je Hué bereikt, hebben we met wat geluk minstens de locatie van Tam Ki, het geboortedorp van Tran Van Vinh. Omdat het de Tet-feestdagen zijn, is er goede kans dat je veel leden van de familie Tran in dat dorp treft.' Hij keek me aan. 'Begrijp je?'

Ik antwoordde: 'Mr. Conway, het komt me voor dat de informatie over deze moord niet pas een paar dagen geleden aan het licht is gekomen, maar misschien al een paar weken of maanden geleden, en jullie hebben gewacht op het Tet-festival om me naar Vietnam te sturen omdat dan, zoals je zegt, de mensen terugkeren naar hun geboortedorp, en dat dan ook de veiligheidstroepen en de politie niet meer zo goed functioneren.'

Mr. Conway glimlachte tegen me en zei: 'Ik weet niet wanneer we deze informatie hebben gekregen en wat jouw bazen weten dat jij – en ik misschien – niet weet. Maar het is heel gunstig dat jij tijdens deze feestdagen in Vietnam bent.' Hij voegde eraan toe: 'Tijdens Tet '68 kregen de communisten jullie jongens onverhoeds te pakken. Misschien kun je er iets voor terugdoen.'

'Een interessante gedachte. Een soort evenwicht, als de schalen van Vrouwe Justitia. Maar ik geef absoluut geen moer om wraak of dat soort dingen. Die klotenoorlog is voorbij. Als ik dit doe, hoef of wil ik geen persoonlijk motief. Ik doe gewoon de klus die ik heb beloofd. Begrijp je?'

'Sluit je persoonlijke motivatie niet uit als je er eenmaal bent.'

Ik gaf geen antwoord.

'Goed, je hebt op zondag je ontmoeting in Hué, maar als het om welke reden dan ook misgaat, dan is maandag de extra dag en zal er op de een of andere manier contact met je worden opgenomen in je hotel. Gebeurt dat niet, dan is het tijd om snel het land uit te gaan. Begrepen?'

Ik knikte.

Mr. Conway zei: 'Oké, aangenomen dat alles goed gaat, vertrek je dinsdag uit Hué. Dit wordt het moeilijkste deel van de reis. Je moet met alle mogelijke middelen in Tam Ki zien te komen, en wel in twee, hoogstens drie dagen. Waarom? Omdat de Tet-feestdagen tot vier dagen na nieuwjaarsdag duren, zodat iedereen die naar zijn voorouderlijke plek is teruggekeerd, daar nog zit voordat ze teruggaan naar waar ze op het moment ook mogen wonen. Deze man Tran Van Vinh kan nog steeds in Tam Ki wonen, maar dat weten we niet. Het beste is daar te zijn als je weet dat hij daar is. Begrijp je?'

Weer knikte ik.

Mr. Conway vervolgde: 'In elk geval, bij winst, verlies, of een patstelling, moet je vóór de zaterdag daarop in Hanoi zijn, en dat is de vijftiende dag van je reis. Je bent geboekt in het Sofitel Metropole, en ik heb een voucher voor je voor één nacht.' Hij tikte op de plastic tas en zei: 'In Hanoi wordt er misschien wel of niet contact met je opgenomen. Belangrijker is dat je de daaropvolgende dag, zondag, vertrekt – de zestiende dag van je reis, ruim voordat je standaardvisum van eenentwintig dagen afloopt. Goed?'

'Ik wilde wat rondkijken in Hanoi.'

'Nee, je wilt daar zo snel mogelijk vandaan.'

'Dat klinkt nog beter.'

Hij zei: 'Je bent voor zondag geboekt op een Cathay Pacific-vlucht van Hanoi naar Bangkok. In Bangkok wordt je opgewacht en heb je je debriefing.'

'En als ik in de gevangenis zit? Heb ik dan een verlenging van mijn visum nodig?'

Mr. Conway glimlachte, negeerde me en zei: 'Goed, geld. In deze tas zit een envelop met duizend Amerikaanse dollars, in coupures van één dollar, vijf dollar en tien dollar, allemaal niet te achterhalen. Officieel mag je in de Socialistische Republiek van Vietnam Amerikaans geld gebruiken. Ze geven er eigenlijk de voorkeur aan. Ook zit er in de tas een miljoen dong, ongeveer anderhalve dollar – grapje. Ongeveer honderd dollar, om mee te beginnen. De gemiddelde Vietnamees verdient ongeveer driehonderd, vierhonderd dollar per jaar, dus jij bent rijk. Verder heb je nog eens duizend dollar in reischeques van American Express, die geaccepteerd worden door de betere hotels en restaurants en die sommige banken, afhankelijk van hun stemming, inwisselen tegen dong. Er is een filiaal van American Express in Saigon, Hué en Hanoi. Dat staat allemaal in je reisgids. Gebruik zoveel mogelijk je eigen creditcard. Je krijgt het terug. Het leger is gemachtigd jou tijdelijk vijfhonderd dollar per dag te betalen, dus je zult een mooie cheque krijgen als je terug bent.' Hij voegde eraan toe: 'Gevangenis wordt dubbel betaald.'

Ik keek Conway aan en zag dat hij geen grap maakte. Ik vroeg: 'Voor hoeveel dagen?'

'Ik weet het niet. Ik heb het nooit gevraagd. Wil je dat ik het navraag?'

'Nee. Wat nog meer?'

'Een aantal dingen – zoals hoe we je het land uit krijgen. Zoals ik al zei, vanuit Hanoi met de Cathay Pacific; maar zoals ik ook zei, kan het zo lopen dat je eerder en sneller weg moet, vanuit een andere plaats. Daar hebben we een paar rampenplannen voor. Wil je ze horen?'

'Over dit onderwerp heb je mijn onverdeelde aandacht.'

Mr. Conway schetste een paar andere manieren om uit Vietnam weg te komen, via Laos, Cambodja, China, per boot en zelfs per vrachtvliegtuig uit Da Nang. Geen van alle bevielen ze me bijzonder, maar ik zei niets.

Conway zei: 'Goed, Tam Ki. Dat is jouw bestemming vóór Hanoi. Op de een of andere manier zullen we die plek lokaliseren en spelen die informatie op zijn laatst in Hué aan je door. Als je eenmaal in Tam Ki bent, zul je, zoals ik al zei, waarschijnlijk veel mensen vinden met de familienaam Tran. Je zult een tolk nodig kunnen hebben voordat je naar Tam Ki gaat, omdat ze daar niet zoveel Engels spreken. Goed?'

'Goed.'

'Klopt het dat je een beetje Frans spreekt?'

'Een heel klein beetje.'

'Soms spreken de oudere mensen en de katholieke geestelijkheid nog een beetje Frans. Maar probeer een Engelssprekende gids of tolk te krijgen. Goed, ik hoef je niet te vertellen dat een Amerikaan die rondvraagt naar een man die Tran Van Vinh heet in een klein dorp vol Trans enige aandacht zou kunnen trekken. Dus denk erover na hoe je dat gaat aanpakken. Jij bent een smeris. Jij hebt het eerder gedaan. Probeer een gevoel te krijgen voor de situatie, de mensen...'

'Ik begrijp het. Ga verder.'

Mr. Conway vervolgde: 'Goed, persoonlijk geloof ik dat Tran Van Vinh dood is. Dat moet wel. Toch? De oorlog, zijn leeftijd, enzovoort. Als hij in de oorlog gesneuveld is, is er kans op dat zijn lichaam ergens anders ligt, zoals dat van zijn broer in de A Shau-vallei. Maar er zal een familiealtaar ter herinnering aan hem zijn. We willen dat je een absolute bevestiging en verificatie krijgt van zijn dood. Sergeant Tran Van Vinh, leeftijd vijftig tot zestig, die gediend heeft in het Volksleger, meegedaan heeft in de strijd om Quang Tri, en een gesneuvelde broer heeft die Tran Quan Lee heette...'

'Begrepen.'

'Goed. Aan de andere kant, misschien leeft hij nog – in Tam Ki of ergens anders.'

'Juist. En hier heb ik enige onduidelijkheid over mijn missie en mijn doel. Wat moet ik met meneer Tran Van Vinh aan als ik hem levend vind?'

Conway maakte oogcontact met me en zei: 'En als ik je nu eens vertelde hem te doden?'

We bleven oogcontact houden. Ik zei: 'Ik zal je wat zeggen – ik vind hem, jij doodt hem. Maar je kunt me dan beter een goede reden geven.'

'Ik denk dat je, als je met hem praat, misschien de reden ontdekt.'

'Daarna schiet iemand mij af.'

'Doe niet zo melodramatisch.'

'Sorry, ik dacht dat we melodramatisch waren.'

'Nee, we zijn realistisch. De missie is als volgt: eerst stel je vast of die man nog leeft of dood is. Is hij dood, dan willen we enig bewijs hebben; leeft hij nog, vind dan uit of hij in Tam Ki woont of elders, en praat daarna met hem over dit incident in februari 1968 en kijk wat hij zich herinnert en of hij de moordenaar kan herkennen uit een pak foto's die we je zullen proberen te geven. Ook heeft Tran Van Vinh, zoals je zult lezen in de brief, een paar dingen van het moordslachtoffer meegenomen. Wij hebben souvenirs van de doden gepakt, zij hebben souvenirs gepakt. Waarschijnlijk heeft hij die dingen nog, of als hij dood is, dan zal zijn familie die hebben – identiteitsplaatje, portefeuille, wat dan ook. Dit zal de vermoorde luitenant voor ons identificeren, en het zal ook Tran Van Vinh met de plaats van de moord verbinden, en hem, als hij nog in leven is, tot een geloofwaardige getuige maken.'

'En we willen geen levende geloofwaardige getuige.'

Mr. Conway gaf geen antwoord.

Ik dronk mijn koffie op en zei: 'Dus, als ik Tran Van Vinh levend aantref, kijk ik of hij een paar foto's kan identificeren die ik onderweg misschien in handen krijg, en of ik zijn souvenirs mag zien en of ik die misschien van hem kan kopen, of van zijn familie als hij dood is, en of ik misschien die man het land uit kan krijgen, of een video-opname van hem kan maken, en/of ik hem daar laat zitten, of misschien Mr. Eagan in de ambassade van Hanoi zijn adres geef, en wat er daarna met Tran Van Vinh gebeurt, gebeurt er. En als hij dood is, wil je bewijs.'

'Dat is het zo ongeveer. We gaan op ons gevoel af... We nemen daar, in Saigon of uiterlijk in Hué, contact met je op. Er zal hier nog wat gesproken moeten worden over de beste gedragslijn.'

'Zorg ervoor dat je me laat weten wat jullie beslissing is.'

'Doen we. Verder nog vragen?'

'Nee.'

Mr. Conway vroeg me op officiële toon: 'Mr. Brenner, begrijp je alles wat ik je tot dusver heb verteld?'

'Niet alleen dat, ik begrijp ook een paar dingen die je me niet hebt verteld.'

Hij ging eraan voorbij en vervolgde: 'En herinner je je alle verbale instructies die ik je heb gegeven?'

'Jazeker.'

'Heb je op dit moment nog verdere vragen aan me?'

'Mag ik je vragen waarom jullie willen dat die man gemold wordt?'

'Ik begrijp de vraag niet. Nog iets?'

'Nee.'

Doug Conway ging staan en ik ging ook staan.

Conway zei: 'Jouw vlucht vertrekt over een uur, je reist business class, wat niet zo extravagant is voor jouw positie in het leven. Als beroep staat op je visum "gepensioneerd", het doel van je bezoek geeft aan "toerisme". Begrijp dat er enige kans bestaat dat een man van jouw leeftijd die alleen reist op Tan Son Nhat aangehouden kan worden om te worden ondervraagd. Toen ik terugging, heb ik een halfuur met een paranoïde kereltje in een verhoorkamer gezeten. Blijf rustig, doe niet vijandig, hou je aan je verhaal, en houd, als de oorlog ter sprake komt, een lulverhaal over hoe vreselijk het was voor zíjn land. Getuig van wroeging of zoiets. Dat vinden ze prachtig. Goed?'

'Dus ik kan beter niet zeggen dat ik Noord-Vietnamese soldaten heb gedood.'

'Ik zou het niet doen. Dat zou wel eens een verkeerde start kunnen zijn. Maar wees er eerlijk over dat je een Vietnam-veteraan bent en een paar plaatsen wilt bezoeken waar je bent geweest als jonge soldaat. Zeg de ondervrager dat je kok was, of administrateur. Geen infanterist. Daar houden ze niet van, zoals ik op de harde manier heb ondervonden. Goed?'

'Gesnopen.'

Conway vervolgde: 'Als je in je hotel bent, probeer dan geen contact met ons op te nemen. De hotels bewaren soms kopieën van de faxen die je verstuurt, en de plaatselijke politie kijkt soms naar die faxen. Hetzelfde voor telefoontjes. Alle gedraaide nummers worden vastgelegd om in rekening te kunnen brengen, zoals overal ter wereld, maar ze zijn ook beschikbaar voor de politie. Bovendien kunnen de telefoons afgetapt zijn.'

Ik wist dit allemaal al, maar Conway had een controlelijst in zijn hoofd die hij moest afwerken.

Hij zei tegen me: 'Wat je aankomst betreft, jouw contact in Saigon zal natrekken of je je hebt ingecheckt in het Rex. Een plaatselijk telefoontje zal geen enkel wantrouwen wekken. Het contact zal ons dan per veilige fax of e mail vanuit een Amerikaans bedrijf op de hoogte brengen. Dus als jij je op de een andere manier niet incheckt, zullen we het weten.'

'En wat dan?'

'Dan stellen we een onderzoek in.'

'Bedankt.'

'Goed, in de plastic tas zitten malariapillen voor eenentwintig dagen. Je had vier dagen geleden moeten beginnen met innemen, maar maak je geen zorgen – je zit drie dagen in Saigon en daar hebben ze niet zoveel malariamuggen. Neem nu een pil. Er zit ook antibioticum in, die je, hoop ik, niet hoeft te gebruiken. Drink in principe geen water en wees voorzichtig met ongekookt eten. Je loopt risico op hepatitis A, maar tegen de tijd dat je de symptomen begint te krijgen, ben je alweer thuis. Als we eerder hadden geweten dat je zou gaan, hadden we je een hepatitisinjectie kunnen geven...'

'Je wist al enige tijd geleden dat ik zou gaan – ik ben degene die het niet wist.'

'Je zegt het maar. Lees tijdens de vlucht in je *Lonely Planet Guide*. Er zit ook een kopie van de vertaalde brief in deze tas. Lees die, maar gooi die weg tijdens je stop in Seoel.

'O... ik was van plan hem bij me te hebben op Tan Son Nhat.'

Mr. Conway zei tegen me: 'Het spijt me als ik ergens tijdens deze briefing je intelligentie en je professionele kwaliteit heb beledigd, Mr. Brenner. Ik volg alleen maar bevelen op.' Hij keek me aan en zei: 'Karl zei tegen me dat ik je misschien niet mocht, maar ik mag je wel. Dus ik geef je een vriendelijke raad: er is kans op dat je meer ontdekt dan de bedoeling is. Wat je met die ontdekking doet, bepaalt wat er met jou gebeurt.'

Mr. Doug Conway en ik staarden elkaar echt lange tijd aan. Een zinnig mens zou direct zijn vertrokken. Maar Mr. Conway had juist ingeschat dat Paul Brenner zich niet liet afschrikken door die bedreiging; Mr. Paul Brenner was nieuwsgieriger dan ooit, en uiterst gemotiveerd om erachter te komen waar dit allemaal om ging. Paul Brenner is een idioot.

Mr. Conway schraapte zijn keel en zei: 'Goed, je hebt een lange stop in Seoel. Breng die in de Asiana-lounge door. Er is daar misschien een persoon of een boodschap voor je met meer informatie. En als het afgeblazen wordt, dan keer je daar om. Begrepen?'

'Begrepen.'

Mr. Conway vroeg me: 'Is er iets dat ik op dit moment voor je kan doen? Allerlaatste boodschappen, instructies, persoonlijke zaken waarmee ik je kan helpen?'

'Eigenlijk wel, ja.' Ik haalde een envelop uit mijn zak en zei: 'Ik heb een vliegticket nodig van Bangkok naar Honolulu, en een hotelreservering voor een paar dagen in Honolulu, daarna Maui. Hier heb je de reisbeschrijving en mijn American Express-nummer.'

Mr. Conway nam de envelop aan, maar zei: 'Ik denk dat ze je terug willen hebben in Washington.'

'Het kan me niet schelen wat ze willen. Ik wil twee weken in het paradijs zitten. De debriefing is in Bangkok.'

'Oké.' Hij stak de envelop in zijn zak. 'Verder nog iets?'

'Nee.'

'Oké dan, veel geluk en wees voorzichtig.'

Ik gaf geen antwoord.

'Weet je... geloof me als ik je zeg dat deze trip, buiten je missie om, je meer goed dan kwaad zal doen.'

'Hé, mijn eerste twee trips daarheen zouden fantastisch zijn geweest als die oorlog er niet was.'

Mr. Conway glimlachte niet. 'Ik hoop dat de briefing goed is geweest. Die baart me altijd zorgen.'

'Je hebt het prima gedaan, Mr. Conway. Slaap lekker vanavond.'

'Dank je.'

Hij stak zijn hand uit, maar ik zei: 'Wacht even. Ik was het bijna vergeten.' Ik maakte mijn tas open en overhandigde Mr. Conway het boek van Danielle Steel.

Hij keek er nieuwsgierig naar, alsof er een speciale waarde of betekenis aan het boek was verbonden.

Ik zei: 'Ik wil niet dat het bij me thuis wordt gevonden als ik niet meer terugkom. Begrijp je? Geef het aan iemand. Je hoeft het zelf niet te lezen.'

Mr. Conway keek me enigszins bezorgd aan, stak vervolgens weer zijn hand uit en ik schudde die. Hij verdween zonder me zelfs maar te bedanken voor het boek.

Ik maakte het plastic tasje open dat op de tafel was blijven liggen en stak het geld, de tickets, de hotelvouchers, de brief en het visum in mijn borstzak. Ik deed de malariapillen, het antibioticum en *The Lonely Planet Guide* in mijn weekendtas.

Onder in het plastic tasje zat iets dat in vloeipapier was gewikkeld. Ik pakte het uit en zag dat het een van die stompzinnige sneeuwbollen was. In de bol zat een model van de Wall, zwart afstekend tegen de vallende sneeuw.

4

De 747 van Asiana Air begon aan zijn daling naar het Kimpo International Airport van Seoel, in Korea. Na vijftien uur in de lucht wist ik de plaatselijke tijd niet en zelfs niet wat voor dag het was. De zon hing op ongeveer vijfenveertig graden boven de horizon, dus het was of halverwege de ochtend, of halverwege de middag, afhankelijk van waar het oosten en het westen waren. Als je om de wereld heen vliegt, maakt het trouwens niet uit, behalve wanneer je de piloot bent.

Ik merkte dat het landschap beneden bedekt was met sneeuw. Ik luisterde naar de hydraulische geluiden van het vliegtuig toen die aan zijn landing begon.

De stoel naast me was leeg, en ik hoopte dat ik op de laatste etappe van de reis net zo gelukkig zou zijn.

Aan de andere kant, misschien was er geen laatste etappe als ik in Seoel werd teruggestuurd. Natuurlijk was de kans dat dat gebeurde nagenoeg nihil, maar dat prenten ze in je hoofd als gelukkige mogelijkheid. Ik had de eerste twee keer dat ik naar Vietnam ging dezelfde ervaringen gehad. Mijn orders waren: 'Zuidoost-Azië', in plaats van het V-woord, alsof ik op weg was naar Bangkok of Bali. Zo is het maar net.

Het was tijd om de brief te lezen waarmee dit alles was begonnen. Ik haalde een effen envelop uit mijn zak, maakte hem open en haalde er een aantal velletjes opgevouwen papier uit. Het eerste velletje was een fotokopie van de oorspronkelijke envelop, geadresseerd aan Tran Quan Lee, gevolgd door een afkorting, waarvan ik aannam dat het zijn rang was, daarna een serie cijfers en letters die de bestemming van de Noord-Vietnamese legereenheid aangaven.

De afzender was Tran Van Vinh, gevolgd door zijn rang en legereenheid. In geen van beide adressen stond een geografische locatie natuurlijk, omdat legers in beweging zijn en de post de soldaten volgt.

Ik legde de envelop weg en keek naar de brief zelf. Hij was getypt, een vertaling van drie pagina's, en er was geen fotokopie van de oorspronkelijke brief in het Vietnamees, waardoor ik me weer afvroeg wat er ontbrak of was veranderd.

Gezien de herkomst van deze brief probeerde ik me het postsysteem van het Noord-Vietnamese leger tijdens de oorlog voor de geest te halen, dat net zo primitief moest zijn geweest als een postsysteem uit de negentiende eeuw; brieven die van persoon aan persoon werden overgegeven, aan koeriers, brieven die langzaam hun weg vonden van burgers naar soldaten, of van soldaten naar familie, of soldaten naar soldaten, zoals in dit geval, en heel vaak waren de ontvanger, de afzender of beiden al dood voordat de brief was aangekomen.

In ieder geval moest het maanden hebben geduurd voordat de brieven de ontvangers bereikten, als het al gebeurde. Ik dacht aan de driehonderdduizend vermiste Noord-Vietnamese soldaten, en de miljoen werkelijke doden, van wie er velen gewoon waren verdampt door de duizendponders van B-52's tijdens bombardementen op de infiltratieroutes.

Ik besefte dat het een wonder was dat deze brief ooit uit de belegerde stad Quang Tri was gekomen, en een groter wonder dat de brief de geadresseerde, Tran Quan Lee in de A Shau-vallei, op bijna honderd kilometer daarvandaan, had weten te vinden, en weer een wonder dat de brief op Lee's lichaam werd gevonden door een Amerikaanse soldaat. Het laatste wonder was misschien wel dat deze Amerikaanse soldaat, Victor Ort, zelf de oorlog had overleefd, de brief bijna dertig jaar had bewaard, en daarna een poging had ondernomen om de brief in Hanoi te krijgen via de Vietnam Veteranen van Amerika.

Maar de brief kreeg een andere route en werd naar het CID-hoofdkwartier van het leger in Falls Church, Virginia, gestuurd, omdat de een of andere oplettende veteraan bij de VVA eerder aan de CID van het leger dacht dan aan de FBI. Had de FBI hem eerder gekregen, dan wist ik dat de CID er nooit van gehoord zou hebben, en ik evenmin. Maar het bleek een CID-zaak te zijn geworden met assistentie van de FBI, een regeling die waarschijnlijk niemand bevredigde, ook mij niet.

Ik keek weer naar de uitgetypte vertaling, nog niet helemaal klaar om hem te lezen voordat ik volledig begreep hoe dit ding in mijn schoot terecht was gekomen.

En dan had je nog de vraag waaróm ik dit deed. Behalve Cynthia speelden plichtsgevoel, eer, land, om maar niet te spreken van verveling, nieuwsgierigheid en een beetje macho-ijdelheid een rol. Om eerlijk te zijn was mijn afscheid van de actieve dienst niet helemaal op de juiste toon gebeurd, en deze opdracht zou zeker de laatste toon worden, hoog of laag.

Ik keek naar de brief en zag dat hij was gedateerd op 8 februari 1968. Ik las de woorden van Tran Van Vinh aan zijn nog net niet gesneuvelde broer:

Mijn zeer geliefde broer,
Terwijl ik deze brief schrijf, die naar ik hoop jou gezond en opgewekt aantreft, lig ik samen met een aantal van mijn kameraden gewond in de stad Quang Tri. Maak je geen zorgen, ik ben niet ernstig gewond, maar ik heb wonden van granaatscherven in mijn rug en benen, die helemaal zullen genezen. We worden verzorgd door een gevangengenomen arts van het katholieke ziekenhuis en door artsen van ons eigen Volksleger.
De strijd om de stad woedt om ons heen en de Amerikaanse bommenwerpers komen dag en nacht, en hun artillerie schiet zonder ophouden. Maar we liggen veilig in een diepe kelder van de boeddhistische middelbare school buiten de muren van de citadel. We hebben voedsel en water en ik hoop snel weer in actieve dienst terug te keren.

Ik keek op van de brief en dacht terug aan die dagen rond de stad Quang Tri. Mijn bataljon bevond zich westelijk van de stad, en we zagen niets van de gevechten in de stad, maar we zagen wel Noord-Vietnamese soldaten verspreid uit Quang Tri komen, die ze maar voor een week hadden gehouden voordat het Zuid-Vietnamese leger hen weggevaagd had. De vijand begon in kleine groepen door onze linies heen te breken in een poging de betrekkelijke veiligheid van de heuvels en het oerwoud in het westen te bereiken, en de taak van mijn bataljon was hen te onderscheppen. Het lukte ons een paar van hen te vinden, te doden of gevangen te nemen, maar niet allemaal. Statistisch gezien waren de kansen van Tran Van Vinh om uit de stad weg te komen klein, en zijn kansen om door de laatste zeven jaar van de oorlog heen te komen, nog kleiner. En als hij het had overleefd, zou hij dan bijna dertig jaar later ook nog in leven zijn? Niet waarschijnlijk, maar de zaak had al een paar wonderen gekend.
Ik richtte me weer op de brief en las:

Ik moet je iets vertellen over een vreemd en interessant voorval waarvan ik gisteren getuige ben geweest. Ik lag op de eerste verdieping van een regeringsgebouw binnen de citadel, gewond door een splinter van een ontplofte artilleriegranaat die twee kameraden van me doodde. Er zat een gat in de vloer, en ik keek door het gat in de hoop een paar kameraden te zien. Op dat moment kwamen twee Amerikaanse soldaten het gebouw binnen. Mijn eerste gedachte was ze dood te schieten, maar ik wist niet hoeveel anderen er in de buurt waren, dus ik schoot niet.

Deze twee Amerikanen doorzochten het gebouw, dat half verwoest was, niet, maar ze begonnen te praten. Aan de onderscheidingstekenen op hun helmen zag ik dat de een kapitein was en de ander luitenant – twee officieren! Dat zou een mooie trofee worden! Maar ik schoot niet. Ik zag ook dat beide mannen de schouderinsignes hadden van de helikoptercavalerie, waarvan er heel veel in deze buurt zitten, maar ik had ze nog niet eerder in de stad gezien.

Terwijl ik keek, klaar om hen te doden als ze me zagen, begonnen ze met elkaar ruzie te maken. De luitenant toonde weinig respect voor de hogere officier, en de kapitein was boos op hem. Dit duurde misschien twee, drie minuten en toen draaide de luitenant de kapitein zijn rug toe en liep naar de opening waar doorheen ze binnen waren gekomen.

Toen zag ik de kapitein zijn pistool trekken en iets schreeuwen naar de luitenant, die zich weer naar de kapitein omdraaide. Er werd niets meer gezegd en de kapitein schoot de luitenant in zijn voorhoofd. De helm van de luitenant vloog de lucht in en de man werd achteruitgeworpen en viel dood neer in het puin op de grond.

Ik was hierdoor zo verrast dat ik niet reageerde toen de kapitein het gebouw uit rende. Ik wachtte om te zien of er door het geluid van het pistool vijandelijke soldaten aan zouden komen, maar er klonken veel schoten en explosies om de stad heen en dit enkele schot werd boven de andere niet gehoord.

Ik bleef daar liggen en keek door het gat tot het avond werd. Toen ging ik de trap af en liep naar het lichaam van de dode Amerikaan. Ik pakte zijn veldfles met water, een paar blikken met eten, zijn geweer en pistool, zijn portefeuille en andere dingen die hij op zijn lichaam droeg. Hij had een mooi horloge, dat ik ook pakte, maar zoals je weet zou ik, als ik met dit horloge of met andere Amerikaanse spullen door de Amerikanen zou worden gepakt, worden doodgeschoten. Dus ik zal moeten besluiten wat ik moet doen met de dingen die ik heb gepakt.

Ik dacht dat je wel geïnteresseerd zou zijn in dit voorval, hoewel ik de zin ervan niet begrijp.

Heb je al iets gehoord van onze ouders en zus? Ik heb al twee maanden van niemand uit Tam Ki iets gehoord. Onze neef Liem heeft me geschreven dat ze elke week vrachtwagens vol gewonde kameraden

langs zien komen, en lange colonnes gezonde kameraden die naar
het zuiden marcheren om ons land te bevrijden van de Amerikaanse
indringers, en van hun marionettensoldaten uit Saigon. Volgens
Liem hebben de Amerikaanse bommenwerpers hun activiteit in het
gebied verhevigd, dus natuurlijk maak ik me zorgen over onze fami-
lie. Volgens hem is er voldoende eten in Tam Ki, maar niet overvloe-
dig. De oogst in april moet ruim voldoende rijst voor het dorp ople-
veren.
Ik heb niets van Mai gehoord, maar ik weet dat ze naar Hanoi is ge-
gaan om de zieken en gewonden te verzorgen. Ik hoop dat ze daar
veilig is voor de Amerikaanse bommen. Ik zou het prettiger hebben
gevonden als ze in Tam Ki was gebleven, maar ze is heel patriot-
tisch en gaat daarheen waar ze haar nodig hebben.
Mijn broer, dat je veilig en gezond moge blijven en dat deze brief
zijn weg naar jou zal vinden, en daarna naar onze familie. Als moe-
der, vader en zus dit lezen, stuur ik hun mijn groeten en mijn liefde.
Ik heb er veel vertrouwen in dat ik met een dag of twee uit Quang
Tri naar een veilige plaats verhuisd zal zijn, zodat ik misschien he-
lemaal zal herstellen en verder kan gaan met mijn plicht om ons
land te bevrijden. Schrijf me en vertel me hoe het met jou en je ka-
meraden gaat.
 (getekend) Je liefhebbende broer, Vinh.

Ik vouwde de brief weer dicht en dacht na over wat ik had gelezen.
Deze brief, dacht ik, geschreven aan een broer die snel zou sneuvelen,
gaf me beslist een ander gezichtspunt op de oorlog. Toch, ondanks de
gekunstelde vertaling en de patriottische toevoegingen, vond ik dat dit
zo'n brief was die ook door een Amerikaanse GI geschreven had kunnen zijn: de onderliggende eenzaamheid, het heimwee, de angst, de
bezorgdheid om de familie, en, natuurlijk, de nauwelijks verborgen
angst om Mai, die, naar ik gokte, zijn vriendin was. Vriendinnen die in
de grote stad in een ziekenhuis werkten, stonden in de hele wereld zeker bloot aan enige verleiding en druk. Ik glimlachte.

Ik had het gevoel dat ik wel enig verband zag tussen Tran Van Vinh
en mij, en ik besefte dat we ooit de gemeenschappelijke ervaring hadden van een oorlog op dezelfde plaats en tijd. Misschien mocht ik de
man wel als ik hem werkelijk tegenkwam. Natuurlijk zou ik hem, als
ik hem in 1968 was tegengekomen, gedood hebben.

Wat Lee betrof, was het opmerkelijk dat onze wegen elkaar misschien ook gekruist hebben. Mijn bataljon van de Eerste Cavaleriedivisie was, na de actie bij Quang Tri in februari, in april overgevlogen

naar Khe Sanh om daar een beleg te doorbreken en daarna in mei overgevlogen naar de A Shau-vallei. We waren een luchteenheid, wat inhield dat we, zodra ergens de pleuris uitbrak, per helikopter daarheen
werden gevlogen. Hoeveel geluk kan een mens hebben?

Nou, genoeg aangename mijmeringen. Ik herlas de brief, terwijl ik
me concentreerde op de details en de omstandigheden van de zogehe-
ten moord. Ten eerste zág het eruit als moord, hoewel het afhing van
waar de ruzie om ging. Ten tweede wás het een vreemd en interessant
voorval, zoals sergeant Vinh zei.

Ik begon de brief weer vanaf het begin – een regeringsgebouw binnen de citadel. Veel Vietnamese steden hadden een citadel, in de meeste gevallen gebouwd door de Fransen. De citadel was het ommuurde
en verstevigde centrum van de stad die regeringsgebouwen, scholen,
ziekenhuizen, militaire hoofdkwartieren en zelfs woonwijken bevatte.
Ik kende de citadel van Quang Tri, omdat ik in juli 1968 naar een ceremonie op het exercitieterrein was geweest waar de Vietnamese regering aan Amerikaanse soldaten medailles uitreikte voor diverse veldslagen. De citadel lag half in puin, en ik besefte nu dat ik ergens in de
buurt moet hebben gestaan van waar dit incident zes maanden ervoor
had plaatsgevonden. Ik kreeg het Vietnamese Kruis wegens Moed, en
de Vietnamese kolonel die hem me opspelde was, jammer voor mij,
door de Fransen opgeleid en gaf me een kus op beide wangen. Ik had
hem moeten zeggen mijn reet te kussen, maar het was niet zijn fout dat
ik daar stond.

In ieder geval kon ik me een soort beeld vormen van waar dit incident had plaatsgevonden. Ik probeerde me ook een beeld te vormen
van deze twee Amerikaanse officieren die het half in puin geschoten
gebouw in de citadel binnenkwamen terwijl de strijd om hen heen
woedde, en Tran Van Vinh daar met zijn jeukende vinger aan de trekker van zijn AK-47 lag, bloedend door een ontplofte Amerikaanse artilleriegranaat.

De Amerikaanse officieren waren beslist geen bij een gevechtsactie
betrokken infanteristen, omdat ze anders hun manschappen overal om
zich heen zouden hebben; die gasten waren zonder twijfel achterhoe-
deofficieren, hoogstwaarschijnlijk MACV-adviseurs, en, als ik me goed
herinnerde, hadden zij hun hoofdkwartier ergens in de citadel. Op de
een of andere manier waren ze gescheiden geraakt van de Zuid-Vietnamese eenheid waar ze bij ingedeeld waren, of de Zuid-Vietnamezen
waren ervandoor gegaan, wat ze soms deden. Dit was voornamelijk
speculatie van mijn kant, maar het was de meest logische verklaring
van waarom twee Amerikaanse officieren uiteindelijk alleen kwamen

te staan in een stad waar voornamelijk Zuid-Vietnamezen gelegerd waren.

Dus deze twee mannen worden betrapt terwijl een hevige strijd gaande is tussen de Noord- en Zuid-Vietnamezen, de stad is een slagveld en deze twee vinden de tijd om alleen op stap te gaan, ergens ruzie om te maken dat ertoe leidt dat de ene man de andere voor zijn kop schiet. Vreemd. En ik was het eens met Tran Van Vinh: 'Hoewel ik de zin ervan niet begrijp.' Maar ik had een gevoel dat de hele zaak draaide om de reden van de ruzie.

Ik wierp een blik op de brief: *toen de kapitein het gebouw uit rende.* Tran Van Vinh, slimme overlevende die hij is, beweegt zich niet voor de avond is gevallen, gaat dan naar beneden naar het lichaam van de luitenant, neemt wat water, omdat dat zijn eerste prioriteit is, pakt vervolgens de rantsoenen van de dode Amerikaan, zijn geweer en ook zijn pistool – waarschijnlijk een Colt .45 – zijn portefeuille, en 'andere dingen die hij op zijn lichaam droeg'. Zoals wat? Ongetwijfeld zijn identiteitsplaatje. Dit was een grote prijs voor de vijand, het bewijs dat je een Amerikaan had gedood, en je kreeg er een stuk vis voor of zoiets. Maar hij zou, zoals sergeant Vinh opmerkte, doodgeschoten worden als hij werd gepakt met eigendommen van Amerikaanse militairen, ondanks het Verdrag van Genève. Dus sergeant Vinh moest besluiten wat hij met deze oorlogstrofeeën aan moest.

Misschien had hij ze gehouden en misschien stonden ze, als hij nu wel of niet leefde, trots tentoongesteld in zijn kleine familiehuisje ergens. Misschien.

Dus wat ontbrak er aan de vertaling van deze brief? De zin *en andere dingen die hij op zijn lichaam droeg* kon een vervanging zijn van Vinh's werkelijke woorden.

Maar misschien las ik hierin te veel en misschien was ik wantrouwiger dan ik hoefde te zijn. Enig wantrouwen en speculatie waren goed: te veel en je begon in je eigen netten verstrikt te raken.

Ik besefte dat we bijna geland waren. Een paar seconden later raakte de 747 de baan, rolde uit en taxiede naar de terminal.

In Terminal Twee van Seoels Kimpo Airport kwam ik snel door de paspoortencontrole en douane heen.

Meer dan twintig jaar geleden was ik hier werkelijk gestationeerd geweest, zes maanden in de gedemilitariseerde zone en zes maanden in Seoel. De dienst was oké, de Koreanen leken hun Amerikaanse bondgenoten wel te mogen en in ruil daarvoor gedroegen de Amerikanen zich redelijk goed. Ik had een enkel geval van zelfmoord van een

Koreaanse burger, drie verkrachtingen en een zootje gevallen van dronken en aanstootgevend gedrag. Niet zo slecht eigenlijk voor vijftigduizend gasten op een plek waar ze niet wilden zijn.

Ik kwam de hoofdterminal binnen, die enorm en hol was, met een tussenverdieping die rondom liep.

Ik had een overstaptijd van vier uur en mijn bagage werd direct doorgestuurd naar Ho Tsji Minh-stad; dat hadden ze althans gezegd op Dulles.

Er leken een heleboel bamiwinkeltjes en snackbars te zijn en de hele plek rook naar vis en kool, die weer een heleboel herinneringen van twintig jaar geleden opwekten.

Ik merkte een grote digitale klok aan de muur op en zag dat het 15:26 was, en de dag, in het Engels, gaf vrijdag aan. Eigenlijk was bijna alles in het Engels ondertiteld, dus ik volgde een bord waarop stond *Airline Clubs*.

De Morning Calm Club bevond zich op de tussenverdieping, en eenmaal binnen gaf ik mijn ticket aan de jongedame achter de balie. Ze glimlachte en zei: 'Welkom in de club. Alstublieft teken boek.'

Ik tekende het gastenboek en merkte dat ze naar mijn ticket staarde. Ze zei zoals ik al verwachtte: 'O, Mr. Brenner, er is een bericht voor u.' Ze rommelde wat achter de balie en overhandigde me een dichte envelop met mijn naam erop.

'Dank u.' Ik pakte mijn tas op en ging de grote, goed ingerichte lounge binnen. Ik pakte een koffie, ging in een clubfauteuil zitten en keek naar mijn bericht. Het was een telex van Karl en erin stond: *Het gaat door – Alle instructies van Mr. C. blijven gelden – Ben hier bezig de namen terug te brengen via persoonlijke dossiers – Misschien zie ik je in Bangkok – Honolulu een mogelijkheid – Wens je een veilige en succesvolle reis – K.*

Ik stak de telex in mijn zak en dronk van mijn koffie. *Het gaat door* – fantastisch nieuws. *Honolulu een mogelijkheid*. Wat moest dat verdomme betekenen?

Ik ging naar het businesscentrum en gebruikte de papierversnipperaar om Karls telex, mijn e-mail aan Cynthia en de brief van Tran Van Vinh te vernietigen. Vervolgens maakte ik twee fotokopieën van mijn visum en paspoort, deed die in mijn weekendtas en liep terug naar de lounge. Ik vond een *Washington Post* van een dag oud en bladerde hem door.

Ik denk dat ik beetje geïrriteerd was door Karls *Honolulu een mogelijkheid*, en de vaagheid van die opmerking. Had hij met Cynthia gesproken? Bedoelde hij dat Honolulu wat hem betrof in orde was, maar dat Cynthia aarzelde? Of bedoelde hij dat Honolulu een mogelijkheid was die afhing van wat er in Bangkok gebeurde? En wat was er verdomme met Cynthia aan de hand? Karl was zo godvergeten ongevoelig dat hij niet eens had gemeld dat hij met haar had gesproken.

Ik begon me op te winden, wat niet de manier was om aan een opdracht te beginnen.

Ik begon een beetje door een halfslaap heen te dobberen en de volgende onverwachte beelden speelden door mijn hoofd: Peggy, Jenny, pastoor Bennett, mijn ouders, de schaduw van de priester achter het biechtgordijn, St. Brigid's, mijn oude buurt en jeugdvrienden, de keuken van mijn moeder en de geur van kool die in een pan werd gekookt. Het was om de een of andere reden allemaal heel erg triest.

5

De vlucht van Vietnam Airlines van Seoel via twee tijdzones naar Saigon verliep rustig, tenzij je de gebeurtenissen die zich in mijn hoofd afspeelden meerekende.

In ieder geval waren het eten, de bediening en de drank goed, en het leek vreemd om in de Business Class van een moderne Boeing 747 te zitten, eigendom van en beheerd door Vietnam Airlines. Mensen die ik kende en die in de jaren zeventig en tachtig terug waren gegaan naar Vietnam, hadden me verteld dat de luchtvloot van Vietnam Airlines volledig uit Russische Ilyushins en Tupolevs bestond, schrikaanjagende toestellen, en dat de piloten ook voornamelijk Russisch waren, en dat het eten en de bediening klote waren. Dit leek een verbetering, maar we waren nog niet op de grond. Want er leek een probleem te zijn met het weer, met name met een typisch Zuidoost-Aziatische tropische wolkbreuk.

Het was ongeveer elf uur 's avonds en we waren al een uur te laat, wat op het moment wel het minste van onze problemen was. Ik zat aan het raampje en kon de lichten van Saigon zien als het weer even minder hevig werd, en het leek me dat je het verrekte vliegtuig aan de grond zou zetten zodra je ook maar iets van die grond zag.

Weer herinnerde ik me mijn eerste door de regering betaalde uitstap naar Vietnam, in november 1967. Ik vloog toentertijd met Braniff – een door het leger gecharterde, psychedelisch gele Boeing 707, die opsteeg van de legerbasis in Oakland en bemand werd door knappe Braniff-stewardessen in wilde pakjes. De stewardessen waren ook een beetje wild, vooral een die Elizabeth heette, een patriottische jongedame die ik tijdens een dansavond van Welzijnszorg in San Francisco, een paar dagen voordat ik naar Vietnam vloog, had leren kennen.

Wat betreft mijn eed aan Peggy om een jaar lang kuis te blijven, denk ik niet dat ik met Elizabeth een heel goede start heb gemaakt. De toekomst had er toen voor mij een beetje onzeker uit gezien, en ik wist

zo'n beetje alles wel te rechtvaardigen. Maar misschien moet ik niet
proberen er dertig jaar later ook maar iets van te rechtvaardigen. Je
had er bij moeten zijn.

Wat de Braniff-vlucht betrof, wie anders dan de Amerikanen konden hun gewapende strijdkrachten de oorlog in sturen in een luxe
straalvliegtuig? Het was bizar en het was uitermate wreed. Ik denk dat
ik de voorkeur zou hebben gegeven aan een troepentransportschip,
waardoor je een langzamere overgang kreeg van vrede naar oorlog en
waardoor je tenminste langzaam kon wennen aan je ellendige gevoel.

Ik weet niet wat er met Elizabeth is gebeurd, of met Braniff, maar ik
besefte dat een heleboel dingen die ik lang vergeten was, terug begonnen te komen, en er zouden er nog een heleboel volgen, waarvan de
meeste heel wat minder aangenaam zouden zijn dan Elizabeth.

De vent naast me, een Fransman, had me, sinds we aan boord waren
gegaan, genegeerd, maar nu besloot hij te praten en zei in redelijk Engels: 'Denkt u dat er een probleem is?'

Ik nam de tijd voor ik antwoord gaf en zei toen: 'Volgens mij zijn de
piloten of het vliegveld een probleem aan het maken.'

Hij knikte. 'Ja, ik denk dat dat het geval is.' Hij voegde eraan toe:
'Misschien moeten we naar een ander vliegveld.'

Ik dacht niet dat er een ander vliegveld in de buurt was waar een
747 kon landen. Dertig jaar geleden waren er talloze militaire vliegvelden met startbanen die eindeloos lang waren en de militaire piloten
hadden *beaucoup balls*, zoals we toen zeiden. Aan de andere kant
moest je er snel in duiken om aan die kleine mannetjes met machine-
geweren te ontkomen die een extra kom rijst wilden verdienen door
jou over het land uit te smeren.

Ondanks de turbulentie en de nabijheid van het vliegveld, en ondanks de reglementen van de FAA die hier trouwens niet golden, kwamen twee stewardessen langs, een met een fles champagne in haar
hand, de ander met champagneflûtes tussen haar vingers.

'Champagne?' vroeg de flessenhoudster met een mooie, Franse uitspraak. Cham-pan-je.

'Oui,' zei ik.

'S'il vous plaît,' zei mijn Franse vriend.

De twee stewardessen waren onmogelijk jong en knap met steil gitzwart haar tot op hun schouders. Ze droegen allebei de traditionele *ao
dai*: zijden jurken tot op de grond met hoge Chinese kragen. De gele
jurken hadden opzij splitten tot aan het middel, maar helaas droegen
de jongedames ook de zedige witte pantalons om zich te onderscheiden van de barmeisjes aan de grond.

De Fransman en ik pakten allebei een glas uit de vingers van de tweede stewardess, en de eerste schonk een half glas bubbelwijn in toen het vliegtuig bokte. 'Merci,' zeiden we allebei.

Onverwachts klonk de Fransman zijn glas tegen dat van mij en zei: 'Santé.'

'Proost.'

De Fransman vroeg me: 'Bent u hier voor zaken?'

'Nee, vakantie.'

'Ja? Ik heb een zaak in Saigon. Ik koop teak en andere zeldzame houtsoorten. Michelin is ook terug voor het rubber. En voor de kust wordt er naar olie gezocht. Het Westen is het land weer aan het verkrachten.'

'Nou, iemand moet het doen.'

Hij lachte, voegde er toen aan toe: 'Maar de communisten zijn een probleem. Ze begrijpen het kapitalisme niet.'

'Misschien begrijpen ze het maar al te goed.'

Weer lachte hij. 'Ja, ik denk dat u het juist heeft. Wees in ieder geval voorzichtig. De politie en de partijfunctionarissen kunnen een probleem zijn.'

'Ik ben alleen maar op vakantie.'

'Bon. Geeft u de voorkeur aan meisjes of jongens?'

'*Pardon?*'

Hij haalde een aantekenboekje uit zijn borstzak en begon te schrijven. Hij zei: 'Hier zijn wat namen, adressen en telefoonnummers. Een bar, een bordeel en een prachtige dame, en de naam van een goed Indo-Chinees restaurant.' Hij gaf me het velletje papier.

'Merci,' zei ik. 'Waar moet ik beginnen?'

'U moet altijd beginnen met een goede maaltijd, maar het is heel laat, dus ga naar de bar. Neem geen prostituee – kies een van de barmeisjes of serveersters. Dit toont enige mate van *savoir-faire*.'

'*Savoir-faire* is mijn tweede naam.'

'Betaal niet meer dan vijf Amerikaanse dollars aan de bar, vijf in het bordeel en twintig voor mademoiselle Dieu-Kiem – ze is half Frans en spreekt diverse talen. Ze is een uitstekende disgenote en kan je helpen met winkelen en sightseeing.'

'Niet slecht voor twintig dollar.' Dat kreeg Jenny dertig jaar geleden in Georgia al en zij sprak alleen maar Engels.

'Maar wees op je hoede, in de Socialistische Republiek van Vietnam is prostitutie officieel verboden.'

'In Virginia ook.'

'Vietnam is een reeks tegenstellingen – de regering is communistisch, totalitair, atheïstisch en xenofobisch. De mensen zijn kapitalistisch, ruimdenkend, boeddhistisch, katholiek en vriendelijk tegen buitenlanders. Ik heb het over het zuiden – in het noorden is het heel anders. In het noorden zijn het volk en de regering een. Als je naar het noorden gaat, moet je nog meer op je hoede zijn.'

'Ik blijf gewoon in de buurt van Saigon hangen. Ik bezoek een paar musea en een paar tentoonstellingen, en koop snuisterijen voor de familie thuis.'

De Fransman staarde me een ogenblik aan, liet me toen verder aan mijn lot over door een krant op te pakken.

De geluidsinstallatie werd aangezet en de piloot zei iets in het Vietnamees, vervolgens in het Frans. Daarna zei de copiloot, een westerling, in het Engels: 'Ga alstublieft terug naar uw plaatsen en maak uw riemen vast. We landen over een paar minuten.' De stewardessen haalden de champagneglazen op.

Ik keek uit het raampje en zag bogen van groene en rode lichtspoormunitie door de nachtelijke hemel rond Saigon schieten. Ik zag gloeiende flitsen van afgeschoten artilleriegranaten en raketten, en roodoranje ontploffingen waar de granaten en raketten in de rijstvelden neerkwamen. Ik zag die dingen met mijn ogen dicht, dertig jaar oude beelden die in mijn herinnering gebrand stonden.

Ik deed mijn ogen open en zag Ho Tsji Minh-stad, twee keer zo groot als het oude Saigon en veel helderder verlicht dan de belegerde hoofdstad tijdens de oorlog.

Ik voelde dat de Fransman naar me keek. Hij zei: 'U bent hier eerder geweest.' Het was eerder een constatering dan een vraag.

Ik antwoordde: 'Ja, dat is zo.'

'Tijdens de oorlog – ja?'

'Ja.' Misschien was het te zien.

'U zult het heel anders vinden.'

'Ik hoop het.'

Hij lachte, voegde er toen aan toe: *'Plus ça change, plus c'est la même chose.'*

Ik luisterde naar de hydraulische geluiden toen het vliegtuig aan zijn landing op Tan Son Nhat Airport begon. Dit zou, wist ik, een vreemde reis worden, terug in tijd en plaats.

DEEL TWEE

Saigon

6

We kwamen door de wolken heen en ik keek voor de derde keer in mijn leven naar beneden naar het vliegveld Tan Son Nhat.

Vreemd genoeg zag het er nog net zo uit als dertig jaar geleden; de verdedigingswallen van zandzakken waren sinds de oorlog niet weggehaald, en op het vliegveld was nog steeds een militair gedeelte waar ik MiG-jagers van Russische makelij rond de oude Amerikaanse hangars zag staan. Ook ving ik een glimp op van een Amerikaans C-130-vrachtvliegtuig en ik vroeg me af of het nog gebruikt werd of dat het een soort oorlogstrofee was.

Ik herinnerde me dat het Militaire Advies Commando Vietnam haar hoofdkwartier op Tan Son Nhat had, hetgeen destijds heel handig bleek, toen in april 1975 de zegevierende communistische troepen het vliegveld naderden; de mensen van MACV, behorende tot de laatste Amerikaanse soldaten in Vietnam, bliezen hun hoofdkwartier op en vertrokken in vliegtuigen van Air America. Ik had het op de tv gezien, en nu zag ik nog enkele puinresten die van het oude MACV-hoofdkwartier zouden kunnen zijn geweest, bekend onder de naam Pentagon-Oost.

Toen we de landingsbaan naderden, zag ik dat de terminal voor burgers dezelfde oude rotzooi was die ik me herinnerde. Ik had het vreemde gevoel dat ik door de tijd was gereisd en dat ik terugkeerde voor mijn derde missie. Eigenlijk was dat ook zo.

We kwamen bijna vlekkeloos op de natte landingsbaan neer, dus de blanke vloog. Maar er zaten blijkbaar nog steeds slecht gerepareerde bomtrechters in de baan, want het uitrollen ging over anderhalve kilometer slecht asfalt.

Het vliegtuig draaide een taxibaan op en kwam om de een of andere reden tot stilstand. Tijdens het aanvliegen had ik geen enkel vliegtuig in de buurt gezien, zodat het niet zo was dat we in een rij werden gezet om te wachten op een gate op dit saaie vliegveld. Toen de Amerikanen tijdens de oorlog de leiding hadden, was Tan Son Nhat het op twee na drukste vliegveld van de wereld en liep alles op rolletjes. Maar dat is een ander verhaal. Ik wist dat ik met mijn hoofd bij de realiteit van hier en nu moest blijven, en ik probeerde het. Maar terwijl we stonden te wachten op de taxibaan, bleef mijn geest me terughalen naar 1972 en de gebeurtenissen die resulteerden in mijn tweede bezoek aan dit land.

Ik was gestationeerd in Fort Hadley waar ik me weer had aangemeld na mijn eerste uitzending naar Vietnam, nadat Peggy Walsh en ik ermee waren opgehouden elkaar te schrijven, of, om eerlijker te zijn, ik ermee was opgehouden haar te schrijven.

Na ongeveer een halfjaar in Hadley trouwde ik, om redenen die alleen bekend zijn aan God en Sigmund Freud, met een meisje uit Midland dat Patty heette.

Patty was heel knap, had een leuk Georgia-accent, had geen hekel aan yankees, hield van seks en bourbon, was armer dan ik en wilde altijd al met een soldaat trouwen, hoewel ik er nooit achter ben gekomen waarom. We hadden absoluut niets gemeen en zouden dat ook nooit hebben, maar om zonder enige reden jong te trouwen, scheen deel uit te maken van de plaatselijke cultuur. Ik weet echt niet wat ik toen dacht.

Het was voor stelletjes tijdens de oorlog moeilijk om een huis te vinden, en er was niets beschikbaar op het fort, dus we woonden op een smerig caravanterrein dat Whispering Pines heette, samen met honderden andere soldaten, hun vrouwen en kinderen.

We zagen jongens weggaan naar de oorlog, en sommigen van hen kwamen terug, sommigen niet, en erger nog, sommigen kwamen naar de legerbasis terug terwijl ze ledematen misten. We dronken te veel, en er werd te veel gerotzooid met andermans man of vrouw, en de oorlog sleepte zich eindeloos voort.

Dus daar was ik, een joch uit Boston dat op een caravanterrein woonde met een vrouw wier accent en opvattingen voor de helft van de tijd onbegrijpelijk waren, en ik had nog een paar jaar te gaan in het leger, en jongens om me heen kregen hun tweede of zelfs derde opdracht om naar Vietnam te gaan. Denk niet dat ik Peggy en Boston, mijn vrienden en familie, niet miste. Vooral als Patty de country & westernzender aanzette en ik moest luisteren naar liedjes als 'Get Your Tongue Outta My Mouth 'Cause I'm Kissing You Goodbye'. Of 'How Can I Miss You If You Won't Go Away?'

Pa en ma en mijn broers hadden nog niet het genoegen gesmaakt de nieuwe mevrouw Brenner te ontmoeten; ik bleef een trip naar het noorden uitstellen, en ook dat zij naar het zuiden kwamen.

Ik had nooit gedacht dat ik Whispering Pines Trailer Park ooit terug zou zien, maar dat gebeurde wel, de afgelopen zomer, toen ik undercover de wapenhandel in Fort Hadley onderzocht, een opdracht die overging in de zaak van de generaalsdochter. Ik had undercover overal kunnen wonen, maar ik koos Whispering Pines dat tegen die tijd nagenoeg verlaten was en vol geesten zat.

Naarmate ik ouder word, begin ik vreemde keuzes te maken en beslissingen te nemen, en het lijkt alsof ik bewust of onbewust dingen en plaatsen van lang geleden weer opzoek. Zoals nu, op de taxibaan op Tan Son Nhat Airport. Ik moet eens gaan praten met een arts van de geestelijke gezondheid.

Maar terug naar 1971, Fort Hadley in Georgia. Op dat moment was ik sergeant met vier strepen – we haalden de strepen snel in die tijd – en als oorlogsveteraan was ik aangesteld bij de Infanterie Opleidingsschool en leerde jonge rekruten te overleven en andere jonge jongens te doden. De infanterie is overigens klote, maar het opleiden van nieuwe infanteristen was beter dan er in Vietnam een te zijn.

Het land was tegen die tijd openlijk in verzet, de kwaliteit van de dienstplichtigen behoorlijk laag, en het moreel en de discipline waren door de plee gespoeld.

Maar aan alle goede dingen komt een einde en ik wist dat ik op het punt stond orders voor Vietnam te krijgen, Deel Twee.

Ik wilde die opwindende mogelijkheid echt ontlopen, maar ook moest ik zien weg te komen uit die teringzooi waarin ik zat, inclusief, neem me niet kwalijk, mijn huwelijk. Ik zou niet de eerste soldaat zijn die de oorlog verkoos boven garnizoensdiensten en het huwelijk, en ik zou ook niet de eerste zijn die dat betreurde.

En er was nog een andere overweging: mijn broer Benny had nu de dienstplichtige leeftijd bereikt. Benny was en is een fantastische gozer, heel slim en relaxt. Jammer genoeg is hij meestal nogal verstrooid en waren zijn kansen om in een oorlogssituatie te overleven niet al te best.

Het leger had een soort semi-officiële politiek om broers, vaders en zoons niet tegelijkertijd naar Vietnam te sturen, dus ik wist dat Benny, als ik terugging, waarschijnlijk niet zou gaan, of misschien nooit zou gaan als ik niet meer terugkwam. De oorlog begon af te lopen en waar het om ging, was het winnen van tijd.

Ik had een plan en ik ben een slim, ondernemend soort man en het lukte me aangenomen te worden op de Militaire Politieschool in Fort Gordon, Georgia. Dit was een tijdelijke dienst, dus Patty bleef in

Whispering Pines Trailer Park in Midland terwijl ik naar de MP-school in Gordon ging.

In de in die tijd heersende omstandigheden was het zo, dat als een soldaat zijn jonge vrouw meer dan vierentwintig uur alleen liet in de buurt van een militaire basis, er altijd wel een kerel was die Jodie heette om haar te helpen over haar eenzaamheid heen te komen. Ik was er niet zo zeker van dat dat met Patty was gebeurd, maar er was iets gebeurd. Of, zoals het country & western-liedje het stelde 'She's Out Doin' What I'm Here Doin' Without.'

Dus ik keerde na drie maanden terug uit Fort Gordon met een nieuwe MOS, militairy occupation skill, militaire beroepsvaardigheid. Mijn oude MOS was Elf-Bravo geweest, wat betekende infanterie, en een tweede detachering in Vietnam, een waarvan ik geen redelijke verwachting had er ditmaal levend uit terug te keren. Mijn nieuwe MOS was de Militaire Politie, en Vietnam bleef mogelijk, maar was geen zekerheid. En zelfs als ik naar Vietnam zou gaan als MP, waren mijn kansen om gedood te worden of verminkt te raken door de vijand kleiner dan de kansen dat zoiets gebeurde tijdens het uit elkaar slaan van een vechtpartij in de soldatensoos.

Terwijl ik op de MP-school zat, werd Benny opgeroepen, maakte zijn rekrutentijd af en zat in de opleiding voor infanteristen met een hoge waarschijnlijkheid om naar Vietnam te gaan, ondanks de troepenverminderingen. We wisten allemaal dat binnen een paar jaar iemand als laatste man in Vietnam de lichten zou uitdoen voor hij vertrok en dat iemand de laatste man zou zijn die daar werd gedood. Niemand wist precies wanneer dat zou gebeuren, maar iedereen wist wel dat hij niet een van die mannen wilde zijn.

In ieder geval begon mijn huwelijk op de klippen te lopen, dus ik besloot hetzelfde te doen en gaf me vrijwillig op voor Vietnam.

Sneller dan je gedag kunt zeggen en zonder verlofdagen was ik in januari 1972 op Tan Son Nhat Airport waar ik naar Bien Hoa werd gestuurd, het grote afloscentrum. Bien Hoa was de plek waar sommige nieuwe soldaten uit de Verenigde Staten arriveerden en zaten te wachten op verdere orders om zich bij hun eenheden in het binnenland te voegen. Het was ook de plek waar een heleboel jongens op weg naar huis zaten te wachten op de vlucht naar vrijheid. Het was een krankzinnige plek, nog versterkt door het bij elkaar zetten van degenen die verdoemd waren en zij die gered waren. Ze deelden niet dezelfde kazerne, maar ze liepen door elkaar heen. Ze hadden weinig gemeen, behalve twee dingen: zij die naar huis teruggingen, wilden dronken worden en wippen, en zij die op het punt stonden naar het front te gaan, wilden dronken worden en wippen. Ik, als MP-sergeant zat ertussenin.

Zoals ik al zei, waren het moreel en de discipline ver te zoeken en ik herkende nauwelijks het leger waar ik nog geen vier jaar ervoor bij was gekomen. Eigenlijk herkende ik mijn eigen land nauwelijks meer. Dus Vietnam was niet zo'n slechte plek om te zijn.

De oorlog was aan het aflopen, in ieder geval voor de Amerikanen die wegtrokken, maar hij zou nog drie verschrikkelijke jaren duren voor de arme sloebers die het ongeluk hadden als Vietnamees geboren te worden.

Om eerlijk te zijn, duurde mijn tweede tijd in Vietnam maar een halfjaar en toen kreeg mijn MP-compagnie de opdracht naar huis terug te keren.

Ik hoorde in die zes maanden weinig van Patty, en wat ik wel hoorde via haar korte, maar keurig geschreven brieven, klonk niet al te optimistisch. In een brief stond letterlijk: 'Ik zit hier te luisteren naar "I'm So Miserable Without You, It's Like Havin' You Here", en zo voel ik me nu.'

Sommige mannen die onverwachts uit het buitenland thuiskomen, bellen van tevoren, zodat de liefhebbende vrouw voorbereidingen kan treffen, of de ontrouwe vrouw de sigaren uit de asbak kan halen. Ik belde in juni '72 vanuit San Francisco en zei dat ik met drie dagen thuis zou zijn. Dat nieuws werd met enige ambivalentie ontvangen.

Toen ik uiteindelijk uit de taxi stapte die me van het Midland Airfield naar het Whispering Pines Trailer Park had gebracht, voelde ik mezelf ietwat ambivalent over wat ik wilde vinden.

Ik gooide mijn plunjezak op de grond en liep naar de deur van de caravan. Thuiskomen na een lange afwezigheid in oorlogsgebied is een vreemde ervaring, alsof je net weer vanuit de ruimte de dampkring van de aarde bent binnengegaan, en je weet dat de dingen op aarde zijn veranderd.

Ik probeerde de deurknop en de deur was los. Ik stapte mijn caravan in en bleef in de kleine woonkamer staan. Ik wist dat ze er niet was, dus ik riep niet eens.

Ik liep naar de koelkast voor een pilsje en zag het briefje: *Paul – het spijt me, maar het is voorbij. Ik heb scheiding aangevraagd. Er is niemand anders, maar ik wil gewoon niet nooit meer getrouwd zijn. Ik denk dat ik eigenlijk Welkom Thuis zou moeten zeggen. Ik wens je een goed leven, Patty. P.S. Ik heb Pal meegenomen.* Pal was de hond.

De grammaticale fout van de dubbele ontkenning irriteerde me en ik kon haar slepende spraak in de geschreven woorden horen. De titel van weer een andere countrysong speelde door mijn hoofd – 'Thank God and Greyhound She's Gone.'

Ik gooide het briefje bij het afval en vond een pils in de koelkast die niet mijn merk was, maar hij was koud.

Ik liep door de caravan heen die een paar jaar lang mijn huis was geweest en ik zag dat ze al haar spullen had meegenomen; ze had niet de meubels meegenomen omdat die bij de caravan hoorden en voor het merendeel vastgeklonken zaten. Wel had ze al het linnengoed meegenomen, wat die avond een rit naar de legerwinkel betekende. Maar ik had ook geen auto meer, want ze was niet met de Greyhound vertrokken; ze had onze Mustang uit 1968 meegenomen, die ik nog steeds mis. Ook mis ik Pal. Ik had verwacht dat hij boven op me zou springen zodat ik zou vallen en hij me in mijn gezicht kon likken, wat hij, denk ik, van Patty had geleerd in het begin van ons huwelijk.

Dit was niet waar thuiskomen op hoorde te lijken.

Ik bracht een paar dagen op Whispering Pines en Fort Hadley door, terwijl ik mijn papierwerk en alles in orde maakte, en ging daarna terug naar Boston voor mijn verlof, waar ik hartelijker werd verwelkomd. Mijn broer Benny zat nog in dienst, dus hij was niet thuis – feitelijk zat hij in Duistland, aan het Oostelijk Front de grens te verdedigen tegen de Rode Hordes. Ik denk graag dat mijn tweede opdracht naar Vietnam hem uit Zuidoost-Azië heeft weggehouden.

Mijn broer Davey was net achttien geworden en had een laag nummer in een nieuw loterijsysteem voor dienstplichtigen en keek ernaar uit opgeroepen te worden. Hij vond mijn uniform mooi. De oorlog liep nu echt op een eind, dus ik probeerde hem niet uit het leger te praten of op een universiteit en ook hij heeft zijn land gediend, voornamelijk in Fort Hadley. Toen hij naar Hadley ging, informeerde ik hem over de 'vlokkenkoppen' en vertelde hem een rossige vrouw op te zoeken die Jenny heette, maar hij is haar nooit tegen het lijf gelopen.

Wat betreft mijn thuiskomst naar Boston-Zuid: de buurt leek op de een of andere manier anders, meer nog dan de vorige keer dat ik was teruggekomen. Ik besefte dat mijn jeugd erop zat en dat je inderdaad niet meer naar huis kon gaan.

Na mijn verlof keerde ik terug naar Fort Hadley en Whispering Pines en kwam via een buur aan de weet dat Patty had gelogen over dat er niet iemand anders was – verrassing! Het bleek een andere soldaat te zijn geweest, en ze is nu waarschijnlijk aan haar vierde of vijfde toe. Een man in een uniform heeft iets.

Maar alles gaat verder en binnen een paar maanden had ik de routine van mijn werk weer opgepakt en kocht ik een mooie gele vw-kever van een jongen die naar Vietnam ging. Het leger geeft je maar weinig tijd om te mokken of om over de bedoeling van het leven na te denken, en ze moedigen je niet aan over je persoonlijke problemen te praten. De uitdrukking van het leger is: 'Heb je een persoonlijk probleem? Ga met de kapelaan praten en hij zal je lik-m'n-reet-kaartje wel knippen.'

Dat was natuurlijk het leger van vroeger. Het leger van nu heeft goed opgeleide raadslieden die met je praten voordat ze je lik-m'n-reet-kaartje knippen.

Ik werd naar het heden teruggehaald toen ik een open vrachtwagen op het vliegtuig af zag komen. Dit was ons escorte, een variatie op de kleine vrachtwagens met draailicht die je op de meeste vliegvelden ziet.

We volgden de vrachtwagen naar de terminal, maar we kwamen eigenlijk niet direct bij een gate. We stopten op het platform en de motoren werden uitgezet. We waren aangekomen.

Het regende nog steeds en beneden zag ik een rij jongedames met paraplu's, wat wellicht goedkoper is dan een beweegbare slurf. Ook zag ik een paar soldaten met AK-47's onder een verroest afdak. Twee mannen rolden een trap naar het vliegtuig.

Terwijl ik uit het raampje staarde, flitsten mijn gedachten terug naar Tan Son Nhat Airport, november 1967, mijn eerste reis.

We waren net voor het aanbreken van de dag geland, en toen ik uit de van airconditioning voorziene Boeing 707 van Braniff stapte, werd ik getroffen door een stoot warme, vochtige lucht, hetgeen verrassend was op dat heel vroege uur in november, en ik herinnerde me dat ik dacht dat het een lang jaar zou gaan worden voor een jongen die van de herfst en winter in Boston hield.

Een paar honderd Amerikaanse soldaten hadden op het tarmac achter een touw gestaan, gekleed in korte kakibroeken en met een weekendtas in hun hand, starend naar het vliegtuig. De Boeing 707 die me naar Vietnam had gebracht zou snel getankt worden en zou daarna, zelfs zonder van bemanning te wisselen, die jongens naar huis brengen.

Toen ik in het schemerige ochtendlicht de trap was af gelopen, moest ik langs de jongens achter het touw. Ik kon me duidelijk de uitdrukking op hun gezichten herinneren; de meesten leken angstig, alsof het allemaal toch niet echt door zou gaan, maar er waren een paar optimisten die er blij of opgewonden uitzagen.

Een paar van die mannen die naar huis gingen, schreeuwden woorden ter aanmoediging naar de nieuwe rekruten, anderen schreeuwden dingen als: 'Je krijgt er nog spíjt van!' of 'Het wordt een láng jaar, sukkels!'

Toen ik wat aandachtiger keek, zag ik dat sommige mannen – die, naar ik later besefte, de oorlogsveteranen waren die ik te goed had gekend – die vreemde afwezige blik hadden, die ik nooit eerder had gezien, maar waarmee ik later vertrouwd raakte; dit was mijn eerste aanwijzing dat deze plek erger was dan ik me had voorgesteld uit de verhalen die ik had gehoord, of van wat ik had gezien op het tv-nieuws.

Mijn Franse reisgenoot bracht me terug naar het heden door te zeggen: 'Wat is er zo interessant daar?'

Ik wendde me van het raampje af en antwoordde: 'Niets.' Toen zei ik: 'Ik zat net te denken aan mijn eerste landing hier.'

'Ja? Deze keer hoort aangenamer te zijn. Niemand probeert je te doden.'

Ik was er niet zo van overtuigd, maar ik glimlachte.

Een bel klonk en iedereen ging staan om van boord te gaan. Ik pakte mijn weekendtas uit het bagagecompartiment boven mijn hoofd, en binnen een paar minuten stond ik op de aluminium trap, waar de glimlachende jongedames een paraplu boven onze hoofden hielden. Onder aan de trap kreeg ik een open paraplu aangereikt en ik volgde de rij passagiers voor me naar de terminal, onder de aandachtige ogen van de soldaten onder het verroeste afdak.

Mijn eerste zintuiglijke waarneming van de plek was de lang vergeten geur van regen, die anders rook dan de regen in Virginia. Een zachte bries bracht de lucht van brandende houtskool, samen met de volle en prikkelende geur van de omliggende rijstvelden, een mengeling van mest, modder en rottende vegetatie, duizend jaren van onafgebroken akkerbouw.

Ik was teruggekeerd naar Zuidoost-Azië, niet in een droom of een nachtmerrie, maar in het echt.

In de terminal nam een dame mijn paraplu over en gebaarde me de anderen te volgen, alsof ik andere plannen zou hebben.

Ik ging door een ingang de Internationale Aankomsthal binnen, een holle ruimte met de sfeer van verwaarlozing en een gevoel van verlatenheid. De hal was helemaal leeg op mijn medepassagiers na. De helft van de lichten was uit en er was geen enkel elektronisch informatiescherm, of wat voor aanwijzingen dan ook. Ik werd ook getroffen door hoe stil het er was – niemand sprak en er was geen geluidsinstallatie. In vergelijking met het vliegtuig was het er erg vochtig, en ik besefte dat er geen airconditioning was, wat in januari geen probleem was, maar in augustus wel interessant kon worden.

Het bleek echter dat deze primitieve voorziening wel de minste van mijn problemen zou worden.

Direct voor me was een rij hokjes voor paspoortcontrole, en achter de hokjes zag ik een niet bewegende en lege bagageband. Er waren geen kruiers te zien, geen bagagekarretjes en vreemd genoeg geen douaneposten. Nog vreemder was dat niemand de arriverende reizigers stond op te wachten, van wie de meesten Vietnamezen waren, en je zou toch verwachten dat mensen verlangend naar hun aankomst zouden uitzien. Toen zag ik soldaten bij de glazen uitgangsdeuren staan, en achter de deuren stond een menigte mensen door het glas heen te turen. Blijkbaar waren er geen bezoekers toegestaan in de aankomsthal, wat vreemd was. Maar eigenlijk was de hele plek vreemd.

Ik liep naar een van de paspoorthokjes en gaf de geüniformeerde man mijn paspoort en visum. Ik keek hem aan, maar hij maakte geen oogcontact met me. Hij scheen geïnteresseerd in mijn paspoort en visum.

Ik keek weer naar de enorme hal achter de hokjes en zag, hangend aan het plafond aan het andere einde van de terminal, een enorme rode vlag met een gele ster in het midden – de vlag van de zegevierende Noord-Vietnamese communisten. De volledige realiteit van de communistische zege trof me, een kwarteeuw te laat, maar met een enorme helderheid.

Toen ik in 1967 en 1972 op Tan Son Nhat landde, gingen de soldaten niet door de uitgang van de burgers, maar ik herinnerde me dat buiten de terminal de Stars and Stripes wapperde naast de oude rood, groen en gele vlag van Zuid-Vietnam. In meer dan twintig jaar had niemand meer hier een van die vlaggen gezien.

Ik kreeg een griezelig gevoel, versterkt door de man van Paspoortcontrole, die maar naar mijn paspoort en visum bleef staren. Ik besefte dat hij te lang bezig was, en de mensen bij de andere hokjes passeerden veel sneller. Aanvankelijk weet ik het aan mijn gewone pech om in een supermarkt altijd in een rij te komen waar de persoon achter de kassa de dorpsidioot was.

Maar toen pakte de paspoortman een telefoon en begon tegen iemand te praten. Ik kon me slechts een paar Vietnamese woorden herinneren, maar duidelijk hoorde ik hem het woord My – Amerikaan – zeggen. Dat is op zichzelf genomen geen negatief woord, maar je moest het in de context zien. Ik wendde een blik van verveeld ongeduld voor, hetgeen aan de man van de paspoorten voorbijging.

Ten slotte verscheen een andere geüniformeerde Vietnamees, een gedrongen, stevige man, die van de man in het hokje mijn paspoort en visum aannam en me verder gebaarde. Ik pakte mijn weekendtas en volgde hem.

Aan de andere kant van de rij paspoorthokjes stond mijn Franse vriend, die er al minstens vijf minuten eerder zonder probleem doorheen was gekomen. Hij leek op mij te wachten, merkte toen dat ik een begeleider had. Hij trok zijn wenkbrauwen op en zei iets in het Vietnamees tegen mijn begeleider. De geüniformeerde man gaf scherp antwoord. De Fransman verhief ook zijn stem en ze hadden een kleine woordenwisseling, maar de Fransman leek niet onder de indruk van de geüniformeerde communist.

De Fransman zei tegen mij in het Engels. 'Ik denk dat het alleen maar een willekeurige ondervraging is. Wees beleefd, maar resoluut. Als je niets te verbergen hebt, gaat het goed.'

Om eerlijk te zijn, had ik wel iets te verbergen. Ik zei tegen mijn nieuwe vriend: 'Ik zei je bij mademoiselle Dieu-Kiem.'

De kleine, lijvige Vietnamees gaf me een duw, die me zo nijdig maakte dat ik hem bijna een dreun verkocht. Maar ik wist me te beheersen. De missie kwam op de eerste plaats. Communisten in elkaar rammen maakte deze keer geen onderdeel uit van die missie.

Toen ik me omdraaide om de Vietnamees te volgen, hoorde ik de Fransman zeggen: 'Het is nu heel anders dan toen jouw of mijn land hier aan de macht was. Zíj zijn aan de macht.'

Dus ik liep verder met deze kleine man in uniform, wiens pet een grote, rode communistenster op de klep had. De laatste keer dat ik hier was, had ik een M-16 en had ík de macht, en als ik toen deze man had gezien, zou ik hem net zo rood hebben gemaakt als zijn ster.

Ik besefte dat ik me aan het opwinden was, dus terwijl ik met deze man door de bijna verlaten terminal liep, kalmeerde ik mezelf met een mentaal beeld waarin ik mijn handen rond Karls keel had.

Ik bedacht me dat er aan het einde van de wandeling drie mogelijkheden bestonden. Een: wie het ook was met wie ik zou spreken, zou me het land uitschoppen. Twee: ik zou vrijelijk de Socialistische Republiek mogen bezoeken om bezienswaardigheden te bekijken. Drie: ik zou uiteindelijk in de gevangenis terechtkomen.

Ik besefte dat ik misschien wat invloed kon uitoefenen over die mogelijkheden, afhankelijk van wat ik zei. Ik kan vrij behoorlijk lulkoek verkopen.

We bereikten de andere kant van de terminal en kwamen bij een afgesloten deur die mijn communistische vriend opende en die uitkwam op een lange gang afgezet met deuren. De gang was smal, dus mijn vriend kwam achter mij en porde me weer aan met een duw. Ik zou zijn vette nek binnen een hartslag hebben kunnen breken, maar dan zou ik niet weten welke deur voor mij bedoeld was.

Halverwege de gang greep hij mijn arm, klopte vervolgens op een deur. De stem achter de deur blafte: '*Di Vao.*'

Mijn duwgrage vriend opende de deur, stootte met zijn hand tegen mijn schouder en ik stapte de kamer binnen. De deur ging achter me dicht.

7

Ik bevond me in een warm, flauw verlicht vertrek met gepleisterde muren die de kleur van nicotine hadden. De lucht rook trouwens naar sigaretten. Het vertrek was klein en had geen ramen; een driebladige ventilator hing onbeweeglijk aan het plafond.

Toen mijn ogen aangepast waren aan het vage licht zag ik aan de muur tegenover me een portret van Ho Tsji Minh en een kleine rode vlag met een gele ster in het midden. Ook zag ik een foto van een man in uniform die volgens mij generaal Giap kon zijn, en een paar foto's van burgers met een strak gezicht die ongetwijfeld leden van de regering of van de partij waren. Ik concludeerde dat dit niet het Bureau voor Gestrande Reizigers was.

Rechts van me stond een bureau en achter het bureau zat een man van middelbare leeftijd in uniform. Hij zei tegen me: 'Zitten.'

Ik ging zitten in een grijsbruine stoel die ik herkende als een kampstoel van het Amerikaanse leger. Het bureau was ook Amerikaans; het standaardgrijze metaal dat sinds de Tweede Wereldoorlog niet was veranderd. In de muur boven het bureau zat een groot ventilatiegat met jaloezieën en ik kon de regen buiten horen vallen.

De kerel die me het kantoor had binnengelaten, en die ik 'Duwertje' had gedoopt, legde mijn paspoort en visum op het bureau, pakte zonder een woord te zeggen mijn weekendtas en verdween.

De middelbare man in uniform bestudeerde mijn paspoort en visum onder het licht van een gebogen bureaulamp. Ik bestudeerde de man.

Hij droeg een olijfkleurig hemd met korte mouwen en epauletten, en die gaven de rang van majoor of kolonel aan – ik heb die buitenlandse insignes nooit onder de knie gekregen. Ook had hij drie rijen gekleurde lintjes op zijn linkerborstzak, en ik nam aan dat een paar ervan dateerden uit de tijd van de Amerikaanse Oorlog, zoals zij hier de Vietnamoorlog noemden.

Hij had zo'n gezicht dat je instinctief niet mocht: samengeknepen en voortdurend fronsend. Met hoge, prominente jukbeenderen. Zijn ogen waren smal, en zijn oogballen leken vastgelijmd in de kassen.

Hij leek ouder dan ik, maar ik wist dat het niet zo was. In ieder geval had hij de juiste leeftijd om veteraan van de Amerikaanse Oorlog te zijn, en als hij dat was, had hij geen positieve gevoelens over Amerikanen. Ik nam ook aan dat hij Noord-Vietnamees was, omdat hij er groter en zwaarder uitzag dan de zuiderlingen die tenger gebouwd waren. Ook waren het voornamelijk Noord-Vietnamezen die de hoge posities in het verslagen zuiden innamen. Mijn intuïtie zei me dat dit geen aangenaam gesprek zou worden.

De man keek op van mijn paspoort en zei tegen me: 'Ik ben kolonel Mang.'

Ik gaf geen antwoord. Maar het feit dat hij werkelijk een kolonel was, gaf me het idee dat dit geen gewone controle van paspoort en visum betrof.

Kolonel Mang vroeg me in goed Engels: 'Wat is het doel van uw bezoek aan de Socialistische Republiek van Vietnam?' Hij had een soort hoge, staccato stem die me irriteerde.

Ik antwoordde: 'Toerisme', de leugen waaruit alle toekomstige leugens zouden ontspringen. En als deze man wist dat het een leugen was, dan zou hij me door laten liegen tot hij genoeg leugens had om een strop te maken.

'Toerisme,' zei kolonel Mang. Hij staarde me aan. 'Waarom?'

Ik antwoordde: 'Ik ben hier soldaat geweest.'

Plotseling veranderde het gedrag van kolonel Mang van onaangenaam in overdreven geïnteresseerd. Misschien had ik mijn instructies moeten negeren en hierover moeten liegen, maar het is echt van belang dicht bij de waarheid te blijven.

Kolonel Mang vroeg me: 'Wanneer was u hier?'

'In 1968 en daarna in 1972.'

'Twee keer. Dus u bent beroepsmilitair.'

'Ik ben beroepsmilitair geworden.'

Hij tikte op mijn visum en zei: 'Nu bent u met pensioen.'

'Precies.'

Kolonel Mang dacht een ogenblik na en vroeg me: 'En wat waren uw functies in Vietnam?'

Ik aarzelde een halve seconde te lang, antwoordde toen: 'Ik was kok. Legerkok.'

Kolonel Mang leek dit te overdenken. Hij vroeg: 'En waar was u gestationeerd?'

'In 1968 was ik gestationeerd in An Khe. In 1972 in Bien Hoa.'

'Ja? An Khe. De Eerste Cavaleriedivisie.'

'Inderdaad.'

'En Bien Hoa. Welke divisie?'

'Ik was kok in de mess van het afloscentrum.'

'Ja?' Kolonel Mang stak een sigaret op en trok er peinzend aan. Ten slotte liet hij me weten: 'Ik was luitenant bij Divisie 325 van het Volksleger van Vietnam.'

Ik gaf geen antwoord.

Kolonel Mang vervolgde: 'Ik was commandant van een infanterie-peloton. In 1968 opereerde mijn regiment rond Hué en Quang Tri. Eenheden van uw divisie waren daar ook. Bent u ooit gestationeerd geweest in dat gebied?'

Weer, me vasthoudend aan de waarheid, maar tegen beter weten in, antwoordde ik: 'Ik was een paar keer in de buurt van Hué en Quang Tri.'

'Ja? Als kok?'

'Jawel.' Ik dacht dat dit best een aangenaam gesprek zou kunnen worden tussen twee veteranen, behalve dat we ooit hadden geprobeerd elkaar te doden.

Kolonel Mang glimlachte voor het eerst en zei: 'Aangezien we daar op dezelfde tijd waren, hebben we elkaar misschien getroffen.'

Ietwat overdreven antwoordde ik: 'Als we elkaar hadden getroffen, kolonel, zou er maar één van ons nu hier zitten.'

Kolonel Mang glimlachte weer, maar het was geen aangename lach. Hij zei: 'Ja, dat is waar.' Hij staarde me een tijdje aan en merkte toen op: 'U ziet er voor mij niet uit als een kok.'

Ik overwoog hem mijn recept voor tweehonderd porties chili te geven, maar zei: 'Ik weet niet helemaal wat u bedoelt, kolonel.'

Kolonel Mang pufte aan zijn sigaret en leek in het verleden te staren. Ik moest aannemen dat hij het gewend was Amerikaanse veteranen te ondervragen. Ik nam ook aan dat hij van zijn werk genoot. Waar hij op uit was en wat hij wist, was een andere zaak.

Kolonel Mang zei tegen me: 'Er zijn veel Amerikaanse soldaten teruggekomen.'

'Ik weet het.'

We zwegen allebei terwijl kolonel Mang van zijn sigaret genoot. Ik voelde me niet bijzonder ongemakkelijk en tot dusver leek dit gewoon op een willekeurige ondervraging, een kwestie van oriëntatie, maar ik vond het helemaal niet prettig aan de antwoordende kant van de verhoortafel te zitten.

Kolonel Mang vroeg me: 'En wat is het belang van uw terugkeer naar Vietnam?'

Ik antwoordde: 'Ik weet zeker dat elke man zijn eigen reden heeft.'

'Ja? En wat is úw reden?'

Nou, ik ben undercover voor de regering van de Verenigde Staten bezig met een onderzoek naar een vreemde moordzaak. Maar kolonel Mang hoefde dat niet te weten. Eigenlijk had deze vraag iets van zen, dus ik zei: 'Ik denk dat ik, na mijn bezoek hier, het antwoord op die vraag zal weten.'

Hij knikte begrijpend, alsof dit het enig mogelijke antwoord was.

Kolonel Mang kwam nu tot gespecificeerde vragen die geen zen-antwoorden konden hebben. Hij vroeg me: 'Blijft u in Ho Tsji Minh-stad?'

Ik antwoordde: 'Ik blijf in Saigon.'

Dat viel niet zo goed en hij liet me weten: 'Er is geen Saigon.'

'Ik heb het vanuit de lucht gezien.' Waarom maak ik mensen nijdig? Wat is er met me aan de hand?

Kolonel Mang richtte een koude blik op me en zei: 'Ho Tsji Minh-stad.'

Ik herinnerde me de woorden van Mr. Conway en de raad van de Fransman resoluut maar beleefd te zijn. Hoe kun je allebei zijn? Maar ik deed een stapje terug en zei: 'Oké. Ho Tsji Minh-stad.'

'Precies. En hoelang blijft u hier?'

'Drie dagen.'

'Waar logeert u?'

'Het Rex.'

'Ja? Het hotel van de Amerikaanse generaals.'

'Ik heb altijd willen zien waar de generaals logeerden.'

Mang keek me honend aan en zei: 'Zij vertoefden in weelde terwijl hun soldaten in de oerwouden en rijstvelden leefden en stierven.'

Ik gaf geen antwoord.

Hij vervolgde zijn educatieve, politieke les en zei: 'Onze generaals leefden met ons samen en deelden de ontberingen. Mijn generaal had niet meer rijst dan ik. Hij woonde in een eenvoudige boerenhut. Jullie generaals in het basiskamp van An Khe hadden caravans met airconditioning uit Amerika. Ik heb dat met mijn eigen ogen gezien toen we het zuiden bevrijdden. Hebt u die niet gezien in An Khe?'

'Jawel.'

'En er was een golfveld voor de officieren.'

'Slechts negen holes,' herinnerde ik hem. 'En jullie sluipschutters en mortierjongens maakten het tot een moeilijke baan.'

Hij lachte nu echt, kreeg zich weer in de hand en zei: 'En ik ben ervan overtuigd dat u beter eten klaarmaakte voor de officieren.'

'Nee, iedereen kreeg hetzelfde eten.'

'Dat geloof ik niet.'

'Nou, het is waar. Vraag het de volgende veteraan die u spreekt.'

Kolonel Mang wilde niet dat ook maar een van zijn vooroordelen onderuitgehaald zou worden, dus hij veranderde van onderwerp en vroeg: 'Welke rang had u toen u met pensioen ging?'

'Onderluitenant.'

'Ja? Hoeveel betaalden ze u?'

Me herinnerend dat Mr. Conway me had gezegd dat de gemiddelde Vietnamees drie- of vierhonderd dollar per jaar verdiende, geneerde ik me een beetje om antwoord te geven. 'Ongeveer vijfenveertighonderd dollar.'

'Per maand. Klopt dat?'

'Dat klopt. U weet het al, dus waarom vraagt u het? En wat is de bedoeling van deze vragen?'

Kolonel Mang vond mijn antwoord niet prettig, maar zoals de meeste Vietnamezen bewaarde hij zijn kalmte.

Hij drukte op de knop van een intercom en zei iets in het Vietnamees. Even later ging de deur open en kwam Duwertje binnen.

Kolonel Mang en Duwertje wisselden een paar woorden en Duwertje overhandigde Mang de stompzinnige sneeuwbol, het enige ding in mijn weekendtas dat hem klaarblijkelijk in de war had gebracht.

Mang bestudeerde de sneeuwbol en Duwertje zei iets, dus Mang schudde hem en zag het sneeuwen op het Vietnam Memorial. Hij keek op en zei tegen me: 'Wat is dit?'

'Het is het Vietnam Oorlogsmonument. Een souvenir.'

'Waarom hebt dit bij u?'

'Het was een cadeautje op het vliegveld.'

'Ja?' Hij staarde naar de bol en schudde hem weer. Ik wilde lachen, maar Mang zou gedacht kunnen hebben dat ik hem uitlachte.

Mang zei: 'Ja, ik herken dit. De namen van jullie zijn erin gegraveerd. Achtenvijftigduizend. Klopt dat?'

'Dat is juist.'

Hij informeerde me: 'Wij hebben een miljoen doden.'

Ik antwoordde: 'Het noorden en het zuiden hadden allebei een miljoen doden. Dat is twee miljoen.'

Hij zei: 'Ik tel de vijand niet.'

'Waarom niet? Het waren ook Vietnamezen.'

'Het waren Amerikaanse marionetten.' Kolonel Mang zette de bol op zijn bureau en zei tegen me: 'Maak alstublieft al uw zakken op mijn bureau leeg. Alles.'

Ik had geen andere keuze dan te gehoorzamen, dus ik legde mijn portefeuille op zijn bureau, samen met de enveloppen in de zak van mijn jasje, en ook mijn pen, kam, zakdoek en Tic Tacs. De adressen die de Fransman me had gegeven, hield ik bij me.

Kolonel Mang doorzocht eerst mijn portefeuille, waarin wat Amerikaans geld zat, creditcards, een identiteitskaart van de gepensioneerde militair, met rang maar zonder functie, ziekteverzekeringskaart en mijn rijbewijs uit Virginia.

Vervolgens bekeek hij de dingen uit mijn jasje, en gaf de pen, kam, zakdoek en de Tic Tacs slechts oppervlakkige aandacht. Daarna maakte hij de enveloppen met het Amerikaanse geld, Vietnamese geld en reischeques open. Vervolgens opende hij de envelop waarin mijn vliegtickets zaten en daarna de envelop met mijn hotelvouchers. Hij bestudeerde alles en maakte aantekeningen op een vel papier. Onder het schrijven zei hij iets in het Vietnamees en Duwertje antwoordde. Ze schenen allebei geïnteresseerd in de hoeveelheid geld die ik bij me had en die voor hen een paar jaar salaris betekende. Er is duidelijk geen rechtvaardigheid in de wereld als de verslagen vijand terug kon keren naar de plek van zijn nederlaag met al dat geld.

Hoe dan ook, Duwertje zei scherp iets tegen me in het Vietnamees, herhaalde het toen, waardoor hij moest lachen. De Vietnamezen zijn erger dan Amerikanen wat betreft hun ongeduld met mensen die hun taal niet spreken. Ik probeerde me een paar Vietnamese woorden te herinneren, zoals 'Krijg de tering', maar ik was moe en ik kon er niet op komen.

Ten slotte verliet Duwertje het vertrek en vergat de sneeuwbol mee te nemen. Mang bleef maar aantekeningen maken, keek toen naar me op en zei: 'U hebt reserveringen in het Century Riverside Hotel in Hué en het Metropole in Hanoi.'

Ik gaf geen antwoord en dat scheen hem kwaad te maken.

Hij stak een volgende sigaret op en zei: 'Haal alstublieft uw spullen van mijn bureau af', alsof ik hem had geïrriteerd door alles daar neer te leggen.

Ik verzamelde mijn portefeuille, enveloppen en andere dingen en stopte ze in mijn zakken. Ik merkte dat Mang mijn paspoort hield. Ik zei: 'Als dat alles is, kolonel, zou ik graag naar mijn hotel gaan.'

'Ik vertel u wel wanneer en als we klaar zijn, Mr. Brenner.'

Dat was de eerste keer dat hij mijn naam gebruikte en hij bedoelde het niet beleefd; hij vertelde me dat hij wist hoe ik heette, dat hij op de hoogte was van mijn adressen in Vietnam, mijn vertrekdatum en de inhoud van mijn portefeuille, enzovoort.

Hij zei tegen me: 'U hebt een paar dagen tussen uw hotelreserveringen in Ho Tsji Minh-stad en Hué.'

'Ja,'

'Waar gaat u heen?'

'Ik weet het nog niet.'

'U zult zeker wel naar An Khe gaan.'

Misschien had ik het gedaan, maar niet nu. 'Als het mogelijk is.'

'Het is geen probleem. Maar uw oude basiskamp is voor een deel verboden gebied, en wordt nu gebruikt door het Volksleger.'

'Inclusief de airconditioned caravans?'

Daar gaf hij geen antwoord op, maar zei: 'De stad An Khe is niet verboden. Maar de bordelen en massagesalons zijn allemaal gesloten, evenals de bars en opiumkits.'

'Nou, dat is goed nieuws.'

'Ja? U bent blij dat Dodge City gesloten is? Zo noemden jullie dat district – klopt dat? Gebouwd door jullie eigen genietroepen.'

'Nooit van gehoord.'

Kolonel werd plotseling vuil en zei tegen me: 'Morele vervuiling. Degeneratie. Daarom hebben jullie de oorlog verloren.'

Ik liet me door hem niet uitlokken, dus ik gaf geen antwoord.

Kolonel Mang ging zo een tijdje door over Amerikaans imperialisme, Agent Orange, het bloedbad van My Lai, het bombardement op Hanoi en een paar andere dingen die zelfs ik niet wist.

Dit was een heel erg boze man en ik kon er zelfs persoonlijk geen genot uit peuren hem kwaad te krijgen omdat hij me al haatte voordat ik door zijn deur was gekomen.

Ik herinnerde me het advies van Mr. Conway wroeging te tonen over de oorlog, en ik besefte dat dit niet alleen maar een suggestie was, maar een vereiste. Ik zei: 'De oorlog was een verschrikkelijke tijd voor beide partijen, maar vooral voor de Vietnamezen die al zoveel geleden hadden. Ik betreur de betrokkenheid van mijn land bij de oorlog, en vooral mijn eigen betrokkenheid. Ik kwam hier om te zien hoe het Vietnamese volk nu in vrede leeft. Ik denk dat het goed is dat zoveel Amerikaanse veteranen terugkeren, en ik weet dat velen van hen tijd en geld hebben bijgedragen om te helpen de wonden van de oorlog te genezen. Ik hoop dat ik hetzelfde kan doen.'

Kolonel Mang leek aangenaam getroffen door mijn kleine toespraak en hij knikte goedkeurend. Dit zou het begin van een prachtige vriendschap kunnen zijn, maar ik betwijfelde het.

Hij vroeg me: 'En waar gaat u naartoe tussen Hué en Hanoi?'

Eigenlijk op een geheime missie, maar ik antwoordde: 'Ik weet het niet. Nog suggesties?'

'U zult zeker een paar van uw oude slagvelden bezoeken.'

'Ik was kok.'

Hij schonk me een samenzweerderige glimlach, alsof we allebei wisten dat dat gelul was. Hij zei op een vleiende toon: 'U lijkt me niet een man die tevreden is met roeren in een pan.'

'Nou, ik was een gevoelig kind. Het zien van bloed op een karbonade maakte me al misselijk.'

Kolonel Mang boog zich over zijn bureau heen en zei: 'Ik heb een heleboel Amerikanen gedood. Hoeveel Vietnamezen hebt u gedood?'

Het werd me toen ineens min of meer te veel, en ik ging staan en antwoordde: 'Dit gesprek is pesterij geworden. Ik ga dit gebeuren melden aan mijn consulaat in Saigon en aan mijn ambassade in Hanoi.' Ik keek op mijn horloge en zei: 'Ik ben hier al een halfuur, en als u me nog één minuut ophoudt, eis ik dat u me het consulaat laat bellen.'

Kolonel Mang verloor ook zijn kalmte, stond op en sloeg met zijn hand op het bureau. Hij schreeuwde voor het eerst. 'U hebt niets te eisen! Ik eis! Ik eis van u een volledige routebeschrijving van uw reizen door de Socialistische Republiek!'

'Ik heb u vertéld dat ik geen specifieke plannen héb. Ze hebben me gezegd dat je hier vrijelijk kon reizen.'

'Ik vertel u dat u me een reisschema moet geven!'

'Nou, goed. Ik zal erover nadenken. Geef me nu alstublieft mijn paspoort en visum terug.'

Kolonel Mang kreeg zichzelf weer in bedwang en ging zitten. Hij zei op kalme, zakelijke toon: 'Ga alstublieft zitten, Mr. Brenner.'

Ik bleef lang genoeg staan om hem nijdig te maken, ging toen zitten.

Hij informeerde me: 'Ik hou uw paspoort en geef het u terug voordat u uit Ho Tsji Minh-stad vertrekt. Op dat moment zult u me een volledige en correcte reisbeschrijving geven van uw tijd tussen Ho Tsji Minh-stad en Hué, en tussen Hué en Hanoi.'

'Ik zou mijn paspoort graag nu willen hebben.'

'Het kan me niet schelen wat u wilt.' Hij keek op zijn horloge en zei: 'U bent hier tien minuten geweest, dit was een routinecontrole op paspoort en visum en u bent nu vrij om te gaan.' Hij schoof mijn visum over het bureau en zei: 'Dit kunt u meenemen.'

Ik ging staan en pakte mijn visum; ik liet de sneeuwbol op zijn bureau staan en liep naar de deur.

Kolonel Mang had een laatste zin nodig en zei: 'Dit is mijn land, Mr. Brenner en u bent niet langer degene met de wapens.'

Ik was niet van plan antwoord te geven, maar toen begon ik te denken aan de woede van de man, zijn duidelijk traumatische oorlogsjaren als leider van een gevechtspeloton. Ik ben niet echt een invoelend man, maar omdat we allebei oorlogsveteranen waren, probeerde ik mezelf in zijn plaats voor te stellen.

Maar zelfs al had Mang voor een deel recht op zijn woede, dan nog zou hij er weinig aan hebben. Ik vroeg: 'Denkt u niet dat het tijd wordt vrede te sluiten met het verleden?'

Kolonel Mang staarde me aan, ging toen staan. Hij zei het zacht, zodat ik het bijna niet kon horen: 'Mr. Brenner, ik ben het grootste deel van mijn familie en mijn vrienden kwijtgeraakt aan Amerikaanse bommen en kogels. Van mijn klas op de middelbare school is bijna iedereen dood. Ik heb geen neef meer die in leven is, en slechts een van mijn broers overleefde de oorlog, en hij is een geamputeerde. Als dat met u was gebeurd, zou u dan in staat zijn geweest te vergeven en te vergeten?'

'Waarschijnlijk niet. Maar geschiedenis en herinnering zouden moeten dienen om de volgende generatie te vertellen niet te blijven haten.'

Hij dacht er een paar tellen over na en zei toen: 'In uw land kunt u doen wat u wilt. Ik hoop dat u hier iets leert. Ik stel voor, als toevoeging op uw reisschema, er een bezoek aan het Museum van Amerikaanse Oorlogsmisdaden aan vast te knopen.'

Ik deed de deur open en vertrok.

Buiten stond Duwertje die me gebaarde voor hem uit te lopen. Ik liep mijn route terug door de smalle gang naar de hoofdterminal. Duwertje duwde me naar de bagageband. Ik liep door de verlaten terminal en zag mijn koffer en weekendtas aan de voeten van een gewapende soldaat staan.

Ik wilde mijn koffer pakken, maar Duwertje greep mijn arm. Hij stak me een velletje papier toe. Ik nam het aan en las de met de hand geschreven Engelse tekst: *$20 – Aankomstbelasting*.

Mijn kleine reisgids had een vertrekbelasting genoemd, maar ik had het gevoel dat Duwertje de aankomstbelasting had verzonnen. Ik vind het niet leuk om uitgeschud te worden, en het werd tijd om eens terug te duwen. Ik verfrommelde het chantagebriefje en gooide het op de grond. 'Nee.'

Hierdoor kreeg Duwertje een vlaag van razernij en hij begon in het Vietnamees te schreeuwen en met zijn armen te zwaaien. De soldaat bleef er onaangedaan bij staan.

Ik pakte mijn bagage op en Duwertje probeerde niet me tegen te houden. Hij schreeuwde eigenlijk alleen maar: '*Di, di! Di di mau!*' wat betekent weg te gaan, en niet zo heel beleefd.

Ik wilde me omdraaien en kreeg toen een goed idee waardoor iedereen blij zou zijn. Ik zette mijn bagage neer, greep in mijn borstzak en haalde een biljet van twintig dollar uit de envelop. Ik liet het aan Duwertje zien en gebaarde naar mijn bagage. Hij worstelde een ogenblik met deze verleiding, drie weken salaris afwegend tegen zijn waardigheid. Hij keek om zich heen, schreeuwde toen tegen me naar de deur te lopen terwijl hij mijn bagage oppakte. Als ik aardiger was geweest, zou ik hem hebben gewezen op de uittrekbare greep en wieltjes onder de koffer.

Hoe dan ook, ik liep naar buiten de hete, vochtige lucht in die zwaar naar uitlaatgassen rook. De regen druilde alleen nog maar en er was een overdekt trottoir dat leidde naar een rij taxi's. Een paar mensen moesten twee keer kijken toen ze een geüniformeerde man mijn bagage zagen dragen en dachten waarschijnlijk dat ik een heel hoge Amerikaan was.

We bereikten de voorste taxi en de chauffeur wilde de bagage in de kofferbak doen, maar Duwertje had het nu onder de knie en deed het zelf.

Ik stak hem het twintigje toe en Duwertje griste het ruw uit mijn hand. Ik wilde hem echt een knietje in zijn kruis geven, maar dat zou me misschien nog eens twintig dollar hebben gekost. Duwertje zei op een onaangename toon iets tegen me, gilde vervolgens tegen de taxichauffeur en stampte weg.

De chauffeur sloot de kofferbak, opende het achterportier en ik stapte in de kleine Honda, niet veel groter dan een Civic. Binnen stonk het naar sigarettenrook en schimmel.

De chauffeur stapte in de auto, startte de motor en scheurde weg.

Binnen een paar minuten lieten we het vliegveld achter ons en de chauffeur zei in redelijk Engels: 'U Amerikaan? Ja?'

'Ja.'

'Komt van Seoel?'

'Jawel.'

'Waarom duurde het zo lang?'

'Het bewegende trottoir liep vast.'

'Hebben ze vragen gesteld?'

'Ja.'

'Communisten zijn strontvreters.'

Dit overviel me en ik lachte.

De chauffeur haalde een pakje sigaretten uit het borstzakje van zijn hemd en hield het over zijn schouder. 'Roken?'

'Nee, bedankt.'

Hij stak zijn sigaret aan met een lucifer en stuurde met zijn knieën.

Ik keek uit het raam en zag dat de stad zich tot aan het vliegveld had uitgebreid. In plaats van de bouwvallige bamboehutten en kraampjes die ik me langs deze weg herinnerde, zag ik gepleisterde huizen. Ik zag overal elektriciteitsdraden hangen, en ik zag tv-antennes en zelfs een paar satellietschotels. Er reden ook een heleboel vrachtwagentjes en scooters op de weg, in plaats van de ossenwagens die ik me herinnerde. Maar net als toen waren er een heleboel fietsen. Wat ook nieuw was, was de enorme hoeveel afval aan plastic en papier langs de weg.

Ik verwachtte niet het oude Vietnam te zien, dat in vele opzichten pittoresk en ongerept was geweest, maar dit getoeter en die tv-antennes waren een beetje ontnuchterend.

Ik dacht een ogenblik aan kolonel Mang en besloot dat het hele gedoe inderdaad toevallig was geweest. Jammer genoeg was het pech dat mijn aanvaring met de autoriteiten de missie in gevaar had gebracht. Ik moest besluiten of ik door moest gaan of de zaak voortijdig moest afbreken.

De chauffeur zei: 'Hotel?'

'Het Rex.'

'American General Hotel.'

'O ja?'

'Jij soldaat in Vietnam, hè?'

'Ja.'

'Ik weet het. Ik rij veel soldaten.'

'Worden die allemaal tegengehouden en ondervraagd?'

'Nee. Niet veel. Ze komen het gebouw uit... weet je? Ze komen... hoe zeg je dat?'

'Alleen? Laat?'

'Ja. Laat. Communisten vreten stront.' Hij brak in een luid gelach uit, genietend van het onderwerp. 'Communisten vreten kippenstront.'

'Dank je. Ik begrijp het.'

'Mister, waarom draagt de soldaat je tas?'

'Ik weet het niet. Wat zei hij?'

'Hij zegt jij bent belangrijke Amerikaanse persoon, maar je bent een imperialistische hond.'

'Dat is niet aardig.'

'Ben jij belangrijke persoon?'

'Ik ben de leider van de Amerikaanse communistische partij.'

Hij werd heel stil en wierp een paar keer een blik op me in zijn achteruitkijkspiegeltje. 'Grap. Ja? Grap?'

'Ja, grap.'

'Geen communisten in Amerika.'

Het gesprek was wel amusant, maar ik had een jetlag, was moe en voelde me gammel. Ik keek uit het raam. We waren nu in het oude Saigon, op een brede, goed verlichte boulevard waarvan het straatbordje Phan Dinh Phung aangaf. Ik leek me te herinneren dat deze boulevard langs de katholieke kathedraal kwam, en jawel, ik ving een glimp op van de torenspitsen van de kathedraal boven de lage, in Franse stijl gebouwde huizen.

Mijn nieuwe vriend zei: 'Mijn vader soldaat. Hij was vriend van Amerikanen. Begrijp je?'

'*Biet*,' antwoordde ik met een van mijn paar herinnerde Vietnamese woorden.

Hij keek even achterom naar me en we maakten oogcontact. Hij knikte, richtte zich weer op zijn rijden en zei: 'Hij gevangene. Heb hem nooit meer gezien.'

'Ellendig.'

'Ja. Klotecommunisten. Ja?'

Ik gaf geen antwoord. Ik besefte dat ik meer dan moe was. Ik was terug. Dank je, Karl.

We draaiden Le Loi Street in, Saigons hoofdstraat, en naderden het Rex Hotel.

Als infanterist zag ik nooit wat van Saigon. Het was verboden terrein, behalve voor officiële zaken, en de gemiddelde infanterist had niets te zoeken in Saigon. Maar tijdens mijn korte verblijf als MP was ik de stad een beetje gaan kennen. Het was toen een levendige plek, maar het was een belegerde hoofdstad, en de lichten waren altijd gedimd en het motorverkeer was voornamelijk militair. Op strategische locaties waren zandzakken opgestapeld, waar Vietnamese politie en soldaten een oogje in het zeil hielden. Elk restaurant en café had stalen roosters voor de ramen om de plaatselijke Vietcong op scooters te ontmoedigen tassen met explosieven en handgranaten naar de klanten te gooien. Toch, ondanks de oorlog, heerste er een jachtige energie in de stad, een soort joie de vivre dat je ziet als, ironisch genoeg, de dood voor de deur staat en het einde nabij is.

Dit Saigon, dit Ho Tsji Minh-stad, zag er ook jachtig uit, maar zonder de oorlogspsychose die de stad elke nacht in zijn greep hield. En verrassend genoeg waren overal lichtreclames – Sony, Mitsubishi, Coca-Cola, Peugeot, Hyundai – voornamelijk Japanse, Koreaanse, Amerikaanse en Franse producten. De communisten mochten dan stront vreten, ze dronken cola.

De taxi kwam tot stilstand voor het Rex, mijn vriend liet de kofferbak openspringen en stapte uit.

Een portier opende mijn deur terwijl een piccolo de bagage uit de
kofferbak pakte. De portier zei in goed Engels: 'Welkom in het Rex,
meneer.'

Mijn chauffeur zei tegen mij: 'Hier, mijn kaartje. Mr. Yen. Jij belt
me. Ik laat je hele stad zien. Goede toergids. Mr. Yen.'

De rit was vier dollar en ik tipte Mr. Yen een dollar.

Yen keek om zich heen om er zeker van te zijn dat niemand luisterde en zei: 'Die man op vliegveld is veiligheidspolitie. Hij zegt dat hij
je weer zal zien.' Hij sprong in zijn taxi.

Ik liep het Rex Hotel binnen.

De lobby van het Rex was een grote ruimte vol glanzend marmer,
van een vage Franse architectuur en met kristallen kroonluchters aan
het plafond. Overal stonden potplanten en de airconditioning werkte.
Dit was veel prettiger dan het kantoor van kolonel Mang.

Ik zag ook dat de lobby was versierd voor het Tet-festival, waarvoor
ik hier in 1968 en 1972 ook was. Er stonden een heleboel bloeiende
fruittakken in grote vazen en midden op de vloer stond een kumquatboom.

Er waren een paar mensen in de lobby, maar op dit uur – het was na
middernacht – was het behoorlijk rustig.

Ik liep naar de incheckbalie waar een vriendelijke Vietnamese dame, met een naamplaatje waar *Lan* op stond, me begroette, mijn voucher in ontvangst nam en me naar mijn paspoort vroeg. Ik gaf haar
mijn visum, ze glimlachte en vroeg weer naar mijn paspoort.

Ik deelde haar mee: 'De politie heeft hem ingenomen.'

Haar lieve glimlach verdween. Ze zei: 'Het spijt me, we hebben een
paspoort nodig om u in te checken.'

'Als u me niet incheckt, hoe weet de politie dan waar ik ben? Ik heb
hun dit adres gegeven.'

De logica hiervan maakte indruk op haar, en ze pakte de hoorn,
kwebbelde er een tijdje in, wendde zich weer tot mij en zei: 'We zullen
uw visum moeten houden tot u weer uitcheckt.'

'Prima. Raak het niet kwijt.'

Lan begon met haar Japanse computerterminal te spelen. Ze zei:
'Dit is een druk seizoen. Het is het Tet-feest en het weer is goed voor
toeristen.'

'Het is heet en plakkerig.'

'Dan moet u uit een koud klimaat komen. U zult er wel aan wennen.
Hebt u eerder bij ons gelogeerd?'

'Ik ben hier in 1972 een paar keer langsgelopen.'

Ze keek even naar me op, maar gaf geen antwoord. Lan vond een luxe suite voor mijn honderdvijftig dollar per nacht en gaf de piccolo de sleutel. Ze zei: 'Een prettig verblijf, Mr. Brenner. Laat de portier alstublieft weten als u iets nodig hebt.'

Ik wilde mijn paspoort hebben en mijn hoofd laten onderzoeken, maar ik zei: 'Dank u.' Er werd niet verwacht dat ik iemand belde of faxte over mijn veilige aankomst. Iemand zou hierheen bellen, wat ze waarschijnlijk al gedaan hadden, en ze zouden zich wel afvragen waarom ik me nog niet ingecheckt had.

Lan zei tegen me: '*Chuc Mung Nam Moi*. Gelukkig nieuwjaar.'

Mijn Vietnamees was voornamelijk vergeten, maar mijn uitspraak was ooit goed geweest en het lukte me haar na te praten. '*Chuc Mung Nam Moi*.'

Ze glimlachte. 'Heel goed.'

Ik liep met de piccolo naar de liften. Vietnamezen zijn in wezen aangename mensen, beleefd, opgewekt en behulpzaam. Maar onder de onbewogen, glimlachende buitenkant van de boeddha, zat een heel kort lontje.

Hoe dan ook, omhoog naar de vijfde verdieping, door een brede gang naar een grote deur. De piccolo liet me naar binnen in een aardige suite met een zitgedeelte, een uitzicht op Le Loi Street en, godzijdank, een minibar. Ik gaf hem een dollar en hij vertrok.

Als eerste ging ik op de bar af en schonk voor mezelf een Chivas met soda en ijs in. Dit was net vakantie, op het gelul op het vliegveld na en het feit dat ik elk moment met of zonder reden gearresteerd kon worden.

De kamer was aangekleed als een, wat ik noem, Franse hoerenkast, maar hij was groot en de badkamer had een aparte douche. Ik onderzocht mijn koffer op het kofferrek en zag dat alles een grote bende was. Hetzelfde met mijn weekendtas.

Ook hadden de schoften de fotokopieën van mijn paspoort en visum gepakt. Ik denk dat ze zelf geen kopieermachine hadden. Toch was er niets anders weg en ik gaf kolonel Mang en zijn hulpje hun eerlijkheid en professionalisme na, ondanks dat Duwertje had geprobeerd me te tillen voor twintig dollar. Om eerlijk te zijn zou ik me veel meer op mijn gemak hebben gevoeld als kolonel Mang gewoon een omkoopbare agent was geweest – maar hij was iets anders, en daar maakte ik me een beetje zorgen over.

Ik hing mijn kleren op, streek alles zoveel mogelijk glad, trok mijn kleren uit en stapte onder de douche. Dat malle liedje 'Secret Agent

Man' bleef door mijn door een jetlag aangetaste brein spelen en daarna
nog een paar liedjes uit James Bond-films.

Ik stapte onder de douche vandaan en droogde me af. Ik was van
plan geweest de stad te verkennen, maar ik was nauwelijks nog bij be-
wustzijn. Ik viel op bed neer en was weg voor ik de lamp kon uitdoen.

Voor het eerst sinds jaren had ik een droom over de oorlog, een ge-
vechtshandeling, compleet met de geluiden van M-16's, AK-47's en het
vreselijke geratel van een mitrailleur.

Ik werd midden in de nacht zwetend wakker. Ik schonk voor mezelf
een whisky in en ging in een stoel zitten, naakt en koud, en zag de zon
opkomen boven de rivier de Saigon.

8

Ik had een laat ontbijt in de koffiekamer van het hotel en de gastvrouw gaf me een *Viet Nam News*, een plaatselijke, Engelse uitgave. Ik ging zitten, bestelde een koffie en keek naar de krantenkop: 'Toen Het Amerikaanse Zelfvertrouwen een Enorme Klap Toebedeeld Kreeg.' Ik had het gevoel dat deze krant misschien een steek onder water bevatte.

Het hoofdartikel was geschreven door kolonel Nguyen Van Minh, een militaire historicus. Er stond: 'Op deze dag in 1968 voerden ons leger en volk een aanval uit op vijandelijke stellingen in Khe Sanh. De aanval schokte de Verenigde Staten en dwongen president Johnson en het Pentagon ons het hoofd te bieden in Khe Sanh.'

Ik kon me het incident herinneren omdat ik erbij was geweest. Ik las verder en vernam dat de Amerikaanse strijdkrachten 'een ernstige en vernederende nederlaag hadden geleden'. Ik herinnerde me dat deel niet, maar wie het heden beheerst, beheerst het verleden, en van mij mogen ze.

Ik had moeite met de slechte vertaling en de logica in dit artikel, maar het was interessant om mijn divisie genoemd te zien, de Eerste Luchtcavalerie, die was vertaald als 'De Vliegende Cavaleriedivisie Nummer Een'. Interessanter was dat de oorlog hier nog steeds nieuws was, zoals ik al had ontdekt bij kolonel Mang.

Ik keek om me heen. De andere gasten leken voornamelijk Japanners en Koreanen, maar er zaten ook een aantal westerlingen, en ik hoorde Frans en Engels spreken. Saigon leek aan een comeback bezig te zijn.

Ik bekeek het menu dat in verschillende talen was opgesteld, versierd met foto's, voor het geval dat. Geen van de foto's toonde honden of katten, of halfgevormde kippenembryo's, zoals ik me van de laatste keer herinnerde. Ik bestelde het Amerikaanse ontbijt en hoopte er maar het beste van.

Toen ik ontbeten had, liep ik naar de balie en informeerde naar mijn paspoort. De receptionist zocht en zei: 'Nee, meneer.' Ook waren er geen berichten. Ik veronderstel dat ik half had verwacht een fax van Cynthia te krijgen. Ik ging naar buiten Le Loi Street op.

De overgang van de koele, gedempt verlichte lobby van het Rex naar de hete zon was een soort schok: het plotseling gebrul van scooters, het voortdurende getoeter, de uitlaatgassen en de massa's mensen, fietsen en motorvoertuigen. Saigon in oorlogstijd was op de een of andere manier rustiger geweest, met uitzondering van zo nu en dan een explosie.

Ik begon door de straten van Saigon te lopen, en binnen tien minuten zweette ik als een otter. Ik had een plattegrond van de balie meegenomen en droeg mijn camera over mijn schouder. Ik was gekleed in een katoenen broek, een groen golfhemd en sportschoenen. Eigenlijk zag ik eruit als elke suffe Amerikaanse toerist, behalve dat de meeste Amerikaanse toeristen, waar ze ook naartoe gaan, in een korte broek lopen.

Saigon zag er niet bijzonder smerig uit, maar het was er ook niet echt schoon. De gebouwen waren nog steeds voornamelijk twee tot vijf verdiepingen hoog, maar ik zag dat er een paar wolkenkrabbers gebouwd waren. De architectuur in de binnenstad was voor een deel oud Frans koloniaal, zoals ik me nog herinnerde, maar het grootste deel van de stad was van onopvallend stucwerk met de eeuwig afbladderende verf. Overdag had de stad enige charme, maar ik herinnerde me haar voornamelijk door de onheilspellende en gevaarlijke nachten.

Het verkeer was druk, maar bewoog zich als een gechoreografeerde chaos. De enige voertuigen die zich niet aan de regels hielden, waren militaire voertuigen, en gele, open jeepachtige politiewagens, die zich met overmacht door de straten werkten en alles voor hen deed wijken. Dit was niet zoveel veranderd sinds de laatste keer, alleen waren de merktekens op de voertuigen anders geworden. Altijd herken je een politiestaat of een land in oorlog door de manier waarop overheidsvoertuigen zich door het verkeer bewegen.

De voornaamste manier van voortbeweging was nu, net zoals toen, per scooter, en de berijders, mannen en vrouwen, waren bijna allemaal jong, en reden uiteraard als krankzinnigen. Het grootste verschil was dat nu bijna iedereen in zijn mobiel sprak.

Ik herinnerde me dat al die mannen of vrouwen plotseling een granaat of een tas tevoorschijn konden halen en die in een café zonder afscherming, in een militaire vrachtwagen, een politiehokje, of een groepje dronken soldaten, Amerikaans of Vietnamees, gooiden. Deze nieuwe, van een mobiel voorziene berijders leken alleen maar een gevaar voor zichzelf.

Het was druk in de stad door het naderende Tet-feest, dat voor de Vietnamezen zoiets is als voor ons Kerstmis, oudejaarsavond en bevrijdingsdag, allemaal in een. Plus dat ze allemaal hun verjaardag op nieuwjaarsdag vierden, en iedereen is dan een jaar ouder, als volbloed paarden, ongeacht wanneer ze geboren waren.

De straten waren verstopt door verkopers die bloemen, perziktakken, abrikozenknoppen en miniatuur kumquadboompjes verkochten. Een heleboel verkopers dachten dat ik die dingen om de een of andere reden nodig had, en ze probeerden me over te halen fruittakken te kopen en die mee te zeulen.

Sommige straten waren overvol door stalletjes waar verkopers kaarten verkochten met erop *Chuc Mung Nam Moi*, en ik dacht erover er een voor Karl te kopen en er de woorden *Phuc Yu* aan toe te voegen.

De straten waren ook volgepakt met cyclo's, een unieke, Vietnamese vorm van vervoer, een soort fiets met voorop een compartiment voor een passagier. De berijder stuurt en trapt aan de achterkant, wat heel opwindend is. De cycloberijders wilden beslist een westers tarief en ze bleven maar zeuren dat ik in moest stappen om me te ontspannen, terwijl ze me volgden door het verkeer en de massa's mensen.

Ook waren er meutes kinderen die als piranha's om me heen zwermden, en aan mijn armen en kleren trokken, smekend om duizend dong, wat niet zo onredelijk leek. Ik bleef maar zeggen: '*Di di! Di di mau! Mau len!*', enzovoort. Maar mijn uitspraak zal wel slecht zijn geweest, want ze deden alsof ik zei: 'Kom dichterbij, kinderen. Kom de grote My lastigvallen voor dong.' Je kon hier heel snel genoeg van mensen krijgen.

Ik vond een straat die ik me herinnerde uit 1972, een smalle steeg in de buurt van het Cholan-district, de Chinese wijk van de stad. Deze straat was ooit stampvol bars, bordelen en massagesalons geweest, maar nu was het er stil en ik gokte dat alle meisjes enige tijd in een heropvoedingskamp hadden gezeten om te boeten voor hun zonden; nu zaten er allemaal makelaars in onroerend goed. Ik ben in dit straatje geweest, als MP natuurlijk, niet als klant.

Ik nam onder het lopen een paar foto's, maar ik had gemerkt dat ik niet werd gevolgd, dus al dit toeristengedoe sloeg nergens op, tenzij ik Karl zo gek kreeg in Virginia een diavoorstelling van vijf uur uit te zitten.

Ik oriënteerde me en liep in de richting van het Museum van Amerikaanse Oorlogsmisdaden dat kolonel Mang me had aanbevolen.

Binnen een kwartier had ik het gevonden op het perceel van een vroegere Franse villa die tijdens de oorlog ironisch genoeg de Informatiedienst van de Verenigde Staten had gehuisvest. Ik betaalde een dollar en ging het terrein op, waar grote M-48-tanks op het gras stonden te roesten. Het was hier rustiger, er waren geen bedelaars of venters, en ik voelde me eigenlijk best tevreden hier in het Museum van Amerikaanse Oorlogsmisdaden.

Ik keek rond naar de uitstallingen, voornamelijk foto's, die waren ondergebracht in diverse gestuukte gebouwen, en het was allemaal behoorlijk deprimerend en ziekmakend: foto's van het bloedbad bij My Lai, vreselijk verminkte vrouwen en kinderen, misvormde baby's die het slachtoffer waren van Agent Orange, de beroemde foto van het over de weg rennende naakte meisje, verbrand door Amerikaanse napalm, de foto van een Zuid-Vietnamese officier die tijdens het offensief van 1968 in Saigon een gevangengenomen Vietcong door het hoofd schiet, een kind dat aan de borst zuigt van zijn dode moeder, enzovoort.

Er was ook een fotogalerij van misdadigers: Lyndon Johnson, Richard Nixon, Amerikaanse generaals onder wie mijn divisiecommandant, John Tolson, en pro-oorlog-politici, plus foto's van demonstranten tegen de oorlog over de hele wereld, en politieagenten en soldaten die inslaan op studenten, de schietpartij op de Kent State University, ga zo maar door. De onderschriften in het Engels zeiden niet veel, maar dat hoefde ook niet.

Er waren een heleboel foto's van de belangrijkste hedendaagse Amerikaanse tegenstanders van de oorlog: senator John Kerry van mijn thuisstaat, die in dezelfde tijd als ik in 1968 in Vietnam had gediend, Eugene McCarthy, Jane Fonda achter Noord-Vietnamees luchtafweergeschut, enzovoort.

Er was ook een uitstalling van Amerikaanse oorlogsmedailles die door de ontvangers naar Hanoi waren gestuurd als protest tegen de oorlog.

Ik kon de jaren zestig in mijn hoofd horen gillen.

Ik trof een bijzonder verontrustende fotocollectie aan met een begeleidende tekst. De foto's toonden honderden mannen die in een rij werden opgesteld en neergeschoten door een vuurpeloton, waarna ze het genadeschot kregen met een pistool. Maar dit was niet weer een oorlogsmisdaad van de Amerikanen of Zuid-Vietnamezen. De tekst gaf aan dat de slachtoffers Zuid-Vietnamese soldaten en pro-Amerikaanse bergbewoners, de Montagnards, waren, die waren blijven vechten tegen de zegevierende communisten na de overgave van Saigon.

De tekst beschreef de Montagnards als leden van het FULRO, het

Front Unité de Lutte des Races Opprimées – Het Verenigde Front voor de Strijd van de Onderdrukte Rassen, volgens het onderschrift door de CIA gesponsorde groepen bandieten en criminelen. Deze foto's van de wrede executies waren bedoeld als les voor iedereen die enige gedachte koesterde zich te verzetten tegen de overheid. Eigenlijk waren deze foto's niet veel anders dan de andere waarop de Amerikaanse gruweldaden te zien waren. De regering van Hanoi had duidelijk geen enkel idee hoe deze foto's zouden inwerken op een westers publiek. Want naast me stond een Amerikaanse vrouw die bleek werd en er geschokt het zwijgen toe deed.

Terwijl ik naar al dit spul keek, wist ik eigenlijk niet wat ik voelde. Dit was duidelijk een onevenwichtige presentatie, door, bijvoorbeeld, het communistische bloedbad in Hué en dat in de stad Quang Tri, dat ik met mijn ogen had gezien, weg te laten.

Ik had genoeg gezien en ging weer naar buiten, het zonlicht in.

De mensen rond het museum waren voornamelijk Amerikanen van verschillende generaties: de oudere mannen, duidelijk veteranen, waren kwaad en sommigen vloekten over het 'eenzijdige' propagandistische gelul, om maar eens één gehoorde zin te gebruiken. Sommige veteranen waren met hun vrouw en kinderen, en die waren iets stiller.

Nou, genoeg lol voor één middag. Ik liep naar de uitgang en zag souvenirkramen waar ze legerspullen verkochten, bloemenvazen gemaakt van granaathulzen, oude Amerikaanse identiteitsplaatjes, modellen van Huéy-helikopters gemaakt van afvalaluminium, als origamiwerkjes. Ik zag oude Zippo-aanstekers, gegraveerd met de namen van hun vorige GI-eigenaars, met motto's, legeremblemen, enzovoort. Ik zag een aansteker die was gegraveerd met dezelfde tekst als mijn aansteker had: *Dood is mijn handel, en de handel loopt goed.* Ik heb die aansteker nog steeds, maar ik had hem thuisgelaten.

Ik liep de poort uit naar Vo Van Tan Street en keerde terug naar het centrum van de stad.

Zo nu en dan zag ik, vanuit mijn ooghoek en de hoek van mijn geest, de gewonden, de restanten van het eens zo trotse ARVN – het Leger van de Republiek Vietnam; mannen van middelbare leeftijd die er stokoud uitzagen, die armen en benen misten, blind en invalide waren, vol littekens zaten, krom en gebroken waren. Sommigen bedelden vanuit vaste plaatsen in de schaduw. Anderen zaten gewoon ergens en namen niet de moeite te bedelen.

Zo nu en dan zag een van hen me en hij riep: 'Hé, jij GI? Ik ARVN!'

Dit waren mannen van mijn generatie, mijn voormalige bondgenoten, en ik voelde me schuldig dat ik hen negeerde.

Het was een korte wandeling terug naar het Rex en toen ik de lobby binnenkwam, trof de airconditioning mij als een Canadees koudefront.

Ik informeerde bij de balie naar mijn paspoort, maar geen geluk; ook geen berichten. Ik kreeg mijn sleutel, liep naar het fitnesscentrum op de vijfde verdieping en regelde een massage. In de mannenkleed-kamer kleedde ik me uit, pakte een handdoek, badjas en doucheklom-pen, nam een douche, en zweette Saigon uit mijn poriën, maar niet uit mijn geest.

Ik ging in een stille kamer, waar rustige muziek uit een speaker klonk, op een tatami liggen. Een bediende bracht me een kopje sake.

Bij sake nummer drie voelde ik me een beetje roezig worden en een instrumentale versie van 'Nights in White Satin' klonk uit de luidspre-ker, en het was 1972; ik zoog op een grote, dikke joint in de flat van een dame bij Tu Do Street, niet zo ver hier vandaan, en ze lag naast me, alleen gehuld in een cannabisgrijns en we gaven de joint over en weer aan elkaar door en haar lange, zwarte zijdeachtige haar lag op mijn schouder.

Maar toen begon de dame te vervagen en ik begon te beseffen dat een deel van wat ik voelde, door weer hier terug te zijn, een gevoel van nostalgie was voor een tijd die niet meer bestond; ik was niet jong meer, maar ik was eens jong geweest, op deze plek, die voor mij in tijd verstard was. En zolang deze plek in de tijd verstard leek, deed mijn jeugd dat ook.

Ik moest weggedreven zijn, omdat een jongen zacht aan mijn schouder schudde en zei dat ik een message, een boodschap, had, maar dat bleek in werkelijkheid de mássageafspraak.

Een receptioniste van de fitnessclub wees me naar Kamer C. In Ka-mer C stond een massagetafel bedekt met een schoon wit laken. Ik hing mijn badjas op, stapte uit mijn doucheklompen en ging gekleed in mijn handdoek, me uitrekkend en geeuwend, op de tafel liggen.

De deur ging open en een aantrekkelijke jonge vrouw, gekleed in een korte witte rok en een witte blouse zonder mouwen kwam binnen en zei glimlachend: 'Hallo.'

Zonder nog veel te zeggen, gebaarde ze me op mijn buik te gaan lig-gen, maakte de handdoek rond mijn middel los en sprong op de tafel naast me.

Ze was echt sterk voor zo'n kleine vrouw en kraakte elk bot en elk gewricht in mijn lichaam. Ze hield zich vast aan een staaf boven haar hoofd en liep met haar blote voeten over mijn rug en achterste, waarbij ze met haar tenen mijn vlees kneedde. Hieraan zou ik wel kunnen wennen.

Aan elke muur hingen spiegels, maar dit scheen niet al te onge-woon, hoewel ik merkte dat de jongedame en ik in de spiegels naar el-kaar konden kijken en ze glimlachte heel veel.

Ten slotte draaide ze me op mijn rug en op de een of andere manier was ik mijn handdoek kwijtgeraakt. Ze knielde tussen mijn benen en wees op een plaats die ze nog niet gemasseerd had. Ik had het gevoel dat het shiatsu-deel van de massage voorbij was.

Ze zei: 'Tien dollar – Goed?'

'Uhh...'

Ze glimlachte en knikte aanmoedigend. 'Ja?'

Geef dit hotel er een ster bij.

Naast morele overwegingen, schoten me de woorden 'seksuele uit-lokking' te binnen. Dat kon ik net gebruiken: kolonel Mang die de deur binnenkwam en video-opnamen van me maakte terwijl ik gepijpt werd in de massagekamer van het Rex Hotel.

Ik ging rechtop zitten, recht tegenover mijn nieuwe vriendin. Ik zei: 'Sorry, kan niet.'

Ze vertrok haar lippen tot een pruilmondje. 'Ja, ja.'

'Nee, nee. Moet weg.' Ik glipte van de tafel en stapte in mijn dou-cheklompen.

Miss Massage ging op de tafel zitten en bleef pruilend naar me kij-ken.

Ik pakte mijn badjas van de haak en zei: 'Fantastische massage. Geef je grote fooi. *Biet?*'

Ze pruilde nog steeds.

Ik trok mijn jas aan, verlict dc massagekamer en liep naar de recep-tiebalie waar ik een hotelbon tekende voor de massage van tien dollar, en voegde er een tip van nog eens tien dollar aan toe. De receptioniste glimlachte tegen me en zei: 'Voclt u zich nu goed?'

'Heel goed.' Ik zou me nog veel beter hebben gevoeld als ik de CID voor een pijpbeurt zou hebben kunnen laten betalen.

Hoe dan ook, nu dit kleine Zuidoost-Aziatische intermezzo voorbij was, liep ik terug naar de kleedkamer, kleedde me aan en verliet het fitnesscentrum, in het besef dat kolonel Mang van die deal geen deel uitmaakte. Ik herinnerde me dat M James Bond nooit instructics meegaf dat hij uit de buurt moest blijven van seksuele verlokkingen. De Amerikanen aan de andere kant, vooral de FBI, waren zeer puriteins over seks tijdens het werk. Misschien dat ik voor mijn volgende car-rière eens bij een buitenlandse inlichtingendienst zou moeten gaan kij-ken. Ik bedoel, ik had nu al zoveel lol.

Ik ging naar mijn kamer, pakte een cola en stortte neer in een leunstoel. Terwijl ik met gesloten ogen van mijn cola nipte, verscheen een beeld van Cynthia. Ze leek naar me te staren alsof ik iets verkeerds had gedaan. In wezen ben ik monogaam, maar er zijn momenten die de ziel van een man op de proef stellen.

Dus ik zat daar en besloot wat ik zou aantrekken voor mijn afspraak om zeven uur in het dakrestaurant.

Toen merkte ik iets op. Aan het hoofdeinde van het bed, bij het kussen, lag de sneeuwbol.

9

Ik nam de lift naar boven naar het dakrestaurant en kwam uit in een grote, omsloten ruimte met een bar en een cocktailbar. Mr. Conway had niet uitgeweid over waar ik mijn contact zou ontmoeten – hoe minder het gepland is, hoe minder gepland het eruit zal zien. Precies. Maar dit hier was groot, en door een glazen wand zag ik een enorme uitgestrektheid aan tafeltjes buiten op het dak zelf.

Ik bekeek de bar en de cocktailbar nog eens goed en ging vervolgens naar buiten het dak op. Een ober vroeg me in het Engels of ik alleen was. Ik bevestigde dat, en hij bracht me naar een kleine tafel. Over de hele wereld spreekt dienstpersoneel me in het Engels aan voor ik zelfs maar mijn mond opendoe. Misschien komt het door mijn kleding. Deze avond droeg ik een blauw sportjasje, een geel golfhemd, een kakibroek en sportschoenen zonder sokken.

Ik keek om me heen door de daktuin. Er stonden voldoende planten in potten om een oerwoud te suggereren, en ik vroeg me af hoe iemand me hier moest vinden. Het dak was bedekt met marmeren tegels, aan drie kanten omringd door een smeedijzeren balustrade en aan de vierde kant door het restaurant zelf waar ik net uit was gekomen. Voorzover ik kon zien, was de helft van de tafeltjes bezet, en de klanten leken gelijkelijk verdeeld over Oost en West. De mannen waren goedgekleed, hoewel niemand een das droeg, en de vrouwen zagen er een beetje te opzichtig gekleed uit in lichte avondjurken die meestal tot op de grond reikten. Ik had niet veel been gezien sinds mijn aankomst, tenzij je miss Massage meetelt. Maar er zat een Amerikaans stel van middelbare leeftijd in een korte broek, T-shirt en sportschoenen. Buitenlandse Zaken zou een kledingscode moeten uitvaardigen.

Op elke tafel stond een stormlamp met een brandende kaars erin en overal om de tuin heen hingen gekleurde, papieren lampions.

Aan het andere einde van het dak stond een enorme metalen sculptuur van een koningskroon met het woord *Rex* in lichtjes. Niet zo'n socialistisch symbool. Aan weerskanten van de kroon bevond zich een groot beeld van een olifant die op zijn achterpoten stond. En onder de kroon was een combo van vier man zich aan het voorbereiden.

Een kelner kwam langs met een menu, maar ik vertelde hem dat ik alleen bier wilde. Ik vroeg: 'Hebt u 333?'

'Jawel, meneer.' En weg was hij.

Ik was blij dat ze nog steeds Drie Maal Drie maakten in de Socialistische Republiek – in het Vietnamees is het Ba Ba Ba, en het is een geluksgetal, zoals 777 in het Westen. Ik kon wel wat geluk gebruiken.

Het bier kwam in de fles zoals ik me herinnerde, en ik schonk het in een glas, wat ik nooit eerder had gedaan. Ik merkte voor het eerst dat het bier een gelige tint had. Misschien dat sommige jongens het daarom toen tijgerpis noemden. Ik nipte ervan, maar ik kon me de smaak ervan niet herinneren.

Ik keek uit over de stad. De zon ging onder in het zuidwesten en er was een aangename bries gaan waaien. De lichten van Saigon gingen aan en ik zag dat die zich bijna tot aan de horizon uitstrekten. Achter de lichten was de oorlog geweest, soms dicht bij Saigon, andere keren niet zo dichtbij. Maar altijd daar.

Het kwartet begon te spelen en ik hoorde de warme tonen van 'Stardust'. Voor de band was een kleine dansvloer, en een paar stellen stonden op om te dansen op dit slaapverwekkende deuntje.

Ik weet niet wat ik had verwacht hier te vinden en ik denk dat ik op alles voorbereid was, maar misschien was ik niet voorbereid op 'Stardust' op het dak van het Rex Hotel. Ik probeerde me de Amerikaanse generaals en kolonels en de hele staf voor te stellen die hier elke avond zaten, en ik vroeg me af of ze naar de horizon keken als ze zaten te eten. Vanaf deze hoogte, ongeacht hoe ver je naar de horizon kon kijken, kon je 's avonds de artillerie en de raketten in de verte zien, en misschien kon je zelfs de lichtspoormunitie zien en de lichtkogels. Zonder twijfel kon je de bommen van duizend pond horen, tenzij de band te hard speelde; en zeker kon je napalmaanvallen zien waarvan het witgloeiende vuur het hele universum verlichtte.

Ik dronk van mijn bier, voelde de bries tegen mijn gezicht, luisterde naar de band die was overgegaan op 'Moonlight Serenade' en ik voelde me plotseling heel erg misplaatst, alsof ik hier niet moest zijn, alsof het een gebrek aan respect was voor de mannen die daar verderop in de zwarte nacht waren gestorven. En erger nog was, dat niemand op dit dak wist wat ik voelde, en ik wilde dat Conway, of zelfs maar Karl, hier bij me was. Ik keek om me heen om te zien of ik alleen was, maar toen zag ik een man van ongeveer mijn leeftijd met een vrouw, en ik wist door de manier waarop ze spraken en door hoe hij keek, dat hij hier eerder was geweest.

Ik was halverwege mijn tweede bier, de band was halverwege 'Old Cape Cod' – hoe kenden ze die songs? – en het was twintig over het afgesproken uur, en nog steeds geen contact. Ik fantaseerde dat een kelner me een faxbericht gaf waarin stond 'De moordenaar heeft bekend – tickets naar Honolulu bij de incheckbalie'. Maar mijn paspoort dan?

Terwijl ik in mijn mijmeringen verzonken zat, was een jonge blanke vrouw naar mijn tafeltje komen lopen. Ze was gekleed in een beige, zijden blouse, donkere rok en sandalen, en ze had een diplomatenkoffertje bij zich, maar geen handtas. Ze leek naar iemand te zoeken, bleef toen bij mijn tafeltje staan en vroeg me: 'Bent u Mr. Ellis?'

'Nee.'

'O, het spijt me. Ik werd verondersteld hier een Mr. Earl E. Ellis te ontmoeten.'

'U bent van harte uitgenodigd me gezelschap te houden tot hij komt.'

'Nou... als u het niet erg vindt.'

'Helemaal niet.' Ik stond op en trok een stoel voor haar naar achteren. Ze ging zitten.

Ze was zo ongeveer rond de dertig, had bruin haar, dat ze lang en steil droeg, met een scheiding in het midden zoals Vietnamese vrouwen. Haar ogen waren ook bruin en heel groot, en haar gezicht was lichtgebruind zoals je kunt verwachten in dit klimaat. Ze droeg geen sieraden, alleen een functioneel effen horloge, en bijna geen make-up, behalve een lichtroze lippenstift, en geen nagellak. Ondanks de Vietnamese haarstijl gaf ze me de indruk van een zakenvrouw zoals je die ziet in Washington, een advocate of misschien een bankierster of effectenmakelaarster. Het diplomatenkoffertje versterkte de indruk. En heb ik al gezegd dat ze goedgebouwd en knap was? Niet terzake doende natuurlijk, maar moeilijk over het hoofd te zien.

Ze zette haar diplomatenkoffertje op de lege stoel, stak daarna over het tafeltje haar hand uit en zei: 'Hallo, ik ben Susan Weber.'

Ik pakte haar hand en dacht eraan dat dit een James Bond-moment was, ik keek haar in de ogen en zei: 'Brenner. Paul Brenner.' Ik meende de band 'Goldfinger' te horen spelen.

'Bedankt dat ik je even mag storen. Wacht je op iemand?'

'Dat deed ik. Maar laat me je een drankje aanbieden terwijl we allebei op ons gezelschap wachten.'

'Nou... oké. Ik graag een gin-tonic.'

Ik gebaarde de kelner en bestelde een gin-tonic en nog een bier.

Miss Weber zei iets tegen de kelner in het Vietnamees, en hij glimlachte, boog en verdween.

Ik vroeg: 'Spreek je Vietnamees?'

'Een beetje.' Ze glimlachte. 'En jij?'

'Een beetje. Dingen als "laat me je identiteitskaart eens zien" en "steek je handen omhoog".'

Ze glimlachte weer, maar gaf geen antwoord.

De drankjes kwamen en ze zei: 'Volgens mij gebruiken ze echte kinine. Het heeft iets te maken met malaria. Ik heb een hekel aan malariapillen. Ik krijg er... nou, diarree van. Ik slik ze niet.'

'Woon je hier?'

'Ja. Bijna drie jaar nu. Ik werk voor een Amerikaanse investeringsmaatschappij. Ben je hier voor zaken?'

'Als toerist.'

'Net aangekomen?'

'Gisteravond. Ik logeer hier.'

Ze hief haar glas en zei: 'Welkom in Saigon, Mr....?'

'Brenner.' We klonken.

Ik merkte dat haar accent iets van New England had en ik vroeg haar: 'Waar kom je vandaan?'

'Ik ben geboren in Lenox – westelijk Massachusetts.'

'Ik weet waar het is.' Lenox was een van die ansichtkaart-perfecte stadjes in de heuvels van Berkshire. Ik zei: 'Ik ben een keer door Lenox gereden. Een heleboel grote herenhuizen.'

Ze gaf daar geen antwoord op, maar zei: 'Zomerverblijf van het Boston Symphony – Tanglewood. Ben je ooit naar Tanglewood geweest?'

'In de zomer ga ik gewoonlijk naar Monte Carlo.'

Ze keek me aan om te zien of ik haar in de maling nam, scheen niet te kunnen beslissen en vroeg me toen: 'En jij? Ik meen iets uit Boston te horen.'

'Heel goed. Ik dacht dat ik het kwijt was.'

'Dat doe je nooit. Dus we komen allebei uit Bay State. Kleine wereld en zo.' Ze keek om zich heen. 'Het is lekker hierboven, behalve in de zomer, dan is het te heet. Vind je het hotel prettig?'

'Tot dusver wel. Ik heb vanmiddag een fantastische massage gehad.'

Ze ving dit direct op, glimlachte en antwoordde: 'O ja? En wat voor soort massage?'

'Shiatsu.'

Ze vertelde me: 'Ik hou van een goede massage, maar de meisjes krijgen maar een dollar van het hotel – ze verdienen meer door hun extra's, en daarom vinden ze het niet zo prettig om vrouwen te masseren.'

'Je zou ze een fooi kunnen geven.'

'Dat doe ik. Een dollar. Ze houden van mannen.'

'Nou, als je het wilt weten, ik heb alleen de massage gehad. Maar dit is een losbandige tent.'

'Je moet voorzichtig zijn.'

'Ik ben meer dan dat. Ik ben goed.'

'Dat is heel aanbevelenswaardig. Hoe zijn we op dit onderwerp terechtgekomen?'

'Ik denk dat ik het was.'

Ze glimlachte en zei: 'Over het hotel – het was ooit in het bezit van een rijk Vietnamees paar dat het had gekocht van een Franse maatschappij. Tijdens de Amerikaanse betrokkenheid hier, gaf het voornamelijk onderdak aan Amerikaanse militairen.'

'Dat heb ik gehoord.'

'Ja. Toen de communisten aan de macht kwamen in 1975, werd het overgenomen door de regering. Het bleef een hotel, maar er logeerden voornamelijk Noord-Vietnamese partijbonzen, Russen en communisten uit andere landen.'

'Alleen maar het beste voor de winnaars.'

'Nou, ik heb begrepen dat het een varkensstal werd. Maar ergens midden jaren tachtig verkocht de regering een belang erin aan een internationale maatschappij, die het lukte van de communistische gasten af te komen. Het werd volledig gerenoveerd en er werd een internationaal hotel van gemaakt. Ik boek altijd hier voor Amerikaanse en Europese zakenlieden.' Ze keek me aan. 'Ik ben blij dat je het goed vindt.'

We maakten oogcontact en ik knikte.

Ze keek op haar horloge. 'Ik kan me niet voorstellen waar deze Mr. Ellis is.'

'Probeer de massagesalon.'

Ze lachte.

Ik zei: 'Neem nog een drankje.'

'Nou... waarom niet?' Ze zei iets tegen een passerende kelner, greep toen in haar diplomatenkoffertje en haalde er een pakje Marlboro uit. Ze bood het mij aan.

Ik zei: 'Nee, bedankt. Maar ga je gang.'

Ze stak haar sigaret op, en terwijl ze ermee bezig was zei ze zacht: 'Ik heb iets voor je.' Ze blies een rookwolk uit.

Ik antwoordde niet. Ik had geen vrouw verwacht, maar ik besefte dat het minder opvallend was.

Ze zei: 'Ik heb een fax van je firma ontvangen. Ik heb in een krant aangegeven wat je nodig hebt; hij zit nog in mijn koffertje. De kruiswoordpuzzel. Ze zeiden dat je het zou begrijpen.'

'Geef me de krant als je vertrekt.'

Ze knikte, zei toen: 'Ik heb je firma gisteravond gefaxt dat je je hier ingecheckt had. Ik vertelde hun dat je vlucht vertraging had opgelopen door het weer, maar dat je je anderhalf uur nadat je was geland had ingecheckt.' Ze vroeg me: 'Was er een probleem op het vliegveld?'

'Ze hadden mijn bagage ergens anders neergezet.'

'O ja? Zoveel vluchten komen er hier niet aan, en ze hebben maar één bagageband. Hoe kan je bagage dan ergens anders terecht zijn gekomen?'

'Ik heb geen idee.'

Haar gin-tonic kwam samen met een volgend biertje. De band speelde 'Stella by Starlight'. Ze schenen met deze keuzes de hemel als thema te hebben genomen.

Ik vroeg miss Weber: 'Werk je echt voor een Amerikaans bedrijf?'

'Ja. Waarom?'

'Heb je ooit eerder zoiets als dit gedaan?'

'Ik weet het niet – wat doe ik?'

Slim antwoord, maar ik moest een antwoord hebben, dus ik vroeg het haar weer.

Ze antwoordde: 'Nee. Mij werd alleen gevraagd hun een dienst te bewijzen. De eerste keer.'

'Wie heeft het je gevraagd?'

'Een man die ik hier ken. Een Amerikaan.'

'Wat voor werk doet die man?'

'Hij werkt voor de Bank of America.'

'Hoe goed ken je hem?'

'Goed genoeg. Hij is mijn vriend op dit moment. Ongeveer een halfjaar. Waarom stel je die vragen?'

'Ik wil gewoon zeker zijn dat je niet op de loonlijst van de plaatselijke KGB staat.'

Ze knikte en zei toen: 'Iedereen hier staat onder toezicht van de Veiligheidspolitie. Vooral Amerikanen. Maar de Vietnamezen zijn er niet efficiënt in.'

Ik gaf geen antwoord.

Ze voegde eraan toe: 'Driekwart van de Vietnamese politie is in burger. Die mannen aan de volgende tafel zouden allemaal van de politie kunnen zijn, maar tenzij ik een joint opsteek en de rook in hun gezichten blaas, zijn ze meer geïnteresseerd in hun bier dan in mij. Het is allemaal heel willekeurig. Ik word ongeveer een keer per maand aangehouden voor de een of andere stompzinnige verkeersovertreding en moet dan twee dollar betalen.'

Ik gaf geen antwoord.

Ze vervolgde: 'Het gaat allemaal om geld. Deze stad zit vol dure, geïmporteerde consumptiegoederen, en de gemiddelde Nguyen verdient ongeveer driehonderd per jaar, maar hij wil alles wat hij ziet, dus als burger werkt hij dicht in de buurt van westerse toeristen voor de fooien, zijn kleine broertje bedelt op straat, zijn zus licht de boel op, en zijn broer, die smeris is, perst toeristen en emigranten uit.'

'Ik denk dat ik ze allemaal heb ontmoet.'

Ze glimlachte en informeerde me: 'Het is een corrupt land, maar de omkoopprijzen zijn heel behoorlijk, de mensen zijn in wezen aardig, straatcriminaliteit komt nauwelijks voor, en in Saigon werkt de elektriciteit, ook al is het sanitair een beetje onbetrouwbaar. Ik zou me niet al te veel zorgen maken over de efficiëntie van een politiestaat hier. Het zijn de inefficiëntie, de paranoia van de regering en de vreemdelingenhaat wat betreft westerlingen, die proberen hen ervan te overtuigen dat je hier alleen maar bent om wat te verdienen, of foto's te maken van pagodes en dat je hier niet bent om de regering omver te werpen. Ik ben geen held, Mr. Brenner, en geen patriot, dus als ik dacht dat er enig gevaar bestond in het bewijzen van deze kleine dienst, zou ik nee hebben gezegd.'

Ik dacht over dit alles na en concludeerde dat miss Weber een beetje cynisch was, hoewel ze in het begin niet als zodanig overkwam. Maar misschien had Vietnam haar te pakken gekregen. Ik vroeg haar: 'Dus waarom stemde je toe deze dienst te bewijzen?'

'Ik heb het je verteld – mijn stompzinnige vriend. Bill. Nu we hier mensen van het consulaat hebben, denkt hij dat ze hem met zijn zaken kunnen helpen. De regering weet net zoveel van zaken als ik van regering.'

'Dus iemand van het consulaat vroeg Bill om – wat?'

'Ze vroegen Bill mij te vragen jou te ontmoeten. Het consulaat wilde een vrouw. De politie besteedt weinig aandacht aan vrouwen en volgens mij is dit minder opvallend.'

'Kan ik die vriend Bill natrekken?'

Ze haalde haar schouders op. 'Ik zal je zijn kaartje geven. Ik heb er een pak van.'

'Je bent een heel loyale vriendin.'

Ze lachte en zei toen: 'Jij bent heel wantrouwig.'

'Ook paranoïde. En er bestaat een mogelijkheid dat ik in de gaten word gehouden, dus wees niet helemaal verbaasd als je later onder-vraagd wordt.'

Weer haalde ze haar schouders op. 'Ik weet helemaal niets.'

Ik informeerde haar: 'Ik ben een veteraan, en ik ben hier om herin-neringen op te halen en een paar plaatsen te bezoeken waar ik gediend heb.'

'Dat is mij verteld.'

'En dat is alles wat je weet. Jouw zakelijke afspraak is niet versche-nen en jij staat op het punt weg te gaan.'

Ze knikte.

Ik vroeg haar: 'Word je verondersteld mij buiten de krant nog iets anders te geven?'

'Nee. Zoals wat?'

'Zoals een mobiele telefoon.'

'Nee. Maar je kunt die van mij krijgen. Hij doet het niet zo goed buiten de stad. Maar voor Saigon is hij goed genoeg. Wil je hem?'

'Niet als hij naar jou kan leiden.'

'Jij bent de baas. Kan ik nog iets anders voor je doen?'

'Wat is er je verteld dat je moest doen?'

'Het overbrengen van een boodschap.'

'Wat is de afspraak over het hier vandaan faxen van een bericht door mij?'

'Je bedoelt in het hotel? Je faxt het gewoon.'

'Kijken ze ernaar? Maken ze een kopie?'

Ze dacht een ogenblik na en antwoordde toen: 'Dat doen ze. Ze ge-ven je pas je vel papier terug als ze een kopie hebben gemaakt. Maar ik kan een veilige fax of e-mail versturen vanuit mijn kantoor.' Ze voeg-de eraan toe: 'Dat heb ik gisteravond gedaan.'

'Wordt er van jou ook verwacht dat je iemand een fax stuurt over deze ontmoeting?'

Ze knikte. 'Een 703-netnummer. Virginia.'

'Juist. Goed, zeg naast het verslag over onze ontmoeting dat ik op het vliegveld werd aangehouden en dat ze mijn paspoort hebben inge-nomen, maar dat ik denk dat het een willekeurige aanhouding was en dat ik Saigon op tijd zal verlaten als ik mijn paspoort weer heb. Goed?'

Ze keek me aan, herhaalde het bericht en zei: 'Het wordt niet van me verwacht jou vragen te stellen, maar...'

'Stel helemaal geen vragen. En als je een antwoord op de fax krijgt, leer je die uit je hoofd. Neem hem niet mee naar dit hotel. Neem con-tact met me op en we treffen elkaar ergens. Goed?'

'Wat je maar wilt.'

'Bedankt.'

'Geen probleem. Dus ze hebben je op het vliegveld aangehouden? Daarom was je zo laat.'

'Precies.'

'Het verbaast me niets. Je ziet er onbetrouwbaar uit.' Ze lachte en vroeg: 'Wilden ze aankomstbelasting?'

'Twintig dollar.'

'Heb je die betaald?'

'Jawel.'

'Dat had je niet moeten doen. Ze begrijpen nee als je er heel resoluut over doet.'

'Ik liet die kleine veiligheidsman mijn bagage naar de taxi dragen.'

Ze lachte. 'Dat is fantastisch. Heerlijk.' Ze voegde eraan toe: 'Je weet dat de man van het paspoort en iedereen de buit delen. Dat is de zwendel.'

Ik vroeg haar: 'Denk jij dat het een willekeurig verhoor was?'

'Natuurlijk... behalve dat ze bijna nooit een paspoort innemen.' Ze dacht een ogenblik na en zei toen: 'Je zult nog wel van ze horen.'

'Ik hoop het. Ze hebben mijn paspoort.'

Ze stak een volgende sigaret op en ik had de indruk dat ze geen haast had om te vertrekken. Ik zei: 'Bied me de krant aan, en dan kun je vertrekken naar je volgende afspraak. Ik heb jouw visitekaartje nodig en dat van Bill.'

Ze keek me aan en het oogcontact duurde even, toen drukte ze haar sigaret uit en zei: 'Mijn visitekaartje zit in de krant. Ik weet niet of jij iets over Bill hoort te weten. Bel me, en ik breng je daarvan op de hoogte.'

'Goed.'

Ze stond op en pakte haar diplomatenkoffertje van de stoel... Ze zei: 'Bedankt voor de drankjes.'

Ik ging staan. 'Graag gedaan.'

Ze zei: 'Ik heb een Engelse krant. Ik heb hem uit. Wil jij hem hebben?'

'Graag. Ik kan wel iets te lezen gebruiken.'

Ze haalde de *International Herald Tribune* uit haar koffertje en legde die op de tafel. 'Hij is van gisteren, maar het is de weekendeditie. Maandagavond is pas de volgende te krijgen.'

'Bedankt.'

Ze stak haar hand uit en ik schudde die. Ze zei: 'Veel geluk.'

Ik antwoordde: *'Chuc Mung Nam Moi.'*

Ze glimlachte en zei: '*Chuc Mung Nam Moi.*' Ze draaide zich om en vertrok.

Ik ging zitten en liet de krant onaangeroerd, wachtte of er iets onaangenaams zou gebeuren terwijl ik van mijn bier nipte.

Ik wachtte een hele minuut, maar er gebeurde niets, dus ik pakte de krant op en vouwde die open. Ik verborg haar kaartje in mijn handpalm en liet het in de zak van mijn jasje glijden toen ik mijn zakdoek eruit haalde en mijn voorhoofd afveegde. Ik ging zijdelings naar de tafel toe zitten en las de voorpagina in het licht van de kaars op tafel.

Nou, tot dusver ging alles goed. Ik heb nooit in een vijandig land aan een zaak gewerkt, hoewel ik om eerlijk te zijn aan zaken heb gewerkt in bevriende landen die ik vijandig heb gemaakt. Hoe dan ook, ik vond mijn spionnenaanpak heel goed, in overweging genomen dat ik maar een smeris was. Mr. Conway had gelijk – het zit in het bloed van mijn generatie. Te veel spionageromans en spionagefilms. Wat zou James Bond nu doen?

Nou, om te beginnen zou James Bond miss Weber niet hebben laten vertrekken. Maar als je werkt voor de CID of voor de FBI, wat ik een paar keer gedaan heb, hou je je snikkel in je broek. Bovendien was Cynthia er nog. En Bill, wie dat ook mocht zijn. Plus dat miss Weber niet nog meer moeilijkheden hoefde te hebben dan ze misschien al had.

Ik keek op en merkte dat Susan Weber was teruggekomen naar het tafeltje. Ze ging zitten. Ze zei: 'Mr. Ellis heeft onze afspraak afgezegd. Ook had ik je moeten zeggen niet te aarzelen mij te bellen als je iets nodig hebt en me te laten weten wanneer je maandagochtend uit Saigon vertrekt. Maar er wordt aangenomen dat de telefoons in de meeste buitenlandse kantoren worden afgeluisterd – niet noodzakelijk vanwege veiligheidsmaatregelen, maar in de hoop dat ze iets kunnen horen dat hun zakelijk voordeel oplevert. Toch moet je voorzichtig zijn met wat je zegt over de vaste telefoonverbindingen. Het nummer van mijn mobiel staat op het kaartje, maar je hebt een draagbaar toestel nodig om mij te bellen als je niet wilt dat het gesprek wordt afgeluisterd. Als je me belt via een vaste lijn en je wilt me iets belangrijks zeggen, dan kan ik je ergens treffen. Mij is gevraagd het hele weekend in Saigon te blijven. Goed?'

'Was je dat allemaal vergeten?'

'Nou, ik heb je gezegd dat je me kon bellen, als je iets nodig had. Ik omschrijf het nu wat beter.'

'Goed. Bedankt.'

'Het is zaterdagavond en ik heb geen afspraak.'

'Waar is Bill?'

'Ik heb hem gezegd dat ik misschien bezig was, afhankelijk van wat er vanavond gebeurde.'

'Mis ik hier iets?'

'Ik wilde weten of je geïnteresseerd was of niet.'

'Nou, dan is het denk ik: de groeten.'

Ze glimlachte. 'Kom op. Maak het me niet zo moeilijk.'

'Luister... Susan... mijn instructies waren...'

'Ik heb nieuwe instructies. Zij willen dat ik je informatie geef over het land, zodat je niet volledig verdwaalt en in de war raakt als je eenmaal Saigon hebt verlaten.'

'O, werkelijk?'

'Zou ik liegen tegen iemand uit mijn geboortestaat?'

'Nou...'

'Ik ben niet gewend aan nee.'

'Dat dacht ik ook niet. Hou je me gezelschap met eten?'

'Dat lijkt me verrukkelijk. Aardig van je dat je het vraagt.'

Ik wenkte een kelner en vroeg om de kaart. Ik zei tegen mijn nieuwe vriendin: 'Hoe is het eten hier?'

'Eigenlijk niet zo slecht. Ze hebben Japans, Frans, Chinees en, natuurlijk, Vietnamees. Dit is het Tet-feest, dus er zullen een heleboel speciale feestgerechten zijn.'

De kaarten kwamen en ik vroeg haar: 'Wat is het woord voor hondenvlees?'

'*Thit cho.*' Ze glimlachte en pakte haar kaart op. 'Wat wil je? Chinees, Vietnamees of Frans?'

'Ik wil een cheeseburger en frites.'

'Ik zal voor ons bestellen van de feestkaart.'

De ober verscheen en ze hadden een gesprek over het menu, onderbroken door gelach en blikken op mij. Ik zei: 'Geen *thit cho.*'

De ober lachte weer en zei iets tegen Susan. Om te tonen dat ik de taal verstond, zei ik in het Vietnamees tegen hem zijn handen omhoog te steken.

De man verdween en Susan zei: 'Ik heb een heleboel kleine dingetjes besteld, zodat je van alles kon proeven en dan eten wat je lekker vindt.' Ze vroeg me: 'Waarom zei je tegen hem zijn handen omhoog te steken?'

'Gewoon oefenen.'

Ze vroeg: 'Hebben ze veel Vietnamese restaurants in Washington?'

'Waarom denk je dat ik in Washington woon?'

'Ik neem aan dat je vóór Washington werkt.'

'Ik woon in Virginia. Ik ben met pensioen.'

'At je Vietnamees toen je hier in het leger zat?'

'Ik kreeg legerrantsoenen. Je mocht het plaatselijke spul niet eten. Legervoorschriften. Sommige gasten werden heel ziek van het eten.'

'Nou, je moet nog steeds voorzichtig zijn. Drink een heleboel gin-tonic, water uit flessen, bier en Coca-Cola. Ik was echt ziek toen ik hier net was. We noemen het de wraak van Ho Tsji Minh. Maar sinds die tijd ben ik niet meer ziek geweest. Je bouwt een immuniteit op.'

'Zo lang blijf ik hier niet.'

Het eten kwam, gang na gang. Miss Weber at als een Vietnamese, met de kom bij haar gezicht, terwijl ze het met eetstokjes naar binnen schoof. Ik gebruikte mes en vork.

We babbelden wat, voornamelijk over Saigon en haar baan. Ze legde uit wat ze deed, maar omdat ik een overheidsdienaar was zonder zakelijke achtergrond, begreep ik er niets van. Het had te maken met adviseren en met het verstrekken van leningen aan voornamelijk Amerikaanse investeerders die zaken wilden doen in Vietnam. Ook al begreep ik er niets van, voor haar was het logisch, en ik concludeerde dat ze werkelijk een investeringsadviseur was. Gewoonlijk weet ik het als iemand doet alsof, omdat veel opdrachten van mij een undercoverrol vereisen en ik moet doen alsof ik een administrateur ben of sergeant van de wapenkamer, of wat dan ook om me maar dicht in de buurt van de verdachte te brengen.

Na een tijdje meende ik dat we ons wel op ons gemak voelden met elkaar. Ze zei tegen mij: 'Ik weet dat ik je geen vragen hoor te stellen, dus ik weet niet wat ik moet vragen om een gesprek te voeren.'

'Vraag me wat je wilt.'

'Goed. Waar ben je naar school gegaan?'

'Daar kan ik geen antwoord op geven.'

Ze glimlachte. 'Denk je dat je leuk bent?'

'Ik bén leuk. Waar ben jíj naar school gegaan?'

'Amhurst. Daarna Harvard voor mijn doctoraal bedrijfskunde.'

'En daarna?'

'Ik heb in New York gewerkt bij een investeringsbank.'

'Hoelang?'

'Als je achter mijn leeftijd probeert te komen, ik ben eenendertig.'

'En je zit hier drie jaar.'

'De volgende maand drie jaar.'

'Waarom?'

'Waarom niet? Het is goed voor je cv en niemand valt je hier lastig.'

'Vind je het leuk hier?'

'Eigenlijk wel.'

'Waarom?'

Ze haalde haar schouders op, dacht een ogenblik na en zei: 'Ik denk... ik ben hier een vrijwillige banneling. Begrijp je?'

'Nee.'

'Nou... het maakt deel uit van mijn identiteit. In New York was ik niemand. Gewoon weer een leuk gezicht met een doctoraal van Harvard. Hier val ik op. Voor de Vietnamezen ben ik exotisch en voor de westerlingen interessant.'

Ik knikte. 'Ik denk dat ik het begrijp. Wanneer ga je naar huis?'

'Ik weet het niet. Ik denk er niet over na.'

'Waarom niet? Krijg je geen heimwee? Familie? Vrienden? Onafhankelijkheidsdag? Kerstmis? Groundhog Day?'

Ze speelde een tijdje met haar eetstokjes en zei toen: 'Mijn ouders en mijn broer en zus komen me minstens een keer per jaar opzoeken. We kunnen het nu heel goed met elkaar vinden omdat ik hier ben en zij daar. Ze zijn allemaal heel succesvol en prestatiegericht. Hier kan ik mezelf zijn. Een paar goede vrienden zijn ook op bezoek geweest. Daarbij doet de Amerikaanse gemeenschap hier erg veel moeite de feestdagen te vieren en op de een of andere manier zijn de feestdagen meer bijzonder en betekenisvoller. Begrijp je?'

'Ik denk het.'

'Ook is dit niet zomaar een derdewereldland. Het is een semi-totalitaire staat, en de westerlingen hier hebben het gevoel op het scherp van de snede te leven, waardoor iedere dag interessant is, vooral wanneer je deze idioten met hun eigen spelletje kunt verslaan.' Ze keek me aan. 'Slaat het ergens op, of heb ik te veel gedronken?'

'Allebei. Maar ik begrijp het.'

'Dat moet ook. Jij bent een spion.'

Ik informeerde haar: 'Ik ben een gepensioneerd militair. Ik ben hier twee keer als soldaat geweest, in 1968 en 1972, en ik ben nu terug als toerist.'

'Je zegt het maar. Vreet dit land aan je?'

'Nee.'

'Was het slecht toen je hier zat?'

'Ik heb betere tijden gekend.'

'Ben je gewond geweest?' vroeg ze.

'Nee.'

'Heb je ooit posttraumatische stress gehad?'

'Ik heb genoeg aan de stress van alledag om me gelukkig te houden.'

'Waar zat je toen je hier was?'

'Voornamelijk in het noorden.'

'Bedoel je Hanoi?' vroeg ze.

'Nee. Hanoi was in Noord-Vietnam. Daar hebben we nooit gevochten.'

'Je zei het noorden.'

'Het noordelijke gedeelte van het oude Zuid-Vietnam. DMZ, de gedemilitariseerde zone. Hebben ze je ooit hierover op school iets geleerd?'

'Op de middelbare school. Op de universiteit deed ik geen geschiedenis. Dus waar was je gestationeerd?'

'In 1972 zat ik in Bien Hoa. In 1968 zat ik voornamelijk in de provincie Quang Tri.'

'Ik ben niet verder naar het noorden gekomen dan Hué. Prachtige stad. Je moet eens proberen daarheen te gaan. Ik ben nooit in de Centrale Hooglanden geweest. Eén keer ben ik naar Hanoi gevlogen. Ze haten ons in Hanoi.'

'Ik kan me niet voorstellen waarom.'

'Nou, wat jullie ook gedaan mogen hebben, ze haten ons nog steeds.' Ze keek me aan. 'Sorry. Dat bedoelde ik niet zo.'

'Maak je niet druk.'

'Dus je gaat die plaatsen bezoeken?'

'Misschien.'

'Dat moet je doen. Waarom zou je anders hierheen komen? O... ik vergat dat je...' Ze legde een vinger tegen haar lippen en zei: 'Ssst,' lachte toen.

Ik veranderde van onderwerp. 'Woon jij in centraal Saigon?'

'Ja. De meeste westerlingen wonen daar. De wijken eromheen kunnen een beetje te autochtoon zijn.' Ze kwam weer terug op het onderwerp en vroeg me: 'Wat deed je hier in Vietnam?'

Ik zei: 'Ik praat liever niet over de oorlog.'

'Dénk je eraan?'

'Soms.'

'Dan moet je erover praten.'

'Waarom? Omdat ik eraan denk?'

'Ja. Waar het om gaat, is dat mannen dingen voor zichzelf houden.'

'Vrouwen praten over álles.'

'Dat is gezond. Je moet de dingen uitpraten.'

'Ik praat in mezelf, en als ik dat doe, weet ik dat ik tegen een intelligent mens praat.'

'Jij bent een harde. Oude school.'

Ik keek gericht op mijn horloge. Op de een of andere manier waren miss Weber en ik vertrouwelijk geworden, wat het gevolg kon zijn van te veel bier. Ik zei: 'Het is een lange dag geweest.'

'Ik wil dessert en koffie. Ga nou niet weg.'

'Ik heb een jetlag.'

Ze stak een sigaret op, negeerde me en zei: 'Hier ben ik pas voor het eerst gaan roken. Deze mensen roken als schoorstenen en ik raakte verslaafd. Maar geen weed of opium. Ik ben nog niet helemaal Vietnamees geworden.'

Ik keek naar haar in het flakkerende licht van de kaars. Dit was een tamelijk complexe vrouw, maar ze leek me een fatsoenlijk mens. Ik vergelijk nooit vrouw A met vrouw B, maar Susan deed me een beetje denken aan Cynthia – haar oprechtheid, denk ik. Maar terwijl Cynthia was gevormd door het leger, zoals ik, kwam Susan uit een andere wereld, Lenox, Amherst, Harvard. Ik herkende het accent en de houding van de hogere middenklasse, het ándere Massachusetts, waar de mensen uit het Zuiden de spot mee dreven, maar ook afgunst voor voelden.

Ze gebaarde de kelner en vroeg me: 'Koffie of thee?'

'Koffie.'

Ze zei iets tegen de kelner en hij vertrok. Ze zei tegen me: 'De koffie van hier is goed. Hij komt uit de hooglanden. Wil je een toetje?'

'Ik zit vol.'

'Ik heb fruit besteld. Het fruit hier is fantastisch.'

Ze leek te genieten van mijn gezelschap, of van zichzelf, en dat is niet altijd hetzelfde met vrouwen. In ieder geval was ze wel leuk, behalve dat ze een biertje te veel op had en mallotig begon te doen.

Het was nu koeler, een prachtige met sterren gevulde avond, en ik zag de laatste schijf van de afnemende maan. Ik zei tegen haar: 'Oudejaarsavond is volgende week zaterdag, hè?'

'Ja. Je moet proberen die avond in een grote stad te zijn. Dat is leuk.'

'Zoals oudejaarsavond thuis?'

'Meer zoals het Chinese nieuwjaar in Chinatown in New York. Vuurwerk, ratels, drakendans, poppenshows, van alles. Maar het is ook heel plechtig en een heleboel mensen gaan naar de pagodes om te bidden voor een goed jaar en om hun voorouders te eren. Het feest eindigt voor middernacht omdat iedereen om twaalf uur thuis wil zijn bij de familie. Behalve katholieken die naar de nachtmis gaan. Ben jij katholiek?'

'Soms.'

Ze glimlachte. 'Nou, ga dan naar de nachtmis als je in de buurt van een kerk bent. Iemand zal je uitnodigen mee naar huis te gaan en een maaltijd te delen. Maar de eerste bezoeker die na middernacht de drempel van een Vietnamees huis overschrijdt moet een goed karakter hebben, omdat de familie anders een ongelukkig jaar tegemoet gaat. Heb jij een goed karakter?'

'Nee.'

'Jij kunt liegen, zeg.' Ze lachte.

Ik zei: 'En ik heb begrepen dat het feest daarna nog een week duurt.'

'Officieel nog vier dagen, maar in werkelijkheid ongeveer een week. In die week is het moeilijk iets gedaan te krijgen, omdat zo'n beetje alles gesloten is. Het goede eraan is, dat het drukke verkeer en de opstoppingen van voor de feestdagen verdwenen zijn en de meeste plaatsen eruitzien als spooksteden. De restaurants en bars zijn gewoonlijk alleen 's avonds open en elke avond zijn de mensen aan het feesten. Maar elke stad en streek viert het op een iets andere manier. Waar denk jij dat je bent met Tet?'

Ik dacht: waarschijnlijk in de gevangenis. Ik zei: 'Ik heb mijn reisschema nog niet rond.'

'Natuurlijk.' Ze dacht een ogenblik na en zei toen: 'Je moet hier tijdens een Tet-feest zijn geweest, als je hier twee keer hebt gezeten.'

'Ik was hier met Tet in 1972 en 1968.'

Ze knikte. 'Ik weet van Tet 1968. Ik ben wat geschiedenis betreft een ramp, maar dáár weet ik iets van. Waar zat je?'

'Buiten de stad Quang Tri.'

Ze zei: 'Ik begrijp dat het heel slecht was in Quang Tri en in Hué. Misschien kun je met Tet in Hué zijn. Dat is een heel groot feest.'

Ik antwoordde: 'Ik weet niet waar ik zal zijn.'

'Weet je dan minstens wat je morgen doet?'

'Morgen ga ik de omgeving bekijken.'

'Goed. Als je een gids nodig hebt, ben ik beschikbaar.'

'Bill zal het niet leuk vinden.'

'Daar komt hij wel overheen.' Ze lachte weer en stak een volgende sigaret op. 'Luister, als je naar het binnenland gaat, heb je een paar tips nodig. Ik zal je wat goede raad geven.'

'Je hebt me al genoeg geholpen.' Ik vroeg haar: 'Gebruik je die uitdrukking? Naar het binnenland?'

'Ik denk dat ik het hier heb gehoord. Waarom?'

'Ik dacht dat het alleen maar een militaire uitdrukking was.'

'De westerlingen hier zeggen het. Naar het binnenland. Het betekent buiten Saigon of buiten elke grote plaats – gewoonlijk ergens waar je niet wilt zijn – zoals in de rimboe. Toch?'

'Toch.'

'Dus als je wilt, laat ik je morgen het echte Saigon zien.'

'Dat valt buiten je werkterrein.'

Ze keek me aan door de sigarettenrook heen en zei: 'Luister, Paul, ik ben... Ik bedoel, ik ben je niet aan het versieren.'

'Daar heb ik geen moment aan gedacht.'

'Goed. Ben je getrouwd? Mag ik dat vragen?'

'Ik ben niet getrouwd, maar ik heb een... hoe noem je dat tegenwoordig?'

'Een relatie.'

'Ja. Zoiets heb ik.'

'Goed. Ik ook. De man is een idioot, maar dat is een ander verhaal. Princeton. Moet ik nog meer zeggen?'

'Dat zegt wel alles, denk ik.'

'Ik hoop dat jij niet van Princeton bent.'

'God verhoede. Ik heb een voortgezette studie in het leger gedaan, cum laude.'

'O... nou, mijn afkomst is als volgt. Ik ben niet...'

Het fruit en de koffie arriveerden.

De band speelde muziek uit de jaren zestig en zette nu 'For Once in My Life' in, van Stevie Wonder, uit 1968.

Ze beet in wat fruit, depte vervolgens haar lippen af met haar servet. Ik dacht dat ze zich opmaakte om te vertrekken, maar ze vroeg me: 'Zullen we gaan dansen?'

Ze overviel me, maar ik antwoordde: 'Natuurlijk.'

We gingen allebei staan en liepen naar de kleine dansvloer die vol was. Ik nam haar in mijn armen en voelde een heleboel vrouw. We dansten. Ik was een beetje onzeker over waar dit toe zou leiden, maar misschien interpreteerde ik dit verkeerd. Ze had genoeg van Bill en wilde een beetje opwinding door te eten met Super Spy.

De band speelde 'Can't Take My Eyes Off You'. Haar lichaam was warm, ze danste goed en haar borsten waren stevig tegen mijn lichaam. Ze had haar kin op mijn schouder, maar onze wangen raakten elkaar niet. Ze zei: 'Dit is heerlijk.'

'Ja, dat vind ik ook.'

We dansten op het dak van het Rex Hotel, met de verlichte, draaiende kroon boven ons, de sterren daar weer boven, terwijl er een warme tropische bries waaide en de band langzame dansmuziek speelde. Ik dacht aan Cynthia, hoewel ik Susan vasthield. Ik dacht aan onze schaarse, korte momenten samen en het feit dat we nooit zo'n moment als dit samen hadden gehad. Ik keek uit naar Hawaï.

Na een paar minuten zwijgend gedanst te hebben, vroeg Susan me: 'En wil je gezelschap morgen?'

'Jawel, maar...'

'Ik zal je vertellen wie ik ben. Ik ben niet politiek; ik ben puur zakelijk. Maar ik ben niet echt blij met die idioten die de zaak hier leiden. Het zijn hufters, anti-zaken en anti-leuk. De mensen zijn aardig. Ik hou van de mensen. Ik denk dat wat ik probeer te zeggen, is dat ik nooit van mijn leven iets voor mijn land heb gedaan, dus als dit voor mijn land is...'

'Dat is het niet.'

'Goed, maar ik wil iets voor jou doen, omdat ik het gevoel heb dat je misschien meer tips over dit land nodig hebt dan iemand je ooit heeft gegeven. En ik wil dat je slaagt in wat je hier dan ook moet doen. En ik wil niet dat je in de problemen komt als je uit Saigon vertrekt. De rest van het land is anders dan Saigon. Het kan wel eens moeilijk worden daar buiten. Ik weet dat je een harde vent bent en dat je dit land aan kunt... je hebt het twee keer gedaan. Maar ik zou me beter voelen als ik je een dag van mijn tijd gaf en het voordeel van mijn uitgebreide kennis van Vietnam. Wat vind je daarvan?'

'Goed verhaal. Doe je dit voor mij of omdat je graag gevaarlijk leeft, of omdat je graag dingen doet die de regering hier je niet graag ziet doen?'

'Alles bij elkaar. Plus: voor mijn land, wat je er ook van mag denken.'

Ik overpeinsde het terwijl we bleven dansen. Er was geen enkele goede reden waarom ik niet een dag met deze vrouw zou doorbrengen, maar iets zei me dat dit narigheid zou geven. Ik zei tegen haar: 'Ik verwacht dat ik naar het een of andere overheidskantoor zal worden geroepen om een paar vragen te beantwoorden. Daar zul je niet in de buurt willen zijn.'

'Mij maken ze niet bang. Wat beledigingen betreft, kan ik ze allemaal hebben. Maar als we samen zijn, zie je er minder verdacht uit.'

'Ik zie er niet verdacht uit.'

'Dat doe je wel. Je hebt voor overdag een metgezel nodig. Laat mij die zijn.'

'Goed. Zo lang jij begrijpt waarom je het doet, en dat ik een gewone toerist ben, maar een toerist die om de een of andere reden de aandacht van de autoriteiten heeft getrokken.'

'Ik begrijp het.' De band nam een pauze en zij pakte mijn hand en leidde me terug naar het tafeltje.

Ze vond een pen in haar diplomatenkoffertje en schreef iets op een servet. 'Dit is mijn nummer thuis voor het geval je het nodig hebt. Ik zie je morgen in de lobby om acht uur.'

'Dat is een beetje vroeg.'

'Niet voor een mis van halfnegen in de kathedraal.'

'Ik ga niet naar de kerk.'

'Ik ga elke zondag en ik ben niet eens katholiek. Het maakt onderdeel uit van dat banneling zijn.' Ze ging staan en zei: 'Als je niet in de lobby bent, probeer ik de ontbijtzaal. Ben je niet daar, dan bel ik naar je kamer. En als je daar niet bent, weet ik met wie ik contact moet opnemen.'

Ik ging staan. 'Bedankt.' Ik voegde eraan toe: 'Ik heb echt een leuke avond gehad.'

'Ik ook.' Ze pakte haar diplomatenkoffertje. 'Bedankt voor het eten. Morgen laat je mij voor het eten betalen.'

'Zeker.'

Ze aarzelde, keek me toen in de ogen en zei: 'Ik ken een paar mannen van jouw leeftijd die hier werken, en een paar mannen die ik hier heb ontmoet en die waren teruggekeerd om iets te vinden, of misschien om iets kwijt te raken. Dus ik weet dat het moeilijk is en ik kan het begrijpen. Maar voor mensen van mijn leeftijd is Vietnam een land, geen oorlog.'

Ik gaf geen antwoord.

'Welterusten, Paul.'

'Welterusten, Susan.'

Ik zag haar verdwijnen in het dakrestaurant.

Ik keek naar het servet, sloeg haar telefoonnummer in mijn geheugen op, verfrommelde het en stak het in mijn koffiekopje.

Het was, zoals ze zeggen, een prachtige avond met een warme bries die de planten deed ritselen. De band speelde 'MacArthur Park'. Ik sloot mijn ogen.

Van een lange tijd geleden, toen Vietnam een oorlog was en geen land, kon ik me avonden als deze herinneren, buiten onder de sterren, de tropische bries die door de vegetatie ritselde. En er waren andere nachten zonder bries, dat de vegetatie bewoog en je het tikken van de bamboestokken hoorde waarmee ze elkaar signalen doorgaven. De boomkikkers hielden op met kwaken, zelfs de insecten werden stil en de nachtvogels vlogen op. En je wachtte in de dodelijke stilte, en zelfs je adem viel stil, maar je hart dreunde zo luid dat je zeker wist dat iedereen het kon horen. En het geluid van de tikkende bamboestokken kwam dichterbij en de vegetatie bewoog in de windloze nacht.

Ik opende mijn ogen en bleef daar een tijdje zitten. Susan had een half flesje bier laten staan en ik dronk uit de fles om mijn droge mond te bevochtigen.

Ik haalde diep adem en de oorlog verdween. Ik merkte dat ik uit- keek naar morgen.

Ik liep naar mijn kamer met de krant bij me. Het berichtenlampje brandde niet, nergens enveloppen met boodschappen en de sneeuwbol was verplaatst door het meisje dat het bed had opgemaakt. Hij stond nu op het bureau.

Ik ging aan het bureau zitten en sloeg mijn *International Herald Tribune* open naar de kruiswoordpuzzel, die de puzzel was van de *New York Times* en die voor de helft was ingevuld. Ik bestudeerde de puzzel een ogenblik, zag toen dat 32 verticaal aangevinkt was.

Ik opende mijn *Lonely Planet Guide* naar het hoofdstuk over Hué. Er was een plattegrond van de stad en een genummerde sleutel die be- langwekkende lokaties aangaf. Nummer 32 was de Hal der Mandarij- nen die zich, zo zag ik, binnen de Keizerlijke Muren bevond, een om- muurd gedeelte binnen de citadelmuren van de Oude Stad.

Daar zou ik om twaalf op de afgesproken dag mijn contact treffen. Hij – of zij – was Vietnamees, en meer wist ik niet.

Als ik om de een of andere reden niet op tijd was, of er was niemand die op mij wachtte, zou ik om twee uur naar de alternatieve ontmoe- tingsplaats gaan. Het alternatief werd aangegeven door een omkering van de cijfers 32, volgens Mr. Conway. Ik keek naar de plattegrond van Hué en zag dat nummer 23 de Keizerlijke Bibliotheek was, die zich bevond in het binnenste heiligdom van de Keizerlijke Muren, dat de Verboden Purperen Stad heette.

Het derde alternatief om vier uur was de som van 3 en 2, die op de plattegrond een historische tempel was die Cua Ba heette en die zich buiten de citadelmuren van de stad bevond.

Als mijn contact op geen van de drie plaatsen verscheen, dan moest ik terug naar mijn hotel en wachten op een bericht. Ik werd veronder- steld er dan op voorbereid te zijn direct te kunnen vertrekken.

Ik vond dit allemaal een beetje melodramatisch, maar waarschijn- lijk noodzakelijk. Ook beviel het idee me niet een Vietnamees te moe- ten vertrouwen, maar ik moest aannemen dat de mensen in Washing- ton wisten wat ze deden. Ik bedoel, ze hadden hier al eerder zoveel succes gehad.

Ik vinkte nog een paar nummers in het kruiswoordpuzzel af en loste nog iets van de puzzel op, terwijl ik merkte dat miss Weber een paar heel moeilijke oplossingen had gevonden. Duidelijk een intelligente dame, en het was ook duidelijk dat ze haar eigen agenda had – of de agenda van iemand anders.

Morgen zou interessant worden.

10

Om tien over acht stapte ik de lift uit en liep de lobby in.

In een stoel onder een palmboom zat Susan Weber in een tijdschrift te lezen. Ze had haar benen over elkaar geslagen en droeg een zwarte broek en wandelschoenen. Toen ik naderbij kwam, zag ik dat het tijdschrift in het Engels was en *Vietnam Economic Times* heette.

Ze legde het tijdschrift neer en stond op. Ik zag nu dat ze verder een strak getailleerd rood, zijden hemd met halve mouwen droeg en een hoge, Chinese kraag. Ze had een zonnebril aan een koordje om haar hals hangen en droeg een nylon heuptasje om haar middel. Ze zei: 'Goedemorgen. Ik stond net op het punt je te gaan zoeken.'

'Ik leef en ik ben gezond.'

Ze zei: 'Misschien heb ik gisteravond wat te veel gedronken. Daarvoor mijn excuses.'

'Ik was zeker niet in een positie daar een oordeel over te hebben. Ik hoop dat ik aangenaam gezelschap was.'

Ze antwoordde: 'Ik vind het heerlijk om met mensen van thuis te praten.'

Miss Weber was deze ochtend iets koeler dan ze gisteravond was geweest, maar dat viel te begrijpen. Haal de alcohol, de muziek, het kaarslicht en de sterrenhemel weg, en mensen doen wat gereserveerder tegenover het afspraakje van de avond ervoor, zelfs als ze uiteindelijk in hetzelfde bed waren beland.

Ik had mijn gewone kakibroek aan en droeg, in plaats van een golfhemd, een gekleed hemd met korte mouwen. 'Is mijn kleding in orde voor de kerk?'

'Je ziet er prima uit. Klaar?'

'Laat me eerst mijn sleutel afgeven.' Ik liep naar de balie en gaf de receptionist mijn sleutel. 'Nog berichten?'

Hij keek in mijn vakje en zei: 'Nee, meneer.'

Ik liep naar de ingang waar Susan stond te wachten. Dit van mijn paspoort werd echt irritant. Mang wist dat ik morgen vertrok en om te reizen had ik mijn paspoort nodig.

Ik voegde me weer bij Susan en ze zei: 'Ik zie dat je je paspoort nog niet terug hebt. Maar ik ben ervan overtuigd dat ze het je vandaag terugbezorgen als ze weten dat je morgen vertrekt.'

'Ik denk dat ik het op het Gestapo-hoofdkwartier ga halen.'

'Gewoonlijk leveren ze het af in het hotel. Of ze vertellen je het op het vliegveld op te halen, maar dat betekent meestal dat je eerder naar huis gaat dan je dacht.'

Ik vind het prima, dacht ik, maar zei het niet.

Ze vroeg: 'Heb je je visum?'

'Het hotel heeft mijn visum.'

Ze dacht een ogenblik na en zei: 'Je moet altijd fotokopieën van je paspoort en visum bij je hebben.'

'Die had ik ook. De politie heeft die op het vliegveld uit mijn weekendtas gestolen.'

'O...' zei ze. 'Ik zal een kopie van je visum laten maken.' Ze liep naar de balie en sprak met de receptionist die een la controleerde. Hij haalde er een vel papier uit, las het en zei iets tegen Susan. Susan kwam naar me terug en zei: 'De politie heeft je visum meegenomen.'

Ik gaf geen antwoord.

Ze zei: 'Nou, maak je er geen zorgen om.'

'Waarom niet?'

'Niemand houdt ons tegen. Klaar?'

We liepen naar buiten en het was heter dan de dag ervoor. Het gemotoriseerde verkeer op Le Loi was nu op zondag wat rustiger, maar er waren net zoveel fietsen en cyclo's als op zaterdag.

Susan gaf de portier een dollar en we liepen naar een rode scooter die langs de stoep stond geparkeerd. Ze bleef bij de scooter staan, haalde een pakje sigaretten uit haar heuptasje en stak er een op. 'Ik moet eerst roken voor we gaan.' Ze glimlachte. 'Misschien heb jij er wel een nodig als we aangekomen zijn.'

'Kunnen we geen taxi nemen?'

'Saai. Ze klopte op de scooter. 'Dit is een Minsk, 175cc. Russische makelij. Een goede machine voor in de stad. Ik heb ook een motor, een 750cc Ural, een rood monster. Fantastisch voor de buitenwegen en een heel goede terreinmotor voor in de modder.' Ze deed een haal aan haar sigaret en zei: 'De Russen maken behoorlijke motoren en om de een of andere reden zijn de onderdelen altijd verkrijgbaar.'

'Zijn er ook helmen verkrijgbaar?'

'In Vietnam heb je geen helmen nodig. Rijd jij motor?'

'Toen ik zo oud was als jij.'

'Helmen waren in Amerika niet verplicht toen je zo oud was als ik. Droeg jij toen een helm?'

'Ik neem aan van niet.'

Ze trok aan haar sigaret en vroeg: 'Heb je je getal gekregen?'

'Ik kon het niet vinden.'

'Kon het niet vinden? Ik heb nummer 32 in de kruiswoordpuzzel aangevinkt. Heb je dat niet gezien?'

'Ik ben niet zo snel. Ik ben een paar keer gevallen toen ik mijn motor had.'

Ze lachte en zei: 'Tweeëndertig. Ik zal er voor jou aan denken.' Ze vroeg me: 'Wat betekent het?'

'Tweeëndertig verticaal? Het woord was geloof ik rotisserie.'

Ze vond het niet zo leuk, maar liet het voorbijgaan.

Ik keek naar haar terwijl zij haar sigaret oprookte. Ze kwam door de directe zonlichttest heen – eigenlijk zag ze er beter uit dan de avond ervoor, met een mooie bruine kleur en grotere en helderder ogen dan ik in het kaarslicht had gezien. Ook stonden het hemd en de broek haar heel goed.

Ze nam een laatste haal van haar sigaret en zei: 'Goed. Ik móet met roken ophouden.' Ze gooide de sigaret in de goot en zei: 'Ik ben vanochtend op mijn kantoor geweest en heb die fax verstuurd.'

'Bedankt.'

Ze zei: 'Het was daar ongeveer zeven uur zaterdagavond, hun tijd, maar iemand beantwoordde hem. Ze maken daar lange dagen, waar ze ook zitten en wie ze ook zijn.'

'Wat was het antwoord?'

'Gewoon bevestiging van ontvangst en ze zeiden dat ik hen op de hoogte moest blijven houden. Ze wilden dat ik hun een tijd zou noemen dat jij en ik in de buurt van de fax waren voor een later, vertrouwelijk antwoord. Ik zei dat ik om acht uur vanavond, mijn tijd, weer op kantoor zou zijn voor de fax. Is dat in orde?'

'Nou... in overweging genomen dat je niet wordt betaald om er op zondag naartoe te gaan, is dat prima.'

Ze antwoordde: 'Wat ze te zeggen hebben, kan wel twaalf uur wachten.' Ze voegde eraan toen: 'Misschien heb je dan je paspoort terug, of je uitreisvisum. Klaar om te gaan?'

Ze zette haar zonnebril op, sprong op de scooter, startte de motor en gaf een paar keer gas. 'Stap op. Ze haalde een elastiek uit haar zak en bond haar lange, golvende haar samen zodat het niet in mijn gezicht zou waaien.

Ik stapte op het achterzadel, dat een beetje klein was, en hield me vast aan de zadelbeugel. Susan duwde ons van de standaard, reed langs de stoep en maakte vervolgens een draai over Le Loi Street. Ik zette mijn voeten op de steunen toen we een scherpe U-bocht maakten.

Binnen vijf angstaanjagende minuten waren we bij de Notre Dame Kathedraal, een uit de toon vallend, gotisch bouwwerk met twee torenspitsen, opgetrokken uit baksteen. Er was een klein pleintje met gras aan de voorkant waar we afstapten. Susan maakte de scooter met een ketting aan een fietsenstandaard vast. Ik herinnerde me dit plein uit 1972 en er was weinig veranderd. Zelfs het grote standbeeld van de Maagd Maria had de oorlog en de communistische overname overleefd. Over dat onderwerp vroeg ik Susan: 'Hoe staan de communisten tegenover religie?'

'Hangt af van het programma van het moment. Ze lijken geen probleem te hebben met de boeddhisten, maar zijn niet al te blij met de katholieken, die ze als subversief zien.'

We liepen naar de kathedraal en ik zei: 'En daarom ga je naar de kerk.'

Ze antwoordde niet, maar vervolgde: 'Ze maken het de protestanten echt moeilijk. Ze pesten de zendelingen, schoppen ze uit de zendingscholen en kerken en sluiten die. Er zijn geen protestantse kerken in Saigon, alleen privé-diensten thuis.' We bereikten de trap van de kathedraal en ze vroeg me: 'Ben je tijdens de oorlog ooit hier geweest?'

'Om eerlijk te zijn twee keer, als ik 's zondags in Saigon was.'

'Dus je was toen een goede katholiek.'

'Er zijn geen slechte katholieken in schuttersputjes.'

We beklommen de treden van de kathedraal en Susan zei gedag tegen een paar Amerikanen, en mensen die klonken als Australiërs. Ik merkte dat er weinig Vietnamezen waren en ik maakte er een opmerking over.

Ze antwoordde: 'Pastoor Tuan leest de mis in het Engels – de volgende mis is in het Frans en die daarna zijn in het Vietnamees.'

'Blijven we voor alle missen?'

Ze negeerde me en we liepen het portaal in; daar praatte Susan ook met een aantal mensen en introduceerde me bij een paar van hen. Een vrouw keek naar me en vroeg toen aan Susan hoe het met Bill ging. Er is er altijd wel een.

We liepen dit grote gotische monster in dat in Frankrijk had kunnen staan, behalve dat ik zag dat de ruimte versierd was met bloesems en kumquatbomen vanwege het Tet-feest, waarvan ik me vaag herinnerde dat de katholieken hier het ook vierden.

Terwijl ik omhoogkeek naar het koepelgewelf zei Susan: 'Ben je bang dat het misschien op je neerkomt?'

'Ik heb je gezegd dat ik een helm nodig had.'

We liepen door het middenpad. De ruimte was koel en donker en ongeveer half gevuld. We gingen in een bank voorin zitten. Susan zei: 'Er is een kans dat Bill verschijnt. Ik heb hem gisteravond gesproken.'

'Was hij blij dat je pas na middernacht thuiskwam?'

'Hij is niet zo jaloers, en er is niets om jaloers op te zijn.' Ze voegde eraan toe: 'Als hij een beetje onvriendelijk lijkt, dan is het gewoon zijn manier van doen.'

'Oké. Luister, waarom ga ik na de mis niet terug naar het hotel?'

'Ssst. Het begint.'

Het orgel begon te spelen en de processie begon in de zijbeuk. De priester, alle misdienaren en verder iedereen in de processie was Vietnamees, behalve de man aan het processiekruis die joods was. Het is allemaal behoorlijk vervreemdend als je erover nadenkt.

In ieder geval begon de mis, en het Engels van pastoor Tuan was heel bijzonder. Ik denk dat ik het Frans beter verstaan zou hebben. Net als de mis waren de gezangen in het Engels en ik merkte dat Susan een prachtige zangstem had. Ik deed alsof ik meezong, hoewel ik behoorlijk kan uithalen als ik dronken ben en 'The Rose of Tralee' zing.

De dienst ging over de zonden van het vlees en de vele verleidingen van de stad. Vervolgens kwam er iets over de zielen van verarmde meisjes die hun lichamen verkochten, enzovoort. De priester wees erop dat er zonder zondaren geen zonde zou bestaan – geen opium, geen prostitutie, gokken, pornografie en massagesalons.

Ik had de indruk dat hij naar mij keek. Ik begon me te voelen als een personage uit een roman van Graham Greene, zwetend in het een of andere godvergeten tropisch klimaat, zwaar gebukt onder een katholiek schuldgevoel over een seksuele zonde die in de uiteindelijk analyse weinig voorstelde.

Hoe dan ook, de mis duurde een uur en vijf minuten, hoewel ik de tijd niet bijhield.

Het orgel begon weer te spelen en de mensen gingen naar buiten. Ik volgde door het middenpad en raakte Susan ergens kwijt.

Ik ging buiten in het zonlicht van het plein bij haar scooter staan. Ik voelde me om eerlijk te zijn goed dat ik naar de kerk was gegaan.

Ik zag Susan onder aan de trap waar pastoor Tuan en een heleboel parochianen met elkaar spraken.

Misschien had het iets met dat ballinggedoe te maken. Ik bedoel, als je uitwijkt naar Londen, Parijs of Rome, zegt het niets. Je moet een volledig doorgedraaid oord vinden als hier, waar je vijftien centimeter langer en tien tinten lichter bent dan iedereen, en waar je volslagen uit de toon valt, en als die toon het oog van de plaatselijke overheid is, des te beter. En al die andere bleke rondogen waren je vrienden, en je kwam bij elkaar voor cocktails en zeurde over het land. Mensen thuis vonden je het einde en waren heimelijk jaloers op je, en je vierde Amerikaanse feestdagen die thuis niet meer voorstelden dan een weekend van drie dagen en een uitverkoop in het winkelcentrum. Je stemde zelfs voor de verandering zonder stembriefjes.

Natuurlijk was er ook het andere type banneling, mensen die een hekel aan hun eigen land hadden, en ook had je mensen die op de vlucht waren voor iets of iemand, en mensen die op de vlucht waren voor zichzelf.

Susan, zoals ze zelf toegaf, viel in de categorie van ballingen die dachten dat het wel wat had om Amerikaanse te zijn in een land waar ze opviel, waar haar familie en collega's thuis andere en eigenlijk onbekende normen moesten hanteren om een oordeel te geven over haar succes en haar leven.

Nou, ik wilde niet te cynisch of te analytisch zijn, vooral niet omdat ik Susan aardig vond, en ze was zelfbewust genoeg om daar zelf wel achter te komen.

Susan kwam op me af gelopen, vergezeld door een man van ongeveer haar leeftijd. Hij droeg een licht, tropisch sportjasje, was niet onknap, wel lang en heel mager, en had zandkleurig haar. Hij zag eruit als een man van Princeton, dus het moest Bill zijn.

Susan bleef staan en zei tegen me: 'Paul, dit is mijn vriend, Bill Stanley. Bill, dit is Paul Brenner.'

We schudden elkaar de hand, maar zeiden niets ter begroeting.

Susan nam het heft in handen en zei tegen Bill: 'Paul was hier in achtenzestig en... wanneer?'

'Tweeënzeventig.'

'Ja. Het moet toen heel anders zijn geweest,' spoorde ze me aan.

'Heel anders.'

Susan zei tegen mij: 'Ik vertelde Bill net dat je problemen hebt gehad op het vliegveld.'

Ik gaf geen antwoord.

Susan zei toen tegen Bill: 'Ik denk dat Jim Chapman dit weekend misschien in de buurt is. Ik zal hem thuis bellen.' Tegen mij zei ze: 'Hij hoort bij de delegatie van het nieuwe consulaat. Vriend van Bill.'

Bill had daarop weinig te zeggen, en ik niets.

Dit gesprek kwam helemaal niet van de grond, dus ik zei: 'Ik denk dat ik maar terugga naar het hotel en van daaruit wat naspeuringen ga doen. Susan, bedankt voor je gezelschap naar de kerk. Ik vind het altijd heel naar een mis over te slaan als ik op reis ben. Bill, fantastisch je ontmoet te hebben.' Ik draaide me om en vertrok.

Ik heb een goed richtingsgevoel en binnen een kwartier was ik terug op Le Loi Street en zag ik het hotel voor me. Ik merkte dat ik niet meer zo erg zweette als de dag ervoor, dus ik acclimatiseerde al.

Ik hoorde achter me op de stoep een scooter en ik stapte naar rechts. Ze kwam naast me tot stilstand en zei: 'Stap op.'

'Susan...'

'Stap op.'

Ik stapte op.

Ze gaf gas en we schoten van de stoep de straat op.

We spraken niet en ze scheurde straat in, straat uit, nam onverwachts scherp bochten. Ze riep: 'Het is leuk om hard te rijden op zondag als de straten leeg zijn.'

De straten zagen er voor mij behoorlijk vol uit.

Susan haalde haar mobiel uit jaar heuptasje en gaf dat aan mij. Ze schreeuwde: 'Geef hem aan mij als je hem hoort overgaan. Of als hij vibreert. Er zit een triller in.'

Omdat ik net uit de kerk kwam, weerstond ik een ongepaste opmerking en deed het mobieltje in mijn borstzak.

Hij ging over en trilde en ik gaf hem aan haar. Ze hield hem met haar linkerhand bij haar oor, terwijl ze met haar rechterhand op de gashendel stuurde. Als we plotseling tot stilstand moesten komen, zou ze de handrem niet kunnen gebruiken, maar ze scheen er geen last van te hebben, net zo min als de andere scooterrijders met een mobiel.

Ze sprak duidelijk met Bill, of luisterde naar Bill – ze zei niet zoveel. Ten slotte zei ze hardop: 'Ik kan je niet horen. Ik bel je vanavond.' Ze luisterde en zei: 'Ik weet niet hoe laat.' Ze drukte op END en gaf de telefoon aan me terug. 'Neem jij aan, als hij weer overgaat.'

Ik deed de telefoon terug in mijn hemdzak.

Ze zette haar dodelijke scooterrace voort, waarmee ze om eerlijk te zijn natuurlijk haar boosheid op Bill ventileerde. Maar ík was niet boos op Bill en voor mij was er geen enkele reden om uitgesmeerd op het wegdek te eindigen. 'Susan, langzaam aan.'

'Achterop wordt niet meegereden.'

Een smeris, midden op een kruising, stak zijn hand omhoog toen we aan kwamen rijden. Susan zwenkte om hem heen, en toen ik over mijn schouder achteromkeek, zag ik de smeris met zijn armen fladderen en schreeuwen. Ik zei tegen haar: 'Je reed bijna over die smeris heen.'

'Als je stopt, krijg je meteen ergens een bon voor en die kost je twee dollar.' Ze voegde eraan toe: 'Het zou ook een enorme heisa kunnen geven, aangezien jij geen identiteitspapieren hebt.'

'En als hij je nummerplaat nu eens heeft?'

'Ik ging te snel. Maar hou de volgende keer je hand voor de plaat.'

'Welke volgende keer?'

'Ik heb een NN-plaat. Dat zijn de eerste twee letters op de nummerplaat, en die geven aan dat ik een buitenlander ben die hier woont – *nguoi nuoc ngoia*. Buitenlander, en geen toerist. De toeristen worden gepakt voor tien dollar, omdat die denken dat het goedkoop is, en ze zijn toch al bang. Het gaat niet om het geld, het gaat om het principe.'

'Volgens mij ben je hier al te lang.'

'Misschien.'

We naderden de omheinde tuinen van het Paleis der Hereniging, het voormalige woonverblijf van de Zuid-Vietnamese presidenten, toen het nog het Paleis der Onafhankelijkheid heette. Ik herinnerde me dit paleis uit 1972, en daarna, in april 1975, zag ik het nog een keer op de televisie in de nu beroemde video-opname van een communistische tank die dwars door de massieve, smeedijzeren hekken reed.

We draaiden een zijstraat in, en reden door een kleine poort het terrein van het presidentiële paleis op, bereikten een kleine parkeerplaats en stapten af. Susan legde de scooter met een ketting vast aan een fietsenrek en deed haar zonnebril af. Ze zei: 'Ik dacht dat je het oude presidentiële paleis wel wilde zien.'

'Worden we verwacht?'

'Het is open voor het publiek.'

Ze maakte een van haar zadeltassen open, haalde er een fotocamera uit en hing die aan haar schouder. Ze zei: 'Ik kan je garanderen dat we niet gevolgd zijn, maar als ze het via de radio hebben doorgegeven en ze weten dat je hier bent, dan ben je gewoon wat aan het rondkijken met een meid uit de stad die je ergens hebt opgepikt. Oké?'

'Laat mijn dekmantel maar aan mij over.'

'Ik ben hier om te helpen. Plus dat ik het leuk vind mensen van buiten de stad rond te leiden. Kom mee.'

We liepen over een tuinpad om het paleis heen en bereikten de voorkant van het gebouw, dat geen historisch paleis vol versieringen was, maar een betonnen constructie waarvan de architectuur beschreven kan worden als modern tropisch mortiervrij. Ongeveer honderd meter verderop, aan de andere kant van een breed gazon, waren de smeedijzeren hekken, die nu in betere conditie leken dan toen de Noord-Vietnamese tank erdoorheen denderde. En aan de linkerkant van de hekken stond een grote Russische T-59 tank op een betonnen plaat en ik nam aan dat dat de bewuste tank was.

Susan vroeg me: 'Weet je wat dit paleis is?'

'Jawel. Is dat de tank?'

'Ja. Ik was heel jong toen dit allemaal gebeurde, maar ik heb de opnamen gezien. Voor een dollar mag je erin kijken.'

'Ik heb het op tv gezien toen het gebeurde.'

Ik zag een heleboel westerlingen die om de tank heen foto's stonden te maken. Maar in tegenstelling tot de Amerikaanse tank in het museum van oorlogsmisdaden, was deze in Rusland gebouwde tank afgezet met een ketting en stonden er allemaal vlaggen omheen. Dit was een heel belangrijke tank.

Ze zei: 'Ik heb een heleboel Amerikanen hier naartoe meegenomen, inclusief mijn ouders, en ik heb de tekst van de gids onthouden. Wil je hem horen?'

'Natuurlijk.'

'Volg me.' We beklommen de paleistrap en bleven bovenaan staan. Ze zei: 'Het is 30 april 1975 en de communisten zijn Saigon binnengetrokken. De tank ratelt door Le Duan Street en barst door die hekken heen. Hij rijdt over het gazon naar hier en komt pal voor het paleis tot stilstand. Dat zag je op de videoband, opgenomen door een fotojournalist die toevallig op het juiste moment op de juiste plaats was.'

Ze vervolgde: 'Een minuut of wat later komt er een vrachtwagen door de hekken heen, rijdt over het gazon en komt naast de tank tot stilstand. Een Noord-Vietnamese officier springt eruit en loopt die trap op. Goed, op deze plek staat generaal Minh die ongeveer achtenveertig uur eerder president van Zuid-Vietnam was geworden toen president Thieu ervandoor ging. Minh is omgeven door zijn nieuwe kabinet, en ze zijn waarschijnlijk heel nerveus, want ze vragen zich af of ze ter plekke doodgeschoten zullen worden. De communistische officier beklimt de treden en Minh zegt: 'Ik heb sinds vanmorgen vroeg staan wachten om de macht aan u over te dragen.' De communistische officier antwoordt: "U kunt niet overdragen wat u niet bezit." Einde verhaal, einde oorlog, einde Zuid-Vietnam.'

En, dacht ik, einde nachtmerrie. Ik herinnerde me dat ik, toen ik op de televisie de tank door de hekken heen zag denderen, het gevoel kreeg dat al die Amerikaanse levens die verloren waren gegaan in een poging Zuid-Vietnam te verdedigen, voor niets waren geweest.

Ik probeerde me te herinneren wat er was gebeurd met generaal Minh, maar net zoals iedereen in Amerika zette ik na 30 april 1975 de Vietnam-show uit.

Ze vroeg me: 'Wil je een foto van jou met de tank op de achtergrond?'

'Nee.'

Bij de voordeur van het paleis was een kaartjeshok, en op een Engelstalig bord stond *Buitenlanders: vier dollar – Vietnamezen: gratis*.

Susan voerde een twistgesprek met de man in het hokje en ik gokte dat het om het principe ging en niet om het geld.

Ik zei tegen haar: 'Zeg tegen hem dat ik seniorenkorting wil.'

'Vandaag betaal ik,' zei ze.

Ten slotte kwamen ze zes dollar overeen; we kregen allebei een papieren kaartje en stapten naar binnen.

Ze zei: 'Zet de telefoon uit. Ze worden maf als er in een van hun heiligdommen een telefoon begint te rinkelen.

Het paleis had geen airconditioning, maar het was er koeler dan buiten in de zon. We liepen de grote, versierde ontvangsthal van het paleis van vier verdiepingen in. Binnen zag het gebouw er beter uit dan buiten en de moderne architectuur gaf er een open, ruimtelijk karakter aan. Het meeste meubilair was westers, modern jaren zestig, maar had een heleboel traditionele Vietnamese accenten, inclusief een verzameling afgehakte olifantsvoeten.

Er liepen veel mensen door het paleis, voornamelijk Amerikanen als ik afging op het aantal korte broeken. Elke afdeling van het paleis had een Vietnamese gids en allemaal zeiden ze in het Engels tegen Susan dat ze bij de groep moest blijven. Susan antwoordde dan in het Vietnamees en er volgde een twistgesprek, dat Susan altijd won.

Ze stond nu echt op haar strepen en ik denk dat het deel uitmaakte van haar persoonlijkheid: ze wilde herkend worden als Amerikaanse, maar niet als toerist. Bovendien had ze, om eerlijk te zijn, iets krengerigs. Ik denk dat Bill dat wel zou beamen.

We gingen het dak van het paleis op waar tientallen toeristen foto's maakten van de stad. Het was een mooi uitzicht, op de laaghangende smog na. Een vrouwelijke Vietnamese gids stond op een heliplatform naast een oude Amerikaanse Huey-helikopter en zei in het Engels: 'Hier stapten de Amerikaanse marionet en topcrimineel, president Thieu, en zijn familie en vrienden aan boord van een helikopter en vlogen weg naar een Amerikaans oorlogsschip terwijl het zegevierende Volksleger Saigon naderde.'

Het heliplatform op het dak was een goede plek om te roken en Susan stak op. Ze zei: 'Mijn kennis van geschiedenis is veel beter geworden sinds ik hier ben. Het is interessant om met iemand te zijn die het echt voor een deel heeft meegemaakt.'

'Suggereer je dat ik een relikwie ben?'

Ze leek voor de verandering een beetje in verlegenheid gebracht en zei: 'Nee, ik bedoel gewoon... nou, je was waarschijnlijk héél jong toen je hier was.' Ze glimlachte. 'Je bent nog steeds jong.'

Eigenlijk waren Cynthia en Susan ongeveer van dezelfde leeftijd, dus ik denk dat ik nog meedeed. Het moest mijn onvolwassen houding zijn die vrouwen op het verkeerde been zette.

Susan was klaar met haar sigaret en wij gingen weer het paleis in. Op de eerste verdieping liepen we de presidentiële ontvangstkamer binnen. Susan gaf de bewaker een dollar en zei tegen me: 'Je mag in de stoel van de president zitten. Ik maak een foto van je.'

Ik vind het echt niet prettig als er een foto van me wordt genomen terwijl ik met een opdracht bezig ben en ik zei: 'Hoeft niet...'

'Ik heb er een dollar voor betaald. Ga zitten.'

Dus ik ging in de malle stoel van de voormalige president van Zuid-Vietnam zitten en Susan nam een foto. Het werd me allemaal veel te lollig en ik zei: 'Hebben we het allemaal gezien?'

'Nee, ik heb het beste voor het laatst bewaard. Ga mee.'

We liepen een aantal trappen af naar een vaag verlichte gang waar veel deuren op uit kwamen. Susan zei: 'Dit waren bij luchtalarm de schuilkelders, en tevens de commandoposten.'

Ze leidde me een grote ruimte binnen die met oude tl-balken was verlicht. We leken de enige mensen hier. De muren waren van goedkoop mahonie-multiplex, het spul waarmee Amerikanen vroeger de recreatieruimte in de kelder mee aftimmerden.

Aan de muren hingen tientallen kaarten van Zuid-Vietnam in diverse schalen, kaarten van de afzonderlijke provincies, en een paar gedetailleerdere kaarten van kleine en grote steden. Op alle kaarten waren gekleurde symbolen die de lokaties van de Amerikanen, Zuid-Vietnamezen en vijandelijke militaire eenheden in het hele land aangaven.

De kaarten waren gedateerd en sommige gingen terug naar het Tetoffensief van januari en februari 1968, en ik zag de lokatie van mijn infanteriebataljon, aangegeven met een vlaggetje op een speld, net buiten de stad Quang Tri, en het gaf iets griezeligs. Sommige kaarten waren gedateerd op april 1972, de tijd van het Paasoffensief, dat ik hier ook had meegemaakt.

Susan vroeg: 'Interesseert je dit?'

'Jawel.'

'Laat eens zien waar je gestationeerd was.'

Ik wees haar mijn vlaggetje net buiten Quang Tri. 'Dit was mijn basiskamp in 1968, en heette LZ Sharon.'

Ze zei: 'LZ is Landing Zone – een andere veteraan vertelde me dat alle kampen waren vernoemd naar vrouwen.'

'De meeste, maar niet allemaal.' Ik liet haar een andere speld zien. 'Dit was LZ Betty, dat eigenlijk een oud Frans fort was, ook buiten Quang Tri. Dat was het brigadehoofdkwartier waar ook de kolonel zat.'

'Ga je die plaatsen bezoeken?'

'Misschien.'

'Volgens mij moet je het doen. En waar zat je in tweeënzeventig?'

'Bien Hoa. Vlak buiten Saigon. Je zal het wel kennen.'

'Natuurlijk. Maar ik heb nooit geweten dat het een Amerikaanse basis is geweest.'

Eén kaart was gedateerd op 1 april 1975. Ik kon de militaire symbolen nog steeds lezen, en ik herkende de posities van het Noord-Vietnamese leger, voorgesteld door rode pijltjes, die uitwaaierden over het land. Het leek wel alsof op een bepaald moment het niemand meer kon schelen om merktekens aan te brengen of de spelden op de kaart te verplaatsen. Degene die de kaart bijhield, moest beseft hebben dat het einde aangebroken was.

Als je luisterde, kon je de geesten horen, en als je een goed voorstellingsvermogen had, kon je hier de militairen en politici elke dag en nacht van de hele maand april 1975 zien zitten, toen het duidelijk werd dat de rode pijltjes op de kaart niet abstract waren, maar honderdduizenden vijandelijke soldaten en tanks voorstelden, die op Saigon af kwamen – op hen af kwamen.

We keken om ons heen door de ondergrondse commandoposten: conferentiekamer, een communicatieruimte met antieke radio's en telefoons, een keurig ingerichte slaapkamer en zitkamer voor de president, enzovoort, allemaal verstard in de tijd.

We verlieten de ondergrondse commandoposten en gingen naar buiten, de zon in, aan de achterkant van het paleis waar de oude Mercedes-Benz van president Thieu nog stond; een ander stukje verstarde tijd die deze plek griezelig maakte.

We liepen door de tuinen van het voormalige presidentiële paleis, die echt mooi waren.

Ze vroeg me: 'Vond je dat goed?'

'Interessant. Bedankt.'

'Ik weet nooit wat mensen willen zien, maar ik dacht dat jij als veteraan dit stukje geschiedenis wel zou waarderen. Ik heb nog een paar plaatsen in het toerpakket zitten, maar dan moet jij kiezen.'

'Je hoeft me echt niet heel Saigon te laten zien.'

'Ik vind het leuk. Toen ik in New York woonde, zag ik het Vrijheidsbeeld en het Empire State Building nooit, behalve als er mensen van buiten de stad kwamen.'

'Ik heb hetzelfde met Washington.'

'Weet je, ik ben nog nooit in Washington geweest.'

'Soms wens ik dat ík nooit in Washington was geweest.'

Ze keek me even aan en zei: 'Als ik ooit in Washington kom, ben je me een rondleiding schuldig.'

'Afgesproken.'

We liepen verder over het terrein. De lucht geurde naar bloesems, een leuke gewaarwording in januari. We bleven staan bij een drankstalletje en kochten elk een halve liter water in een fles.

We dronken onder het lopen en ik vroeg haar: 'Wat was de reactie van je ouders toen ze hier voor het eerst op bezoek kwamen?'

'Ze waren ontzet. Ze wilden dat ik direct mijn boeltje pakte en vertrok.' Ze lachte en voegde eraan toe: 'Ze konden zich niet voorstellen dat hun troetelkindje in een derdewereldstad leefde. Ze knapten echt af op de prostituees, de communisten, de bedelaars, het eten, de hitte, ziekte, dat ik rookte, dat ik naar de katholieke kerk ging – noem maar op, ze knapten volledig af.' Ze lachte weer.

Ik vroeg: 'Heb je ze ook achter op je scooter laten zitten?'

'Hemeltje, nee. Ze wilden zelfs niet in een cyclo. We namen taxi's.' Ze voegde eraan toe: 'Mijn broer en zus kwamen een keer alleen, en ze vonden het heerlijk. Mijn broer verdween op een avond en kwam glimlachend terug.'

'Hij zal zeker naar een poppenspel zijn geweest. Hoe oud is hij?'

'Hij studeerde toen.'

'Wat doen je ouders?'

'Mijn vader is chirurg en mijn moeder geeft les op een middelbare school. Perfect toch?'

'Mijn vader was monteur en mijn moeder huisvrouw. Ik groeide op in Zuid-Boston.'

Ze reageerde er niet op, maar sloeg het in haar geheugen op.

Ze scheen een bepaalde bestemming voor ogen te hebben, en we namen een pad dat door een rij bloeiende struiken leidde. Voor ons was een kleine grashelling. We liepen tot halverwege en gingen zitten. Ze trok haar schoenen en sokken uit en wriemelde met haar tenen, maakte daarna een paar knopen van haar zijden hemd open.

Ik zat op armlengte afstand van haar.

Ze maakte haar heuptasje los, viste er een sigaret uit en stak op.

Ik pakte de mobiel uit mijn zak en zei: 'Misschien moet ik het hotel bellen.'

Ze nam de telefoon van me over en deed die in haar heuptasje. 'Geen haast. Ik bel straks wel voor je. Ze reageren beter als je in het Vietnamees tegen hen praat.'

Ze was klaar met roken, ging op het gras liggen en sloot haar ogen. 'Ah, dat voelt goed. Je moet je hemd uittrekken en wat zon pakken.'

Ik trok mijn hemd uit en ging naast haar liggen, maar niet te dichtbij. Ik legde mijn hemd en mijn lege waterfles onder mijn hoofd.

De zon voelde goed op mijn huid en er was een zachte bries opgestoken.

Ze zei: 'Je zag er te wit uit.'

'Ik kom net uit de winter.'

'Eigenlijk mis ik de winter. Ik mis de herfst in Berkshire.'

We babbelden een tijdje en toen zei ik tegen haar: 'Misschien gaat dit me niet aan, maar ik voel me er een beetje schuldig over dat jij en Bill misschien ruzie hebben gehad omdat jij je zondag met mij doorbrengt.' Ik voelde me helemaal niet schuldig, maar ik wilde een reactie van haar.

Een tijdje gaf ze geen antwoord, duidelijk bezig om het zo goed mogelijk te formuleren. Ten slotte zei ze: 'Ik heb hem uitgelegd dat jij maandagochtend naar het binnenland gaat en informatie nodig had – dat dit deel uitmaakte van die stomme gunst die hij me vroeg.' Ze voegde eraan toe: 'Hij wilde meegaan, maar ik zei nee.'

'Waarom?'

'In Vietnam is drie een ongeluksgetal en drie mensen samen brengen ongeluk.'

Ik antwoordde: 'Ik dacht dat drie in Vietnam een geluksnummer was. Je weet wel – Ba Ba Ba – fortuinlijk bier.'

Ze zweeg een tijdje en zei toen: 'Misschien heb ik het mis.' Ze lachte, maar gaf niet echt antwoord op mijn vraag.

Het werd heet in de zon en ik zweette, maar zij leek koel als een granaatappel. Ik zei: 'Geef me die informatie dan maar.'

'Waar ga je als eerste naartoe?'

'Dat weet ik nog niet.'

'Hoe kan ik je dan informatie geven? En waarom weet je niet waar je naartoe gaat?'

'Er wordt van mij alleen maar verwacht dat ik een beetje rondreis, misschien een paar slagvelden bezoek, en dan heb ik een afspraak over een week.'

'Waar?'

'Dat kan ik niet zeggen.'

'Je helpt me niet.'

'Geef me gewoon een algemeen overzicht van het vervoer, de communicatie, hoe hotels werken, douane, valuta, dat alles.'

'Goed. Het is het Tet-feest, zoals je weet, en het wordt de komende week moeilijk om vervoer te krijgen. Daarna, vanaf nieuwjaarsdag, gaat alles dicht of heeft beperkte openingstijden – de spoorwegen sluiten echt voor vier dagen. De wegen, vliegtuigen en bussen zijn leeg omdat iedereen dicht bij huis blijft, en alleen maar eet en slaapt. Over negen maanden komt er een geboortegolf, maar dat is jouw probleem niet.'

'En de meeste mensen zijn in hun geboortestad of -dorp?'

'Ja. Volgens mij lukt het negentig procent van de bevolking om thuis te komen. De grote plaatsen en steden waar veel mensen van het platteland zitten, raken leeg – en de dorpelingen en boeren hebben een week lang het genot van logés in hun kleine hutten.'

Ik herinnerde me de weken voor Tet in 1968 en het zien van al die duizenden mensen, lopend, fietsend, en rijdend op ossenwagens over de plattelandswegen. Het leger had een mededeling uitgestuurd om de manschappen te laten weten wat dit alles was, en ze hadden ons verteld ons niet te bemoeien met de massale volksbeweging, maar een oogje open te houden voor de Vietcong, die deze pelgrimstochten geïnfiltreerd kon hebben. En elke man van militaire leeftijd met twee armen en twee benen, die geen uniform van het Zuid-Vietnamese leger droeg en geen identiteitsbewijs bij zich had, was een Vietcong.

Ik kan me niet herinneren enige Vietcong gevonden te hebben, maar terugblikkend moesten die mensenmassa's vol hebben gezeten met Vietcong-infiltranten op weg naar posities die ze moesten innemen voor wat er komen zou. En om de zaken nog erger te maken, was een groot deel van het Zuid-Vietnamese leger of met verlof of weg zonder verlof om maar thuis te zijn. Generaal Giap in Hanoi, die deze verrassingsaanval op Tet-oudejaarsavond had gepland, de heiligste en militair gezien de meest kwetsbare dag van het jaar, was een slimme man. Ik hoopte dat kolonel Hellmann in Washington die mijn Tet-operatie had opgezet, minstens zo slim was.

Susan ging door met de algemene omstandigheden van het platteland en vulde een paar dingen aan die Conway me had verteld.

Ze zei: 'De bevolking is over het algemeen vriendelijk, en ze zullen je niet verraden aan de politie. Ze houden niet van de regering, maar ze houden van hun land. Heb eerbied voor hun gewoonten en tradities, en toon belangstelling voor hun manier van leven.'

'Ik ken hun gewoonten helemaal niet.'

'Ik ook niet. Ik ken Saigon, maar daar is het heel anders. Geef niemand een klopje op zijn hoofd. Het hoofd is heilig. De voeten zijn het laagste deel van het lichaam. Breng je voeten niet boven iemands hoofd. Dat is onbeleefd.'

'Hoe krijg ik mijn voeten boven iemands hoofd?'

'Ik kan wel een paar manieren bedenken.'

We lagen daar en Susan bleef praten over gebruiken, valkuilen, politie, gezondheidszaken, eten, pensions waar ze je aanwezigheid niet doorgaven aan de politie, enzovoort.

Ik vroeg haar: 'Bestaat het gevaar van landmijnen nog?'

'Het schijnt zo. Om de zoveel tijd lees je over een joch dat ergens opgeblazen is. Als je echt in de rimboe zit, houd je dan aan de platgetreden paden.' Ze voegde eraan toe: 'Je zult niet willen vinden wat je de laatste keer gemist hebt.'

'Nee, liever niet.'

Ze vroeg me: 'Ga je het voormalige Noord-Vietnam in?'

'Misschien.'

'Nou, als je het doet, dan verandert de situatie. De communisten zijn daar al sinds de jaren vijftig aan de macht, en zijn behoorlijk goed georganiseerd. Volgens het boekje dat ik van mijn bedrijf heb moeten lezen, heeft de geheime politie van het noorden een uitgebreid netwerk aan overheidsinformanten. De mensen in het noorden zijn niet bijzonder vriendelijk tegen Amerikanen, zoals ik heb ontdekt op mijn eerste zakenreis naar Hanoi. We hebben ongeveer een miljoen van hen gedood. Toch? Die mensen verraden je wel aan de politie.' Ze keek even naar me en zei: 'Als je naar het noorden gaat, wees dan voorbereid op een efficiëntere politiestaat.'

'Ik heb het gehoord.'

'Doe jezelf voor als Australiër. Dan zijn ze vriendelijker tegen je. Maar bij smerissen werkt dat niet, omdat zij in je paspoort kunnen kijken.'

'Hoe doet een Australiër?'

'Heb altijd een blik bier in je hand.'

'O.'

'Je kunt de woorden *Lien Xo* horen als ze het over jou hebben. Kinderen op het platteland die weinig blanken zien, zullen gillen: *"Lien Xo!"* Dit betekent gewoon buitenlander of westerling, maar de letterlijke vertaling is Sovjet-Unie.'

'Zeg dat nog eens.'

'Goed. Toen de Russen hier van 1975 tot 1980 zaten, waren er geen andere westerlingen, en de term *Lien Xo* is westerling gaan betekenen.

In het noorden is *Lien Xo* niet negatief – de sovjets waren hun bondgenoten. In het zuiden had het ooit een negatieve betekenis, omdat de
zuiderlingen de Russische militaire en burgerlijke raadgevers haatten.
Nu betekent het gewoon westerling. Volg je me?'

'Min of meer. In het zuiden ben ik een Amerikaan, in het noorden
ben ik een Australiër. Maar mensen noemen me sovjet.'

'En dat betekent westerling. Raak niet in de war.'

'Waarom kan ik geen Nieuw-Zeelander zijn, of een Brit, of wat
dacht je van een Canadees?'

'Ik weet het niet. Probeer het. Goed, in het noorden zijn de mensen
niet zo materialistisch als in het zuiden.'

'Dat is goed.'

'Nee, dat is slecht. Het zijn echte rooien, en ze zijn niet zo omkoop-
baar als in het zuiden. Misschien is het een filosofisch of politiek iets,
maar het komt ook omdat er in het noorden niet zoveel consumptiegoederen zijn, dus Amerikaans geld is niet heilig. Daarom kun je niet
verwachten dat een smeris de andere kant op kijkt als je hem een tien-
tje geeft. Begrijp je?'

'En twintig dollar?'

Ze ging plotseling rechtop zitten en zei: 'Weet je... mijn kantoor is
de volgende week gesloten vanwege de feestdagen. En deze week gebeurt er weinig. Wil je gezelschap?'

Ik ging rechtop zitten.

Ze zei: 'Ik vind het heerlijk om door het land te reizen. Ik ben al een
jaar Saigon amper uit geweest. Het lijkt me wel interessant om iets van
dat oorlogsgedoe samen met een veteraan te zien.'

'Dank je, maar...'

'Je zult een tolk nodig hebben. Buiten de steden spreken ze niet zoveel Engels. Ik zou het niet erg vinden om vakantie te nemen.'

'Ik weet zeker dat er andere plaatsen zijn waar je naartoe zou kunnen gaan. Winter in Berkshire.'

'Ik ga altijd het land uit met vakantie, maar ik zou graag een vakantie ín het land zelf willen hebben.'

'Ik weet zeker dat Bill het heerlijk zou vinden om met jou mee te
gaan.'

'Hij houdt niet van Vietnam. Ik krijg hem Saigon niet uit.'

'Ik weet zeker dat hij een uitzondering zou maken als hij naar ons
ging zoeken.'

Ze lachte en zei toen: 'We kunnen samen reizen als vrienden. Mensen doen het vaak. Ik vertrouw je. Jij werkt voor de regering.'

'Ik denk niet dat de mensen die me hierheen hebben gestuurd het zouden goedkeuren als ik een reisgenote meenam.'

'Dat zouden ze wel doen, als ze begrepen waar het in dit land om gaat. Buiten het taalprobleem, worden mannen die alleen reizen genadeloos lastiggevallen door pooiers en prostituees. Dat gebeurt niet als je een vrouw bij je hebt. Ook heb je minder kans dat de politie je lastigvalt. Een man alleen wordt gezien als iemand die iets slechts van plan is. Ik weet niet waarom ze je hier alleen heen hebben gestuurd.'

Ik ook niet, nu ik eraan dacht. Ik veronderstel dat het te maken had met de vurige wens de kennis over dit moordonderzoek dat geen moordonderzoek was te beperken. Ik glimlachte en zei tegen Susan: 'Hoe weet ik dat je geen dubbelagent bent?'

Ze beantwoordde de glimlach. 'Ik ben een saaie investeringsadviseur. Ik heb een beetje opwinding nodig.'

'Ga een eindje rijden op je scooter.'

'Heb ik al gedaan. Denk over mijn aanbod na. Ik kan vanavond een briefje op kantoor achterlaten, inpakken en op zijn laatst morgenochtend om tien uur in het Rex zijn.'

Ik vroeg: 'En Bill?'

'Wat heb je toch met Bill?'

'Het is iets tussen mannen. Heeft hij een pistool?'

Ze lachte. 'Nee. Natuurlijk niet.' Ze voegde eraan toe: 'Het in bezit hebben van een pistool is hier een zwaar misdrijf.'

'Prima.'

Ze zei: 'Ik zal hem een telegram sturen vanuit onze eerste stopplaats. Waar dat ook mag zijn.'

'Laat me hierover nadenken.'

'Goed, maar als je besluit dat je me mee wilt hebben, wil ik dat je begrijpt dat dit strikt platonisch is. Ik meen het. Ik betaal voor mijn eigen kamer en jij bent vrij om de plaatselijke dames uit te proberen, behalve dat ik wel een tafelgenoot wil.'

'Wie betaalt er voor het eten?'

'Jij natuurlijk. Ik bestel, jij betaalt. En als jij een stiekeme afspraak hebt, verdwijn ik.'

Ik dacht over dit alles na, zittend op een grazige heuvel met het presidentiële paleis in de verte, de gebouwen van Saigon om het park heen, de geur van bloemen in mijn neusgaten en de zon op mijn gezicht. Ik keek haar even aan en onze ogen vonden elkaar.

Susan stak een volgende sigaret op, maar zei niets.

Ik ben gewend alleen te werken en geef er eigenlijk de voorkeur aan. Als ik het in mijn eentje verknalde, zouden mijn vrienden in

Washington teleurgesteld zijn en misschien meelevend, dat hing af van de omstandigheden. Maar als ik het verknalde terwijl ik samen reisde met een dame, zouden ze me aan mijn ballen ophangen. James Bond had dit probleem nooit.

Ook was ik er niet zo zeker van wat ze eigenlijk wilde. Ze maakte er een redelijk verhaal van, met dat ze een vakantie in het land wilde hebben, en met dat gedoe over opwinding en avontuur, en dat zou best haar voornaamste motief kunnen zijn. Dan had je mij nog. Ik bén charmant. Maar niet zó charmant.

In ieder geval hadden haar motieven helemaal niets te maken met de missie die voor me lag. Als ik met een zaak bezig ben, ben ik volledig geconcentreerd en dénk ik zelfs niet aan vrouwen. Bijna nooit. Zo nu en dan, maar dan alleen in mijn eigen tijd.

En dan had je natuurlijk Cynthia nog. Cynthia was een pro, die zelf met een heleboel mannen werkte, en ik weet zeker dat ze het zou begrijpen. Misschien niet.

'Ben je aan het denken?'

'Ik kijk naar die libel.'

'Nou, laat het me morgenochtend om zes uur weten. Dan, zoals we dat in zaken zeggen, is het voorstel van tafel.' Ze trok haar sokken en schoenen aan, knoopte haar hemd dicht, ging staan en zette haar zonnebril op.

Ik stond op en trok mijn hemd aan terwijl zij haar heuptasje vastmaakte. 'Klaar om te gaan?'

We liepen langs de helling naar beneden naar de parkeerplaats. Ze haalde haar scooter van de ketting, pakte vervolgens haar mobieltje en toetste iets in. Ze zei: 'Ik bel het Rex.' Ze zei iets in het Vietnamees in de telefoon en ik hoorde haar mijn naam noemen. Ze leek niet tevreden met het antwoord en werd een beetje scherp. *Kreng.* Na een heleboel eenlettergrepige woorden en medeklinkers, verbrak ze de verbinding en zei tegen mij: 'Ze hebben niets voor jou. Maar ik heb hun het nummer van mijn mobieltje gegeven en hun verteld me te bellen zodra je paspoort of iets voor jou arriveert.'

Ze gaf me het mobieltje, startte de scooter en ik sprong achterop. Ze zei: 'Het spijt me, ik had moeten vragen of jij wilde rijden.'

'Later.'

We reden door de straten van Saigon en Susan deed rustig aan. Ze vroeg me: 'Weet je de naam van die man op het vliegveld nog?'

'Waarom? Ken jij de slechteriken bij naam?'

'Een paar. De namen worden rondverteld.'

'Hij heette Mang. Een kolonel in uniform.'

Ze informeerde me: 'Mang is zijn voornaam. Heb je zijn hele naam?'

Ik antwoordde: 'Hij noemde zichzelf kolonel Mang. Hoe kan dat zijn voornaam zijn?'

'Ik dacht dat je hier een tijdje heb gezeten. De Vietnamezen gebruiken hun voornaam – die eigenlijk achteraan staat – met hun titels. Dus jij zou Mr. Paul zijn en ik Miss Susan.'

'Waarom doen ze dat?'

'Ik weet het niet. Het is hun land. Zij mogen doen wat ze willen. Wist je dat niet van toen je hier zat?'

'Als ik eerlijk tegen je ben, moet ik zeggen dat de Amerikaanse soldaten weinig over de Vietnamezen wisten. Misschien was dat wel een van de problemen.'

Ze gaf daar geen antwoord op, maar zei: 'Ze zijn heel zorgvuldig met de manier van aanspreken. Je gebruikt altijd een titel – Mr., Miss, Mrs., kolonel, professor, wat dan ook – gevolgd door hun voornaam. Ze vinden het heerlijk als je het Vietnamese woord kent. *Dai-Ta* Mang. Kolonel Mang. *Ong* Paul. Grootvader Paul.' Ze lachte.

Ik vroeg me af wat het woord voor kreng was.

Ze zei: 'Ik zal wat rondvragen naar een kolonel Mang, maar probeer achter zijn achternaam te komen, als je hem weer ziet.'

'Ik weet zeker dat ik hem terugzie.'

'Heb je die man verteld waar je naartoe ging?'

'Hij kent een deel van mijn reisschema door mijn hotelvouchers. Hij wil de rest van mijn reis weten, voordat hij me mijn paspoort teruggeeft.'

'Wil je hem laten weten waar je heen gaat?'

'Niet speciaal.'

'Verzin dan wat. Dit is geen efficiënte politiestaat. Wil je een andere beroemde plaats zien?'

'Natuurlijk.'

'Geniet je?'

'Ik geniet van deze snelheid.'

Ze stak haar hand naar achteren en gaf me een klopje op mijn knie. Ze zei: 'Ik pak later het monster, en dan rijden we naar de rubberplantage van Michelin. Ik wil de stad uit. Goed?'

'Misschien moet ik in de buurt van het hotel blijven, voor het geval deze communistische kolonel me wil zien.'

'Het is zondag. Hij zit thuis de biografie van Ho Tsji Minh te lezen terwijl zijn vrouw de hond aan het bereiden is.' Ze lachte.

Ik lachte ook. Ik bedoel, je moet lachen.

Voor sommige mannen was Susan Weber de pure natte droom. Maar ik bedacht me ook dat Susan Weber leek op het land waarin ze woonde: prachtig en exotisch, verleidelijk als een tropische bries op een avond vol sterren. Maar ergens achter in mijn hoofd hoorde ik het tikken van bamboestokken dichterbij komen.

11

We reden door Le Duan Street, een lommerrijke boulevard, toen Susan bij de stoep stopte en naar de overkant van de straat wees. 'Ken je dat gebouw?'

Achter een hoge, betonnen muur met wachttorens stond een massief, helwit gebouw van ongeveer zes verdiepingen hoog; ook zo'n constructie uit de jaren zestig van bomvrij beton. Het duurde even voordat ik de vroegere Amerikaanse ambassade herkende.

Susan zei: 'Ik heb dat stukje nieuws gezien waarin tijdens het Tet-offensief de Vietcong de ambassade binnendringt.'

Ik knikte. Dat was februari 1968, het begin van het einde; het einde zelf kwam zeven jaar later, in 1975, toen de ambassade de Dikke Dame werd die de laatste aria zong in een te lange, tragische opera.

Ik keek omhoog naar het dak en zag het kleinere bouwsel waar de laatste Amerikanen de stad in een helikopter hadden verlaten, op 30 april 1975, toen de communistische troepen naderden. Het was ook een van die beroemde of beruchte filmopnamen die symbolisch werden voor het hele tragische gebeuren; de marinierswachtposten die vochten met gillende en huilende Vietnamese burgers en soldaten die het terrein overspoeld hadden en wilden vluchten, het ambassadepersoneel dat probeerde er kalm uit te zien, terwijl ze naar de helikopters gingen, ambassadedossiers die brandden op het binnenplein, de stad Saigon in chaos, en de ambassadeur die de opgevouwen vlag mee naar huis nam.

Ik herinnerde me dat ik dat samen met een stelletje andere soldaten had gezien op het nieuws van de televisie in de onderofficiersclub in Fort Hadley waar ik toen nog gestationeerd was. Ik herinnerde me ook dat niemand veel zei, maar zo nu en dan zei iemand zacht: 'Shit' of 'O, mijn god'. En één jongen huilde. Ik had daar weg willen gaan, maar ik was zo gehypnotiseerd door het beeld van dit werkelijke drama, en ook gefascineerd door het feit dat ik een paar keer op de ambassade was geweest, waardoor alles nog veel surrealistischer werd dan het voor de meeste mensen al leek.

Susan onderbrak mijn tijdtrip en zei: 'Dit gebouw wordt gebruikt door de oliemaatschappij van de Vietnamese regering, maar de Amerikaanse regering is met onderhandelingen bezig om het weer terug te krijgen.'

'Waarom?'

'Ze willen het slopen. Het is slecht voor hun image.'

Ik gaf geen antwoord.

'Het is Amerikaans eigendom. Ze mogen daar een nieuw consulaat neerzetten. Maar ik denk dat de communisten er ook een toeristische attractie van willen maken. Minstens zes dollar. Gratis voor Vietnamezen.'

Weer gaf ik geen antwoord.

Susan zei: 'De Amerikanen zijn terug, de mensen willen hen terug hebben, en de regering probeert manieren te bedenken hun geld binnen te halen zonder hén erbij te krijgen. Ik heb hier elke dag op mijn werk mee te maken.'

Ik dacht aan mijn eigen redenen om in dit land te zijn, maar er zaten nog steeds enorme hiaten in mijn begrip van deze missie, en het is niet gebruikelijk een man op die manier op een gevaarlijke opdracht uit te sturen. Het sloeg alleen maar ergens op als ik Susan Weber bij de vergelijking betrok.

Susan vroeg: 'Wil je een foto van jou met de ambassade op de achtergrond?'

'Nee. Laten we gaan.'

We reden dwars door Saigon, staken een brug over over een modderige rivier en ze zei: 'We zijn op Khan Hoi-eiland, voornamelijk een woonwijk.'

Het was een laaggelegen stuk land, op sommige plaatsen moerassig, met groepen houten hutjes bij het drassige gedeelte, en solidere woonblokken op de hogere gedeeltes. Ik vroeg: 'Waar gaan we heen?'

'Ik moet mijn motor halen.'

We reden door een doolhof van houten huizen met tuinen, daarna een verzameling gestuukte huizen van meerdere verdiepingen. Susan sloeg een smalle straat in en reed een parkeerplek op, die eigenlijk niet meer was dan een open ruimte onder een gestuukt gebouw op betonnen pijlers. De parkeerruimte was volgestouwd met fietsen, motoren en allerlei andere spullen.

We stapten af en ze legde haar scooter met de ketting aan een rek vast.

Ze liep naar een grote, zwarte motor en zei: 'Dit is mijn monster. De Ural 750. Het is voor buitenlanders verboden om iets boven de 175cc te hebben, dus daarom bewaar ik hem hier.'

'Om naar te kijken?'

'Nee, om op te rijden. De politie controleert wat buitenlanders bij hun huizen hebben staan. Vrienden van mij, de Nguyens, wonen in dit gebouw.'

'Wat gebeurt er als je ermee de weg opgaat?'

'Dan rij je hard.' Ze voegde eraan toe: 'Het is niet zo'n enorm probleem als je buiten de stad bent. Hiervandaan, van Khanh Hoi-eiland, kan ik naar het zuiden over een kleine brug in vijftien minuten de stad uit zijn. De motor heeft Vietnamese nummerplaten en staat geregistreerd op een Vietnamese burger – ook een vriend van me – en de politie kan, als ze je aanhouden, op geen enkele manier nagaan van wie hij eigenlijk is. En als je ze vijf dollar geeft, kan het ze niets schelen ook.'

'Je bent hier écht te lang.'

Ze maakte de ketting van de grote motor los met een sleuteltje uit haar zak en zei tegen mij: 'Klaar voor een avontuur?'

'Ik probeer niet op te vallen. Moeten we de illegale motor nemen?'

'We hebben zijn vermogen nodig voor de heuvels. Jij weegt te veel.' Ze klopte me op mijn buik, wat me enigszins verraste.

Ik zei: 'Je moet een helm op als je de snelweg op gaat.'

Ze stak een sigaret op. 'Je klinkt als mijn vader.'

Ik keek haar aan en zei: 'Lenox is hier ver vandaan, hè?'

Ze dacht erover na en zei toen: 'Vergeef me mijn kleine daden van rebellie.' Ze nam een trek van haar sigaret. 'Je zou me drie jaar geleden niet herkend hebben.'

'Zorg ervoor dat het niet je dood wordt.'

'Jij ook.'

'Hé, ik ben voor de derde keer hierheen gestuurd. Ik ben een pro.'

'Je bent een simpele ziel, dat ben je.'

Ze pakte haar mobieltje en belde al rokend iemand, zei iets in het Vietnamees, luisterde, gaf scherp antwoord en hing op. Ze zei: 'Een bericht voor jou en ze hebben me er niet over opgebeld.'

'Zou je me dat kunnen geven, of ben je nog niet uit geklaagd over de receptionist?'

'De boodschap was van kolonel Mang. Hij zei dat je je morgenochtend om acht uur moest melden op het hoofdbureau van de immigratiepolitie en naar hem moest vragen.' Ze voegde eraan toe. 'Ik zal je helpen je reisschema te maken.'

'Ik kan kaartlezen,' bracht ik naar voren. 'Misschien ga ik naar huis, en die weg ken ik.'

Ze vroeg me: 'Heb je iets gezegd of gedaan dat die man zo kwaad op je is?'

'Ik was resoluut maar beleefd. Maar misschien heb ik iets gezegd waardoor hij me spuugzat is.'

Ze knikte, vroeg me toen: 'Denk je dat hij iets weet?'

'Er valt niets te weten. Bedankt voor je bezorgdheid, maar dit is jouw probleem niet.'

'Natuurlijk wel. Jij komt uit Massachusetts. Bovendien vind ik je aardig.'

'Nou, ik vind jou ook aardig. Daarom wil ik dat je erbuiten blijft.'

'Jij bent de baas.' Ze sprong op de grote Ural en ik stapte achterop; het was veel ruimer en comfortabeler dan achter op de scooter. Er zat een rugsteun met een greep om me aan vast te houden. Ze startte de motor en het gebrul weerkaatste tegen de lage zoldering.

Susan reed de parkeerplaats af, ging in zuidelijke richting, en via een andere kleine brug over een stroom reden we van het eiland af. Links van me zag ik de brede uitgestrektheid van de rivier de Saigon, vol pleziervaartuigen op deze zondagmiddag.

Susan reed naar de kant van de weg, draaide zich naar me om en zei: 'Als zij denken dat je iets van plan bent, schoppen ze je er niet uit. Dan houden ze je in de gaten.'

Ik gaf geen antwoord.

'Als ze je arresteren, doen ze het in een kleine stad waar ze met je kunnen doen wat ze willen. Daarom zou het goed zijn als je iemand bij je had.'

'Waarom zouden ze jou niet ook arresteren?'

'Omdat ik een belangrijk lid ben van de Amerikaanse zakengemeenschap en het zou een echte rel veroorzaken als ik om geen enkele reden werd gearresteerd.'

Ik antwoordde: 'Nou, als ik een kinderjuf nodig heb, zal ik het je laten weten.'

Ze zei: 'Jij bent een koele kikker, Mr. Brenner.'

'Ik heb in ergere situaties verkeerd.'

'Dat weet je nog niet.'

Ze gaf gas en reed hobbelend terug naar de weg.

12

We reden naar het westen door een landschap dat een mengeling was van plattelands en stedelijk: rijstvelden, nieuwe industrieterreinen, primitieve dorpen en hoogbouwwoningen.

Binnen twintig minuten hadden we de laatste resten stad achter ons gelaten en bevonden we ons op open land. Er was weinig gemotoriseerd verkeer op deze zondagmiddag, maar er waren veel ossenwagens, fietsers en voetgangers, waar Susan zich, voortdurend claxonerend, doorheen manoeuvreerde zonder te vertragen.

Het land was van laagliggende rijstvelden overgegaan in golvend terrein; groentetuinen, weidevelden en groepjes kleine bomen.

Zo nu en dan zag ik vijvers die ik herkende als bomkraters. Vanuit de lucht had je ze vroeger in drie kleuren: helder blauw water, modderig bruin water en rood water. Het rode water gaf een voltreffer aan op een bunker met veel mensen erin. Mensensoep noemden we die.

Susan schreeuwde boven het geluid van de motor uit: 'Vind je dit geen prachtig land?'

Ik gaf geen antwoord.

We kwamen langs vier wrakken van in Amerika gebouwde M-48-tanks die allemaal de vage merktekens van het voormalige Zuid-Vietnamese leger voerden, en ik nam aan dat ze in april 1975 vernietigd waren door de Noord-Vietnamezen toen die optrokken voor de uiteindelijke slag om Saigon, die gelukkig nooit heeft plaatsgevonden.

Na een bocht in de weg doemde een enorme begraafplaats op en ik zei tegen Susan: 'Stop hier.'

Ze reed naar de kant en we stapten af. Ik liep door een opening in een lage muur en kwam te midden van duizenden met mos beklede grafstenen te staan die plat op de grond lagen. Naast sommige stenen was een rode vlag met een gele ster in het midden in de grond gestoken. Op elke steen stond een aardewerken kom met wierookstokjes waarvan sommige nog brandden.

Een oude man kwam op ons af gelopen en Susan had een kort gesprek met hem.

Susan zei tegen me: 'Deze begraafplaats is voornamelijk voor de plaatselijke Vietcong en hun families. Dat gedeelte van de begraafplaats is voor de Noord-Vietnamezen die zijn gestorven tijdens de bevrijding van het zuiden – nou, hij noemde het bevrijding. Ik denk dat jij – wij zouden zeggen de invasie.'

'Vraag hem of er een Zuid-Vietnamese begraafplaats in de buurt is.'

Ze spraken met elkaar en Susan zei: 'Zulke begraafplaatsen zijn verboden. Hij zei dat de Noord-Vietnamezen alle Zuid-Vietnamese militaire graven met een bulldozer geruimd hebben. Dit maakt hem verdrietig omdat hij geen eer kan bewijzen aan het graf van zijn zoon die is gesneuveld in dienst van het Zuid-Vietnamese leger. Zijn andere zoon was een Vietcong en die ligt hier wel begraven.'

Ik dacht erover na en over onze eigen begraafplaatsen van de Burgeroorlog waar zowel de noorderlingen als de zuiderlingen lagen. Maar hier leek alle herinnering aan de verslagen natie uitgewist te zijn, of op een oneervolle wijze tentoongesteld, zoals de tankwrakken die daar waren blijven liggen ter herinnering aan de communistische overwinning.

Ik zag een oude vrouw tegen de muur zitten die wierookstokjes verkocht. Ik gaf haar een dollar en nam een wierookstokje. Ik liep naar het dichtstbijzijnde graf en las de inscriptie: *Hoang Van Ngoc, trunguy, 1949-1975*. Hij was in hetzelfde jaar geboren als ik, maar godzijdank was dat het enige dat we gemeen hadden. Susan kwam naast me staan en stak het wierookstokje aan met haar aansteker. De rook en de geur van de wierook stegen op in de lucht.

Ik bid niet, tenzij er gericht op me geschoten wordt, maar ik stak het stokje in de kom en dacht aan de vermiste 300.000 Noord-Vietnamezen die geen grafstenen hadden, aan onze tweeduizend vermisten en aan de honderdduizenden Zuid-Vietnamese soldaten die, naar ik net had ontdekt, onder de grond lagen in de door bulldozers verwoeste begraafplaatsen. Ik dacht aan de Wall, aan Karl en aan mezelf zoals ik hier stond, en vervolgens aan Tran Van Vinh.

Een deel van me zei dat Tran Van Vinh onmogelijk nog in leven kon zijn, terwijl een ander deel van me ervan overtuigd was dat hij dat wel was. Mijn overtuiging was voor een deel gebaseerd op mijn eigen ego; Paul Brenner was niet zo ver gekomen om een dode man te vinden. Voor een deel ook was er die bijna wonderbaarlijke reeks omstandigheden die me hierheen hadden gebracht, en die ik als redelijk mens niet serieus kon nemen maar toch deed. En ten slotte was er de verdenking dat Karl en zijn vrienden iets wisten dat ik niet wist.

Ik draaide me om van het graf en we liepen terug naar de motor.

We reden verder. Ik herinnerde me dit gebied westelijk van Saigon omdat ik een keer als bewaker met konvooien was meegereden naar de Cambodjaanse grens. In die tijd woonde de plattelandsbevolking voornamelijk in strategische gehuchten, en dat hield in: een bewaakt groepje woningen binnen een omheining, en zij die het niet deden waren Vietcong die in de Cu Chi-tunnels leefden. Verder had je nog de parttime VC – overdag pro-regering in Saigon, eten met de familie, vervolgens de nachtdienst in met de AK-47.

Deze streek tussen de Cambodjaanse grens en de buitenwijken van Saigon werd tijdens de oorlog zwaar betwist en ik herinnerde me dat ik ergens had gelezen dat het het meest gebombardeerde en meest beschoten stuk land was in de geschiedenis van oorlogsvoering. Van wat ik me herinnerde, zou dat weleens waar kunnen zijn.

Ik herinnerde me ook de enorme ontbladering met Agent Orange, en toen de vegetatie helemaal dood en bruin was, lieten de Amerikaanse bommenwerpers napalm vallen en zetten het hele landschap in vuur en vlam. De zwarte rook bleef dagenlang hangen, tot het ging regenen en alles met een laag nat roet werd bedekt.

Dit hadden de generaals vanaf het dak van het Rex kunnen zien, als ze tijdens het eten naar het westen hadden gekeken.

Ik zag dat de vegetatie was teruggekomen, maar het zag er slecht uit; het was schriel en dun, ongetwijfeld ten gevolge van de resten ontbladeringsmiddel in de grond.

De Ural 750 maakte veel meer geluid dan een soortgelijke Amerikaanse of Japanse motor, dus we spraken niet zoveel.

We zaten ongeveer al een uur op de weg en reden nu naar het noordwesten naar Cu Chi en Tay Ninh, waar route 22 liep. Grappig, in Noord-Virginia raak ik steeds verdwaald, maar ik kende deze weg. Hij was duidelijk ooit belangrijk voor mij geweest.

We reden Cu Chi binnen, dat ik me herinnerde als een kleine, zwaar versterkte provinciestad, maar nu was het een drukke stad vol nieuwe gebouwen, met geplaveide straten en karaokebars. Het was moeilijk om een voorstelling te maken van de felle gevechten die dertig jaar lang in en rond het stadje hadden gewoed, beginnend met de Franse Indo-Chinese Oorlog, via de Amerikaanse Oorlog naar de Vietnamezen onderling in een strijd tot het einde.

Overal wapperden rode vlaggen, en op een verkeersplein stond weer een Noord-Vietnamese tank op een betonnen plaat, omgeven door vlaggen en bloemen.

Susan draaide een straat in die de hoofdstraat leek, ging naar de kant en kwam tot stilstand. We stapten af en ik legde de motor met de ketting vast aan een rek, terwijl Susan haar camera uit de zadeltas pakte.

We rekten ons uit en sloegen het rode stof van onze kleren. Ze vroeg me: 'Ben je hier weleens geweest?'

'Een paar keer. Naar ik me herinner als onderdeel van een escorte van een konvooi. Bien Hoa via Cu Chi naar Tay Ninh, en dan weer voor het donker terug.'

'Verbazend.'

Ik wist niet precies wat er verbazend aan was en ik vroeg het niet. Mijn achterste was rauw en ik had stof in al mijn lichaamsopeningen.

We maakten een wandeling door de hoofdstraat en ik was verrast groepen westerlingen te zien. Ik vroeg Susan: 'Zijn al die mensen verdwaald?'

'Je bedoelt de Amerikanen? Ze zijn hier om de beroemde Cu Chi-tunnels te zien. Dat is een enorme toeristische attractie.'

'Je meent het?'

'Ja. Wil jij de tunnels zien?'

'Ik wil koud bier zien.'

We liepen een caféterras op en gingen aan een tafeltje zitten.

Een jonge jongen haastte zich naar ons toe en Susan bestelde twee bier die bijna meteen kwamen, zonder glas. Dus we zaten daar, onder het stof, bier klokkend uit flessen zonder etiket, Susan rokend, nog steeds met haar zonnebril op.

De laaghangende zon kwam onder de overhuiving van het café en het was warm. Ik gaf als commentaar: 'Ik was vergeten hoe warm het hier is in februari.'

'In het noorden is het koeler. Zodra je over de Cloudy Pass bent, slaat het weer om. Het is daar nu regenseizoen.'

'Dat herinner ik me nog uit achtenzestig.'

Susan leek in de leegte te staren, zei toen, alsof ze het tegen zichzelf had: 'Zelfs na al die jaren sinds het laatste schot werd afgevuurd, drukt de oorlog nog op dit land... zoals die man aan de overkant.'

Ik keek naar de overkant en zag een oude man zwaaiend op krukken, die een been kwijt was en ook een deel van een arm.

Ze zei: 'En die tanks aan de zijkant van de weg, de Cu Chi-tunnels, de militaire begraafplaatsen overal, slagveldmonumenten en in elke stad oorlogsmusea, jonge mannen en vrouwen zonder ouders... Toen ik hier net was, negeerde ik dit allemaal min of meer, maar je kunt het niet negeren. Het is overal en ik zie er nog niet eens de helft van.'

Ik gaf geen antwoord.

Susan vervolgde: 'Het maakt ook deel uit van de economie, een reden voor het toerisme hier. De jonge bannelingen die hier wonen lachen om al die oorlogsnostalgie – weet je, de veteranen die terugkeren om van alles te zien. Zij... we noemen het Cong World bezoeken. Heel ongevoelig. Daar zul je wel nijdig om worden.'

Ik gaf geen antwoord.

Ze zei: Dat was aardig van je – het wierookstokje.'

Weer gaf ik geen antwoord, dus we zwegen allebei. Ten slotte zei ik: 'Het is heel vreemd om hier terug te zijn... ik zie iets wat jij niet ziet... herinner me dingen die jij nooit hebt meegemaakt... en ik wil niet raar tegen je doen... maar zo nu en dan...'

'Het geeft niet. Echt, ik wil gewoon dat je erover praat.'

'Ik denk niet dat ik de woorden heb voor wat ik voel. Misschien over een paar dagen.'

'Wil je terug naar Saigon?'

'Nee. Eigenlijk geniet ik er meer wel dan niet van. Het moet door het gezelschap komen.'

'Moet wel. Het zijn beslist niet de hitte en het stof.'

'Of jouw rijden.'

Ze riep de jongen naar zich toe, gaf hem een dollar, zei iets tegen hem, en hij rende weg door de straat. Een paar minuten later kwam hij terug met een zonnebril en een pak dong in zijn hand, waarvan Susan zei dat hij het kon houden. Ze vouwde de zonnebril open en zette die mij op. Ze zei: 'Ziezo, nu lijkt je op Dennis Hopper in *Easy Rider*.'

Ik glimlachte.

Susan pakte haar camera op en zei: 'Kijk stoer.'

'Ik bén stoer.'

Ze knipte een foto van me.

Susan gaf de camera aan de jongen, trok haar stoel naast die van mij en sloeg haar arm om me heen. De jongen maakte een foto van ons met onze hoofden bij elkaar en de flessen tegen elkaar aan. Ik zei: 'Maak er een paar extra voor Bill.'

Susan nam de camera terug van de jongen en zei: 'Kan ik die naar je huis sturen, of geeft dat een probleem?'

Ik begreep wat ze met die vraag werkelijk bedoelde en antwoordde: 'Ik woon alleen.'

'Ik ook.'

We maakten allebei gebruik van de enkele wc aan de achterkant en spoelden het stof van de weg van ons af. Susan gaf de eigenaar een dollar voor de twee bier en wisselde een nieuwjaarsgroet met hem uit.

We liepen de straat op en gingen terug naar de motor. Susan vroeg me:
'Zou jij willen rijden?'

'Natuurlijk.'

Ze hing de camera aan haar schouder, gaf me de sleutels en we stapten op. Ik startte de motor en Susan gaf me een snelle les in het berijden van een Russische Ural. Ze zei: 'De versnellingen zijn een beetje stroef, de voorrem is traag en de achterrem blokkeert snel. De acceleratie is misschien iets sneller dan je gewend bent en het voorwiel heeft de neiging omhoog te komen. Voor de rest is het een droom om op te rijden.'

'Goed. Hou je vast.' Ik merkte dat ik te snel door de hoofdstraat reed. Ik kwam langs twee smerissen op hun fietsen die iets naar me gilden. 'Willen ze dat ik stop?'

'Nee. Ze wensten je een prettige dag toe. Rij door.'

Binnen tien minuten lieten we het stadje Cu Chi achter ons en ik begon de machine aan te voelen, maar de opstoppingen op de smalle weg gaven me wel enige problemen.

'Gebruik je claxon. Je moet de mensen waarschuwen. Zo doen ze het hier.'

Ik vond de knop en ik liet de claxon loeien terwijl ik me tussen fietsen, voetgangers, scooters, Lambretta's, varkens en ossenwagens heen slalomde.

Susan boog zich naar voren, sloeg haar rechterarm om mijn middel en legde haar rechterhand op mijn schouder. Ze zei: 'Je doet het prima.'

'Dat vinden zij niet.'

Zij gaf me de richting en binnen een paar minuten reden we over een smalle weg die amper geplaveid was.

Ik vroeg: 'Waar gaan we naartoe?'

'Cu Chi-tunnels, rechtdoor.'

Na een paar kilometer zag ik voor me een vlak, open terrein waar een stuk of zes bussen op een veldje geparkeerd stonden. Susan zei: 'Rij dat parkeerterrein op.'

Ik reed het veld op dat voor een deel overschaduwd werd door schrale bomen.

Susan zei: 'Dit is een van de ingangen naar de tunnels.'

'Is dit een onderdeel van Cong World?'

'Dit is de ultieme Cong-wereld. Meer dan tweehonderd kilometer ondergrondse tunnels, waarvan er één helemaal tot Saigon leidt.'

'Ben je hier geweest?'

'Ik ben hier geweest, maar nooit echt in de tunnels. Niemand wil met mij naar binnen en ik dacht zo dat jij er geen probleem mee zou hebben.'

Dat klonk als een uitdaging aan mijn mannelijkheid. Ik zei: 'Ik ben dol op tunnels.'

We stapten af, legden de motor vast aan een boom en liepen naar de ingang van de tunnels.

Het was anderhalve dollar entree en Susan betaalde zonder protesten in Amerikaanse geld.

We voegden ons bij een paar mensen onder een rieten dak met een bord waarop stond: *Engels*. De groep bestond voornamelijk uit Amerikanen, maar ik hoorde ook ergens een Australisch accent. Er waren ook rieten paviljoens voor andere talen. Blijkbaar was iemand van het Volksministerie van Toerisme naar Disney World geweest.

Een vrouwelijke gids deelde brochures uit aan de groep van ongeveer dertig Engelstaligen.

De gids zei: 'Wees stil, alstublieft.'

Iedereen zweeg en zij begon aan haar verkooppraatje. Ik was niet zo bekend met de Cu Chi-tunnels en ik had het gevoel dat ik van onze gids niet veel wijzer zou worden door haar nogal ongewone Engels.

Ik las de brochure waarvan het Engels ook een beetje typisch was.

In ieder geval, via de gids en de brochure kwam ik aan de weet dat de tunnels in 1948 waren ontstaan tijdens de strijd tussen de communisten en de Fransen. Ze begonnen op de Ho Tsji Minh-route in Cambodja en liepen zigzaggend overal heen, ook onder voormalige Amerikaanse basiskampen. De oorspronkelijke tunnels waren net breed genoeg voor een kleine vc om doorheen te kruipen, en we moesten oppassen voor insecten, vleermuizen, ratten en slangen.

De vrouwelijke gids informeerde ons dat de tunnels tot zestienduizend vrijheidsstrijders konden herbergen en dat mensen echt waren getrouwd in de tunnels en dat vrouwen daar beneden hun baby's hadden gekregen. In het hele complex bevonden zich keukens en volledig ingerichte operatiekamers, slaapruimtes, opslagplaatsen die eens gevuld waren met wapens en explosieven, waterputten, ventilatiekokers, valse tunnels en doorgangen met boobytraps. De gids lachte en zei als grap: 'Maar voor u geen boobytraps meer.'

Ik zei tegen Susan: 'Ik hoop het niet voor die anderhalve dollar.'

De vrouw informeerde ons ook dat de Amerikanen honderdduizenden tonnen aan bommen op de tunnels hadden laten vallen, dat ze die binnen waren gegaan met vlammenwerpers, dat ze gas hadden gebruikt, en ploegen mannen die tunnelratten werden genoemd met mijnwerkershelmen en honden de tunnels in hadden gestuurd om man tegen man de strijd aan te binden met de bewoners ervan. In het meer dan zevenentwintigjarige gebruik van de tunnels waren van de zestienduizend mannen, vrouwen en kinderen die in de tunnels hadden gezeten, er tienduizend gestorven, en velen waren beneden begraven.

'Dus,' zei de gids, 'we zijn nu klaar om de tunnels binnen te gaan. Ja?'

Niemand leek al te gretig, en ongeveer tien mensen herinnerden zich plotseling een andere afspraak. Geen geld terug.

Terwijl we naar de ingang liepen, vroeg de man naast me: 'Ben jij veteraan?'

Ik keek hem aan en antwoordde: 'Ja.'

Hij zei tegen me: 'Je ziet er te groot uit voor een tunnelrat.'

'Ik hoop dat ik er te slim uitzie voor een tunnelrat.'

Hij lachte en zei: 'Ik heb het drie maanden gedaan. Langer hou je het niet vol.' Hij voegde eraan toe: 'Je moet het die schoften nageven. Ik bedoel, ze hadden kloten.' Hij merkte Susan op en zei: 'Sorry.'

Zij zei: 'Het geeft niet. Dat zeg ik ook weleens.'

Ik zei tegen de man – die klein was, maar niet meer mager – om hem een goed gevoel te geven: 'Jullie hebben ook fantastisch werk verricht.'

'Ja... ik weet verdomme niet wat me bezielde toen ik me als vrijwilliger voor dat baantje opgaf. Ik bedoel, om Charlie direct voor je neus te krijgen als je door een smalle ruimte kruipt, is geen lolletje.'

We bereikten de ingang van de tunnel en de man zei: 'Ik heb de ergste nachtmerries van die tunnels... weet je, ik kruip door het donker en ik hoor iemand ademen, insecten kruipen in mijn uniform en bijten me helemaal lek, vleermuizen zitten in mijn haar, slangen glibberen over mijn handen, water druipt uit een plafond dat zo'n beetje tien centimeter boven mijn reet hangt, en ik kan niet terug, en ik weet dat Chuck recht voor me zit, maar ik wil de mijnwerkerslamp niet aandoen en...'

Ik onderbrak hem en zei: 'Misschien moet je niet naar binnen.'

'Ik moet. Begrijp je? Als ik naar binnen ga, verdwijnen mijn nachtmerries.'

'Welk genie heeft je dat verteld?'

'Een andere man die het heeft gedaan.'

'En werkte het bij hem?'

'Ik denk het. Waarom zou hij me anders vertellen dit te doen.'

'Hij heet toch geen Karl, hè?'

'Nee... Jerry.'

Hoe dan ook, de vrouwelijke gids bleef staan bij de tunnelingang waar een houten keet omheen was gebouwd. Ze vroeg: 'Is iemand tijdens de oorlog in de tunnels geweest?'

Mijn makker stak snel zijn hand op en iedereen keek naar hem.

De gids zei: 'Ah... dus u hebt in tunnels gevochten. Kom met me praten.'

De voormalige tunnelrat liep naar de voorkant van de groep en ging naast de gids staan. Ik dacht dat we op het punt stonden een preek te krijgen over Amerikaans imperialisme, maar ze zei: 'Vertel iedereen alstublieft bij elkaar te blijven en niet bang te zijn. Het is heel veilig.'

De tunnelrat herhaalde de instructies en raad van de gids en voegde er een paar tips van zichzelf aan toe, waarmee hij een onbetaalde assistent-gids werd. Werkelijk bizar, als je erover nadacht.

We liepen achter elkaar de tunnel in en de tunnelrat werd door de gids gevraagd de achterhoede te vormen.

De ingang naar de tunnel was breed, maar erg laag en iedereen moest bukken. De helling begon glooiend, werd toen steiler en de doorgang werd smaller. De tunnel was slecht verlicht door een snoer zwakke lichtpeertjes.

We waren met ongeveer twintig mensen, onder wie enkele jonge Australische koppels, ongeveer zes Amerikaanse stellen van middelbare leeftijd, een paar met kinderen, en de rest jonge mensen, voornamelijk rugzaktoeristen.

De gids gaf zo nu en dan wat commentaar, wachtte tot een Japanse groep verder was getrokken, en leidde ons vervolgens dieper het labyrint in.

Het was veel koeler in de tunnels, maar heel vochtig. Ik hoorde ergens een vleermuis tjirpen. Ik zei tegen Susan: 'Dit is een goede plaats om voor een tweede keer af te spreken.'

Dus we zigden en we zagden en de tunnels werden smaller en lager en al snel kropen we in het donker over rieten matten en vellen vochtig, glibberig plastic. Ik bedoel, wat moet ik met die flauwekul?

Uiteindelijk bereikten we een vertrek dat zo groot was als een kleine kamer, en was verlicht door een enkel peertje. Iedereen ging staan. De gids knipte een lantaarn aan en scheen ermeee door de ruimte. Ze zei: 'Hier is kookplaats. U ziet daar plek waar gekookt werd en in het plafond gat waar rook verdwijnt. Rook komt in boerderij en boer kookt, dus Amerikanen denken dat boer kookt. Ja?'

Er werd een heleboel af geflitst en Susan zei: 'Lachen,' en verblindde me met een flitslicht.

De gids liet de lichtbundel van de lantaarn over de groep gaan en zei: 'Waar is Amerikaan die in tunnel vecht? Waar?'

We keken allemaal om ons heen, maar de man was weg. Zonder permissie ervandoor. De gids leek ongerust, maar gezien de beperkte aansprakelijkheid van de Cu Chi-tunnelcorporatie niet al te bezorgd.

We gingen nog zo'n halfuur door en ik voelde me koud, nat, moe, claustrofobisch en smerig. Ik was door iets gebeten. Het was al een tijdje niet leuk meer en ik noemde deze rondleiding: 'Charlies Wraak'.

Uiteindelijk bereikten we dezelfde tunnel waardoorheen we naar binnen waren gegaan en binnen vijf minuten stonden we weer buiten in het zonlicht. Iedereen zag er belabberd uit, maar binnen een paar minuten begon iedereen weer te lachen. Dit was toch wel een ansichtkaart naar huis waard, niet dan?'

De gids bedankte ons voor onze moed en onze aandacht en iedereen gaf haar een dollar, wat haar liefde verklaarde voor wat wel de ergste klotebaan op de wereld moest zijn.

Terwijl we wegliepen, zag ik dat ze zich afspoelde in een bak water. Ik zei tegen Susan: 'Bedankt voor je suggestie.'

'Ik ben blij dat je ervan genoten hebt.' Ze keek om en zei: 'Hé, wat is er met die tunnelrat gebeurd?'

'Ik weet het niet. Maar als die groep Vietnamezen achter ons niet naar buiten komt, heb je je antwoord.'

'Wees nu eens serieus. De man is misschien verdwaald, of daarbinnen door het lint gegaan. Moeten we niet iets doen?'

'De gids weet dat we iemand kwijt zijn. Zij regelt het wel. Ze krijgt nog een dollar van hem.'

We liepen naar een plek met stalletjes. Souvenirwinkels verkochten dezelfde troep als in het Museum van Amerikaanse Oorlogsmisdaden en een man probeerde ons een stel Ho Tjsi Minh-sandalen aan te smeren die waren gemaakt van oude autobanden, en waarvan hij bezwoer dat ze eens door Vietcong waren gedragen op de Ho Tsji Min-route. Ik zag dat alle verkopers zwarte pyjama's, sandalen en konische strooien hoeden droegen, zoals de vc destijds. Eerst was het volslagen surrealistisch, en toen besloot ik dat het idioot was.

Susan vroeg me: 'Vond je dit goed?'

'Natuurlijk. Cong World.'

We kochten elk een liter gebotteld water en gebruikten de helft ervan om ons af te spoelen en de helft om te drinken.

Ze zei: 'Ik kan me niet voorstellen dat mensen daar jaren hebben geleefd. En ik kan me ook niet voorstellen hoe mannen als jij dag en nacht in dat oerwoud hebben geleefd.'

'Ik ook niet.'

We zagen ineens onze tunnelratvriend op een plastic stoel zitten met een fles bier in zijn hand. We liepen naar hem toe en ik zei: 'We dachten dat je verdwaald was.'

Hij keek zonder herkenning naar me op.

Ik vroeg hem: 'Ben je met iemand?'

'De bus.'

'Goed. Misschien kun je beter in de bus stappen.'

Hij gaf een paar seconden geen antwoord, zei toen: 'Ik ga weer naar binnen.'

Susan suggereerde: 'Dat is vandaag misschien niet zo'n goed idee.'

Hij keek haar aan – eigenlijk door haar heen. Hij stond op en zei: 'Ik ga terug.' Hij begon naar de tunnelingang te lopen waar de rieten paviljoens waren.

Susan zei tegen me: 'Misschien moet je proberen hem om te praten.'

'Nee. Laat hem gaan. Hij moet het weer proberen. Hij is van ver gekomen.'

We liepen terug naar de motor en Susan zei: 'Ik rijd. We moeten voor het donker in Saigon zijn en ik ken de wegen.'

We stapten op en reden het parkeerveld af. Susan reed naar het noorden over de smalle route die nu nauwelijks meer was dan een zandweg. Ze riep: 'Hij doet het gewoonlijk prima als crossmotor, maar je moet je goed vasthouden.'

We schokten woest en slipten een paar keer, maar ze was een heel goede motorrijdster en ik begon er wat meer vertrouwen in te krijgen dat we niet naast de doodgereden dieren zouden eindigen.

Ze zei: 'Deze weg komt uit op Route 13, en die gaat door de rubberplantage van Michelin. Dertien brengt ons terug naar Saigon en er is erg weinig verkeer, zodat we goed op kunnen schieten.'

We reden naar het noorden over de slechtste weg van dit halfrond en ik dacht dat mijn nieren door mijn oren naar buiten zouden knallen.

Ten slotte bereikten we een geplaveide tweebaansweg en Susan sloeg rechtsaf. Ze zei: 'Dit is de rubberplantage. Dat zijn rubberbomen.'

De weg leek bijna verlaten en ze trok de gashendel open. We reden met een vaart van ongeveer negentig kilometer per uur, maar het was een goede weg. De zon zakte echter snel en de schaduwen van de rubberbomen waren lang en donker.

Ik herinnerde me dat Karl had gezegd dat hij hier strijd had geleverd met de Elfde Pantserdivisie en ik wist van andere veteranen die bij die eenheid hadden gezeten dat er een aantal achterhoedegevechten waren geweest op de Michelin-plantage en langs Highway 13.

Ik zag Karl hier voor me, achter een mitrailleur op een pantservoer-
tuig, puffend aan een sigaret, terwijl hij het spookachtige oerwoud met
een veldkijker afzocht en waarschijnlijk deed alsof hij veldmaarschalk
Guderian was die een pantserleger Rusland in stuurde. Ik zou hem
moeten vertellen dat ik hier was geweest – als we ooit weer met elkaar
spraken.

Binnen twintig minuten waren we uit het spookachtige rubberbos
en bereikten een gebied vol struikgewas. Het was nu donker en het
enige verkeer op de weg bestond uit een paar scooters en kleine auto's.
Naarmate we dichter bij Saigon kwamen, werd het verkeer drukker en
Susan moest steeds meer vaart minderen.

In oorlogstijd was Saigon 's nachts een zee van licht geweest in een
uitgestrekte oceaan van duisternis. Binnen de stad ging het leven gewoon door; aan de rand van de stad schoten prikkeldraad en wegver-
sperringen op en werden soldaten waakzaam. Buiten de stad bewoog
zich niets in de duisternis, en als er wel iets bewoog, doodde je het. En
voorbij het prikkeldraad waren de militaire bases, kleinere eilanden op
zichzelf, zoals Bian Hoa en Tan Son Nhat, waar soldaten en mannen
van de luchtmacht bier dronken en gokten, naar films van thuis keken,
brieven schreven, hun uitrusting schoonmaakten, de oorlog vervloek-
ten, op wacht stonden en onrustig sliepen. En als je de pech had een
nachtpatrouille te moeten lopen, kwam je soms de mannen en vrouwen van de Cu Chi-tunnels tegen.

We naderden de stad vanuit het noorden en ik zag de lichten van het
Tan Son Nhat Airport. Verder naar het oosten zou mijn oude basis, in
Bien Hoa, liggen waar ook landingsbanen waren, maar alleen voor mi-
litair vliegverkeer. Ik vroeg Susan: 'Weet jij wat er is gebeurd met de
Amerikaanse militaire basis in Bien Hoa?'

'Volgens mij is het een Vietnamees vliegveld. Straaljagers. Ik heb
nooit geweten dat het een Amerikaanse basis was tot jij het me vertelde.'

'Ik denk niet dat ik mijn oude kampement kan bezoeken.'

'Niet als je niet neergeschoten wilt worden.'

'Niet op deze reis.'

We staken een modderig kanaal over en bereikten Khanh Hoi-eiland via dezelfde brug als waarover we waren vertrokken. De straten
van Khanh Hoi waren donker, maar Susan kende de weg. We passeerden een politiejeep en de man naast de chauffeur keek naar ons en naar
de motor. Hij begon ons te volgen en ik zei tegen Susan: 'We hebben
gezelschap.'

'Ik weet het.' Ze deed haar lichten uit en reed een smalle steeg in

waar de smerisauto ons niet kon volgen. Ze scheen de stegen en doorgangen te kennen en binnen een paar minuten reden we de parkeerplaats onder de flat van Nguyen binnen.

We deden alles uit de zadeltassen van de Ural in de tassen van de
Minsk, en stapten van het ene voertuig op het andere over zoals de ruiters van de Pony-express van paard wisselden. Binnen een paar minuten waren we weer op weg op de kleine Minsk die nog ongerieflijker
leek dan ik me herinnerde.

Susan keek op haar horloge terwijl ze in de richting van het stads-
centrum reed. Ze zei: 'Goed getimed. Het is tien over halfacht en we
moesten om acht uur op mijn kantoor zijn.'

'Waar is je kantoor?'

'In Dien Bien Phu Street. Bij de Jade Keizer Pagode.'

'Is dat een restaurant?'

'Nee, het is de Jade Keizer Pagode.'

'Klinkt als een restaurant in M Street in Georgetown.'

'Het is toch niet te geloven dat ik de hele dag met jou heb doorgebracht.'

'Dat vind ik ook.'

'Grapje. Jij bent leuk. Heb je het vandaag naar je zin gehad?'

Ik antwoordde: 'Jawel. Ik weet niet wat ik het leukst heb gevonden
– de ontmoeting met Bill, de hitte, jouw manier van rijden, de oorlogsherinneringen van Saigon, die helse weg naar de Cu Chi-tunnels, of
die smeris die we daarnet het nakijken hebben gegeven.'

'Heb je geen biertje van me gekregen, en een zonnebril, en heb ik
niet voor alle kaartjes betaald?'

'Ja. Dank je.'

We staken de modderige rivier midden in centraal-Saigon over en
volgden de kade langs de rivier de Saigon. De stad was ongelooflijk
druk voor een zondagavond en ik maakte er een opmerking over.

Susan zei: 'Het heet de Zondagavond Saigon Koorts. Om de een of
andere reden is zondagavond belangrijker dan zaterdag. Het is totaal
krankzinnig. Na het eten gaan we uit en drinken ergens wat, misschien
gaan we wat dansen en naar een karaokeclub, als je zin hebt.'

'Ik ben echt uitgeput.'

'Straks heb je weer energie.'

We reden door een smalle straat die een paar drukke boulevards
kruiste. Terwijl we voor een stoplicht stonden, vroeg ik Susan: 'Rij je
ook wel eens alleen? Ik bedoel, buiten de stad?'

'Soms. Bill is niet zo'n motorfanaat. Soms ga ik met een vriendin.
Een Vietnamese of Amerikaanse. Waarom?'

'Is het veilig voor een vrouw alleen?'

'Jawel. Wat opvalt in de meeste boeddhistische landen, is dat vrouwen niet lastig worden gevallen. Het heeft meer met cultuur dan met religie te maken, denk ik. Natuurlijk, als je jong bent en knap zoals ik, en je zit in een bar, dan zal een Vietnamese man proberen je op te pikken, maar ze hebben niet zo'n goede tekst.'

'Geef eens een voorbeeld.'

Ze lachte. 'Nou, eerst vertellen ze je hoe mooi je bent en dat ze je veel op straat hebben gezien.'

'Wat is daar verkeerd aan. Ik gebruik die tekst vaak.'

'Heeft het ooit gewerkt?'

'Nee.'

Ze lachte weer en gaf gas op de kruising. Een paar minuten later sloegen we rechtsaf Dien Bien Phu Street in.

Binnen een paar minuten kwamen we langs een heel indrukwekkende pagode die ooit een fantastisch restaurant zou worden, en daarna reed Susan de stoep op voor een modern gebouw van glas en staal dat deels over de stoep uitstak. We stapten van de Minsk en zij liep naar de voordeur. Een bewaker opende de deur, glimlachte en zei iets in het Vietnamees.

Susan opende de zadeltas en haalde haar camera eruit. Ze liet de scooter in de marmeren hal van het kantoorgebouw achter en ik volgde haar naar de liften.

De liftdeuren gingen open en wij stapten in. Susan gebruikte een sleutel om de knop voor de zesde verdieping te activeren. Ze zei: 'Laat je door Washington geen gevaarlijke situaties binnenloodsen.'

Het was een beetje te laat voor dat advies.

13

De liftdeuren gingen open naar een grote ontvangstruimte die was aangekleed met zwartgelakte meubels, prenten op rijstpapier en een roze, marmeren vloer. De koperen letters boven de ontvangstbalie gaven aan: *American-Asian Investment Corporation, Limited.*

Susan zei: 'Welkom bij AAIC, Mr. Brenner. Zou u de helft van een visconservenfabriek willen kopen?'

'Ik neem genoegen met een hele whisky-soda.'

Onder de bedrijfsnaam hing een spandoek waarop met goudkleurige, glanzende letters was geschreven: *Chuc Mung Nam Moi;* en eronder in het Engels: *Gelukkig Nieuwjaar.*

Op de vloer stond een kleine kumquatboom, en in iets dat op een paraplubak leek waren een paar bloesemtakken gestoken. De meeste bloemblaadjes lagen nu op de grond.

Rechts van de balie was een stel roodgelakte dubbele deuren en Susan legde haar hand op de scanner. Er klonk een bel en ze opende een van de deuren.

Ik zag een beveiligingscamera die de verlichte hal bestreek.

Ik volgde haar naar een grote, open ruimte die was gevuld met bureaus en hokjes; een typisch modern kantoor dat overal op de wereld had kunnen zijn.

De plek was verlaten, maar de tl-lichten brandden allemaal, en weer zag ik camera's door de ruimte draaien. Het rook er naar verschaalde sigaretten, iets dat ik al twintig jaar niet meer in een Amerikaans kantoor had geroken.

Onder het lopen zei ze: 'We hebben de hele bovenste verdieping met een terras. De airconditioning is uit, dus daarom is het hier een beetje bedompt.'

We bereikten de andere kant van de verdieping waar drie deuren ver uit elkaar drie afzonderlijke, afgesloten kantoren aangaven. Ze liep naar de linkerdeur met een koperen naamplaat waarop stond *Susan*

Weber, zonder titel. Er zat een combinatieslot met een toetsenbord op de deur en ze toetste een reeks cijfers in en deed vervolgens de deur naar haar kantoor open.

Het kantoor was donker en ze knipte de plafondlichten aan, waardoor een groot hoekkantoor zichtbaar werd met in twee muren ramen. Ik keek om me heen naar een videoscanner, maar zag er geen. 'Mooi kantoor.'

'Dank je.' Ze legde haar camera op het bureau, samen met het belichte filmrolletje. Ze trok de bovensta la open en pakte een slof sigaretten waaruit ze een pakje Marlboro's nam. Ze stak er een op met een verchroomde bureauaansteker en nam een diepe haal. 'Ah...' Ze legde me uit: 'Ik raak gespannen en humeurig als ik mijn shot niet krijg.'

'Wat is de andere keren je excuus?'

Ze lachte en nam weer een trek van haar sigaret. Ze zei: 'Zes maanden geleden ging ik naar New York voor een vergadering. Vier uur in een gebouw waar niet gerookt mocht worden en ik was ook ongesteld. Ik werd bijna krankzinnig. Hoe kan ik weer in New York wonen en werken?'

Het was een retorische vraag, maar ik gaf toch antwoord: 'Misschien kun je het niet. Misschien is dit het wel.'

Ze keek me aan en onze ogen ontmoetten elkaar. Ze maakte haar sigaret uit en zei: 'Ik zal je afdrukken sturen van de foto's die we hebben gemaakt, als je me je adres geeft.'

Ik vroeg: 'Is jullie post veilig?'

Ze antwoordde: 'We hebben een postzak van het bedrijf die elke dag door FedEx wordt opgehaald, en de post wordt in New York gesorteerd en doorgestuurd. Als je me ooit iets wilt sturen, stuur het dan naar New York.' Ze gaf me een visitekaartje met het adres in New York van de Amerikaans-Aziatische Investeringsmaatschappij. Ik sloeg het adres in mijn geheugen op en gaf het kaartje terug met de woorden: 'Het is beter als ik dat niet bij me heb.'

Ze keek me aan. 'We staan in het telefoonboek van Manhattan als je het mocht vergeten.'

Susan ging aan haar bureau zitten, zette een headset op en belde haar voicemail. Ze zei: 'IJs en mixers onder in dat buffet. Ik wil een gin-tonic.'

Ik opende het kastje dat een kleine ijskast bleek te zijn en haalde er een bakje ijs en de mixers uit. De glazen en de karaffen met drank stonden op het buffet, en ik maakte de drankjes klaar terwijl zij haar boodschappen afluisterde.

Aan de muur boven het buffet hingen haar twee ingelijste diploma's

– Amherst en Harvard. Ook aan de muur hing een aanbeveling van de Amerikaanse Kamer van Koophandel – afdeling Ho Tsji Minh-stad. Dat was verbijsterend, maar mijn verstand was de afgelopen vieren-twintig uur al zo verbijsterd geraakt, dat ik, als zij de Lenin-orde zou hebben gekregen wegens stijgende winsten, niet verrast zou zijn ge-weest. Op de een of andere manier was ik een paralleluniversum bin-nengegaan waar we de oorlog gewonnen hadden.

Op het buffet zelf stonden vier ingelijste foto's. De dichtstbijzijnde was er een van Susan in studentenuniform tijdens de uitreiking van het diploma – rood, dus het moest Harvard zijn als mijn Boston-geheugen me niet in de steek liet. Op de foto zag Susan er jonger uit, natuurlijk, maar ook... ik denk dat je zou zeggen: niet zo opgebrand door de za-kenwereld van New York, of gehard door de jaren in Saigon. Ik heb net zo'n foto van mezelf tijdens de uitreiking van het middelbare-schooldiploma, voordat ík naar Vietnam ging.

Ik wierp een blik op haar en zij, hoe mooi ze ook was, zag er een beetje te levensmoe uit voor haar leeftijd. Om het wat vriendelijker te zeggen: haar gezicht toonde karakter.

De tweede foto was een studio-opname van een knap, goedgekleed stel van begin vijftig: duidelijk haar ouders. Haar vader zag er oké uit, en haar moeder was een schoonheid.

De derde foto was een familieportret, met een kerstboom en een open haard op de achtergrond. Vader en moeder, Susan, haar jongere broer en een zus die iets jonger leek dan Susan. Ze waren allemaal knap, droegen coltruien en tweed kleding, en ze waren zo protestant als je maar protestant kunt zijn; de oude yankee-lijn uit West-Waspshi-re.

De vierde foto was buiten genomen en het zou een zomertrouwerij kunnen zijn – de hele clan bij elkaar, opa's en oma's, stellen, kinderen en baby's. Ik vond Susan in een lange, witte zomerjurk en kort haar. Naast haar, met zijn arm om haar blote schouders heen, stond Knappe Karel, gekleed in een witte smoking en met een bronskleurig gezicht. Hij zou een familielid kunnen zijn, maar hij leek geen familie, dus hij moest haar vriendje zijn, of misschien zelfs haar verloofde omdat hij op een familiefoto stond.

Ik merkte dat er geen foto van Beau Bill stond.

Ik draaide me van het buffet om en zag dat Susan nu haar e-mail controleerde. Ze keek even op en zei: 'Dat is duidelijk mijn familie. Ze zijn in alle opzichten perfect, op een paar interessante buitenissig-heden en onduidelijke mentale stoornissen na.' Ze lachte. 'Maar ik hou van allemaal. Echt waar. Je zou ze aardig vinden.'

We maakten oogcontact en ze zei: 'Ze zouden jou waarschijnlijk aardig vinden. Behalve opa Burt, die vindt dat alle Ieren gedeporteerd moeten worden.'

Ik glimlachte.

Ze ging terug naar haar e-mail en zei: 'Pak die stoel. Ik ben zo bij je.'

Ik ging in een draaistoel bij de ramen zitten, aan een ovale tafel met een zwart, granieten bovenblad. Ik keek naar Susan aan haar bureau die op haar toetsenbord aan het tikken was. Ze was bijna meteen toen we de hal van het gebouw binnenliepen veranderd in een totaal andere persoonlijkheid.

Ik keek het kantoor rond terwijl ik nipte van mijn whisky-soda. Het tapijt was hoogpolig en lichtgroen, de meubels waren van knoesthout en de muren waren behangen met gele zijde in een subtiel bamboepatroon.

Door het raam naar het oosten zag ik de afnemende maan. In minder dan een week zou er geen maan meer zijn, en dat zou me, als ik in open terrein was, net zo goed uit komen als het de vijand had gedaan tijdens Tet 1968.

In een grote alkoof zag ik een faxmachine, een fotokopieerapparaat, een versnipperaar en een vloerkluis. Het bezit van die dingen had niets te maken met statussymbolen, maar was een duidelijk teken van een besef van veiligheid. Niets van belang zou dit kantoor verlaten of binnenkomen uit de zee aan hokjes. Ik herkende de opstelling.

Susan kwam achter haar bureau vandaan en ging in een stoel tegenover me zitten. Ze pakte haar gin-tonic en zei: 'Proost.'

We klonken en dronken. Ze stak weer een sigaret op en legde die brandend in de verchroomde asbak, die halfvol peuken lag. De afvalbak was ook halfvol en er hadden bloemblaadjes op de vloer in de receptieruimte gelegen. Buiten kantoortijden werd hier niet schoongemaakt of onderhoud gepleegd. Ze hadden duidelijk een beveiligingadviseur ingehuurd. Of misschien hadden ze geen enkel advies van buiten nodig.

Susan zei: 'Heb jij foto's in je portefeuille?'

'Waarvan?'

'Je familie.'

'Als ik geen visitekaartjes meeneem naar vijandelijk gebied, waarom zou ik dan wel foto's van mijn familie bij me hebben?'

'Oké. Jij bent in vijandelijk gebied. Ik niet.' Ze glimlachte en zei: 'Ik dacht dat je een toerist was.'

'Ben ik niet.'

'Nu komen we ergens.'

Ik veranderde van onderwerp en zei: 'In ieder geval moeten je ouders dit kantoor wel goed gevonden hebben.'

'Wat zouden ze anders kunnen? Ik ben jaren eerder in het hoekkantoor terechtgekomen dan in Amerika het geval zou zijn geweest.'

In dat opzicht hadden Susan en ik gelijke Vietnam-ervaringen. Toen ik in 1968 bij de infanterie zat, klom je snel in rang, voornamelijk door het plotselinge verlies van mensenlevens. Vietnam was een goede carrièreladder, maar je moest terug naar huis om weer in de hoofdstroom van het militaire leven te komen – in de echte wereld. Susan Weber had die overgang nog niet gemaakt.

De Amerikaans-Aziatische Investeringsmaatschappij had mijn nieuwsgierigheid gewekt en ik vroeg haar: 'Van wie zijn die andere twee kantoren?'

'Mijn baas, Jack Swanson, en een Vietnamees. We hebben nog drie Amerikanen – twee mannen en een jonge vrouw, Lisa Klose, met een nieuw diploma bedrijfskunde.'

'Ivy League, hoop ik.'

'Natuurlijk. Columbia. Plus dat we hier een Canadese vrouw hebben, Janice Stanton, die hier de financiën leidt. Ook hebben we twee Viet-Kieus hier. Weet je wat een Viet-Kieu is?'

'Nee.'

'Voormalige Vietnamese vluchtelingen die zijn teruggekeerd. Sommigen hebben zo'n heimwee, dat ze liever hier in een arm, totalitair land zitten dan waar ze naartoe zijn gevlucht. Onze Viet-Kieus zijn een man en een vrouw, allebei uit Californië, die perfect Engels en Vietnamees spreken. Ze maken een belangrijk deel uit van ons multinationale bedrijf hier, een culturele brug tussen Oost en West.'

Ik vroeg: 'Hoe worden ze hier behandeld?'

Ze antwoordde: 'Vroeger vielen de communisten hen lastig, noemden hen verraders en Amerikaanse lakeien en zo. Maar de afgelopen vijf of zes jaar zijn de Viet-Kieus officieel welkom geheten.'

'En volgend jaar?'

'Wie zal het weten? Elke keer dat het politbureau en de Nationale Vergadering bijeenkomen, houd ik mijn hart vast. Ze zijn gewoon totaal onvoorspelbaar. De zakenwereld houdt niet van onvoorspelbaarheid.'

'Misschien zou je het politbureau eens moeten aanspreken en zeggen dat het nu in Vietnam draait om zakendoen. En dat ze de kolere kunnen krijgen met dit marxistische gedoe.'

'Ik bespeur enig antikapitalisme in jou, Mr. Brenner.'

'Bij mij niet. Maar er zíjn belangrijker dingen in het leven dan geld verdienen.'

'Dat weet ik. Zo oppervlakkig ben ik niet. En de reden dat ik hier ben, heeft niet zoveel met geld te maken.'

Ik vroeg haar niet waar het dan wel mee te maken had; ik wist er al iets van en van de rest was zijzelf waarschijnlijk niet zeker, hoewel het met een man te maken kon hebben. Misschien Knappe Karel op de foto.

Miss Weber keerde terug naar het onderwerp personeel en zei: 'We hebben ook ongeveer vijftien Vietnamezen voor ons werken, voornamelijk vrouwen op het secretariaat. We betalen hun twee keer het gemiddelde loon.'

'En jullie vertrouwen ze geen van allen?'

Ze gaf even geen antwoord, nam weer een trek van haar sigaret en zei: 'De druk is groot om dingen mee te nemen die niet meegenomen mogen worden. We helpen hen door de verleiding weg te nemen.'

'En de telefoons worden afgeluisterd, de deuren kunnen alleen geopend worden door de rondogen, het onderhoud en het schoonmaken worden alleen gedaan tijdens kantooruren onder toezicht van de rondogen en de camera's leggen alles vast.'

Ze keek me een tijdje aan en zei toen: 'Inderdaad.' Ze voegde eraan toe: 'Maar er zijn geen camera's of afluisterapparatuur in dit kantoor. Ik ben lid van de Binnenste Kring.' Ze glimlachte. 'Je kunt vrijuit spreken.'

Ik merkte op: 'Dit kantoor zou een dekmantel van de CIA kunnen zijn.' Ik voegde er grappend aan toe: 'AAIC is omgekeerd CIA.'

'En de tweede A dan?'

'Dat is de dekmantel.'

Ze glimlachte. 'Je bent maf.' Ze roerde in haar drankje en zei: 'Hoe dan ook, de Amerikanen, Europeanen en Aziaten zijn hier alleen maar om eerlijk geld te verdienen, niet om de regering of het land te corrumperen of te ondermijnen. Als dat gebeurt, komt het door hún hebzucht, en niet die van ons.'

'Stond dat in het bedrijfshandboek?'

'Reken maar. En ik heb het geschreven.'

Ik keek uit het raam en zag de enorme lichtreclames die overal in Saigon te zien waren. Als iemand me dertig jaar geleden had verteld dat ik hier zou zitten in dit pluchen kantoor van een Amerikaanse vrouw met een diploma van Harvard, zou ik gevraagd hebben hem wegens psychische problemen te ontslaan.

Ik vond het vreselijk om toe te geven, maar ik had meer met het ou-

de Saigon; het beeld van de jongere Paul Brenner die in een MP-uni-
form door de straten patrouilleerde beviel me meer dan dat van de oudere Paul Brenner die over zijn schouders moest kijken of hij door de
politie werd gevolgd.

Susan onderbrak mijn gedachten en zei: 'Dus je begrijpt waarom ik
hier ben. Ik bedoel, vanuit carrièreoogpunt. Ik ben belast met het char-
meren van buitenlandse investeerders, mensen en bedrijven. Heb je
geld? Ik kan je geld verdubbelen.'

'Je zou het kunnen verdrievoudigen en nog steeds leidt het nergens
toe.' Ik vroeg: 'Hebben jullie een kantoor in Hanoi?'

'We hebben daar een klein kantoor. Je moet dáár zijn waar de politieke macht is. Ook een kantoor in Da Nang. De Amerikanen hebben
daar een fantastische havenfaciliteit achtergelaten, plus een heel goed
vliegveld en andere infrastructuur.'

'Om eerlijk te zijn ben ik in 1968 via Da Nang het land uitgegaan.'

'O ja? Ga je daarheen?'

'Misschien.'

'Ben je naar China Beach geweest?'

'Nee. Ik wilde alleen maar naar Boston.'

'Goed. Als je naar Da Nang gaat, mis dan deze keer China Beach
niet.'

'Zal ik niet doen. En hoe zit het met die Vietnamees in het andere
hoekkantoor?'

'Doe een gok.'

'Hij is de zoon van een belangrijke overheidsfunctionaris en hij
komt alleen op woensdag om te lunchen.'

'In de buurt. Maar hij heeft de contacten. Alles in dit land gebeurt
op basis van joint venture, wat inhoudt dat je een deel van een bedrijf
koopt dat de regering in 1975 van de rechtmatige eigenaars heeft geconfisqueerd, of een nieuw bedrijf begint en de overheid voor een hab-
bekrats een aandeel geeft. Ik bedoel, het is ingewikkelder, maar hier
gebeurt niets zonder overheidsbemoeienissen.'

'Is het het waard?'

'Misschien. Een heleboel natuurlijke hulpbronnen, een hardwer-
kende, laagbetaalde bevolking, van wie bijna iedereen kan lezen en
schrijven dankzij de communisten. De havens zijn fantastisch – Hai-
phong, Da Nang, Cam Ranh Bay en Saigon – maar de rest van de infrastructuur is een puinhoop. De Amerikaanse militairen hebben tijdens de oorlog een goede infrastructuur aangebracht, maar steeds als
er om een gebied werd gestreden, werden de bruggen, wegen, spoor-
lijnen en alles weer opgeblazen.'

'Het is een soort monopolie waarbij iedereen een hamer heeft.'

Ze gaf geen antwoord en leek eigenlijk een beetje genoeg te hebben van mijn sarcasme.

Ik dacht na over dit alles, de NV Vietnam. Voorzover ik wist was dit het enige land in Azië waar de Amerikanen zakelijk gezien een duidelijke voorsprong hadden op iedereen, inclusief de Japanners, op wie ze in Vietnam niet zo dol waren. De sovjets die hier na 1975 hadden gezeten, hadden er een puinhoop van gemaakt, communistisch China was niet welkom, de Europeanen waren voornamelijk onverschillig, behalve de Fransen, en de andere Oost-Aziaten werden niet vertrouwd of waren niet geliefd.

Dus op een ironische wijze, om redenen die voor een deel historisch en nostalgisch waren, en voornamelijk financieel en technisch, waren de Amerikanen terug. Miss Weber en haar landgenoten, gewapend met diploma's bedrijfskunde en techniek, met accreditieven en een heleboel drukte, scheurden door Saigon op hun scooters, met tassen vol geld in plaats van plastic explosieven. Jagend op marktaandelen. En wat had dit met mij te maken? Misschien niets. Misschien alles.

Susan zei: 'Zit je ergens over te mokken?'

'Nee. Ik ben het aan het verwerken. Ik krijg een heleboel op me af.'

Ze merkte op: 'Als je hier nooit was geweest, zou je dit niet zo vreemd hebben gevonden.'

'Daar zeg je wat.'

Ze keek me aan en zei: 'Wij hebben de oorlog gewonnen?'

Ik wilde geen antwoord geven op die constatering, en zei toen: 'Achtenvijftigduizend doden zouden dat graag willen horen.'

We bleven zwijgend zitten, terwijl ik nadacht over AAIC. Het kantoor zag er legaal uit en Susan klonk legaal, maar... Maar wakker blijven, Brenner. In mijn hoofd tikte de bamboe weer, en de vegetatie bewoog zonder dat er een bries was. Ik keek op mijn horloge. Het was tien over acht. 'Tijd om te faxen,' zei ik.

'We drinken eerst ons drankje op en ontspannen wat. Zij gaan nergens heen.'

Miss Weber klonk onverschillig ten aanzien van mijn lot, maar ze had gelijk; ze gingen nergens heen. Ik vroeg haar: 'Waar is jouw flat hiervandaan?'

'In Dong Khoi Street. Zuidelijk van de Notre Dame, niet ver van het Rex.'

'Die ken ik, geloof ik, niet.'

'Natuurlijk wel. Hij heette vroeger Tu Do Street, het hart van de rosse buurt.' Ze glimlachte. 'Misschien ben je er wel een paar keer geweest.'

Om eerlijk te zijn wel, natuurlijk. Mijn Vietnamese vriendin woonde toen in een klein doodlopend straatje, vlakbij Tu Do. Ik kon me op geen enkele manier meer haar naam herinneren, maar net zoals veel Vietnamese vrouwen had ze een Engelse naam aangenomen. Ik wist dat ze geen Peggy, Patty of Jenny heette, omdat ik het me anders zou hebben herinnerd. In ieder geval kon ik me wel herinneren hoe ze eruit had gezien en onze tijd samen, dus ik was nog niet seniel.

'Herinner je je Tu Do Street?'

'Ja, ik ben er een paar keer geweest. Beroepsmatig. Ik zat bij de MP toen ik hier in tweeënzeventig werd gedetacheerd.'

'O ja? En die andere keer? Achtenzestig, toch?'

'Ja. Ik was kok.'

'O... ik dacht dat je iets gevaarlijks deed.'

'Deed ik ook. Ik kookte.' Ik vroeg haar: 'Dus jij woont in de rosse buurt?'

'Nee, het is nu heel mooi. Volgens de man van wie ik het heb gehuurd, heette de straat vroeger, in de tijd van de Fransen, Rue Catinet. Hij was heel gewild, maar heel onguur, met spionnen, dubbelagenten, kwalijke bistro's en privé-opiumkitten. Tijdens de Amerikanen ging het er heuvelafwaarts, en daarna ruimden de communisten het op en noemden hem Dong Khoi – de Straat van de Algehele Opstand. Ik ben dol op hun stompzinnige namen.'

'Geef mij maar Rue Catinet.'

'Mij ook. Je kunt hem nog steeds zo noemen, of Tu Do, en de meeste mensen weten waarover je het hebt.' Ze voegde eraan toe: 'Mijn flat is gebouwd door de Fransen – hoge plafonds, ramen met glasjaloezieën, ventilators aan het plafond en prachtige pleisterornamenten, die nu afbrokkelen, en geen airconditioning. Hij is heel charmant. Ik zal het je laten zien als we tijd hebben.'

'Over tijd gesproken...'

'Goed.' Ze stond op. 'We gaan faxen.'

Ze liep naar de faxmachine in de alkoof en ik liep achter haar aan. Ze schreef iets op een vel papier met het briefhoofd van het bedrijf en gaf het toen aan mij. Erop stond: 'Weber – 64301.' 'Dat is mijn code, zodat ze weten dat ik het ben, en dat ik... iets...'

'Niet onder dwang sta van iemand.'

'Juist. Als het getal een negen erin heeft, betekent het dat ik onder dwang sta. Sta ik onder dwang?'

'Geen commentaar. Nu moet ik het tekenen, hè?'

'Precies. Ik neem aan dat iemand je handtekening kent.'

'Ik denk het.' Ze gaf me een pen en ik ondertekende het vel papier.'

Ze zei: 'Dit is opwindend.'

'Je bent gauw opgewonden.'

Ze stak het papier in de faxmachine en ik zag haar het 703-kengetal van Noord-Virginia draaien, daarna het nummer dat ik niet herkende. De fax ging over en begon toen te werken. Ze zei: 'Niet slecht. Eerste poging.'

De fax ging erdoorheen en Susan zei: 'Dat vraagt om een drankje.'

Ze verliet de alkoof en liep naar het buffet waar ze twee nieuwe drankjes klaarmaakte. Toen ze terugkeerde, rinkelde de fax. Ze gaf mij mijn whisky, pakte vervolgens de fax die ze had verzonden en haalde hem door de versnipperaar.

De antwoordfax verscheen en ik haalde hem uit het bakje. Het vertrouwde handschrift luidde: **Hallo, Paul – je hebt ons de afgelopen vijftien minuten ongerust gemaakt. Blij van je te horen en ik hoop dat alles goed is. We kunnen deze communicatie voortzetten via e-mail. Miss W heeft instructies. Groeten, K.**

Ik staarde naar het bericht, woorden uit een ander melkwegstelsel, alsof ik contact had gekregen met marsmannetjes, of met God. Maar het was Karl; ik zou zijn strakke, kinderlijke handschrift overal herkennen.

Susan zat al achter haar bureau en ging online. Ik versnipperde Karls bericht.

Ik verliet de alkoof en rolde een stoel naast Susan. Ze zei: 'Goed, we hebben contact gemaakt. Hij wil jou als eerste. Wat wil je zeggen?'

'Vertel hem dat ik morgen om nul-achthonderd een afspraak heb op het hoofdbureau van de Immigratie Politie – reden onbekend.'

Ze typte en verzond, wachtte en kreeg zijn antwoord, dat luidde: **Hebben ze nog steeds je paspoort?**

'Ja, en mijn visum.' Ze typte het antwoord, en ik zei tegen haar: 'Laat mij daar zitten, Susan. Jij moet weg van het scherm.'

Ze keek me even aan, stond toen op, pakte haar drankje en ging in de stoel aan de andere kant van haar bureau zitten.

Karl antwoordde: **Vertel ons wat er op het vliegveld is gebeurd.**

Ik nam weer een slok whisky en begon te typen, vertelde het hele verhaal, maar beknopt. Het kostte me tien minuten om alles op te schrijven en ik eindigde met: **Volgens mij was dit een willekeurige aanhouding en ondervraging. Maar het kan de missie in gevaar hebben gebracht. Jouw beurt.**

Het duurde even voor het antwoord kwam en ik kon Karl voor me zien in een kantoor met een paar andere mensen: Conway misschien, een paar mensen van de FBI en de CID en mensen naar wie ik alleen maar kon gissen.

Ten slotte kwam zijn antwoord, heel wat korter dan de conversatie in Virginia die tot dit alles geleid had. Het luidde: **Jouw beurt, Paul.**

Ik tikte met mijn vingers op het bureau en nam weer een slok whisky. Ik wilde niet te veel tijd laten verstrijken, alsof ik aarzelde. Ja of nee? Eenvoudig. Ik antwoordde: **Misschien is de beurt aan kolonel Mang.** Ik besefte dat het een soort uitvlucht was, dus ik voegde eraan toe: **Als ik mijn paspoort terugkrijg, ga ik verder met de opdracht.** Ik verzond het.

Het antwoord kwam snel: **Goed. Als je eruit gegooid wordt, weten we dat je je best hebt gedaan.**

Ik antwoordde: **Er is een derde mogelijkheid.**

Ze dachten er in Virginia over na, toen antwoordde Karl: **Zorg ervoor dat miss Weber in een positie verkeert, dat ze het weet als je gevangengezet wordt. Regel tijd voor een afspraak of telefoontje met haar, en vertel haar contact met ons op te nemen als jij je contact met haar op de vastgestelde tijd of plaats niet kunt nakomen.**

Ik antwoordde: **Ik weet hoe ik bij niet-verschijnen een waarschuwing moet doorgeven. Dank je.**

Karl, geheel in stijl, hapte niet en hij antwoordde: **Wordt miss Weber in de gaten gehouden? Is ze samen met jou gezien behalve op het dak van het Rex?**

Ik wierp een blik op Susan en zei tegen haar: Ze willen weten of je denkt dat je in de gaten wordt gehouden.'

'Hoe moet ik dat weten? Ik denk het niet. Ik ben deze maand niet aan de beurt.'

Ik typte: **Ze denkt van niet.** Omdat ik pro ben en ik lastige onderdelen van meervoudige vragen niet over het hoofd zie, typte ik: **We hebben vandaag wat rondgekeken. Saigon, Cu Chi.**

Ik kon Karls stem horen: 'Wát? Wát heb je gedaan? Ben je krankzinnig?'

Zijn werkelijke antwoord luidde: **Ik hoop dat je een aangename dag hebt gehad**, maar ik ken Karl. Hij was pisnijdig.

Ik hou er niet van mezelf te verklaren, maar ik typte: **Het was een goede dekmantel en voor mij een kans om gebruik te maken van haar kennis over de omstandigheden in het binnenland.** Ik voegde eraan toe: **Ik heb deze keer mijn peloton niet bij me.**

Karls antwoord was kort: **Begrepen.**

Verder viel er niets meer over dat onderwerp te zeggen, dus ik typte: **De vriend van miss Weber heeft ten behoeve van mij contact opgenomen met het consulaat of zal dat doen.**

Karl antwoordde: **Dat hebben wij natuurlijk al gedaan. Ben je daar een volledig spionagenetwerk aan het opzetten?**

Guttegut. We werden een beetje bits. Tijdens een gesprek zou ik er zelfs geen antwoord op hebben gegeven, maar met e-mail moest je wel antwoorden, dus ik typte: :).

Karl, duidelijk in een schertsende stemming en met publiek erbij, antwoordde: :(.

Ik vroeg Susan: 'Kan ik op dit toetsenbord ook mijn middelvinger opsteken?'

Ze lachte en zei: 'Maken ze het je moeilijk?'

'Ze proberen het.' Ik bedoel, mijn leven staat hier op het spel en ze zijn mijn ballonnen aan het doorprikken. Ik typte: **Heb je nog verdere informatie betreffende mijn opdracht?**

Karl antwoordde: **Deze keer niet.**

Ik vroeg gericht: **Hebben jullie dat stomme dorp al gelokaliseerd?**

Herr Hellmann antwoordde: **Dat is irrelevant als je niet mag reizen en dat is informatie die je beter niet kunt hebben voor je ontmoeting met kolonel Mang. We zullen je het laten weten als en wanneer je in Hué bent.**

Ik dacht erover na en concludeerde dat ze het dorp gelokaliseerd hadden, of altijd al hadden geweten waar het dorp was. Ook was de naam van het dorp niet Tam Ki en was dat ook nooit geweest. Ze hadden dat natuurlijk in de brief veranderd, dus als iemand me het vuur na aan de schenen legde en ik noemde die, dan was dat niet mijn werkelijke bestemming. Misschien bestond Tam Ki niet eens. Omdat ik tamelijk zeker was van mijn conclusies, vroeg ik Susan: 'Betekent Tam Ki iets in het Vietnamees?'

'Spel eens.'

Ik spelde het.

Ze zei: 'De hele taal is gebaseerd op klemtonen, tweeklanken, dat soort dingen – met de complimenten aan de Fransen die hun het Romeinse alfabet hebben gegeven. Tenzij je het goed uitspreekt of de klemtoon goed legt, kan ik het niet vertalen.'

'Kan het een dorp zijn? Een plaatsnaam?'

'Het zou kunnen, maar bijvoorbeeld T-A-M kan baden, of een hart betekenen, dat hangt af van de uitspraak, en die is gebaseerd op klemtonen. *Tam cai* is een tandenstoker, *tam loi* is een luchtbel. Begrijp je wat ik bedoel?'

'Ja... en K-I?'

'K-I is gewoonlijk een voorvoegsel – *ki cop* is gierig, *ki-cang* is voorzichtig, *ki-keo* is onderhandelen of klagen.'

'Zou dit een verzonnen naam kunnen zijn?'

'Het zou kunnen. Het klinkt niet als een plaatsnaam.'

Ik keek weer naar het scherm en zag: **Antwoord.**

Ik antwoordde op de militaire wijze: **Bevestigend**, wat diverse graden van betekenis heeft, afhankelijk van wie tegen wie spreekt en hoe het gesprek verloopt. In dit geval betekende het: **Ja.** Om te zien wat hij te zeggen had, voegde ik eraan toe: **Wil je dat ik naspeuringen doe naar de locatie van dit dorp?**

Het antwoord kwam meteen: **Afgewezen. Vraag niet rond en kijk niet op kaarten. Kaarten zijn onnauwkeurig en veel dorpen hebben dezelfde naam. We nemen contact met je op als en wanneer je in Hué bent.**

Ik antwoordde: **Begrepen. Hoe gaat het met de namen van verdachten en slachtoffer?**

Karl antwoordde: **De lijst wordt kleiner.** Toen: **Als ik mag vragen: waar ga je morgen heen?**

Ik antwoordde: **Lijst wordt kleiner.**

Hij antwoordde me: **Kolonel Mang wenst reisschema, wij ook.**

Ik keek op naar Susan en vroeg haar: 'Wat zou een goede plaats zijn om morgen naartoe te gaan en een paar dagen door te brengen?'

'Parijs.'

'Wat dacht je van iets dichter bij Saigon? Ergens waar westerlingen naartoe gaan.'

'Nou, Dalat, het Franse vakantieoord in de bergen. De spoorweg is nog steeds opgeblazen, maar je kunt er met de auto of bus komen.'

'Goed, nog een andere plaats?'

'Je hebt nog een oude Franse badplaats, Vung Tau.'

'Dus ik heb keuze uit de bergen of het strand. Waar is Vung Tau?'

'Iets zuidelijk van hier. Ik kan je op de motor brengen. Ik ga daar wel eens in de weekends naartoe.'

'Ik moet naar het noorden.'

'Waarom bel je je reisagent niet?'

'Schiet op. Help me.'

'Je wilde mijn hulp niet.'

'Mijn verontschuldigingen.'

'Zeg alsjeblieft.'

'Alsjeblieft.' Het was niet te geloven dat ik mezelf in deze situatie had gebracht; belaagd door een Vietnamese versie van inspecteur Colombo, me verontschuldigend tegenover een pruilende snotaap uit de hogere middenklasse, en Karl die me onzin toeschuift over het internet. Waar is mijn M-16 als ik die nodig heb?

Ik kalmeerde en vroeg Susan: 'Wat dacht je van Nha Trang?'

Ze knikte. 'Niet slecht. Ook niet te ver, mooi strand en een heleboel plekken om te logeren. Ken je het?'

'Ja. Om eerlijk te zijn heb ik daar een binnenlands R&R gehad van drie dagen.' Ik vroeg haar: 'Zitten daar westerse toeristen?'

'Gewoonlijk wel. Het is nog steeds warm genoeg om daar te zwemmen. Je zult er niet opvallen, als je dat bedoelt.'

'Dat bedoel ik.' Ik bedoelde ook dat ik uiteindelijk niet in de een of andere godvergeten uithoek terecht wilde komen, waar de politie me op kon pakken zonder dat er landgenoten bij waren die het zagen gebeuren. Maar dat was negatief denken. *Hou succes voor ogen.* Ik vroeg Susan: 'Is daar makkelijk te komen?'

'Ik kan je erheen brengen en ik kan onderdak voor je vinden. Met geld lukt alles, en ik heb een goede reisagent die zaken doet met het bedrijf.'

'Goed. Nha Trang. Bedankt.'

Ik begon te typen en ze zei: 'Vertel hun dat ik met je mee ga.'

'Ja. Prima.' Ik typte: **Mijn beoogde bestemming is Nha Trang – tenzij vervoer of logies niet mogelijk zijn. Als het verandert, zal miss W het jullie zo snel mogelijk laten weten.**

Karl antwoordde: **Begrepen. Stel voor dat je in Nha Trang of alternatief blijft tot rendez-vous in Hué. Hoe minder beweging, hoe beter. Fax na aankomst miss W je adres in Nha Trang of alternatief. Zeg haar het door te geven aan consulaat.**

Susan zei tegen me: 'Heb je het hun verteld?'

'Jawel. Ze zeiden zonder meer nee.'

'Je hebt het hun niet gevraagd. Zeg hun dat je een gids en een tolk nodig hebt.'

Ik typte: **Ik zal proberen me aan het reisschema te houden dat ik Mang geef tot de tijd dat ik Hué verlaat voor Tam Ki. De ontbrekende dagen tussen Hué en Hanoi kunnen voor enige problemen zorgen als ik in Hanoi verschijn.**

Karl antwoordde: **Als je in Hanoi nog steeds een politieprobleem hebt, neem dan contact op met Mr. Eagan in de ambassade. Maar ga niet naar de ambassade, tenzij opgedragen. Bevestig.**

Begrepen. Ik zag mezelf al vijf jaar in de Amerikaanse ambassade wonen terwijl Buitenlandse Zaken onderhandelde over mijn veilige vertrek uit de Socialistische Republiek. Dit was echt klote. Ik vroeg: **Moet ik contact met jullie opnemen vanuit Hué – direct of via miss W?**

Het antwoord kwam: **Negatief. Als je niet incheckt in aangewezen hotel in Hué, zullen we het weten en een probleem vermoeden. Als je** wel incheckt, krijg je instructies wat betreft verder communicatie.

Instructies van wie?, vroeg ik.

Karl antwoordde: **Er wordt contact met je opgenomen.**

Ik typte: **Verder nog iets wat betreft mijn contact in Hué?**

Karl antwoordde: **Negatief. Begrijp je je ontmoetingstijden en -plaats?**

Ik antwoordde: **Jawel.** Ik voegde eraan toe: **Het woord was rotisserie.**

Karl antwoordde: **Het woord had er niets mee te maken. Begrijp je je instructies?**

Ik antwoordde: **Jawel. :).** Ik voegde eraan toe: **Hé. Ik heb de Cu Chi-tunnels, Highway 13 en de Michelin-plantage gezien. Goed tankland. Was het leuk?**

Karl antwoordde: **:(.**

Ik typte: **We moeten weer eens bij elkaar komen.**

Hij antwoordde: **Ik zal erover denken. Vergeet niet dat we moeten weten wat er morgen gebeurt betreffende Mang. Vertrouw je erop dat miss Weber begrijpt wat ze moet doen?**

Ik antwoordde: **Ze is heel snugger, vindingrijk, gemotiveerd. Geef haar opslag.**

Hij antwoordde: **Ik heb verder niets. Jij?**

Ja. Waar ging dit verdomme allemaal om? Maar ik typte: **Cynthia? Honolulu?**

Ik wachtte op het antwoord en het leek lang te duren voordat dat op het scherm verscheen. Er stond: **We hebben geen contact met haar gehad. Maar jouw reis is geregeld van Bangkok naar Honolulu, daarna Maui.**

Ik typte: **Neem contact met haar op.**

Karls antwoord was: **Ze zit op een zaak. Maar als ze van plan is jou in Honolulu te ontmoeten, zal het leger haar verlof snel goedkeuren en haar naar Hawaï brengen.** Hij voegde eraan toe: **Richt je op missie.**

Ik typte: **Laat me het in Hanoi weten.**

Hij antwoordde: **Op zijn laatst in Bangkok.**

Ik antwoordde: **Begrepen.**

Karl stuurde me een vroege valentine: **Veel geluk, Paul. Gods zegen en veilige thuiskomst.**

Ik bleef lange tijd aan het toetsenbord zitten en besefte dat dit weleens voor een lange tijd het laatste bericht van huis kon zijn. Ik kende dat gevoel, van de laatste twee keer toen ik met mijn ouders sprak over een speciale radioverbinding die de GI's twee keer per jaar konden gebruiken. Ik typte: **Ik ben blij dat ik teruggegaan ben. Ik vertrouw op mijn succes en dat ik op tijd thuis zal zijn. Liefs aan Cynthia.**

Karl antwoordde: **Begrepen. Verder?**
Negatief.
Uit.

Ik meldde me af, wiste alles en bleef daar een tijdje zo zitten, stond vervolgens op en liep naar het buffet waar ik een whisky-ijs voor mezelf inschonk, dit keer zonder soda.

Susan vroeg me: 'Is alles in orde?'

'Ja.'

Ze dacht een ogenblik na en zei tegen me: 'Als het je morgen niet lukt om te reizen... als ze je een paar dagen hier houden, kan ik een zakenreis voor je maken. Iemand ontmoeten of wat ook.'

Ik keek haar aan en glimlachte. 'Dank je. Dat is een heel aardig aanbod, maar het is allemaal een stuk ingewikkelder. Goed, hoe kom ik in Nha Trang?'

'Ik zal de reisagent van het bedrijf e-mailen en kijken wat ik kan doen.' Ze ging achter haar bureau zitten. 'Wil je dat ik probeer ergens een kamer voor je te boeken of wil je op de bonnefooi?'

'Ik zal Mang een adres moeten geven.'

'Niet noodzakelijk. Elke grote stad heeft een bureau van de immigratiepolitie. Ze houden voornamelijk buitenlanders in de gaten. Dus als je Mang vertelt dat je geen adres in Nha Trang hebt, zal hij je vertellen dat je je, of bij aankomst of nadat je een plek om te logeren hebt gevonden, moet melden bij de immigratiepolitie.'

Ik dacht erover na en zei tegen Susan. 'Ik zoek wel een logeeradres als ik daar ben.' Ik voegde eraan toe: 'Eigenlijk ga ik proberen dat R&R-hotel op het strand te vinden dat het leger tijdens de oorlog in handen had. Dat lijkt me een nostalgische trip.'

'Moet wel. Hoe heette het?'

'Ik kan het me niet meer herinneren. Een oud Frans geval. Maar ik zal het wel herkennen. In ieder geval zal ik je faxen als ik ergens heb ingecheckt. Als ik binnen vierentwintig uur na mijn vertrek uit Saigon geen contact met je heb opgenomen, neem dan contact op met mijn firma.'

'Ik ben hier om te helpen.' Ze richtte haar aandacht op haar computer en begon te typen. Ze zei: 'Ik vraag mijn reisagent om een reservering op een trein of minibus morgen naar Nha Trang. Vliegtuigen zijn al maandenlang volgeboekt. Ik biedt twee keer de kostprijs van het kaartje, dat voor buitenlanders toch al vier keer de prijs is. Goed?'

'Het is niet mijn geld.'

'Goed.' Ze typte verder en zei: 'Ik zal haar ook vragen naar een privé-auto. Er is ook een draagvleugelboot naar Nha Trang, hoewel ik zeker weet dat alles volgeboekt is. Maar we krijgen je in Nha Trang, al moet ik je op de martelbus zetten.'

'Een privé-auto lijkt me wel de manier om te gaan. Geld is geen probleem. Geeft deze reisagent zo snel mogelijk antwoord?'

'Ze is er morgenochtend om acht uur – Saigon begint vroeg. Jij zult om ongeveer die tijd kolonel Mang spreken. Ik tref je in de lobby van het Rex en we zien dan of je naar Nha Trang moet, of naar het vliegveld en naar huis.' Ze voegde eraan toe: 'En als je, zeg, om twaalf uur niet in het Rex bent, weet ik met wie ik contact moet opnemen.'

'Vind je het erg als ik zeg wat er moet gebeuren?'

Ze keek op van haar toetsenbord en zei: 'Mr. Brenner, dit is geen ruimtevaartwetenschap, en ik leer snel. Ik heb de verantwoordelijkheid op me genomen om jou Saigon uit te krijgen, of om je arrestatie of uitzetting te melden. Laten we dit op mijn manier doen.'

Hemeltje. Miss Weber was op haar kantoor echt een andere dame. Of misschien was ze een beetje gekrenkt dat ik haar niet mee wilde hebben op mijn uitstapje.

Ze bleef op haar toetsenbord hameren en zei: 'Ik mail nu mijn baas, Jack Swanson, om hem te zeggen dat ik pas morgenmiddag kom.'

Het kwam me voor dat er wel heel veel getypt werd voor deze relatief simpele boodschap.

Miss Weber zette haar computer uit, stond op, dronk haar glas leeg en zei tegen mij: 'Ik neem je mee uit eten.'

'Dat is heel aardig van je. Maar ik heb een onkostennota.'

'Ik ook. En ik zal je vertellen waarom je moet investeren in Vietnam. Het is het Pacific Rim-land met de grootste groeipotentie.'

Ik antwoordde: 'Ik heb al genoeg geïnvesteerd in Vietnam.'

Ze gaf geen antwoord, liep naar de deur en legde haar hand op de lichtknop. 'Klaar?'

Ik zei: 'Draai alsjeblieft het faxverslag uit en versnipper het.'

'O... je bent een echte pro.' Ze liep naar de alkoof, printte het activiteitenrapport van de fax uit en haalde het door de versnipperaar.

Ik pakte de camera en het belichte filmrolletje van haar bureau en zei: 'Leg dit alsjeblieft in je kluis.'

Ze toetste het toetsenbord op haar kluis in, en ik gaf haar het filmrolletje en de camera, die ze in de kluis deed waarna ze hem weer sloot.

We verlieten het kantoor en liepen buitenom langs de verschillende afdelingen. Susan wees me de bibliotheek, de vergaderzaal en een lunchroom die eruitzag als een Frans café.

Ze zei: 'We zorgen goed voor onszelf hier. Het is goedkoop en het is

een gezonde mentale opkikker. Hier zijn de fitnessruimte en de dou-
ches.' We gingen een vertrek binnen waar een paar toestellen stonden.
Door een open deur zag ik een massagetafel.

Ik dacht dat we naar onze respectieve woningen gingen om ons op
te frissen, maar Susan wees op een deur waarop stond: *Mannen*, en informeerde me: 'Daarin is alles wat je nodig hebt. Ik ben in de dames-
douche.'

'Stel dat ik iets nodig heb.'

'Gedraag je. Ik zie je straks hier in de fitnessruimte.'

Ik ging de herenkleedkamer in, kleedde me uit en stapte een grote
douchecabine in. Ik draaide het water open, haalde een handvol vloei-
bare zeep uit een automaat en waste het vuil van de afgelopen twaalf
uur van me af.

Sommige mannen zingen onder de douche; ik denk na. En wat ik
dacht, was dat niemand en niets hier in Saigon of in Washington was
wat het leek.

14

Ik liep de fitnessruimte in, vond op een stoel de Aziatische editie van de *Wall Street Journal* van vrijdag en ging zitten lezen.

Het was stil in het lege gebouw en van achter de deur van de vrouwenkleedkamer hoorde ik een gedempte stem, en ik was er tamelijk zeker van dat Susan haar beloofde telefoontje met Bill pleegde.

Ongeveer tien minuten later kwam Susan uit de kleedkamer in een lange, gele, mouwloze zijden jurk en over haar schouder droeg ze een kleine leren tas. Het stof was van haar gezicht en ze was heel erg bruin. Haar haar had een scheiding in het midden en hing tot over haar schouders. Een beetje lippenglans vervolmaakte haar gedaanteverwisseling. Ik ging staan en zei: 'Je ziet er prachtig uit.'

Ze antwoordde niet op mijn zeldzame compliment, en ik had de indruk dat ze wat had gekibbeld met Bill. Ik zei: 'Misschien moet ik terug naar het Rex en me omkleden.'

'Je ziet er prima uit.'

We liepen naar de ontvangsthal, de lift kwam en we stapten uit in de lobby. Ze zei tegen me: 'Ik heb genoeg gereden. We nemen cyclo's.'

Ik volgde haar de deur uit naar de stoep. We liepen ongeveer tien seconden voor een vlucht cyclo's op ons neerdaalde.

Susan pingelde met de cyclorijders en ik keek naar hen. Ze waren armoedig gekleed, vel over been en niet jong. Een man die ik kende en hier was geweest, had me verteld dat de cyclorijders voornamelijk exsoldaten van de ARVN waren en dat dit een van de weinige baantjes was die openstonden voor de voormalige vijanden van de staat.

Susan maakte een deal met twee van hen, we stapten allebei in een cyclo en vertrokken door Dien Bien Phu Street. Susan riep naar me: 'Het kost me dubbel voor jou, door je gewicht.'

Ik keek naar haar en zag dat ze geen grapje maakte. Ik zei: 'Je hebt mazzel dat ze niet rekenen naar het IQ.'

'Dan zou jij gratis rijden.'

Dien Bien Phu Street was een brede boulevard met veel gemotoriseerd verkeer, fietsen en cyclo's, en het was een beetje zenuwslopend in een open bak met de berijder achterop en auto's en scooters die heen en weer schoten.

De stad was heel levendig op een zondagavond, claxons toeterden, gettoblasters schetterden en voetgangers staken ergens midden in een blok of bij rood licht over.

Terwijl we over de boulevard reden, wees Susan me een paar bezienswaardigheden. Ze zei: 'Deze straat, Dien Bien Phu, was vernoemd naar de laatste strijd tussen de Fransen en de Vietminh – de voorgangers van de Vietcong. De Vietminh wonnen.'

'De winnaar mag de straten een naam geven.'

'Precies,' zei ze. 'Over tien jaar zal dit de Avenue van de Multinationale Bedrijven heten.'

Susan haalde een pakje sigaretten tevoorschijn en bood haar berijder er een aan, die het pakje aannam. Daarna kwamen de twee cyclo's dicht bij elkaar zodat hij het pakje kon overgeven aan mijn berijder. Ze zei tegen me: 'Mijn mannetje wil weten of jij een veteraan bent.'

Ik aarzelde, zei toen: 'Zeg hem Eerste Cavalerie, Quang Tri, achtenzestig.'

Ze bracht dit over en allebei zeiden ze iets tegen haar. Susan zei tegen mij: 'Het zijn allebei veteranen. Mijn berijder was jachtvlieger, en die van jou kapitein bij de infanterie. Ze zeggen dat het goed is je weer te zien.'

Ik keek naar haar berijder en maakte het V-teken, victorie. Hij beantwoorde het teken, glimlachte half en staarde vervolgens weer recht voor zich uit.

We reden om het centrum van Saigon heen en Susan wees op de bezienswaardigheden, maar voornamelijk keken we naar wat er op straat gebeurde.

Ze zei: 'Zie je die flatgebouwen? Ze zijn in de jaren zestig door de Amerikanen gebouwd voor mensen van de CIA en de ambassade. Nu wonen er communistische partijfunctionarissen.'

De flatgebouwen waren van vaalgrijs beton, misten de gebruikelijke balkons, en zagen eruit als strafgevangenissen. Ik zei: 'Verdiende loon.'

We kwamen langs de Notre Dame en ik zag dat het kleine plein vol flanerende mensen was. De geüniformeerde smerissen leken te zijn verdwenen en ik nam aan dat de smerissen in burger het na het invallen van de duisternis overnamen. En toch, zo op het eerste gezicht, zag Saigon er niet uit als een politiestaat. Eigenlijk leek het alsof iedereen zijn best deed geen enkele wet te overtreden: drinken in het openbaar, prostitutie, slapen op de stoep, door rood licht rijden, door rood licht lopen, en alles wat ze verder nog deden en ik niet kon zien.

Op één niveau leek het alsof de Zuid-Vietnamezen tweederangsburgers waren in hun eigen land, dat geregeerd werd als een bezet land door de kaders van communistische avonturiers uit het noorden en geëxploiteerd door Aziatische en Amerikaanse kapitalisten. Toch, op een ander niveau, leken ze gelukkiger en vrijer dan de communisten, zoals kolonel Mang, of de kapitalisten zoals Susan Weber.

We bevonden ons nu aan het noordelijke einde van Dien Bien Phu Street en het leek alsof we Times Square of Piccadilly Circus op reden. De helder verlichte straat was propvol voetgangers, cyclo's, fietsen en scooters, allemaal op weg naar het zuiden, naar de rivier.

De gevels van de gebouwen in oud-Franse stijl gingen letterlijk schuil achter neonreclames en de namen van etablissementen zoals Good Morning Vietnam, Ice Blue en de Cyclo Bar. Er waren ook een paar betere Franse en Oost-Aziatische restaurants en een paar grand hotels uit een ander tijdperk. Ik herkende het Continental, waar vroeger de oorlogscorrespondenten zaten en aan de bar hun nieuws verzonnen.

De metamorfose van Rue Catinet via Tu Do naar Dong Khoi was niet volledig geweest en het leek alsof alle drie versies van dezelfde straat nog samen bestonden. Ik herinnerde me Tu Do, en zo nu en dan zag ik een gebouw dat ik meende te kennen, maar er was te veel tijd voorbijgegaan en alle namen waren veranderd. Ik riep naar Susan boven het lawaai uit: 'Bestaat er nog een tent die Bluebird heet? Of Papillon?'

Ze schudde haar hoofd. 'Nooit van gehoord.' Ze voegde eraan toe: 'Wat ik ervan weet, is dat de communisten alles in 1975 gesloten hebben.'

'Het zijn geen leuke mensen.'

'Nee, helemaal niet. Aan het einde van de jaren tachtig gingen er weer een heleboel tenten open. Daarna, in drieënnegentig, raakten de communisten geïrriteerd door alle cafés en karaokebars en voerden een razzia uit in de hele stad en gooiden alles weer dicht. Sommige tenten mochten weer open, maar alleen als ze een Vietnamese naam gebruikten en hun shows kuisten. Langzamerhand kwam alles weer terug, groter, luisterrijker en krankzinniger dan ooit, en weer met westerse namen.' Ze zei: 'Volgens mij blijft het nu allemaal bestaan. Maar je weet het nooit. Ze zijn onvoorspelbaar. Geen respect voor privé-bezit en zaken.'

Ik opperde: 'Ze zouden jóu eruit kunnen schoppen.'

'Dat zouden ze kunnen.'

'Waar zou je dan naartoe gaan?'

Ze antwoordde: 'Ik heb een boek dat "De Ergste Plaatsen om te Wonen op Aarde" heet. Daar een van.' Ze lachte.

Ik probeerde het doodlopende steegje te vinden, waar vroeger mijn vriendin woonde. Het was aan de linkerkant nu we nu richting rivier reden, maar ik zag het niet. Ik zei tegen Susan: 'Woon je in deze straat?'

'Ja. Het is vijf nachten per week niet zo slecht. Ik zit op de vierde verdieping, iets dichter bij de rivier. Ik zal het je wijzen.'

De mensen op straat waren voornamelijk jong: jongens en meisjes in T-shirts en spijkerbroeken, de jongens meisjes versierend, de meisjes voornamelijk in groepjes.

Ik kon het einde van Dong Khoi zien, en het maanlicht op de rivier de Saigon in de verte. Susan riep: 'Dat is mijn gebouw.'

Ze wees naar links, naar een statig gebouw in oud-Franse stijl op de laatste hoek voor de rivier. Op de benedenverdieping was een Thais restaurant en ernaast weer een oud hotel dat Lotus heette, en dat, volgens Susan, vroeger het Miramar heette, en dat ik me ook herinnerde.

Ze zei: 'Bovenste verdieping. Hoekflat, uitzicht op de rivier.'

Het klonk als een woningadvertentie in de *Washington Post*. Ik keek omhoog naar het hoekappartement en zag licht in het raam. Ik zei: 'Er is iemand thuis.'

Ze antwoordde: 'De huishoudster.'

'Natuurlijk. Jij houdt van hoeklokaties, hè?'

De cyclo's draaiden de weg langs de rivier op waar een heerlijke bries waaide over het maanverlichte water. De bries geurde naar godmag-weten-wat, maar als je je neus dichtkneep, was het prachtig. Ik zag dat de oever aan de overkant bijna helemaal zwart was, wat ik me nog herinnerde van de laatste keer, en er scheen geen enkele brug over de rivier te zijn. Ik zei tegen Susan: 'Er is daar nog helemaal niet gebouwd.'

'Dat weet ik. Hier liggen duizenden hectaren bloemenvelden – orchideeën, exotische planten, van alles. Als ik 's avonds naar bed ga, droom ik over verkaveling en winkelcentra, en als ik dan wakker word en uit mijn raam kijk, zie ik alleen maar bloemen – een verspilling van eersteklas bouwgrond.'

Ik keek haar aan en besefte dat ze me in de maling nam. Ik glimlachte om te laten zien dat ik een grap wel kon waarderen.

De cyclo's reden een straat verder en draaiden toen naar het noorden, Nguyen Hué Street op, die naar het Rex leidde en parallel liep aan Dong Khoi. Dit was een bredere straat en was ook vol mensen en voertuigen.

Susan zei tegen me: 'Het circuit draait met de klok mee – Dong Khoi over, dan langs de rivier en terug over Nguyen Hué, daarna, bij het Rex, naar rechts Le Loi in en weer rechts bij Dong Khoi Street. De parade duurt de hele nacht.'

'Je bedoelt dat ik in mijn hotel hiernaar moet luisteren?'

'Alleen maar tot het aanbreken van de dag. Daarna wordt het rustig tot de spits die tien minuten later begint.'

'Heb jij het Rex voor me uitgekozen?'

'Ja. Het is dicht bij mijn flat, zoals je kunt zien.'

'Ik begrijp het.'

'Ik hou van het dakrestaurant. Ik hou van slow dansen.'

We gingen rechtsaf Le Loi in en bleven naar het oosten rijden. Susan zei: 'De kinderen noemen deze rondgaande parade *chay long rong* – dat betekent: snel leven.'

'We komen niet eens boven loopsnelheid uit.'

'Ik verzin de taal niet – ik vertaal hem alleen maar. Het is net als jagen, het jachtige leven leiden; het is een metafoor, geen fysieke snelheid.'

'Ik heb problemen met metaforen. Tijd om te eten.'

Ze zei iets tegen haar berijder en we reden verder.

Binnen vijf minuten kwamen de cyclo's tot stilstand naast een groot gebouw dat eruitzag als een oud Frans operahuis, waarvan Susan zei dat het nu het volkstheater was, wat dat ook mocht betekenen. Aan één kant van het theater was een buitencafé waarvan de tafeltjes vol zaten met westerlingen en een paar goedgeklede Vietnamese mannen en vrouwen.

We stapten uit de cyclo's en Susan stond erop de berijders te betalen – een dollar voor die van haar en twee dollar voor die van mij. Ze was ongewoon gul, maar ik vond het niet genoeg, dus ik gaf elke man er nog een dollar bij.

Ze wilden mij een hand geven, dus dat deden we, en toen zei de berijder van Susan – de man die in een ander leven straaljagers had gevlogen – iets en Susan vertaalde het. 'Hij zegt dat zijn vrouw en kinderen vier jaar geleden naar Amerika mochten emigreren. Maar hij mocht niet vertrekken omdat hij officier in de Zuid-Vietnamese luchtmacht is geweest. Maar onder de... wat we het Ordelijke Vertrek Programma noemen, dat de Amerikanen bij de Vietnamezen hebben bewerkstelligd, hoopt hij volgend jaar te mogen vertrekken.'

Ik zei: 'Zeg hem dat ik hem veel geluk wens.'

Ze vertaalde, en hij zei iets dat ze aan mij overbracht: 'Hij bedankt Amerika voor het opnemen van zijn familie. Het gaat goed met hen en ze sturen hem geld. Ze wonen in Los Angeles.'

'Nou... ik hoop dat het uiteindelijk allemaal goed komt.'

Mijn bestuurder, de infanteriekapitein, had niets te zeggen, en ik had de indruk dat hij helemaal nergens meer op hoopte.

We liepen het café in waarvan de naam, volgens een klein bordje, de Q-bar was. Het scheen een deel van dit theatergebouw in beslag te nemen en was heel minimalistisch, min of meer zoals een trendy yuppenkroeg in Washington.

Het café had binnen ook tafeltjes en een bar, en op de muren waren muurschilderingen die leken op schilderijen van Caravaggio, maar dat viel moeilijk te zeggen door alle sigarettenrook.

Een jonge Vietnamese serveerster in een zwart met wit uniform begroette Susan in het Engels. 'Goedenavond, miss Susan, en waar is Mr. Bill vanavond?'

Ik was dankbaar voor de gelegenheid Engels te kunnen spreken en antwoordde: 'Hij is zijn Princeton-trui aan het wassen, maar hij komt zo.'

'Ah... goed. Tafel voor drie?'

'Twee.'

Susan helderde de verwarring niet op.

De serveerster bracht ons naar een tafeltje vlakbij het terras, verlicht door een olielamp. Susan bestelde een Californische chardonnay, en ik vroeg om een Dewar's met soda, wat geen probleem scheen te zijn.

De serveerster liep weg en Susan stak een sigaret op. Ze zei, alsof ze het tegen zichzelf hàd: 'Zijn Princeton-trui aan het wassen.'

'Pardon?'

'Had je niet wat beters kunnen bedenken?'

'Het moest snel. En het is laat.'

We lieten het verder rusten en ik keek naar de klanten. Ze gingen gekleed alsof ze meer dan een dollar per dag verdienden, en op straat zag ik een paar Japanse luxe auto's – Lexus en Infiniti, die ik overdag niet had gezien.

De drankjes kwamen. Ik had mijn glas willen heffen op mijn gastvrouw en iets aardigs willen zeggen, maar ik had het gevoel dat ze al genoeg van me gehoord had. En ze zei ook: 'Waarschijnlijk had ik je naar iets anders moeten meenemen.'

Ik zei: 'Van alle dranklokalen brengt ze me uitgerekend hierheen.'

Ze glimlachte.

Ik zei: 'Als Bill nu eens verschijnt?'

'Dat doe hij niet.' Ze hief haar wijnglas. We klonken en dronken. 'Je kunt hier een fantastische hamburger en frites krijgen. Ik dacht dat je daarvoor misschien in de stemming was.'

'Ben ik. Goede keuze.'

Susan zei: 'Deze tent is eigendom van een Amerikaan uit Californië en zijn in Vietnam geboren vrouw die ook uit Californië komt. De Q is een verwijzing naar het woord kieu – zoals ik je al vertelde staat dat voor een Vietnamese banneling die is teruggekomen. Viet-kieu. Begrijp je?'

'Ik begrijp het.'

Ze zei: 'Deze tent is populair bij de Amerikaanse gemeenschap en rijke Viet-kieus. Het is hier duur.'

'Daardoor krijg je geen gajes binnen.'

'Precies. Maar je bent met mij.'

Om haar te laten zien dat ik niet geheel en al aan de genade van haar gastvrijheid was overgeleverd en om enig savoir vivre te tonen, zei ik tegen haar: 'Een Fransman op de vlucht hierheen gaf me de namen van een heleboel goede restaurants en bars.'

'Zoals?'

'De Monkey Bar.'

Ze lachte. 'Een en al hoeren. En heel agressief. Ze steken aan de bar hun hand in je broek. Je kunt naar de Monkey Bar als we hier weggaan.'

'Ik zeg alleen maar wat die man zei.'

'Nou, hij heeft je geen dienst bewezen.'

'Hij beval een restaurant aan dat Maxim's heette – zoals dat in Parijs.'

'Dat is een oplichterstent. Slecht eten, slechte bediening, te duur, net als in Parijs.'

Mijn Franse vriend haalde nul uit twee. Ik vroeg Susan: 'Ken je een vrouw die Mademoiselle Dieu-Kiem heet.'

'Nee. Wie is zij?'

'Een courtisane.'

Ze sloeg haar ogen ten hemel en gaf geen antwoord.

Ik zei: 'Maar ik ben liever met jou.'

'Net als negentig procent van de mannen in Saigon. Ga niet te ver, Brenner.'

'Ja, mevrouw.' Dus mijn streven naar onafhankelijkheid en hoffelijk werd verpletterd als een lelijke, kleine mug. 'Bedankt dat je me naar een van je bijzondere gelegenheden hebt meegenomen.'

'Graag gedaan.'

De serveerster bracht kleine menukaarten. Susan bestelde fruit en kaas voor zichzelf en nog een wijn. Ik kreeg mijn hamburger en frites en bestelde een Corona-bier, dat ze hadden.

Het was koeler dan de avond ervoor, maar ik had een dunne laag vocht op mijn gezicht. Ik herinnerde me Saigon net zo warm en ongezond toen ik hier in juni 1972 vertrok. Ik vroeg Susan: 'Heb jij een zomerhuisje of een weekendhuis?'

Ze antwoordde: 'Dat idee is hier nog niet ontwikkeld. Op het platteland is geen stromend water. Als je naar het platteland gaat, dan stap je de negentiende eeuw binnen.'

'Wat doe je dan 's zomers in de weekends?'

'Soms ga ik naar Dalat waar het koeler is, of naar Vung Fau, voorheen Cap Saint Jacques geheten.'

'Niet naar Nha Trang?'

'Nee. Ik ben daar nog nooit geweest. Het is een lange rit.' Ze voegde eraan toe: 'Maar ik zou het dolgraag willen zien. Jammer dat ik niet met je mee kan.'

Ik liet dat rusten en vroeg haar: 'Hoe moeilijk is het reizen naar het binnenland van Noord-Vietnam?'

Ze dacht er een ogenblik over na en zei toen: 'Over het algemeen gesproken is alles langs de kust relatief gemakkelijk. Highway One, bijvoorbeeld, gaat van de Delta helemaal tot aan Hanoi en wordt met het jaar verbeterd. De Herenigings Express – dat is de trein – verbindt nu ook het noorden met het zuiden. Maar als je bedoelt naar het westen toe, naar Laos, dan wordt het moeilijk. Ik bedoel, Vietnamezen doen het, maar die hebben een grotere tolerantie ten aanzien van weggespoelde wegen en bruggen, aardverschuivingen veroorzaakt door ontbossing, steile bergpassen en panne met hun voertuigen. En het is daar nu de winterse regentijd – een voortdurende druilregen die ze *crachin* noemen – stofregen.' Ze vroeg: 'Ga je die kant op?'

'Ik wacht op verdere instructies. Ben jij het binnenland in geweest?'

'Nee, ik vertel alleen wat ik hoor. Een heleboel westerse wetenschappers gaan die kant op – voornamelijk biologen. Ze hebben in het binnenland van het noorden werkelijk tot voor kort onbekende zoogdieren ontdekt. Ze hebben net een os gevonden waarvan niemand het bestaan wist. Plus dat er nog steeds tijgers in het binnenland zitten. Amuseer je.'

Ik glimlachte. 'Ik heb hier echt een keer een tijger gezien. En een olifant. En ze zaten niet in de dierentuin van Saigon waar ze hoorden.'

'Nou, wees voorzichtig. Je kunt er gewond raken of ziek worden en de omstandigheden zijn erg primitief.'

Ik knikte. In ieder geval was de medische verzorging in het leger goed, en de helikopters brachten je binnen een halfuur overal vandaan naar een hospitaalschip. Deze keer stond ik er alleen voor.

Susan zei: 'Als jij het binnenland in gaat, kun je je misschien voordoen als bioloog of natuurwetenschapper.'

Ik keek haar aan. Ik had hetzelfde idee gekregen toen ze me vertelde over de onbekende diersoorten. En nu kreeg ik een nieuw idee: ik kreeg de briefing die ik niet in Washington had gehad. Misschien hadden al die onbenullige weetjes over Vietnam vandaag eigenlijk wel een bedoeling.

Het eten kwam, en de hamburger en frites waren fantastisch, en de Corona was ijskoud met een schijfje limoen erin.

Ze vroeg me: 'Waar woon je?

Ik antwoordde: 'Ik woon bij Falls Church, in Virginia.'

'En is dit je laatste opdracht?'

'Ja. Ik ben vorig jaar met pensioen gegaan, maar ze vonden dat ik maar eens wat risico moest nemen en weer naar Vietnam moest gaan, Deel Drie.'

'Wie zijn zij?'

'Dat kan ik niet zeggen.'

'En wat ga je hierna doen?'

'Ik heb er niet over nagedacht.'

'Je bent te jong om gepensioneerd te zijn.'

'Dat is me gezegd.'

'Door je wederhelft?'

'Ze steunt me erg in alles wat ik doe.'

'Werkt zij?'

'Ja.'

'Wat doet ze?'

'Hetzelfde als ik heb gedaan.'

'O, dus jullie hebben elkaar op het werk ontmoet?'

'Juist.'

'Wil zij al met pensioen?'

Ik schraapte mijn keel en zei: 'Ze is jonger dan ik.'

'Stond ze erachter dat je voor je laatste opdracht naar Vietnam ging?'

'Heel erg. Wil je nog een bier?'

'Ik drink wijn. Zie je het glas?'

'Juist. Wijn.' Ik gebaarde de serveerster en bestelde een volgend rondje.

Susan zei: 'Ik hoop niet je denkt dat ik je aan het uithoren ben.'

'Waarom zou ik dat denken?'

'Ik probeer gewoon een beeld van je te krijgen, van je leven, waar je woont, wat je doet. Dat soort dingen.'

'Waarom?'

'Ik weet het niet. Mijn favoriete onderwerp is gewoonlijk mezelf.' Ze dacht een ogenblik na en zei toen: 'Misschien ben je interessant omdat je hier niet voor zaken bent.'

'Ik ben hier voor zaken.'

'Ik bedoel geldzaken. Hier zit geen geld voor je in. Je doet dit alles om een andere reden. Ik bedoel, het heeft zelfs niets met je carrière te maken. Wat is je motivatie?'

Ik dacht erover na en antwoordde: 'Eerlijk gezegd vind ik mezelf stom.'

'Misschien is het een persoonlijke reden, iets dat je voor je land doet, maar eigenlijk voor jezelf.'

'Heb je al eens een radioprogramma overwogen? Goedemorgen, Bannelingen?'

'Wees nu eens ernstig. Ik probeer je te helpen. Je moet weten waarom je hier bent, anders slaag je er niet in.'

'Weet je, je hebt waarschijnlijk gelijk. Ik zal erover nadenken.'

'Echt doen.'

Om weer van onderwerp te veranderen en omdat ik enige informatie nodig had, vroeg ik haar: 'Hoe goed is jouw reisagente?'

'Heel goed. Ze is een Viet-kieu – begrijpt Amerikanen en Vietnamezen. Erg ondernemend.' Ze voegde eraan toe: 'Moraal: met geld lukt alles.'

'Goed.'

Susan herinnerde me: 'Maar misschien schopt kolonel Mang je eruit.'

Misschien had ik een bier te veel op, maar ik zei tegen haar: 'En als ik nu eens niet naar kolonel Mang ging om daarachter te komen? Als ik nu eens gewoon het binnenland in ging? Zou ik dat kunnen doen?'

Ze staarde me recht in de ogen en zei: 'Zelfs als het je lukt het land door te reizen zonder dat iemand je naar je paspoort of visum vraagt, dan nog kom je zonder die dingen nooit het land uit. Dat weet je.'

Ik antwoordde: 'Ik was van plan morgen direct naar het consulaat te gaan en een noodpaspoort aan te vragen.'

Ze schudde haar hoofd en zei: 'Het is nog geen officiële delegatie en ze kunnen geen paspoorten uitgeven. Dus als je geen paspoort of visum hebt, of zelfs maar fotokopieën ervan, kom je niet ver.'

Ik antwoordde: 'Als ik naar de Amerikaanse ambassade in Hanoi ga, wordt het hun probleem.'

'Luister, Paul, maak het probleem niet ingewikkelder. Ga morgen naar kolonel Mang.'

'Goed. Vertel eens over de immigratiepolitie. Wat zijn dat voor grappenmakers?'

'Nou, zij richten zich op buitenlanders. Toen de Russen hier waren, werd de politie in dit land georganiseerd door de KGB volgens KGB-richtlijnen. Er zijn zes secties, van A tot en met F. Sectie A is de veiligheidspolitie, zoals onze CIA. sectie B is de nationale politie, zoals onze FBI. Sectie C is de immigratiepolitie. Sectie D, E en F zijn respectievelijk de stedelijke politie, de provinciale politie en de grens- en havenpolitie.' Ze voegde eraan toe: 'De immigratiepolitie behandelt gewoonlijk overtredingen met paspoorten en visums, dus ik zou me er niet al te veel zorgen om maken.'

'Goed.' Maar ik had het idee dat kolonel Mang een A- of B-man kon zijn in C-kleren. Dat was een tamelijk veel gebruikte truc. De andere gedachte die ik had, was dat miss Weber een heleboel wist over de Vietnamese politie, maar misschien hadden alle bannelingen daar benul van.

Het liep tegen elf uur en ik zei: 'Ik denk dat de avond erop zit. Ik moet morgen vroeg op.'

Ik riep om de rekening, maar Susan stond crop te betalen met de creditcard van het bedrijf en ik ging daar niet tegen in.

Ze schreef iets op haar kopie van de bon en zei: 'Paul Brenner – bedrijf onbekend – sprak over investering in visconserven, gevaarlijke missies en leven.' Ze glimlachte en stak de bon in haar kleine tas.

We stonden op en liepen naar de straat. Ik zei: 'Ik breng je naar huis.'

'Dank je. Ergens onderweg is een laatste tent die ik je nog wil laten zien. Twee straten hier vandaan. We nemen een slaapmutsje en je bent om twaalf uur terug in je hotel.'

Beroemde laatste woorden. Ik zei: 'Prima.'

'Tenzij je liever naar de Monkey Bar gaat.'

'Ik heb liever een slaapmutsje samen met jou.'

'Goede keuze.'

We liepen een paar blokken verder naar een straat die niet bijzonder goed verlicht was. Aan het einde van de straat was een groot, verlicht gebouw met een uithangbord waarop stond *Apocalypse Now*. Ik dacht dat ik me dingen ging verbeelden, maar Susan zei: 'Daar gaan we heen. Heb je van die tent gehoord?'

'Ik heb de film gezien; ik heb de film meegemaakt.'

'Echt waar? Ik dacht dat je kok was.'

'Volgens mij was ik geen kok.'

'Volgens mij ook niet.'

'En volgens kolonel Mang ook niet.'

'Heb je hem dat verteld?'

'Het klonk beter dan infanterist. Hij zou het idee gekregen kunnen hebben dat ik iemand van zijn familie heb gedood.'

'Heb je iemand gedood?'

Ik gaf er geen antwoord op, maar zei: 'De legereenheid die ze in de film gestalte hebben gegeven, was de Eerste Cavaleriedivisie. Mijn divisie.'

'Echt waar? Ik heb de film gezien. Helikopters, raketten, mitrailleurs – De uitrijdende walkuren. Onwerkelijk. Heb je dat gedaan?'

'Ja. Ik kan me de uitrijdende walkuren niet herinneren, maar soms lieten ze in een helikopter cavaleriemuziek over de luidsprekers horen.'

'Vreemd.'

'Ik denk dat je het meegemaakt moet hebben.'

We hadden de voordeur bereikt van een lang, geel gebouw waar een stuk of twintig cyclorijders voor stonden, rondhangend en rokend.

Ik zei tegen Susan: 'Kom je hier vaak?'

Ze lachte. 'Om eerlijk te zijn, niet. Alleen als ik mensen van buiten de stad heb. Ik heb mijn ouders hier mee naartoe genomen. Ze voelden zich op een ongemakkelijke manier geamuseerd.'

Een blanke man opende de deur en we stapten Apocalypse Now binnen.

Het eerste dat ik zag was een rookwolk, alsof iemand een stuk of tien rookgranaten had opengetrokken om een landingsbaan in het oerwoud aan te geven. Maar het was alleen maar sigarettenrook.

De zaak was aan het dansen en een viermanscombo van Vietnamezen speelde Jimi Hendrix. Links in de zaak was een muur van zandzakken en prikkeldraad, als een modieuze vuurbasis. Een grote poster van de film met dezelfde naam hing aan een muur en Susan zei dat die de handtekening had van Martin Sheen, en of ik wilde kijken. Ik wilde niet.

De ventilators aan het plafond waren rotorbladen van helikopters en de lichtbollen hadden rode verfspatten; om bloed te suggereren, denk ik.

We liepen naar de lange bar achterin die volgepakt zat met voornamelijk mannen van middelbare leeftijd, zwart en blank, en ze hadden allemaal het uiterlijk van de ex-militair. Ik kreeg het gevoel van déjà vu, Amerikanen op jacht in Saigon.

Ik kreeg twee flessen San Miguel van de Amerikaanse barkeeper die tegen me zei: 'Waar kom je vandaan, makker?'

'Australië.'

'Je klinkt als een yank.'

'Ik probeer me aan te passen.'

Susan en ik gingen zijdelings tegen de bar staan en zogen het schuim op. De ruimte was een en al mist van sigaretten- en sigaren-rook en Susan stak op. Ze zei tegen me: 'Zo, GI, jij eenzaam van-avond?'

'Ik ben met iemand.'

'Ja? Waar zij naartoc? Ze ging weg met generaal. Zij vlinder. Ik blijf bij jou. Maak het goed voor je. Ik nummer één meisje. Maak je heel erg gelukkig.'

Ik wist niet of ik geamuseerd moest zijn of over de rooie moest gaan. Ik zei: 'Wat doet een meisje als jij in zo'n mooie bar als deze?'

Ze glimlachte en zei: 'Heb geld nodig om naar Harvard te gaan.'

Ik veranderde van onderwerp en zei: 'Dit is het tegenovergestelde van Cong World.'

'Het is R&R World. Heb je er last van?'

'Ik heb last van iedereen die de oorlog goedkoop maakt.'

'Wil je weg?'

'We drinken ons bier op.' Ik vroeg: 'Wanneer beginnen ze te schie-ten?'

Maar het was niet zo eenvoudig om daar weg te komen. Er zaten vier stellen naast ons, allemaal van middelbare leeftijd, en ze begon-nen een gesprek. De mannen waren voormalige luchtmachtofficieren en ze hadden hun vrouwen bij zich om de dames te laten zien waar ze gediend hadden en zo. De mensen waren prima en we lulden een tijd-je. Ze waren allemaal gestationeerd geweest in het noorden, in Da Nang, Chu Lai en de luchtmachtbasis Phu Bai in Hué, en ze hadden doelen gebombardeerd rond de gedemilitariseerde zone, en dat was hun uiterste bestemming geweest. Ze vroegen me naar mijn dienst in oorlogstijd zonder me te vragen of ik een veteraan was. Ik zei: 'Eerste Cavalerie, Quang Tri, achtenzestig.'

'Echt waar?' zei er een. 'We hebben een heleboel doelen voor jullie naar God geholpen.'

'Ik weet het nog.'

'Ga je landinwaarts?'

'Volgens mij zijn we er al.'

Dit bracht luid gegrinnik teweeg en een van de mannen zei: 'Deze tent bestaat echt niet, hè?'

'Hij bestaat echt niet,' beaamde ik.

De vrouwen leken om de een of andere reden niet al te geïnteresseerd in dit oorlogsgedoe, maar toen ze vernamen dat Susan in Saigon woonde, zwermden ze om haar heen, en de vijf vrouwen spraken over winkelen en restaurants, terwijl de vijf mannen, onder wie ik, oorlogsverhalen vertelden tot we tot aan onze knieën in de granaathulzen en het gelul stonden. Zij leken gefascineerd door het leven van een infanterist en wilden alle bloederige details horen.

Ik gaf hun die, voor een deel omdat ze voor mij weer een biertje bestelden, maar ook omdat dit deel uitmaakte van hun nostalgische reis, en ik denk ook van die van mij. Thuis heb ik het nooit hierover, maar hier, in deze tent, en een beetje aangeschoten, leek het oké om erover te praten.

Zij vertelden me over het ontwijken van luchtdoelraketten en luchtafweergeschut, en over het afknallen van alles wat bewoog in de gedemilitariseerde zone. Ze gebruikten lege bierflesjes om dit alles te demonstreren en ik besefte dat deze mannen de verhalen volledig hadden ontdaan van alle morele of ethische overwegingen, en dat ze luchtgevechten alleen nog maar zagen als een reeks technische en logistieke problemen waarmee afgerekend moest worden. Ik werd volledig opgenomen in deze verhalen over bombardementen en beschietingen, en dat was een beetje eng. Er is weinig voor nodig om het hart van een oude krijger in beroering te brengen, ook dat van mij. Het was weer 1968.

Het werd middernacht en middernacht ging voorbij. De band speelde nu de Doors en mijn greep op de werkelijkheid en de chronologie werd minder.

Zo nu en dan, als de band een paar minuten pauze hield, knetterde er uit de luidsprekers een cavalerieaanval, gevolgd door Wagners: 'Die Walküre'.

Wat themabars betreft, was dit net zoiets als Planet Hollywood.

Ergens tijdens de conversatie kregen we het over plaatsen die je moest zien en die we al hadden bezocht. Ik zei tegen hen: 'Jullie moeten naar de Cu Chi-tunnels.'

'Ja? Wat is daar?'

'Van die enorme tunnels, zo groot als treintunnels, waar de vc hospitalen hadden, slaapruimtes, voorraadkamers, keukens. Je gaat naar binnen in een elektrisch golfkarretje en je kunt er een lunch en cocktails krijgen in een van de eetzalen van de vc. Volgens mij hebben ze daar ook dameskledingzaken. De vrouwen zullen het heerlijk vinden.' Waarom doe ik dit soort dingen?

De mannen maakten er een aantekening van.

De vier luchtmachtsoldaten kwamen tot een verlaat besef dat mijn Eerste Cavaleriedivisie en de Eerste Cavaleriedivisie in de film en de themabar een dezelfde waren en dit vroeg om weer een rondje bier en nog meer oorlogsverhalen.

We kwamen zonder munitie te zitten en een van de mannen vroeg me: 'Wie is de dame?'

'Welke dame?'

'De dame met wie je bent.'

'O... gewoon iemand die ik gisteravond heb ontmoet. Ze woont hier.'

'Ja. Dat zei ze. Dat is een knappe vrouw.'

Ik weet niet wat ik moet zeggen als iemand dat zegt, maar ik zei: 'Jullie vrouwen zijn heel aantrekkelijk.'

Ze waren het er allemaal over eens dat hun vrouwen prachtig waren, en ook engelen omdat ze hen konden verdragen. Daar was ik het ook mee eens, maar zij wilden terug naar Susan. Een man vroeg me: 'Ben je er al op geweest?'

'We liggen in onderhandeling.'

Ze moesten hier allemaal heel hard om lachen en dat leidde dan weer tot het thema hoeren. We kwamen voor dit gesprek allemaal iets dichter naar elkaar toe en een man zei: 'We proberen ze er alleen op uit te sturen om te gaan winkelen.'

'De hoeren?'

'Nee. De vrouwen. We hebben maar een paar uur nodig, maar ze gaan niet alleen. Ze zijn bang voor de stad.'

'Vraag in het hotel naar een Engelstalige, vrouwelijke gids voor hen.'

'Ja. Dat heb ik ook gezegd. Zie je, Phil? Hij is het ermee eens. Geef hun een gids en we zijn alleen.'

Ik beval de Monkey Club aan. 'Overal hoeren – betaal niet meer dan vijf dollar per prostituee, maar de serveersters en barmeisjes kun je krijgen voor een paar dollar meer. Neem daarna de vrouwen mee naar Maxim's voor een laat diner.'

Ze broedden daar ter plekke het hele plan uit en gaven elkaar high fives. Ik dacht dat legermensen slecht waren, maar vliegjongens waren erger. Ik herinnerde me een oude legermop en vertelde die. Ik zei: 'Wat is het verschil tussen een luchtmachtpiloot en een varken?'

'Wat?'

'Een varken blijft niet de hele nacht wakker om te proberen een piloot te neuken.'

Ze brulden. Een goeie. Wat hadden we een lol, hè?

Het werd één uur en één uur ging voorbij. Ik moest pissen en ik verontschuldigde mezelf.

Ik vond de heren-wc in een gang die naar een volgende drukke zaal achterin leidde. Toen ik uit de wc kwam, stond Susan me op te wachten. Ze zei: 'Er is een tuin aan de achterkant. Het is er rustig en ik wil wat frisse lucht hebben.'

'Waarom gaan we niet weg?'

'Dat doen we. Ik wil gewoon even zitten.'

Susan leidde me naar een omsloten tuin met kleine cafétafeltjes waarop kaarsen stonden. De tuin was volgehangen met papieren lampions, en het was er rustig en de lucht rook beter.

We gingen aan een leeg tafeltje zitten en ik keek om me heen naar stelletjes die hand in hand zaten. Ik denk dat dit een soort post-Apocalyps was, waar je naartoe ging als je gestorven was of zoiets.

Ook merkte ik de geur van wierook in de lucht, en de geur van brandende cannabis. Ik zag werkelijk kleine gloeiende vuurvliegjes rond de tafels dansen terwijl de joints werden doorgegeven, geïnhaleerd, en weer doorgegeven. Plotseling kreeg ik enorme zin in een joint, iets dat ik in geen twintig jaar meer had gehad.

Susan zei tegen me: 'Je leek plezier te hebben.'

'Goeie jongens.'

'De vrouwen waren ook aardig. Ze wilden weten of wij een stel waren.'

'Kunnen vrouwen alleen maar daarover praten? Seks, seks, seks?'

'We hadden het niet over seks. We hadden het over mannen.'

'Dat is hetzelfde.'

'Wil je wat thee?'

'Wat voor soort thee?'

'Echte thee. De andere thee moet je zelf meenemen.'

Ze riep een serveerster en bestelde thee.

We zaten in de donkere tuin en geen van beiden zeiden we iets. Een pot thee kwam met twee kleine theekopjes en ik schonk in. Ik hou niet eens van thee.

We nipten een tijdje van de hete, smakeloze thee. Ik inhaleerde de stoom en mijn longen begonnen weer te werken.

Ik was uitgeput en zelfs Susan geeuwde, maar het was al te laat om ons nog zorgen te maken over een goede nachtrust, dus we bleven daar zitten en nipten van deze vreselijke thee. Na ongeveer tien minuten besefte ik dat dit heel aangenaam was.

Ten slotte zei Susan: 'Weet je wat me gelukkig zou maken?'

'Wat?'

'Als je morgen naar huis ging.'

Om de een of andere reden zei ik tegen haar: 'Het zou mij gelukkig maken als jíj naar huis ging.'

Dit was een enigszins intieme woordenwisseling tussen twee mensen die nog niet eens intiem waren geweest. Ik zei: 'Je moet hier weg voordat er iets met je gebeurt... Ik bedoel mentaal.' Ik hoorde mezelf zeggen: 'Jij maakt je zorgen om mij, maar ik maak me zorgen om jou.'

Ze staarde lange tijd naar de flakkerende kaars en ik zag tranen over haar gezicht biggelen, wat me verraste.

We waren allebei een beetje dronken, en dit moment was niet echt, of zelfs maar rationeel. Met dat in gedachten zei ik zacht: 'Toen ik hier was... deed een verhaal de ronde onder de soldaten... het verhaal van Gordons koninkrijk. Gordon was die vermeende kolonel van de Speciale Eenheden die het oerwoud in ging om een stam Montagnards over te halen tegen de VC te vechten, maar Gordon sloeg door, werd één met de plaatselijke bevolking en raakte verder volkomen de kluts kwijt... je kent het verhaal. Het was een variant op *Heart of Darkness* van Conrad, maar op de of andere manier werd het verhaal naar Vietnam vertaald... dit apocalyptische verhaal waar ze die film naar hebben gemaakt... maar apocalyptisch of niet, het was een waarschuwing... een angst die we allemaal hadden, dat we niet meer naar huis zouden willen gaan, dat we echt zo volkomen gestoord zouden raken dat we niet meer naar huis zouden kunnen... Susan?'

Ze knikte en liet haar tranen de vrije loop.

Ik gaf haar mijn zakdoek en we zaten daar naar de nachtelijke insecten en de gedempte geluiden van sexy Janis Joplin uit de bar te luisteren, onderbroken door 'Die Walküre'. Ik had niet het flauwste idee waarom ze huilde.

Ik hield haar hand vast en we bleven zo een tijdje zitten.

Ten slotte haalde ze diep adem en zei: 'Sorry.' Ze ging staan. 'Het is tijd om te gaan.'

We verlieten de Apocalypse Now en liepen naar de straat. We stapten in een taxi en ik zei tegen de chauffeur: 'Dong Khoi.'

Susan schudde haar hoofd. 'We moeten naar het Rex.' Ze zei iets tegen de chauffeur en hij reed weg.

Terwijl de taxi door de straten reed, zei Susan: 'Ik moet altijd huilen als ik te veel drink. Het gaat nu goed.'

Ik zei: 'Je zult wel Iers bloed hebben. Mijn hele familie en al mijn vrienden in Boston worden dronken, zingen 'Danny Boy' en huilen.'

Ze lachte en snoot haar neus in mijn zakdoek.

Binnen vijf minuten waren we bij mijn hotel. Susan en ik stapten uit en ze zei: 'Laten we die boodschap eens gaan bekijken en kijken of er nog iets anders is.'

'Laat maar. Ik bel je thuis als er nog nieuws is.'

'Laten we kijken.'

Dus we liepen het hotel in en gingen naar de balie. Ik kreeg mijn kamersleutel en een envelop. De boodschap erin, in nauwelijks leesbaar Engels, luidde: **U ontmoeten kolonel Mang in hoofdbureau immigratiepolitie, 0800, maandag. U brengt alle reisdocumenten en brengt reisroute.**

Het ging erop lijken dat ik mijn visum en paspoort terug zou krijgen in ruil voor een reisschema. Dat zou ik doen als ik kolonel Mang was. Ik had zijn nieuwsgierigheid gewekt en hem ook nijdig gemaakt. Hij wilde me daar hebben.

Susan keek naar de boodschap, werd toen weer zakelijk en zei: 'Ik zie je hier morgenochtend als je terugkomt van je afspraak. Ik stel voor dat je inpakt en uitcheckt voordat je naar kolonel Mang gaat, en laat dit hotel je bagage in de lobby bewaren. Misschien heb je niet zoveel tijd over. Ik zal tegen de tijd dat ik hier ben de tickets waarheen dan ook bij me hebben, of ik laat de tickets hier bezorgen. Ik ga met je mee naar de trein of het busstation, of waar je ook heen moet. In ieder geval zal ik hier om negen uur op je zitten wachten.'

'Als ik er om twaalf uur nog niet ben, wacht dan niet langer. Laat de tickets hier en neem contact op met mijn firma.'

Ze pakte haar mobieltje uit haar tas en gaf dat aan mij. Ze zei: 'Ik bel je morgenochtend vanuit mijn flat met een paar tips voor je afspraak, en ik vertrouw hoteltelefoons niet.'

Ik vroeg: 'Is de telefoon in je flat veilig?'

'Het is een andere mobiel. Ik heb een vaste aansluiting, maar die is alleen voor buiten de stad.' Ze voegde eraan toe: 'Bel me als je iets nodig hebt, of als er iets gebeurt.' Ze keek me aan en zei: 'Sorry dat ik je tot zo laat wakker heb gehouden.'

'Ik heb van mijn dag genoten. Dank je.'

Ze glimlachte en we gaven elkaar een vriendschappelijke omhelzing met een kus op de wang; zij draaide zich om en verliet het hotel.

Ik bleef nog een paar minuten in de lobby staan wachten. Ik denk om te kijken of ze terugkwam zoals ze had gedaan op het dak van het Rex. De deur ging open, maar het was slechts de portier die tegen me zei: 'Dame in taxi. Oké.'

Ik liep naar de liften.

15

Ik werd wakker voor het aanbreken van de dag en nam twee aspirines en een malariapil.

Ik besloot hetzelfde aan te trekken als wat ik droeg toen ik kolonel Mang voor het eerst ontmoette: kakibroek, blauw sportjasje en een blauw, conventioneel overhemd. Smerissen houden ervan verdachten steeds in dezelfde kleren te zien – het is een psychologisch iets, het heeft te maken met de negatieve reflexen van een smeris jegens mensen die steeds van uiterlijk veranderen. Deze kleding zou zich vastzetten in de kleine hersentjes van kolonel Mang en met een beetje geluk zouden we elkaar nooit meer zien.

Ik deed de sneeuwbol in mijn weekendtas om als bedankje aan Susan te geven. Terwijl ik een laatste keer door mijn kamer liep, ging Susans mobieltje in mijn zak over. Ik nam op en zei: 'Huize Weber.'

Ze lachte en zei: 'Goedemorgen. Heb je lekker geslapen?'

'Jawel, behalve tijdens de *chay long rong*-parade buiten mijn raam, en de walkuren die door mijn hoofd draafden.'

'Hier hetzelfde. Ik heb een beetje een kater.' Ze voegde eraan toen: 'Sorry, dat ik moest huilen.'

'Je hoeft je niet te verontschuldigen.'

Ze kwam ter zake. 'Oké, elke taxi weet waar het hoofdkwartier van de immigratiepolitie is. Het bevindt zich feitelijk in het ministerie van Openbare Veiligheid. Geef jezelf een kwartier door het spitsuur. Laat je taxi niet wachten – ze houden er niet van rond dat gebouw te blijven hangen.'

'Misschien biedt kolonel Mang me wel een ritje terug naar het Rex aan.'

'Hij zou dat eigenlijk wel kunnen doen als hij een soort kaartje naar Nha Trang wil zien. Maar hoogstwaarschijnlijk geeft hij je de opdracht je te melden bij de immigratiepolitie van Nha Trang.'

'Als hij mee terug wil naar het Rex, zorg dan dat je weg bent.'

'Laten we kijken wat er gebeurt.'

Ik vroeg haar: 'Ben je blij dat je hierin betrokken bent geraakt?'

'Het is beter dan naar mijn werk gaan. Oké, ik heb een e-mail van mijn reisagente, en ze is bezig met vervoer naar Nha Trang. Laat mijn mobieltje bij de balie achter en ik haal hem op als ik daar ben.'

'Goed.'

'Nu, wat betreft kolonel Mang. Probeer hem niet nijdig te maken. Vertel hem dat je de Cu Chi-tunnels hebt gezien en dat je een nieuw ontzag hebt gekregen voor de anti-imperialistische worsteling van het volk.'

'De kolere voor hem.'

'Goed, als je in het ministerie van Openbare Veiligheid bent, moet je naar Sectie C – dat is de immigratiepolitie. Blijf uit de buurt van A en B, want anders zien we je misschien nooit meer terug.' Ze grinnikte, maar ze maakte geen grapje.

Ze vervolgde: 'Je zult naar een wachtkamer verwezen worden, daarna word je geroepen, en niet bij naam. Het is willekeurig, maar in Vietnam gaan oudere mensen voor, dus jij wordt als eerste geroepen. Dan kom je in een ander vertrek, en de man daar vraagt wat je wilt. Hij is een etter. De meeste mensen komen daar, omdat ze zijn aangehouden met een verlopen visum, of ze willen een verlenging van hun visum, of hun werk- of verblijfsvergunningen. Allemaal klein spul.'

Dat verklaarde nog niet waarom me was gezegd daarheen te komen, maar ik wees haar er niet op.

Ze vervolgde: 'Jij hebt een afspraak, dus vraag de etter naar kolonel Mang. Het woord voor kolonel is *dai-ta*. Je vraagt naar *dai-ta* Mang. Geef de etter iets met je naam erop.'

'Ze hebben al alles met mijn naam erop.'

'Geef hun je rijbewijs of hotelrekening of zoiets. Ze horen voor hun werk buitenlandse talen te spreken, maar dat doen ze niet, en ze willen niet stom overkomen. Dus maak het hun gemakkelijk.'

'Ben jij daar geweest?'

'Drie keer toen ik hier net was. Toen zei iemand op mijn kantoor me niet meer te reageren op hun oproepen. Dat deed ik, en tegenwoordig komen ze om de paar maanden naar mijn kantoor of naar mijn flat.'

'Waarom?'

'Papierwerk, vragen en een tip. Ze noemen het een tip alsof ze me net een dienst hebben bewezen. Gewoonlijk kost het me ongeveer tien minuten en tien dollar om van ze af te komen. Maar biedt kolonel Mang geen geld aan. Hij is kolonel en misschien een zuiver en waarachtig partijlid. Je zou gearresteerd kunnen worden voor omkoperij, wat de grootste grap is in dit land, omdat je gewoonlijk wordt gearresteerd wegens niet omkopen.'

'Juist.'

'Maar als hij vráágt om geld, geef het dan. De huidige koers voor het vrijkopen van je paspoort en visum is vijftig dollar. Vraag niet om een reçu.'

Ik dacht hierover en over mijn gesprek met kolonel Mang op het vliegveld na, en ik was er tamelijk zeker van dat kolonel Mang niet op geld uit was.

Ze vervolgde: 'Sommigen van die kerels zijn gewoon voormalige, corrupte Zuid-Vietnamese politieagenten die het is gelukt onder de communisten op hun post te blijven zitten. Maar sommigen zijn noordelingen, opgeleid door de KGB en ze hebben nog steeds een KGB-manier van denken. Ook: hoe hoger de rang, hoe minder corrupt. Wees voorzichtig met kolonel Mang.'

'Prima.' En dat deed de vraag rijzen waarom ik dan wel het geluk had gehad kolonel Mang te ontmoeten.

Susan vroeg me: 'Zag hij er oud genoeg uit om in de oorlog gevochten te hebben?'

'Hij herinnert zich de oorlog heel goed.'

Ze zweeg een paar tellen en zei toen: 'Misschien kun je jullie gedeelde ervaringen in iets positiefs omzetten.'

'Ja, luister, ik ga niet daarheen om maatjes met die man te worden – ik wil gewoon mijn papieren terug en ik wil daar weg.'

'Maar je wilt niet dat hij je het land uitschopt.'

'Nee, en hij is niet van plan dat te doen. Ik ga vandaag niet naar huis – ik ga naar Nha Trang, of naar de gevangenis – dus wees er in beide gevallen op voorbereid mijn firma te faxen.'

'Ik begrijp het.'

'Nog iets?'

'Nee, dat is het zo'n beetje. Tot straks.'

'Goed... luister, Susan... als ik je straks niet zie... bedankt...'

'Tot straks, Dag.'

Ik hing op, zette het mobieltje uit en stak hem in de zak van mijn jasje.

Ik pakte mijn bagage en bracht die naar beneden, naar de lobby. Ik liep naar de balie en zag dat een van de receptionisten Lan was, dezelfde vrouw die me had ingecheckt. Ik gaf haar mijn kamersleutel en zei: 'Uitchecken.'

Ze speelde met haar computer en zei: 'O, ja, Mr. Brenner. Ik heb u ingecheckt.'

'Inderdaad.'

'Hebt u van uw verblijf genoten?'

'Zeker weten. Ik heb de Cu Chi-tunnels gezien.'

Lan trok een gezicht en gaf geen antwoord. Terwijl de rekening uit-geprint werd, vroeg ze me: 'Kunnen we u op enigerlei wijze helpen met uw reisplannen?'

'Jawel. Ik moet nu naar de immigratiepolitie om mijn paspoort op te halen. Dat weet u allemaal nog wel.'

Ze knikte, maar zei niets.

'Dus ik laat mijn bagage hier achter en met een beetje geluk – ba ba ba – ben ik snel terug om die op te halen.'

Weer knikte ze, gaf me vervolgens mijn rekening. Ze zei: 'Voor uw kamer is vooruitbetaald. Hoe wilt u de extra kosten regelen?'

Ik bekeek mijn rekening en kreeg het gevoel dat ik moest uitleggen dat ik niet gepijpt was in het fitnesscenter, ondanks de hoge kosten. Maar in plaats daarvan antwoordde ik: 'Ik regel het als ik terugkom met mijn paspoort en visum en mijn bagage kom halen.'

Lan dacht er een ogenblik over na en antwoordde: 'Zoals u wenst.'

Het leek me moeilijk om een viersterrenhotel te leiden in een totali-taire staat. Ik bedoel, je gasten verdwijnen zonder een spoor na te la-ten, de politie komt kamers doorzoeken en jaagt de kamermeisjes de stuipen op het lijf, en er zijn zoveel telefoontaps dat je geen eetreser-vering kunt maken zonder een smeris aan de lijn te krijgen.

Ik gaf Lan Susans mobieltje en zei: 'Een jongedame, een Ameri-kaanse, komt zo direct hierheen om deze op te halen. Zorg er alsje-blieft voor dat ze die krijgt.'

'Natuurlijk.'

Ik haalde de sneeuwbol uit mijn weekendtas en gaf die aan Lan. 'Geef deze ook alsjeblieft aan haar en zeg haar dat ik haar bedank.'

Lan bestudeerde de sneeuwbol, maar gaf geen commentaar. Voor een Vietnamese leek het misschien wel op een berg puin rond een deels verwoest huis.

Lan belde de piccolo die me twee bonnetjes gaf voor mijn bagage en daarvoor een dollar in ruil ontving. Lan zei tegen me: 'Dank u voor uw verblijf bij ons. De portier zal een taxi voor u roepen.'

Ik liep naar buiten naar de stoep en een taxi verscheen. Ik zei tegen de portier: 'Zeg de chauffeur dat ik naar het hoofdbureau van de poli-tie moet. Ministerie van Openbare Veiligheid. Biet?'

De portier aarzelde een hartslag, zei toen, terwijl ik instapte, iets te-gen de taxichauffeur.

We trokken op van de stoeprand en reden over Le Loi Street naar het westen.

We kwamen door een stadswijk die eruitzag alsof daar alle goedkope hotels en pensions van Saigon zaten, en tussen de goedkope logementen in waren de goedkope eethuisjes. De wijk was vol jongelui van alle rassen en kleuren met rugzakken, jongens en meisjes op een groots avontuur; een heel andere Vietnam-ervaring dan die van mij op die leeftijd, toen ik ook een rugzak droeg.

De taxi draaide een straat in die Nguyen Trai heette, en reed verder. Ik keek op mijn horloge. Het was vijf voor acht.

We gingen naar de kant en kwamen tot stilstand voor een gebouw van drie verdiepingen van smerig geel kalksteen, dat een eindje van de straat stond achter een muur. De chauffeur gebaarde naar het gebouw, ik betaalde hem en stapte uit. Hij scheurde weg.

Het bouwwerk was groot en leek deel uit te maken van een complex. Er stond een vlaggenstok aan de voorkant waaraan een rode vlag met een gele ster hing.

Er stonden twee gewapende wachtposten bij het open hek in de muur, maar ze hielden me niet aan toen ik doorliep. Ik denk dat niemand zal proberen in dit gebouw in te breken.

Ik stak het kleine voorterrein over en ging het gebouw binnen naar een kale hal.

Voor me zag ik een hoge, sierlijke houten lessenaar, die eruitzag als een rechterstoel, en heel westers leek, alsof hij was achtergelaten door de Fransen. Er zat een geüniformeerde man achter en ik zei tegen hem: 'Immigratiepolitie.'

Hij staarde me een tijdje aan, gaf me vervolgens een groen vierkant papiertje waarop de letter C stond. Hij wees voor mij naar links en zei: 'Rechtsaf.'

Dus ik liep verder, terwijl ik dacht: 'Ga direct naar de gevangenis. Ga niet langs Af.'

Ik liep door een brede gang met aan weerskanten kantoren, en door het raam van een open kantoor zag ik een groot omsloten binnenplein. Het ministerie van Openbare Veiligheid was duidelijk een grote en belangrijke instelling waar veel werk verzet werd. Ik twijfelde er niet aan dat het binnenplein onder de Fransen voor executies was gebruikt, en misschien tijdens de Zuid-Vietnamezen en de communisten ook.

Ik kwam langs twee geüniformeerde smerissen en een heleboel slecht geklede ambtenarentypes met diplomatenkoffertjes. Ze keken allemaal naar me, maar het kleine, groene pasje bracht me tot het einde van de gang bij een deur die met een C was gemarkeerd. Boven de deur hing een bord waarop stond: *Phong Quan Ly Nguoi Nuoc Ngoai*. Ik weet dat *Nuoc* water betekent en *Ngoai* buitenlands, volgens de nummerplaten van Susan – dus dit was of het ministerie dat buiten-lands water importeerde, of het was de plek waar buitenlanders van overzee zich moesten melden. Gokkend op het laatste liep ik de open deur binnen en kwam in een middelmatig grote wachtkamer. In het vertrek stonden ongeveer vijfentwintig plastic stoelen en verder niets. Er waren geen ramen, slechts jaloezieën bij het plafond en er waren geen ventilators. Ook waren er geen asbakken, gezien al de sigaretten-peuken op de tegelvloer.

Vier stoelen werden ingenomen door jonge trekkers, hun rugzakken op de vloer. Ze spraken met elkaar – drie jongens en een meisje. Ze ke-ken naar me op, gingen toen weer verder met hun gesprek.

Ik ging zitten. Op een muur was een grote poster met een condoom. Het condoom had een gezicht, twee voeten en twee armen, en het hield een zwaard en een schild vast. Aan het zwaard hing het woord *aids*, en over het condoom heen geschreven was het woord *ok*. De een of andere grappenmaker had op het condoom in het Engels *Vietna-mees Strijdbaar Vleespoppenspel – Volkstheater* geschreven.

Aan een andere muur hing een poster van een Vietnamese vrouw en een westerse man die elkaar omhelsden, en de woorden in het Engels luidden: *Aids kan je dood betekenen.*

Aan de muur tegenover me hing een poster van Ho Tsji Minh, om-geven door gelukkige boeren en arbeiders met ernaast een bordje waarop onder meer in het Engels stond *Geen grote verstoring veroor-zaken en niet met radio.* Deze raadselachtige boodschap werd in diver-se talen herhaald en ik hoopte dat minstens een ervan ergens op sloeg.

Er kwamen nog een paar mensen binnen, voornamelijk jonge men-sen, maar toen verscheen een Vietnamees stel van middelbare leeftijd en het leek me dat zij Viet-Kieus waren met een visumprobleem.

De jongeren spraken met elkaar in het Engels, en met uiteenlopende accenten, variërend van Amerikaans en Australisch tot diverse Euro-pees klinkende accenten. Ik hoorde het woord 'fuck' op zes verschil-lende manieren uitgesproken worden.

Van wat ik kon horen, probeerden de meeste jongeren een verlen-ging van hun visum te krijgen, maar enkelen van hen kwamen voor hun visum en paspoort die officieel gestolen waren door de politie. Geen van hen leek bijzonder bezorgd. Maar het Vietnamese stel keek bang, en ook geschokt, naar de jongeren die het niet waren. Interes-sant.

Het was tien over acht en ik besloot het nog tien minuten af te wach-ten voor ik niet met radio grote verstoring ging veroorzaken.

Een paar minuten later kwam een man in een kakiuniform het vertrek binnen en keek rond. Hij zag mij en gebaarde me met hem mee te gaan. Het is helemaal niet zo slecht om oud te zijn in een boeddhistisch land.

Ik volgde de man naar de gang, daarna een ander vertrek in, een kantoor aan de overkant van de gang.

Een geüniformeerde officier in kakiuniform met epauletten zat achter een bureau en rookte. Hij zei tegen me: 'Wie ben je? Waarom ben je hier?'

Dit moest de etter zijn. Ik keek hem in de ogen en zei in langzaam, eenvoudig Engels: 'Ik...' Ik tikte op mijn borst, 'hier om *dai-ta* Mang te spreken.' Ik tikte op mijn horloge. 'Afspraak,' en gaf hem vervolgens mijn hotelrekening. Ik wilde hem mijn rijbewijs niet geven, omdat deze grappenmakers al voldoende officiële identificatie van me hadden, en ik zag mezelf al op straat zonder identificatiepapieren, op mijn zakdoek met monogram na.

In ieder geval leek de man tevreden met de rekening die hij enige seconden bestudeerde. Vervolgens keek hij op een velletje papier en leek te proberen de namen met elkaar te vergelijken. Zijn askegel brak af en viel op mijn hotelrekening. Ik keek om me heen naar een brandblusser of een bordje met uitgang.

Ten slotte keek Etter op, zei iets tegen de man die me hierheen had gebracht, en wuifde met de hotelrekening alsof hij een ontevreden hotelgast was; de andere man pakte de rekening aan en gebaarde me hem te volgen. En wij klagen over onbeleefde ambtenaren.

Dus ik volgde deze man door de lange, rechte gang. Terwijl ik me afvroeg of ik mezelf wel duidelijk had gemaakt, of dat ze dachten dat ik een rekeningloper van het Rex was die op zoek was naar een uitvreter die Mang heette. Ik had me niet gerealiseerd hoe nuttig het was Susan bij me te hebben.

Hoe dan ook, deze man bleef staan voor een deur met het nummer 6 en klopte aan. De man opende de deur, maar gebaarde me te blijven waar ik was. Hij ging naar binnen, ik hoorde praten, toen kwam de man naar buiten en wees naar binnen.

Ik liep een klein raamloos vertrek in. Achter een houten tafel zat kolonel Mang, en op tafel waren mijn hotelrekening, een krant, zijn diplomatenkoffertje, een theepot en kopje en een asbak vol sigarettenpeuken. Dit was duidelijk niet zijn kantoor, dat zich, naar ik vermoedde, in Sectie A bevond; dit was een verhoorkamer.

Kolonel Mang zei: 'Zitten.'

Ik ging in een houten stoel tegenover hem zitten.

Kolonel Mang zag er net zo onaangenaam uit als ik me hem herinnerde van op het vliegveld. De smalle ogen, hoge jukbeenderen, strakke, dunne lippen en een gespannen huid deden hem eruitzien alsof hij zes facelifts had gehad. Zijn stem irriteerde me ook nog steeds.

Kolonel Mang deed alsof hij in de papieren op zijn bureau las, keek toen op en zei: 'Dus u hebt voor mij uw reisschema meegenomen.'

'Ja. En u hebt voor mij mijn paspoort bij u, en mijn visum, dat u uit het hotel hebt meegenomen.'

Kolonel Mang keek me lange tijd aan, zei toen: 'Uw reisschema.'

Ik antwoordde: 'Ik vertrek vandaag naar Nha Trang. Ik blijf daar vier of vijf dagen, en ga dan naar Hué.'

'Ja? En hoe reist u naar Nha Trang?'

'Ik heb een reisagent gevraagd vervoer voor me te regelen. Mijn kaartjes zullen in het Rex op me liggen wachten.'

'En u hebt geen kaartjes om me te laten zien?'

'Nee.'

'Dus misschien gaat u met de auto?

'Misschien.'

'Als dat het geval is, moet u via Vidotour, het officiële toeragentschap gaan. Dat is in Vietnam de enig toegestane manier van reizen per auto met chauffeur. U mag geen privé-auto met chauffeur huren.'

'Ik ben ervan overtuigd dat mijn reisagent dat weet.'

'Ze weten het. Maar ze volgen niet altijd deze procedure. Als u per auto reist, moet u boeken via Vidotour, en u moet het kantoor van Vidotour vertellen dit kantoor te bellen en de naam van uw chauffeur en het kenteken van uw auto door te geven.'

'Klinkt heel redelijk.' Het goede nieuws leek te zijn dat ik vrij was om naar Nha Trang te gaan. Het slechte was dat ik vrij was om naar Nha Trang te gaan.

Kolonel Mang vroeg me: 'Wie is deze reisagent?'

'Ik weet het niet.'

'Waarom weet u het niet?'

'Ik heb een Amerikaanse kennis in Ho Tsji Minh-stad gevraagd me te helpen.'

'Ja? En wie is deze Amerikaanse kennis?'

'Bill Stanley. Bank of America.'

Kolonel Mang aarzelde een ogenblik, maakte er vervolgens een aantekening van. Bill Stanley had nu iets gemeen met Sheila O'Connor die in een ander leven pastoor Brown had verraden. Soms moet je iemand verraden, maar verraad nooit een vriend. Als je kunt, kies je een corpsbal.

Kolonel Mang vroeg me: 'Hoe kent u deze man?'

'We zaten samen op Princeton. Universiteit.'

'Ah... en u zegt dat hij bij de Bank of America werkt?'

Om de een of andere reden kreeg ik hier een slecht gevoel door. Ik antwoordde: 'Ik meen dat hij dat zei.'

Kolonel Mang knikte en zei toen tegen me: 'Informeer uw reisagent dat hij of zij vanmorgen met dit kantoor moet bellen en naar mij moet vragen.'

'Waarom?'

'U stelt te veel vragen, Mr. Brenner.'

'Ú stelt te veel vragen, kolonel Mang.'

Dat maakte hem nijdig, maar hij bleef zijn kalmte bewaren. Hij keek me aan en zei: 'Door u blijven er vragen in mijn hoofd opkomen.'

'Ik vertel u de waarheid en ben uiterst behulpzaam.'

'Dat valt nog te bezien.'

Ik gaf geen antwoord.

Hij herhaalde: 'Vertel uw reisagent me te bellen. Waar verblijft u in Nha Trang?'

'Op dit moment heb ik geen reserveringen.'

'U moet een adres hebben.'

'Ik krijg een adres als ik daar ben.'

'Waarom wilt u naar Nha Trang?'

'Het is me aanbevolen als het beste strand van Zuidoost-Azië.'

Dat scheen die kleine keutel te bevallen en hij zei: 'Maar u bent niet dit hele eind gekomen om naar het strand te gaan.'

'Ik was daar in 1968.'

'Ah, ja, waar de soldaten heen gingen om uit te rusten.'

Ik gaf geen antwoord.

Ondertussen was de man de ene sigaret na de andere aan het roken en de lucht was dik van de rook, om maar te zwijgen van de vochtigheid en de geur van zweet die misschien wel van mij afkomstig was.

Kolonel Mang maakte weer een aantekening op een vel papier en zei tegen me: 'Als u in Nha Trang bent aangekomen, zult u zich moeten melden bij de immigratiepolitie en hun uw adres geven. Als u geen onderkomen vindt, zegt u het hun.' Hij keek me aan en zei: 'Zij zullen ervoor zorgen dat u een plaats om te overnachten krijgt.'

Ik dacht aan een cel, maar hij vervolgde: 'Ze hebben enige invloed bij de hotels.' Hij glimlachte.

'Daar twijfel ik niet aan. Dank u, kolonel Mang, voor uw medewerking, en ik zal u niet langer bezighouden.'

Hij schonk me een gemene blik en informeerde me: 'Ik hou u langer bezig, Mr. Brenner.' Hij nam een slokje van zijn thee en zei tegen me: 'Hoe stelt u zich voor van Nha Trang naar Hué te reizen?'

'Met alles wat er voorhanden is.'

'U moet de immigratiepolitie van Nha Trang vertellen met welk transportmiddel u gaat.'

'Kunnen zij me helpen met vervoer?'

Hij scheen mijn sarcasme niet op te merken en zei: 'Nee.' Hij keek me aan en stelde de grote vraag: 'U hebt vijf dagen tussen de tijd dat u uit uw hotel in Hué vertrekt en de tijd dat u zich dient in te checken in het Metropole in Hanoi. Wat bent u van plan te doen in die vijf dagen?'

Nou, ik moest op een geheime missie naar Tam Ki, maar ik wilde eigenlijk naar Washington om Karl zijn nek te breken.

'Mr. Brenner?'

'Ik reis langs de kust, per trein of bus, naar Hanoi.'

'De treinen rijden na zondag vier dagen lang niet. De bus is ongeschikt voor westerlingen.'

'Werkelijk? Nou, dan huur ik een auto met chauffeur. Via Vidotour natuurlijk.'

'Waarom wilt u over land reizen en niet per vliegtuig?'

'Het leek me leerzaam om onderweg naar Hanoi het voormalige Noord-Vietnam te zien.'

'Wat wilt u zien?'

'Hoe mensen wonen. Hun gebruiken en manier van leven.'

Hij dacht er een ogenblik over na, zei toen: 'Tien jaar hebben de mensen in het noorden geleden en zijn ze gestorven door Amerikaanse bommen, en door granaten van uw slagschepen. Ik beveel u de Vinh Moc-tunnels aan, waarin de mensen van die kustplaats zeven jaar hebben geleefd tijdens de Amerikaanse bombardementen. U zult merken dat die mensen niet zo vriendelijk tegen u doen als u wellicht hebt meegemaakt in de voormalige Amerikaanse marionettenstaat.'

Kolonel Mang zou een goede toergids voor Cong World zijn. Ik zei: 'Nou, goed, ik wil leren van die ervaring.'

Hij scheen hier over na te denken. Als ik kolonel Mang was, zou ik bij Paul Brenner niet aandringen op die ontbrekende reisroute van Hué naar Hanoi. Omdat als Paul Brenner iets van plan was, hij het hoogstwaarschijnlijk zou doen tijdens die dagen.

Mang keek me aan en zei: 'U bent vrij om van Hué naar het noorden, naar Hanoi, te reizen met elk wettig toegestaan en beschikbaar vervoermiddel.'

We maakten oogcontact. We wisten allebei dat we vol flauwekul zaten.

Kolonel Mang maakte nog een paar aantekeningen op zijn vel papier, en hoewel ik erin getraind ben ondersteboven te lezen, kan ik Vietnamees zelfs niet gewoon lezen. Kolonel Mang zei tegen me: 'En als u in Hué bent, brengt u een bezoek aan de plaatsen eromheen waar u gestationeerd bent geweest. Klopt dat?'

Ik antwoordde: 'Ik ben van plan een dag een uitstapje te maken naar de stad Quang Tri om mijn voormalige basiskamp te zien.'

'Nou,' zei kolonel Mang, 'u zult teleurgesteld zijn. Er bestaat geen stad Quang Tri meer. Slechts een dorp, en geen bewijs van vroegere Amerikaanse bases in de streek. Alles was volledig verwoest in 1972 door Amerikaanse bombardementen.'

Ik gaf geen antwoord.

Hij zei: 'U moet zich melden bij de immigratiepolitie in Hué.' Kolonel Mang leunde naar achteren, stak weer een sigaret op en staarde me door de rook heen aan. 'Dus hoe hebt u uw dagen in Ho Tsji Minh-stad doorgebracht?'

Omdat ik hem niet weer nijdig wilde maken met plaatsnamen zei ik: 'Ik heb veel uitstekende dingen gezien in Ho Tsji Minh-stad. Ik heb uw advies opgevolgd en ben naar het Museum van Amerikaanse Oorlogsmisdaden geweest.'

Hij scheen niet al te verrast, waardoor ik me afvroeg of ik niet gevolgd was.

Ik vervolgde: 'Ik heb foto's gezien van wat er is gebeurd met de Zuid-Vietnamese soldaten en de Montagnards uit de heuvels die hun wapens na de overgave niet hebben neergelegd. Ze hebben een hoge prijs betaald, maar ze hadden gewoon naar een heropvoedingskamp gestuurd moeten worden, zoals een paar miljoen andere mensen, en dan zouden ze er als veel gelukkigere en betere burgers van de Socialistische Republiek uit zijn gekomen .'

Kolonel Mang leek onzeker over mijn enthousiasme en ommekeer. Misschien legde ik het er te dik bovenop, maar er was geen reden om ermee op te houden. 'Die avond heb ik gegeten in het dakrestaurant van het Rex waar de Amerikaanse generaals aten terwijl hun troepen vochten en stierven in de rijstvelden en oerwouden.'

Ik maakte oogcontact met kolonel Mang. Als hij slim was, wist hij door mijn hotelrekening al waar ik die avond had gegeten, en ook dat ik niet alleen had gegeten, tenzij ik een grote eter was. Maar hij staarde me alleen maar aan.

Ik zei: 'Op zondag heb ik het voormalige presidentiële paleis gezien waar Diem en Thieu als keizers leefden, terwijl hun soldaten en het volk leden en stierven.'

Weer kon ik niet zeggen of hij het al wist. Ik besloot dat ik hem te veel krediet gaf voor de doelmatigheid van een politiestaat. Ik zei tegen Mang: 'Ik ben heel erg onder de indruk geraakt van alles wat ik heb gezien en geleerd.' Ik overdreef een beetje, als een gevangene in een heropvoedingskamp die ernaar uitzag daar weg te komen.

Kolonel Mang luisterde, terwijl ik vertelde van mijn vele momenten van inzicht en hij knikte. Hij scheen het te geloven. Als ik die Ho Tsji Minh-sandalen had gekocht, zou ik nu mijn voeten op zijn bureau hebben gelegd, maar ik leek het al goed te doen zonder die rekwisieten.

Ik zei: 'Zondag ben ik naar de Cu Chi-tunnels geweest.'

Hij boog zich naar voren. 'Ja? Bent u naar de Cu Chi-tunnels gegaan?'

Kolonel Mang besefte dat hij echte verrassing had getoond in plaats van ondoorgrondelijkheid. Hij vroeg: 'Hoe bent u naar Cu Chi gegaan?'

'Per toerbus. Het was absoluut verbazingwekkend. Tweehonderd kilometer tunnel, uitgegraven onder de neuzen van het Zuid-Vietnamese en Amerikaanse leger. Hoe hebben ze in 's hemelsnaam al die aarde weggewerkt?'

Kolonel Mang beantwoordde mijn retorische vraag. 'De aarde is door duizenden loyale boeren in rivieren en bomkraters gegooid, steeds een kilo. Als mensen samenwerken, is alles mogelijk.'

'Ik begrijp het. Nou, het was allemaal heel leerzaam en het heeft zeker mijn gedachten over de oorlog veranderd.' Dus nu hier als de sodemieter weg.

Kolonel Mang zweeg enige tijd en vroeg toen: 'Waarom reist u alleen?'

'Waarom? Omdat ik niemand heb kunnen vinden die met me mee wilde.'

'Waarom hebt u zich niet aangesloten bij een groep veteranen? Hele groepen mannen met dezelfde ervaringen zijn teruggekomen met een georganiseerde reis.'

'Daar heb ik over gehoord, maar ik wilde hier tijdens Tet komen en ik besloot pas op het allerlaatste moment om te gaan.'

Hij keek weer op mijn visum en zei: 'De datum hierop is van tien dagen geleden.'

'Precies. Een beslissing van het allerlaatste moment.'

'Amerikanen plannen meestal maanden van te voren.'

Het was duidelijk dat dit de man van de paspoorten het eerst was opgevallen. Karl had een trap tegen zijn ballen te goed. Ik zei: 'Ik ben gepensioneerd. Ik ga daar waar ik heen wil en wanneer ik dat wil.'

'Ja? En toch is uw paspoort al van jaren geleden en er staan geen visumstempels op de pagina's en geen stempels van aankomst en vertrek.'

'Ik reis door Amerika en Canada.'

'Ik begrijp het. Dus dit is uw eerste reis overzee?'

'Sinds ik dit paspoort heb.'

'Ah.'

Kolonel Mang schonk me een blik die suggereerde dat hij enigszins uit het veld was geslagen door de onsamenhangendheid van mijn antwoorden. Hij veranderde van onderwerp en vroeg me: 'Bent u getrouwd?'

Ik antwoordde: 'Dat is een persoonlijke vraag, kolonel Mang.'

'Er bestaan geen persoonlijke vragen.'

'Wel waar ik vandaan kom.'

'Ja? En u kunt weigeren op de vraag van een politieman te antwoorden?'

'Precies.'

'En wat gebeurt er als u weigert te antwoorden?'

'Niets.'

Hij zei tegen me: 'Ik heb erover gehoord, maar ik geloof er niets van.'

Ik antwoordde: 'Nou, ga naar de Verenigde Staten en laat u arresteren.'

Hij vond het niet leuk. Hij speelde wat met de papieren op zijn bureau en ik zag mijn paspoort niet. 'U hebt een heleboel prostituees gezien in Ho Tsji Minh-stad. Klopt dat?'

'Misschien wel.'

'Zij bedienen de buitenlanders. Vietnamese mannen gaan niet naar prostituees. Prostitutie is niet toegestaan in Vietnam. U hebt karaokebars en massagesalons gezien. U hebt drugsverkopers gezien en u hebt een heleboel door het Westen in Ho Tsji Minh-stad binnengebrachte decadentie gezien. U denkt dat de politie zijn gezag is kwijtgeraakt, dat de revolutie gecorrumpeerd is. Klopt dat?'

'Dat klopt.'

Hij informeerde me: 'Er bestaan twee steden op hetzelfde moment en op dezelfde plaats. Saigon en Ho Tsji Minh-stad. We laten Saigon bestaan, omdat het ons op het moment uitkomt. Maar op een dag zal Saigon er niet meer zijn.'

'Kolonel, ik denk dat de buitenlandse kapitalisten het niet met u eens zullen zijn.'

'Misschien. Maar ook zij zijn hier zo lang wij dat willen. Als het zover is, schudden we hen van ons af zoals een hond dat met zijn vlooien doet.'

'Wees daar niet zo zeker van.'

Het beviel hem helemaal niet en hij staarde me lange tijd aan. Hij veranderde van onderwerp en zei: 'Tijdens het reizen, Mr. Brenner, kunt u de verwoestingen zien die uw militairen hebben aangericht en die nog steeds niet hersteld zijn.'

Ik zei: 'Volgens mij zijn de verwoestingen door beide kanten veroorzaakt. Ze noemen het oorlog.'

'Geef me geen preek, Mr. Brenner.'

'Beledig mijn intelligentie niet, kolonel Mang. Ik weet hoe oorlog eruitziet.'

Hij negeerde dat en vervolgde zijn preek. 'Nu zult u een land in vrede zien, voor het eerst in honderd jaar geregeerd door het Vietnamese volk.'

Arme kolonel Mang. Hij was een echte patriot en hij probeerde de mannen in Hanoi te begrijpen die het land aan het verkopen waren aan Coca-Cola, Sony en Credit Lyonnaise. Dit moest echt een bittere pil voor deze oud-soldaat zijn, die zijn jeugd en zijn familie had gegeven in ruil voor een doel. Zoals de meeste soldaten, ik inbegrepen, begreep hij niet hoe politici konden weggeven wat in bloed was gekocht. Ik voelde bijna met de man mee en wilde zeggen: 'Hé, makker, we zijn allemaal verneukt – jij, ik, en de dode mannen die we gekend hebben; we zijn allemaal te grazen genomen. Maar zet je erover heen. De nieuwe wereldorde is aangebroken.' In plaats daarvan zei ik tegen hem: 'Ik zie er heel erg naar uit het nieuwe Vietnam te zien.'

'Ja? En als u uw oude slagvelden bezoekt, wat voelt u dan?'

Ik antwoordde: 'Ik was kok. Maar als ik soldaat te velde was geweest, heb ik geen idee wat ik zou voelen als ik op een slagveld stond.'

Hij knikte. Na een paar seconden zei hij tegen me: 'Als u in Hanoi aankomt, zult u zich weer moeten melden bij de immigratiepolitie.'

'Waarom? Ik vertrek de daaropvolgende dag.'

'Misschien. Misschien niet.'

Ik boog me naar kolonel Mang toe en zei: 'Mijn eerste halte in Hanoi zal de Amerikaanse ambassade zijn.'

'Ja? En met welk doel?'

'Daar zult u zelf achter moeten komen.'

Kolonel Mang dacht erover na en zei tegen me: 'Hebt u contact gehad met uw consulaat hier?'

Ik antwoordde: 'Via mijn kennis hier heb ik mijn aanwezigheid in

Ho Tsji Minh-stad, mijn probleem op het vliegveld, het paspoort dat me is afgenomen en mijn datum van aankomst in Hanoi laten registreren.' Ik voegde eraan toe: 'Mijn kennis hier heeft al, of zal het doen, contact opgenomen met de Amerikaanse ambassade in Hanoi.'

Kolonel Mang gaf geen antwoord.

Het onderwerp van de Amerikaanse ambassade beviel me, dus ik zei: 'Volgens mij is het heel goed dat Washington en Hanoi de diplomatieke betrekkingen hebben hersteld.'

'O ja? Ik vind van niet.'

'Nou, ik wel. Het wordt tijd het verleden te begraven.'

'We hebben zelfs nog niet alle doden begraven, Mr. Brenner.'

Ik wilde hem vertellen dat ik wist dat de communisten met bulldozers de begraafplaatsen van de Zuid-Vietnamese soldaten hadden aangepakt, maar ik was al lastig genoeg. Ik zei: 'Als Amerika hier geen diplomaten zou hebben, tot wie zou ik me dan moeten wenden om me te beklagen over uw gedrag?'

Hij glimlachte zelfs, liet me toen weten: 'Het beviel me veel beter hoe het direct na 1975 was.'

'Dat geloof ik graag. Maar het is een nieuwe wereld, en een nieuw jaar.'

Hij negeerde dit en vroeg me: 'Hebt u uw kennis uw reisschema gegeven, Mr. Brenner?'

'Jawel.'

Hij glimlachte. 'Goed. Dus als u onderweg iets mocht overkomen en als niemand in Nha Trang of Hué of in het Metropole in Hanoi van u hoort, kunnen uw ambassade en de politie samen een onderzoek doen.'

Ik zei: 'Ik ben niet van plan mij iets te laten overkomen, maar als dat wel gebeurt, zal mijn ambassade weten waar ze hun onderzoek moeten beginnen.'

Kolonel Mang scheen te genieten van deze subtiele uitwisseling van dreigementen. Ik denk dat hij me op een bepaald niveau wel waardeerde. Ook begon hij op dit moment te vermoeden dat hij en ik in dezelfde bedrijfstak zaten. En ik was er tamelijk zeker van dat kolonel Mang een paar rangen hoger stond dan officier van de immigratiepolitie; hij had dit sjofele kantoortje in Sectie C, vol rugzaktoeristen en condoomposters, geleend. Het echte thuis van kolonel Mang was in Sectie A of misschien B. Sectie C stelde de verdachte op zijn gemak en haalde zijn wantrouwen weg. En wat betreft mijn informeren van de ambassade, of van Karl, ze maakten zich niet zo'n zorgen om de immigratiepolitie als ze zouden hebben gedaan om de veiligheidspolitie of de nationale politie.

Ook, dacht ik, was hier sprake van enige ironie en symmetrie – ik was geen voormalig kok of toerist en kolonel Mang was geen immigratieagent. En geen van beiden zouden we genomineerd worden voor een Oscar voor de beste acteur.

Ik zei: 'Kolonel, ik moet terug naar het Rex Hotel, anders mis ik mijn vervoer. Dank u voor uw tijd en advies.'

Hij deed alsof hij me niet hoorde en keek naar mijn hotelrekening. Hij zei: 'Een heel duur etentje. Hebt u alleen gegeten?'

'Nee.'

Hij stelde geen verdere vragen en vroeg niet om geld. Hij pakte een velletje goedkoop papier en schreef er iets op, pakte daarna een rubberstempel van het bureau en drukte dat op het papier. Kolonel Mang zei: 'Dit moet u laten zien aan de immigratiepolitie waar u zich meldt.' Hij gaf mij het gestempelde papier, mijn hotelrekening, mijn paspoort, mijn visum en weer een vierkant stukje papier met een C erop, hoewel dit geel was. 'U brengt dit pasje direct naar de balie waar u het gebouw bent binnengekomen en geeft het aan de man daar.' Hij glimlachte en voegde eraan toe: 'Verlies dit pasje niet, Mr. Brenner, want anders komt u dit gebouw niet meer uit.'

Kolonel Mang had een beetje gevoel voor humor; verwrongen, maar hij probeerde het tenminste. Ik stond op en zei: 'Dit was een interessant bezoek, maar ik wil niet langer blijven dan ik welkom ben.'

Hij negeerde dit en meldde me: 'Als u afwijkt van uw reisplan, breng dan de dichtstbijzijnde immigratiepolitie op de hoogte. Goedendag.'

Ik zei tegen hem: 'En bedankt dat u mijn souvenir naar mijn kamer hebt teruggebracht.'

'Dat is alles, Mr. Brenner.'

Ik kon me niet inhouden en zei: '*Chuc Mung Nam Moi.*'

'Ga weg voordat ik van gedachten verander.'

Nou dat wilden we niet, dus ik vertrok.

Buiten, op de gang, was er niemand om mij te escorteren, dus ik liep alleen de gang door.

Ik bereikte de lessenaar voorin en gaf de man mijn gele pasje, en hij wees naar de voordeur en zei: 'Ga.'

Ik liep naar de voordeuren. Het ministerie van Openbare Veiligheid was een soort slechte imitatie van Orwells ministerie van Liefde, maar in dit gebouw hing een tastbare aanwezigheid van politiemacht, een gevoel van een opeenstapeling van tientallen jaren angst, intimidatie, ondervraging, bloed, zweet en tranen.

Ik verliet het gebouw en liep het zonlicht in. Zoals Susan had gezegd, stonden er geen taxi's te wachten, en ik liep een straat verder voordat een taxi naast me stilhield. Ik stapte in en zei: 'Rex Hotel.'

Weg waren we. Ik wierp een blik op het briefje dat kolonel Mang me had gegeven. Het was een lange zin in het Vietnamees, en buiten het woord *Paul Brenner*, herkende ik ook het woord *My* – Amerikaan. Kolonel Mang had het briefje ondertekend met zijn volledige naam: Nguyen Qui Mang, gevolgd door zijn rang, *dai-ta*. Die Nguyens zaten overal. Hoe dan ook, het stempel op het briefje was een rode ster met een paar woorden, waaronder *phong quan ly nguoi nuoc ngoai*. Ik deed het briefje in mijn zak, en was behoorlijk pissig dat ik met een briefje van de politie moest rondlopen.

Het was een paar minuten over negenen en binnen tien minuten was ik terug in het Rex.

Ik liep de lobby in en zag daar Susan Weber in een stoel zitten, met haar gezicht naar de deur, gekleed in een marineblauwe broek, wandelschoenen en een bruinkatoenen hemd met opgerolde mouwen. Ze zag me, stond op en kwam snel op me af, alsof we geliefden waren die een afspraakje met elkaar hadden.

We wilden geen van tweeën theatraal doen, dus we pakten elkaar slechts bij de hand, zonder omhelzingen en dikke zoenen. Ze zei: 'Hoe is het gegaan?'

'Prima. Ik ben vrij om overal naartoe te gaan. Hoe is het met je kaartjes?'

'Ik heb een plaats voor je gereserveerd in een trein naar Nha Trang.'

'Fantastisch. Je bent geweldig.'

'Maar de kaartjes zijn nog niet hier en hij vertrekt om kwart over tien.'

'Hoe ver is het station?'

'Ongeveer twintig minuten op deze tijd van de dag. Dus wat zei kolonel Mang?'

'Ik ben heropgevoed.'

Ze glimlachte. 'Heb je je slimme opmerkingen voor je gehouden?'

'Ik heb het geprobeerd. Hij zei dat de prostituees, de drugs, de karaokebars en jij snel verleden tijd zullen zijn.' Ik voegde eraan toe: 'Hij heeft je natuurlijk niet bij naam genoemd.'

'Weet je, het hoeft niet of het een of het ander te zijn.'

'Wel als je kolonel Mang bent. Hij heeft een ernstig probleem met die dubbele gedachte in zijn hoofd, en ik ben bang dat hij een zenuwinstorting kan krijgen. Ondertussen, wanneer komt mijn kaartje?'

'Elk moment. En dank je voor die sneeuwbol. Is die voor mij?'

'Ja. Het is niet zoveel, maar je hebt niet zoveel nodig.'

'Het gaat om het gebaar.'

'Precies,' zei ik. 'Ik moet mijn rekening hier regelen...'

'Dat is gebeurd.'

'Dat was niet nodig.'

'Het had gekund, en nu heb je de tijd om mij te vertellen over de massagerekening van twintig dollar.'

'Dat heb ik je al gezegd. Ik heb te veel fooi gegeven.' We lieten het verder rusten en ik zei: 'Kolonel Mang wil dat jouw reisagente hem *tout de suite* belt en hem op de hoogte brengt.' Ik voegde eraan toe: 'Het spijt me als dat een probleem is. Hij stond erop.'

'Dat geeft niet. Vidotour meldt alles, maar de privé-reisagentschappen doen dat niet, tenzij dat hun speciaal is gezegd. Ik zal haar bellen.'

'Heeft Bill dezelfde reisagent?'

'Soms. Waarom?'

'Omdat hij degene was die voor mij de reisagent heeft gebeld. Ik wilde jouw naam niet gebruiken.'

'O... nou... het geeft niet. Ik zal hem bellen en het in orde maken.'

'Vertel hem dat ik blij ben dat hij me Saigon uit heeft gekregen. Dat zal hem gelukkig maken.'

Ze gaf daar geen antwoord op en zei: 'Heeft kolonel Mang je een soort briefje gegeven, of een geschreven iets?'

Ik liet haar mijn briefje van kolonel Mang zien en vroeg: 'Wat staat er?'

Ze keek ernaar en gaf het me terug. 'Er staat: "Registreer adres van Paul Brenner, Amerikaan, en zijn aankomst en vertrek, en middelen van vervoer naar en van uw locatie."'

Ik knikte. Wat er niet in het briefje stond, was: 'Meldt dit bij de veiligheidspolitie', maar dat lag erin besloten.

Susan zei: 'Het was vroeger gewoon dat westerlingen zich lieten inschrijven bij de immigratiepolitie. Je moest naast je paspoort en visum een reisvergunning hebben. De afgelopen paar jaar is het reizen aan minder beperkingen onderhevig geworden.'

'Niet voor mij.'

'Blijkbaar niet. Laat me een paar telefoontjes plegen.' Ze voegde eraan toe: 'Misschien komt iemand iets aan de weet over kolonel Nguyen Qui Mang.'

Ze liep naar de deur waar het signaal beter zou zijn en pleegde een paar telefoontjes. Ik vind het vreselijk andere mensen dingen voor me te laten opknappen, en privé doe ik dat nooit, maar als ik op een opdracht zit, is Regel Een dat de missie vooropstaat, vervolgens als Regel Twee komt Paul Brenner en iedereen verder als laatste. Dat gold niet voor Susan natuurlijk, en waarschijnlijk zou dat ook niet voor Bill

Stanley hebben gegolden. Maar het was trouwens niet zo erg, hoewel ik had gemerkt dat Susan een beetje bezorgd had gekeken, of misschien geïrriteerd.

Susan keerde terug van haar telefoontjes en zei: 'Het is allemaal rechtgezet.'

'En is Bill blij dat ik zijn naam aan kolonel Mang heb gegeven?'

Ze zei: 'Je had mijn naam kunnen gebruiken.'

'Nee, dat kon ik niet. Ik wil niet dat kolonel Mang jou ondervraagt en inconsequenties in mijn gesprek met hem vindt.'

'Ik dacht dat je het uit ridderlijkheid had gedaan.'

'Spel dat eens.'

Ik zag een jongen van ongeveer twaalf de deur binnenkomen. Susan liep naar hem toe en zei iets. Hij gaf haar een envelop, zij gaf hem een fooi en zei toen iets tegen mijn vriendin, Lan, en gebaarde me naar de deur.

Alles ging snel, en Susan en ik liepen de stoep op. Ze zei: 'Dat is mijn taxi, en je bagage zit in de kofferbak. Laten we gaan.'

We stapten in de auto, Susan sprak tegen de chauffeur en we vertrokken.

Ik zei tegen haar: 'Je hoeft niet mee naar het station...'

'Het gaat veel sneller als ik bij je ben, tenzij je de afgelopen paar uur hebt heb leren lezen en schrijven in het Vietnamees.'

'Goed. Bedankt. Geef mij het kaartje maar.'

'Ik hou het bij me. Ik moet het op het station laten zien. Je hebt geen zitplaats, maar ik heb een rijtuignummer voor je. Het is tweedeklas en zal vol zitten met Vietnamezen, van wie iedereen voor vijf dollar zijn plaats opgeeft en gaat staan. Dat kun je niet in de eerste klas, omdat daar voornamelijk westerlingen zitten, die je zullen zeggen op te lazeren. Oké?'

Ik zei tegen Susan: 'Als je terug bent op kantoor, wil ik dat je mijn firma faxt of mailt en hun vertelt dat ik op weg ben naar Nha Trang. Zeg hun dat kolonel Mang wil dat ik me meld bij de immigratiepolitie daar, maar dat ik niet denk dat de missie gevaar loopt, hoewel ik gevolgd kan worden. Goed?'

Ze zweeg een tijdje en zei toen: 'Ik dacht dat ze op hete kolen zaten wat betreft de uitkomst van je gesprek, dus ik heb het consulaat gebeld toen ik die andere telefoontjes pleegde. Ik heb het kort gehouden, voor het geval er afgeluisterd werd. Ik kreeg de man te pakken die hiervan weet. Volgens mij was het de hier gestationeerde CIA-man. Ik heb alleen maar gezegd: "Hij mag reizen. Telegrafeer zijn firma." Goed?'

Ik dacht erover na en zei: 'Goed. Maar jij mailt of faxt hun als je op kantoor bent.'

'Doe ik.'

Het station lag noordelijk van het centrum en binnen een kwartier kwamen we tot stilstand bij de ingang te midden van tientallen taxi's, bussen en massa's mensen.

Susan gaf de chauffeur een briefje van vijf en we stapten uit de auto terwijl hij het kofferdeksel liet openspringen. Ik haalde mijn bagage uit de kofferbak en zag daar een gele rugzak. Susan pakte hem eruit en sloeg het deksel dicht, deed vervolgens de rugzak om. Ze zei: 'Goed, we gaan.'

'Eh... wacht even.'

'Kom op, Paul. We missen de trein.'

We? Ik volgde haar het station in, terwijl ik mijn koffer door de grote centrale hal meetrok. Susan keek op het bord met aankomst- en vertrektijden en zei: 'Spoor vijf. Dat is deze kant op. Kom mee.'

We haastten ons door de hal vol reizigers, en ik zei: 'We kunnen hier afscheid nemen.'

Ze zei: 'Ik heb een hekel aan afscheid nemen.'

'Susan...'

'Ik voel me verantwoordelijk om jou naar Nha Trang te krijgen. Daarna ben je alleen. Goed?'

Ik gaf geen antwoord.

We bereikten het spoor en Susan liet de vrouw aan de ingang de twee kaartjes zien. Ze wisselden een paar woorden, Susan gaf haar een dollar en de vrouw gebaarde ons verder.

We haastten ons over het perron en Susan zei: 'Wagon negen. Dat is helemaal aan het einde natuurlijk.'

Mijn horloge gaf twaalf minuten over tien aan en de conducteur riep in het Vietnamees iedereen in te stappen, wat leuk had kunnen zijn als ik in een betere stemming was geweest.

We bereikten wagon negen en ik tilde mijn koffer naar binnen, sprong er achteraan en trok Susan achter me omhoog. We bleven op het balkon staan en ik was aan het snuiven, blazen en zweten.

De conducteur gaf de laatste schreeuw, de deuren gingen dicht en de trein kwam in beweging. We stonden daar en keken elkaar aan terwijl de trein snelheid begon te meerderen en uit het station wegreed.

Ik vroeg: 'Hoeveel krijg je van me voor het kaartje?'

Ze glimlachte. 'Dat regelen we later.'

Ik zei: 'Ik heb dit echt niet voorzien.'

'Natuurlijk wel. Jij bent een spion. Je zag dat ik niet gekleed was voor het kantoor. Ik hield de kaartjes bij me. Ik heb het consulaat al gebeld. Ik heb niet meer gezegd dat ik met je mee wilde gaan. Ik ging ge-

woon mee naar het station. Ik had je bagage al in de kofferbak van de
taxi – samen met mijn rugzak. Dus wat was je eerste aanwijzing?'

'Alles wat je net hebt opgenoemd, denk ik.'

'Dus doe niet langer verrast.'

'Juist.'

'Wil je dat ik meega?'

'Ja.'

'Goed. Ik blijf maar een paar dagen in Nha Trang, en dan ga ik terug
naar Saigon.'

'Heb je al een hotel?'

'Nee. We zullen het hotel zoeken waar je tijdens je verlof logeerde –
als dat er nog is.'

Ik keek door het raam van de deur naar het compartiment en zag dat
het rijtuig stampvol zat met mensen, bagage, kratten en zo'n beetje alles, behalve boerderijdieren. 'We kunnen misschien beter blijven
staan.'

Ze zei: 'Het is vijf of zes uur naar Nha Trang. We kopen twee zitplaatsen.'

De trein kwam door de noordelijke buitenwijken van Saigon en ik
zag een straaljager, een door de Russen gebouwde MiG, aan komen
vliegen om te landen op wat vroeger Bien Hoa Airbase moet zijn geweest, mijn vroegere thuis ver weg van huis.

Een conducteur verscheen op het kleine balkon en Susan en hij
spraken. Ze telde twaalf briefjes van een dollar uit en hij vertrok. Ze
zei tegen mij: 'Hij regelt het. Het verschil is voor hem.'

De spoorrails draaiden nu naar het oosten, naar de kust, en de laatste
bebouwing van Saigon rolde met de trein mee. Ik zag huizen die nauwelijks meer dan krotten waren, en ik herinnerde me die uit 1972 toen
bijna een miljoen vluchtelingen van het platteland bij elkaar waren ge-
kropen in de betrekkelijke veiligheid van Saigon.

Susan zei tegen me: 'Ik vind het strand echt heerlijk. Heb jij een
zwembroek?'

'Ja. Zwemkleding in je bagage zien er toeristisch uit voor over-
heidsspeurders die je bagage doorploegen.'

'Jullie spionnen zijn echt slim.'

'Ik ben geen spion.'

'Dat is zo.' Ze glimlachte. 'Ik heb weinig ingepakt, zoals je kunt
zien. Gewoon voor een paar dagen. Ik heb mijn badpak meegenomen.
Het strand moet er fantastisch zijn.'

'Is het strand topless?'

Ze glimlachte. 'Dat kun je net denken. Nee, dat kun je hier niet maken. Ze worden gek. Maar in Vung Tau zijn afgescheiden delen waar de Fransen vroeger naakt zwommen en in de zon lagen. Maar als je gepakt wordt door de plaatselijke politie, heb je een probleem.'

'Ben jij ooit gepakt?'

'Ik heb nooit topless of naakt gezwommen. Ik zou het heerlijk vinden, maar ik woon hier, dus ik kan niet doen alsof ik het niet weet.' Ze vroeg: 'Dus jij had verlof in Nha Trang?'

'Ja. Mei achtenzestig. Het weer was goed.'

'Ik dacht dat je het land uitging voor verlof.'

'Er waren drie dagen verlof in het land beschikbaar voor mensen die iets hadden gedaan om het te verdienen.'

'Ik begrijp het. En wat heb jij gedaan om verlof in het land te verdienen?'

'Ik heb een nieuw recept voor chili bedacht.'

Ze gaf een paar seconden geen antwoord, zei toen: 'Ik hoop dat je je over een paar dagen relaxt genoeg voelt om me over je ervaringen hier te vertellen.'

Ik antwoordde: 'En misschien vertel jij me waarom je hier bent en waarom je blijft.'

Ze gaf geen antwoord.

De trein denderde voort, naar het oosten, over de rivier de Saigon, door een landschap van rijstvelden en dorpen.

Ik keek naar Susan en zag dat zij naar mij keek. We glimlachten allebei. Ze zei: 'Wat zou je gedaan hebben zonder mij?'

Ik antwoordde: 'Ik weet het niet, maar daar kom ik wel achter als je weer naar Saigon terug bent.'

Ze zei: 'Na drie dagen met mij ben je reisklaar.'

'Na drie dagen met jou zal ik drie dagen verlof nodig hebben.'

Ze glimlachte. 'Je houdt je kranig voor zo'n oude baas. Kun je zwemmen?'

'Als een vis.'

'Wandelen?

'Als een berggeit.'

'Dansen?'

'Als John Travolta.'

'Snurken?'

Ik glimlachte.

Ze zei: 'Sorry. Ik plaag je alleen maar.'

De trein denderde voort, weg van Saigon, weg van het nieuwe Ho Tsji Minh-stad, naar het noorden, naar Nha Trang, en terug naar mei 1968.

DEEL DRIE

Nha Trang

16

De conducteur bracht ons door het overvolle rijtuig naar plaatsen die waren vrijgemaakt door twee jonge Vietnamese jongens. Ik wierp mijn koffer in het bagagerek boven mijn hoofd en ging zitten met mijn weekendtas onder mijn zitplaats gepropt. Susan ging naast me zitten bij het gangpad en drukte haar rugzak onder haar benen.

De zitting was van hout en er was voldoende beenruimte voor iemand zonder benen. De breedte was voor ons allebei goed, maar op bijna alle andere banken zaten drie mensen, plus baby's en kinderen op schoot.

Wij zaten rechts, dus waar we naar het noorden reden, hadden we uitzicht op de Zuid-Chinese Zee. Er was geen airconditioning, maar er stonden een paar ramen open, en kleine ventilators in de hoeken hielden de sigarettenrook circulerend.

Ik zei: 'Misschien hadden we een auto met chauffeur moeten nemen.'

'Highway One kan een probleem geven. Bovendien is dit een goede ervaring voor jou.'

'Bedankt dat je geïnteresseerd bent in mijn karaktervorming.'

'Heel graag gedaan.'

Ik vroeg haar: 'Wat is er hier fascinerend voor al die jonge rugzaktoeristen?'

'Nou, Vietnam is goedkoop. Daarnaast heb je seks en drugs. Dat is nogal fascinerend.'

'Inderdaad.'

'Jongeren communiceren met elkaar via e-mail, en dit is een heel populair land geworden.'

'Het was heel populair toen ik hier was.' Ik voegde eraan toe: 'Het lijkt alleen een beetje ongerijmd dat een totalitair land zo aantrekkelijk is geworden voor jonge toeristen.'

'Ze denken anders dan jij. Voor de helft weten ze niet dat dit land

wordt geleid door communisten, en de andere helft kan het niet schelen. Jóu kan het schelen. Dat is jouw generatie. Dit was jouw grote
boeman. Deze jongeren zijn bezig met wereldvrede via dope. Internationaal begrip via seks.'

'En jouw generatie? Wat is jouw grote winst van Vietnam?'

'Geld.'

'Heb je nooit het gevoel gehad dat er iets ontbreekt in je leven?
Zoiets als geloven in dingen of om te leven voor iets anders dan jezelf?'

'Dat klinkt als een antagonistische vraag, hoewel ik er misschien
meer over na moet denken.' Ze voegde eraan toe: 'We leven in in een
ongelooflijk saaie tijd. Ik denk dat ik graag student was geweest in de
jaren zestig. Maar dat was niet zo. Dus een heleboel van deze leegte en
oppervlakkigheid is niet mijn schuld, of de schuld van mijn generatie.'

'Maakt de tijd de generatie, of maakt de generatie de tijd?'

'Ik heb een kater. Kunnen we niet gewoon wat babbelen?'

We babbelden over het landschap.

Een wolk sigarettenrook hing in de warme, vochtige lucht en de
rails voelden alsof ze uit elkaar waren getrokken door de Vietcong en
nooit meer waren hersteld. Hoe slecht kon Highway One zijn?

Ongeveer zestig kilometer buiten Saigon deed de trein zijn eerste
station aan, een plaats die Xuan Loc heette, en waarvan ik wist dat het
de plaats was waar het basiskamp van de Black Horse van de Elfde
Pantserdivisie was geweest. Ik zei tegen Susan: 'De heer K, met wie
we hebben gecommuniceerd in jouw kantoor, was hier gestationeerd
in achtenzestig.'

'Echt waar? Waarom is hij niet samen met jou hier teruggekomen?'

'Dat is een goede vraag. Hij zou genoten hebben van kolonel Mang.
Ze zijn uit hetzelfde hout gesneden.'

In Xuan Loc stapten mensen uit en stapten mensen in. Het evenwicht en de harmonie waren weer bereikt en de trein reed verder. Ik
zei: 'Xuan Loc was de locatie van het laatste verzet van het Zuid-Vietnamese leger voor de val van Saigon.'

Susan geeuwde en antwoordde: 'Ik ben te geestloos en te egoïstisch
dat het me wat kan schelen.'

Ik denk dat ze even genoeg van me had. Of misschien was het de
generatiekloof. Ik voelde me plotseling van middelbare leeftijd.

Het was voor ons allebei een lange nacht en een vroege ochtend geweest, en Susan viel in slaap met haar hoofd tegen mijn schouder. Binnen een paar minuten sliep ik ook.

We werden allebei wakker toen de trein Cam Ranh Bay naderde, ongeveer vier uur van Saigon vandaan. Ik zag de enorme baai en ook een deel van de vroegere Amerikaanse marinebasis, en een paar grijze oorlogsbodems die voor anker lagen. Verder naar het noorden, op een schiereiland dat de baai vormde, was de grote Amerikaanse vliegbasis geweest. Susan was nu wakker en ik vroeg haar: 'Ben je ooit hier geweest?'

Ze zei: 'Nee, niemand komt hier. Het is voornamelijk verboden terrein.' Ze vroeg mij: 'Ben jij hier ooit geweest?'

'Eén keer. Heel kort in tweeënzeventig. Ik zat bij een MP-onderdeel om een paar soldaten op te halen die wat in de problemen waren gekomen. We moesten ze meenemen naar LBJ – dat is Long Binh Jail – buiten Bien Hoa. Destijds, in achtenzestig, toen Johnson nog president was, zeiden we altijd tegen de jongens die naar de gevangenis gingen: "LBJ heeft je één keer te pakken genomen, nu neemt LBJ je weer te grazen." Begrijp je?'

'Staat dit in de geschiedenisboeken?'

'Waarschijnlijk niet.'

Ik keek weer uit het raam. De Amerikaanse marine- en luchtmachtbasis in Cam Ranh Bay werden in die tijd beschouwd als de beste in de Stille Oceaan. Na 1975 kregen de sovjets van het nieuwe regime het hele complex overgedragen. Ik vroeg Susan: 'Zitten er hier nog Russen?'

Mij is verteld dat er nog een paar zijn. Maar die plaats wordt voornamelijk gebruikt door de Vietnamese marine.' Ze voegde eraan toe: 'Het is een diepzeehaven en het zou een fantastische commerciële haven zijn voor containerschepen en olietankers, maar Hanoi heeft min of meer alle ontwikkelingen in de buurt stilgezet. Ik denk niet dat je de basis mag bezoeken, tenzij je neergeschoten wilt worden.'

'Dat geeft niet.' Dat waren nu twee plaatsen – Bien Hoa en Cam Ranh Bay – waar ik niet meer terug mocht komen.

De trein stopte op het station van Cam Ranh Bay. Er gingen maar een paar mensen van boord, en de mensen die instapten, waren voornamelijk Vietnamese soldaten van de marine en luchtmacht, en de meesten bleven bij elkaar staan op de balkons.

Susan pakte een halve-literfles water uit haar rugzak, maakte hem open, dronk en gaf hem daarna door aan mij.

De trein kwam in beweging en reed verder naar het noorden.

Zo nu en dan zag ik een bomkrater, een verlaten tank, een paar vervallen zandzakbunkers, of een Franse wachttoren. Maar voor het grootste deel leek de oorlog uit het landschap weggegomd, hoewel waarschijnlijk niet uit de gedachten van de mensen die hem beleefd hadden, zoals ik.

Susan haalde een pak yoghurt en een plastic lepel uit haar rugzak. 'Wil jij wat?'

Ik had niet meer gegeten sinds de hamburger in de Q-bar, maar ik ging nog liever dood dan dat ik yoghurt at. Ik zei: 'Nee, bedankt.'

Ze lepelde het spul in haar mond.

Ik vroeg: 'Heeft de trein een restauratie?'

'Natuurlijk. Je gaat door de barwagon, vervolgens de panoramawagon en je bent in de restauratie.'

Ik had trek en ik was voldoende warhoofdig om het te geloven. Ik merkte dat iedereen om ons heen een heleboel eten en drinken had meegenomen. Ik zei tegen Susan: 'Ik wil wel wat yoghurt.'

Ze stak een lepel met het witte goedje in mijn mond. Het was helemaal niet zo slecht.

We maakten het water en de yoghurt op en Susan wilde van plaats ruilen, maar er was geen ruimte in het gangpad, dus ze perste zich op mijn schoot en ik schoof naar de plaats naast het gangpad. Ik zei: 'Laten we het nog eens doen.'

Ze lachte.

Susan stak haar after-dinnersigaret op en blies de rook door een kier in het raam naar buiten. Ze had een exemplaar van de Londense *Economist* bij zich en begon te lezen.

Een halfuur nadat we Cam Ranh Bay hadden verlaten en ongeveer zes uur nadat we Saigon hadden verlaten, begon de trein te vertragen in de nadering van Nha Trang.

We kwamen aanrijden vanuit het westen en het landschap was spectaculair met bergen die uitliepen in de zee. Pittoreske bakstenen torens – die Susan Cham-torens noemde, wat het ook mocht zijn – bespikkelden het voorgebergte. Er stond een enorm boeddhabeeld in de heuvels links van ons, en op een lage heuvel, uitkijkend over het station, stond een katholieke kathedraal in gotische stijl, die ik me nog herinnerde.

De trein ging nog langzamer rijden en kwam tot stilstand in het station.

Dit was de laatste halte en mensen pakten kinderen, bagage en pakjes en liepen naar de deuren, terwijl mensen op het perron vochten om binnen te komen.

Terwijl we naar de deur drongen, zei Susan: 'Blijf duwen. Jij bent de grootste man in de trein, en iedereen achter ons rekent op je.'

Uiteindelijk schoten we de deur uit en waren we op het perron.

Het was hier koeler dan in Saigon, en de lucht was ongeveer duizend keer schoner. De hemel was blauw en sliertige wolken dreven voorbij.

Susan en ik liepen over het perron het kleine stationsgebouw in, daarna naar buiten waar tientallen taxi's op een vrachtje stonden te wachten.

We stapten in een taxi en Susan zei iets tegen de chauffeur, die zich even verslikte door haar Vietnamees, en toen wegreed van het station. Susan vroeg me: 'Wat herinner jij je nog van dat verlofhotel?'

'Het was op het strand naar het zuiden. Het was een Frans, koloniaal gebouw, misschien drie verdiepingen. Het kan wit zijn geweest, of misschien bleekblauw.'

Ze zei: 'Niet slecht voor een oude baas.' Susan sprak tegen de chauffeur. Hij luisterde terwijl hij reed en knikte.

We kwamen door Nha Trang, dat eruitzag als veel andere badplaatsen – witgekalkte gebouwen en daken van rode dakpannen, palmbomen en klimmende bougainville. De stad was in betere staat dan ik me herinnerde, toen hij nog vol militaire voertuigen en soldaten was. Het was een over het algemeen veilige haven van de oorlog geweest en ik kon me geen duidelijke oorlogsschade herinneren, hoewel Charlie zo nu en dan een paar mortiergranaten afvuurde vanuit de omliggende heuvels. Ook had de CIA in Nha Trang een groot hulpkantoor gehad, een zeker teken dat de stad veilig was en goede restaurants en bars bezat.

Binnen een paar minuten draaide de taxi naar het zuiden over de zeeweg. De huizen aan het strand, rechts van ons, varieerden van halfingestorte gebouwen tot gloednieuwe hotels en vakantieverblijven. Links van ons was het strand, kilometers wit zand, palmbomen, strandrestaurants en blauwgroen water onder een stralende, zonverlichte hemel. Het strand had de vorm van een halvemaan, en in het noorden en het zuiden staken twee landtongen uit in de Zuid-Chinese Zee. Over het water waren verscheidene aanlokkelijke eilanden met een donkergroene vegetatie te zien. Susan zei: 'O, dit is prachtig.'

'Zeker wel.'

'Is dit wat je je herinnert?'

'Het waren maar drie dagen, en ik was, geloof ik, al die tijd dronken.'

De taxi kwam tot stilstand, de chauffeur wees en zei iets tegen Susan. Ongeveer honderd meter achter een betonnen balustrade die langs de weg liep, stond een groot, wit gestuukt gebouw met twee vleugels die van het hoofdgebouw wegliepen. Een blauw met wit uithangbord gaf aan: *Grand Hotel*.

Susan zei: 'Volgens de chauffeur was dit een van de hotels die tijdens de oorlog door de Amerikanen werden gebruikt. Destijds heette het het Grand, kreeg een communistische naamsverandering: Nha Khach 44 – wat gewoon Hotel Nummer 44 betekent – en heet nu weer het Grand. Komt het je bekend voor?'

'Misschien. Vraag hem of er in de bar een serveerster werkt die Lucy heet.'

Susan lachte, zei iets tegen de chauffeur en hij reed tussen twee hoge pilaren naar binnen een ronde oprit op die in het midden een sierlijk fontein had.

Het gebouw zag er bekend uit, inclusief de veranda aan de voorkant waar mensen zaten te drinken. Ik kon me bijna Lucy voor de geest halen terwijl ze de tafeltjes bediende. Ik zei: 'Dit moet het zijn.'

De chauffeur liet ons uitstappen bij de trap aan de voorkant; we pakten onze bagage uit de kofferbak en ik betaalde hem.

Terwijl de taxi wegreed, zei ik tegen Susan: 'Misschien hebben ze geen kamers.'

'Met geld lukt alles.'

We droegen onze bagage de brede trap op en door een stel hordeuren de lobby in.

De lobby was erg vervallen en kaal, maar had een plafond van vierenhalve meter hoog met afbrokkelende gipsornamenten en een atmosfeer van vroegere elegantie. Langs de muur aan de rechterkant was een lange balie met een sleutelbord aan de muur, en achter de balie zat een jonge receptionist op een stoel te slapen. Susan vroeg me: 'Is dit het?'

Ik keek door een boogpoort aan de linkerkant van de lobby en zag de eetzaal, nog meer verbleekte elegantie, en openslaande deuren die naar de veranda leidden. Ik knikte: 'Dit is het.'

'Fantastisch.'

Susan sloeg op de bel van de balie en de receptionist schoot wakker alsof hij net het gefluit van een binnenkomende granaat had gehoord.

Hij herstelde zich en hij en Susan begonnen aan de onderhandelingen. Susan draaide zich naar me om en zei: 'Goed, hij zegt dat hij alleen nog maar dure kamers heeft. Hij heeft er twee op de tweede verdieping. Elke kamer heeft een eigen bad en 's ochtends heet water. Het zijn grote kamers, maar groot is hier relatief. Hij wil vijfenzeventig dollar per nacht per kamer, wat belachelijk is, en ik heb hem tweehonderd per kamer voor een week geboden. Goed?'

De laatste keer dat ik hier was, betaalde het leger, en deze keer betaalde het leger weer. 'Prima. Blijf jij de hele week?'

'Nee, maar ik kon een betere deal maken met twee weekprijzen. Hij wil dollars.'

Ik haalde mijn portefeuille tevoorschijn en begon vierhonderd dollar uit te tellen, maar Susan zei: 'Ik betaal voor mijn eigen kamer.'

'Zeg die man dat ik hier in de oorlog heb gezeten en dat ze vierentwintig uur per dag heet water hadden, en dat het hier heel wat schoner was toen het geleid werd door het Amerikaanse leger.'

Susan liet me weten: 'Ik denk niet dat het hem wat kan schelen.'

We vulden onze registratieformulieren in en toonden onze paspoorten en visums, waarover de man volhield dat hij ze voor de wet moest bewaren. In plaats daarvan gaf Susan hem tien dollar.

We gaven hem allebei tweehonderd dollar en hij gaf ons kwitanties voor honderd dollar, wat een interessante manier van rekenen was. Hij gaf ons allebei een sleutel, sloeg vervolgens op zijn bel en een piccolo verscheen. Het joch zag eruit als tien, maar het lukte hem Susans rugzak om te doen en mijn koffer twee trappen naar boven te dragen. Terwijl we de trap beklommen, vroeg Susan: 'Is de lift stuk?'

'De lift doet het goed, maar is niet in dit gebouw. Hij is in dat mooie gebouw hiernaast.' Ik voegde eraan toe: 'Je kunt daar gaan zitten, als je wilt. Ik moet hier blijven.'

'Ik weet het. Ik wilde niet klagen. Dit is echt heel... charmant. Apart.'

We bereikten de tweede verdieping. De gangen waren breed en het plafond was hoog. Boven elke deur was een bovenraam met een hor voor ventilatie.

We bereikten mijn kamer, nummer 308, en het joch liep met mijn bagage naar binnen.

Susan en ik volgden. De kamer was echt groot en bevatte drie eenpersoonsbedden, alsof het nog steeds een verlofhotel voor soldaten was. Elk bed had een houten constructie eromheen, waaraan een muskietennet hing. Ik herinnerde me het muskietennet van de laatste keer. Nostalgie is in wezen het vermogen de dingen die klote zijn te vergeten.

De effen gestuukte muren waren in een vreemd hemelsblauw geschilderd en er stond een rare verzameling vloerventilators en goedkope moderne meubels willekeurig over het grote vloeroppervlak verdeeld. Aan het plafond, ook blauw geschilderd, hing een grote fan.

Het bewijs dat de Amerikanen hier ooit hadden gezeten was de uitgebreide elektrische bedrading in metalen buizen die langs de muren liepen naar Amerikaanse standaardstopcontacten, waar nu adapters in zaten zodat Aziatische apparaten erop pasten. Ja, dit was beslist het hotel.

Ik zei: 'Nou... niet slecht.'

Susan die geen spelbreekster wilde zijn, zei: 'Fantastisch muskietennet.'

Ik opende de louvredeuren naar het balkon en liet een aangename zeebries binnen.

We gingen op het balkon staan en keken uit over het gazon aan de voorkant, de ronde oprit en de sierlijke fontein, naar het met palmen omzoomd witte strand aan de overkant van de straat. Ik zag een heleboel ligstoelen, maar niet veel mensen.

Susan zei: 'Moet je dat water zien, dat strand, die bergen en die eilanden verderop. Het was een goed idee om naar Nha Trang te gaan. Goed, ik ga naar mijn kamer, pak uit en ga mezelf wat opknappen.' Ze keek op haar horloge. 'Laten we pakweg om zes uur wat gaan drinken op de veranda. Is dat goed?'

Ik zei: 'Maak er halfzeven van. Ik moet langs de immigratiepolitie en hun vertellen waar ik logeer.'

'O... wil je dat ik met je meega?'

'Nee. Ik zie je om halfzeven op de veranda. Als ik te laat ben, maak je dan niet al te veel zorgen, maar als ik veel te laat ben, ga dan op onderzoek uit.'

'Vertel hun dat je samen reist met iemand. Ze zullen waarschijnlijk niets proberen als ze weten dat je niet alleen bent.'

'Ik kijk wel hoe het loopt. Je zult misschien wel hebben gezien dat er geen telefoons op de kamers zijn. Dus als ik je moet bellen, zal ik de balie naar je laten zoeken. Laat hun weten waar je bent.'

'Goed.' Ze keek naar haar sleutel en zei: 'Ik zit in 304.'

'Ik moet wat fotokopieën laten maken.'

'Postkantoor. *Buu dien.*'

'Tot straks.'

Ze vertrok met de piccolo en ik bleef op het balkon en keek uit over de zee.

Het viel moeilijk te geloven dat ik, nog niet zoveel dagen geleden, aan de andere kant van dat water zat en aan de andere kant van een groot continent.

Ik denk dat ik ergens achter in mijn hoofd altijd heb geweten dat ik in Vietnam terug zou komen. En hier was ik dan.

De slaperige baliemedewerker belde een taxi voor me. Ik liep naar buiten en binnen een paar minuten kwam er een de cirkelvormige oprit opgereden. Ik stapte in en zei: '*Buu dien. Le bureau de la poste.* Postkantoor. *Biet*?'

Hij knikte, en weg waren we naar het *buu dien* in het centrum van de stad, een rit van ongeveer tien minuten. Ik zei de chauffeur te wachten en liep naar binnen. Voor duizend dong, ongeveer tien cent, kreeg ik drie kopieën van mijn paspoort en visum, en drie kopieën van het briefje van kolonel Mang.

Ik stapte weer in mijn taxi en vertelde de chauffeur: *'Phong Quan Ly Nguoi Nuoc Ngoi.'* Ik denk dat ik het juist gezegd had, want een paar minuten later kwamen we tot stilstand voor het bureau van de immigratiepolitie in plaats van voor een winkel in gebotteld water. De chauffeur gebaarde dat hij op de hoek zou wachten.

Het politiebureau was een bescheiden, gepleisterd gebouw met een open boogpoort in plaats van een deur. De wachtkamer was licht en fris, en bevatte de gebruikelijke gasten – trekkers met rugzakken en Viet-Kieus die probeerden te onderhandelen met bureaucratische stompzinnigheid, onverschilligheid en luiheid.

Deze kleine politiepost leek heel wat minder formeel dan het afschrikwekkende ministerie van Openbare Veiligheid in Saigon, en in de wachtkamer stonden fietsen en lag strandzand op de vloer.

Ik toonde fotokopieën van mijn visum en paspoort aan een verveeld kijkende politieman achter een bureautje in een kleine alkoof en liet hem een kopie van mijn briefje van kolonel Mang zien. Hij las het, pakte de hoorn van zijn telefoon op en belde iemand. Hij zei tegen mij: 'Zitten.'

Ik bleef staan.

Een minuut later verscheen een andere geüniformeerde man in het vertrek, negeerde me, nam het briefje van de man achter het bureau aan en las het. Toen keek hij me aan en zei in redelijk Engels: 'Waar logeert u?'

'Grand Hotel.'

Hij knikte, alsof het Grand Hotel al had gebeld en mijn aanwezigheid had gemeld, en hoogstwaarschijnlijk ook de aanwezigheid van mijn reisgenote. Ik was er ook zeker van dat Mang de immigratiepolitie had geïnformeerd over mijn te verwachten bezoek.

De man vroeg me: 'U hier met dame?'

'Ontmoette de dame op de trein. Niet mijn dame.'

'Ja?' Hij scheen dit te geloven, waarschijnlijk door de gescheiden kamers.

De smeris zei tegen me: 'U blijft een week?'

'Misschien.'

'Waar gaat u heen na Nha Trang?'

'Hué.'

Dit alles gebeurde in de wachtkamer met een geïnteresseerd publiek van Australiërs, Amerikanen en anderen.

De smeris vroeg: 'Gaat dame mee met u?'

'Misschien.'

'Goed. U laat paspoort en visum achter. Krijgt u later terug.'

Ik was hierop voorbereid, en omdat ik uit de eerste hand wist dat smerissen niet van negatieve antwoorden hielden, zei ik: 'Goed.' Ik pakte de fotokopie van mijn paspoort en visum van het bureau van de andere smeris en gaf die aan hem, samen met een biljet van vijf dollar dat hij snel wegstak.

Ik zei: 'Goedendag.' Ik draaide me om en liep naar de deur.

'Stop.'

Ik keek om naar de smeris.

Hij vroeg: 'Hoe gaat u naar Hué?'

'Bus of trein.'

'Ja? U komt hier en laat kaartje zien. U moet reisstempel hebben.'

'Goed.' Ik vertrok.

De taxi stond op me de wachten en ik stapte in. 'Grand Hotel.'

De taxi reed langs het strand naar het zuiden. Ik herinnerde me dat ik, toen ik hier was, veel tijd op het strand had doorgebracht, samen met de twee andere jongens op mijn kamer, die allebei gevechtsveteranen waren, maar niet van mijn eenheid. We hadden allemaal iets echt dappers en stompzinnigs gedaan om deze drie dagen verlof te krijgen, en allemaal hadden we verschillende variaties van oerwoudmoeheid, die verholpen werd met zon en zout water.

Er zaten misschien honderd man in het Grand Hotel en overdag leek het daar een tehuis voor opgebrande lieden. We sliepen te veel en we dronken te veel bier op het strand.

's Nachts kwamen de lopende gewonden tot leven en bleven we buiten tot de dag aanbrak, waarbij we tot de zon opkwam elke bar in de stad, elke hoerenkast en massagesalon hadden bezocht. Daarna sliepen we op het strand of in het hotel en deden het allemaal weer in nacht twee en daarna in de laatste nacht. Mannen kwamen en gingen en de drie dagen van de een liepen niet synchroon met die van de ander, maar je zag het verschil tussen de man van de eerste dag en die van de derde dag. Dag Een was een soort cultuurschok – je kon niet geloven dat je daar zat. Op Dag Twee zoop je en neukte je je te pletter. Op dag Drie, met wat er nog heel was aan je, zoop je en neukte je zelfs nog meer, omdat je terugging naar de hel.

Buiten enige verbetering in mijn oerwoudproblemen, eczeem in mijn kruis en mijn verweekte voeten, kwam ik in veel slechtere conditie bij mijn eenheid terug dan ik er was weggegaan. Dat was met iedereen zo, maar daar ging het met rust en herstel eigenlijk om.

De taxi reed de oprit van het Grand op en zette me af bij de trap.

Op mijn kamer pakte ik uit en douchte met koud water. Er was geen zeep of shampoo, maar er hing een handdoek; ik stapte de badkamer uit en droogde me af in de slaapkamer waar de enige ventilatie van de fan en het open balkon kwam.

Er klonk een klop op de deur. Ik liep naar de deur, maar er zat geen kijkgaatje in. Ik zei: 'Wie is daar?'

'Ik.'

'Goed...' Ik wikkelde de handdoek om me heen en opende de deur.

Susan zei: 'O... kom ik op een ongelegen moment?'

'Kom binnen.'

Ze kwam binnen en deed de deur achter zich dicht. 'Hoe is het gegaan?'

'Het ging prima.' Ze droeg een witte broek, een grijs T-shirt waarop stond *Q-Bar, Saigon*, en sandalen. Ik zei: 'Niet stiekem kijken, dan kan ik me aankleden.'

Ze liep naar buiten, het balkon op, terwijl ik een witte kakibroek en een wit golfhemd aantrok. Onder het aankleden vertelde ik over mijn korte ontmoeting met de immigratiepolitie, en zei dat zij wisten dat we samen ingecheckt hadden. Ik zei: 'Goed, ik ben aangekleed.'

Ze kwam de kamer weer in en ik stapte in een paar sportschoenen en zei: 'Laten we wat gaan drinken.'

We gingen naar beneden naar de lobby, liepen de lege eetzaal door die een buffet in de hoek had, en bereikten de veranda.

Slechts de helft van de tafeltjes was bezet en we gingen bij de balustrade zitten.

De zon was nu achter het hotel en de veranda lag in de schaduw. Een zeebries waaide over het gazon en deed de palmbomen ritselen.

De andere gasten waren allemaal westerlingen, voornamelijk van middelbare leeftijd. Het Grand Hotel was een beetje te duur voor rugzaktoeristen, niet pittoresk en charmant voor Japanners en Koreanen die geld hadden, en absoluut onaanvaardbaar voor middelbare Amerikanen van elke klasse, behalve misschien leraren. Ik besloot dat iedereen hier, behalve wij, Europeaan was.

Het was heel aangenaam op deze ouderwetse, wit gepleisterde veranda met ventilators aan het plafond, de geur van zout water, het brede gazon en het groenblauwe water dat zich uitstrekte tot aan de groene eilanden. Het zou perfect zijn geweest als ik iets te drinken had gehad, maar er liep geen bedienend personeel rond. Ik zei: 'Ik denk dat we onze eigen drankjes moeten halen.'

'Ik ga wel. Wat wil je hebben? '

'Ik ga,' zei ik, terwijl ik op mijn reet bleef zitten. Vrouwen begrijpen deze volslagen flauwekul en Susan stond op. 'Wat wil je hebben?'

'Koud bier. En kijk of ze iets te eten hebben. Ik verga van de honger. Bedankt.'

Ik herinnerde me dat ik hier bijna dertig jaar geleden had gezeten, en ik herinnerde dat hier toen een heleboel vrouwelijk personeel was; ze waren heel attent en enthousiast over het werken hier voor de Amerikanen terwijl verderop hun land uit elkaar viel en hun vaders, broers en mannen lagen te bloeden en te sterven naast Amerikanen die zo ver van huis waren; maar hier in Nha Trang stond een bord buiten het prikkeldraad waarop stond *Verboden voor de Dood*. Geen echt bord natuurlijk, maar een onuitgesproken afspraak dat je hier nooit een gewelddadig einde zou vinden.

En voor de infanteristen en helikopterschutters, de helikopterpiloten en de mannen van de verre patrouilles, de tunnelratten en de gevechtsdokters en voor alle mannen die hadden gezien hoe een mens er van binnen uitzag, was Nha Trang meer dan een veilige haven; het was een herbevestiging dat er ergens te midden van al dat schieten en sterven een plek bestond waar mensen geen geweren droegen en waar de dag eindigde met een zonsondergang, waarvan je wist dat je die levend zou meemaken, en een nacht zonder verschrikking en een ochtendzon die opkwam boven de Zuid-Chinese Zee en die een strand vol slapende, niet dode mannen verlichtte.

Susan kwam terug zonder drankjes en zei: 'De serveerster brengt onze drankjes. Je hebt geluk. De serveerster heet Lucy.'

'Fantastisch.'

Door de openslaande deuren verscheen een oudere vrouw met een dienblad. Ze zag eruit als ongeveer tachtig, met een verweerd gezicht, tanden en lippen bruin van de sirih, maar ze was waarschijnlijk ongeveer net zo oud als ik.

Susan zei: 'Paul, dit is je oude vriendin, Lucy.'

De vrouw kakelde wat en zette het dienblad neer.

Susan zei iets tegen de vrouw en ze babbelden. Susan wendde zich tot mij en zei: 'Toen ze jong was, was ze hier kamermeisje en het hotel was een vakantieoord voor Franse plantage-eigenaars. Ze bleef hier toen de Amerikanen het overnamen als verlofhotel, waarna het in 1975 een hotel werd van de communistische partij, en nu is het weer een publiek hotel.' Susan voegde eraan toe: 'In 1968 was ze een jonge serveerster en ze zegt dat ze zich een Amerikaan herinnert die op jou lijkt en die haar altijd om de tafels achternazat om haar in haar kont te knijpen.'

De oude vrouw kakelde weer.

Ik vermoedde dat het laatste deel van Susans verhaal niet waar was. Maar om niet flauw te doen, zei ik: 'Zeg haar dat ze nog steeds knap is – co-dep. En dat ik haar nog steeds in haar kont wil knijpen.'

De oude vrouw lachte om co-dep voor Susan het Engels kon vertalen, en toen Susan aan het kontknijpen toekwam, begon de vrouw als een meisje te lachen, zei iets, sloeg me speels op mijn schouder en draafde weg.

Susan glimlachte en zei: 'Ze zegt dat jij een oude bok bent.' Ze voegde eraan toe: 'Ze zei ook: "Welkom terug".'

Ik knikte. Welkom terug, zeker.'

Nha Trang, het Grand Hotel en de oude vrouw waren aan het grootste deel van de oorlog ontsnapt, maar uiteindelijk ontsnapt niets.

Susan had een gin-tonic en ik schonk een flesje Tiger-bier uit in een plastic bekertje. Er stond een schaal op tafel met iets dat leek op krachtvoer, maar ik wist niet of het voor honden of voor katten was.

Ik hief mijn glas en zij zei: 'Bedankt dat je me hebt uitgenodigd.'

We moesten er allebei om lachen.

We dronken van onze drankjes en keken naar de zee. Het was een van die perfecte momenten dat zon, zee en wind precies goed waren, het bier koud is, de zware dag erop zit en de vrouw beeldschoon is.

Susan vroeg me: 'Wat deed je toen je hier was, behalve dronken worden?'

'Ik lag voornamelijk in de zon en had goed te eten.' Ik voegde eraan toe: 'Een heleboel jongens waren natuurlijk doorgedraaid, dus we waren veel aan het kaarten en de meesten van ons hadden oerwoudeczeem, dus de zon en de zee waren goed voor de huid.'

Ze stak een sigaret op en vroeg: 'En vrouwen?'

Ik antwoordde: 'Buiten de vrouwen die hier werkten, mochten ze niet in het hotel komen.'

'Mochten jullie het hotel uit?'

'Ja.'

'Aha. En had je thuis een relatie toen je hier zat?'

'Jawel. Ze heette Peggy, een goed katholiek meisje uit het zuiden.'

Ze trok aan haar sigaret en keek naar de zee. 'En in tweeënzeventig? Was je toen ook met iemand? '

'Ik was getrouwd. Het duurde niet lang en eindigde toen ik terugkwam. Eigenlijk was het al afgelopen voordat ik terugkwam.'

Ze dacht er een tijdje over na en vroeg: 'En sindsdien?'

'Sindsdien heb ik mezelf twee beloftes gedaan – nooit meer terug naar Vietnam en nooit meer trouwen.'

Ze glimlachte. 'Wat was erger? De oorlog of het huwelijk?'

'Ze waren allebei op hun eigen manier wel leuk.' Ik vroeg haar. 'En jij? Het is jouw beurt.'

Ze nipte van haar drankje, stak een volgende sigaret op en zei: 'Ik ben nooit getrouwd geweest.'

'Is dat alles?'

'Dat is alles. Wil je mijn seksuele geschiedenis?'

Ik wilde voor acht uur eten, dus ik zei: 'Nee.'

De oude vrouw kwam langs en ik keek naar haar, terwijl Susan een volgend rondje bestelde en met haar babbelde. Ze kón Lucy zijn, maar Lucy bestond in mijn gedachten als een vrolijk, grappig meisje dat gespeelde beledigingen met de soldaten uitwisselde, en op wie alle soldaten verliefd waren, hoewel ze niet te koop was. Mannen willen hebben wat ze niet kunnen krijgen en Lucy was de hoofdprijs in het Grand Hotel. Aangenomen dat dit Lucy niet was, hoopte ik dat Lucy de oorlog had overleefd, met haar Vietnamese soldaat was getrouwd en dat ze ergens gelukkig waren.

Susan vroeg me: 'Waar denk je aan?'

'Ik dacht eraan dat jij, toen ik hier de laatste keer was, nog niet eens was geboren.'

'Ik was wel geboren, maar nog niet zindelijk.'

Het tweede rondje kwam en we zaten te kijken hoe de hemel donkerder werd. Ik zag de lichten aangaan in de met riet beklede bars en souvenirkramen op het strand. De bries nam toe en het werd koeler, maar het bleef aangenaam.

Ongeveer halverwege ons derde rondje vroeg Susan me: 'Moet je geen contact opnemen met iemand thuis in Amerika?'

'Ik moest contact opnemen met jou in Saigon, maar je bent hier.'

Ze antwoordde: 'Het hotel heeft een faxmachine, en ik heb Bill op zijn kantoor en thuis gefaxt en hem verteld dat we zijn aangekomen en waar we logeren. Hij weet dat hij contact moet opnemen met het consulaat, dat dan weer contact opneemt met jouw mensen.' Ze voegde eraan toe: 'Ik stond bij de receptionist toen hij faxte, kreeg mijn origineel terug en heb het opgegeten. Goed?'

'Goede handelsgeest. Was Bill verrast een bericht van jou uit Nha Trang te krijgen? Of vertelde je hem van de reis toen je hem belde vanuit het Rex?'

'Op dat moment was ik er nog niet zeker van dat ik met je mee wilde.' Ze voegde eraan toe: 'Ik heb zijn antwoord nog niet binnen.'

'Als ik een bericht kreeg van mijn vriendin dat ze naar een badplaats was met een man, zou ik niet eens de moeite nemen antwoord te sturen.'

Ze dacht erover na en zei: 'Ik vroeg hem om een bevestiging van ontvangst.' Ze voegde eraan toe: 'Als westerlingen die hier wonen een reis maken, vertellen ze altijd iemand waar ze naartoe gaan... voor het geval er een probleem ontstaat. Daarbij is dit een officiële kwestie. Toch? Dus hij moet antwoorden.'

'Of ieder geval de ontvangst bevestigen.'

'Eigenlijk... voelde ik me een beetje... schuldig. Dus ik vroeg hem hierheen te komen.'

Dit verraste me min of meer en ik denk dat mijn gezicht die verrassing toonde en misschien nog iets anders ook. Ik zei: 'Dat is aardig,' wat nogal lamlendig klonk.

Ze staarde me aan in het schemerige licht. Ze zei: 'Wat ik hem echt vertelde, was dat het tussen ons voorbij was.'

Ik wist niet wat ik moest zeggen, dus ik zat daar maar wat.

Ze ging verder: 'Hij weet dat toch al. Ik wilde het niet op die manier doen, maar ik moest het wel doen. Dit heeft niets te maken met jou, dus haal je niets in je hoofd.'

Ik wilde wat zeggen, maar ze zei: 'Luister gewoon. Ik besefte dat ik meer lol had... dat ik liever met jou in de Q-Bar zat dan met hem.'

'Dat is een grote eer.'

Ik merkte dat ik met mijn grote mond een diepe bekentenis had onderbroken en zei: 'Sorry. Ik voel me gewoon soms... ongemakkelijk...'

'Goed. Laat me uitspreken. Jij bent een interessante man, maar jij bent hevig in conflict met je leven en waarschijnlijk met de liefde. En voor een deel is jouw probleem dat je jezelf niet goed in de gaten hebt.' Ze keek me aandachtig aan en zei: 'Kijk me aan, Paul.'

Ik keek haar aan.

Ze vroeg: 'Hoe voelde je je toen ik je vertelde dat ik Bill had gevraagd hierheen te komen?'

'Klote.' Ik voegde eraan toe: 'Ik trok een lang gezicht. Zag je dat?'

'Zo lang als je lijf.' Ze legde me uit: 'Je hebt het me heel moeilijk gemaakt, en dat bevalt me niet. Je had me elk moment dat je maar wilde weg kunnen sturen, als je echt wilde dat ik wegging. Maar in plaats daarvan...'

'Goed. Wat je zegt klopt. Het spijt me en ik beloof aardig te zijn. Niet alleen dat... ik wil dat je weet dat ik niet alleen van je gezelschap geniet, maar ook dat ik uitkijk naar je gezelschap.'

'Ga door.'

'Goed. Nou, ik ben heel erg dol op je, ik mag je heel erg graag, ik mis je als je niet in de buurt bent, ik weet dat als ik mezelf laat gaan dan...'

'Dat is genoeg. Luister, Paul, dit is een kunstmatige situatie, jij hebt iemand thuis zitten, je bent hier met een belangrijke zaak bezig, en dit land maakt je stilletjes aan krankzinnig. Ik begrijp dit allemaal. Dus we zullen deze paar dagen gewoon voorzichtig moeten aanpakken. Met plezier in de zon en wat er gebeurt, gebeurt er. Jij gaat naar Hué en ik ga terug naar Saigon. En zo God het wil, vinden we allebei onze weg terug naar huis.'

Ik knikte.

Dus we hielden elkaars hand vast en keken hoe de nacht van paars in zwart veranderde. De sterren boven het water waren helder, en de afnemende maan wierp een schijfje licht op de Zuid-Chinese Zee. Een jongen zette op alle tafeltjes een olielamp en de veranda danste in licht en schaduwen.

Ik betaalde de rekening en we liepen over het gazon, de straat over, naar beneden naar het strand, waar soldaat eerste klas Paul Brenner een lange tijd geleden had gelopen.

We kozen een buitenrestaurant dat Coconut Grove heette, te midden van palmbomen en afscheidingen van latwerk.

We gingen aan een kleine, houten tafel zitten, verlicht door een rode olielamp, en bestelden Tiger-bier. De bries was hier sterker en ik hoorde de branding vijftig meter verderop.

De menukaarten kwamen en die waren in het Vietnamees, Engels en Frans gesteld, maar de prijzen waren in het Amerikaans.

De keuze bestond voornamelijk uit visgerechten, zoals je kon verwachten in een visserstadje, maar voor slechts tien dollar. Ik kon vogelnestjessoep proberen, die als extra op het menu stond genoteerd, aangezien die maar twee keer per jaar geoogst werden en, gelukkig voor mij, was dit een oogstmaand. Het vogelnestje was gemaakt van rood gras en speeksel van klipzwaluwen, maar het echt belangrijke pluspunt was dat deze lekkernij ook een afrodisiacum was. Ik zei tegen Susan: 'Ik neem vogelnestjessoep.'

Ze glimlachte. 'Heb je dat nodig?'

We bestelden een enorme schaal gemengde vis, schaaldieren en groenten, die de kelner aan tafel grilde boven een houtskoolbrander.

De mensen om ons leken voornamelijk Noord-Europeanen die de winter waren ontvlucht. Nha Trang, dat door de Fransen was gesticht, was eens de Côte d'Azur van Zuidoost-Azië genoemd en scheen nu aan een comeback bezig te zijn, hoewel het nog lang zou duren.

We bleven nog meer visgerechten bestellen en de kelner plaagde Susan dat ze dik werd. Dit was een heel prettige plek en er zat magie in de nachtelijke lucht.

Susan en ik hielden de conversatie luchtig, zoals mensen doen die net een diepgaand gesprek hadden gehad, waardoor de balk voor een gesprek hoger was komen liggen.

We sloegen het dessert over en gingen op blote voeten een eindje wandelen over het strand, terwijl we onze schoenen in onze handen hielden. Het was afnemend tij en het strand was vol schelpen en aangespoeld maritiem leven. Een paar mensen waren in de branding aan het vissen, jonge trekkers hadden vuren gemaakt op het strand en stelletjes liepen hand in hand, zoals Susan en ik.

De hemel was kristalhelder, en je kon de melkweg zien, en een aantal sterrenbeelden. We liepen naar het zuiden, weg van het centrum van de stad, over een breder wordend strand waar nieuwe hotels langs de kust waren gebouwd.

Ongeveer een kilometer verderop bereikten we de Nha Trang Sailing Club, een betere gelegenheid waar binnen gedanst werd. We liepen naar binnen en bestelden twee bier, dansten samen met een heleboel Europeanen op vreselijke muziek uit de jaren zeventig, gespeeld door de slechtste band van de hele Pacific Rim – misschien wel de hele wereld. Maar het was genieten, en we babbelden met een paar Europeanen en wisselden zelfs zo nu en dan van partner. Een paar mannen classificeerden me als Vietnam-veteraan, maar verder ging het allemaal niet; niemand, ikzelf ook niet, wilde erover praten.

Ik weet niet of ik dronken was, ontspannen, of gewoon ergens gelukkig door, maar voor het eerst sinds lange tijd had ik vrede met mezelf en met mijn omgeving.

We vertrokken om iets over enen uit de Nha Trang Sailing Club, en terwijl we over het strand naar de gekleurde lichtjes van de cafés op het strand liepen, vroeg Susan: 'Is wat je hier doet gevaarlijk?'

'Ik moet alleen maar iemand vinden en hem vragen stellen, daarna naar Hanoi gaan en naar huis vliegen.'

'Waar is die persoon? In Tam Ki?'

'Ik weet het nog niet.' Ik veranderde van onderwerp en vroeg haar: 'Susan, waarom ben jij hier?'

Ze haalde haar hand uit die van mij en stak een sigaret op. Ze zei: 'Nou... het is niet zo belangrijk of zo dramatisch als waarom jij hier bent.'

'Het is belangrijk voor jou, anders zou je hier niet zijn. Hoe heet hij?'

Ze nam een lange haal van haar sigaret en zei: 'Sam. We waren jeugdliefdes, gingen al met elkaar om op de middelbare school – hij ging naar Dartmouth. We gingen samen naar de universiteit – je zult zijn foto wel gezien hebben op mijn kantoor, de groepsfoto.'

Knappe Karel, maar ik zei dat niet.

'We woonden samen in New York... ik was volslagen krankzinnig op hem, en ik kon me geen wereld zonder hem voorstellen. We verloofden ons en we zouden gaan trouwen, een huis kopen in Connecticut, kinderen krijgen en nog lang en gelukkig leven.' Ze zweeg een tijdje, vervolgde toen: 'Al sinds we nog kinderen waren, was ik verliefd op hem, en bleef dat tot het moment dat hij op een dag thuiskwam en me vertelde dat hij iets met een andere vrouw had. Een vrouw op zijn werk. Hij pakte zijn bullen en vertrok.'

'Dat is naar.'

'Nou... die dingen gebeuren. Maar ik kon niet geloven dat het met míj gebeurde. Ik heb het nooit aan zien komen, waardoor ik me vragen over mezelf ging stellen. In ieder geval, ik raakte er niet overheen, zei mijn baan in New York op en ging een tijdje terug naar Lenox. Iedereen daar was volledig geschokt. Sam Thorpe was de jongen om de hoek, en de trouwerij was al helemaal voorbereid. Mijn vader wilde een autopsie op hem plegen terwijl hij nog niet dood was.' Ze lachte.

We bleven lopen en ze zei: 'Nou, ik probeerde eroverheen te komen, maar er lagen te veel herinneringen in Lenox. Ik huilde te veel en iedereen om me heen begon zijn geduld met me te verliezen, maar ik miste hem en ik kon mezelf gewoon niet meer bij elkaar krijgen. Om een lang verhaal kort te maken: ik keek om me heen naar een baan overzee die niemand anders wilde, en zes maanden nadat Sam was vertrokken, zat ik in Saigon.'

'Heb je ooit nog van hem gehoord?'

'Zeker wel. Een paar maanden nadat ik in Saigon was aangekomen, schreef hij me een lange brief waarin hij zei dat hij de grootste fout van zijn leven had gemaakt, en of ik naar huis wilde komen om met hem te trouwen. Hij herinnerde me aan alle goede dingen die we als kinderen hadden gehad – schoolpartijtjes, onze eerste kus, familiefeestjes en dat alles. Hij zei dat we deel uitmaakten van elkaars leven, en dat we moesten trouwen en kinderen krijgen en samen oud worden.'

'Dus dat andere liep fout af.'

'Ik denk het.'

'En wat heb je hem geantwoord?'

'Heb ik niet gedaan.' Ze haalde diep adem. 'Hij had mijn hart gebroken en ik wist dat het nooit meer hetzelfde zou zijn. Dus om ons allebei een heleboel ellende te besparen, beantwoordde ik gewoon zijn brief niet. Hij schreef nog een paar keer, hield toen op met schrijven.'

Ze gooide haar sigaret in de branding. 'Van wederzijdse vrienden hoorde ik dat hij getrouwd is met een meisje in New York.'

We liepen langs de rand van het water en het natte zand en de branding voelden goed aan mijn voeten. Ik dacht aan Susan en Sam, en terwijl ik er toch mee bezig was, aan Cynthia en Paul. In een perfecte wereld hoorden mensen eigenlijk net als pinguïns hun hele leven bij elkaar te blijven, dicht bij de ijsberg waar ze waren geboren. Maar mannen en vrouwen worden onrustig, ze gaan dwalen en ze breken elkaars hart. Toen ik jonger was, dacht ik te veel met mijn pik. Ik doe het nog steeds, maar niet meer zo erg.

Ik vroeg Susan: 'Zou het verschil hebben uit gemaakt als hij naar Saigon was gekomen, in plaats van jou te vragen naar huis te komen?'

'Dat is een goede vraag. Ik ben een keer met vakantie naar huis gegaan en ik denk dat hij wist dat ik thuis was, hoewel we toen ook al wisten dat we elkaar niet meer konden zien. Maar ik weet niet wat ik gedaan zou hebben als hij aan mijn deur in Dong Khoi Street was verschenen.'

'Wat denk je?'

'Ik denk dat een man die deed wat hij heeft gedaan en die oprecht spijt heeft, geen brief zou hebben geschreven. Hij zou naar Saigon zijn gekomen en me mee naar huis hebben genomen.'

'En zou je met hem mee zijn gegaan?'

'Ik zou met een man zijn meegegaan die de moed en de overtuiging had om me te komen halen. Maar zo was Sam niet. Ik denk dat hij via een brief zijn mogelijkheden aan het verkennen was.' Ze keek me even aan. 'Iemand als jij zou gewoon naar Saigon zijn gekomen zonder stompzinnige brieven.'

Ik reageerde hier niet direct op, maar ik hoorde mezelf zeggen: 'Cynthia en ik wonen een paar honderd kilometer van elkaar vandaan, en ik onderneem nog steeds geen actie, hoewel ik denk dat ze dat wel zou willen.'

'Vrouwen gaan altijd daarheen waar de man is. Je moet er eens over nadenken waarom je niet daarheen gaat waar zij zit.'

Ik bracht het onderwerp terug naar haar en zei: 'Je hebt waarvoor je bent gevlucht achter je gelaten. Tijd om verder te gaan.'

Ze gaf geen antwoord en we bleven voortlopen over het natte zand. Ze gooide haar sandalen op het strand en liep tot aan haar knieën het water in. Ik waadde tot naast haar.

Ze zei: 'Dat is mijn trieste verhaal. Maar weet je? De overstap naar Saigon was een van de beste beslissingen in mijn leven.'

'Dat is nogal beangstigend.'

Ze lachte en zei: 'Nee, ik meen het. Ik ben hier heel snel volwassen geworden. Ik ben verwend, vertroeteld en volslagen zonder inzicht opgegroeid. Ik was papa's kleine meisje en Sams lievelingetje en mama's perfecte dochter. Ik zat bij de vrijwillige vrouwenvereniging, godsamme. Maar ik voelde me goed. Ik was gelukkig.' Ze voegde eraan toe: 'Ik denk dat ik saai en vervelend was.'

'Dat probleem heb je in ieder geval opgelost.'

'Precies. Ik besefte dat Sam op me uitgekeken was. Ik flirtte zelfs nooit met andere jongens. Dus toen hij zei dat hij die vrouw van zijn werk neukte, voelde ik me zo verraden... ik had erop uit moeten gaan en zijn beste vriend moeten neuken.' Ze lachte en zei toen: 'Heb je er spijt van dat je het hebt gevraagd?'

'Nee. Nu begrijp ik het.'

'Ja. Dus, hoe dan ook, toen ik hier net aankwam, was ik doodsbang en bijna draaide ik me om en ging terug naar huis.'

'Ik ken het gevoel.'

Ze lachte. 'Mijn verblijf hier valt onmogelijk te vergelijken met dat van jou, maar voor mij was dit een grote stap naar volwassenheid. Ik wist dat ik, als ik naar huis ging... nou, wie zal het zeggen?' Ze zei: 'Ik heb je gezegd dat je me drie jaar geleden niet zou hebben herkend. Als je me in New York was tegengekomen, zou je nog geen vijf minuten met me gesproken hebben.'

'Daar ben ik niet zo zeker van. Maar ik begrijp je wel. En is je karakterontwikkeling nu bijna compleet?'

'Zeg jij het maar.'

'Ik heb het je gezegd. Het is tijd om terug te gaan naar huis. Er komt een moment dat de kans om terug te gaan minder wordt.'

'Hoe weet je wanneer dat is?'

'Jíj moet het weten.' Ik zei tegen haar: 'Tijdens de oorlog beperkte het leger de detachering hier tot twaalf of dertien maanden. Het eerste jaar, als je het overleefde, maakte een man van je. Als je vrijwillig bleef, maakte het tweede jaar iets anders van je.' Ik voegde eraan toe: 'Op een bepaald moment, zoals ik in de Apocalypse Now al zei, kon je niet meer naar huis, tenzij het je bevolen werd, of je ging naar huis in een lijkzak.'

Ze gaf geen antwoord.

Ik zei: 'Luister, het is hier niet zo slecht nu, en ik zie de aantrekkelijkheid, maar jij hebt je doctoraal in leven, dus ga naar huis en gebruik dat voor iets.'

'Ik zal eraan denken.' Ze veranderde van onderwerp en zei: 'We moeten een boot naar een van die eilanden nemen.'

We stonden daar in het water en ik pakte haar hand, en we keken naar de zee en de nachtelijke lucht.

Het liep tegen twee uur toen we het hotel bereikten en een bewaker ons binnenliet. Er was niemand achter de balie, dus we konden niet kijken of we boodschappen hadden, en we liepen de trap op naar de tweede verdieping.

We gingen eerst naar mijn kamer en ik opende de deur om te kijken of ik een faxbericht had. Dat was er niet en we liepen naar Susans kamer.

Zij opende de deur en er lag een enkel velletje papier op de vloer. Ze liep de slaapkamer in, knipte een lamp aan en las de fax. Ze gaf hem aan mij en ik las: **Jouw bericht ontvangen en doorgegeven aan de juiste autoriteiten. Ik ben erg gekwetst en kwaad, maar het is jouw beslissing. Niet de mijne. Volgens mij maak je een vreselijke vergissing, en als je niet met iemand naar Nha Trang was gegaan, hadden we erover kunnen praten. Ik denk dat het nu te laat is.** Het was ondertekend met **Bill**.

Ik gaf haar de fax terug. 'Je had hem mij niet hoeven laten zien.'

'Hij is zo'n romanticus.' Ze voegde eraan toe: 'Merk op dat hij niet de moeite nam naar Nha Trang te komen.'

'Je bent hard voor mannen. God mag weten wat je over mij zal zeggen als je in de Q-Bar wat zit te drinken.'

Ze keek me aan en zei: 'Alles wat ik over jou te zeggen heb, zeg ik tegen jou.'

Het moment dat volgde was ongemakkelijk, en ik keek rond door de kamer die heel erg op die van mij leek. Ik zag de sneeuwbol op haar nachtkastje en een paar kledingstukken die in de open alkoof hingen. Ik zei: 'Hebben ze jou zeep en shampoo gegeven?'

'Nee. Ik had mijn eigen spullen meegenomen. Ik had het je moeten vertellen.'

'Ik koop morgen wel.'

'Je kunt nu de helft van mijn zeep krijgen.'

Dat had ik niet in gedachten gehad toen ik zeepprobleem ter sprake bracht en we wisten het allebei. Ik zei: 'Dat geeft niet. Nou...'

Ze omhelsde me stevig en drukte haar gezicht tegen mijn borst. Ze zei: 'Misschien voor ik vertrek. Ik moet erover nadenken. Is dat oké?'

'Natuurlijk.'

We kusten elkaar en even dacht ik dat ze er al over nagedacht had, maar ze maakte zich los en zei: 'Goed... welterusten. Ontbijt? Tien uur?'

'Prima.' Ik hield niet van talmen bij een afscheid, dus ik draaide me om en vertrok.

Terug in mijn kamer trok ik mijn hemd en mijn natte broek uit, en gooide die op een van de bedden.

Ik trok een stoel naar het balkon en ging met mijn voeten op de smeedijzeren reling zitten. Ik keek omhoog naar de met sterren verlichte hemel en geeuwde.

Ik hoorde muziek van het strand opklinken en stemmen die meegedragen werden op de nachtelijke bries, en de branding die het zand raakte. Ik luisterde of er een klop op mijn deur zou komen, maar er kwam niets.

Mijn gedachten dreven terug naar mei 1968, toen ik hier in Ha Trang was, met slechts één zorg in de wereld – in leven blijven. Zoals een heleboel mannen van middelbare leeftijd die in een oorlog hadden gevochten, had ik op sommige momenten het gevoel dat de oorlog een strenge en oprechte eenvoud bezat, een bijna bovenzinnelijke kwaliteit die de geest en het lichaam richtte zoals niets ooit eerder had gedaan of nog zou doen.

En toch, ondanks alle adrenalinestromen, en de ervaringen van uittreden en de lichtgevende flitsen van waarheid en licht, eiste de oorlog, zoals drugs, zijn tol van lichaam, geest en ziel. Er bestónd een punt dat terugkeer bijna niet meer mogelijk was, en er was een prijs die je betaalde door de dood in het oog te spugen, en daar straffeloos mee weg te komen.

Ik staarde naar de sterren en dacht aan Cynthia, aan Susan, en aan Paul Brenner, en aan Vietnam, Deel Drie.

Ik stapte in bed en trok het muskietennet naar beneden, maar ik kon de slaap niet vatten, dus ik speelde hoornsignalen in mijn hoofd af: *Weg de dag, weg de zon, van de meren, van de heuvels, van de lucht, alles is goed, veilige rust, God is nabij...*

17

Om tien uur stapte ik de veranda op en Susan zat al aan een tafeltje met een pot koffie in haar *Economist* te lezen.

Er zaten nog een paar mensen te ontbijten, allemaal westerlingen, dus ik concludeerde dat ik niet in de gaten werd gehouden door het ministerie van Openbare Veiligheid. Bijna wenste ik anders, omdat ik voor die dag geen activiteiten tegen de regering in gedachten had.

De grote geesten in Washington hadden hier een volledige week ingepland, zodat Mr. Paul Brenner, Vietnam-veteraan, zijn onschuld vestigde als toerist. Dit was standaardhandelswijze. Heel korte reizen naar verre oorden zagen er altijd verdacht uit voor mensen van immigratie en douane. Op dezelfde manier zagen visums die kort voor een grote reis waren aangevraagd er verdacht uit, zoals kolonel Mang had aangegeven. Maar het was te laat om me daar zorgen om te maken.

Ik ging zitten en zei tegen Susan: 'Goedemorgen.'

Ze legde het tijdschrift neer en zei: 'Goedemorgen. Hoe heb je geslapen?'

'Alleen.'

Ze glimlachte en schonk me een kop koffie in.

Susan droeg een kakibroek en een mouwloze, marineblauwe pullover.

Het was een prachtige ochtend, de temperatuur was ongeveer vierentwintig graden en er was geen wolkje in de lucht te zien.

De kelner kwam en Susan informeerde me: 'Ze hebben maar twee ontbijten – Vietnamees en westers. Pho-soep of gebakken eieren. Ze weten niet hoe ze roereieren moeten maken, dus vraag het niet.'

'Eieren.'

Susan bestelde in het Vietnamees.

Ik vroeg haar: 'Had jij warm water?'

'O, ik vergat het je te vertellen. Er zit een elektrische boiler boven het toilet. Heb je hem gezien?'

'Ik dacht dat het deel uitmaakte van het toilet.'

'Nee. Er zit een schakelaar die je moet overhalen en dan verhit hij ongeveer honderd liter water. Het duurt een tijdje. Ze zetten om tien uur 's ochtends de elektriciteit van de boilers uit.'

'Ik had trouwens toch geen zeep.'

'We gaan later naar de markt en kopen een paar dingen.'

Ik vroeg haar: 'Denk je dat Bill, toen hij contact opnam met het consulaat, hun verteld zal hebben dat jij bent meegegaan naar Nha Trang?'

Ze stak een sigaret op en antwoordde: 'Ik heb eraan gedacht. Aan de ene kant moet hij het verteld hebben, als hij van nut wil zijn voor het consulaat. Aan de andere kant weten ze allemaal dat hij en ik – eh – met elkaar omgingen, dus misschien geneert hij zich om hun te vertellen dat ik met jou vertrokken ben.'

Ik knikte.

Ze vroeg: 'Denk je dat je last krijgt met je firma als ze erachter komen dat we deze reis samen hebben gemaakt?'

Ik antwoordde: 'Ze zullen er niet gelukkig mee zijn, maar wat kunnen ze eraan doen? Me naar Vietnam sturen?'

Ze lachte. 'Klinkt als iets dat jullie vroeger zeiden, toen jullie hier zaten.'

'Elke dag.'

'Nou... het spijt me als dit uiteindelijk tot een probleem leidt.'

'Geen probleem.' Zolang Karl me niet verlinkte aan Cynthia. Maar dat zou hij niet doen – tenzij het hem iets opleverde.

De eieren kwamen. Susan zei tegen me: 'Ik heb zitten denken over wat ik jou over Sam heb verteld en waarom ik hier ben en alles. Ik wilde niet dat je dacht dat een man er de oorzaak van was dat ik hier zat.'

'Dat was precies wat ik dacht.'

'Ik bedoel, hij was niet de réden waarom ik hier ben. Ik nam de beslissing. Hij was de katalysator.'

'Ik begrijp het.'

'Ik moest iets aan mezelf bewijzen, niet aan Sam. Ik denk nu dat ik de persoon ben die ik wil zijn, en ik ben er klaar voor de juiste persoon te vinden om samen mee te zijn.'

'Goed.'

'Vertel me wat je denkt. Wees eerlijk.'

'Goed. Ik denk dat je het gisteren bij het rechte einde had toen je dronken was. Ik denk ook dat je naar Vietnam bent gekomen met de bedoeling net zolang te blijven als nodig was om Sam weer geïnteresseerd in jou te maken. Als hij hier was gekomen om je te halen, zou je met hem mee zijn gegaan, lang voordat je ook maar iets aan jezelf had bewezen. Maar het was belangrijk voor je dat hij zou komen en zag dat je het in je eentje kón. Dus waar het op neerkomt, is dat dit alles om een man ging. Maar ik denk dat je nu al veel verder bent.'

Ze zei niets, en ik vroeg me af of ze geïrriteerd was, zich geneerde, of geschokt was door mijn verbluffende inzicht. Ten slotte zei ze: 'Dat is het zo ongeveer. Je bent een behoorlijk scherpzinnig mens.'

'Ik doe dit voor mijn brood. Ik geef geen raad aan de door de geliefde verlaten mens, maar ik analyseer de hele dag gelul. Ik heb niet zoveel geduld voor gelul, hersenspinsels of zelfrechtvaardiging. Iedereen weet wat hij doet en waarom hij hct doet. Of je houdt het voor je, of je vertelt het zoals het is.'

Ze knikte. 'Ik wist dat ik erop kon vertrouwen dat je me zou vertellen wat je dacht.'

'De vraag blijft: wat doe je hierna? Als je hier blijft, blijf dan om de juiste redenen. Hetzelfde als je naar huis gaat. Mijn bezorgdheid om jou, miss Weber, is dezelfde bezorgdheid die ik had voor de jongens van wie ik wist dat ze hier niet weg zouden kunnen.'

'En mannen die hun hele leven in hct leger blijven?'

'Je bedoelt mij?'

'Ja, jou.'

'Daar zeg je wat. Dus misschien weet ik waarover ik het heb.'

'Waarom ben je teruggekomen?'

'Ze zeiden dat het belangrijk was. Ze zeiden dat ze me nodig hadden. En ik verveelde me.'

'Wat is er zo belangrijk?'

'Ik weet het niet. Maar ik zal je wat vertellen – als ik hier uitkom, treffen we elkaar op een dag in New York, Washington of Massachusetts en ik zal je zeggen wat ik ontdekt heb.'

Ze zei: 'Maak er Washington van. Je bent me een rondleiding door de stad schuldig. Maar zorg er eerst voor dat je hier weg komt.'

'Dat heb ik al twee keer gedaan.'

'Goed. Klaar om te gaan?'

'Vertel me eerst hoe je wist dat ik voor het leger werkte.'

'O... ik denk dat iemand het me heeft verteld. Ik denk dat het Bill was.'

'Hij hoefde het niet te weten.'

'Dan was het, denk ik, iemand van het consulaat. Wat maakt het uit?'

Ik gaf geen antwoord.

Ze keek me aan en zei: 'Om eerlijk te zijn was het niet Bill die me vroeg iets voor het consulaat te doen. Ze vroegen het me rechtstreeks. De CIA-man daar. Hij gaf me een heel korte briefing. Voornamelijk jouw biografie. Niets over de missie. Daar weet ik niets van. Alleen een paar details van jou.' Ze voegde eraan toe: 'De CIA-man zei dat je van de criminele inlichtingendienst van het leger was en dat dit een criminele zaak was, geen spionageaffaire.'

'Wie is de CIA-man?'

'Je weet dat ik je dat niet kan vertellen.' Ze glimlachte en zei: 'Hij gaf me je foto en ik nam de klus ter plekke aan.'

Ik vroeg haar: 'Wanneer vond dit plaats?'

'O... ongeveer vier dagen voor je hier aankwam.'

De eerste keer dat ze me hierheen stuurden, gaven ze me dat tenminste twee maanden van te voren te kennen, met dertig dagen verlof en de raad eerst een testament te maken.

Ik ging staan. 'Is het inclusief ontbijt?'

'Als zeep niet inclusief is, waarom zouden ze het ontbijt dan wel inclusief maken?'

'Goed opgemerkt.' Ik riep de kelner en betaalde voor het ontbijt, wat neerkwam op twee dollar.

We liepen naar buiten naar de zeeweg waar ongeveer vijfentwintig cyclo's stonden geparkeerd. De berijders kwamen op ons af en Susan koos er twee uit, van wie er een een arm miste. We stapten in de cyclo's en Susan zei: 'Cho Dam.'

Haar man miste de arm en ik zei tegen Susan: 'Vraag hem of hij een veteraan is.'

Ze vroeg het hem en hij leek eerst verrast door haar Vietnamees, toen verrast dat het iemand iets kon schelen of hij een veteraan was. Ze zei tegen me: 'Hij zegt van wel.'

Terwijl we over de zeeweg reden, praatte Susan met de berijder, en ik wist dat ze hem vertelde dat ik een veteraan was.

Toen de cyclo's naast elkaar kwamen rijden, zei ze: 'Hij zegt dat hij hier in Nha Trang soldaat is geweest en gevangen werd genomen toen de communisten de stad innamen. Zijn hele regiment werd gevangengezet in een voetbalstadion hier, vele dagen zonder eten of drinken. Hij had een wond op zijn arm waar gangreen bij kwam.' Ze zweeg even. 'Zijn kameraden hebben de arm zonder verdoving geamputeerd.'

Ik keek naar de berijder en onze ogen maakten contact.

Susan vervolgde: 'Hij was zo ziek dat hij niet naar een heropvoedingskamp werd gestuurd, waardoor hij bij zijn familie in Nha Trang kon blijven, en hij herstelde.'

Ik denk dat dit het Vietnamese equivalent was van een verhaal met een gelukkig einde. Misschien moest ik geen cyclo's meer nemen, of in ieder geval ermee ophouden deze schimmen naar hun militaire verleden te vragen. Ik zei tegen Susan: 'Vertel hem dat ik er trots op was naast het leger van Zuid-Vietnam te dienen.'

Susan bracht dit over aan de man en hij haalde zijn ene hand van het stuur en maakte een snel saluut.

Mijn berijder luisterde naar dit alles en hij begon tegen Susan te praten.

Susan luisterde en vertaalde. 'Hij zegt dat hij bij de marine in Cam Ranh Bay heeft gezeten en de kans had per boot te ontsnappen toen de communisten naderden, maar hij verliet zijn schip om naar zijn dorp buiten Nha Trang terug te keren. Onderweg werd hij gevangengenomen door Noord-Vietnamese troepen en hij heeft vier jaar in een heropvoedingskamp gezeten.'

Ik zei tegen Susan: 'Zeg hem... dat Amerika zijn Zuid-Vietnamese bondgenoten in herinnering houdt,' wat pure lulkoek was, maar het klonk goed.

Dus we reden over de mooie zeeweg onder een azuurblauwe hemel met de geur van de zee in mijn neusgaten en de menselijke wrakstukken van een verloren zaak die ons voortrapten.

De straat waarin we reden liep dood op een omheinde marktplaats. We stapten af en gaven elke berijder een briefje van vijf dat hen erg gelukkig maakte. Met deze snelheid zou ik de volgende week blut zijn, maar ik ben nu eenmaal gevoelig voor trieste verhalen. Ook, denk ik, voelde ik iets van het schuldgevoel van de overlevende, wat ik nooit eerder had gevoeld.

We wandelden over de markt en ik kocht een stuk handgemaakte zeep, gewikkeld in een tissue, en een fles Amerikaanse shampoo, van een merk dat ze, denk ik, na '68 niet meer hebben gefabriceerd. Susan kocht een paar Ho Tsji Minh-sandalen voor me, gemaakt van het loopvlak van een autoband en ik kocht voor Susan een T-shirt met de tekst *Nha Trang is het mooiste strand – vertel het de schatten thuis.*

Wie schrijft dit spul?

Susan pakte ook twee zijden blouses op. Ze zei: 'Ze zijn hier goedkoper dan in Saigon. De zijderupskwekerijen en fabrieken zitten in deze streek. Ik moet hier gaan winkelen.'

'Van de fabrieken?'

Ze lachte.

We wandelden ongeveer een uur tussen de kramen en Susan kocht een geurkaars, een fles rijstwijn en een goedkope nylon draagtas om de troep in te vervoeren. Vrouwen zijn dol op winkelen.

We liepen naar de bloemenkramen en Susan kocht takken Tet-bloesems samengebonden met twijndraad. Ze zei: 'Voor jouw kamer. *Chuc Mung Nam Moi.*'

We namen cyclo's terug naar het hotel, keken of er berichten waren, maar die waren er niet, en gingen toen naar mijn kamer.

Susan bond de Tet-bloesems aan het bedframe van het muskietennet. Ze zei: 'Dit brengt geluk en houdt de kwade geesten weg.'

'Ik hou van kwade geesten.'

Ze glimlachte, en we stonden elkaar een paar seconden aan te kijken.

Ze vroeg me: 'Wil je naar het strand?'

'Jawel.'

Ze pakte mijn zeep en shampoo uit haar boodschappentas en gaf die aan mij. 'Ik klop op je deur als ik klaar ben.' Ze aarzelde en vertrok toen.

Ik trok mijn zwembroek aan, een sporthemd en stapte in mijn gloednieuwe Ho Tsji Minh-sandalen.

Ik deed mijn portefeuille, paspoort, visum, vouchers en vliegtickets in een plastic tas, terwijl ik me afvroeg of de receptionist het spul zou bewaren of ermee naar Amerika zou gaan.

Ik ging in een stoel zitten en keek naar een gekko die langs de muur naar boven liep. Ik liet wat zaken door mijn gedachten gaan, terwijl ik naar de gekko keek en wachtte op Susan.

Susan Weber. Waarschijnlijk was ze wat ze zei: een Amerikaanse banneling-zakenvrouw. Maar er waren aanwijzingen dat ze een tweede baan had. In een land waar onze inlichtingenbronnen beperkt waren, maar onze behoeften groot en almaar groter werden, was het gewoon om vrienden te rekruteren binnen de Amerikaanse zakenwereld of bannelingengemeenschap om die iets ernaast te laten doen voor Uncle Sam.

Er waren ten minste drie agentschappen die dit soort rekrutering overzee deden – de inlichtingendienst van Buitenlandse Zaken, de militaire inlichtingendienst of de centrale inlichtingendienst, de CIA.

En dan had je het bedrijf American-Asian zelf. De hele zaak leek legitiem, maar had ook alle toeters en bellen van een CIA-façade.

De andere vraag was Susan Webers gevoel voor Paul Brenner. Je kunt een heleboel dingen in je leven veinzen – vrouwen veinzen orgasmen, en mannen veinzen hele relaties – maar tenzij ik werkelijk mijn vermogen mensen te doorzien aan het verliezen was, had Susan duidelijk gevoel voor me. Het zou niet de eerste keer zijn dat zoiets als dit gebeurde, de reden waarom spionagediensten instinctief hun menselijke medewerkers wantrouwden en dol waren op hun spionagesatellieten.

In ieder geval stonden Susan Weber en Paul Brenner op de rand van een seksuele relatie die geen deel uitmaakte van het oorspronkelijke draaiboek en alleen maar tot een ramp kon leiden.

Er klonk een klop op de deur en ik riep: 'Hij is open.'

Susan kwam binnen en ik stond op.

Ze droeg het Nha Trang T-shirt dat ik voor haar had gekocht – *vertel het de schatten thuis* – en dat tot aan haar knieën kwam. Ze liep op sandalen en had de nieuwe boodschappentas bij zich.

Ze glimlachte en zei: 'Je hebt mooie sandalen.' Ze haalde een plastic bekertje uit haar tas, gevuld met wit poeder. Ze zei: 'Dit is boorpoeder. Je strooit het om je bed en je bagage heen.'

'En wat dan? Bidden om regen?'

'Het houdt ongedierte op afstand. Vooral kakkerlakken.' Ze gaf mij het bekertje.

Ik zette het bekertje op mijn nachtkastje en we verlieten de kamer. Op de trap naar beneden, zei ik: 'Ik heb al mijn waardevolle dingen in deze plastic zak. Kan ik die aan de balie toevertrouwen?'

'Natuurlijk. Ik regel het wel.'

We bereikten de lobby beneden en Susan sprak met de receptionist. Er werd afgesproken dat we alles inventariseerden, inclusief Susans geld en paspoort net als mijn spullen. Terwijl we hiermee bezig waren, zei ik tegen haar: 'Vind je het erg als ik in je paspoort kijk?'

Ze aarzelde een ogenblik en zei toen: 'Nee. Vreselijke foto.'

Ik keek naar haar foto die natuurlijk helemaal niet zo vreselijk was, en ik zag dat het paspoort al meer dan drie jaar geleden was uitgegeven door het Algemene Paspoort Kantoor, wat overeenkwam met haar aankomst hier. Ik keek naar haar foto en zag dat haar haar toen veel korter was en er zat iets heel triests en onschuldigs in haar gezicht – maar misschien projecteerde ik alleen maar wat ze me had verteld. In ieder geval zag de vrouw die naast me stond er veel zelfverzekerder en zelfbewuster uit dan de vrouw op de foto van het paspoort.

Ik bladerde door de pagina's en zag dat ze drie binnenkomststempels voor de Verenigde Staten had, twee voor New York en een voor Washington. Dat was niet helemaal overeenkomstig haar bewering dat ze nog nooit in Washington was geweest – maar het kon gewoon een aankomstplaats zijn geweest voor een aansluitende vlucht naar een andere bestemming, Boston bijvoorbeeld.

Haar Vietnamese visumstempel was anders dan dat van mij, maar waarschijnlijk omdat het een werkvisum was en geen toeristenvisum. Het was een keer vernieuwd, een jaar geleden, en ik zag haar al voor me in Sectie C van het ministerie van Openbare Veiligheid, twee jaar tijdens haar verblijf hier, terwijl ze het iedereen moeilijk maakte.

Ze was ook naar Hongkong geweest, naar Sydney, Bangkok en Tokio, en dat was of voor verlof of voor zaken. Niets verdachts. Maar het stempel van Washington was opvallend.

Ik legde het paspoort terug op de balie en de receptionist gaf ons een handgeschreven ontvangstbewijs dat we allebei moesten tekenen, en Susan gaf hem een dollar.

We liepen de straat over, en het strand was tamelijk leeg. We pakten twee ligstoelen en honderden kinderen kwamen op ons af gestoven, met zo'n beetje alles wat we ooit nodig konden hebben in deze wereld. We namen twee stoelmatrassen en handdoeken, twee geschilde ananassen op stokjes en twee cola's. Susan deelde dong uit en joeg de kinderen weg.

Ik trok mijn sporthemd uit en Susan haar T-shirt. Ze droeg een miniem tweedelig, vleeskleurig geval en ze had een absoluut weelderig lichaam, helemaal bruin en prachtig van tint.

Ze merkte dat ik naar haar keek – staarde, eigenlijk. Ik keek naar het water. 'Mooi strand.'

We gingen op de rand van onze stoelen zitten en aten de ananas op een stokje.

Terwijl we aan het eten waren, kwamen venters langs die eten, drinken, stadsplattegronden, zijdeschilderingen, Vietcong-vlaggetjes en strandhoeden verkochten, en dingen die ik niet thuis kon brengen. Ik kocht een toeristenkaart van Nha Trang.

We liepen naar het water en Susan liet haar tas op de ligstoel achter, wat volgens haar wel veilig was.

We waadden tot het water tot aan onze nekken kwam en ik zag schitterende tropische vissen in het heldere water. Ik zei: 'Ik herinner me nog grote kwallen langs de hele kust. Het Portugese oorlogsschip.'

'Hetzelfde in Vung Tau. Je moet blijven opletten. Je kunt er verlamd door raken.'

'We gooiden vroeger schokgranaten in het water. Die verdoofden de kwallen, en honderden andere vissen kwamen bovendrijven. De kinderen haalden die binnen. Ze aten de pijlinktvis levend. Wij vonden het onsmakelijk. Nu betaal ik twintig dollar in een sushi-restaurant voor rauwe pijlinktvis.'

Ze dacht erover na en zei: 'Schokgranaten?'

'Ja. Het zijn geen fragmentatiegranaten. Je gooit ze in bunkers of elke omsloten ruimte, zoals tunnels. Veroorzaakt schokken. Iemand bedacht dat je ermee kon vissen. Ze kosten Uncle Sam ongeveer twintig dollar per stuk. Maar het was een van de leukere dingen van het werk.' Ik voegde eraan toe: 'Mensen te eten geven via hoogwaardige explosieven.'

'En als je die granaten later nodig had?'

'Dan bestelde je nieuwe. Munitie raakte nooit op. De wil raakte op.'

We gingen zwemmen. Susan was een goede, sterke zwemster, en ik ook, dus we bleven daar ongeveer een uur in het water en het was fantastisch.

Terug op de ligstoelen, terwijl we ons afdroogden, kwamen de verkopers weer terug. Ze bleven je lastigvallen, maar ze stalen niets, omdat ze in korte tijd toch al je geld hadden.

Een aantal jonge vrouwen naderde met flessen olie en handdoeken. Susan zei tegen me: 'Je hebt sinds het Rex Hotel geen massage meer gehad. Ik betaal.'

'Bedankt.'

We kregen allebei een massage op het strand. Ik voelde me weer wat meer als James Bond.

We lagen daar op onze ligstoelen; Susan las een zakelijk tijdschrift met haar zonnebril op en ik staarde peinzend naar de zee en de lucht.

Ik dacht eraan dat ik op een dag terug zou moeten komen zonder overheidsopdracht. Misschien zou Cynthia het leuk vinden om met me mee te gaan en dan zouden we een maand gebruiken om het land te verkennen. Maar dat vooronderstelde dat ik, als ik wegkwam, geen persona non grata zou zijn of een persoon in een kist.

Ik keek naar de lezende Susan. Ze voelde dat ik naar haar keek en draaide zich naar mij om. Ze zei: 'Heerlijk, hè?'

'Zeker.'

'Ben je blij dat ik mee ben gegaan?'

'Ja.'

'Ik kan nog een paar dagen blijven.'

Ik antwoordde: 'Ik denk dat je, als je morgen teruggaat naar Saigon, het wel weer recht kunt breien met Bill.'

'Wie?'

'Laat me je een persoonlijke vraag stellen. Waarom kreeg je iets met hem, als je zo laag over hem opgeeft?'

Ze legde haar tijdschrift neer. 'Goede vraag. De keuzes zijn duidelijk beperkt in Saigon. Een heleboel mannen zijn getrouwd, en de rest neukt zich wezenloos met Vietnamese vrouwen. Bill was in ieder geval trouw. Geen minnares, geen prostituees, geen drugs, geen slechte gewoonten – alleen maar mij.'

Terugkijkend leek Bill Stanley, in dat korte moment dat ik hem even had gezien, helemaal niet zo'n braverik. Er was meer met Bill Stanley aan de hand en ik mocht dat niet vergeten.

Om zes uur 's avonds braken we op.

Terug in het hotel haalden we onze spullen bij de balie op en spraken af elkaar om zeven uur op de veranda te treffen.

Ik ging naar mijn kamer, douchte met koud water en nam naakt een korte siësta. Ik wekte mezelf om kwart voor zeven, kleedde me aan en ging naar beneden naar de veranda. Susan was er niet, maar Lucy wel en zij gaf me een koud biertje.

Susan verscheen een paar minuten later, gekleed in een van haar nieuwe, zijden blouses, een roze, en een korte, zwarte rok. Ik stond op en zei: 'Die blouse staat je goed.'

Ze ging zitten en zei: 'Nou, dank je wel, meneer. Je ziet er bruin en uitgerust uit.'

'Ik ben met verlof.'

'Ik ben blij dat dit het verlofgedeelte van je bezoek is.' Ze voegde eraan toe: 'Ik begin me zorgen om je te maken.'

Ik gaf geen antwoord.

'Ik zat eraan te denken... Ik moet op zakenreis naar Hanoi. Misschien kan ik je daar treffen. Het Metropole. Volgende week zaterdag. Goed?'

'Hoe wist je dat?'

'Ik heb door je papieren gesnuffeld, zoals jij door mijn papsoort hebt gesnuffeld.'

'Je moet vergeten wat je hebt gezien.'

'Doe ik, behalve het Metropole. Volgende week zaterdag.'

'Ik ben daar maar één nacht.'

'Dat geeft niet. Ik wil er gewoon zijn als je aankomt.'

Alles wat deze vrouw zei, was goed, en ze begon me te raken. Ik zei: 'Het Metropole, Hanoi. Volgende week zaterdag.'

'Ik zal er zijn.'

We dronken een paar biertjes tot het donker werd, namen toen cyclo's de stad in.

We vonden een restaurant met een tuin aan de achterkant; een knappe gastvrouw in een *ao dai* bracht ons naar een tafeltje.

De lucht geurde naar bloesems en de sigarettenrook dreef weg op een aangename bries.

We bestelden vis omdat dat als enige op de kaart stond, en we praatten over ditjes en datjes. Susan bracht het onderwerp kolonel Mang ter sprake, en ik zei dat ik hem eraan had herinnerd dat dit een nieuw tijdperk was van Vietnamees-Amerikaanse betrekkingen en dat hij zich aan het programma moest houden.

Susan keek peinzend, zei toen: 'De laatste keer dat we een ambassade in dit land hadden, was die in Saigon, en het was 30 april 1975. De Amerikaanse ambassadeur was op het dak van de ambassade en bracht de Amerikaanse vlag naar huis, en generaal Minh zat in het paleis te wachten om Zuid-Vietnam over te geven aan de communisten. Nu hebben we een nieuwe ambassade, deze keer in Hanoi, en we hebben consulair personeel in Saigon, onder wie mensen voor economische ontwikkeling, die op zoek zijn naar een mooi gebouw om weer aan het werk te gaan als Hanoi ons toestemming geeft. Dit wordt weer een belangrijk land voor ons, en niemand wil dat deze nieuwe relatie naar de kloten gaat. Ik heb het over miljarden dollars in investeringen, olie en ruwe grondstoffen. Dus ik weet niet waarom je hier bent of wie jou eigenlijk heeft gestuurd, maar wees alsjeblieft voorzichtig.'

Ik keek naar Susan Weber. Ze had een betere kijk op geopolitiek dan ze me had doen geloven. Ik zei tegen haar: 'Nou, ik weet wie me heeft gestuurd, hoewel ik niet weet waarom. Maar geloof me als ik zeg dat het niet belangrijk genoeg is, en ik niet belangrijk genoeg ben om ook maar enigszins van invloed te zijn op wat al bereikt is.'

Ze antwoordde: 'Wees daar niet zo zeker van. In Hanoi en Washington zitten een heleboel mensen die niet willen dat de twee landen normale betrekkingen hebben. Sommigen van die mensen zijn van jouw generatie, de veteranen en de politici aan beide zijden, die niet zullen vergeven en vergeten. En veel van die mensen zitten nu in een machtspositie.'

'Weet jij iets dat ik niet weet?'

Ze keek me aan en zei: 'Nee, maar ik voel iets... we hebben hier een geschiedenis, en we hebben niets van die geschiedenis geleerd.'

'Ik denk van wel. Maar dat wil niet zeggen dat we niet weer fouten zullen maken.'

Ze liet het onderwerp vallen en ik drong niet verder aan. Het kwam me voor dat haar zorgen die van een zakelijke ondernemer waren. Maar er zat iets meer aan vast dan zaken alleen; als het alleen maar zaken waren en een onopgeloste moord, zou onze nieuwe ambassadeur in Hanoi nu in gesprek zijn met de Vietnamese regering en hun hulp vragen in het vinden van de getuige in een Amerikaanse moordzaak. Dus dit ging om iets anders, en wat het ook was, Washington zei het niet tegen Hanoi; ze vertelden het mij zelfs niet.

Na het eten wandelden we naar het strand en liepen over het strand terug naar het hotel. Het onderwerp Vietnam kwam niet meer ter sprake.

Boven bracht ik Susan naar haar kamer en ging naar binnen. Er lagen geen boodschappen op de vloer en ik kreeg geen duidelijke signalen van miss Weber. Ik zei: 'Ik heb een leuke dag gehad.'

'Ik ook. Ik zie uit naar morgen.'

We spraken af elkaar om acht uur weer te zien bij het ontbijt.

Ze zei: 'Vergeet het boorpoeder en de boiler niet.'

Terug op mijn kamer strooide ik het boorpoeder rond mijn bed en mijn bagage. Een echt eersteklas hotel zou dat voor je doen.

De zon en de zee hadden me gevloerd en ik sliep al half toen ik in bed stapte.

Mijn laatste gedachte was dat ik me niet herinnerde de sneeuwbol op Susans nachtkastje te hebben gezien.

18

Ik was eerder op de veranda dan Susan, vond een tafeltje en bestelde een pot koffie.

Het was weer zo'n perfecte dag in Nha Trang.

Susan verscheen, gekleed in weer een andere katoenen broek, groen deze keer, met een witte pullover met boothals. De rugzak moet groter zijn geweest dan hij leek.

Ik stond op, trok haar stoel naar buiten en zei: 'Goedemorgen.'

'Goedemorgen.' Ze schonk voor zichzelf koffie in. 'Heb je goed geslapen?'

'Zeker.'

Ze zweeg een ogenblik en zei: 'Ik heb vannacht over jou gedroomd.'

Ik gaf geen antwoord.

Ze zei: 'We waren in het Metropole in Hanoi. Ik heb daar gelogeerd, dus ik kan het me goed voor de geest halen. Het was heel echt.' Ze lachte tegen me. 'We dronken cocktails, aten en dansten in de hotellounge.'

Ik zei: 'Laten we dat eens proberen.'

De kelner kwam en we bestelden Ontbijt Nummer Een, *pho*.

Ze zei: 'Ik zou deze tent kunnen veranderen in minstens een twee-sterrenhotel voor Amerikaanse militairen die hier hebben gezeten. Het verlofhotel Grand. Hooker Night in de Full Metal Jacket-lounge. Ik maak Lucy gastvrouw. Wat vind je ervan?'

Ik gaf geen antwoord.

Ze zei: 'Dat was een beetje bot. Wat je gedaan hebt om hier te komen, zal niet zo leuk zijn geweest. Het spijt me.'

'Laat zitten.' Het was eigenlijk ook niet zo leuk geweest en ik heb het niet kunnen vergeten. Ik zei: 'De slag om de A Shau-vallei, mei achtenzestig. Je moet het eens opzoeken.'

'Dat doe ik. Maar ik heb liever dat jij me erover vertelt.'

Weer gaf ik geen antwoord.

De *pho* kwam en ik at er iets van met mijn koffielepeltje. Ik vroeg Susan: 'Wat is dit precies?'

Zij nipte van haar kom en antwoordde: 'Nou, het is de nationale schotel. In wezen mi, groenten en bouillon, gekruid met gember en peper. Als je rijk bent kun je er wat rauwe kip of varkensvlees in doen. De hete bouillon kookt het vlees en de groenten.' Ze voegde eraan toe: 'Als je je zorgen maakt om de hygiëne, bestel dan *pho*, omdat het water heet moet zijn om het vlees gaar te krijgen, zodat je weet dat het water gesteriliseerd is.'

'Goeie tip.'

Ze zei: 'Hé, ik maak een heftige *pho*. Ik wil hem graag eens een keer voor je maken.'

Ik zei: 'Dat lijkt me leuk. Ik kan chili maken.'

'Ik hou van chili. Ik mis chili.'

We dronken nog een kop koffie. Ik zei tegen Susan: 'Ik zag de sneeuwbol niet meer op je nachtkastje.'

Ze dacht een ogenblik na en zei toen: 'Ik heb het niet gemerkt... ik zal kijken als ik terug ben op mijn kamer.'

'Heb jij hem niet ergens anders neergezet?'

'Nee... de kamermeisjes zijn meestal wel te vertrouwen, als je een paar dong voor hen op je bed legt.'

'Oké. Dus wat is het plan voor vandaag?'

Ze zei: 'Nou, ik heb de receptionist gevraagd een boot voor ons te boeken, en we gaan de eilanden verkennen. Het leek me leuk voor onze laatste dag samen. Neem een zwembroek mee.'

Ik betaalde voor het ontbijt. Nog steeds twee dollar.

We liepen de trap op, en toen ik bij mijn kamer aankwam, zei ik tegen Susan: 'Kijk even naar je sneeuwbol.'

Ik ging mijn kamer in en trok mijn zwembroek aan onder mijn laatste schone kakibroek. Ik besloot op mijn Ho Tsji Minhs te gaan in plaats van op mijn sportschoenen. Toen ik klaar was om mijn kamer te verlaten, zag ik op mijn nachtkastje de sneeuwbol.

Dit ding reisde wat af.

Ik ging naar beneden naar de lobby en paar minuten later verscheen Susan met haar boodschappentas. Ze zei: 'Ik kan de sneeuwbol niet vinden.'

'Dat is in orde. Hij staat op mijn kamer.'

'Hoe is hij daar gekomen?'

'Misschien heeft het kamermeisje zich vergist. Laten we gaan.'

We liepen naar buiten waar een taxi op ons stond te wachten. Susan zei tegen de chauffeur: *'Cang Nha Trang.'*

De taxi draaide de zeeweg op en we reden naar het zuiden. Susan zei tegen me: 'Dat is onmogelijk.'

'Wat?'

'Dat de sneeuwbol op jouw kamer terecht is gekomen.'

'Nou, dat ding heeft een eigen wil.' Onder het rijden vertelde ik haar het verhaal van de sneeuwbol vanaf Dulles Airport naar het kantoor van kolonel Mang in Tan Son Nhat en daarna naar mijn kamer in het Rex.

Ze zei lange tijd niets, toen: 'Dat... dat is gewoon... dat is ongelooflijk. Iemand is in mijn kamer geweest.'

'Waarom vind je dat zo ongelooflijk? Denk je dat je in Lenox bent? Het is een politiestaat. Misschien heb je dat gemerkt.' Ik voegde eraan toe: 'Als we een telefoon zouden hebben gehad, was die afgetapt geweest. En er kan afluisterapparatuur in de kamers zitten, en daar valt weinig tegen te doen.'

Ze bleef stil, knikte toen. Ze vroeg me: 'Maar wat is de zin van die sneeuwbol?'

'Ik denk dat kolonel Mang gewoon een psychologisch spelletje speelt. Hij moet zich op de achtergrond houden, zodat we niet denken aan dingen als afluisterapparatuur op onze kamers. Maar hij amuseert zich.'

'Dat is een beetje ziek.'

'Misschien is het een slappe week op het ministerie van Openbare Veiligheid.'

De weg volgde het lange, sikkelvormige strand en we passeerden de Nha Trang Sailing Club. Een paar kilometer daarna was er een uitdijend nieuw vakantieoord van villa's met rode tegels, met een bord waarop stond: Ana Mandara. Het leek te zijn aangespoeld vanuit Hawaï.

Er stroomde een heleboel geld het land binnen, niet alleen in Saigon, maar ook in het binnenland, zoals ik vanuit de trein heb kunnen zien en nu hier in Nha Trang.

Toen we dichter bij de haven kwamen, zag ik een verzameling mooie, oude villa's, gebouwd op drie weelderig groene heuvels, vlak bij het strand. 'Moet je dat zien.'

Susan vroeg de chauffeur naar de villa's en ze vertaalde: 'Dat zijn de Bao Dai-villa's, gebouwd door de laatste keizer van Vietnam, en vernoemd naar zijne keizerlijke nederigheid zelve. Het was zijn zomerverblijf. Daarna werd het gebruikt door de Zuid-Vietnamese presidenten – Diem en Thieu. Volgens de chauffeur kun je daar een kamer huren, maar ze worden door veel partijleiders gebruikt en westerlingen zijn niet altijd welkom.'

'Hé, ik kan een feestje bouwen met de partij.'

'Heb je vandaag last van die hoofdwond?'

We reden verder over de zeeweg naar de zuidelijke landtong die eindigde bij een grote gedrongen heuvel. Aan de voet van de heuvel lag een pittoresk dorpje, en aan de andere kant van de weg zag ik boten aan een lange aanlegsteiger liggen die uitstak in de Zuid-Chinese Zee.

We kwamen tot stilstand bij het begin van de aanlegsteiger. Ik betaalde de chauffeur en we stapten uit. De werf stelde niet zoveel voor, en de meeste boten zagen eruit als plezierschepen, als je het idee van plezier niet zo uitgebreid definieerde. Er waren ook een paar vissersboten, allemaal nachtblauw geschilderd met rode strips, zoals alle vissersboten die ik in Nha Trang had gezien. Het zal wel de plaatselijke gewoonte zijn geweest, of de enige verf die je kon krijgen.

We liepen de steiger op waar ongeveer twintig mannen aanboden ons overal te brengen waar we maar wilden. Wat dacht je van de rivier de Potomac?

Susan keek uit naar iemand in het bijzonder en ze riep: 'Kapitein Vu? Kapitein Vu?'

Verbazend, maar iedereen daar heette kapitein Vu. Uiteindelijk vonden we de echte kapitein Vu, en hij bracht ons naar zijn boot, die geen plezierjacht was, maar een van de blauw met rood geschilderde vissersboten. De boot zag er stevig uit, was ongeveer acht meter lang, had een lage achtersteven en een hoge boeg en was breed. Als een sleepboot uit een stripverhaal. We gingen allemaal aan boord.

Midden op het schip was een kleine stuurhut, voornamelijk bestaand uit glazen ramen, en aan bakboordzijde van de boot hing een visnet.

Kapitein Vu sprak een beetje Engels en zei: 'Welkom aan boord, man en dame.'

De boot stonk een beetje, omdat het een vissersboot was. Maar wat ook stonk, was dat de receptionist voor ons geen plezierboot had geregeld. De receptionist en de kapitein waren duidelijk familie van elkaar, of ze hadden samen een handeltje. Ik zei tegen Susan: 'Dit is een vissersboot.'

'Vind je het niet fantastisch? Een echte vissersboot uit Nha Trang.'

'Juist.' Sommige mensen moeten echt alles meemaken. Op mijn leeftijd probeer ik dat zoveel mogelijk te beperken. Ben er al geweest. Zes keer. Heb het al gedaan. Twaalf keer.

Kapitein Vu toonde ons een kist met ijs, bier, water en frisdranken. Hij zei: 'Voor jullie.'

Kapitein Vu rookte en was opgetogen dat Susan ook rookte, en ze staken allebei een Marlboro op. De kapitein spreidde een nautische kaart op het motorhuis uit, en hij en Susan bekeken de kaart en babbelden een tijdje.

Susan draaide zich naar mij om en zei: 'We kunnen waarschijnlijk vier of vijf eilanden aandoen.'

'Laten we er vier van maken.'

'Goed. Het laatste eiland dat ik wilde aandoen heet Piramide – het heeft nog steeds zijn Franse naam. Ook is er een naaktstrand.'

'Maak er dan maar vijf eilanden van.'

'Dat dacht ik al.' Ze sprak met kapitein Vu en hij grinnikte.

Ik stelde voor: 'Maak van Piramide het eerste eiland.'

Hij begreep dit en lachte luider.

Hoe dan ook, op de steiger was een jongen van ongeveer veertien die ons hielp los te gooien, waarna hij aan boord sprong. De jongen zei dat hij Minh heette, naar de grote leider Ho Tsji Minh. Ik liet het joch mijn sandalen zien en hij gaf er zijn goedkeuring aan.

Kapitein Vu ging de stuurhut in en een ogenblik later werd de motor gestart; hij hoestte en sloeg aan. Minh en ik duwden af en we waren onderweg.

Er stonden twee plastic stoelen op het achterdek en Susan en ik gingen zitten. Ik keek in de koelkist naast me en vond een literfles water waarvan we samen dronken.

De zee was kalm en kapitein Vu zette de gashendel wat meer open. We voeren naar het zuiden, in de richting van een klein eiland.

Susan had de zeekaart op haar schoot en zei tegen me: 'Dat eiland daar is Hon Mieu – Zuideiland. Er is daar een viskwekerij. Wil je die zien?'

'Nee. Waar is het eiland Piramide?'

'Het volgende eiland is Hon Tam, daarna Hon Mot, vervolgens gaan we naar Hon Cu Loa – Apeneiland – en daarna het grote bergeiland, Hon Tre, wat Bamboe-eiland betekent.' Ze gaf me de kaart. 'Kijk maar.'

'Waar is Piramide-eiland?'

'Het staat op de plattegrond, Paul.'

'Het heet zeekaart. Waar is dat eiland?'

'In het noorden.'

'Juist. Ik zie het.' Natuurlijk was die het verst weg. Ik vouwde de kaart dicht. Nou, iets om naar uit te kijken.

Onze eerste aanleghaven was Hon Tam, waar een klein vakantieoord was. We huurden twee kajaks en peddelden een tijdje rond. Ook dronken we een biertje in het vakantieoord en gingen piesen.

Daarna, op Hon Mot, huurden we snorkelmateriaal en keken een uur naar felgekleurde tropische vissen en ongelooflijke koraalriffen in kristalhelder water. Ook keek ik onder water naar Susan Weber, die een ander miniem badpakje aan had, ditmaal wit.

Daarna verder naar Apeneiland, waar onhebbelijke apen een heleboel stompzinnige toeristen treiterden. Een van hen – van de apen – probeerde mijn portefeuille te rollen, en ik dacht dat ik terug was in Saigon. Een andere, duidelijk een alfamannetje, hing met zijn tenen aan een tak en greep Susan bij haar tiet. En hij had nog niet eens voor een etentje met haar betaald.

Deze walgelijke apen hadden absoluut geen angst voor mensen en dat kwam omdat nog niemand had geprobeerd een van hen de nek te breken. Je hoefde maar één nek te breken en de andere zouden het direct begrepen hebben.

Hoe dan ook, we zeiden Apeneiland vaarwel, en ik stond erop dat we Bamboe-eiland zouden overslaan, omdat ik Piramide-eiland niet wilde missen, hoewel ik dat niet zei. 'Er heerst builenpest op Bamboe-eiland. Ik heb er vanochtend over gelezen.'

Miss Weber leek me niet te geloven. Ze zei iets tegen kapitein Vu en hij veranderde van koers.

Ik vroeg: 'Waar gaan we heen?'

'O, ik dacht dat we er maar een einde aan moesten maken. Het is al bijna drie uur.'

'Wat is er gebeurd met Piramide-eiland?'

'O... ja. Wil je er nog steeds heen?'

'Ja. Nu.'

Ze glimlachte. 'We zijn op weg. Je bent zo primair.'

Susan leunde achterover in haar stoel en stak een sigaret op. De wind blies door haar lange haar en ze zag er heel goed uit. Ze zei tegen me: 'Toen ik je net leerde kennen, kreeg ik als eerste indruk dat jij een beetje geremd was.'

'Was ik ook.'

'Toen besefte ik dat je gewoon een koele act had.'

'Ik pakte het als een beroeps aan.'

'Ik ook.'

Dat, dacht ik, hing af van haar beroep.

Binnen een halfuur zag ik land recht vooruit. Kapitein Vu wendde zich tot ons vanuit de open stuurhut. Hij wees en zei: 'Hon Piramide.'

We naderden het kleine eiland vanuit het westen en kapitein Vu trok de gashendel terug, terwijl de jongen naar de boeg ging om uit te kijken naar koraalriffen en zandbanken. Ik zag een lange kade uit de kust

steken en er lagen daar ongeveer een stuk of tien boten van allerlei types en afmetingen aangemeerd.

Piramide-eiland zag er inderdaad uit als een piramide, met steile
rotshellingen die uitliepen op een stompe punt bovenaan. Om de een
of andere reden hingen er mensen aan touwen tegen de rotswand.

Kapitein Vu kwam langszij de kade en zette de motor uit, terwijl
Minh en ik uit de boot sprongen om hem aan te leggen.

Kapitein Vu kwam uit de stuurhut, en ik zei tegen Susan: 'Vraag
hem eens wat die mensen tegen de rotswanden doen?'

Susan vroeg het hem en zei tegen mij: 'Dit is een van de eilanden
waar ze de zwaluwnesten verzamelen voor vogelnestjessoep. Ze
voegde eraan toe: 'Hoe hoger het nest, hoe groter je erectie.'

'Dat heb je verzonnen.' Ik zei tegen Susan, niet naar aanleiding van
iets waarover we hadden gesproken, maar door iets dat door mijn gedachten speelde: 'Vraag kapitein Vu of hij nog Russische oorlogsschepen heeft gezien, terwijl hij aan het vissen was.'

Ze aarzelde een ogenblik, vroeg het hem toen. Hij gaf antwoord en
ze zei tegen mij: 'Niet meer zoveel. Maar ze komen zo nu en dan nog
steeds in Cam Ranh Bay. Misschien een keer per maand.'

'Vraag hem of hij Amerikaanse oorlogsschepen heeft gezien.'

Ze vroeg het, hij antwoordde en ze zei tegen mij: 'Laatst heeft hij er
een paar gezien. Waarom vraag je het?'

Ik antwoordde: 'Gewoon nieuwsgierigheid.'

Kapitein Vu wees ons de richting naar het naaktstrand en zei tegen
mij, in het Engels: 'U vindt het leuk.'

We pakten een paar cola, deden die in de boodschappentas en zeiden tegen kapitein Vu dat we met zonsondergang terug zouden zijn.
De jongen wilde mee, maar kapitein Vu wilde vissen en hij had de jongen nodig voor de netten. Minh zag er ongelukkig uit.

Susan en ik liepen over de kade naar de kust en namen een pad dat
door het kreupelhout langs de kust liep.

We zeiden niet zoveel onder het wandelen, en ik denk dat we allebei
een beetje gespannen waren hierdoor. Ik bedoel, naaktzwemmen is
niet zo'n punt, maar met iemand die je nog nooit naakt hebt gezien,
kan het een beetje gênant worden.

Na ongeveer een kwartier draaide het pad om een rotsformatie heen
en aan de andere kant van de rotsen, op ongeveer vijftig meter ervan-
daan, was een prachtig beschut zandstrand, ingeklemd tussen de steile
rotswanden van de piramide. Er waren ongeveer vijftien vrouwen op
het strand en in het water, allemaal naakt.

Nou, er waren ook mannen, maar wie kan het schelen? Susan en ik bleven een ogenblik staan en ze zei: 'Ik denk dat mijn informatie juist was.'

'Wie heeft je over deze plek verteld?'

'Een banneling in Saigon. Ik dacht dat hij een grapje maakte, maar ik heb het nagevraagd bij de receptionist en die bevestigde het, hoewel naaktzwemmen verboden is.' Ze keek naar de rotswanden, de lucht, het zandstrand, het groenblauwe water en de bomen aan het water. Ze zei: 'Dit is prachtig.'

We liepen over het zandpad naar het strand waar mensen zwommen en lagen te zonnebaden. Er waren ongeveer dertig mensen, allemaal blank, op een jong Vietnamees stel na.

Het strand was ongeveer vijftig meter lang en ongeveer net zo breed. De rotsen vormden een soort amfitheater eromheen, waardoor het heel erg besloten was, op de mannen aan touwen na die helemaal boven aan de rotsformatie op zoek waren naar vogelnestjes.

Susan en ik vonden een platte rots in het zand en zij zette haar tas erop neer.

Het eerstvolgende stel lag ongeveer zes meter verderop op een deken met hun gezichten naar de zon.

Ik zei: 'Nou, het is tijd om te zwemmen.' Ik ontdeed me van mijn hemd en schopte mijn sandalen uit.

Susan trok ook haar hemd en sandalen uit, vervolgens haar broek en legde alles op de rots.

Ik trok mijn zwembroek naar beneden en Susan maakte het bovenstukje van haar bikini los. Vervolgens schoof ze haar broekje naar beneden en gooide die in haar boodschappentas.

We bleven daar een ogenblik naakt in de zon staan, en het voelde goed.

Haar badpak had weinig aan mijn verbeelding overgelaten, maar mijn verbeelding was niet zo goed als het echte werk. Ze had een nauwkeurig bijgehouden bikinilijn.

We liepen over het strand naar het water. De vrouwen varieerden in leeftijd van ongeveer twintig tot vijftig, en er zat geen enkel lelijk lichaam tussen. Ik vroeg me af of ik iets hiervan moest melden in mijn verslag na de missie.

We gingen aan de rand van het strand staan en de zachte branding spoelde over onze voeten. De zon hing voor ons, boven de heuvels achter Nha Trang, waarvan we de kustlijn, ongeveer twintig kilometer verderop, konden zien. De zon glinsterde in het water en de lucht was vol meeuwen.

We bleven daar staan en namen alles in ons op – natuur op zijn mooist, omgeven door volslagen onbekenden die, net als wij, naakt waren, zonder tekenen van wereldse goederen, en wier positie in het leven volslagen irrelevant en totaal onbekend was op deze zonnige namiddag.

Een heel mooie vrouw van ongeveer veertig kwam uit het water op ons af gelopen, terwijl ze het water uit haar ogen en neus veegde. Ze zei tegen ons in het Engels met een accent: 'Goede temperatuur. Geen kwallen. Heel veilig.'

Susan zei: 'Dank je.'

'Amerikaan?'

'Ja.'

'Er zijn er hier niet zoveel. Voornamelijk Europeanen en Australiërs. Ik kom uit Zweden.'

Zelfs poedelnaakt zagen we eruit als Amerikanen. Het moest door mijn besnijdenis komen.

Dus we bleven daar met deze aardige dame staan praten en haar man kwam ook bij ons staan; we spraken over waar we logeerden en over restaurants, Nha Trang en Vietnam in het algemeen. Het grappige is dat je na een paar minuten vergeet dat iedereen naakt is. Nou, misschien niet vergeten, maar je blijft goed oogcontact houden.

De man zei tegen me: 'Mag ik vragen of je hier tijdens de oorlog bent geweest?'

Ik antwoordde: 'Ik ben hier geweest.'

'Hoe komt het op je over?'

'Aangenaam. Vredig.'

'Oorlog is zo vreselijk.'

'Ik weet het.'

Hij gebaarde met zijn arm naar het strand en de lucht en zei: 'De hele wereld hoort zo te zijn.'

'Die was ooit zo,' herinnerde ik hem. 'Het paradijs. We hebben het verknald.'

Ze lachten allebei. De vrouw zei: 'Nou, heb het naar je zin hier.' En weg waren ze.

Susan zei: 'Ze waren heel aardig.'

Ik antwoordde: 'Die van jou zijn aardiger.'

Ze lachte.

We doken het water in, zwommen langs de kust en verkenden de rotsachtige klippen. Er zit iets heel speciaals aan naaktzwemmen. Na een ongeveer een halfuur zwommen we terug naar de kust.

We liepen door het water tot het ons tot aan de borst kwam en bleven staan. Ik draaide Susan naar me om, we legden onze handen op elkaars schouders en stonden elkaar aan te kijken. We sloegen onze armen om elkaar heen en kusten. Onze handen gleden naar beneden naar de billen, en ik trok haar tegen me aan en voelde haar schaamhaar tegen mijn penis.

Ze maakte zich los en haalde diep adem. Ze zei: 'Laten we op het strand gaan liggen.'

Ik antwoordde: 'Ga jij maar. Ik heb tijd nodig om de periscoop te laten zakken.'

Ze glimlachte, draaide zich om en liep het strand op.

Ik keek naar haar terwijl ze over het strand liep, en ze had een prachtige loop.

Ze bleef onderweg staan om met het Vietnamese stel te praten dat onder een boom op een rotsblok zat. Ze glimlachten en knikten onophoudelijk.

Met de periscoop naar beneden liep ik het strand op naar Susan, die nu op het strand lag met haar hoofd op de boodschappentas.

Ik knielde naast haar neer, en ze keek naar me op en glimlachte.

Ze draaide zich om en gaf me een tube zonnebrandcrème uit haar tas. 'Kun je mijn rug doen?'

'Natuurlijk.' Ik smeerde de lotion uit over haar rug, vervolgens over haar billen en over haar benen naar beneden.

Ze zei: 'Oooh, dat voelt goed.'

Ik masseerde haar nek, schouders, rug en achterste.

Ze zei tegen me: 'Ik doe jouw rug.'

Ik ging op mijn buik liggen, en zij ging op mijn achterste zitten met haar benen naar weerskanten terwijl ze de lotion in mijn rug masseerde.

Ze zei: 'Hé, wil je wat foto's maken?'

'Dat lijkt me niet zo'n goed idee.'

'Ik wil me deze dag kunnen herinneren. Ik heb een idee. We laten iemand een foto van ons samen maken en we verbergen ons gezicht.'

Ze stond op, liep naar het Vietnamese stel en sprak met ze. De man kwam met haar mee terug, maar het meisje leek verlegen en bleef op de rots onder de boom. Susan stelde me aan Mr. Hanh voor, en ik stond op en schudde de jongeman de hand. Ze gaf Mr. Hanh haar camera en Susan en ik gingen dicht tegen elkaar aan staan met de armen om elkaar schouders, terwijl we met onze handen elkaars gezicht bedekten. Mr. Hanh vond het grappig en nam giechelend een foto. Voor de volgende foto bedekten onze handen elkaars schaamstreek. Dit was allemaal een beetje dwaas en misschien een beetje kinky. Ik kom uit Zuid-Boston.

We bedankten Mr. Hanh, die boog en weer terugliep naar zijn metgezellin. Ik vroeg Susan: 'Ontwikkelen ze deze in Saigon?'

'Nee, ze ontwikkelen geen naaktfoto's hier, en als ze het wel doen zijn ze binnen twee dagen in heel Saigon verspreid. Ik stuur de film naar mijn zus in Boston. Is dat goed?'

'Natuurlijk. Als ik haar ooit tegenkom, hebben we iets om over te praten.'

Susan lachte.

We gingen met gekruiste benen in het zand zitten en trokken de blikjes cola open. Ik zei: 'En wat vertel je je zus over de foto's?'

Ze antwoordde: 'Ik zal haar vertellen dat ik een heerlijke man was tegengekomen die hier voor zaken was, en dat we een paar heerlijke dagen in Saigon en Nha Trang hebben doorgebracht, dat hij is teruggegaan naar Virginia, en dat ik hem mis.'

Ik wist niet wat ik moest zeggen, maar het lukte me nog te zeggen: 'Ik wou dat de dingen niet zo ingewikkeld waren.'

Ze knikte.

De zon was nu achter de bergen van Nha Trang gezonken, en het wegstervende licht deed het land scherp afsteken tegen de donkerblauwe lucht. Het water was ook donkerder geworden en schitterde niet meer. Een vloot blauw met rode vissersboten was in de schemering onderweg terug naar Nha Trang. Ik keek om me heen en zag dat mensen zich aankleedden en het strand verlieten.

Daar op het vasteland, niet zo ver van hier, waren diverse plaatsen waar ik dicht bij de dood ben geweest. En als ik hier was gestorven, zou ik niet met deze vrouw op dit strand hebben gezeten, en zou ik niet lang genoeg hebben geleefd om dit land in vredestijd te zien. Als er een hemel bestond voor mannen die hier waren gestorven, zou het er zo uit moeten zien.

We kleedden ons aan en liepen terug naar de boot.

We bereikten Cang Nha Trang toen het al donker was, en ik gaf kapitein Vu zijn loon en een mooie fooi, plus een briefje van vijf voor Minh, als compensatie voor het missen van het naaktstrand.

Er stonden een paar taxi's bij de kade en we namen er een terug naar het hotel.

Boven gingen we naar Susans kamer, openden de balkondeuren en lieten de zeebries binnen.

Ze deed het licht uit en stak de kaars aan die ze op de markt had gekocht. Ik opende de fles rijstwijn en we schonken een beetje in twee plastic bekertjes. We klonken met de bekertjes en dronken. Er klonk muziek uit de strandcafés aan de overkant van de weg, Fats Domino's

'Blueberry Hill', wat niet mijn eerste keuze zou zijn geweest voor dit moment, maar mijn cd-speler stond in Virginia.

Susan zei: 'Laten we dansen.'

We zetten onze rijstwijn neer, schopten onze sandalen uit en dansten op 'Blueberry Hill'.

Dit was leuk, en ik hield van niet-seksueel getint voorspel, maar ik was een beetje gespannen en vol begeerte.

De muziek ging over in 'The Twelfth of Never' van Johnny Mathis, en dat is mijn lievelingsnummer om op te schuifelen.

We dansten dicht tegen elkaar aan en ik voelde haar adem in mijn hals. Ze bracht haar handen onder mijn hemd en liefkoosde mijn rug. Ik deed hetzelfde met haar rug en maakte het bovenstukje van haar bikini los.

We trokken onze hemden omhoog en dansten met mijn naakte borst tegen haar borsten. Ze stak haar handen achter in mijn broek en ik deed hetzelfde bij haar, en omklemde stevig haar billen.

We haalden het einde van de dans niet, omdat we plotseling bij elkaar in de kleren zaten die binnen vijf seconden door de hele kamer verspreid lagen.

We doken letterlijk in het bed en zij trok het muskietennet om ons heen naar beneden.

We kuste elkaar hard en onze handen waren overal, en onze lichamen rolden rond in het kleine bed.

Ten slotte kregen we weer vat op de situatie en bleven een tijdje naast elkaar liggen, waarna onze handen weer begonnen te zwerven. Zij was heel vochtig en ik was heel hard.

Ik ging op haar liggen en gleed gemakkelijk naar binnen.

We vrijden, vielen daarna uitgeput in slaap in elkaars armen.

Ik werd midden in de nacht wakker met Cynthia in mijn gedachten en met Susan in mijn bed. Ik dacht ook aan Karl, wat er voor me lag en wat me thuis stond te wachten.

Deze missie had een slecht begin gehad op het vliegveld van Tan Son Nhat, en als zoiets gebeurt, hoor je op te houden voordat je neerstort en verbrandt. Maar deze missie was een persoonlijke reis geworden, en als dat een ongelukkig einde inhield, was ik daar ook op voorbereid.

19

De volgende ochtend, terwijl de zon opkwam boven de Zuid-Chinese Zee en een bries binnenwaaide door de openstaande deuren, vrijden we weer.

We douchten samen en bleven tot tien uur naakt in bed liggen, kleedden ons daarna aan, gingen naar beneden, naar de veranda, en dronken koffie.

Alles leek hetzelfde als de afgelopen twee ochtenden, maar voor mij was de wereld veranderd, en voor haar ook, denk ik.

We begrepen allebei dat zij niet terugging naar Saigon zolang ik nog in Nha Trang was, maar ik was heel vastbesloten dat ze me niet naar Hué zou vergezellen. Ik zei tijdens de koffie tegen haar: 'Hué is het begin van mijn officiële taak. Dit hebben we straffeloos kunnen doen, maar als je met me meeging naar Hué, zou Washington echt moordzuchtig worden.'

Ze antwoordde: 'Dat begrijp ik. Maar ik zie je in Hanoi.'

Susan wilde wat rondkijken, dus we huurden een auto met chauffeur en gingen naar het Oceanografisch Instituut. We zagen een zootje vissen in een aquarium en duizenden dode zeedieren die in glazen potten werden bewaard. Dat soort instellingen konden wel een voltreffer van een artilleriegranaat gebruiken.

's Middags bezochten we de Cham-torens in de omgeving, nauwelijks interessanter dan de ingelegde vissen in potten. Susan had een brochure en vertelde me: 'Het Cham-volk was hindoe, en ze woonden in deze streek van de zevende tot de twaalfde eeuw voor ze werden overwonnen door de etnische Vietnamezen die uit het noorden kwamen.'

'Fascinerend.' Zou ik dit gedaan hebben als ik niet gewipt had?

Er was een Cham-tempelcomplex dat Po Nagar heette en dat standbeelden had van de hindoeïstische goden en godinnen, en deze plek was wel een beetje interessant. Er waren beeldhouwwerken met enorme penissen die ze *lingams* noemden en vagina's die *yoni's* heetten, en een van de *yoni's* was een fontein, waar water uitspoot. Dat soort dingen zie je niet in een katholieke kerk.

Een deel van de middag gebruikten we om de omgeving te verkennen, waaronder een bekoorlijke plek die Ba Ho heette en waar in een afgelegen bos drie watervallen in drie verschillende poelen neerkwamen. Terwijl we bij de watervallen zaten, met onze voeten in het water, bestudeerde Susan mijn reisgids en zei tegen me: 'Ik weet dat je van naaktstranden houdt, dus ik heb er nog een gevonden.'

Ik antwoordde: 'Ik hoop niet dat je denkt dat ik alleen maar dat wil. Ik vond het Oceanografisch Instituut ook heel mooi.'

'Dat weet ik. Maar je kunt ook iets leren op een naaktstrand. Laten we gaan.'

We stapten in onze auto en Susan wees de chauffeur naar een plaats die Hon Chong heette, een grote rotsachtige kaap die uitsteekt in de Zuid-Chinese Zee.

Van de top hadden we een spectaculair uitzicht op de landtong in het noorden en op Nha Trang in het zuiden. De zon stond boven de bergen in het westen, en de Zuid-Chinese Zee was blauw en goudkleurig. 'Heel mooi,' zei ik.

Ze bracht me naar een grote rots waarop de afdruk van een enorme hand leek te staan. Ze zei: 'Deze handafdruk is gemaakt door een dronken, reusachtige elf, toen hij op deze rotsen viel.'

'Er is heel wat rijstwijn voor nodig om een reus dronken te krijgen,' zei ik.

Susan vervolgde: 'Hij lonkte naar een vrouwtjeself die daar op het Elfenstrand naakt aan het baden was.'

Ik keek langs de heuvel naar beneden en zag het strand, maar ik zag geen enkele vrouwelijke elf, naakt of anders.

Susan zei: 'De reus stond op, rende naar het strand en greep de vrouwtjeself. Zoiets als gisteren met mij gebeurde.

Dat was niet zoals ik me herinnerde, maar ik weet wanneer ik mijn mond moet houden.

'Ondanks zijn agressieve gedrag, raakten ze verliefd en begonnen een leven samen.'

'Dat is leuk. En leefden ze nog lang en gelukkig?'

'Nee. De goden waren boos om wat ze gedaan hadden.'

'Woonden de goden in Washington?'

'Zo'n soort plaats. De goden stuurden de mannelijke elf naar een heropvoedingskamp.'

'Afknapper.'

'Precies. Maar de vrouwtjeself bleef eeuwen op hem wachten.'
'Goeie dame.'

'Ja. Maar haar hart was gebroken en ze dacht dat hij nooit meer zou terugkeren. Dus ze ging liggen en veranderde in steen. Zie je die berg?' Ze wees naar het noordwesten. 'Die heet Nui Co Tien – Elfenberg. Die piek rechts is haar gezicht dat naar de hemel is gekeerd. De middelste pieken zijn haar borsten, en de pieken links zijn haar gekruiste benen.'

Ik keek en ja, je kon er een op haar rug liggende vrouw met gekruiste benen in zien.

Susan zei: 'Op een dag kwam de mannetjeself terug naar deze plaats, en toen hij zag wat er van zijn geliefde was geworden, sloeg hij met zijn hand op de oude afdruk van toen hij haar voor het eerste keer op het strand zag baden. Hij was zo verscheurd door smart dat hij stierf en ook in steen veranderde.'

Ik zei een tijdje niets, gaf toen als commentaar: 'Triest verhaal.'

'Bijna alle liefdesverhalen hebben een treurig einde.' Ze vroeg: 'Waarom is dat?'

Ik antwoordde: 'Ik denk dat als de affaire illegaal begint, en als iedereen om de geliefden heen gekwetst is en boos... dat dan de affaire een ongelukkig en waarschijnlijk tragisch einde krijgt.'

Susan keek naar de Elfenberg. Ze zei: 'Maar wat belangrijker is, is dat de geliefden elkaar trouw bleven.'

'Jij bent een romantica.'

Ze vroeg: 'Ben jij een praktisch mens?'

'Niemand heeft me er ooit van beschuldigd praktisch te zijn.'

'Zou je je leven voor liefde willen geven?'

'Waarom niet? Ik heb mijn leven voor minder belangrijke dingen geriskeerd.'

Ze gaf me een kus op de wang, pakte mijn hand en we liepen de heuvel af naar beneden.

Die avond ging we naar het nieuwe vakantieoord dat Ana Mandara heette en dat we onderweg naar de haven van Nha Trang hadden gezien. Daar hadden we een eersteklas etentje van verwestelijkt Vietnamees eten. Het restaurant was eigendom van een Nederlands bedrijf, en de clientèle bestond voornamelijk uit Europeanen, hoewel er toch ook een paar Amerikanen zaten.

Er speelde een goed combo aan de rand van het zwembad, en we dronken wat, dansten, praatten en hielden elkaars hand vast.

Susan zei: 'Na het eten in het Rex ben ik drijvend op een wolkje naar huis gegaan.'

Ik antwoordde: 'Ik denk dat ik me net zo voelde.'

'Je stuurde me weg. En als ik nou eens niet was teruggekomen?'

'Was jou niet gezegd dicht bij me in de buurt te blijven?'

Ze antwoordde: 'Alleen als je wilde dat ik de buurt bleef of iets nodig had. Zo niet, dan moest ik verdwijnen. Maar ik was niet van plan dat te doen. Ik wilde je bellen. Maar toen besloot ik gewoon terug te komen en met je te eten.'

'Ik ben blij dat je het hebt gedaan,' zei ik, maar ik herinnerde me dat het toen niet zo spontaan was verlopen als Susan nu suggereerde. Bovendien had je die hiaten in het verhaal van Bill Stanley en een paar andere dingen die niet helemaal klopten. Het olifantsgras bewoog, maar er was geen bries; het bamboe klikte nu iets dichterbij.

We verlieten Ana Mandara en liepen terug naar het Grand Hotel. We hielden beide kamers, maar ik sliep in Susans kamer.

We vrijden en bleven dicht bij elkaar op onze rug in het bed liggen, omgeven door de cocon van het muskietengaas, het bed versierd met takken Tet-bloesems, de naar sinaasappel geurende kaars flikkerend en het boorpoeder op de vloer.

We keken naar de ventilator die langzaam boven ons hoofd ronddraaide. Een bries waaide naar binnen via het open balkon en ik rook de zee. De volgende dag, vrijdag, zou onze laatste hele dag in Nha Trang zijn, dus ik zei tegen haar: 'Heb je al vervoer terug naar Saigon geregeld?'

Ze ging met haar voet over mijn been. 'Wat?'

'Saigon. Zaterdag.'

'O. Zaterdag rijden er geen treinen meer. Dat is het Vietnamese oudejaar.'

'Wat dacht je van een auto met chauffeur?'

'Die zal ik morgen proberen te regelen.'

Dit klonk niet als een definitief plan. Ik vroeg: 'Kan dat een probleem zijn?'

'Misschien. Misschien niet. Ik heb nooit geprobeerd te reizen rond Tet.'

'Dan moet je misschien morgen weg.'

'Ik ga niet eerder weg. Ik wil zoveel mogelijk tijd met jou doorbrengen.'

'Nou, ik ook met jou, maar...'

'Hoe ga jij naar Hué?'

'Ik weet het niet. Maar ik moet er zijn.'

Ze zei: 'Elk vliegtuig en elke trein is al maanden volgeboekt.'

'Nou... misschien moet ik morgen dan ook weg.'

'Wel als je wilt proberen een kaartje voor de trein te kopen.'

'Zou ik morgen een auto met chauffeur kunnen krijgen?'

'We zullen het proberen. Als niets meer lukt, is er altijd nog de martelbus. Die hoef je niet te reserveren. Je koopt gewoon een kaartje bij het busstation en perst jezelf naar binnen. Je hebt alleen maar ellebogen en dong nodig.'

'Wat moet ik met mijn dingedong?'

'Dong. Geld. Gedraag je niet als een idioot.' Ze zei: 'Ik heb een keer een bus genomen van Saigon naar Hué, gewoon als ervaring, en het wás een ervaring.'

'Misschien moeten we morgen gaan kijken hoe we hier weg kunnen komen.'

'Ja, dat moeten we morgen als eerste doen.'

Deel Twee. Ze informeerde me: 'Ik zou met Bill naar een Tet-oudejaarsfeest gaan, bij iemand thuis.'

Ik gaf geen antwoord.

Ze zei: 'Iedereen die we kennen zal daar zijn. Amerikanen, Britten, Australiërs en een paar katholieke Vietnamezen.'

'Klinkt leuk.'

'Nou, nu ga ik al zeker niet. Ik blijf gewoon thuis en kijk naar de drakendansen vanuit mijn raam.'

'Je zult jezelf de volgende ochtend dankbaar zijn.'

'Mijn huishoudster gaat natuurlijk naar haar familie, en de meeste bars en restaurants zijn dicht, of alleen open op verzoek. Dus misschien warm ik wat *pho* op en koop een fles rijstwijn, draai een album van Barbra Streisand en ga vroeg naar bed.'

'Klinkt vreselijk. Wat dacht je van de Beach Boys?'

'Ik veronderstel dat ik ook wel naar het feestje zou kunnen gaan, maar dat wordt een beetje ongemakkelijk.'

'Zou je met me mee willen naar Hué?'

'O... dat is een idee.' Ze kroop boven op me en zei: 'Je bent zo'n lieverd.'

'En jij bent narigheid.'

'Wat zouden ze je kunnen doen? Je naar Vietnam sturen?'

Ze kuste me, mijn *lingam* werd langer en we vrijden weer. Het was nog geen uur geleden dat we dit hadden gedaan, en ik had vandaag niet eens mijn vogelnestjessoep gehad. Dit begon al heel snel te lijken op mijn laatste verlof in Nha Trang, behalve dat ik toen heel wat jonger was. Ik zag mezelf in Bangkok al op krukken tegenover Karl staan. In ieder geval was ik bruin geworden.

Ze viel in slaap in mijn armen. Een sterke wind was opgestoken en ik hoorde de branding zwaar breken. Ik kon niet in slaap komen, omdat ik besefte dat ik tot aan mijn bruine reet in officiële narigheid zat en er steeds dieper in wegzakte.

Ik dacht aan de waarschuwende fabel die ik op de berg Hon Chong had gehoord. Niemand kon zeggen dat ik niet gewaarschuwd was.

De wereld is niet altijd aardig tegen geliefden, en in het geval van Paul Brenner en Susan Weber hadden we de goden echt woedend gemaakt.

Susan had gelijk dat we beter morgen konden vertrekken dan zaterdag, wanneer het Vietnamese oudejaar was. Maar ze wist dat al de hele week.

Ik wist zeker dat Susan Weber er klaar voor was om naar huis te gaan als ik haar naar huis bracht. Maar ze had niet één keer gezegd: 'Laten we hier weggaan.' Ze had gezegd: 'Laat me met je meegaan, waarheen je ook moet gaan.'

En dat bracht me tot drie mogelijke conclusies: een, ze verveelde zich, maakte het uit met Bill en was op zoek naar avontuur en een uitdaging; twee, ze was krankzinnig verliefd op me en wilde niet van mijn zijde wijken; drie, zij en ik waren met dezelfde opdracht bezig.

Een ervan, allemaal, of elke combinatie was mogelijk.

Afgezien daarvan denk ik dat we allebei begrepen dat we elkaar, als we hier Nha Trang uit elkaar gingen, misschien niet meer in Hanoi zouden zien, of waar ook; en als we elkaar troffen in Hanoi, zou het niet meer hetzelfde zijn. Mijn reis was haar reis geworden, en haar weg naar huis was mijn weg naar huis geworden.

20

Vrijdagochtend vroeg gingen we naar het reisagentschap van de overheid, Vidotour, maar zoals met alle overheidsdiensten waren ze gesloten voor de feestdagen. Eigenlijk was, buiten de winkels voor eten en bloemen, de hele stad aan het sluiten.

Vervolgens gingen we naar het station, maar omdat dit de laatste dag was dat er nog een trein reed vóór de volgende vrijdag, konden we zelfs geen stand-by kaartje kopen. En om de dingen nog erger te maken, zou, als het ons lukte met omkopen wel op de trein te komen, het kaartje of de omkoopsom slechts geldig zijn tot Da Nang, waarna we weer het hele proces zouden moeten doorlopen, of anders zouden stranden in Da Nang.

Toen we het station verlieten, vroeg Susan mij: 'Waarom hebben ze je tijdens de Tet-feestdagen hierheen gestuurd?'

Ik antwoordde: 'Het is niet zo stom als het lijkt. Ik moet iemand vinden in zijn geboortestad of -dorp.'

'O. Nou, hij zal er wel zijn.'

'Ik hoop het. Dat is het enige adres dat we hebben.'

'Tam Ki? Is dat het dorp?'

'Volgens mij bestaat die plaats niet eens. Het is een andere plaats, waarvan ik de naam in Hué krijg. Na Hué moet ik naar die plaats. Maar jij gaat níet – ik herhaal níet – met me mee.

'Dat weet ik. Ik blijf in Hué. Daarna ga ik naar Hanoi en tref je daar.'

'Prima. Ondertussen moeten we in Hué zien te komen.'

'Met geld krijg je alles gedaan. Ik zorg dat we in Hué komen.'

We liepen door de stad met de toeristische kaart die ik op de markt had gekocht, maar de twee privé-reisbureaus waren gesloten.

Onder het lopen keek ik of we gevolgd werden, maar ik was er tamelijk zeker van dat we alleen waren. Na wat navraag op straat vonden we een minibus-toeragentschap bij de centrale markt dat open was. De man achter de balie was een gladde jongen met een donkere bril en de instincten van een gier. Hij rook geld en wanhoop zoals een aasetende vogel een naderende dood ruikt. Susan en hij vochten het tien minuten lang uit, toen zei ze tegen mij: 'Hij heeft een toergezelschap dat hier morgenochtend om zeven uur vertrekt. Ze komen om ongeveer zes uur 's avonds in Hué aan, op tijd voor het Tet-oudejaar. Wanneer moet je jouw persoon ontmoeten?'

'Pas de volgende dag om twaalf uur 's middags – op nieuwjaarsdag. Zondag.'

'Goed. Hij zegt dat er eigenlijk geen zitplaatsen meer zijn in de minibus, maar dat we bij de deur kunnen zitten of waar ook. Voldoende ruimte voor onze bagage. Vijftig dollar per persoon.'

'Wat voor soort toergezelschap?'

Ze vroeg het Gladjanus en zei toen tegen mij: 'Het zijn Fransen.'

'We gaan.'

Ze lachte.

'Zeg hem dat hij ons moet betalen.'

Ze vertaalde dit echt voor Gladjanus, en hij lachte en sloeg me op mijn schouder.

Ik zei: 'Vraag hem of hij voor vandaag een auto met chauffeur heeft.'

Ze sprak tegen hem en hij keek weifelachtig, wat inhield: 'Ja, en het gaat jullie een fortuin kosten.'

Susan zei tegen me: 'Hij heeft een mannetje dat ons naar Hué kan rijden, maar omdat het een feestdag is, gaat het ons vijfhonderd dollar kosten.'

Ik zei: 'Het is mijn feestdag niet. Tweehonderd.'

Ze sprak met Gladjanus en we kwamen uit op driehonderd. Susan zei tegen me: 'Hij zegt dat de auto en chauffeur pas om zes uur vanavond beschikbaar zijn.' Ze voegde eraan toe: 'Met de auto kunnen we er met zeven of acht uur zijn, als we om ongeveer zes uur vertrekken, wanneer het verkeer minder druk wordt. Daardoor komen we om ongeveer een of twee uur vannacht aan. Is dat goed?'

'Natuurlijk. We kunnen in de hotellobby slapen als er geen kamer vrij is.'

'Oké... je begrijpt dat 's nachts rijden niet veilig is?'

'Dat is rijden overdag hier ook niet.'

'Goed. Ik zal hem zeggen ons om ongeveer zes uur bij het hotel op te pikken.'

Ik nam haar terzijde en zei tegen haar: 'Nee. Zeg hem dat we hierheen komen. En zeg hem dat we naar Phu Bai Airport in Hué gaan.'

Ze knikte en gaf dit door aan Gladjanus.

We verlieten Gladjanus Tours en vonden een buitencafé waar we koffie dronken.

Ik zei tegen Susan: 'Je hebt het fantastisch gedaan. Ik begon me een beetje zorgen te maken over hoe we hier wegkwamen.'

'Voor dat geld – ongeveer een jaarsalaris – kun je alles krijgen wat je wilt. Zoals mijn vader altijd zei: "De armen lijden, de rijken hebben het lichtelijk ongemakkelijk."' Ze keek me aan en zei: 'Als we driehonderd dollar hebben, moeten we meer hebben. En het is een avondrit. Dus val niet in slaap.'

'Dat had ik ook al bedacht. Daarom leef ik nog.' Ik voegde eraan toe: 'Als het ons vanavond niet bevalt, hebben we de minibus van morgenochtend als reserve.'

Ze nipte van haar koffie en vroeg me: 'Waarom wilde je niet dat de chauffeur ons bij het hotel afhaalde?'

'Omdat kolonel Mang niet wil dat ik privé-vervoer gebruik.'

'Waarom niet?'

'Omdat kolonel Mang een paranoïde klootzak is. Ik moet naar de immigratiepolitie en hun een kaartje naar Hué laten zien. Je zei dat ik een buskaartje kon kopen.'

'Ja. Het kaartje blijft geldig, van Nha Trang naar Hué. Dus de politie zal niet vragen welke bus je van plan bent te nemen. Hué is ongeveer 550 kilometer hier vandaan, en dat duurt per bus tien tot twaalf uur, dus ik denk dat de laatste bus naar Hué hier om ongeveer één uur morgenmiddag vertrekt en dan om middernacht in Hué aankomt.'

'Dus als ik echt de bus nam, zou ik snel moeten vertrekken.'

'Juist. En je zou je snel in het hotel moeten uitchecken.'

'Goed.' Ik stond op. 'Busstation.'

We betaalden de rekening, vertrokken en wandelden naar het busstation.

Het busstation was een en al menselijke verpaupering en ik zag daar geen enkele westerling, zelfs geen rugzaktoerist of schoolmeester.

De rijen waren lang, maar Susan liep naar de voorkant van de rij en gaf een man een paar dollar om mijn kaartje te kopen. Susan vroeg me: 'Enkele reis of retour?'

'Enkele reis, boven, bij het raam.'

'Een kaartje voor het dak.' De Vietnamees kocht het kaartje en we verlieten het overvolle busstation.

'Susan zei: 'De kaartjesverkoper zei dat er een bus om twaalf uur ging, en een bus om één uur.'

We liepen naar het politiebureau en ik zei tegen Susan: 'Jij blijft hier. Ze weten inmiddels dat je Vietnamees spreekt. Ik doe het beter met steenkolenengels.'

Ze zei: 'Belangrijker is dat ik, als je daar niet uit komt, contact op-neem met de ambassade.'

Ik gaf geen antwoord en liep het bureau van de immigratiepolitie in.

Binnen zat een andere man achter de balie, en ik gaf hem het briefje van kolonel Mang, dat hij las.

Deze keer was de wachtkamer bijna leeg, op twee rugzaktoeristen na die op de banken lagen te slapen.

De immigratiesmeris zei tegen mij in redelijk Engels: 'Waar gaat u nu heen?'

'Hué.'

'Hoe gaat u naar Hué?'

Ik liet hem mijn buskaartje zien.'

Hij leek een beetje verrast, maar ik had het kaartje van vijf dollar dus ik moest wel de waarheid vertellen. Hij vroeg me: 'Wanneer gaat u?'

'Nu.'

'Ja? U vertrekt uit hotel?'

De man wist dat ik tot de volgende dag ingecheckt stond. Ik zei: 'Ja, verlaat hotel vandaag.'

'Waarom vertrekt u vandaag?'

'Geen trein naar Hué morgen. Geen vliegtuig. Ga met bus. Van-daag.'

'Ja. Goed. U gaat naar politie in Hué.'

Ik zei scherp: 'Dat weet ik.'

'Dame gaat mee?'

'Misschien. Misschien niet. We praten.'

Hij vroeg: 'Waar dame nu?'

'Dameswinkel.' Ik keek op mijn horloge en zei: 'Ik ga nu.'

'Nee. U hebt stempel nodig.' Hij haalde de fotokopieën tevoorschijn die ik hun had gegeven toen ik arriveerde en zei: 'Ik stempel. Tien dol-lar.'

Ik gaf hem tien dollar. Hij stempelde mijn fotokopieën en schreef iets op de stempels. Volgens mij verzinnen ze alles ter plekke.

Ik vertrok voor hij nog iets kon bedenken.

Ik keek naar de stempels en zag dat de man met de hand over de ro-de inkt had geschreven *Hué – Century*, dus hij wist al waar ik logeer-de. Hij had ook de tijd genoteerd: 11.15, en een datum erbij geschre-ven.

Ik trof Susan op straat en ze vroeg me: 'Nog problemen?'

'Nee. Gewoon weer een belasting voor de rondogen.' Ik liet haar de fotokopieën zien met de rode stempels erop en vroeg: 'Wat zijn dit?'

Ze keek ernaar en zei: 'Dit zijn de oude binnenlandse reisstempels die je jaren geleden nodig had.'

'Het kostte me tien dollar.'

'Ik koop mijn eigen rubberstempels voor vijf dollar.'

'Neem ze de volgende keer mee.'

Ze zei tegen me: 'Dus je logeert in het Century Riverside. Daar logeerde ik ook toen ik in Hué was.'

'Nou, daar logeer je dus deze keer weer. Maar we proberen gescheiden kamers te krijgen.'

We namen een taxi terug naar het Grand Hotel. Terwijl we over de weg voortreden, vroeg Susan me: 'Als ik hier niet was geweest, zou je dan de hele week een Vietnamees meisje bij je in het hotel hebben logeren, of zou je elke nacht een andere hebben genomen, of zou je een westerse vrouw in de Nha Trang Sailing Club hebben opgepikt?'

Er leek geen juist antwoord tussen alle keuzes te zitten. Ik zei: 'Ik zou wat meer tijd in het Oceanografisch Instituut hebben doorgebracht en me koud zijn blijven douchen.'

'Nee, ik bedoel echt.'

'Ik heb thuis iemand.'

Stilte.

Ik ben goed in dit spul, dus ik zei: 'Zelfs als ik niemand thuis had gehad, doe ik, als ik een opdracht heb, níets dat de missie ingewikkeld kan maken of in gevaar kan brengen. Maar in dit geval maak je min meer deel uit van het team – zoals ik zeer recentelijk heb uitgevonden – en daarom had ik het gevoel dat ik een uitzondering kon maken.'

Ze antwoordde: 'Ik maak geen deel uit van het team en je wist er helemaal niets van in Saigon toen we besloten samen naar Nha Trang te gaan.'

Ik kon me niet herinneren die beslissing te hebben genomen, maar weer: ik weet wanneer ik mijn bek moet houden.

Ze vervolgde: 'Dus als je een opdracht hebt met een vrouwelijke medewerker, dan zou je een seksuele of romantische betrekking kunnen overwegen. Zo heb je hoe-heet-ze ontmoet.'

'Kunnen we even naar de markt voor een riem?'

'Sorry.'

We arriveerden bij het Grand zonder verdere conversatie.

Bij de balie was een bericht voor Susan op papier met het briefhoofd van de Bank of America. Ik zei: 'Misschien is je cyclolening goedgekeurd.'

Ze las de fax en gaf hem aan mij. Hij was van Bill natuurlijk en er stond: **Firma Washington staat er nadrukkelijk op dat jij zo snel mogelijk terugkeert naar Saigon. Ze moeten je spreken via e-mail. Op het persoonlijke vlak zou ik er niets op tegen hebben als je naar het feest van Vincent kwam, op het Tet-oudejaar. We kunnen dit beschaafd afhandelen, en misschien over onze relatie praten, mocht het nodig zijn. Wil een volledig antwoord.**

Ik gaf haar de fax terug.

Ze zei tegen me: 'De beslissing is nu aan jou, Paul. Dit zijn jouw bazen.'

Ik zei: 'Deze is aan jou gericht, niet aan mij.'

'O. Nou, ik heb geen bazen in Washington. Ik heb het Amerikaanse consulaat in Saigon de dienst bewezen. Einde verhaal.'

Daar was ik niet zo zeker van, maar ik zei: 'Fax Bill dat je met mij naar Hué gaat.'

Ze kreeg een velletje faxpapier van de receptionist en schreef erop. Ze gaf het aan mij en ik las: **Mr. Brenner en ik gaan naar Hué. Informeer zijn firma van hetzelfde. Kom ergens in de week na de volgende week terug naar Saigon. Groeten en excuses aan Vincent.**

Susan liep met de receptionist naar een kleine achterkamer en kwam een paar minuten later weer naar buiten. Ze zei tegen me: 'Ik heb de receptionist gezegd dat we vandaag uitchecken, en dat we over een halfuur een taxi nodig hebben om jou naar het busstation te brengen en mij naar het treinstation.'

We beklommen de trap en ik zei: 'Kleed je voor het avontuur.'

Om twaalf uur waren we beneden in de lobby, allebei gekleed in een spijkerbroek, polohemd en wandelschoenen. We checkten uit en Susan ging me voor naar de eetkamer. We troffen Lucy die de tafeltjes op de veranda bediende en Susan drukte haar wat geld in de hand. De oude vrouw bedankte ons overvloedig. Ze zei iets tegen Susan, die tegen mij zei: 'Ze zegt dat ze zich jou niet herinnert, maar ze herinnert zich de Amerikaanse soldaten die... heel ondeugend waren en... gek, maar haar altijd aardig hebben behandeld. Ze wenst ons een veilige reis.'

'Zeg haar dat ik me altijd de vriendelijkheid en het geduld van de jongedames zal herinneren die onze tijd hier, ver van de oorlog, zo aangenaam hebben gemaakt.'

Susan vertaalde, de oude vrouw boog en toen pakten we elkaar bij de schouders en kusten elkaar, op de Franse manier, op beide wangen.

We gingen terug naar de lobby, pakten onze bagage en liepen naar buiten waar een taxi op ons stond te wachten.

Susan zei: 'Dat was heel aardig. Wat jullie tegen elkaar zeiden.'

'We zijn oude vrienden. We hebben samen een oorlog meege-maakt.'

De chauffeur zette onze tassen in de kofferbak en we vertrokken.

DEEL VIER

Highway One

21

De taxi van het hotel zette eerst Susan af bij het treinstation, daarna mij bij het busstation.

Ik liep het station in, ging vervolgen aan de achterkant weer naar buiten en nam een taxi naar het Thong Nhat Hotel op het strand. Ik liet mijn bagage achter bij de hoofdpiccolo, liep naar het terras, nam een tafeltje en ging zitten. Binnen vijf minuten was Susan bij me.

We hadden een paar uur voor we bij Gladjanus Tours moesten zijn, en het was hier net zo goed als ergens anders en zou geen aandacht trekken. De cliëntèle bestond volledig uit westerlingen, en niemand van het ministerie van Openbare Veiligheid zat hier te eten.

Susan en ik lunchten.

Ik vroeg haar: 'Waarom maak je deze reis met me?'

'Ik wil niet terug naar Saigon.'

'Waarom niet?'

'Ik ben liever bij jou.'

'Waarom?'

'Nou... misschien denk je dat het is omdat ik een oogje op jou wil houden, of misschien denk je dat het is omdat ik me verveel en wat op-winding zoek, of misschien denk je dat het is omdat ik stapel op je ben.'

'Ik had alle drie in gedachten.'

Ze glimlachte en zei: 'Kies die welke je het beste bevalt. Maar niet meer dan twee.'

Ik dacht erover na en zei: 'Die me het beste bevallen, zijn de eerste twee, omdat, als er iets met je zou gebeuren door de laatste, ik het me-zelf nooit zou vergeven.'

Ze stak een sigaret op en staarde naar de vissersboten die van de ri-vier de zee op gingen. Ze zei: 'Ik wil niet dat je je verantwoordelijk voelt voor mijn veiligheid. Ik kan voor mezelf zorgen.'

'Goed. Maar zelfs bij de infanterie hadden we dat matensysteem. Twee jongens die elkaar in de gaten hielden.'

'Ben je ooit een maat kwijtgeraakt?'

'Twee.'

Ze gaf lange tijd geen antwoord, vroeg toen: 'Heb je ooit het leven van een maat gered?'

'Een paar keer.'

'Heeft iemand jou het leven gered?'

'Een paar keer.'

Ze zei: 'Dus we passen op elkaar en doen het zo goed mogelijk.'

Ik gaf geen antwoord.

Ze zei: 'Maar als jij in je eentje het binnenland in gaat, trekt een alleen reizende blanke aandacht.'

'Dat begrijp ik. En ik reis alleen.'

Ze vervolgde: 'Zoals ik in de Q-bar al zei, moet je jezelf voordoen als natuurwetenschapper of amateurbioloog. Mocht je in de gaten zijn gehouden hier in Nha Trang, dan heb je al enige interesse getoond in biologie in het Oceanografisch Instituut.'

Ik keek haar aan, maar zei niets.

'En je zult echt een tolk nodig hebben. Het is erg moeilijk zonder tolk als je eenmaal van de kust weg bent.'

Ik zei: 'De laatste twee keer dat ik hier was, had ik geen tolk. Ik kan mezelf heel goed duidelijk maken.'

'Dat geloof ik graag als je met een geweer rondloopt.'

'Punt voor jou. Ik regel een tolk. Misschien hebben ze iemand voor me in Hué.'

Ze gaf een tijdje geen antwoord, zei toen: 'Tot dusver hebben ze je nog niet zoveel steun gegeven.'

'Dat komt omdat ze me volledig vertrouwen en geloven. Ik ben erg vindingrijk.'

'Ik begrijp het. Maar je kunt niet het hele eind het binnenland in met tweetalige vrouwen blijven slapen.'

Ik glimlachte en zei: 'Jij gaat niet met me mee.'

Om halfzes verliet ik het terras van het hotel en liep naar Gladjanus Tours in Van Hoa Street, een paar blokken verderop. Susan bleef om de rekening te betalen en om me tien minuten later te volgen.

Gladjanus droeg nog steeds zijn klemzonnebril en neplach. Zijn voortanden waren afgezet met goud, en hij had een diamantje in zijn oor. Het enige dat ontbrak was een T-shirt met het opschrift *Oplichter*.

Susan had me verteld dat zijn eigenlijke naam Mr. Thuc was, en ik begroette hem bij die naam. Hij sprak een beetje Engels en vroeg me: 'Waar uw dame?'

Ik antwoordde: 'Niet mijn dame. Misschien komt ze. Misschien niet.'

Hij zei: 'Dezelfde prijs.'

'Waar is mijn auto?'

'Kom. Ik laat u zien.'

We liepen naar buiten. Geparkeerd op zijn kleine minibus-parkeerplaats stond een donkerblauwe Nissan rijstkoker met vierwielaandrijving en vier deuren. Ik kende het model niet, maar Mr. Thuc verzekerde me: 'Goeie auto.'

Ik bestudeerde goeie auto en zag dat er geen veiligheidsriemen in zaten, maar de banden zagen er goed uit en er zat een reservewiel op.

Volgens Susan was het bijna zeshonderd kilometer naar Hué. Dat zou minder dan zes uur zijn op een goede weg, maar als de geschatte reistijd zeven of acht uur was over Highway One, dan was Highhway One in veel slechtere staat dan ik me herinnerde uit 1968, toen de genietroepen van het leger belast waren met het wegenonderhoud.

Er zaten geen sleuteltjes in het contact, dus ik vroeg Gladjanus naar de sleuteltjes, en hij gaf me die aarzelend. Ik ging achter het stuur zitten en startte de motor, die goed klonk, maar er zat maar een kwart tank benzine in. Dat hoefde niets te betekenen, maar kon ook betekenen dat Gladjanus een kortere rit voor ons in gedachten had.

Ik liet de motorkap openspringen en controleerde de motor, een kleine viercilinder die er goed uitzag. Ik zei tegen Gladjanus: 'Waar is de chauffeur?'

'Hij komt.'

Ik zette de motor uit en hield de sleuteltjes. Ik keek op mijn horloge en zag dat er al een kwartier voorbij was sinds ik bij Susan was weggegaan. Net toen ik me zorgen om haar begon te maken, arriveerde ze in een cyclo. Ze had haar rugzak en haar nieuwe boodschappentas bij zich.

Ze wisselde een begroeting uit met Gladjanus en gaf mij een hand alsof we verre kennissen waren die hadden afgesproken een rit te delen. Dit was mijn idee geweest, en zelfs ik was onder de indruk van mijn raffinement. James Bond zou trots op me zijn geweest.

Susan vroeg: 'Is dat onze auto?'

'Dat is hem.' Ik nam haar terzijde en zei: 'Kwart tank benzine. En controleer de radioantenne.'

Ze keek even naar de antenne waar een oranje plastic strip omheen gebonden was. 'Daardoor onderscheidt hij zich min of meer van alle andere donkerblauwe vierwielaangedreven Nissans.'

Ze keek in de achterbak en zei tegen me: 'Geen reservetanks, standaard voor een lange rit, en geen ijsbox, een gebruikelijke hoffelijk-heid in Vietnam.'

Gladjanus keek onze kant op, maar door zijn zonnebril wist ik niet of hij net zo wantrouwig jegens ons was als wij jegens hem. Dit was Hertz niet.

De chauffeur verscheen te voet, een man van ongeveer veertig. Hij droeg een zwarte katoenen broek en een wit hemd met korte mouwen, zoals de helft van de mannen in dit land. Hij droeg ook sandalen en had een pedicure nodig. Hij was nogal gezet voor een Vietnamees en leek mij een beetje nerveus.

Mr. Thuc introduceerde ons aan Mr. Cam en we schudden elkaar al-lemaal de hand. Mr. Thuc zei tegen ons: 'Mr. Cam spreekt geen Engels en ik zei hem dat dame goed Vietnamees spreekt.' Mr. Thuc keek op zijn horloge en zei: 'Goed? U betaalt nu?'

Ik telde honderdvijftig dollar uit en zei tegen Gladjanus: 'De helft nu en de helft aan Mr. Cam als we aankomen in Hué.' Ik stak het geld in zijn borstzak.

'Nee, nu. Alles nu.'

'Ben ik in Hué? Is dit Hué?' Ik opende de achterklep van de Nissan en gooide mijn bagage erin. Susan deed haar rugzak erin en ik sloot de klep.

Gladjanus was pissig, maar hij kalmeerde. Hij zei, op gesprekstoon: 'Dus waar brengt Mr. Cam u in Hué?'

Ik antwoordde: 'Ik denk dat we je dat al verteld hebben. Phu Bai Airport in Hué.'

'Ja? Waar gaat u heen?'

'Hanoi.'

'Ah.' Hij keek om zich heen, zoals mensen doen in een politiestaat en gaf me te kennen: 'Te veel communisten in Hanoi.'

'Te veel kapitalisten hier.'

'Ja?' Hij zei tegen Susan en mij: 'Moet uw visum en paspoort heb-ben. Ik maak kopieën.'

Nou, we wilden niet echt dat Gladjanus wist hoe we heetten, dus ik zei tegen hem: 'Nee.'

Gladjanus begon te klagen dat we hem geen identificatie wilden la-ten zien en dat we niet alles ineens betaalden en hem niet vertrouwden.

Ik zei tegen hem: 'Wil je driehonderd dollar verdienen, of wil je een eikel zijn?'

'Pardon?

'Susan vertaalde het, en ik vroeg me af wat het woord voor eikel was. Ze zei tegen me: 'Rustig nou.'

Ik zei tegen Susan: 'We gaan. We vinden wel een andere auto met chauffeur.' Ik plukte het geld uit Gladjanus' zak en opende de achterklep.

Hij zag er geschokt uit en zijn mond viel open. Hij zei: 'Goed. Goed. Geen paspoort. Geen visum.'

Ik stak het geld terug in zijn zak.

Hij zei iets tegen de chauffeur en ze liepen het kantoortje in.

Susan en ik maakten oogcontact. Ze zei: 'Mr. Cam is niet gekleed op een nachtrit naar het noorden.'

'De auto heeft verwarming.'

'Ze gebruiken zelden de verwarming, omdat ze denken dat het benzine kost. Hetzelfde met koplampen, hoe ongelooflijk dat ook klinkt. En ook, als de auto panne krijgt, vriezen ze dood.'

'Hoe koud is het in het noorden?'

'Waarschijnlijk rond de tien 's nachts. Dat is heel koud voor iemand uit Nha Trang.'

Ik knikte en zei: 'Ze zien ons waarschijnlijk als kneuzen.'

'Spreek voor jezelf. Ook zal Mr. Cam wellicht wat Engels spreken. Dus kijk uit met wat je zegt.'

'Ik weet het.'

Ze keek me aan en zei: 'Weet je zeker dat je niet morgen de minibus wilt nemen?'

Ik antwoordde: 'Ik kan Mr. Cam wel hebben.'

Ze vroeg me: 'En kun je een overval onderweg hebben?'

'Ik rij.'

'Paul, je mag niet rijden.'

'Maak je geen zorgen.'

Ze informeerde me: 'Soms spelen ze onder één hoedje met de politie. Ze dwingen de auto met chauffeur naar de kant en geven de westerlingen heel hoge boetes. Als jij rijdt, word je gearresteerd.'

'Als ze me pakken.'

Ze keek me aan en zei: 'Ik denk dat je verlof voorbij is.'

'Reken maar.'

Ze dwong zich tot een glimlach en zei: 'Dus we zijn de politie te snel af of we rijden dwars door de hinderlaag heen.'

'Precies. Mr. Cam zou niet zo behulpzaam zijn.' Ik vroeg: 'Bestaat er een alternatieve route?'

'Nee. 's Nachts is het Highway One of thuisblijven. De andere wegen zijn niet te berijden, tenzij je ongeveer vijftien kilometer per uur wilt gaan.'

'Goed. Dit is een uitdaging. Ik hou van uitdagingen.'

Ze antwoordde niet.

Ik besefte dat Susan mijn enthousiasme voor irrationeel gedrag misschien niet deelde. Ik zei: 'Luister, ik ben degene die het rendez-vous heeft. Ik ga en jij volgt morgen met de Fransen.'

'O, dus ik moet met een bus vol Fransen mee en jij hoeft alleen maar acht uur wakker te blijven en op je hoede te zijn voor snelwegdieven. Ik dacht dat je een heer was.'

'Wees eens ernstig.'

'Luister, Paul, er is alle kans op dat er niets gebeurt. Als het wel zo is, is het aardige van dit land dat ze je niet doden. En de vrouwen worden niet verkracht. Het gaat alleen om geld. Jij geeft gewoon alles wat je hebt en ze zijn weg.' Ze voegde eraan toe: 'We kunnen morgenochtend de rest van de weg liften.'

'Ik zie dat niet zo voor me, wij in ons ondergoed op Highway One terwijl we proberen een ossenwagen aan te houden.'

Ze gaf me haar boodschappentas, die zwaar was.

Ik zei: 'Wat heb je hierin zitten?'

Ze antwoordde: 'Sommige Amerikaanse bedrijven bewaren wat bescherming in hun kluizen.'

Ik zei niets.

Ze vervolgde: 'Op de Binh Tay-markt in Cholan kun je onder de toonbank onderdelen van Amerikaanse legerwapens kopen. Je zet de delen in elkaar en, voilà, je hebt iets. In dit geval een Colt .45 automatic, Amerikaans legermodel. Jij kent het wapen.'

Ik keek haar aan en herinnerde haar: 'Je zei dat dit een zwaar misdrijf was.'

'Alleen als je gepakt wordt.'

'Susan... waar heb je dit verborgen gehouden?'

Ze antwoordde: 'In de boiler. Er zit altijd een opening in.'

Mijn geest duizelde en ik wilde iets zeggen, maar Mr. Thuc en Mr. Cam waren het kantoortje uit gekomen.

Ik keek naar hen en had de indruk dat zij de laatste details van hun plan hadden doorgenomen, zoals Susan en ik de details van ons plan om hun plan te dwarsbomen hadden doorgenomen.

Mr. Thuc glimlachte weer en hij zei: 'Mr. Cam klaar. U klaar. Heb een goede reis naar Hué.' Hij voegde eraan toe: '*Chuc Mung Nam Moi*,' herinnerde ons er vervolgens aan: 'Betaal Mr. Cam als u in Hué bent.'

Omdat we niet zo zenuwachtig wilden lijken als Mr. Cam, schudden we Gladjanus de hand en wensten hem een gelukkig nieuwjaar. Mr. Thuc en Mr. Cam openden allebei een achterportier voor ons en wij stapten in.

We reden de parkeerplaats af en halverwege Van Hoa Street zei Susan iets tegen Mr. Cam. Hij antwoordde en zij werd nogal vinnig tegen hem. Ik legde mijn hand op zijn schouder en zei in het Engels: 'Doe wat de dame zegt.'

Hij besefte dat we niet zo'n makkie zouden worden. Binnen een paar minuten reed hij een benzinestation in.

Hij vulde de tank en ik stond naast hem. Susan liep het kantoortje in en kwam een paar minuten later naar buiten met een man die twee reservetankjes van tien liter benzine droeg. Susan had een plastic tas waarin twee literflessen met water zaten, een heleboel cellofaanzakjes met snacks en een wegenkaart.

Ik liet Mr. Cam voor de benzine betalen, en terwijl hij dat deed pakte ik mijn kaart van Nha Trang en mijn reisgids uit mijn weekendtas. We stapten allemaal in, ik deze keer voorin, en we vertrokken weer.

We reden naar het noorden en op de kaart zag ik dat we in de juiste richting reden, naar de Xam Bong-brug.

De lange brug leidde over een paar kleine eilanden waar de rivier de Nha Trang breder werd en uitmondde in de Zuid-Chinese Zee. De zee was van blauw in goudkleurig veranderd nu de zon boven de heuvels in het westen onderging. Het zou binnen een halfuur donker zijn.

We bleven naar het noorden rijden over een tamelijk redelijke weg die dwars door de heuvels noordelijk van Nha Trang liep.

Ik herkende de weg en keek naar rechts. Ik zei tegen Susan: 'Daar is de dronken reusachtige elf gevallen en heeft hij zijn handafdruk op de rots achtergelaten.'

'Ik ben blij dat je opgelet hebt. En verderop, op de volgende berg, is zijn geliefde in steen veranderd.' Susan zei: 'Dit is triest. Weggaan uit Nha Trang. Dit is de beste week die ik heb gehad sinds ik hier ben.'

Ik keek achterom naar haar en we maakten oogcontact. Ik zei: 'Bedankt voor een fantastisch verlof.'

Binnen een kwartier kruiste de weg Highway One, die rechtstreeks naar Hué leidde, ongeveer zeshonderd kilometer verder naar het noorden.

De zogenaamde snelweg had één baan in elke richting, maar verbreedde zich zo nu en dan tot drie banen waar ingehaald kon worden. Het verkeer was niet zo druk, maar er waren nog wel een heleboel ossenwagens en fietsen op de weg. Het rijden van Mr. Cam zou hem geen certificaat van Veilig Rijden opleveren, maar hij was niet slechter dan de anderen op de weg.

Highway One liep langs de kust, en verderop zag ik weer een voorgebergte de zee in steken. Links van ons strekten rijstvelden en dorpen zich uit langs de snelweg, met erachter nog meer bergen die de zon verborgen. Nu kwam de tijd van de dag die we in het leger EENT noemden, het einde van de nautische schemering, met nog voldoende licht om je voor de nacht in te graven.

Dit zou de eerste keer sinds 1972 zijn dat ik na het invallen van de duisternis op het platteland van Vietnam was, en ik keek er niet echt naar uit. De nacht was van Charlie, en van Charlies zoon, Mr. Cam.

Maar onbekend aan Mr. Cam had Susan een oude, maar, naar ik hoopte, goed geoliede Colt .45 klaar om op zijn hoofd te richten.

Eigenlijk was ik, nu de zon onderging, minder kwaad op haar dat ze het wapen had meegenomen, en ik hoopte dat het in elkaar was gezet en was geladen. Ik kon een Colt .45 letterlijk geblinddoekt in en uit elkaar halen, en dat doen in vijftien seconden, inclusief het inbrengen van het magazijn, een kogel in de kamer laden en de veiligheidspal overhalen. Maar ik wilde niet proberen mijn record te breken.

Het was nu donker en het verkeer was nagenoeg verdwenen, buiten een paar vrachtwagens die benzine verspilden door met brandende lichten te rijden. We kwamen door een stadje dat volgens mijn kaart Ninh Hoa heette. Rechts blokkeerde een bergachtige kaap het uitzicht op de zee, en voor ons lag een uitgestrekt stuk verlaten weg. Ik zag een paar boerenhutjes met licht in de ramen, en waterbuffels die van het veld naar huis werden gedreven. Het was tijd om te eten en misschien tijd voor een hinderlaag.

In het Engels zei ik tegen Mr. Cam: 'Ik moet piesen. *Biet?* Pissen. *Nuoc* maken.'

Hij keek me aan: *'Nuoc?'*

Susan vertaalde en Mr. Cam ging naar de kant van de weg.

Ik stak mijn hand naar voren, zette de motor uit en pakte de sleuteltjes. Ik stapte uit de auto en deed mijn portier dicht.

Ik liep om naar de kant van de bestuurder en haalde de oranje wimpel van de antenne. Ik opende het portier, gaf Mr. Cam een duwtje en zei: 'Opschuiven.'

Hij was niet blij, maar schoof over de bank opzij. Ik weet zeker dat hij overwoog ervandoor te gaan, maar voor hij die gedachte echt kon maken, zat ik al achter het stuur en reden we weer. Ik ging terug de weg op, schakelde door en reed over Highway One met ongeveer honderd kilometer per uur. De Nissan deed het goed, maar voor twee blanken en een Vietnamees, en een volle tank, had hij iets te weinig vermogen.

Ik wilde Mr. Cam niet echt bij ons hebben, maar ook wilde ik niet dat hij naar een politiebureau stapte. Dus ik ontvoerde hem. Ik zei tegen Susan: 'Zeg hem dat hij er moe uitziet en ik rijd. Hij kan gaan slapen.'

Ze vertaalde het.

Mr. Cam zag er allesbehalve moe uit. Hij zag er opgewonden uit. Hij zei iets dat Susan vertaalde met: 'Hij zegt dat je in grote moeilijkheden komt als de politie jou ziet rijden.'

'Hij ook. Zeg het hem.' Ze zei het hem.

Ik verhoogde de snelheid van de Nissan naar honderdtwintig kilometer per uur, en zonder verkeer was dat niet zo slecht. Maar zo nu en dan kwamen we in gaten terecht en bijna verloor ik de macht over het stuur. De veren en schokdempers waren niet zo fantastisch en ik vertrouwde op de reserveband als ik een klapband kreeg. Ik vertrouwde beslist niet op mijn lidmaatschap van de wegenwacht.

Na ongeveer tien minuten zag ik in mijn achteruitkijkspiegeltje de koplampen van een auto, en toen die dichterbij kwam, zag ik dat het een kleine open jeep was. Ik zei: 'We hebben gezelschap.'

Susan keek door de achterruit en zei: 'Het kan een politiejeep zijn. Ik denk dat er twee mannen in zitten.'

Ik gaf de Nissan plankgas.

De weg liep recht en vlak door de rijstvelden, en ik bracht de Nissan naar het midden van de weg waar ik hoopte dat het asfalt beter was. De auto achter me hield ons bij, maar liep niet op ons in.

Mr. Cam keek in het zijspiegeltje, maar zei niets.

Ik vroeg Susan: 'Heeft de politie een radio?'

Ze zei: 'Soms.'

Mr. Cam zei iets tegen Susan en ze zei tegen mij: 'Mr. Cam gelooft dat er een politieauto achter ons zit en hij stelt voor dat we naar de kant gaan.'

Ik antwoordde: 'Als het een politieauto was, zou hij zijn zwaailichten en sirene aan hebben staan.'

Ze zei tegen me: 'Ze hebben hier geen zwaailichten en sirenes.'

'Weet ik. Het is een grap.'

'Dit is geen grap. Kunnen we ze achter ons laten?'

'Ik probeer het.'

Ik reed op topsnelheid, honderdzestig kilometer per uur, en ik wist dat ik, als ik met deze snelheid een kuil zou raken, een klapband zou krijgen of de macht over het stuur zou verliezen, of allebei. De politie wist dat hetzelfde met hen kon gebeuren, maar ze leken ongewoon gebeten op de achtervolging, en ik meende dat ze iets meer in gedachten hadden dan een boete van twee dollar. En als Mr. Thuc ons had belazerd, zou de politie inmiddels wel weten dat Mr. Cam niet reed.

De Nissan bleef goed op snelheid, maar dit was een volslagen gok wat betreft wie als eerste een grote kuil in de weg zou raken.

Voor me reed een grote vrachtwagen, en het leek alsof hij stilstond. Ik zwenkte op de tegemoetkomende baan en zag een andere vrachtwagen op me af komen. Ik passeerde de vrachtwagen en net twee seconden voordat ik in aanvaring zou komen met de andere truck, zwenkte ik terug naar de rechterbaan. Een minuut later zag ik de koplampen van de jeep achter me, en hij had wat terrein verloren.

Mr. Cam raakte steeds geagiteerder en hij bleef proberen met Susan te redeneren, die hem bleef zeggen: '*Im lang*,' hetgeen, naar ik me meende te herinneren, betekende: stil, of hou je kop.

De auto achter ons was ongeveer honderd meter van ons vandaan, en misschien iets dichterbij dan de laatste keer dat ik keek. Ik vroeg Susan: 'Hebben smerissen geweren bij zich of alleen pistolen?'

'Allebei.'

'Schieten ze op te snel rijdende auto's?'

'Waarom gaan we er niet van uit dat ze het doen?'

'Laten we ervan uitgaan dat ze een postkoets willen beroven en niet willen dat alles in een vuurbal verbrandt.'

'Klinkt goed.'

Ik zei tegen Susan: 'Wees erop voorbereid dat ding in je tas weg te gooien. Ik wil niet tegenover een vuurpeloton komen te staan.'

Ze zei: 'Ik heb hem in mijn hand. Zeg maar wanneer.'

'Wat dacht je van nu? Voor ik deze auto op zijn kant zet en zij hem vinden.'

Ze gaf geen antwoord.

'Susan?'

'Laten we wachten.'

'Goed, we wachten.'

Ik probeerde me de kaart te herinneren, en als ik het nog goed wist, zou er over een paar kilometer weer een stadje komen. Als er nog een smeris in de buurt zat, dan zat hij daar.

Mr. Cam was stil, zoals mensen die hun noodlot hebben geaccepteerd. Ik zag hem zijn lippen in gebed bewegen. Ik verwachtte niet dat hij met deze snelheid iets stoms zou uithalen, zoals het stuur grijpen of proberen eruit te springen. Ik zei tegen Susan: 'Zeg Mr. Cam dat ik in het volgende stadje stop en hem eruit laat.'

Ze vertelde het hem en hij leek dit te geloven. Waarom, weet ik niet, maar hij geloofde het.

Ondertussen reed ik door kuilen en hobbelden we alle kanten op.

Verderop stond een kleine auto midden op de weg geparkeerd. Ik zag een vrouw in mijn koplichten om hulp gebaren. Dit, dacht ik, was de hinderlaag waar we beroofd zouden worden van alles wat de smerissen nog niet in boetes hadden geïnd. Maar de wet had me nog niet te pakken en Mr. Cam zat niet achter het stuur. Maar hij zei, in gerepeteerd Engels: 'Ik stop. Auto heeft hulp nodig. Ik stop.'

'Jij rijdt niet. Ik stop niet.'

Ik zwenkte naar de andere baan waar ik de afstand naar de afwateringgreppel links van me beter kon inschatten en schoot voorbij de vrouw in nood en haar auto.

Ik probeerde mijn aandacht te verdelen tussen de weg voor mijn voorruit en de koplampen achter me. Ik zag de lichten om de stilstaande auto op de weg heen zwenken, en de jeep kwam bijna in de greppel terecht, maar toen was hij weer terug op de weg.

Susan keek uit het achterraampje.

Ik zei tegen haar: 'Sorry hiervoor.'

'Maak je geen zorgen. Rijden.'

'Precies. Die man rijdt niet slecht.'

Ze vroeg me: 'Weet je hoe je een Vietnamese chauffeur uit zijn concentratie kunt halen?'

'Nee. Hoe?'

'Gooi briefjes van twintig op straat.'

Ik glimlachte.

Wat erna gebeurde, was minder leuk. Ik hoorde geluiden als gedempte knallen van de uitlaat, en het kostte me ongeveer een halve seconde om het lage, ploffende geluid van een AK-47 te herkennen. Mijn bloed stolde een ogenblik. Ik haalde diep adem en zei: 'Heb je dat gehoord?'

Ze antwoordde: 'Ik zag dat ze vuurden.'

Ik had mijn voet helemaal op de vloer, en nog meer, maar de Nissan reed al op topsnelheid. Ik zei: 'Goed, gooi het wapen weg. We gaan naar de kant.'

'Nee! Blijf rijden. Het is nu te laat om te stoppen.'

Ik bleef rijden en weer hoorde ik een schot. Maar schóót hij op ons? Of probeerde hij alleen maar onze aandacht te vangen? In ieder geval zou de man met het geweer, als zijn auto net zo hevig hobbelde als die van mij, geen gericht schot kunnen afvuren op deze afstand die nu ongeveer tweehonderd meter bedroeg. Ik zwenkte naar de tegemoetkomende baan zodat de schutter moest gaan staan om over zijn voorruit heen te schieten, maar de politiejeep zwenkte achter ons ook dezelfde baan op. Dus ik zwenkte terug naar de rechterbaan.

Ik hoorde weer een schot, maar deze keer was het een lichtspoorkogel, en ik zag het groene spoor hoog rechts van me. *Mijn god*. Ik had sinds 1972 geen groene lichtspoormunitie meer gezien, en het deed mijn hart een ogenblik stilstaan. Wij gebruikten rood, zij gebruikten groen, en ik begon deze groene en rode sporen voor mijn ogen te zien.

Ik bracht mezelf terug uit die nachtmerrie naar deze.

Mr. Cam huilde nu, wat prima was, behalve dat hij met zijn vuisten op het dashboard begon te bonken. Straks zou het mijn hoofd zijn. Ik herkende de kleine tekenen van hysterie. Ik haalde mijn rechterhand van het stuur en gaf hem met de achterkant ervan een klap in zijn gezicht. Dit leek te helpen en hij bracht zijn handen voor zijn gezicht en huilde.

Ik kreeg het krankzinnige idee dat dit alles een misverstand was, een toevalligheid – de politieauto wilde alleen maar ons registratiebewijs zien, de auto midden op de weg had echt panne en Mr. Cam had zuivere bedoelingen. Jongen, zou hij geen verhaal te vertellen hebben bij het Tet-oudejaarsdiner?

We zoefden door een paar dorpjes aan weerskanten van Highway One, en in de dorpen zag ik mensen op fietsen en kinderen op de weg. Dit was gevaarlijk, maar dat waren de kuilen ook en ook de mannen die op ons schoten. Het kwam allemaal op geluk neer – een van ons zou een fatale fout maken.

Ik gooide mijn kaart en reisgids naar Susan achterin en zei: 'Kun jij me vertellen hoever de volgende stad is?'

Ze gebruikte haar aansteker om de bladzijde te bekijken en zei: 'Ik zie een plaats die Van Gia heet. Is dat het?'

'Ja. Dat is het. Hoever?'

'Ik weet het niet. Waar zijn we nu?'

'We zijn ongeveer dertig kilometer van Ninh Hoa vandaan.'

'Nou... dan is Van Gia hier.'

En jawel, ik zag de lichten van het stadje voor me.

Susan zei: 'Je kunt met deze snelheid niet door die stad, Paul. Daar zijn vrachtwagens, auto's en mensen op de weg.'

'Ik weet het.' Ik moest snel iets doen.

Voor me reed nu een vrachtwagen en zijn remlichten gingen aan en uit toen hij snelheid minderde voor het stadje. Ik zwenkte naar de andere baan en passeerde hem, ging vervolgens terug naar mijn rijbaan. Ik trapte op mijn remmen en merkte dat ik geen antiblokkeersysteem had. De Nissan begon te slingeren en ik moest alle mogelijke moeite doen om hem in bedwang te houden. De vrachtwagen zat nu direct achter me, en ik deed mijn lichten uit. Ik bleef ongeveer vijf meter voor de vrachtwagen rijden, verborgen voor de politieauto.

Ik had geen idee hoe dichtbij de politieauto was, maar hij zou binnen een paar seconden naast me rijden. Ik wachtte en zag zijn koplampen op de weg links van me, daarna was de gele jeep direct naast me. Binnen een fractie van een seconde zag de man naast de bestuurder met de AK-47 mij en onze ogen kruisten elkaar. Hij keek verrast, richtte vervolgens zijn geweer toen ik gas gaf en de jeep zijdelings raakte. Ik hoefde hem niet hard te raken, omdat de chauffeur die verder naar voren naar me zocht, het niet had verwacht, en de gele jeep schoot de weg af, en slipte in de zachte berm. In mijn zijspiegel zag ik de jeep de afwateringsgreppel raken en omslaan. Ik hoorde een gedempte knal, zag vlammen en vervolgens een explosie.

Ik had het gaspedaal op de vloer en ik reed nog steeds op de tegemoetkomende baan. Ik stuurde terug naar mijn rijbaan en zag in mijn spiegel dat de vrachtwagen op de weg tot stilstand was gekomen. Ik deed mijn lichten weer aan.

Ik pompte op het rempedaal en bracht de snelheid terug naar zestig kilometer per uur toen we het stadje Van Gia binnenreden.

Het was heel stil in de auto en ik kon mijn ademhaling horen. Mr. Cam lag letterlijk op de vloer opgekruld in een foetushouding. Ik keek in mijn achteruitkijkspiegeltje en zag Susan recht naar voren kijken.

Ik reed ongeveer veertig kilometer per uur over Highway One die nu de hoofdstraat was geworden.

Er was geen straatverlichting, maar in de meeste gestuukte woningen van één verdieping brandde licht, en dat verlichtte de weg. Ik zag een karaokebar links van me en ervoor hingen een stuk of tien jongeren. Overal stonden fietsen en scooters geparkeerd en staken mensen de straat over. Ik zei tegen Susan: 'Je moet naar beneden.'

Susan liet zich zakken.

Verderop rechts stond een gele politiejeep geparkeerd voor het politiebureau en buiten stonden een paar mannen in uniform. Als de smerissen achter ons een radio hadden gebruikt, was dit het einde van de rit en hadden we geluk als we een vuurpeloton kregen.

Ik hield letterlijk mijn adem in toen ik het politiebureau naderde. Er reed geen enkele auto op straat omdat er maar weinig plaatsen waren waar je 's avonds naartoe wilde, en het stadje was zo klein dat je overal te voet of op de fiets kon komen. Dus de donkerblauwe Nissan viel op. Ik liet me zakken op mijn stoel zodat ik er als een meter vijftig uit zou zien, en bracht mijn rechterhand voor mijn gezicht alsof ik luizen had en krabde of zoiets. Mr. Cam maakte een beweging, en ik haalde mijn hand van mijn gezicht weg, greep zijn haar en duwde hem naar beneden. *'Im lang!'* zei ik, hoewel hij niets zei, maar ik kon me niet herinneren hoe je moest zeggen: 'Verroer je niet!'

We reden nu langs het politiebureau en ik probeerde mijn gezicht afgewend te houden, met mijn ogen op de smerissen gericht, terwijl ik Mr. Cam bij zijn haar vasthield. Ik wist dat je een Vietnamees hoofd niet mocht aanraken, maar hij lag in een foetushouding en ik kon met mijn handen niet bij zijn ballen komen.

De politieagenten wierpen een blik op de donkerblauwe Nissan en ik besefte dat ik op het punt stond het haar van Mr. Cam uit zijn hoofd te trekken. Ik liet mijn hand naar zijn nek glijden en hield hem daar vast.

We waren nu voorbij het politiebureau, en ik keek in de rechterzij-spiegel. De smerissen keken naar de auto, maar ik wist dat ze niet naar mij zochten. Toch bleef de auto hun belangstelling houden. Ik hield de auto op de hoofdstraat in de eerste versnelling.

Een jongen op een fiets kwam direct voor me langs en we maakten oogcontact. Hij gilde: 'Lien Xo! Lien Xo!' wat, zoals ik kortgeleden had geleerd, sovjet betekende, of soms buitenlander, waarmee hij mij bedoelde.

Het werd tijd om te gaan. Ik gaf gas, en snel waren we uit het stadje Van Gia en terug op de donkere snelweg.

Ik schakelde door en binnen een paar minuten zoefden we verder met honderd kilometer per uur. Ik bleef in de achteruitkijkspiegel kij-ken om te zien of het joch de politie over de Lien Xo had gewaar-schuwd, maar ik zag geen koplampen.

Ik haalde voor het eerst in ongeveer tien minuten weer adem. Ik zei tegen Susan: 'Wat dacht je van wat nuoc?'

Ze had de fles al open en gaf die aan mij door. Ik nam een diepe teug en bood de fles aan Mr. Cam op de vloer aan door hem op zijn hoofd te tikken. Hij moest volgens mij nu uitgedroogd zijn, maar hij wilde geen water, dus ik gaf de fles terug aan Susan die een grote slok nam.

Ze haalde diep adem en zei: 'Ik zit nog te trillen, en ik moet piesen.'

Ik ging naar de kant van de weg en we deden allemaal een welver-diende plas. Mr. Cam probeerde ervandoor te gaan, maar het was een halfslachtige poging en ik duwde hem terug in de auto.

Ik controleerde de banden en onderzocht vervolgens de auto op ko-gelgaten, maar ik kon ze niet vinden. Of ze hadden niet op ons gescho-ten, of hun richten was slecht geweest door het hobbelen. Het maakte allemaal niets uit.

Ik keek aan de kant van de bestuurder en zag dat er krassen op zaten en dat de bumper links was verbogen, maar ik had de jeep heel licht geraakt, meer was er niet nodig geweest.

Terug in de auto gaf ik gas tot honderd en bleef op die snelheid zitten. Ik zei tegen Susan: 'Ik vind het allemaal heel naar.'

'Je hoef je nergens voor te verontschuldigen. We waren op de vlucht voor bandieten. Je hebt het fantastisch gedaan.' Ze vroeg: 'Rij je thuis ook zo?'

'Om eerlijk te zijn heb ik een FBI-cursus agressief rijden gedaan. Ik ben geslaagd.'

Ze gaf geen antwoord, maar ze stak wel een sigaret op. Ze bood er Mr. Cam een aan die nu op zijn stoel zat, en hij accepteerde hem. Ze stak hem voor hem aan, en gezien haar trillende handen en zijn bevende lippen, was ik verrast dat ze hem aangestoken kreeg.

De zee was weer rechts van ons en de laatste schijf maan reflecteerde net voldoende van het water om alles niet volslagen donker te maken. Ik passeerde een vrachtwagen die naar het noorden reed, maar er waren geen auto's die naar het zuiden reden. Dit was 's nachts een volslagen desolate weg, wat goed was om vaart te maken, maar niet zo goed voor iets anders. Zo nu en dan zag ik een gat in de weg en zwenkte eromheen. Soms zag ik het gat niet en kwam erin terecht waardoor de Nissan een onverwachte sprong maakte.

Susan zei: 'Denk je dat er iemand naar ons op zoek is?'

'De enige mensen die op zoek zijn, zijn dood.'

Ze gaf geen antwoord.

Ik zei tegen haar: 'Misschien dat Mr. Thuc nu op zoek is naar Mr. Cam.'

Ze dacht erover na en zei: 'Mr. Thuc zal inmiddels van zijn dame-in-nood gehoord hebben dat we voor de politie op de vlucht waren, dus hij zal denken dat we nu of dood zijn of onze weg naar Hué vervolgen.'

'Waarom zal hij de politie niet bellen?'

'Omdat de politie duizend dollar zal willen hebben alleen al om naar de auto uit te kijken, en nog eens duizend als ze hem hebben gevonden.' Ze voegde eraan toe: 'Mr. Thuc hoopt nu alleen nog maar op het beste. Hij zal zich er morgen zorgen om gaan maken, als hij niets heeft gehoord van Mr. Cam. Als je aan de politie hier denkt, denk dan niet aan behulpzame mannen in het blauw die jou meneer noemen als je om hulp vraagt. Het zijn de grootste dieven van het land.'

'Ik begrijp het.'

Susan sprak met Mr. Cam, die zich wat beter leek te voelen na zijn sigaret. Susan zei tegen me: 'Hij ontkent dat er een overval voor ons gepland was. Hij zegt dat we heel wantrouwig zijn. Hij wil eruit.'

'Zeg hem dat hij de auto terug moet rijden van het Phu Bai Airport van Hué omdat Mr. Thuc hem anders vermoordt.'

Susan vertelde het hem en ik herkende het woord *giet*, dat moord of dood betekende. Grappig zoals ik me een paar onaangename woorden herinnerde. Ik zei tegen Susan: 'Zeg hem dat hij, als hij zich gedraagt, morgen thuis zal zijn bij zijn familie.'

Ze vertelde het hem; hij zei iets, en Susan zei tegen mij: 'Ik betwijfel het ten zeerste of hij naar de politie zal gaan. Voor hem betekent dat alleen maar problemen.'

'Goed. Omdat ik echt niet wil dat ik hem moet doden.'

Ze gaf lange tijd geen antwoord en vroeg me toen. 'Meen je dat?'

'Heel erg.'

Ze leunde achterover op haar bank en stak weer een sigaret op. 'Ik begrijp waarom ze jou hebben gestuurd.'

'Ze hebben me niet gestuurd. Ik ben vrijwillig gegaan.'

Mr. Cam leek te proberen het gesprek te volgen, omdat hij zich waarschijnlijk afvroeg of we het er over hadden hem te doden. Om hem tot bedaren te brengen, gaf ik hem een klopje op zijn schouder en zei: '*Xin loi,*' wat zoiets betekende als 'sorry daarvoor'.

Susan vroeg: 'Komt je Vietnamees terug?'

'Ik denk het. *Xin loi.* Als we iemand doodschoten, zeiden we: "*Xin loi,* Charlie," Zoiets als: sorry hiervoor, Charlie. Begrijp je?'

Ze bleef een tijdje stil, en vroeg zich ongetwijfeld af of ze met een psychopaat op stap was. Ik vroeg het me ook af. Ik zei tegen haar: 'Mijn adrenalinepeil is hoog. Het is straks weer goed.'

Weer zei ze niets. Ik denk dat ze een beetje bang voor me was, en om eerlijk te zijn, ik ook.

Ik zei tegen Susan: 'Jij wilde mee.'

'Ik weet het. Ik zeg niets.'

Ik stak mijn hand over mijn schouder, en ze pakte die en gaf er een kneepje in.

Ik richtte me weer op het rijden. Het vlakke land versmalde zich hier tot een strook tussen de bergen links en de zee rechts van ons. Er was helemaal geen verkeer meer en ik reed gestaag honderd kilometer per uur.

Susan vroeg: 'Wil je dat ik rij?'

'Nee.'

Ze begon mijn nek en schouders te masseren. 'Hoe gaat het met je?'

'Prima. Een paar honderd kilometer verderop is een plaats die Bong Son heet en waar ik paar maanden gelegerd was. Kijk uit naar een bord van de Kamer van Koophandel.'

'Ik houd een oogje op de kaart. Waarom vertel je me niet hoe je aan je verlof in Nha Trang bent gekomen.'

'Ik zal je wat zeggen. We gaan naar de A Shau-vallei buiten Hué en ik vertel je waar het is gebeurd.'

'Oké.' Ze masseerde mijn slapen en zei: 'Ik heb je in het Rex gezegd dat het goed is om over deze dingen te praten.'

'Vertel me dat nadat je dit verhaal hebt gehoord.'

Ze bleef een tijdje stil en zei toen: 'Misschien dat je, als je deze keer hier vandaan vertrekt, ook de oorlog achter je laat.'

Ik gaf geen antwoord, zei toen: 'Ik denk dat ik daarom hier ben.'

22

We reden over Highway One verder naar het noorden, kwamen door Vung Ro, een badplaats met een paar pensions en een klein hotel met een caféterras. Als Mr. Cam er niet bij was geweest, zouden we er koffie hebben gedronken, of een borrel, die ik wel kon gebruiken.

Na Vung Ro draaide de weg van de kust vandaan en raakte weer uitgestorven, een donkere uitgestrektheid van rijstvelden en dammen en zo hier en daar een boerenhut.

Mr. Cam zweeg. Ik denk dat hij besefte dat we hem al gedood zouden hebben, als we dat hadden gewild. Dit besef maakt sommige gevangenen ontspannen en doet hen zonder morren meewerken; andere krijgen het idee dat het misschien geen kwaad kan ervandoor te gaan.

Ik bleef in mijn achteruitkijkspiegeltje kijken naar koplampen. Koplampen betekenden moeilijkheden. Ik zei tegen Susan: 'Er rijdt geen enkele auto op de grote nationale snelweg.'

'Op het platteland reist niemand 's nachts. Overdag is Highway One zo druk, dat je nauwelijks vijftig kilometer per uur haalt.' Ze voegde eraan toe: 'Ze hebben me verteld dat de politie een uur na het invallen van de duisternis niet meer op de snelwegen patrouilleert.'

'Dat geeft in ieder geval rust.'

'Niet echt. Tot zonsopkomst patrouilleert het leger op de snelwegen. De smerissen blijven in de steden.' Ze voegde eraan toe: 'De legerpatrouilles houden iedereen op de snelweg aan.'

'Wat is de volgende grotere stad?'

Ze keek op de kaart en zei: 'Een plaats die Qui Nhon heet. Maar Highway One gaat er westelijk langs, dus we hoeven niet door de stad.'

Ik zei: 'Dat was een stad met een groot Amerikaans ziekenhuis.'

'Herinner je je dat?'

'Ja. Qui Nhon kreeg de gevallen die niet naar het hospitaalschip gingen. 'We behandelden daar ook een heleboel Vietnamese soldaten

en burgers. Bovendien hadden ze daar een groot lepraziekenhuis buiten de stad.'

'O... ik heb daarvan gehoord. Er is daar nog steeds een lepraziekenhuis.'

'We hadden een hospik die door de strijd zo opgebrand was, dat hij
zich als vrijwilliger opgaf voor het lepraziekenhuis. We maakten er
een grap van. Weet je wel? Als het allemaal heel erg zwaar werd, gaven we ons allemaal op als vrijwilliger voor het lepraziekenhuis in Qui
Nhon.' Susan lachte niet. 'Ik denk dat je er bij moet zijn geweest.' Ik
vroeg haar: 'Hoe ver nog?'

'Volgens mij nog maar een paar kilometer.'

'Kun je kaartlezen, of doe je alsof?'

'Dat is een seksistische opmerking.'

Xin loi.'

Ze gaf me een stomp tegen mijn schouder, wat Mr. Cam verraste. Ik
zei: 'Mr. Cams vrouw stompt hem nooit. Ik ga met een Vietnamese
vrouw trouwen.'

'Ze zijn zo dociel dat je je gek verveelt.'

'Klinkt goed.'

Ze zei: 'Ik ben blij dat je je beter voelt.'

Ik zei tegen haar: 'Ik maak me een beetje zorgen om de vrachtwagenchauffeur.'

Ze dacht erover na en zei toen: 'Nou... de vrachtwagenchauffeur
wist niet dat we buitenlanders waren. Hij heeft aangenomen dat we
Vietnamezen waren die achtervolgd werden door de politie. Hij heeft
niets gezien.'

'Dat kan weleens kloppen.'

We passeerden de Qui Nhon-weg die Highway One kruiste, en bij
de kruising stonden een paar huizen, inclusief een benzinestation,
maar dat was dicht. Ik vroeg Susan: 'Denk je dat er nog benzinestations open zijn?'

'Waarom zouden ze?'

'Juist. Ik denk niet dat we Hué halen met een tank benzine, ook niet
met de jerrycans.'

'Doe je koplampen uit. Dat spaart benzine. Vraag maar aan Mr.
Cam.'

Ik keek op de benzinemeter en deed een paar berekeningen in mijn
hoofd. Ik dacht nog zo'n tweehonderd of tweehonderdvijftig kilometer te kunnen halen, duidelijk afhankelijk van de inhoud van de tank en
ons kilometerverbruik. De extra tien liter in de jerrycans zou nog eens
vijftig of zestig kilometer aan ons bereik toevoegen. Ik zei tegen Su-

san: 'Vraag Mr. Cam waar hij 's nachts benzine haalt.'

Ze vroeg het hem; hij gaf antwoord en ze zei tegen mij: 'Hij weet het niet. Hij is nog nooit zover naar het noorden geweest en hij rijdt zelden 's nachts.'

Ik lachte. 'Nou, waar wilde hij dan gaan tanken?'

Susan antwoordde: 'Hij was duidelijk niet van plan ons naar Hué te rijden.'

'Dat weet ik. Vertel het hem.'

Ze vertelde het hem en Mr. Cam keek een beetje schaapachtig.

Susan zei: 'Ik herinner me benzinestations die tot laat open zijn in Da Nang.'

'Hoe ver is Da Nang?'

Ze keek op haar kaart en zei: 'Ongeveer driehonderd kilometer.'

Ik keek weer op mijn benzinemeter en zei: 'Ik hoop dat het heuvel-afwaarts is, want anders halen we het niet. Misschien moeten we dik-kie hier uit de auto zetten.'

'We hebben hem nodig om te tanken. Paul? Wat waren onze ge-dachten?'

'Ik dacht dat we een grotere tank zouden hebben of een lager kilo-meterverbruik. In het uiterste geval gaan we naar de kant, wachten we tot het licht wordt en gaan we naar een open benzinestation.'

Ik keek naar voren en zag aan de vlakke horizon het schijnsel van lichten. Ik vroeg Susan: 'Is dat Bong Son?'

'Dat moet wel.'

Ik begon gas terug te nemen en keek om me heen naar het schrale landschap, dat me bekend voorkwam. Meer tegen mezelf dan tegen Susan zei ik: 'Daar heb ik de olifant gezien.'

'Welke olifant?'

Ik gaf een paar ogenblikken geen antwoord, zei toen: 'Het is een uitdrukking. Mannen die hun eerste ervaring met een gevecht hebben gehad, zeggen: 'Ik heb de olifant gezien.' Ik keek naar de weg en naar het terrein aan weerskanten, waar ik op een vroege ochtend in novem-ber 1967, de dag na Thanksgiving, mijn eerste vuurgevecht had mee-gemaakt.

'Susan vroeg: 'Wat betekent het?'

'Ik weet het niet. Maar ik weet dat het oud is – en het heeft niets met Vietnam te maken. Misschien gaat het terug tot aan de Romeinse tijd toen Hannibal met zijn olifanten de Alpen overstak.' Ik herhaalde: 'Ik heb de olifant gezien.'

Susan merkte op: 'Het klinkt bijna mystiek.'

Ik knikte. 'Niemand op de wereld is zo mystiek, bijgelovig en diep religieus als een soldaat in oorlog. Ik heb mannen hun crucifix zien kussen en een kruis zien slaan voordat de strijd begon... vervolgens staken ze een AK-47-patroon in hun helmband, als substituut voor de vijandelijke kogel die voor hen was bedoeld. En ze deden een schoppenaas in hun helm omdat die door de Vietnamezen werd gezien als het symbool van de dood. En er waren allerlei soorten talismannen, en rituelen die mannen deden vóór het gevecht... waar het op neerkomt: je bidt.'

Susan bleef een tijdje stil en zei toen: 'En hier heb je de olifant gezien?'

'Hier heb ik de olifant gezien.'

Ze dacht een tijdje na en zei toen: 'Toen er daarnet op ons geschoten werd... ik denk dat ik toen een glimp van de olifant heb opgevangen.'

'Werd je ijskoud van angst, voelde je je mond droog worden en je hart proberen door je borst naar buiten te barsten?'

'Ja.'

'Dan heb je een glimp van de olifant opgevangen.'

Naar voren zag ik een brug die ik me herinnerde en die over de rivier de An Lao liep, met aan de andere kant het stadje Bong Son.

Susan zette haar zonnebril op en vroeg: 'Zie ik eruit als een *codep*?'

Ik keek naar haar in de achteruitkijkspiegel. Met haar lange, steile haar en een scheiding in het midden, en met de zonnebril op, kon ze doorgaan voor een Vietnamese vrouw in een donkere, rijdende auto. Ik keek naar Mr. Cam. Hij kon ook voor een Vietnamees doorgaan, omdat hij Vietnamees was. Het probleem was ik.

Ik keek weer naar Mr. Cam en ik kreeg de indruk dat hij zou proberen er vandoor te gaan zodra we het stadje bereikten.

Ik ging naar de berm en zei tegen Susan: 'Pak de veter uit een van mijn sportschoenen in mijn koffer.'

Ze stapte uit de auto, opende de achterklep en haalde een paar dingen uit de bagage. Ze riep naar me: 'Het wordt hier koud buiten.'

Ik draaide mijn raampje open en voor mij was het nog steeds warm, maar ik woonde hier niet al drie jaar. Ik herinnerde me de geur van natte aarde 's nachts en van de rivier.

Susan sloot de klep en stapte weer in de auto. Ze gaf mij een leren veter uit een van mijn gymschoenen. Ze had ook een van haar zijden blouses met hoge hals bij zich die ze over haar polohemd heen aantrok.

Ik pakte de leren veter en gebaarde naar Mr. Cam dat hij zich naar voren moest bukken en zijn handen op zijn rug moest doen. Hij leek blijer vastgebonden te worden dan te worden gewurgd en werkte volledig mee.

Ik bond zijn duimen aan elkaar en bond het losse einde van de veter aan zijn riem vast.

Susan gaf mij mijn zonnebril en zei: 'Gladde jongens dragen die dag en nacht. Je zult er niet zo raar uitzien.'

Ik zette de bril op, maar wat mij betrof zag ik er nog steeds uit als een blanke van een meter tachtig met golvend haar en een opvallende neus.

Ik zette de Nissan in zijn één en we reden in de richting van de brug. Ik zei tegen Susan: 'Zie je die betonnen bunkers op de hoeken van de brug? Ze waren gebouwd door de Fransen. Amerikaanse pelotons bemanden de bunkers om beurten. Het was prima dienst – beter dan in de jungle. Overal was prikkeldraad en lagen mijnenvelden. Om de paar weken kwam Charlie kijken of we wel wakker waren. Ze wilden die brug echt opblazen, maar ze kwamen nooit voorbij het prikkeldraad en de mijnenvelden. De mijnenvelden waren neergelegd door de Fransen, en we hadden geen kaart van de mijnen, dus als Charlie zichzelf daar opblies, konden we er niet in om de lichamen op te halen. Ze bleven daar weken lang liggen, als voer voor de gieren en maden. Het stonk hier toen vreselijk. Nu ruikt het goed.' Ik draaide mijn raampje omhoog.

Susan had geen commentaar.

We reden de brug op over de An Lao, die in de Zuid-Chinese Zee stroomde. Ik zette de Nissan in de tweede versnelling en zakte onderuit op mijn stoel.

We kwamen van de brug in de hoofdstraat van het stadje Bong Son. De stad leek nog dezelfde als ik me herinnerde. De gestuukte huizen waren wel mooi, en zo hier en daar waren palmen geplant. Bong Son was duidelijk niet hard getroffen door de oorlog.

Aan de straat lagen een paar restaurants en ik herinnerde me dat hier vroeger veel etnische Indiërs en Chinezen woonden, die de meeste winkels en restaurants bezaten, maar nu zag ik geen bewijs van hun aanwezigheid. De GI-bars, massagesalons en hoerenkasten waren in een zijstraat geweest, weg van de nette burgers.

Terug naar het heden, en ik zag dat er een heleboel scooters en fietsen op straat waren; en wat belangrijker was, er reden een paar auto's rond, waardoor we er niet al te misplaatst uitzagen.

Ik zei: 'Verderop, aan het einde van het stadje, was vroeger het hoofdbureau van de Nationale Politie. Het waren voornamelijk mannen uit families met goede connecties, en door bij de politie te werken, hoefden ze niet in het leger. Ze waren ook sadistisch. Zie je die stenen muur rechts? En die grote smeedijzeren hekken?'

'Ja.'

'Binnen de muur staat een Frans koloniaal huis. Het was, geloof ik, het stadhuis of zoiets. Op een nacht infiltreerde de VC het stadje en viel het gebouw aan. Een paar dagen later kwam ik in een jeep de stad in met een zootje jongens om te kijken wat we op de zwarte markt konden kopen of ruilen. En wat zagen we? De Nationale Politie had twaalf VC-lichamen aan die hekken gehangen. De meeste zaten vol gaten, maar sommigen waren levend opgehangen, en niet aan hun nek – maar aan hun duimen. De lichamen hingen te rotten in de zon.' Ik voegde eraan toe: 'Het ARVN zou gevangengenomen VC gewoon door het hoofd hebben geschoten. De Nationale Politie was niet zo aardig.'

Ik keek in het achteruitkijkspiegeltje naar Susan. Ze keek niet naar de hekken, maar ik keek er wel naar toen we langsreden en ik kon de lichamen daar nog zien hangen. 'Ik herinner me nog steeds de stank.'

Ze had geen commentaar.

'We meldden het aan onze compagniecommandant en hij gaf het door naar boven. De Nationale Politie was woest op ons dat we ons bemoeiden met hun aanpak. Begrijp me niet verkeerd – wij waren ook geen doetjes, maar je moet ergens de lijn trekken. Oorlog is één ding, maar dit had niets met oorlog te maken. Aan de andere kant hadden de Vietnamezen er zo lang mee te maken gehad en waren ze zoveel vrienden en familieleden kwijtgeraakt, dat ze lang voordat wij hier zaten al knettergek waren.'

Ik vervolgde: 'De Eerste Cavalerie werd na het nieuwjaar uit Bong Son weggehaald, en we gingen naar Quang Tri, dat heel wat erger bleek te zijn dan deze plaats.'

Weer keek ik in de achteruitkijkspiegel en zag dat Susan heel erg stil zat. Ik zei: 'Ik was achttien.'

Het hoofdbureau van de Nationale Politie verscheen aan onze linkerkant en ik zag een rode vlag met gele ster aan het gebouw hangen. Er stonden vier gele jeeps voor geparkeerd, met ernaast ongeveer zes politieagenten die stonden te roken en te praten. Ik wendde mijn hoofd af toen we vlak langs hen heen kwamen en verder reden.

Ik zei: 'Na de communistische overwinning bleek het bloedbad, dat iedereen had voorspeld, niet werkelijk te komen. De executies waren selectief en de meeste vijanden van de staat eindigden in heropvoedingskampen. Maar de Nationale Politie, die zo'n beetje door iedereen gehaat werd, werd systematisch opgejaagd en geëxecuteerd door de nieuwe Nationale Politie.' Ik voegde eraan toe: 'Wat ge zaait, zult ge oogsten.'

Ik zag dat Susan een pakje sigaretten in de ene hand en een aansteker in de andere hand had, maar ze deed er niets mee. Ten slotte zei ze: 'Ik heb hiervan in Saigon nooit iets begrepen.'

'Op het platteland was het een smerige oorlog. Maar het is voorbij. Herinneringen vervagen en het leven gaat door. Misschien komt het goed met de volgende generatie.' Ik keek naar Mr. Cam en vroeg me af wat zijn geschiedenis was. Misschien zou ik het hem later vragen.

Het stadje Bong Son strekte zich nog honderd meter langs Highway One uit en daarna waren we weer op het platteland. Ik zei: 'Het grote Amerikaanse kamp dat Landing Zone English heette, was hier vandaan een paar kilometer naar links. Er is daar een vallei die An Lao heet, waar de rivier in de heuvels begint. We hebben de hele bevolking van de vallei daar weggehaald en hen in strategische gehuchten neergezet zodat ze niet de plaatselijke VC of het Noord-Vietnamese leger konden helpen met eten of werk. De hele An Lao-vallei werd een vrije vuurzone en alles wat bewoog in de vallei, werd neergeschoten – inclusief vee dat was achtergelaten, en wild. We gingen zelfs op vogeljacht met Browning automatische geweren. We brandden alles plat, elk gebouwtje, elke fruitboom, we gooiden olie op de rijstvelden en maakten het bos met de grond gelijk met dingen die Romeinse Ploegen heetten. Vervolgens lieten we kartonnen dozen met kristallen uit de lucht vallen die een giftig stikgas veroorzaakten. We doopten de An Lao-vallei om in de Vallei des Doods.' Ik zweeg even. 'Ik vraag me af of er nu iemand woont.'

Susan zei niets.

Ik voerde de snelheid op tot honderd kilometer per uur, terwijl we verder naar het noorden reden.

Highway One draaide naar het oosten, terug naar de zee, en langs de kust waren witte zandstranden, en links van ons witte heuvels, bedekt met laag kreupelhout. Ik zei tegen Susan: 'Hier heb ik de kerst van 1967 doorgebracht. Het witte zand van Bong Son. We deden alsof het sneeuw was.' Ik voegde eraan toe: 'Er was een wapenstilstand van achtenveertig uur. We kregen een heleboel kerstpakketjes van het Rode Kruis, en van privé-organisaties en gewone mensen. In die tijd, net voor Tet, steunde het volk de troepen nog, zo niet de oorlog zelf.'

Ik herinnerde me dat Kerstmis een bijzonder warme dag was, en in het witte zand stonden geen schaduwgevende bomen. Het kerstdiner was bezorgd door een helikopter en we zaten in het zand kalkoen met alles erop en eraan te eten, terwijl we probeerden de zandvliegen weg te houden en het zand niet in het eten te laten komen.

Een jongen uit Brooklyn, die Savino heette, zag een lange bamboestaak in het zand staan en besloot er met zijn rubberen poncho een be-schutting tegen de zon van te maken. Hij stak zijn hand uit naar de staak, iemand schreeuwde het niet te doen, hij trok aan de staak die met een draad aan een enorme springlading zat vastgemaakt en blies zichzelf terug naar Brooklyn in een lijkzak.

Een zootje andere jongens raakten gewond, de helft van het peloton was doof en delen van de jongen lagen overal verspreid, inclusief in de gamellen en bekers van iedereen. Zalig Kerstmis.

Ik zei: 'Een jongen uit mijn peloton werd op kerstdag gedood door een boobytrap.'

'Was hij een vriend?'

'Hij... hij was hier nog niet lang genoeg.' Ik voegde eraan toe. 'Het was een soort tijdsverspilling om vrienden te maken met de nieuwe jongens. Ze hadden een geringe overlevingskans, en ze waren ook le-vensgevaarlijk voor mensen om hen heen. Als ze na een maand nog in leven waren, gaf je ze een hand of zoiets.'

We verlieten mijn oude gebied van militaire operaties en ik herken-de het terrein niet meer.

Mr. Cam scheen zich ongemakkelijk te gaan voelen met zijn armen op zijn rug. Susan zag het en vroeg me: 'Zullen we hem niet losma-ken?'

'Nee.'

'Hij kan niet weg als we snel rijden.'

'Nee.'

Ten slotte stak Susan haar sigaret op. Eigenlijk wilde ik zelf wel een sigaret, waarschijnlijk omdat mijn gedachten nog steeds bij het opera-tiegebied rond Bong Son waren en ik destijds een pakje per dag rook-te. Ik zei: 'Laten we het eens van Mr. Cam horen. Vraag hem of hij zich de oorlog herinnert.'

Ze vroeg het hem en hij leek geen antwoord te willen geven. Ten slotte sprak hij en Susan vertaalde. Ze zei: 'Aan het einde van de oor-log was hij dertien. Hij woonde in een dorp westelijk van Nha Trang en hij herinnert zich nog dat de communisten kwamen. Hij zegt dat duizenden Zuid-Vietnamese manschappen door zijn dorp kwamen toen ze zich uit de hooglanden terugtrokken, en iedereen wist dat de oorlog afgelopen was. Veel mensen vluchtten naar Nha Trang, maar hij bleef in zijn dorp met zijn moeder en twee zusjes.'

'En wat is er gebeurd?'

Ze drong iets bij hem aan, hij sprak zacht en Susan vertaalde. 'Hij zegt dat iedereen heel erg bang was, maar toen de Noord-Vietnamese troepen kwamen, gedroegen die zich goed. Er zaten alleen nog maar

vrouwen en kinderen in het dorp, en de vrouwen werden niet gemoles-
teerd. Maar de communisten vonden een jonge legerofficier met een
geamputeerd been en ze voerden hem weg. Later kwamen politieke
kaderleden en die ondervroegen iedereen. Ze vonden twee overheids-
ambtenaren die zich als boeren hadden verkleed, en die werden weg-
gevoerd. Maar in het dorp werd niemand doodgeschoten.'

Ik knikte. 'En zijn vader? Broers?'

Ze vroeg het hem en hij gaf antwoord. Ze zei tegen me: 'Zijn vader
was jaren ervoor in de strijd omgekomen. Hij had een oudere broer die
in het ARVN in de hooglanden diende, maar die is nooit naar huis teruggekomen. Hij zegt dat zijn moeder nog steeds wacht op de terugkeer
van haar zoon.'

Ik keek naar Mr. Cam en zag dat hij van streek was. Susan leek ook
ontdaan door Mr. Cams verhaal. Mijn eigen herinneringen van die tijd
begonnen mijn hoofd te vullen.

Als je aan een reis zoals deze begint, moet je je op het ergste voorbereiden en dan word je niet teleurgesteld.

We reden verder over de zwarte snelweg, door de nacht en terug in
de tijd.

23

We waren ongeveer driehonderd kilometer van Nha Trang en het liep tegen tien uur 's avonds. Ik hield de snelheid laag om brandstof te besparen en bovendien hadden we niet bijzonder veel haast. Ik keek op de benzinemeter en de naald hing bij een kwart.

'Ik vroeg haar: 'Hoe ver is het naar Da Nang?'

Ze had het al uitgerekend en zei: 'Ongeveer honderdvijftig kilometer. Hoe staat het met de benzine?'

'We hebben wat benzine verstookt toen we voor de politie op de vlucht waren. Misschien halen we Da Nang met de extra tien liter. Of misschien zien we onderweg een benzinestation dat de hele nacht open is.'

'De afgelopen driehonderd kilometer zijn we maar langs vier benzinestations gekomen en die waren allemaal dicht.'

'Komen we niet door Quang Ngai?'

'Ja. Dat ligt aan Highway One. Provinciehoofdstad. Dat is ongeveer vijfenzeventig kilometer hier vandaan.'

'Pak mijn reisgids en kijk of er een benzinestation in vermeld staat.'

Ze opende de reisgids en zei: 'Nou, er is een kleine plattegrond van de stad... er is een hotel, een pagode, een kerk, een postkantoor, een tent die Rice Restaurant Vierendertig heet, een busstation...'

'Die bussen kunnen op rijst rijden.'

'Ik hoop het. Op de kaart staat geen benzinestation. Maar er moeten er een paar zijn in een stad die zo groot is. Misschien is er een open. Zo niet,' voegde ze eraan toe, 'dan komt er na Quang Ngai en voor Da Nang nog een stad die we misschien kunnen halen. Die heet Hoi An, een oude Chinese havenstad. Heel toeristisch en charmant. Ik ben er een keer naartoe gegaan toen ik in Hué was. Er zijn een heleboel voorzieningen in Hoi An en mogelijk is er een benzinestation dat tot laat open is. Misschien halen we het zo ver. Tussen Hoi An en Da Nang is niets meer.'

'Goed. Laten we maar zien hoe het gaat.'

Ze zei tegen me: 'Mr. Cam, die nu onze vriend is, zegt dat we soms benzine kunnen kopen bij privé-verkopers. Hij zegt dat ze het verkopen in stalletjes langs de weg. We moeten uitkijken naar borden waarop *et-xang* geschilderd staat, dat betekent benzine.'

'En die zijn de hele nacht open?'

'Min of meer. Je gaat naar het huis bij het bord en daar verkopen ze je benzine. Ik heb dat op mijn motor gedaan. De benzine wordt gewoonlijk verkocht in frisdrankflesjes en is duur.'

'Hoeveel cola-flesjes hebben we nodig voor een volle tank?'

'Ik heb mijn rekenmachientje niet bij me. Maar kijk uit naar een bord waarop *et-xang* staat.'

Ik zei tegen Susan: 'Zeg me nog eens waarom Mr. Cam zijn burgerplicht niet zou vervullen en naar de politie zal gaan? Laat Mr. Cam geloven dat zijn leven afhangt van jouw antwoord.'

Ze bleef een tijdje stil, antwoordde toen: 'Ik zou het concept van burgerplicht niet eens kunnen vertalen. Als hij zijn auto terugkrijgt en ongeveer honderd dollar voor zichzelf, twee voor Mr. Thuc en een paar honderd om de schade te herstellen, gaat hij niet naar de politie. Als er in Saigon een ongeluk gebeurt, is de politie wel het laatste die ze willen zien.'

'Goed. Zaak gesloten.'

Mr. Cam wilde een sigaret en hij verdiende die. Susan stak hem voor hem op en hield hem vast terwijl hij rookte.

We bereikten een plaats die Sa Huynh heette, een pittoresk dorpje aan de kust, omgeven door zoutmoerassen. Voor je 'schilderachtig' kon zeggen, was je het dorp alweer uit.

We reden verder en de snelweg draaide weer landinwaarts, door een streek van kleine dorpen en rijstvelden.

Ik wierp een blik op mijn benzinemeter en zag dat die onder een kwart tank stond. De weg was vlak en ik hield de snelheid op tachtig kilometer per uur, waardoor ik meende voldoende benzine te sparen om Quang Ngai te halen. Zo niet, dan hadden we nog twintig liter in de jerrycans.

Ik had geen enkel bord gezien met de afstanden tussen de steden, of zelfs maar een bord waarop de naam van de stad stond. We deden dit allemaal via de kaart. De weg zelf was afwisselend goed en vreselijk, voornamelijk vreselijk. Dit land had nog een heel eind te gaan, maar om eerlijk te zijn, waren ze na dertig jaar oorlog wel al ver gekomen.

Susan zei: 'We moeten nu in de buurt zitten van Quang Ngai. Het is aan deze kant van de Tra Khuc-rivier, en Highway One wordt de hoofdstraat. Misschien moeten we niet proberen op deze tijd door de stad heen te rijden. En zelfs als we een open pomp vonden, zou je met Mr. Cam van plaats moeten wisselen.'

'Dus wat stel jij voor?'

'Ik stel voor de auto ergens onder een paar bomen te zetten en te wachten tot het dag wordt. We kunnen morgenochtend Quang Ngai binnenrijden en tanken.'

'Oké. Kijk uit naar een plek waar we kunnen parkeren.'

Ik ging langzamer rijden en we zochten naar een plek waar de auto uit het gezicht zou staan.

We waren op slechts enkele kilometers van de Quang Ngai vandaan en ik zag de lichten van de stad aan de horizon. Het was verbazend, dacht ik, hoe scherp de steden afstaken tegen het omliggende platteland, zonder uitdijende stadswijken en buitenwijken, zonder winkelcentra, en duidelijk zonder benzinestations. Positief was, dat ik sinds we waren vertrokken geen smeris op de snelweg had gezien, buiten de twee die ik de greppel in had gedrukt. Maar volgens Susan patrouilleerden de militairen na het donker op de snelweg en als er één militaire auto op de weg zat, en één burgerauto – deze – zouden we zonder reden naar de kant gesommeerd worden. Maar de troef achter de hand was natuurlijk de Colt .45. Die zouden ze niet verwachten.

Quang Ngai lag verder op de weg, ongeveer een kilometer voor ons, maar ik zag geen enkele plek waar we naar de kant konden. Het waren voornamelijk rijstvelden en dorpjes, en het land was open, op kleine groepjes palmbomen na, waar we ons niet konden verschuilen.

Ik merkte een verhoging op midden in een rijstveld dat met de snelweg verbonden was via een pad of dijk. Ik wist wat dit was, maar het duurde een paar seconden voor ik het registreerde. Ik zei: 'Dat verderop is een grafterp. We kunnen aan de andere kant parkeren en niemand ziet ons.'

Ik vertraagde en stuurde de wielen de onverharde weg op die tussen de ondergelopen rijstvelden door liep.

Heel plotseling begon Mr. Cam mal te doen. 'Wat is zijn probleem?'

'Hij zegt dat dat een grafterp is.'

'Ik weet wat het is. We groeven ons 's nachts in in grafterpen. Zachte grond, lekker hoog, goed vuurbereik...'

'Hij wil weten waarom je naar de grafterp rijdt. Je moet stoppen.'

Ik stopte halverwege de grote heuvel en Mr. Cam kalmeerde. 'Wat zegt hij?'

Susan sprak met hem en hij raakte weer opgewonden. Ze zei tegen me: 'Ik heb hem gezegd dat we de nacht daar zullen doorbrengen. Hij is daar niet zo enthousiast over.'

'Kom op. Ze zijn allemaal dood. Zeg hem dat we heel eerbiedig zullen zijn en de hele nacht zullen bidden.'

'Paul, hij wil de nacht niet op een grafterp doorbrengen. Je zult hem moeten knevelen. Ze zijn heel bijgelovig en het is ook oneerbiedig.'

'Ik ben niet bijgelovig of cultureel gevoelig.'

'Paul.'

'Goed.' Ik zette de Nissan in zijn achteruit en reed terug over de smalle aarden wal. Ik bereikte de snelweg, zette de auto in de eerste versnelling en we reden verder. Zodra je iets aardigs doet, houdt je geluk op.

En natuurlijk, op de snelweg, ongeveer een kilometer verderop, zag ik een stel koplampen op ons af komen. Ik doofde mijn lichten en ging langzamer rijden. De naderende lichten waren te laag bij de grond om van een vrachtwagen of bus te zijn, dus het moest iets kleiners zijn, zoals een jeep, waarschijnlijk een militaire patrouille.

Susan zei: 'Paul, ga van de weg af.'

'Ik weet het.' Ik zette de Nissan in de vierwielaandrijving en reed de verhoogde wegberm af. Er zat geen greppel achter, omdat het rijstveld tot aan de berm liep. Ik reed evenwijdig aan de weg met mijn rechterwielen in de modder van het rijstveld en mijn linkerwielen op de zijkant van de verhoogde berm. We reden in een hoek van vijfenveertig graden, misschien meer, en ik maakte me zorgen dat de Nissan omkieperde. Mijn achterwielen begonnen te slippen en weg te zakken in de modder. Ik stopte.

Ik keek omhoog naar de weg en zag dat ik niet helemaal uit het gezicht was. Maar het was donker genoeg om maar het beste te hopen, terwijl ik me op het ergste voorbereidde. Ik zei tegen Susan: 'Geef me de boodschappentas.'

Ik hoorde de auto dichterbij komen en zag de koplampen naderen.

Ze gaf me de tas, ik stak mijn hand erin en vond de pistoolgreep. Ik wilde niet dat Mr. Cam het wapen zag, omdat dat hem weleens naar de politie kon doen gaan.

Ik voelde het magazijn in de pistoolgreep. Ik klikte de veiligheidspal los. Ik vroeg Susan: 'Is het magazijn vol?'

'Ja.'

'Zit er een patroon in de kamer?'

'Nee.'

'Extra magazijnen?'

'Twee.' Ze voegde eraan toe: 'Ik ben bang.'

Ik keek naar Mr. Cam die ongerust leek. Ik had de indruk dat hij zijn verhaaltje aan de autoriteiten aan het repeteren was, en ik was blij dat hij vastgebonden zat.

Binnen een paar seconden zag ik de bovenkant van de naderende auto. Het was een groot, dicht, jeepachtig voertuig, donker van kleur, niet geel, en ik herkende het als een militair voertuig. Ik zag de chauffeur die zich op de weg concentreerde en een man achterin.

Het dak van de Nissan was ongeveer op gelijke hoogte met de weg, het was donkerblauw van kleur, het was een donkere nacht en de goden waren met ons. De militaire wagen reed verder.

We bleven zo zitten, wat een hele tijd leek, en toen zette ik de Nissan in zijn achteruit, de achterwielen kregen grip en de Nissan reed achteruit tegen de berm op.

Ik bleef een paar momenten op de weg staan, met de lampen nog steeds gedoofd, en keek om me heen. Het was zo donker dat ik nauwelijks tien meter voor me uit kon zien.

Ik begon met gedoofde lichten weer te rijden in de richting van Quang Ngai. Het schijnsel van de stad zette een paar gebouwen aan beide zijden van de weg in silhouet neer, en ik zag iets dat veelbelovend leek. Ik richtte de Nissan op het silhouet, stopte en knipte de koplampen aan.

Daar, rechts van ons, aan het einde van een pad, stond de ruïne van een gebouw zonder dak. Ik hoopte dat het geen boeddhistische tempel was, omdat we anders weer een probleem met Mr. Cam zouden krijgen.

Ik reed langzaam het pad op dat door de rijstvelden liep, en kwam tot stilstand voor het witgestuukte bouwwerk. Boven op de voorgevel zag ik de resten van wat de klokkentoren van een kerk was geweest. Ik zei tegen Susan: 'Katholieke kerk. Ik hoop dat deze man niet ook katholiek is.'

Ze zei iets tegen Mr. Cam en hij knikte.

Ik reed door de brede deur de kerk in, stopte en reed de Nissan achteruit in de hoek voor in de kerk zodat hij niet vanaf de weg gezien kon worden.

De koplampen verlichtten wat in wezen niets meer was dat het skelet van een gebouw, met onkruid dat door het rondliggende puin op de betonnen vloer heen groeide.

Ik doofde de lichten, zette de motor uit en zei: 'Nou, dit is het voor vannacht.'

We stapten allemaal uit en strekten ons, behalve dat Mr. Cam zijn armen niet goed kon strekken, dus ik maakte hem los.

Susan pakte het water en de snacks uit de auto en we hadden een fantastisch diner. Ik vroeg haar: 'Hadden ze geen Snickers of kaas-crackers in dat benzinestation? Wat is dit voor spul?'

'Ik weet het niet. Snoep. Hou op met klagen. Eigenlijk zou je een dankgebed moeten zeggen.'

Mr. Cam at meer dan zijn deel van het spul in het cellofaan en hij dronk alleen al een hele liter water.

Ik had geen andere keuze dan hem weer vast te binden, dus ik bond zijn duimen op zijn rug, pakte hem zijn sandalen af en zette hem ach-ter in de Nissan waar hij op de bank ging liggen.

Susan en ik gingen met gekruiste benen in de hoek tegenover de Nissan zitten. Het enige licht was afkomstig van de sterren boven het gebouw zonder dak. Ze merkte op: 'Het moet ooit een mooie platte-landskerk zijn geweest.'

'Deze stonden overal toen ik hier was – kerken en pagodes in puin. Het waren de enige echte gebouwen in de omgeving, en burgers en militairen hielden zich er schuil. Je was dan veilig voor geweervuur, maar niet voor raketten of mortieren.'

Ze zei: 'Het is moeilijk voor te stellen dat er elke dag een oorlog om je heen woedt. Ik ben blij dat je erover hebt kunnen vertellen in Bong Son.'

Ik gaf geen antwoord.

Ze haalde haar sigaretten tevoorschijn, beschermde de aansteker heel handig met haar hand en stak snel op, precies als een ervaren oor-logssoldaat. Ze hield de sigaret in haar hand afgeschermd terwijl ze rookte. Ze zei: 'Ik heb het koud. Kan ik iets uit jouw koffer lenen?'

'Natuurlijk. Ik pak het wel.'

'Pak ook mijn rugzak.' Ik stond op en liep naar de Nissan. Ik open-de de achterklep en haalde mijn sportjasje uit mijn koffer, en pakte haar rugzak. Ik sloeg mijn jasje over haar schouders.

Ze zei: 'Bedankt. Heb jij het niet koud?'

'Het is ruim twintig graden.'

Susan had een reiswekkertje in haar rugzak en zette dat op twaalf uur. Ze zei: 'We zetten hem op elk uur, zodat we gewekt worden als we allebei in slaap vallen.'

'Goed. Ik neem de eerste wacht. Probeer wat te gaan slapen.'

Ze ging op de betonnen vloer liggen en gebruikte haar rugzak als kussen.

We spraken een tijdje, toen besefte ik dat ze in slaap was gevallen.

Ik haalde de Colt .45 uit haar boodschappentas en deed een patroon in de kamer. Ik legde het pistool op mijn schoot.

De wekker ging om twaalf uur en ik zette hem af voordat zij er wakker door werd. Ik zette hem nu op één uur, voor het geval ik in slaap viel. Maar vreemd genoeg had ik geen moeite met wakker blijven, en ik liet haar slapen tot vier uur.

We wisselden van plaats en ik gaf haar het pistool.

Ik legde mijn hoofd op haar rugzak en herinnerde me toen dat mijn eigen rugzak een jaar lang mijn kussen was geweest en mijn geweer mijn slapie. We sliepen altijd helemaal gekleed, met onze schoenen aan, de hele nacht naar muskieten meppend, en ons zorgen makend om slangen en om Charlie. We waren smerig, ellendig, soms nat, soms koud, soms warm en altijd bang.

Dit was niet de ergste nacht die ik ooit in Vietnam had doorgebracht; bij lange na niet. Maar deze kon ik alleen maar mezelf kwalijk nemen.

De hemel werd lichter en bracht een valse dageraad, wat vaak voorkwam in de tropen, en daarna kwam de echte dageraad en kraaide een haan. Een baan zonlicht viel naar binnen door een klein boograam rechts van waar het altaar had gestaan. Een scherf blauw glas dat in de raamlijst stak, wierp een strook blauw licht over de vloer en op de muur ertegenover.

Ik ging rechtop zitten en Susan en ik keken hoe de dageraad zich ontvouwde.

Het inwendige van de kerk was nu duidelijk te zien en ik zag de witgekalkte muren, het afbrokkelende stucwerk, en de plekken waar de kogels waren ingeslagen, en waar granaatscherven een vaal geworden fresco van de Heilige Maagd Maria hadden beschadigd.

Er was geen enkel stukje hout meer in het gebouw te vinden, buiten de verkoolde resten van een vuur dat iemand op de vloer had gestookt waar het altaar eens had gestaan.

De rijstvelden trekken weinig vogels aan, maar ik hoorde ergens een vogel zingen. Daarna hoorde ik de eerste auto op de weg.

Susan zei: 'Vandaag is het Vietnamees oudejaar.' Ze pakte mijn hand. 'Ik denk niet dat ik ooit van mijn leven zo blij ben geweest een zonsopkomst te zien.'

Ik hoorde een vrachtwagen op de weg en een scooter. Ik wierp een blik door de open deur en zag een boerenwagen en twee meisjes op fietsen.

Ik herinnerde me de tijd toen de eerste voertuigen op de weg nog mijnenvegers waren; tanks die veilig explosieven konden laten ontploffen die 's nachts in de gaten in de weg waren verstopt. Daarna kwamen de jeeps en vrachtwagens vol Amerikaanse en Vietnamese soldaten, geweren en mitrailleurs klaar om het tegen hinderlagen op te nemen die die nacht waren gelegd.

Vervolgens kwamen de burgers, te voet, in ossenwagens, op fietsen, op weg naar de velden, naar school, of waarheen dan ook.

Binnen een uur na zonsopkomst zou Highway One stukje voor stukje open zijn, vanaf de Mekong Delta tot aan de gedemilitariseerde zone, en zou het leven verdergaan tot aan zonsondergang.

Ik zei tegen Susan: 'Highway One is open naar Hué.'

24

In het daglicht zag ik dat de zijkant van de Nissan een paar gele verfstrepen had opgelopen door mijn contact met de politiejeep. Susan en ik hadden allebei een Zwitsers legermes en we krabden de verf ermee af, terwijl Mr. Cam, die ik had losgemaakt, een glasscherf gebruikte om mee te helpen.

Ik sneed onze plastic waterflessen doormidden en we haalden er wat modder mee uit het rijstveld buiten die we over de krassen smeerden.

In de modder vonden we een paar bloedzuigers. Susan walgde van de bloedzuigers. Het leek Mr. Cam niet te deren, en ik kreeg er een paar onplezierige herinneringen door.

Ze keek naar een dikke, vette bloedzuiger in de modder in de plastic waterfles. 'Bijten ze?'

'Ze hechten zich ergens op je huid. Ze hebben een natuurlijk verdovingsmiddel in hun speeksel, dus je weet niet dat je gebeten wordt. Ook zit er in het speeksel een bloedverdunner, zodat het bloed in die beestjes blijft stromen terwijl ze zuigen. Je kunt er de hele dag mee rondlopen zonder dat je het merkt, tenzij je jezelf regelmatig controleert. Ik had er een keer een onder mijn oksel die zo dik en opgezwollen was door mijn bloed dat ik hem per ongeluk plette toen ik op mijn zij ging liggen om even wat uit te rusten.'

Susan trok een gezicht.

Toen ik terugkwam uit Vietnam, vertelde ik waarschijnlijk meer verhalen over bloedzuigers dan over de oorlog. Mensen moesten altijd walgen van die verhalen en ik was er echt goed in.

We gebruikten een van mijn polohemden om onze handen af te vegen.

Ik liet Mr. Cam rijden, en dit maakte hem blijer dan zijn samengebonden duimen. Ik zat voorin en Susan achterin. We reden uit de kerk weg en kwamen weer op Highway One. Een paar mensen op fietsen

en scooters keken naar ons, maar zo op het oog waren we twee westerse toeristen met een Vietnamese chauffeur, die naar de kant waren gegaan om een oorlogsruïne te bekijken of om een sanitaire stop te maken.

Binnen een paar minuten waren we in de provinciale hoofdstad
Quang Ngai. Ik hield Mr. Cam nauwlettend in de gaten, en Susan was
met hem in gesprek. Hij leek in orde, maar Susan zei: 'Hij wil iets eten
en hij wil zijn familie bellen.'

'Hij kan alles doen wat hij wil, als hij ons heeft afgezet op het vliegveld Phu Bai van Hué.'

Susan bracht dit aan hem over en hij leek stilletjes ongelukkig.

Quang Ngai was niet om over naar huis te schrijven. Het was eerlijk
gezegd een lelijke stad, maar ik zag een prachtig benzinestation.

We reden erin en ik zei tegen Susan: 'Jij gooit hem vol, ik hou Mr.
Cam gezelschap.'

Susan stapte uit en tankte benzine. Een paar mensen die in het benzinestation rondhingen, keken naar haar terwijl zij tankte en Mr. Cam
en ik voorin zaten. Ze besloten waarschijnlijk dat westerse mannen
hun vrouwen beter afgericht hadden dan Vietnamese mannen. Ze hadden eens moeten weten.

Susan betaalde de man die bij haar was komen staan, en de man
leek heel nieuwsgierig naar ons en de Nissan. Hij bracht zelfs de krassen en de deuk onder Susans aandacht. Susan deed alsof ze geen Vietnamees sprak.

Ik keek naar Mr. Cam. Als hij er vandoor wilde gaan, was dit zijn
beste kans.

De pompbediende zei iets tegen Mr. Cam, die antwoord gaf, en ze
wisselden een paar woorden.

Susan stapte in de auto en zei tegen Mr. Cam: *'Cu di.'*

Mr. Cam startte de motor en zette de auto in de versnelling.

Ik vroeg Susan: 'Wat zeiden hij en die man?'

Susan antwoordde: 'De man zag de nummerborden uit Nha Trang
en vroeg of we de hele nacht gereden hadden. Mr. Cam zei van niet,
waarna de man hem vroeg waar we de afgelopen nacht gelogeerd hadden, en Mr. Cam had er geen antwoord op. Het was gewoon een be-
leefdheidsgesprek, maar het ging niet zo best.'

Ik zei: 'Nou, niemand belt hier zomaar de politie. Toch?'

Susan gaf geen antwoord.

We kwamen door de rest van de lelijke stad en staken de rivier de
Tra Khuc over via een brug die eruitzag alsof hij de prijs was geweest
in een wedstrijd tussen Vietcong-sappeurs en de genietroepen van het

Amerikaanse leger. Het resultaat suggereerde dat de genietroepen op het nippertje hadden gewonnen.

We waren weer in open land en Highway One was nu vol motorvoertuigen, ossenwagens, fietsers, scooters en voetgangers. We haalden amper vijftig kilometer per uur, en ik begreep dat de rit van Nha Trang naar Hué overdag elf of twaalf uur kon duren.

Ik keek op de kaart en zag een asterisk noordelijk van Quang Ngai, hetgeen duidde op een bezienswaardigheid. De bezienswaardigheid, die zich op slechts enkele kilometers van hier bevond, was in het Vietnamees en in het Engels beschreven. Er stond: *Het My Lai-bloedbad.* Het vervolgde met: *Oorlogsmisdaad, hier begaan op 16 maart 1968 toen drie Amerikaanse infanteriecompagnies honderden ongewapende dorpelingen vermoordden. Een gedenkteken ter nagedachtenis aan de doden en ter herinnering aan de krankzinnigheid en tragedie van de oorlog.*

Ik zei bij mezelf: 'Amen.'

We naderden een kleine weg met een handgeschilderd bord met een pijl waarop in het Engels stond *My Lai-bloedbad.*

Zoals ik al zei had ik tot dusver geen enkel bruikbaar verkeersbord gezien, dus ik moest me afvragen wie dat had neergezet en waarom. Ik vroeg me ook af of een van de driehonderd overlevende Amerikaanse soldaten die erbij waren geweest, hier ooit was teruggekomen.

Ik keek naar het terrein. Er lagen uitgestrekte rijstvelden met kleine dorpjes op hoge grond in de schaduw van palmbomen, en omgeven door hoog opschietend bamboe. Dit was typerend van wat ik me herinnerde als ik aan Vietnam terugdacht, hoewel ik ook acties had gehad op ruiger terrein, weg van de kustbevolking, met wie ik veel liever te maken had.

Toen de oorlog zich in de jungle en op de hooglanden afspeelde, had er een beter gevoel aan gezeten, een soort van jongensavontuur, de ultieme overgangsrite. In de heuvels en in de jungle kon je niet per ongeluk of opzettelijk burgers doden, zoals in My Lai, en er waren geen dorpen om plat te branden, of waterbuffels om neer te knallen. De jongens leken geconcentreerder en gespannener in de stille aanwezigheid van het oerbos en de wouden van de hooglanden; het ging alleen maar tussen hen en ons in het grootste overlevingsspel dat ooit was bedacht of uitgevoerd. De oorlog had duidelijkheid en het doden was netjes, en om je heen lagen geen stervende vrouwen en kinderen, was er geen My Lai.

We reden de provincie Quang Nam in en naderden de ooit enorme luchtmachtbasis van Chu Lai. Ik herinnerde me dat het hier was, waar een paar van mijn vliegmaten uit de Apocalypse Now gelegerd waren geweest.

Ik zag rollen verroest prikkeldraad van de oude basis, vervolgens verlaten betonnen gebouwen. Ik zag een paar hangars en tientallen betonnen opstelplaatsen op het witte zand dat zich naar het oosten tot aan de zee uitstrekte. Ik zag ook een startbaan, bedekt met witte dingen die ik niet kon thuisbrengen.

Susan zag me kijken en zei: 'De boeren gebruiken de oude landingsbaan om maniokwortels te drogen.'

'O? Je bedoelt dat er miljoenen aan Amerikaanse belastingcenten zijn uitgegeven om startbanen voor straaljager aan te leggen en dat die nu worden gebruikt om maniokwortels te drogen?'

'Daar lijkt het op. Zwaarden worden ploegscharen. Startbanen worden...'

'Wat is maniok eigenlijk?'

'Je weet wel. Zoiets als cassave. Je maakt er tapiocapudding van.'

'Ik haat tapioca. Ik moest het van mijn moeder eten. Vraag of die startbaan gebombardeerd kan worden.'

Susan lachte en Mr. Cam glimlachte. Hij hield van gelukkige passagiers.

Ik zei: 'Ik zou er dolgraag bij zijn als die straaljagerpiloten uit de Apocalypse Now naar Chu Lai komen. Die krijgen een hartverzakking.'

De basis Chu-Lai was groot en uitgespreid en we kwamen steeds weer langs restanten ervan. Ik zag kinderen wagens over het terrein voorttrekken en ik vroeg Susan: 'Wat zijn ze aan het doen?'

'Ze zoeken metaalresten. Het was vroeger een enorme handel in Vietnam, maar het gemakkelijke spul is allemaal al gevonden.' Ze voegde eraan toe: 'Een heleboel van het spul explodeerde in hun gezichten. Er werden elk jaar honderden van die scharrelaars gedood, naar wat me is verteld. Nu is het zoeken moeilijker, maar veiliger.'

Ik keek naar de kinderen die in het zand groeven. Na dertig jaar oorlog, en bijna dertig jaar van vrede en herstel, had dit land nog steeds littekens en niet-genezen wonden die bleven bloeden. Misschien hadden we dat met hen gemeen.

Susan zei: 'Als en wanneer je het binnenland in gaat, wees er dan op voorbereid dat veel van dat niet-geëxplodeerde spul daar nog altijd ligt.'

'Dank je.' Om eerlijk te zijn lag er, zelfs al tijdens de oorlog, overal zoveel van dat niet-geëxplodeerde spul dat je net zoveel kans had door je eigen blindgangers te worden opgeblazen als door hun boobytraps.

Ik keek naar Mr. Cam die duidelijk geen goede nachtrust had gehad. Hij begon te knikkebollen en ik schudde hem aan zijn schouder. Ik vroeg hem: 'Weet je dat vijfentwintig procent van de dodelijke auto-ongelukken in Amerika wordt veroorzaakt door vermoeide chauffeurs?'

'Eh?'

Susan vertaalde iets, maar niet helemaal wat ik had gezegd. Ze zei tegen me: 'Hij wil koffie.'

'We stoppen bij de volgende Burger King.'

Ze zei iets tegen Mr. Cam en ik hoorde de woorden Burger King niet.

De kust draaide nu het land in en de snelweg leidde over diverse kleine bruggen over beken en riviertjes die vanuit de heuvels naar zee stroomden. Het was echt een prachtig land en ik genoot er nu meer van dan toen ik er zeven dagen per week doorheen moest lopen.

Susan zei: 'Dit gebied was het centrum van de Champa-beschaving. Heb je de Cham-torens gezien, toen je hier was?'

'Om eerlijk te zijn wel, hoewel ik niet wist wat het waren. We gebruikten ze als wachttorens of als uitkijktorens naar artilleriegeschut. Ik zag alles door de ogen van een soldaat. Ik ben blij dat ik terug ben gekomen. Ik ben blij dat je bij me bent.'

'Dat is heel lief. Vergeet niet dat je dat hebt gezegd.'

We reden een tijdje voort en ik keek op de kaart. Ik zei: 'Volgens de kaart gaat Highway One een heel eind westelijk langs Da Nang, dus we hoeven de stad niet door.'

'Zei je niet dat je Vietnam in Da Nang hebt verlaten?'

'Ja. 3 november 1968. Kreeg een helikopter van Quang Tri naar mijn basiskamp in An Khe, verzamelde de spullen uit mijn koffer, die ik niet meer had gezien sinds mijn verlof, regelde al mijn papierwerk, ging naar de lullensmid voor soa, zei een paar mensen gedag, en *di di mou*-de als de sodemieter daar vandaan. Kreeg een grote Chinook-helikopter naar Da Nang. Ergens boven de hooglanden werden we beschoten. Ik bedoel, ik had minder dan tweeënzeventig uur te gaan in het binnenland en die klootzakken proberen me op weg naar Da Nang te vermoorden. Maar buiten een paar gaten in de helikopter haalden we het. Terwijl ik in de doorgangsbasis zit te wachten op mijn vlucht naar huis, de volgende dag, gooit Charles om ongeveer drie uur 's ochtends een paar mortiergranaten op de kazerne.' Ik voegde eraan toe: 'Hij deed het opzettelijk.'

'Raakte iemand gewond?'

'De lege eetzaal naast ons werd opgeblazen en een paar scherven vlogen door de basis. Ik werd uit mijn bovenbed geworpen en liep weer een hoofdwond op. Maar niemand merkte het en ik pakte mijn vlucht naar San Francisco.'

'Ik wed dat je blij was om naar huis te gaan.'

Ik gaf een tijdje geen antwoord, en zei toen: 'Was ik, ja... maar... ik dacht erover bij mijn compagnie te blijven... iedereen die vertrok had gemengde gevoelens over het achterlaten van vrienden... het was vreemd, en het bleef me maandenlang bij... het was geen doodswens, het was een mengeling van emoties, inclusief de gedachte dat ik niet paste tussen gewone mensen. Het is moeilijk uit te leggen, maar bijna iedereen die in een oorlog heeft gezeten, zal je hetzelfde vertellen.'

Ze gaf geen antwoord.

We bleven een tijdje zwijgen, toen bereikten we een brug over de rivier de Cam Le en ik zei tegen Susan: 'Vraag Mr. Cam of de Cam Le naar hem vernoemd is.'

Ze zei tegen me: 'Het Vietnamees heeft niet zoveel woorden, Paul, en nog minder eigennamen, dus je zult met grote regelmaat een heleboel dezelfde namen en woorden tegenkomen. Probeer niet in de war te raken, en nee, de rivier was niet naar Mr. Cam vernoemd.'

Mr. Cam wist dat we het over hem hadden en bleef over zijn schouder naar Susan kijken. Susan legde haar hand op zijn schouder en zei iets. Hij lachte.

Ik denk dat hij eroverheen was dat hij was ontvoerd, bijna gedood tijdens een achtervolging op topsnelheid, vastgebonden had gezeten, buiten in de kou had geslapen en bedreigd was met de dood. Of misschien lachte hij omdat hij aan zijn fooi dacht. Of misschien zijn wraak. De ongelukkige waarheid was dat ik, als Susan niet bij me was geweest, geen andere keuze gehad zou hebben dan Mr. Cam te doden. Nou, natuurlijk had ik wel een keuze gehad, maar de juiste keuze zou zijn geweest me van hem te ontdoen. En toch, diep vanbinnen, wist ik dat ik te veel Vietnamezen had gedood, inclusief de twee smerissen, en de gedachte er weer een te doden, deed mijn maag samentrekken. Maar als ik geloofde dat wat ik hier deed belangrijk en juist was, dan zou ik, net als in 1968 toen ik hetzelfde gelul had geloofd, doen wat ik moest doen voor God, vaderland en Paul Brenner.

Het vliegveld van Da Nang lag voor ons aan de rechterkant, en achter het vliegveld zag ik de lage skyline van de grote stad.

Ik herinnerde me dat het vliegveld groter en beter was dan Tan Son Nhat, omdat de Amerikanen het vanuit het niets hadden opgebouwd. Nu, volgens mijn kaart, stond het aangegeven als een internationaal vliegveld. Ik zei tegen Susan: 'Je zou een heleboel maniokwortels op die startbanen kunnen drogen.'

'Het is een belangrijk civiel en militair vliegveld. Over een paar jaar kun je hiervandaan naar Amerika vliegen.'

'En nu?'

'Er zijn al Amerikaanse vrachtvliegtuigen die eens in de zoveel tijd die vlucht maken.'

Ik wist dit eigenlijk al. Dit was vluchtplan C, volgens Mr. Conway. Paul Brenner in een vliegtuigcontainer met het etiket bananen of zoiets. Misschien werkte het. Misschien niet.

Ze haalde haar camera tevoorschijn en nam een foto van het vliegveld in de verte. Ze zei: 'Een souvenir voor jou. En niemand probeert je dood te schieten deze... nou... je weet wat ik bedoel.'

'Ja.'

'Eens in de zoveel tijd vlieg ik hierheen voor zaken. Zei je dat je nog nooit op China Beach bent geweest?'

'Ja.'

'Apenberg?'

'Ik haat apen.'

'Ik denk dat je hier niet al te lang bent geweest.'

'Ik zat hier precies eenenzeventig uur en tien minuten. En ik heb nooit een voet buiten de vliegbasis gezet.'

'Natuurlijk. Jij wilde naar huis.'

'Op een zitplaats, niet in het bagageruim.'

Ik herinnerde me een ander televisieprogramma over de laatste dagen van Zuid-Vietnam en zei tegen Susan: 'Ongeveer eind maart 1975, toen het bijna afgelopen was, stuurde World Airways twee 727's naar de luchtmachtbasis Da Nang op een reddingsvlucht om burgervluchtelingen te redden. Toen het eerste vliegtuig landde, werd het vliegtuig door ongeveer duizend hysterische mannen, vrouwen en kinderen bestormd. Maar de Zuid-Vietnamese militairen besloten dat zij en niet de burgers in veiligheid gebracht moesten worden, en zij begonnen op de vluchtelingen te schieten, en tweehonderd soldaten van het Zuid-Vietnamese Zwarte Panter-regiment gooiden iedere niet-soldaat uit het vliegtuig.'

'Dat is vreselijk.'

'De piloot van de tweede 727 was zo verstandig maar niet te landen, maar televisiecamera's in dat toestel registreerden vluchtelingen die in het eerste vliegtuig in de ruimtes van het landingsgestel hingen terwijl dat boven de Zuid-Chinese Zee vloog. Een voor een vielen de mensen eruit.'

'Mijn god...'

Ik probeerde me de paniek en wanhoop van die laatste dagen voor de uiteindelijke overgave voor de geest te halen. Miljoenen vluchtelingen, volledige militaire eenheden die uit elkaar vielen in plaats van te vechten, verlamming in Saigon en Washington, en de hypnotiserende beelden van chaos en ineenstorting die in de hele wereld op de televisieschermen te zien waren. Een totale vernedering voor ons, een totale ramp voor hen.

Het bleek dat de slechteriken niet zo slecht en de goeden niet zo goed waren. Het gaat immers om standpunt, public relations en propaganda. Beide kanten maakten elkaar al zo lang voor onmenselijk uit, dat ze waren vergeten dat ze allemaal Vietnamezen waren en mens.

Susan zei: 'Ik heb hier nooit van geweten... niemand praat erover.'

'Waarschijnlijk wel zo goed.'

Highway One bereikte een T-kruising; ik keek op mijn kaart en wees naar links. Mr. Cam sloeg af en we reden verder. De snelweg om Da Nang heen was vol vrachtwagens, auto's en bussen en elke minuut speelde Mr. Cam gevaarlijke spelletjes met het tegemoetkomende verkeer.

Susan vertelde hem wat rustiger aan te doen, en hij bleef achter een vrachtwagen hangen, wat hem heel ongelukkig maakte. Het was Tetoudejaar en hij wilde thuis zijn bij zijn familie in Nha Trang. Hij zou er bijna alleen in de geest zijn geweest.

Het land begon te klimmen en verderop zag ik enorme bergen, met uitlopers in de Zuid-Chinese Zee. De kaart gaf aan dat de snelweg dwars door de bergen liep, maar ik zag niet in hoe. Terwijl we bleven klimmen, zei ik tegen Susan: 'Heb je deze weg al eens gereden?'

'Ja, dat heb ik je gezegd. In de martelbus van Saigon naar Hué. Het was een nachtmerrie. Bijna net zo erg als deze rit.'

'Juist. Is die bergweg gevaarlijk?'

'Adembenemend. Er is maar één pas door de bergen en die heet de Hai Van-pas. In het Frans noemen ze hem Col de Nuages.'

'Wolkenpas.'

'Oui.' Ze vervolgde: 'Deze bergen waren vroeger de scheiding tussen heel Vietnam in het noorden met het Champa-rijk waar we net doorheen zijn gekomen. Er is een groot verschil in weersgesteldheid aan beide kanten van de pas, vooral nu in de winter.'

'Sneeuwt het in Hué?'

'Nee, Paul. Maar het zal veel kouder zijn aan de andere kant van de Wolkenpas, en waarschijnlijk regent het. Dit is de noordelijke grens van de tropen.' Ze voegde eraan toe: 'Ik hoop dat je iets warms hebt meegenomen om aan te trekken.'

Om eerlijk te zijn, had ik dat niet. Maar ik moest het Karl of wie dan ook niet aanwrijven. Ik was in januari en februari 1968 aan de andere kant van de pas geweest, en ik herinnerde me de regenachtige dagen en de koude nachten. Ik zei tegen Susan: 'Heb jij iets om aan te trekken in die bodemloze rugzak van je?'

'Nee. Dat ga ik kopen.'

'Natuurlijk.'

We bleven tegen de berg op klimmen. Links van de weg was een steile rotswand en rechts, niet ver van de wielen van de auto vandaan, was een loodrechte val naar de Zuid-Chinese Zee.

Susan zei: 'Dit is spectaculair.'

Mr. Cam zat godzijdank niet van het uitzicht te genieten, en ik zag dat zijn knokkels wit waren. Ik zei tegen Susan: 'Zeg hem naar de kant te gaan. Ik ga rijden.'

'Nee. Er is politie boven bij de pas.'

We klommen tot ongeveer vijfhonderd meter hoogte, gezien de afstand tot het water beneden. De berg die links hoog boven ons uittorende was nog eens minstens duizend meter hoog. Als ik dit gisteren in het donker gereden had, zou het niet zo leuk zijn geweest.

Na wat een heel lange tijd leek, naderden we de top van Wolkenpas. Het terrein werd vlakker en we zagen de oude, betonnen bunkers en stenen vestingwerken aan weerskanten van de weg.

We bereikten de top van de pas en overal waren daar nog meer vestingwerken. Er stonden ook een touringcar, een paar auto's met Vietnamese chauffeurs en westerse toeristen, tientallen kinderen die souvenirs verkochten en een politiepost met twee jeeps ervoor geparkeerd.

Mr. Cam zei iets en Susan zei tegen mij: 'Hij wil weten of je wilt stoppen om foto's te maken.'

'Volgende keer.'

'Iedereen stopt hier. Wij moeten stoppen. Dat ziet er minder verdacht uit.'

'Zeg hem naar de kant te gaan.'

Hij ging naar de kant vlak bij de afgrond die wegviel naar een klein schiereiland, het einde van de uitloper van de berg. Ik zei tegen Susan: 'Neem een foto en laten we hier vandaan gaan.' Ik hield mijn ogen gericht op de smerissen die in de buurt van hun jeeps aan de overkant van de weg rondhingen. Ze wierpen een blik op alle auto's en toeristen, maar ze leken te lui om de weg over te steken. Aan de andere kant, je wist het maar nooit.

Ongeveer twintig kinderen kwamen op de Nissan af en drukten zinloze en stompzinnige souvenirs tegen de ramen.

Een paar kinderen hadden van blikjes geknipte en gevouwen aluminium Huey-helikopters, en ik was verbaasd dat die dingen bijna dertig jaar na het vertrek van de Amerikanen nog steeds zo getrouw werden gereproduceerd.

Een kind sloeg op het raam met zijn blikken Huey, en ik zag dat de zijkant van de helikopter perfect in zwart en geel was geverfd. De kleuren van de Eerste Cavalerie. Ik zei: 'Die moet ik hebben.'

Ik draaide het raampje een eindje open en het joch en ik kibbelden over de prijs. Allebei hielden we de helikopter vast tot ik hem een dollar gaf, zoals het verloop tijdens een drugsdeal.

Ik draaide het raampje omhoog en zei tegen Mr. Cam: *'Cu di.'*

Hij zette de Nissan in zijn een en we reden de pas over en gingen daarna langs de andere kant naar beneden.

Susan vroeg: 'Vind je je speelgoedje leuk?'

'Deze zie je niet overal.' Ik vloog de blikken helikopter rond, maakte zoevende geluiden alsof raketten werden afgevuurd, gevolgd door het geratel van een Gatling-mitrailleur.

Mr. Cam lachte, maar het was een zenuwachtig lachje.

Susan vroeg: 'Ben je wel lekker?'

'Ik nader om te landen.' Ik liet de helikopter even in de lucht hangen en landde hem op het dashboard.

Mr. Cam en Susan bleven stil. Ik speel graag de clown.

Inmiddels waren we bezig met de afdaling na de Wolkenpas, en inderdaad hingen er wolken die de weg aan het gezicht onttrokken, en er stak een wind op, daarna begon regen tegen de voorruit te kletteren. Mr. Cam zette zijn ruitenwissers en koplampen aan.

We bleven naar beneden gaan, de regen werd zwaarder en de wind deed de Nissan schudden. Ik keek even naar Mr. Cam en hij zag er een beetje bezorgd uit. Als een Vietnamese chauffeur bezorgd is, hoort zijn blanke passagier doodsbang te zijn.

Het verkeer in beide richtingen was niet druk, maar er bleef voldoende over om de afdaling nog verraderlijker te maken.

Binnen een kwartier hadden we een lager niveau bereikt waar de wolken dunner werden en de wind en regen een beetje afnamen.

Susan zei: 'Die winden komen uit het noordoosten en worden de Chinese winden genoemd, wat jij en ik in Massachusetts een noordooster zouden noemen. Het is hier winter en geen goede tijd om door het land te trekken.'

We kwamen ongeveer weer op zeeniveau en binnen een paar minuten zag ik een enorm stuk vlak land dat zich uitstrekte tot aan de bergen verder in het westen.

Susan zei: 'We hebben het oude Champa-koninkrijk achter ons gelaten en we zitten nu in de provincie Hué. De mensen hier zijn iets gereserveerder en lang niet zo makkelijk als waar we net vandaan zijn gekomen.'

'Dus de Wolkenpas is zoiets als de oude slavengrens in Noord-Amerika.'

'Ik denk het.'

Ik keek naar de lucht die somber was door lage, grijze wolken, zover het oog strekte. Het terrein zag er ook grijs en nat uit, en de begroeiing leek kleurloos en gedrongen.

Ik herinnerde me dit winterlandschap heel duidelijk en ik herinnerde me zeker de geur van het doorweekte land die ik nu rook, en de brandende houtskool in elke hut, een beetje warmte tegen de koude, vochtige wind.

We bevonden ons weer op vlak land, en rechts stond een erbarmelijke bamboehut met ervoor een boer die in de deuropening een sigaret stond te roken en naar de regen keek. In het korte moment dat ik zijn onaangedane gezicht zag toen we langsreden, begreep ik een heel klein beetje van het leven van deze rijstboeren; werken van zonsopkomst tot zonsondergang, naar huis voor een maaltijd die bereid was op een open vuur en daarna naar bed.

En dan had je de bloedzuigers nog, de voetschimmel en het ongedierte in de hutten en de luizen in hun haar.

En als het weer oorlog werd, zoals altijd gebeurde in dit land, werden de boeren als eersten gerekruteerd en stierven ze als eersten – met miljoenen, voor het eerst in goede kleren en met een wapen bij zich dat hun twee jaar werken in de rijstvelden zou hebben gekost.

Ik had al die dingen lang geleden gezien, hoewel ik ze nu pas begreep. Ik begreep ook waarom ze met zovelen bij de Vietcong waren gegaan: de hoop op een beter leven na de overwinning. Maar zoals mijn Franse vriend op Tan Son Nhat had gezegd, hoe meer de dingen veranderen, hoe meer ze hetzelfde blijven.

De lucht was grijs, de regen viel in de onbewerkte zwarte rijstvelden, en het land leek dood en verlaten.

Het was Tet-oudejaarsavond, en ik herinnerde me Tet-oudejaarsavond van vele jaren geleden, ineengedoken in een haastig opgetrokken bunker in het voorgebergte westelijk van Quang Tri, niet zover hiervandaan. Het regende en ik rookte een sigaret, keek naar buiten naar de regen en de druipende vegetatie, zo ongeveer als die boer van daarnet. De grijze vochtigheid droop de modderige bunker in en bereikte onze zielen.

Toen wisten we het nog niet, maar binnen een paar uur zou de strijd beginnen die een lange, bloederige maand zou duren. En aan het einde van die maand, zouden Hué en Quang Tri volledig in puin liggen, waren de lijkzakken eerder op dan de munitie, en zou niets ooit meer hetzelfde zijn, hier of thuis.

Susan zei: 'Hué, nog vijftig kilometer.'

Ik dacht eraan hoe ik hier in 1968 op het nippertje was weggekomen en aan mijn latere ontsnappingen hier. Deze omgeving had mijn leven gekleurd en de loop van mijn persoonlijke geschiedenis veranderd, niet één keer of twee keer, maar drie keer nu. Ik zou mezelf eens moeten afvragen wat me steeds weer hierheen trok.

DEEL VIJF

Hué

25

Het was even na twaalf uur 's middags en het regende niet meer, maar de lucht bleef grijs. Ik zag een klein propellervliegtuig landen op het vliegveld Phu Bai van Hué, rechts van Highway One. Dit was vroeger ook een Amerikaanse vliegbasis geweest, hoewel geen grote.

Susan zei iets tegen Mr. Cam en hij reed de ingang van het vliegveld op, waar een politiejeep stond. De regen had de modder van de autoschade afgespoeld en ik stelde me spetters gele verf op de voorbumper voor. De twee smerissen keken nadrukkelijk naar ons toen we langsreden. Ik herinnerde me het advies van Mr. Conway om vliegvelden te mijden, maar het bleek nu dat ik het valse spoor door een vliegveld moest trekken.

Terwijl we over het vliegveld reden, zag ik een paar resten van het leger en de luchtmacht van Amerika – betonnen bunkers, verdedigingsmuren en een betonnen controletoren die ik me nog herinnerde.

Het was er niet druk, dus Mr. Cam kon parkeren in een vak vlak bij de kleine terminal.

We stapten uit de Nissan, ik maakte de achterklep open en zette onze bagage op de grond.

Mr. Cam stond nerveus te wachten op wat komen ging. Hij was niet dood, dus hij was al veel verder dan hij had gedacht.

Ik pakte mijn portefeuille en telde tweehonderd dollar uit die ik aan Mr. Cam gaf en zei: 'Voor Mr. Thuc.'

Hij glimlachte en maakte een buiging.

Toen wees ik naar de schade aan de Nissan en vroeg hem: 'Hoeveel?'

Hij begreep het en zei iets dat Susan vertaalde met driehonderd dollar. Ik gaf hem die zonder commentaar, en keek er al naar uit hoe ik deze uitgave zou verantwoorden: *schade aan huurauto door het van de weg rijden en doden van twee smerissen in een politieauto – $300. Geen reçu.*

Ik bekeek de schade nauwkeurig en wees Mr. Cam op een paar verf-strepen. Ik maakte bewegingen dat ik ze eraf schraapte en hij knikte. Toen telde ik weer honderd dollar uit en gaf die aan Mr. Cam, aange-vend dat die voor hem waren.

Hij glimlachte heel breed en maakte een nog diepere buiging.

Ik vroeg Susan: 'Denk je dat het genoeg is voor dat we hem bijna gedood hadden?'

'Natuurlijk. Hoeveel krijg ik?'

'Jij bent hier vrijwillig. Hij was gekidnapt.' Ik stak mijn hand in de auto en pakte de speelgoedhelikopter van het dashboard en gaf die aan Mr. Cam. Ik zei tegen hem: 'Een cadeautje zodat je je deze reis altijd zult herinneren.' Alsof hij een herinnering nodig had.

Susan vertaalde iets, en Mr. Cam boog en zei in het Engels: 'Dank u. Vaarwel.'

Ik keek op mijn horloge en zei tegen Mr. Cam: 'We vliegen nu naar Hanoi. Geloof je dat?'

Hij glimlachte en zei: 'Hanoi.'

'Precies.' Ik zei tegen Susan: 'Geef hem een laatste hint niet naar de smerissen te gaan.'

Ze legde haar hand op Mr. Cams schouder en sprak tegen hem op een zachte, kalmerende toon. Hij bleef knikken. Ik bleef hem in zijn ogen kijken.

We wensten elkaar *Chuc Mung Nam Moi*, en Mr. Cam stapte in de Nissan en reed weg.

Ik vroeg Susan: 'Politiebureau of Nha Trang?'

'Nha Trang.'

We pakten onze bagage op en liepen de terminal in langs twee ge-uniformeerde en gewapende mannen. De terminal die aan de jaren zestig deed denken, was druk, maar niet overvol. Het bord met de aan-komst- en vertrektijden gaf alleen maar vluchten aan tot zes uur die avond.

Susan zei: 'Bijna alle reizen voor Tet zijn nu beëindigd en iedereen zit nu thuis.'

'Ik niet. Jij niet.' Ik keek om me heen en zei: 'Ik was hier ooit om een militaire vlucht naar An Khe te halen. De vlucht was vol en ik kwam er niet in. Het vliegtuig steeg op en raakte een helikopter die aan het einde van de startbaan aan het opstijgen was. Iedereen was dood. Dan vraag je je toch dingen af.'

Susan gaf geen antwoord.

Ik keek om me heen en zag geüniformeerde mannen in paren rond-lopen, en ze droegen hetzelfde uniform dat Duwertje op Tan Son Nhat had gedragen. Dat moesten mannen van de grensbewaking zijn. Twee van hen hielden een westerling aan en vroegen naar tickets en identificatie.

Ik zei tegen Susan: 'Goed, we zijn hier nu lang genoeg geweest. Jij en ik nemen gescheiden een taxi naar het Century Riverside Hotel. Ik ga als eerste en check in. Jij volgt en probeert een kamer te krijgen. Als het niet lukt, wacht je in de lobby en tref ik je daar.'

'Maak er de lounge van. Ik wil wat drinken.'

'Ik ook. Waar is het pistool?'

'Draag ik op mijn lijf.'

'Waarom ga je niet naar het damestoilet en doe je het in je boodschappentas, dan neem ik de tas van je over?'

'Waarom pak je geen taxi?'

'Susan...'

'Het is mijn wapen. Als ik word aangehouden en gefouilleerd, zeg ik dat het een aansteker is. Tot straks.'

We bleven een ogenblik staan en ik zei: 'Hou je gedeisd als je langs die politiejeep bij de uitgang komt.'

'Weet ik. Het zal allemaal prima gaan.'

Ik gaf haar geen kus, draaide me alleen maar om en verliet de terminal. Buiten stonden een paar taxi's en ik stapte er in een, hield mijn bagage bij me en zei tegen de chauffeur: 'Hué. Century Riverside Hotel. *Biet?*'

Hij knikte en we vertrokken. Toen we de politiejeep naderden, boog ik me voorover en strikte mijn schoenveter.

Het was ongeveer tien kilometer naar Hué, en onderweg kwamen we door het stadje Phu Bai dat ik me nog vaag herinnerde. In de verte zag ik pagodes en de graftombes van de keizers, verspreid liggend in het lage, voortrollende landschap.

We staken een riviertje over en Highstreet One werd Hung Vuong Street. Ik kende Hué niet, maar ik wist er wel iets over, en ik wist dat we in de Nieuwe Stad waren op de oostelijke oever van de Parfumrivier. De oude keizerlijke stad bevond zich op de andere oever.

De Nieuwe Stad was een aangename en welvarend ogende plek, klein in afmeting, maar groter dan de laatste keer dat ik hem had gezien, in 1968 vanuit een helikopter, toen het eigenlijk niets anders was dan een berg puin.

Binnen een paar minuten reed de taxi de ronde oprit op voor het Century Riverside Hotel, dat op enige afstand van de straat lag in eigen tuinen, en dat inderdaad aan de rivier was gelegen. Het was een tamelijk groot, modern bouwsel, van vijf verdiepingen, met een prachtige tuin ervoor en een vijver met een fontein. Een groot goudkleurig uithangbord boven de entree gaf aan *Chuc Mung Nam Moi* – Gelukkig Nieuwjaar.

Ik verdiende dit hotel.

Ik betaalde de taxichauffeur, ener verscheen een piccolo, die mijn koffer pakte en mij een reçu gaf. Ik hield mijn weekendtas bij me.

Een portier opende de voordeur en zei: 'Welkom in het hotel, meneer.'

Ik liep de grote, uitgestrekte lobby in die was ingericht in een smakelijke, moderne stijl. Op de vloer stonden urnen met kumquatbomen en vazen met Tet-bloesems.

De lange incheckbalie was links, ik koos het leukste meisje achter de balie en liep op haar af.

Ik zei: 'Inchecken. Bond. James Bond.'

Ik gaf haar mijn voucher en ze keek ernaar, daarna naar mij. 'U bent...'

'Brenner. Paul Brenner. Het staat op de voucher.'

'O... pardon.'

Ze speelde met haar toetsenbord en keek op haar computerscherm. Ik stelde me een bericht voor in grote, rode letters dat luidde GEZOCHT: DOOD OF LEVEND – BEL DE POLITIE.

Maar de mooie dame die volgens haar naamplaatje Dep heette, wat mooi betekent, glimlachte toen ze haar scherm las. Ze zei: 'Ah, ja. Mr. Brenner. Welkom in het Century Riverside, Mr. Brenner.'

'Dank je.'

Ik had het gevoel dat ik een beetje fout gekleed was, waarschijnlijk stonk, en een tandenborstel en tandpasta nodig had, maar Dep leek het niet te merken. Ze vroeg me: 'Hebt u een aangename reis gehad?'

'Ik heb een interessante reis gehad.'

'Ja. Waar komt u nu vandaan?'

'Nha Trang.'

'Ah. Hoe is het weer daar?'

'Heel mooi.'

'Hier is het erg bewolkt, ben ik bang. Maar misschien geniet u van het koelere weer.'

'Dat weet ik wel zeker.'

Ze kreeg alles op haar computer in orde en zei tegen me: 'We hebben een heel mooie suite voor u, Mr. Brenner, met een terras dat uitziet over de rivier en de Oude Stad.'

'Dank je.'

'Bent u ooit eerder in Hué geweest?'

'In de buurt. Quang Tri. Achtenzestig.'

Ze keek naar me en zei: 'Ah.'

'Precies.'

Ze vroeg: 'Mag ik uw paspoort en visum zien?'

'Dat mag, maar ik moet ze terug hebben.'

'Ja, natuurlijk. Maar ik moet een fotokopie maken. Als u dan ondertussen het registratieformulier invult.'

Ik vulde het registratieformulier in, terwijl Dep zich omdraaide en kopieën maakte van mijn visum en paspoort. Ze kwam terug bij de balie en gaf mij mijn documenten en ik gaf haar het registratieformulier.

Ze zei: 'U blijft drie nachten bij ons, klopt dat?'

'Dat klopt.' *Krijg ik mijn geld terug als ik eerder word gearresteerd?* Ik vroeg haar: 'Zijn er trouwens nog kamers vrij?'

Ze speelde met haar computer en zei: 'Een paar. Het is heel druk door de feestdagen.' Ze vond mijn sleutel en zei tegen me: 'Als er iets is waarmee we u kunnen helpen, staat de portier tot uw dienst.'

'Dank je. Zijn er boodschappen voor me?'

'Ik zal even kijken.'

Ze draaide zich om en ging door een doos met papieren heen. Ze haalde er een grote envelop uit en zei: 'Ik geloof dat deze voor u is.'

Ik nam de envelop aan en tekende ervoor.

'Uw bagage wordt zo naar boven gebracht. Suite Zes is op de vierde verdieping. De liften zijn direct achter u. Ik wens u een aangenaam verblijf toe.'

'Dank je. Je bent heel mooi. *Chuc Mung Nam Moi.*'

Ze glimlachte, maakte een buiging met haar hoofd en zei: 'Dank u. En gelukkig nieuwjaar.'

Ik liep naar de liften en drukte op omhoog. Ik had gemerkt dat overal ter wereld de mensen in goede hotels dezelfde taal spreken. Ze zullen opgeleid zijn in oorden als Zwitserland, tot perfecte kleine robots met kleine uurwerken in hun hoofd. En dan werden ze opgewonden en losgelaten op de wereld.

De lift kwam en ik ging naar boven, naar de vierde verdieping, en vond mijn suite.

Hij bevatte een grote zitkamer en een net zo grote slaapkamer, een grote badkamer en, jawel hoor, een terras dat uitzag over de rivier en de Oude Stad op de andere oever.

Het moderne meubilair zag er gerieflijk uit, maar mijn normen waren zo verlaagd, dat ik elk oordeel was kwijtgeraakt.

Er was een grote alkoof met een bureau. Ik ging achter het bureau zitten en maakte de envelop open.

Het was een fax, geadresseerd aan mij. Hij was van Karl en er stond geen Gelukkig Nieuwjaar op.

Ik wierp een blik op het bericht en zag dat de woorden niet in het zakelijke jargon waren geschreven, waarmee dubbele betekenissen makkelijker te schrijven en te begrijpen zijn. Karl had een vriendelijker manier gebruikt, omdat ik hier niet voor zaken was; ik was een terugkerende veteraan, een toerist, en Karl wist dat deze fax lang voordat ik hem zag al in handen van de politie was geweest. Karl had zijn sekse ook veranderd en heette nu Kay.

Ik las: **Lieve Paul, ik hoop dat dit je bereikt en dat je reis alles is geworden wat je ervan had verwacht. Wat betreft de dame over wie we het hebben gehad, ik heb gehoord dat ze misschien is getrouwd met een andere Amerikaan, dus je moet rekening houden met wat je in bed zegt, en met een jaloerse echtgenoot. Als vriendin raad ik je aan deze relatie te verbreken. Er kan alleen maar narigheid van komen. Om het over iets vrolijkers te hebben: je reisschema voor Hué ziet er goed uit. Ik hoop dat je geniet. Laat me van je horen.** Het was getekend: **Liefs, Kay.**

Dus ik hoefde dit alleen maar om te zetten, wat niet zo moeilijk was. *Getrouwd met een andere Amerikaan.* Duidelijk bedoelde hij dat Susan misschien werkte voor een andere Amerikaanse inlichtingendienst. Maar dat had ik al vermoed. Nou en? Ik wist niet eens voor wie ík werkte.

Je reisplan voor Hué ziet er goed uit. De ontmoeting van morgen ging door.

Ik trok een la met pennen open, vond een velletje faxpapier en schreef:

Lieve Kay, ben in Hué aangekomen en heb je fax ontvangen. Het is heel lief van je dat je je zorgen maakt om mijn liefdesleven. Maar als je slaapt met de vijand, weet je waar die's nachts is. De reis verloopt goed – heel enerverend, heel leerzaam. Ik hou van het Vietnamese volk en de regering doet het hier geweldig. Ik kan je niet genoeg bedanken dat je me deze reis hebt aangeraden.

Ik keek op van mijn briefje, dacht een ogenblik na en voegde er vervolgens aan toe:

De lange schaduwen van het verleden strekken zich inderdaad nog steeds van hier naar toen uit, maar de schaduwen in mijn gedachten en in mijn hart vervagen, dus als je lange tijd niet van me hoort,

weet dan dat ik heb gevonden wat ik zocht, en dat ik persoonlijk
geen spijt heb van deze reis. Liefs voor C.

Ik keek naar wat ik had geschreven en besloot dat het goed was voor Karl, voor kolonel Mang, voor Cynthia, voor mij en voor het nageslacht.

Ik herinnerde me mijn brieven naar huis in 1968, en herinnerde me die als een mengsel van nieuws, soldatengezeur en een beetje heimwee. Maar zoals de meeste soldaten in oorlog die zich realiseerden dat elke brief de laatste kon zijn, eindigde ik altijd op een toon die aangaf dat ik vrede had met mezelf; dat ik de mogelijkheid van de dood accepteerde, daarvoor niet bang was, maar natuurlijk hoopte op een betere uitkomst. Inherent aan het bericht was altijd het idee dat de ervaring me enig goed deed, zodat ik een beter mens zou zijn als ik terugkwam. Ik hoopte dat God de brief ook las.

Het was allemaal nogal zwaarwichtig voor iemand van achttien, maar je wordt snel volwassen als je de tijd die je op aarde was toegemeten in minuten telde.

En nu, bijna dertig jaar later, zat ik weer hier, terwijl mijn leven nog steeds gevaar liep en mijn brief naar huis ongeveer hetzelfde vertelde: ik heb mezelf voorbereid op alles wat er kan gebeuren, en daar moest iedereen hetzelfde doen.

Ik liet Karls fax aan mij op het bureau liggen, omdat het voor mensen die hem al hadden gelezen verdacht zou zijn als ik hem vernietigde.

Ik stond op en liep met mijn weekendtas naar de badkamer. Ik poetste mijn tanden, friste me op en kamde mijn haar.

De deurbel ging, ik liep naar de woonkamer en deed de deur open. Het was mijn koffer en ik gaf de jongen een dollar. Ik maakte de koffer open en trok een verkreukt blauw sportjasje aan. Ik stond te popelen om Susan te zien, dus ik pakte niet uit, greep mijn fax van het bureau en ging naar beneden naar de lobby.

Ik gaf de fax aan een receptionist met een dollar en vroeg hem of hij hem nu wilde versturen en me de fax terug wilde geven.

Hij antwoordde: 'Sorry, faxmachines zijn de hele dag bezet. Het duurt een, twee uur. Ik fax voor u en stuur het origineel terug naar uw kamer.'

Ik kende deze gang van zaken, en wat we ongestraft hadden kunnen doen in het Grand Hotel in Nha Trang, zou ik hier niet ongestraft kunnen doen. Ik had naar het hoofdpostkantoor kunnen gaan, maar voorzover ik wist, fotokopieerden zij de fax voor je neus voor de politie. In ieder geval was mijn fax aan Karl niet verdacht en ik had geen haast. Ik liep naar de kas en wisselde vijfhonderd dollar aan reischeques in, waarvoor ik twee biljoen dong kreeg of zoiets.

Ik keek door de lobby om te zien of Susan er was, maar ze was er nog niet. Ik wilde de receptionist niet vragen of ze al ingecheckt had, dus ik bleef daar een tijdje staan wachten. De lobby was druk op deze zaterdagmiddag, Tet-oudejaarsavond. Praktisch alle gasten waren westerlingen en de meesten waren aan hun kleding te zien Europe-anen.

Ik zag drie mannen van middelbare leeftijd die duidelijk Amerika-nen waren en net zo duidelijk veteranen. Ze waren tamelijk goedge-kleed voor Amerikanen – lange broek, hemden met boorden, en bla-zers – en ze gedroegen zich goed. Een van hen had een baard à la He-mingway en hij leek bekend, alsof ik hem op tv had gezien of zoiets.

Ik ben goed in het maken van gefundeerde gissingen – ik doe het voor mijn beroep. Terwijl ik hen in de lobby zag staan praten, gokte ik dat ze allemaal officier waren geweest, waarschijnlijk leger of mari-niers, omdat ze niet de slordige en halfgare maniertjes hadden van luchtmachtofficieren, en ze leken me helemaal geen marinemannen. Misschien waren het gevechtsveteranen, eerder dan achterhoedetypes, en zeker waren ze door de jaren heen financieel succesvol geweest. Ze waren bij elkaar gekomen en hadden besloten dat het tijd werd terug te gaan. Misschien hadden ze vrouwen bij zich, maar nu waren ze alleen. De man met de baard nam een beslissing als leider en ze liepen alle-maal richting cocktaillounge. Ik volgde.

De lounge had geen bar, dus ik ging aan een cocktailtafeltje zitten met mijn gezicht naar de deur. Ik werd nu op het bureau van de immi-gratiepolitie verwacht, maar ik besloot dat zij konden wachten. Eigen-lijk konden ze, wat mij betrof, doodvallen.

Een serveerster kwam langs en ik bestelde een San Miguel, maakte er toen twee van. De serveerster vroeg: 'Komt iemand bij u zitten?'·

'Ja.'

Ze legde twee servetjes neer en zette er een kommetje pinda's naast.

Ik keek op mijn horloge en keek naar de deur. Susan was geen vrouw die je niet een eenvoudig klus kon toevertrouwen zonder je zor-gen te maken, zoals het nemen van een taxi op het vliegveld. Maar dat pistoolgedoe had me geïrriteerd. Er was alleen maar een willekeurige identificatiecontrole op het vliegveld voor nodig, een minimale aanrij-ding of een routinematige politiecontrole op de weg, en je zat al mid-den in een schietpartij of je werd gearresteerd wegens een zwaar mis-drijf. Ondanks mijn baan ben ik niet zo dol wapens, maar ik kon begrijpen waarom zoveel Amerikanen enthousiast waren over hun recht om wapens te dragen.

Dat deed me afvragen waar de miljoenen M-16's waren gebleven die we aan het Zuid-Vietnamese leger hadden gegeven. Sinds ik hier was had ik geen enkele Amerikaanse M-16 bij een agent of militair gezien; ze hadden allemaal hun Russische AK-47's bij zich, waar ze tijdens de oorlog zo dol op waren.

Misschien, dacht ik, waren miljoenen M-16's verborgen door het voormalige ARVN, in plastic begraven in groentetuintjes en zo. Maar waarschijnlijk niet. Dit was een land van ongewapende burgers en gewapende smerissen en soldaten. De nederlaag was volledig en de kans dat er een opstand uitbrak was nihil. Ik dacht terug aan de foto's in het Museum van Amerikaanse Oorlogsmisdaden, de massa-executies van opstandige bergbewoners en voormalige ARVN-soldaten. Hanoi speelde om de knikkers.

Waar was Susan?

Het bier kwam en de serveerster zette dat op tafel met twee glazen. Ik tekende het reçu en gaf haar een dollar.

Ik dronk wat van mijn bier en at een paar pinda's, staarde naar de deur en keek af en toe op mijn horloge.

Ik hoorde de drie mannen aan een tafeltje vlakbij praten, en ik luisterde mee om mijn zorgelijke gedachten over Susan af te leiden.

Ik kon slechts flarden van het gesprek horen, maar ik hoorde wat militaire taal en afkortingen, dus dat had ik juist gehad. Een man zei iets over een 'dustoff', opvegen, wat een medische evacuatie per helikopter betekende, en een andere man zei 'inkomend', wat een raket, artilleriegranaat of mortiervuur van de vijand inhield. De derde man zei iets over dat 'de rimpelfactor toenam', wat betekende dat de sluitspier bij iedereen verstrakte van angst. Ze lachten allemaal.

Beslist gevechtsveteranen. Ik wierp een blik op hen en zag dat ze zich uitstekend vermaakten, oude veteranen zoals ik, teruggekomen om de draak in zijn ballen te schoppen.

Ik vroeg me af of zij zich net zo vreemd en vervreemd voelden als ik me had gevoeld op het dak van het Rex, en zoals ik me hier begon te voelen in de aangename cocktailbar van het luxe hotel, gebouwd op de oever van de Parfumrivier waar de mariniers ingegraven hadden gelegen en over de rivier schoten hadden gewisseld met de vijand die de andere oever in handen had. Ik denk dat je, als je maar bleef praten, de geluiden van mitrailleurs en raketten niet meer hoorde. Maar als je zoals ik hier zwijgend zat, hoorde je nog altijd de donder in de verte, die met de tijd minder werd.

Susan hoorde hier nu te zijn en ik moest bij de receptionist gaan informeren. Ik stond op en liep naar de deur.

Net toen ik de deur bereikte, verscheen ze ineens en bijna botste ik tegen haar op. Bij wijze van begroeting zei ik: 'Waar heb je verdomme gezeten?'

'Ook leuk om jou te zien.'

'Ik maakte me zorgen om je.'

'Sorry. Ik moest me opfrissen.'

Ze droeg inderdaad een van de zijden blouses die ze in Nha Trang had gekocht, een zwarte broek en sandalen. Ze had duidelijk gedoucht en wat make-up opgedaan.

'Ik heb me rot gehaast om je hier te zien en jij gaat naar je kamer om een bubbelbad te nemen of zoiets.'

'Kan ik je iets te drinken aanbieden?'

Ik draaide me om en liep naar het cocktailtafeltje. Ik ging zitten en dronk van mijn bier.

Susan ging tegenover me zitten en zei: 'Is dit mijn bier?'

'Lijkt me wel.'

Ze schonk zichzelf wat bier in, pakte een paar pinda's en gooide er een naar mij. Hij raakte me tegen mijn voorhoofd.

Ze leunde achterover, nipte van haar bier en klaarde op.

Ze zei niets, en dat zou ze niet eerder doen dan wanneer ik gekalmeerd was. Ik ken vrouwen.

Ik zei: 'Ik had een massage kunnen nemen als ik had geweten dat je er zo je gemak van zou nemen.'

Ze gooide weer een pinda naar me toe.

'We zouden elkaar hier treffen, meteen na – laat maar zitten. Waar is het ding?'

'Veilig.'

'Wáár veilig?'

'Onder mijn bed.'

'Ben je krankzinnig?'

'Nee. En ik ben ook niet dom. Ik ben naar de bloementuin gegaan en heb het in een plastic zak begraven.'

Ik kalmeerde een beetje en vroeg sarcastisch: 'Herinner je je waar je het hebt begraven?'

'Oranje paradijsvogelbloemen. Ik heb het begraven toen ik aan de bloemen rook.'

'Goed. En niemand heeft je gezien?'

'Ik hoop het niet.'

'En heb je de afdrukken eraf geveegd?'

'Alleen die van mij. Die van jou heb ik op het pistool laten zitten.'

Ik bestelde weer een bier. Ik zag de drie Amerikanen naar Susan kijken – wellustig, mag ik wel zeggen, en commentaar geven. Mannen zijn viezeriken.

Ze vroeg me: 'Nog berichten?'

'Ja. Van K. Hij wil dat ik je loos.'

'Nou, wat maakt het nu nog uit?'

'Niets. Onderwerp gesloten. Heb jij een bericht gekregen?'

'Niemand weet in welk hotel ik zit.'

'Ik denk dat ze dat wel heel snel kunnen uitvogelen.'

Ze glimlachte. 'Uh... nou...? Hé, wist je dat dit het Jaar van de Os was?'

'Ik dacht dat het het Jaar van de Blue Jays uit Toronto was.'

'Ik bedoel het astrologische jaar.'

'Sorry. Het Jaar van de Os.'

'Precies. De voorspelling is dat het een voorspoedig jaar wordt.'

'Wat houdt dat in?'

'Welvarend. Gelukkig.'

'Bedoel je voor iedereen?'

'Ik weet het niet. Sorry dat ik erover begon. Je bent een zeikerd.'

Ze werd gemelijk, waardoor ik een ogenblik de kans kreeg over een paar dingen na te denken. *Getrouwd met een andere Amerikaan.* Karl werkte op deze zaak samen met de FBI, dus hij moest bedoelen dat Susan voor de CIA werkte, of voor de SDI, de inlichtingendienst van Buitenlandse Zaken. SDI-mensen vielen flauw bij het zien van een wapen, dus dat bracht de mogelijkheid terug tot de CIA. Natuurlijk konden er nog andere spelers meedoen, zoals de Militaire Inlichtingendienst. In ieder geval was dit niet helemaal slapen met de vijand, maar eerder slapen met een zakelijke concurrent. Of dat, of Karl probeerde me in de war te brengen, en dat zou niet voor het eerst zijn. Karl kon het ook verkeerd hebben, en dat zou ook niet voor het eerst zijn.

Susan onderbrak mijn gedachten en zei: 'Ik heb hier gereserveerd voor een vroeg diner. Ze hebben een enorm Tet-feestmaal. Daarna gaan we wat wandelen door de Oude Stad en kijken naar het feest – drakendansen, poppenshows, muziek en alles. Vervolgens gaan we naar de kathedraal voor de nachtmis.'

Ze moest CIA zijn – wie anders zou er zo arrogant zijn mijn avond voor me te plannen?

Ze zei: 'Luister je naar me?'

'Ja... Luister, laten we vroeg gaan eten en dan naar bed...'

'Paul, het is oudejaarsavond.'

'Nee, dat is het niet. Dat was een maand geleden.'

'Het is híer oudejaarsavond.'

'Ik geloof het niet. Je verliest of wint maar een dag als je de internationale datumgrens passeert. Geen maand.'

'Ik denk dat we maar naar jouw kamer moeten gaan, en jij gaat douchen, aangezien je het duidelijk nog niet hebt gedaan, vervolgens gaan we lekker in bed liggen en daarna kleden we ons aan voor het diner.'

Ik kon daar niets verkeerds in zien, dus ik stond op en zei: 'Goed. We gaan.'

'Mag ik mijn bier opdrinken?'

'Ik heb een minibar in mijn kamer. We gaan.'

'Ben je opgewonden?'

'Ja, we gaan.'

Ze stond op, we liepen naar de lobby, namen de lift naar boven naar de vierde verdieping en ik ging haar voor naar mijn suite.

Ze zei: 'O, dit is heel mooi. Ze hebben mij een kleine kamer op de benedenverdieping gegeven met uitzicht op de straat.' Ze voegde eraan toe: 'Kamer 106.'

Ze liep naar de glazen deuren en ging naar buiten het lange terras op. Ik volgde haar.

De Parfumrivier had twee bruggen die de Oude Stad met de Nieuwe Stad verbonden, en langs de dichtstbijzijnde brug lagen de puinresten van een andere brug die vernield was, waarschijnlijk in 1968.

Aan de overkant van de rivier was de ommuurde stad van Hué, bekend als de Citadel, de keizerlijke hoofdstad. Vanaf deze hoogte konden we over de Citadel in de stad kijken, en wat me trof was dat ongeveer de helft van het centrale gedeelte van de stad scheen te ontbreken, en was vervangen door open velden waarin de omtrekken te zien waren van wat eens gebouwen waren geweest.

Susan zei: 'Zie je de muren binnen de muren van de citadel? Dat is de Keizerlijke Stad, en binnen die muren zijn de muren van de Verboden Paarse Stad, waar alleen de keizer, zijn concubines en de eunuchen toegang hadden.'

'Dus ik mag er niet komen, maar jij wel.'

'Heel grappig.' Ze vervolgde: 'De meeste oude gebouwen zijn verwoest in 1968.'

'Dat kan ik zien.' Daar ergens, om twaalf uur 's middags of later, zou ik mijn contact treffen. Ik hoopte niet dat het een vrouw was.

Susan zei: 'Mijn gids vertelde me dat de Amerikanen de stad dertig dagen lang genadeloos hebben gebombardeerd en de meeste historische gebouwen hebben verwoest.'

Ik had niet het gevoel de Amerikanen te moeten verdedigen voor het gebruik van een overweldigende vuurkracht, maar ik zei: 'Het Noord-Vietnamese leger heeft de stad bij verrassing ingenomen op Tet-oudejaarsavond, tijdens de Tet-wapenstilstand. Het kostte dertig dagen van bombarderen, schieten en grondactiviteit om ze eruit te krijgen. Dat noemen ze oorlog.'

Ze knikte en zei: 'Maar... het is zo zonde.'

'De communisten gingen rond met namen en adressen van mensen die ze wilden liquideren. Ze schoten meer dan drieduizend soldaten en burgers neer die op hun lijsten stonden. Heeft je gids je dat verteld?'

'Nee.'

Ik keek naar het noordwesten en zei: 'Mijn compagnie lag ingegraven in dat voorgebergte, daar aan de horizon. We zagen de strijd woeden in Quang Tri en Hué. We kwamen uit de heuvels en probeerden de ontsnapping van de communistische troepen te verijdelen nadat ze Quang Tri hadden opgegeven. Daarna trokken we verder naar het zuiden naar Hué en zetten een blokkademacht in om de achterblijvers op te vangen die uit Hué kwamen, zodat ze niet in de heuvels konden verdwijnen.'

Ze keek naar het land in het noorden en westen en zei: 'Dus je zat daar?'

'Ja.'

'En de strijd woedde hier in de stad?'

'Ja. Aan deze kant van de rivier, precies waar we nu zitten, lagen de mariniers ingegraven en hadden deze kant van de rivier en de Nieuwe Stad in handen. Quang Tri ligt ongeveer zestig kilometer pal naar het noorden hier vandaan, direct aan Highway One, die je hiervandaan kunt zien.'

'Je zou naar Quang Tri moeten gaan.'

'Ik denk dat ik het doe. Ik ben al zover gekomen.'

'Ik zou graag met je meegaan, als je gezelschap wilt.'

Ik knikte. 'Dit stuk Highway One van Hué naar Quang Tri werd door de Franse soldaten de Weg zonder Vreugde genoemd. De naam bleef hangen en zo noemden wij hem ook, hoewel sommige jongens hem de Weg van de Hinderlagen noemden, of Kloteweg One.'

Ze vroeg me: 'Waar is de A Shau-vallei?'

Ik wees pal naar het westen. 'Achter die bergketen, misschien zeventig kilometer verderop, bij de grens met Laos. Het is een heel geïsoleerde plek, meer een ravijn dan een vallei, omgeven door bergen en het grootste deel van het jaar potdicht door de mist. Het is misschien moeilijk om daar te komen.'

'Ik doe mee.'

Ik keek haar aan en glimlachte. 'Was je vroeger echt saai?'

'Saai én verwend. Ik kreeg een woedeaanval als roomservice te langzaam was.'

Ik wierp een laatste blik op de stad Hué, draaide me om en liep van het terras af.

Ik ging naar de badkamer, schoor me en nam een douche.

Susan en ik vrijden in het gerieflijke bed en vielen daarna in slaap.

We stonden om zes uur op en gingen naar beneden naar de eetzaal van het hotel waar het oudejaarsavonddiner werd geserveerd in lopend buffetstijl.

Elke plaats leek ingenomen, en we gingen zitten aan een klein tafeltje voor twee bij de tuin aan de rivier en, volgens Susan, niet ver van de plaats waar ze haar pistool had begraven.

Iedereen daar was Europeaan of Amerikaan, en ik zag de drie mannen die ik al eerder had gezien. Ze zaten aan een tafeltje met een groepje vrouwen, en aan hun lichaamstaal zag ik dat de dames niet hun vrouwen of vriendinnen waren. De mannen waren op dreef en de vrouwen waren of geboeid of ze deden alsof.

Een band speelde behangmuziek en de eetzaal was een zee van lachende gezichten, flonkerend kristal en pezende obers. In 1968 zou ik dit niet voor mogelijk hebben gehouden.

Een buffettafel stond vol Vietnamese feesthappen, met bordjes in verschillende talen, zodat iedereen het meeste kon laten liggen. De andere tafels hadden zogenaamd Vietnamees eten, Chinees eten en westerse schotels. Susan en ik aten als varkens, en gebruikten eetstokjes, messen, vorken en onze handen.

We verlieten het hotel om negen uur en staken de Parfumrivier over via de Trang Tien-brug.

De avond was koel en de lucht was helder geworden. De maan was nu een smalle schijf die snel zou verdwijnen, en de sterren schitterden. Duizenden mensen wandelden langs de met bomen begroeide oever, tussen de rivier en de omhoogrijzende muren van de Citadel. De stad was versierd met rode vlaggen, en veel gebouwen waren verlicht met lampen en lampions.

Het centrum van alle activiteit leek zich rond de historische vlaggentoren tegenover de poort van de muur af te spelen. Hele families zaten daar, of wandelden rond, elkaar begroetend en elkaar een goed nieuwjaar wensend.

Susan zei: 'Vuurwerk is voor de mensen verboden, maar de stad zal waarschijnlijk wel een paar vuurpijlen afschieten zoals ze in Saigon doen. Toen ik drie jaar geleden in Saigon kwam, was vuurwerk nog niet verboden, en tijdens Tet-oudejaarsavond klonk de hele stad als oorlogsgebied.'

'Ik ken dat geluid.'

Tegenover de vlaggentoren stond de poort van de Citadel open, en achter de poort was een sierbrug die naar het keizerlijke paleis leidde. Het paleis was groot en gebouwd van steen en roodgelakt hout, en had een traditioneel pannendak. Het was helemaal verlicht met spots en versierd voor de feestdagen. Ik vroeg me af hoe dit gebouw aan de bombardementen was ontsnapt.

Maar Susan zei toen: 'Mensen over de hele wereld hebben geld gegeven om het paleis weer in zijn originele staat op te bouwen.'

'Goed. Laten we naar binnen gaan. Ik doneer vijf dollar.'

'Je kunt vanavond niet naar binnen. Zie je die soldaten? Ze sturen mensen weg. Er zal vanavond een overheidsceremonie zijn of zoiets.'

'Dan geef ik ze tien dollar.'

'Vergeet het. Je hebt al moeilijkheden genoeg.'

Dus we bleven langs de oever lopen en kwamen vervolgens via een kleinere poort in de stad.

Er waren overal een heleboel mensen en we zagen een drakendans en een paar stompzinnige poppenshows in geïmproviseerde theatertjes. Er speelden groepen muzikanten, traditionele muziek op snaarinstrumenten, die erg jammerend en irritant klonk.

De meeste cafés en restaurants waren gesloten, maar we vonden een café, eigendom van een katholiek stel, dat nog open was om de handel van de boeddhisten binnen te halen.

Het café was druk bevolkt met Vietnamezen en westerlingen, maar we vonden een tafeltje en bestelden koffie.

Ik zei tegen Susan: 'Dit is leuk. Ik ben blij dat ik hier ben.'

'Ik ook.'

'Je mist het partijtje van Vincent in Saigon.'

'Er is niet één plaats op aarde waar ik liever ben dan hier bij jou.'

Ik zei: 'Ik voel me net zo.'

We dronken onze koffie. Er waren geen taxi's of cyclo's in de buurt, dus we liepen terug de Parfumrivier over via de Phu Xuan-brug naar de Nieuwe Stad waar volgens Susan de kathedraal stond.

Vanaf de brug zag ik een groot sportcomplex langs de rivieroever, met tennisbanen, een zwembad en speelvelden. Susan zei: 'Dat is het Cercle Sportif. De oude Franse sportclub. Er is er een in Saigon en in veel grote steden. Was vroeger alleen voor blanken. Nu zijn ze voornamelijk alleen voor partijleden.'

'Spelen communisten tennis?'

'Ik weet het niet. Ik denk het. Waarom niet?'

'Ik probeer me kolonel Mang in tennistenue voor te stellen.'

Ze lachte, zei toen: 'Als niemand kijkt, lopen de varkens op hun achterpoten.'

'Dat heb ik gehoord.'

We liepen verder over de brug en plotseling waren er oranje lichtflitsen in de lucht, gevolgd door een serie explosies; ik dook in elkaar, besefte toen dat het vuurpijlen waren. Mijn hart bonkte en ik haalde diep adem.

Susan keek me aan.

Ik voelde me een beetje dwaas en zei grappend: 'Ik dacht dat Charlie terug was.'

Ze zei: 'Daarom noemde ik daarnet het vuurwerk.'

Toen we de brug af liepen, wilde ik de straat oversteken, maar Susan hield me tegen. 'Zie je dat hokje op de hoek aan de overkant? Dat is een controlepost van de politie. Mijd die hoek. Ze vallen westerlingen soms lastig, zoals ik heb gemerkt toen ik hier was.'

'Ik ben al sinds donderdagavond niet meer door de politie lastiggevallen. Ik voel me genegeerd. Laten we eens wat ruzie gaan maken met hen.'

'Alsjeblieft.'

We meden het politiehokje en staken ergens midden in de straat over. Onder het lopen zei ik tegen haar: 'Misschien kunnen we de mis overslaan.'

Ze antwoordde: 'Je zou eigenlijk God op je knieën moeten danken dat je hier nog heelhuids bent aangekomen.'

Het was een hele wandeling naar de kathedraal en de straten begonnen leeg te raken. Susan zei: 'Iedereen is nu thuis voor de traditionele maaltijd.'

'Waarom gaan boeddhisten niet naar de pagodes voor een nachtmis?'

'Ik denk niet dat het mis heet, en zij bidden als ze dat menen te moeten doen.'

We bereikten de Notre Dame Kathedraal om ongeveer kwart voor twaalf, en er kwamen nog steeds mensen naartoe, voornamelijk te voet. De meerderheid bestond uit Vietnamezen, maar er was ook een aantal rondogen.

De kathedraal was indrukwekkend, maar niet oud. Hij was eigenlijk tamelijk modern, met een paar gotische en Vietnamese accenten. Ik nam aan dat alle oude kerken die er geweest mochten zijn, verwoest waren.

We liepen naar binnen en vonden een plaats op een bank achterin. Ik zei tegen Susan: 'Als dit een boeddhistische feestdag is, waarom dan een katholieke mis?'

'Ik weet het niet. Jij bent katholiek. E-mail de paus.'

De mis begon. De hele mis en de gezangen waren in het Vietnamees, wat grappig was omdat het nagesynchroniseerd leek. Ik sloeg de communie over zoals ik ook had gedaan in de Notre Dame in Saigon, maar de meeste aanwezigen, inclusief Susan, liepen naar het altaar toe. Er was geen enkel teken van dat gedoe van eensgezindheid zoals ze tegenwoordig in de katholieke kerk in Amerika hebben, omdat deze menigte wellicht zou buigen in plaats van elkaar een hand geven en iedereen zou zijn hoofd stoten.

Ik merkte dat de burgers van Hué beter gekleed waren dan de Vietnamezen zuidelijk van de Hai Van-pas, en ik nam aan dat het te maken had met het koudere weer en misschien door het wereldse karakter van deze stad.

Mijn multiculturele belevenis kwam tot een einde en we volgden de mensen naar buiten naar het open plein voor de kathedraal.

Overal stonden mensen met elkaar te babbelen en op de een of andere manier, vraag niet hoe, raakte Susan in gesprek met een Vietnamese familie. Ze waren zeer onder de indruk van haar vloeiende Vietnamees en haar rudimentaire Frans, dat zij ook spraken.

Om een lang verhaal kort te maken, we waren onderweg om te gaan eten bij de familie Pham.

Op weg erheen, samen met deze hele clan, zei ik tegen Susan: 'Heb je hun niet verteld dat ik een slecht karakter heb?'

'Gelukkig hebben ze niets over ons gevraagd.'

Onderweg gaf Susan me een snelle cursus Vietnamese tafelmanieren. Ze zei: 'Laat je eetstokjes niet rechtop in de rijstkom staan. Dat is een teken van de dood, zoals de wierookstokjes op begraafplaatsen en familiealtaren. Ook wordt alles op schotels doorgegeven. Je moet alles proberen wat er langskomt. Als je een glas wijn of bier leegdrinkt, vullen ze dat automatisch bij. Als je niet meer wilt, laat je een half glas staan.'

'Klinkt als Boston-Zuid.'

'Luister goed. Vietnamezen boeren niet zoals de Chinezen om aan te geven dat de maaltijd gesmaakt heeft. Ze vinden dat onbeschoft, net als wij.'

'Ik vind boeren niet onbeschoft. Maar aan de andere kant zit ik ook niet bij de Junior League.'

Ze liet een geïrriteerd geluid horen, zei toen: 'Goed, als je genoeg hebt gegeten, steek je je eetstokjes in je neus.'

'Meen je dat?'

'Vertrouw me.'

De Pahms woonden in een mooi eigen huis, niet al te ver van de kathedraal en ze bezaten duidelijk een paar dong.

De rijst die we in het hotel hadden gegeten, kwam nog steeds mijn oren uit, maar dat was geen reden om niet te eten.

Ik kwam aan een lange tafel te zitten, ingeklemd tussen een honderdjarige grootmoeder en een kleine snotneus. Maar tegenover me zat een klasse één *co-dep* en ze sprak een beetje Engels, maar voor mij niet voldoende om haar te tonen hoe charmant ik was. Misschien was ze van iemand, maar ze bleef lachen en giechelen en me schotels aanreiken.

Iedereen sprak tien woorden Engels, en het waren niet dezelfde tien woorden, dus de conversatie verliep uitstekend. Daarbij spraken de meesten een beetje Frans en mijn beperkte Frans kwam terug. De Vietnamese zinnen die ik goed kende, waren, zoals ik al heb gezegd, niet geschikt voor een familie-etentje. Ik overwoog echter wel *co-dep* naar haar identiteitsbewijs te vragen.

Susan zat aan het andere einde van de tafel en ze vermaakte zich prima.

De Vietnamezen leken heel aangenaam in een familieomgeving, maar het openbare en commerciële leven van dit hele land was een ramp.

Een man die naast Susan zat zei in redelijk Engels: 'Mr. Paul, miss Susan vertelde me dat u hier in 1968 was.'

'Quang Tri.'

'Ja? U vocht tegen communisten?'

'Daarom was ik hier.'

'U hebt gedood?'

'Eh... ik denk het.'

'Goed.' Hij ging staan, zei iets tegen de aanwezigen, hief zijn glas naar mij en zei in het Engels: 'Op deze dappere soldaat die...' Hij vroeg Susan iets en eindigde toen zijn zin met: 'de antichrist heeft gedood.'

Iedereen toastte en ik voelde me genoodzaakt te gaan staan. Ik had het duidelijke gevoel dat dit een anticommunistische groep mensen was, en ik zou niet verrast zijn geweest als de deur was opengebarsten en de strijdkrachten van het ministerie van Openbare Veiligheid waren binnengekomen en iedereen hadden gearresteerd. Karl zou het niet goed gevonden hebben dat ik hier was. Ik hief mijn glas en zei: 'Op de dappere katholieken van Vietnam. De enig goeie rooie is een dooie rooie.'

Mijn gastheer leek even in de war, maar Susan vertaalde het en iedereen applaudisseerde.

Ik keek naar Susan en zag dat ze haar ogen naar het plafond draaide. Ik ging zitten en wachtte tot de deur zou openbarsten.

Om ongeveer twee uur overwoog ik mijn eetstokjes in mijn neus te steken, maar we gingen daar pas weg om drie uur 's ochtends, en de straten waren verlaten. Ook was ik een beetje beneveld.

Susan zei: 'Was dat geen ervaring?'

Ik boerde. 'Zeker.'

'Ik vermaak me kostelijk met je.'

Ik boerde weer. 'Goed.'

'Het waren zulke aardige mensen.'

'Zeker. Een beetje bloeddorstig, maar aardig.'

'Mr. Uyen, de man die naast me zat en een toast op jou uitbracht, vertelde me dat veel leden van zijn familie in 1968 door de communisten waren vermoord. Daarom zitten ze zo... vol haat jegens het regime.'

'Weet je, iedereen hier zit zo vol onderdrukte haat en woede over wat er is gebeurd. Kolonel Mang, Mr. Uyen, allemaal. Ze zouden het heerlijk vinden om elkaar weer naar de strot te vliegen.'

Susan gaf geen antwoord.

Ik zei: 'Toch moeten de Phams voorzichtig zijn. Het ministerie van Openbare Veiligheid speelt geen spelletjes.'

'Ik weet zeker dat ze voorzichtig zijn.'

'Ze kenden ons niet eens.'

'Wij zijn Amerikanen, en katholiek. Een van ons is katholiek.'

'Juist.' Het was interessant dat de Vietnamezen aannamen dat alle Amerikanen anticommunistisch waren. Ik denk dat ze nooit een professor uit het noordoosten hadden ontmoet. Ik zei: 'Ik denk niet dat we gevolgd zijn vanaf de kathedraal en niemand volgt ons nu. Maar je deed er de familie Pham geen enkele gunst mee door jezelf uit te nodigen voor het eten. Daartegenover staan zij waarschijnlijk op een paar zwarte lijsten, dus we deden onszelf geen gunst door er naartoe te gaan.'

Ze zweeg een tijdje en zei toen: 'Daar zeg je wat.' Ze voegde eraan toe: 'Maar ik denk dat zelfs de politie vanavond feest aan het vieren is.'

'Ik hoop het.'

We liepen door de stille straten, toen zei Susan: 'Jij scheen te genieten van het gezelschap van die jongedame tegenover je.'

'Welke jongedame?'

'Met wie je de hele nacht hebt gepraat.'

'O, die. Ze is een non.'

'Ik denk het niet.'

'Susan, ik ben moe, ik heb hoofdpijn en we zijn verdwaald.'

'We zijn niet verdwaald. Het hotel is die kant op.'

We liepen door en inderdaad, we sloegen een hoek om en zagen het hotel.

Susan bleef plotseling staan. 'Paul.'

'Wat?'

'Had je je vandaag niet bij de vreemdelingenpolitie moeten melden?'

'Ik had het vandaag druk. Ik zal het morgen doen.' We liepen verder.

'Je had vandaag moeten gaan. Ze weten dat je hier bent, omdat het hotel jouw inchecken heeft gemeld.'

'Nou, dan weten ze dat ik hier ben. De kolere voor ze.' Ik voegde eraan toe: 'Kolonel Mang heeft me aan een lange riem. Hij wil weten wat ik van plan ben.'

'Hoe weet je dat?'

'Ik weet het.'

Dus wat gebeurt er morgen als je naar je rendez-vous moet? Als je nu eens in de gaten wordt gehouden?'

'Je zet altijd een geheim rendez-vous op als je in de gaten wordt gehouden. Daarom noemen ze het geheim.' Ik voegde eraan toe: 'Ik zal je moeten vragen morgen uit de citadel weg te blijven.'

'O... goed.'

'Tenzij jij mijn contact bent.'

'Dat zou interessant zijn.'

We bereikten het hotel en ik zei: 'Laten we achterom gaan, dan kun jij me laten zien waar het begraven ligt.'

'Morgen.'

'Nu.'

'Goed...'

We liepen over een pad naar de tuinen aan de achterkant van het hotel. Het land liep af naar de rivier en de tuinen waren in terrassen aangelegd, verlicht met kleine, lage tuinlampen.

We liepen over een pad naar de rivier en Susan knikte naar rechts. 'Zie je ze? Oranje paradijsvogelbloemen.'

'Zijn dat die bloemen die vliegen eten?'

'Nee, Paul. Zie je ze wel of niet?'

'Jawel. Daar ergens?'

'Ja. Dertig centimeter rechts van het middelste tuinlicht. De grond is heel kleiachtig. Ik kan het met mijn hand opgraven.'

'Goed. Ik haal het voor we vertrekken.'

'Ik haal het.'

Ik gaf geen antwoord. We stonden in de tuin over de rivier uit te kijken. Op dit tijdstip waren wij hier de enigen; we draaiden ons om en liepen terug naar de voorkant van het hotel.

We gingen de lobby in en ik keek of er berichten waren. Er waren er twee voor mij en ik tekende ervoor.

Susan en ik namen de lift naar boven naar mijn suite, waar ik in een grote leunstoel neerplofte. 'God, ik word oud.'

'Je bent in een fantastische vorm. Maak de enveloppen open.'

Ik opende de kleine als eerste en las hardop: 'U meldt zich morgenochtend bij de immigratiepolitie.'

Susan zei: 'Die riem is niet zo erg lang.'

'Lang genoeg. Als ze echt nijdig waren, hadden ze nu al hier gezeten.'

'Het is oudejaarsavond. Wat is het andere bericht?'

Ik opende de grote envelop en haalde er een fax uit. Hij was van Karl en ik las die voor mezelf: **Lieve Paul. Misschien was mijn vorige bericht niet duidelijk – je moet echt een einde aan die relatie maken. Vertel me alsjeblieft dat je dat hebt gedaan.** Hij was getekend **Liefs, Kay**

Het aardige van niet in het leger zitten, was dat je geen direct bevel hoefde op te volgen van iemand die dat wel deed.

Ik zag een PS. Er stond: **Liefs van C. Ziet je in Honolulu.**

Dat deel kon puur gelul zijn om me in het gareel te houden. In ieder geval was de situatie ten opzichte van Susan gecompliceerd geworden en ik wist niet hoe ik me voelde over het treffen van Cynthia in Honolulu.

Susan keek me aan. Ze vroeg: 'Van wie is het bericht?'

'Kay.'

'Is alles in orde?'

'Ja.'

'Je ziet er niet zo best uit. Mag ik het bericht zien?'

'Nee.'

Ze keek gekwetst, beledigd en kwaad.

Ik stond op, liep met het bericht naar het terras, draaide me om en gaf haar de fax. Ik zei: 'Het is nu miss Kay. Dezelfde man.'

Ze pakte het aan, las het en gaf het me het daarna terug. Ze stond op en zei: 'Ik denk dat ik vannacht maar in mijn kamer ga slapen.'

'Waarschijnlijk is het beter.'

Ze draaide zich om, liep naar de deur en maakte die, zonder te aarzelen, open en vertrok.

Ik liep naar buiten, het terras op, en keek naar de stad aan de overkant van de rivier. De feestverlichting brandde nog, voornamelijk rood, zoals je zou verwachten in een rood land.

Ik dacht aan de familie Pham. Er hing, dacht ik, een grijze wolk boven dit land, ontstaan uit de rook en het vuur van de oorlog, en daaruit regende het haat, verdriet en wantrouwen.

Alsof dat niet al erg genoeg was, bedekte deze wolk, of, zoals Karl het noemde, deze schaduw, ook nog steeds mijn eigen land.

Werkelijk. Vietnam was het ergste dat in de twintigste eeuw met Amerika was gebeurd, en misschien was het omgekeerde ook wel het geval.

De telefoon ging over, en ik liep weer naar binnen en nam op. 'Hallo.'

'Ik wilde je alleen maar geluk wensen morgen.'

'Dank je.'

'Als er iets met je gebeurt en we zijn niet bij elkaar...'

'Susan, de telefoons zijn niet veilig. Ik weet wat je bedoelt en ik stond op het punt jou te bellen.'

'Wil je dat ik naar je kamer kom?'

'Nee. We zijn allebei moe en we zouden ruzie krijgen.'

'Goed. Waar en hoe laat kunnen we elkaar morgen zien?'

'Om zes uur hier in de lounge. Je krijgt dan iets te drinken van me.'

'Goed... en als je heel laat bent?'

'Dan fax je miss Kay onmiddellijk. Heb je het nummer?'

'Ik heb het in mijn hoofd zitten.'

'Geef haar alle details en zorg ervoor dat je bij de faxmachine staat, of je probeert het postkantoor.'

'Ik weet het.'

'Dat weet ik. Je bent een beroeps.'

'Paul...?'

'Ja?'

'Ik had niet het recht kwaad te zijn over dat PS. Het spijt me.'

'Laat zitten.'

'Het gaat om hier. Het gaat om hier en nu. Ik zei dat en ik meende het.'

Ik gaf daar geen antwoord op en ik zei: 'Hé, ik heb een prima dag gehad. Gelukkig nieuwjaar.'

'Ik ook, en jij ook.'

We hingen allebei op.

Dus ik heb damesproblemen in een vijandig land, ongeveer de halve wereld over, mensen proberen me te arresteren of te vermoorden, en het is vier uur 's ochtends en ik moet morgenochtend de smerissen gaan bezoeken, daarna om twaalf uur 's middags naar een mogelijk gevaarlijk rendez-vous. En toch, om de een of andere reden, deed het me niets. Eigenlijk deden die hele beproeving op Highway One, inclusief het doden van de twee smerissen, de flashbacks, en de hele rest, me helemaal niets.

Ik herkende dit gevoel voor wat het was: de overlevingsmodus. Het leven was niet langer gecompliceerd. Het kwam er allemaal op neer een laatste keer thuis te zien komen.

26

Het was niet de ergste kater die ik ooit met nieuwjaar heb gehad, maar ik ben nooit zo vroeg wakker geworden om er zo volledig van te kunnen genieten.

Ik nam een douche en kleedde me op succes – blauw sportjasje, wit conventioneel hemd, kakibroek en sportschoenen met sokken.

Ik nam een sinaasappelsap uit de minibar en slikte twee aspirines samen met mijn malariapil. Ik ben blij dat ze me geen zelfmoordpil hadden meegegeven, want ik voelde me ellendig genoeg om die in te nemen.

Ik liep naar beneden, sloeg mijn ontbijt over en liep de paar straten naar Ben Nghe Street waar de immigratiepolitie zich bevond.

Het was een koele, vochtige ochtend, met een hoog wolkendek, en de straten waren bijna verlaten en nog vol vuilnis van de avond ervoor.

Ik dacht dat ik misschien Susan had moeten bellen, maar soms is een beetje scheiding wel goed. Ik was met Cynthia meer niet dan wel samen met haar geweest, en het ging fantastisch tussen ons. Misschien niet fantastisch, maar wel goed.

Ik bereikte het politiegebouw, een betonnen geprefabriceerde constructie, en ik ging naar binnen.

In een kleine hal zat een geüniformeerde man aan een bureau en hij zei tegen mij in het Engels: 'Wat wilt u?'

In plaats van antwoord te geven en die idioot in de war te brengen, gaf ik hem een fotokopie van kolonel Mangs briefje, dat hij las. Hij stond op en verdween in een gang achter hem.

Een minuut later verscheen hij weer en zei tegen me: 'Kamer.' Hij hield twee vingers op.

Ik beantwoordde het vredesteken en liep naar Kamer 2, een klein kantoor waarvan de deur openstond. Achter een bureau zat een man van mijn leeftijd in uniform, die er katteriger uitzag dat ik.

Hij nodigde me niet uit om te gaan zitten, maar keek me alleen maar een tijdje aan. Ik keek hem aan. Er hing iets onaangenaams tussen ons in.

Op zijn bureau lagen zijn pistoolriem en holster, waarin een Chicom 9mm zat. Op geen enkel politiebureau in Amerika kom je zo dicht bij het wapen van een smeris. Hier waren de smerissen slordig en arrogant. Dit beledigde me en dat ik moest staan, maakte me ook kwaad.

De smeris keek op het briefje in zijn hand en zei tegen me: 'Wanneer u bent aangekomen in Hué?'

Ik had genoeg van dit gezeik en ik antwoordde: 'Het Century Riverside Hotel heeft u verteld wanneer ik ben aangekomen. U weet dat ik daar drie nachten logeer. Verder nog vragen?'

Mijn antwoord of mijn manier van praten beviel hem niet. Hij verhief zijn stem, die min of meer hoog piepend werd, en hij schreeuwde bijna: 'Waarom u niet hier gemeld gisteren?'

'Omdat ik het niet wilde.'

Dat beviel hem niet. Ik bedoel, hij werkte op nieuwjaarsdag, hij heeft kleine rijstwijnduiveltjes die in zijn hoofd op gongs slaan en hij krijgt een bijdehand antwoord van een rondoog.

Dus we staarden elkaar aan en, zoals ik al zei, er hing iets onaangenaams tussen ons in, en het was niet alleen maar irritatie die werd veroorzaakt door de wederzijdse katers. Hij zei tegen me: 'U soldaat hier?'

'Precies. En u?'

'Ik ook.'

We bleven elkaar aanstaren en ik zag nu een onregelmatig litteken dat van een half oor zigzaggend over de zijkant van zijn nek onder zijn open kraag verdween. De helft van zijn tanden ontbrak of was gebroken en de rest was bruin.

Hij vroeg me: 'Wanneer u hier? '

'Ik was hier in 1968. Ik zat bij de Eerste Cavaleriedivisie en zag de strijd in Bong Son, An Khe, Quang Tri, Khe Sanh, de A Shau-vallei en in de hele provincie Quang Tri. Ik vocht tegen het Noord-Vietnamese leger en de Vietcong, jullie hebben een heleboel vrienden van mij gedood en wij hebben een heleboel vrienden van u gedood. We hebben allemaal te veel burgers gedood, inclusief de drieduizend mannen en vrouwen die jullie hier in Hué hebben vermoord. Verder nog vragen?'

Hij ging staan, keek me aan en ik zag dat zijn ogen al een waas kregen voor zijn gezicht maar vertrok.

Voor hij iets kon zeggen, zei ik: 'Verder nog vragen? Zo niet, dan ga ik weg.'

Hij schreeuwde zo hard mogelijk: 'U blíjft! U blijft hier!'

Ik trok een stoel naar me toe, ging zitten, sloeg mijn benen over elkaar en keek op mijn horloge.

Hij scheen beduusd, maar besefte toen dat hij moest gaan zitten, wat hij dan ook deed.

Hij schraapte zijn keel en trok een vel papier naar zich toe. Hij klikte een balpen open, kreeg zichzelf bijna weer in bedwang en vroeg me: 'Hoe bent u in Hué gekomen?'

'Bus.'

Hij schreef dat op en vroeg: 'Wanneer u weggegaan uit Nha Trang?'

'Vrijdagmiddag.'

'In Hué gekomen, hoe laat?'

Ik gokte wat en antwoordde: 'Vrijdagavond om tien of elf uur.'

'Waar u gelogeerd vrijdagnacht?'

'Minimotel.'

'Hoe heet minimotel?'

'Dat weet ik niet.'

'Waarom weet u niet?'

Als je een ontbrekende tijdsperiode aan de politie moet verklaren, kom dan altijd op de proppen met een seksueel contact, maar gebruik dit excuus thuis niet. Ik antwoordde: 'Ontmoet dame op bus. Ze neemt me mee naar minimotel. *Biet*?'

Hij dacht daarover na en vroeg weer: 'Hoe heet minimotel?'

'De Wip-ze Inn. Fucky-fucky Minimotel. Hoe moet ik verdomme de naam van die tent weten?'

Hij staarde me lange tijd aan en zei toen: 'Waar gaat u naartoe van Hué?'

'Weet ik niet.'

'Hoe gaat u weg uit Hué?'

'Weet ik niet.'

Hij tikte met zijn vingers op zijn bureau, bij zijn holster, zei toen: 'Paspoort en visum.'

Ik gooide de fotokopieën op zijn bureau.

Hij schudde zijn hoofd. 'Moet paspoort en visum hebben.'

'In hotel.'

'U brengt hier.'

'Nee.'

Hij versmalde zijn ogen en schreeuwde: 'U brengt hier!'

'Stort in mekaar.' Ik stond op en liep het vertrek uit.

Hij rende achter me aan en greep me bij mijn schouder. Ik duwde zijn arm weg en we kwamen buiten in de gang tegenover elkaar te staan.

We keken elkaar in de ogen en ik denk dat we allebei hetzelfde zagen: een bodemloze put van pure haat.

Ik ben maar bij drie vijanden zo dichtbij geweest, en bij twee van hen zag en rook ik angst. Bij de ander echter had ik die blik gezien die geen oorlogsvijandschap was, maar pure haat die tot in elke atoom van het wezen van de man was doorgedrongen en die aan zijn hart en ziel vrat.

En een ogenblik, dat wel een eeuwigheid leek, was ik terug in de A Shau-vallei en staarde die man me weer aan en staarde ik terug, terwijl we ernaar verlangden elkaar te doden.

Ik kwam terug naar het heden en probeerde weer enig gezond verstand te verzamelen, maar ik wilde deze man echt met mijn blote handen om zeep helpen, zijn gezicht tot moes slaan, zijn armen uit de kom trekken, zijn testikels verpletteren, zijn luchtpijp breken en hem zien stikken.

Hij voelde dit natuurlijk allemaal ook en had zijn eigen moorddadige fantasieën die waarschijnlijk meer met een scherp fileermes te maken hadden.

Maar anders dan op het slagveld hadden we allebei andere opdrachten en allebei trokken we ons met tegenzin terug uit die donkerste plek in ons hart.

Ik voelde me leeg alsof ik werkelijk op het slagveld was geweest, en de smeris zag er ook uitgeblust uit.

Bijna tegelijkertijd knikten we elkaar erkentelijk toe, draaiden ons om en gingen uit elkaar.

Buiten, op straat, bleef ik staan en haalde diep adem. Ik probeerde de slechte gedachten uit mijn hoofd te krijgen, maar ik voelde die bijna onbeheersbare aandrift terug naar binnen te rennen en die vuile klootzak volledig in elkaar te stampen. Ik kon werkelijk het vlees van hem onder mijn knokkels voelen openbarsten.

Ik zette de ene voet voor de andere tot ik ver uit de buurt was van het politiebureau.

Ik liep een tijdje doelloos rond en probeerde de adrenaline te verbranden. Ik schopte tegen flesjes op straat en stompte tegen wegwijzers. Dit was niet goed, maar het was onvermijdelijk en misschien was het wél goed. Helaas gaf het geen catharsis, juist het tegenovergestelde.

Het was nu ongeveer negen uur en de Nieuwe Stad begon zich te roeren. Ik liep naar de Parfumrivier via Hung Vuong Street, die me naar de Tran Tien-brug bracht. In de rivier, bij de brug, was een drijvend restaurant dat ik de avond ervoor al had gezien. Er zaten een paar mensen aan dek aan cafétafeltjes, dus ik liep naar het restaurant, stak de loopplank over en werd begroet door een jongeman die eruitzag alsof hij nog niet geslapen had.

Hij bracht me naar een tafeltje buiten en ik bestelde een koffie met een dubbele cognac, waar hij blij om was en wat mij nog veel blijer zou maken.

Het dek lag vol versieringen, papieren feesthoedjes, champagne-flessen en zelfs een damesschoen. Duidelijk had niet iedereen klok-slag twaalf uur rond de eettafel van de familie en het huisaltaar door-gebracht.

De koffie en de cognac kwamen en ik goot de helft ervan door mijn keel. Mijn maag kolkte al van de gal en het zuur, en de koffie en cog-nac versterkten het ongezonde brouwsel alleen nog maar.

Ik zat daar op een vriendelijk schommelend dek van een drijvend restaurant en staarde over de mistige rivier naar de grijze, broedende muren van de Citadel.

Ik wilde niet blijven stilstaan bij wat er was gebeurd op het politie-bureau – ik wist wat er was gebeurd, waarom het was gebeurd, en ik wist dat het weer kon gebeuren, elk moment, op elke plaats.

Ik dronk mijn koffie en cognac op en bestelde hetzelfde nogmaals. De jongeman zette de cognacfles op tafel omdat hij, denk ik, een man herkende die wel een paar borrels kon gebruiken.

Na mijn tweede koffie met cognac voelde ik me een beetje beter en dacht ik na over mijn werk. Mijn probleem nu was elke mogelijke ach-tervolger van me af te schudden en om twaalf uur, twee uur of vier uur aan de overkant van de rivier iemand te ontmoeten. En als die ontmoe-tingen niet lukten, moest ik in het hotel op een bericht blijven wachten en erop voorbereid zijn direct te vertrekken.

Maar als ik een succesvol rendez-vous had, zou ik weten waar ik hierna naartoe moest.

Elke man of vrouw op een gevaarlijke opdracht heeft de kleine, hei-melijke wens dat de hele zaak gewoon met een sisser afloopt. Je wilt tot in je ingewanden weten dat je gaat, maar je zult niet teleurgesteld zijn als ze zeggen: 'Missie afgebroken.'

Ik herinnerde me dit gevoel toen we uit het voorgebergte wegtrok-ken naar Quang Tri-stad met het bevel de stad te heroveren op de com-munisten. Tegen de tijd dat we daar aankwamen, hadden de Zuid-Viet-namezen het vuile werk al opgeknapt, en waren we allemaal heimelijk opgelucht, maar naar buiten toe deden we alsof we enorm teleurge-steld waren dat we niet aan de strijd hadden kunnen deelnemen. Nie-mand, inclusief wijzelf, geloofde er ook maar een woord van. Maar daar gaat het met dat machogedoe ook alleen maar om.

Toen, eind maart, werd onze wens aan de strijd deel te nemen verhoord; ze vertelden ons dat we naar Khe Sanh gingen om het tegen twintigduizend goed bewapende, goed ingegraven Noord-Vietnamese troepen op te nemen die al sinds januari de mariniers van de gevechtsbasis Khe Sanh hadden omsingeld. Dit is niet het soort nieuws waardoor je dag prettig wordt.

Ik denk niet dat ik ooit het gezicht en de geluiden van honderden helikopters zal vergeten die duizenden infanteristen op kwamen halen en luchtaanvallen uitvoerden op de heuvels rond Khe Sanh. Als er ooit een apocalyptisch visioen van deze aarde was, op een nucleaire explosie na, dan was het deze luchtaanval; gevechtsbommenwerpers die honderden bommen van duizend pond lieten vallen waardoor hemel en aarde trilden, straaljagers die tuimelende vaten napalm loslieten; de aarde in vlammen, rivieren, beken en meren brandend, bossen overspoeld door vuur en enorme velden olifantsgras en bamboe in lichtelaaie, en tijdens dit alles helikopters die raketten en mitrailleurs afvuren op het inferno beneden, en artilleriegranaten die neerregenen, brisantbommen en brandend wit fosfor waardoor de donkere aarde openbarstte in minivulkanen. De lucht is zwart van de rook, de aarde is rood van het vuur, en de dunne laag lucht ertussenin is het terrein van de dood, vol rondgierende rode en groene lichtspoormunitie, hete, scherpe granaatscherven en neerstortende helikopters. Apocalyps nú.

Ik herinnerde me de helikopter waar ik in zat die aan kwam vliegen voor een doorstartlanding, en ik stond in de open deur, klaar om te springen, en de jongen naast me in de deur die zijn lippen bij mijn oor bracht en boven het lawaai van de explosies uit riep: 'Hé, Brenner, denk je dat we er nu uit moeten?'

We lachten allebei door de herkenning van wat wij en iedereen dachten voordat de aanval begon, en op dat moment hadden we een gemeenschappelijke band met elke soldaat in de geschiedenis die ooit wachtte op het geluid van de bugel, het oorlogssignaal, de fluit, het rode licht of wat het ook was dat Nu betekende.

Nú. Je bent niet menselijk meer, je hebt geen moeder, geen vrouw, niemand die om je geeft, behalve de man naast je. Nú. Dit is het moment dat je, al zo lang dat je je herinnert, hebt gevreesd, dit is de angst waardoor je 's avonds voordat je in slaapt valt bevangen raakt, en de nachtmerrie die jou uit je slaap haalt. Dit is het – het is hier, het is nu, het is echt. Nú. Ga er maar voor.

Ik veegde het klamme zweet van mijn voorhoofd en droogde mijn handen aan mijn broek.

En toen kwam de A Shau-vallei.

Als je denkt de diepten van de angst nu wel te kennen, als je op een plaats aan het einde van de tunnel bent aangekomen, waar het niet meer smaller of donkerder kan worden, een plek waar je het vermogen niet meer hebt om angst te voelen, ontdek je in een klein hoekje van de tunnel waar je lacht om de dood een geheime kamer met de grootste van alle angsten: in die kamer zit je zelf.

Ik stond op, liet vijf dollar op het tafeltje achter, en liep over de brug naar de Citadel.

27

In de daaropvolgende paar uur ging ik met mijn reisgids in de hand de stad verkennen, maakte foto's, nam cyclo's en taxi's, liep heen en terug door straten, was dus voornamelijk bezig iemand die probeerde me te volgen het leven zuur te maken.

Er waren weinig mensen bij de bezienswaardigheden door de late viering van de afgelopen nacht, en ik had het gevoel dat mijn contact misschien zou wachten tot twee uur als er meer mensen waren.

Bijna iedereen die rondslenterde was blank, dus ik viel niet op. Ik merkte dat de meeste ochtendslachtoffers bij georganiseerde tourgroepen zaten, maar naarmate de ochtend verstreek, zag ik een paar Vietnamese families wandelen. De muren van de Citadel waren aan elke zijde meer dan twee kilometer lang en ik bleef binnen de muren waar de meeste mensen waren.

Om halftwaalf verliet ik de ommuurde stad door een poort die me terugbracht op het wandelpad langs de rivier. Ik liep naar het zuiden langs de oever waar een groot aantal mensen aan het wandelen was, en ik werd waar ik ook heen ging achtervolgd door tientallen cyclo's, waarvan de berijders gilden: 'Hallo! Cyclo? Hallo! Cyclo?'

De cyclorijders zagen er, zoals in Saigon en Nha Trang, uit als de restanten van de verliezende partij in de oorlog. De winnende partij zag eruit als de smeris op het bureau van de immigratiepolitie. Het was zo'n oorlog geweest waarin de overwonnenen er iets aangepaster uitzagen dan de overwinnaars. De enige hoop die ik in dit land zag, stond in de ogen van de kinderen, en zelfs die ogen zagen er niet altijd hoopvol uit.

Ik bleef langs de rivier lopen en kwam bij de hoofdpoort tegenover de vlaggentoren waar Susan en ik de avond ervoor waren geweest. De poorten stonden vandaag voor het publiek open; en ik ging de ommuurde stad weer binnen, stak de sierbrug over waar tientallen toeristen foto's aan het maken waren. Ik was nu in de Keizerlijke Stad, vroeger uitsluitend toegankelijk voor de keizer en zijn hofhouding. Het keizerlijke paleis stond ook open en ik ging het enorme, donkere bouwwerk binnen. De entree was van rood- en zwartgelakt hout met een heleboel vergulde draken en groene demonen met glazige ogen, van dat spul waar je weinig aan hebt met een kater.

Ik verliet het paleis aan de achterkant, en direct voor me was de Hal der Mandarijnen, Nummer 32 in mijn reisgids.

Dit was ook een gebouw vol ornamenten, dat, volgens mijn reisgids, in 1968 uit de as herrezen was, en het had dat oude/nieuwe uiterlijk van een Disney-paviljoen. Ik maakte een foto.

Het was kwart voor twaalf en ik had geen idee waar ik deze persoon zou treffen. De Hal der Mandarijnen was groot en had, zoals alle gebouwen, een binnenkant en een buitenkant, en Mr. Conway was er niet duidelijk over geweest, hoewel het gezonde verstand bij regen binnen zou aangeven, maar het regende niet.

Ik liep om het gebouw heen en was er inmiddels zeker van dat ik niet in de gaten werd gehouden of werd gevolgd. In tegenstelling tot tv-series is het bijna onmogelijk iemand drie uur lang te volgen, tenzij je aan een tredmolen zit, want dan is het makkelijk om achter iemand aan te lopen.

Op dit moment zou het, als ik iemand zag die mij in de gaten hield, wel eens mijn contact kunnen zijn, en daar keek ik ook naar uit.

Het gevaar, wist ik, zat er niet in dat ik gevolgd werd; ik ben beter in het afschudden van een achtervolger dan een getrouwde man met een jaloerse vrouw.

Het echte gevaar bestond erin dat mijn contact misschien wel heel bekend was bij het ministerie van Openbare Veiligheid, Secties A, B, C en D. Het is bijna altijd de plaatselijke amateur, ingehuurd door de een of andere halfgare in Washington, die op een geheim rendez-vous verschijnt met vijftien smerissen achter zich aan, van wie de helft met videocamera's.

Godzijdank hoefde deze man me niets te geven dat belastend was, zoals een doos vol documenten waarop stond 'Topgeheim'.

Niemand kwam op me af, maar ik had nog vijf minuten, dus ik liep een andere poort door die uitkwam op de Verboden Paarse Stad, het binnenste heiligdom binnen het buitenste heiligdom van de keizerlijke stad. Deze keizers hielden van hun privacy en, volgens Susan, mochten alleen de keizer, zijn concubines en zijn eunuchen in de Paarse Stad komen. Met andere woorden: dit hele terrein was gereserveerd voor twee ballen. Zo'n plek had ik nodig.

Eigenlijk was er maar weinig over van de Verboden Paarse Stad –

geen keizers, geen eunuchen, en helaas geen concubines – slechts uitgestrekte velden en lage funderingsmuren waar eens gebouwen hadden
gestaan. Het enige gebouw dat er nog stond, was de herbouwde Koninklijke Bibliotheek, Nummer 23 op de kaart van mijn reisgids, en mijn
tweede punt van rendez-vous om twee uur, als het eerste niet doorging.

Er was een aantal westerlingen in de Paarse Stad en ik hoorde een
stel Amerikaans-Engels spreken. Zij zei hoe vreselijk het was dat het
Amerikaanse leger deze architecturale schatten tot puin hadden gebombardeerd. Hij was het met haar eens en voegde eraan toe: 'Waar
we komen, brengen we dood en vernietiging.'

Ik dacht niet dat hij zichzelf en zijn vrouw bedoelde, die alleen
maar stompzinnigheid brachten waar ze kwamen. Als onderdeel van
mijn dekmantel bood ik aan een foto van hen samen te maken voor een
grasveld vol afval en puin. Ze schenen blij en gaven me hun idioot ingewikkelde camera met meer knoppen dan een accordeon.

Terwijl ik scherp stelde, zei ik tegen hen: 'Wisten jullie dat de communisten tijdens het Tet-bestand deze prachtige stad hebben aangevallen, op de heiligste nacht van het boeddhistische jaar? Lachen. Wisten
jullie dat de politieke kaderleden van de communisten meer dan drieduizend burgers van Hué hebben geëxecuteerd, mannen en vrouwen,
door ze dood te schieten, hun hoofden in te slaan of levend te begraven? Lachen.'

Om de een of andere reden lachten ze niet, maar het was een foto
die ze zich zouden herinneren, dus ik nam er twee, de tweede van de
man die met uitgestrekte hand naar zijn camera op me af kwam.

De man nam zijn camera terug zonder een woord van dank en hij en
zijn vrouw wandelden weg, iets minder onwetend dan een minuut geleden, maar duidelijk niet gelukkig met deze nieuwe informatie. Hé, je
hoort dingen te leren als je op reis bent; ik deed het ook.

Ik liep de Paarse Stad uit, terug naar de Hal der Mandarijnen, en
wandelde binnen wat rond. Het gebouw was groot en ik had geen idee
hoe deze persoon me zou zien. Als we allebei achtervolgd werden,
zouden de achtervolgers ons misschien kunnen helpen bij elkaar te komen voor een foto en een arrestatie.

Ondanks mijn spotternij begon ik een beetje bezorgd te raken. Weer
wist ik dat ik alleen was, maar ik had er geen jota vertrouwen in dat de
andere man net zo alleen was.

Om tien voor halfeen liep ik nog steeds door het gebouw en de
vuurspuwende draken begonnen er net zo uit te zien als ik me voelde.

Ik liep naar buiten. De zon kierde door een smalle opening in het
wolkendek, en het was een beetje warmer.

Ik liep om de Hal der Mandarijnen heen, maar niemand leek kennis met me te willen maken.

Het rendez-vous was niet doorgegaan. Ik had ongeveer anderhalf uur tot het volgende, en in die tijd kon ik mijn hoofd laten nakijken.

Ik verliet de ommuurde stad bij de rivieroever waar ik een paar snackkramen zag. Ik kocht een liter water, een ijsje en een bal rijst in bananenbladeren.

Ik ging op een bankje naast een jong Vietnamees stel zitten en staarde naar de Parfumrivier terwijl ik mijn ijsje at met een plastic lepeltje en lauwwarm water dronk uit een plastic fles.

Ik beet in de kleverige bal rijst. Dit was echt klote. James Bond zat nooit op een parkbankje met een kater lauwwarm water te drinken en een kleverige bal rijst met zijn vingers te eten.

De Parfumrivier stroomde snel door de winterregens, en stroomafwaarts zag ik de drie stenen bogen waar de oude brug vroeger de rivier overspande. Ik had jaren geleden met een marinier gesproken, die hier tijdens de strijd had gezeten, en hij had gezegd dat je de rivier kon oversteken door over de dode lichamen te lopen die stroomafwaarts dreven. Dit was natuurlijk typisch een overdrijving van mariniers, maar alle oorlogsverhalen hebben een greintje waarheid voordat ze uitgroeien tot reusachtige bomen vol lulverhalen. Ik heb om eerlijk te zijn nooit een oorlogsverhaal kleiner horen worden bij het opnieuw vertellen.

Twee *co-deps* in roze *ao dai's* liepen langs de rivier en hun lange, steile haar met de scheiding in het midden deed me aan Susan denken. Ik stond op, riep naar hen en wees op mijn camera.

Ze bleven giechelend staan en namen een pose aan. Ik nam een foto en zei: *'Chuc Mung Nam Moi.'*

Ze beantwoordden de groet en liepen verder, nog steeds giechelend en blikken over hun schouders werpend.

Hierdoor voelde ik me iets beter.

De meeste mensen, denk ik, hebben een normaal leven; ik heb het niet. In deze hele wereld konden er op dit moment niet meer dan een paar dozijn mannen en vrouwen zijn, als het er al zoveel waren, die deden wat ik nu aan het doen was. De meeste geheime ontmoetingen waren van seksuele aard en op dit moment vonden er miljoenen plaats, en morgen zouden het er nog eens miljoenen zijn, en de dag erop ook. En een paar van die geliefden zouden uiteindelijk dood zijn, maar de meesten zouden uiteindelijk in elkaars armen belanden.

Paul Brenner, aan de andere kant, zou uiteindelijk gearresteerd worden of in het bezit komen van een stukje informatie waardoor hij gearresteerd of gedood kon worden, of, in het beste scenario, waardoor hij misschien wat meer dollars aan pensioen zou krijgen, en terug in Amerika de dame van zijn dromen.

In Washington had dit allemaal nog een goed idee geleken – nou, geen goed idee, maar minstens een idee waaraan ik iets zou hebben, en dat was gebeurd.

Ik staarde naar de rivier en naar de Nieuwe Stad op de andere oever. Ik zag duizend mensen voorbij wandelen. Het was een soort respijt dat ik het eerste rendez-vous had gemist, en ik had een heleboel legitieme redenen om de missie af te blazen, waarbij kolonel Mang niet de laatste van die redenen was. Tijd om terug te gaan naar het hotel en het land te verlaten.

Ik bleef daar zitten.

Om halftwee stond ik op en ging weer de Citadel in via de buitenste muur, daarna naar de keizerlijke stad, en vervolgens door de laatste muur naar de Verboden Paarse Stad. Het trof me toen dat de symboliek van de naam niet aan die tot dramatiek neigende idioten in Washington was voorbijgegaan, en ik wist dat ik hier mijn contact zou ontmoeten en mogelijk mijn noodlot.

28

Ik ging de ommuurde Verboden Paarse Stad binnen en liep door de groentetuinen en bloembedden naar de Koninklijke Bibliotheek, die, zoals ik al eerder had gemerkt, het enige nog bestaande bouwwerk was binnen de binnenmuren.

Een paar toeristen stonden bij het gebouw, maar de meeste mensen liepen door de tuinen.

Op ongeveer twintig meter van de bibliotheek vandaan zat een man gehurkt bij een tuin bloemen te bestuderen. Hij stond op en ging voor me op het pad staan. Hij zei in bijna perfect Engels: 'Neem me niet kwalijk, meneer. Hebt u een gids nodig?'

Voor ik antwoord kon geven, ging hij verder: 'Ik ben lector aan de Universiteit van Hué en ik kan u de belangrijkste plaatsen tonen van de oude, ommuurde stad.' Hij voegde eraan toe: 'Ik ben een heel goede gids.'

De man die voor me stond was midden in de dertig, gekleed in de standaard zwarte broek, het witte hemd en de sandalen. Hij droeg een goedkoop plastic horloge, zoals iedereen hier, en zijn gezicht was onopvallend. Ik zou hem tien keer in een menigte gepasseerd kunnen hebben en hem dan nog niet hebben gezien. Ik zei tegen hem: 'Hoeveel rekent u?'

Hij antwoordde met het wachtwoord: 'Wat u me maar wilt betalen.'

Ik gaf geen antwoord.

Hij zei: 'Ik zie dat u een reisgids hebt. Mag ik hem zien?'

Ik overhandigde hem het boek en hij sloeg het open. Hij zei: 'Ja, u bent precies hier, in de Verboden Paarse Stad. Ziet u?'

Zonder naar het boek te kijken, antwoordde ik: 'Ik weet waar ik ben.'

'Goed. Dit is een uitstekende plaats om onze reis te beginnen. Ik heet Truong Qui Anh. Noem me alstublieft Mr. Anh. En hoe moet ik u aanspreken?'

'Paul is prima.'

'Mr. Paul. Wij, Vietnamezen, zijn geobsedeerd door aanspreekvormen.' Hij hurkte weer neer en zei: 'Moet u die mimosaplant zien. Ziet u, als ik de blaadjes aanraak, dan reageren ze en krullen ze op.'

Dat had ik weer, een babbelaar. Terwijl Mr. Anh de mimosa verveelde, wierp ik een blik om me heen om te zien of iemand ons gadesloeg.

Mr. Anh kwam weer overeind en sloeg een paar bladzijden in mijn reisgids om. 'Is er iets speciaals dat u wilt zien?'

'Nee.'

'Dan zal ik een paar plaatsen uitkiezen. Bent u geïnteresseerd in de keizers? De Franse, koloniale periode? Misschien de laatste oorlog? Bent u hier soldaat geweest?'

'Jawel.'

'Ah. Dan bent u misschien geïnteresseerd in de slag om Hué.'

Ik begon te denken dat deze man een echte gids was, toen hij, terwijl hij in mijn reisgids keek, vroeg: 'Mr. Paul, weet u heel zeker dat u niet gevolgd bent hierheen?'

'Ik ben er heel zeker van. En u, Mr. Anh?'

'Ik weet zeker dat ik alleen ben.'

Ik zei tegen hem: 'Waarom miste u de eerste afspraak?'

Hij antwoordde: 'Gewoon om op veilig te spelen.'

Dat antwoord beviel me niet en ik vroeg hem: 'Dacht u dat u in de gaten werd gehouden?'

Hij aarzelde, antwoordde toen: 'Nee... om eerlijk te zijn, de moed zonk me in de schoenen.'

Ik knikte. 'En hebt u die weer terug?'

Hij glimlachte verlegen. 'Ja.' Hij voegde eraan toe: 'Ik ben hier.'

Ik zou hem niet vertellen dat ik bijna niet hier was geweest voor afspraak twee.

Ik vroeg hem: 'Bent u echt lector aan een universiteit?'

'Jawel. Ik zou tegen u liegen als ik zei dat ik niet onder de aandacht van de autoriteiten ben gekomen. Ik ben een Viet-Kieu. Weet u wat dat is?'

'Ja.'

'Goed. Maar verder hebben de autoriteiten geen redenen om me in de gaten te houden.'

'Hebt u nog nooit zoiets als dit gedaan?'

'Nou, één keer, ongeveer een jaar geleden. Ik help graag wanneer ik kan. Ik ben al vier jaar terug, en zo nu en dan wordt mij een kleine gunst gevraagd. Kom, laten we gaan wandelen.'

We liepen samen over de paden en Mr. Anh zei: 'De communisten eisen alle krediet op voor de herbouw hier, maar het feit is dat zij de hele keizerlijke grond hier van puin naar erger laten vervallen, omdat het geassocieerd was met de keizers. De communisten wantrouwen geschiedenis en alles wat voor hen kwam. Maar westerse organisaties hebben hen onder druk gezet om veel van wat er in de oorlog verloren is gegaan, weer op te bouwen. Het westen zorgt voor het geld en de communisten strijken de winst van het toerisme op.'

We waren nu in het buitenste heiligdom, bij het keizerlijke paleis, en Mr. Anh bracht me naar een bloementuin, gevormd door de ver-woeste fundamenten van een gebouw. Hij zei: 'Mijn vader was soldaat in het leger van Zuid-Vietnam. Een kapitein. Hij is hier vermoord, waar deze tuin is, en waar ooit een keizerlijk gebouw heeft gestaan. Hij is na de slag gevonden in het puin hier, samen met vijftien andere officieren en manschappen, hun handen op hun rug gebonden en ko-gelgaten in hun hoofd. Blijkbaar zijn ze allemaal geëxecuteerd door de communisten.'

Ik begreep dat Mr. Anh zijn anticommunistische geloofsbrieven toonde, maar dit verhaal kon volkomen vals zijn, en hoe zou ik dat we-ten?p   418   418

Hij zei: 'Ik was heel jong toen hij stierf, maar ik kan me hem nog herinneren. Hij was hier gelegerd, waar mijn familie woont. We waren die avond thuis, de avond van Tet 1968, aan de overkant van de rivier in de Nieuwe Stad, toen plotseling mijn vader uit zijn stoel sprong en schreeuwde: 'Geweerschoten!' Nou, mijn moeder lachte en zei: 'Lie-ve man, dat is vuurwerk.'

Ik keek naar Mr. Anh, terwijl hij naar de tuin keek en zijn herinne-ring herbeleefde. Hij vervolgde: 'Vader greep zijn geweer en rende naar de deur, nog steeds op zijn sandalen – zijn laarzen stonden in de hoek. Hij schreeuwde tegen ons naar de schuilkelder achter het huis te gaan. We waren nu allemaal heel bang, omdat we gegil op straat hoor-den en het vuurwerk geweerschoten was geworden.'

Mr. Anh zweeg, terwijl hij naar de grond keek, en bijna leek hij op een klein joch dat naar zijn schoenen staarde terwijl hij probeerde iets te zeggen. Hij vervolgde: 'Mijn vader aarzelde bij de voordeur, kwam toen terug en omhelsde mijn moeder en zijn moeder, daarna de vijf kinderen, mijn broertjes en zusjes. We huilden allemaal en hij duwde ons door de achterdeur naar buiten naar de schuilkelder die in de tuin was uitgegraven.'

Mr. Anh plukte een bloem, draaide die in zijn vingers rond en gooide hem in de tuin. Hij zei: 'We bleven, samen met twee andere families, een week in de bunker zitten, tot de Amerikaanse mariniers kwamen. Toen we ons huis weer binnen gingen, zagen we dat al het Teteten was meegenomen, en we hadden heel veel honger. We zagen ook dat onze voordeur kapot was en dat veel dingen waren meegenomen, maar het huis stond er nog. We hebben nooit geweten of vader in huis gevangen is genomen, of terwijl hij onderweg was om zich weer bij zijn soldaten te voegen. De aanval was een totale verrassing, en de communisten zaten al in de stad voordat het eerste schot was gevallen. Vader zou graag gestorven zijn bij zijn soldaten, en aanvankelijk dachten we dat dat was gebeurd. Maar toen in maart, toen de bevolking en de soldaten puin aan het ruimen waren, vonden ze de ontbonden lichamen van heel veel slachtpartijen. Mijn vader droeg een identiteitsplaatje, dat de Amerikanen voor hem hadden gemaakt, en zodoende werd hij geïdentificeerd, op deze plaats, waar ooit een gebouw heeft gestaan. De communisten moeten hen allemaal in dit gebouw hebben doodgeschoten. Ik ben blij dat hij zijn identiteitsplaatje droeg, zodat we een lichaam konden begraven. De meeste families hadden dat niet.'

Mr. Anh bleef daar een ogenblik staan, liep vervolgens weg. Ik volgde.

We verlieten de ommuurde Citadel en liepen verder over de rivieroever. Mr. Anh vroeg me: 'Dus u was hier soldaat?'

'Eerste Cavaleriedivisie, 1968, voornamelijk verderop in Quang Tri.'

'Ah, dus u kent dit gebied?'

'Ik herinner me nog dingen.'

'Hoe komt het op u over? Vietnam.'

'Vredig.'

'De bevolking van dit land heeft een verpletterde ziel.'

'Door wie?'

'Het regime.'

'Waarom bent u teruggekomen?'

'Dit is mijn land.' Hij vroeg me: 'Als Amerika een dictatuur was, zou u er dan wonen?'

Een interessante vraag. Ik antwoordde: 'Als een Amerikaanse dictatuur net zo inefficiënt was als deze, misschien wel.'

Mr. Anh lachte, en zei toen: 'Nou, misschien komt het als inefficiënt op u over, maar ze hebben de vernietiging van alle oppositie tegen het regime grondig aangepakt.'

'Ze hebben u niet gepakt. Of een heleboel andere mensen die ik ben tegengekomen en die het regime lijken te verafschuwen.'

'Misschien had ik moeten zeggen: georganiseerde oppositie.' Hij voegde eraan toe: 'Ze hebben niet veel harten en zielen gewonnen.'

We staken de Phu Xuan-brug over en Mr. Anh stond erop met mijn camera foto's van mij te maken met de rivier op de achtergrond, en daarna vanuit een andere hoek met de muren van de Citadel achter me. Hij zag er niet bijzonder nerveus uit door deze ontmoeting, waarvoor hij doodgeschoten kon worden, maar zo nu en dan zag ik iets van angst in zijn ogen.

Ik zei, terwijl hij aan het kieken was: 'Ik neem aan dat ze, als ze ons zouden arresteren, zouden wachten om te zien of we nog iemand troffen.'

Hij gaf me de camera en antwoordde: 'Ja, ze zouden wachten.'

'Bent u nu bang?'

'Ik ben de angst voorbij.' Hij glimlachte en voegde eraan toe: 'U weet dat we ondoorgrondelijk zijn.'

We vervolgden onze wandeling langs de rivier. Ik wilde alleen maar van Mr. Anh de juiste naam van het dorp waar ik heen moest, een paar aanwijzingen, en alles wat hem verder misschien nog was gezegd om aan me door te geven. Maar de man had geen haast, en misschien was het wel een goed idee om door te gaan voor een toerist met een gids.

Mr. Anh informeerde me: 'Ik studeerde aan de Universiteit van Californië, op Berkeley.'

'Ik dacht dat u bij de communisten uit de buurt wilde zijn.'

Hij giechelde min of meer en vervolgde: 'Ik woonde voornamelijk in Noord-Californië, maar ik heb een jaar vrij genomen en ben heel Amerika door gereisd. Het is een verbazingwekkend land.'

Ik vroeg: 'Waar kreeg u het geld vandaan?'

'Uw regering.'

'Dat was aardig van ze. En nu betaalt u hun terug.'

Hij bleef een ogenblik zwijgen, en antwoordde toen: 'Uw regering heeft een programma om... hoe kan ik dit zeggen... om agenten met invloed op te kweken, Vietnamese vluchtelingen die, zoals ik, beloven terug te gaan naar Vietnam voor een periode van minstens vijf jaar.'

'Daar heb ik nooit over gehoord.'

'En dat zal ook nooit gebeuren. Maar duizenden van ons zijn hier weer komen wonen, Viet-Kieus, en hun sympathieën liggen eerder bij Washington dan bij Hanoi.'

'Ik begrijp het. En wat moet u doen? Een revolutie beginnen?'

'Ik hoop het niet.' Hij lachte weer en zei: 'We hoeven hier alleen maar, zo mogelijk, op subtiele wijze het denken van de mensen en van de regering te beïnvloeden.' Hij voegde eraan toe: 'De meeste Viet-Ki-eus zijn ondernemers, sommigen, zoals ik, academici, en een paar zijn de ambtenarij ingegaan, de politie en het leger. Individueel hebben we geen macht, maar als geheel zijn we met voldoende mensen dat de regering in Hanoi wel twee keer nadenkt voor ze een stap terug doen naar socialisme en isolement. Privé-initiatief, handel en toerisme moeten hier blijven. Begrijpt u?'

'Ik denk het. En brengt u subversieve gedachten in de hoofden van uw studenten?'

'Zeker niet in de collegezalen. Maar ze weten waar ze heen moeten als ze de waarheid willen horen. Weet u dat het verboden is om te zeggen dat de communisten drieduizend burgers van deze stad hebben geëxecuteerd? Iedereen weet het, iedereen heeft een familielid verloren, maar er wordt in geen enkel leerboek over gerept.'

'Nou, Mr. Anh, als u zich er beter door voelt, de Amerikaanse geschiedenisboeken noemen ook zelden het bloedbad van Hué. Als u over slachtpartijen wilt lezen, zoek dan in het register onder My Lai.'

'Ja, ik weet het.'

We waren bij een hoek van de muur, en op de rivieroever was een enorme markt, waar Mr. Anh me heen bracht.

Hij vond een kleine snackbar met tafeltjes en stoelen bij de rivier en hij zei tegen mij: 'Mag ik u iets te drinken aanbieden?'

'Een cola zou heerlijk zijn.'

Hij liep naar de snackkraam.

Ik ging zitten en keek om me heen. Het was in dit land moeilijk te zeggen of je dezelfde mensen twee of drie keer zag, vooral de mannen die allemaal de voorkeur gaven aan een zwarte broek en sandalen met sokken. Sommige hemden verschilden, maar de meeste waren wit. Het haar bestond maar in één kleur en één stijl, en het zat alleen maar boven op het hoofd van de mannen: geen baarden of snorren, behalve bij heel oude mannen, en niemand droeg een hoofddeksel. Een paar mannen liepen in windjacks, maar alle jacks hadden dezelfde stijl en kleur: geelbruin. Ik zag dat sommige Vietnamezen leesbrillen droegen, maar zelden zag ik iemand die een bril voor in de verte droeg, hoewel alle chauffeurs dat eens in overweging zouden moeten nemen.

Een Vietnamese menigte was hier in Hué een zee van eenvormigheid, meer dan in Saigon of Nha Trang.

Mr. Anh ging zitten en gaf me een blikje cola. Hij had hete thee in een kom en een papieren zak met ongepelde pinda's die hij met plezier leek te doppen.

Ten slotte kwam hij ter zake en zei: 'U wilt een bepaald dorp bezoeken, klopt dat?'

Ik knikte.

Hij schoof een handvol ongedopte pinda's naar me toe en zei: 'Het dorp is in het verre noorden. Noord-Vietnam.'

Pech. Ik had gehoopt dat het in het voormalige Zuid-Vietnam was, en ik had gehoopt dat het hier ergens in de buurt was, maar Tran Van Vinh was een Noord-Vietnamese soldaat, dus wat had ik dan verwacht?

Mr. Anh deed alsof hij door mijn reisgids bladerde, toen hij zei: 'Dat dorp is klein en komt op de meeste kaarten niet voor. Ik heb echter een uitgebreid, maar discreet onderzoek gedaan en ik geloof dat dit de plaats is die u zoekt.'

'En als het niet zo is?'

Hij kauwde op een paar pinda's en antwoordde: 'Ik heb per fax contact onderhouden met iemand in Amerika, en uw analisten zijn het erover eens dat dit dorpje dat ik heb gevonden, het dorp is waarnaar u op zoek bent.' Hij voegde eraan toe: 'Ik ben er voor negentig procent zeker van dat dit het dorp is dat u zoekt.'

'Dat is goed genoeg voor overheidswerk.'

Hij glimlachte en informeerde me: 'Er gaan maar heel weinig westerlingen naar dat gebied en u zult een reden moeten hebben om daar te zijn.'

'Moet ik voor mijn eigen reden zorgen?'

Mr. Anh antwoordde: 'Door toeval ligt dit dorp in de buurt van een gehucht dat veel toeristen trekt. Deze plaats heet Dien Bien Phu. Hebt u van deze plaats gehoord?'

'De laatste slag in de Frans-Indo-Chinese Oorlog.'

'Ja. Militairen van alle nationaliteiten gaan daarheen om dit historische slagveld te bestuderen. U zou er heen moeten. Als u het museum hebt gezien en een paar foto's hebt genomen, vraag dan iemand die daar woont, waar dat gehucht is waarnaar u op zoekt bent. Het ligt op minder dan dertig kilometer noordelijk van Dien Bien Phu. Maar wees voorzichtig met wie u dat vraagt. In het noorden melden ze alles aan de autoriteiten.'

Hij nipte van zijn thee en vervolgde: 'Ik ben in Dien Bien Phu geweest, en dus kan ik u vertellen dat veel mensen van de volken uit de heuvels zich verzamelen bij het museum en op de markt om hun huisvlijt te verkopen aan de toeristen. De stamleden zijn voornamelijk Hmong en Tai. U zult zich herinneren van uw tijd hier dat de bergvolken weinig loyaliteit kennen tegenover de Vietnamese overheid.' Hij voegde eraan toe: 'Ze zijn niet anticommunistisch, ze zijn anti-Vietnamees. Daarom zult u uw vragen aan een lid van een bergstam moeten stellen, niet aan een etnische Vietnamees. Misschien ontmoet u een paar leden van die stammen die een beetje Engels spreken, maar voornamelijk spreken ze Frans voor de toeristen, die ook voornamelijk Frans zijn. Spreekt u Frans?'

'*Un peu.*'

'*Bon.* U zou moeten proberen voor Fransman door te gaan.' Hij voegde eraan toe: 'Volgens mij kunt u die mensen vertrouwen.'

'Vertel me eens waarom ik ú zou vertrouwen?'

Mr. Anh antwoordde: 'Dat zou enige tijd kosten, en wat ik ook zeg, het zal u niet overtuigen. Zoals ik het begrijp, Mr. Brenner, hebt u geen keuze.'

'Hoe weet u mijn naam?'

'Als ik in geval van nood contact met u had moeten opnemen in uw hotel.'

Ik zei tegen Mr. Anh: 'Het is hoogst ongebruikelijk in deze situaties dat u weet wie ik ben. Ik wil niet als een racist overkomen, maar u bent geen Amerikaan van geboorte, en u bent niet gekwalificeerd als iemand die mijn naam of mijn bestemming dient te kennen.'

Hij keek me lange tijd aan, glimlachte toen en antwoordde: 'Ik heb nog familie in het nieuwe land wonen. Uw regering vertrouwt me, maar om er zeker van te zijn, hebben ze voor mij in Los Angeles een familiereünie georganiseerd. Ik dien op dezelfde dag dat u uit Hué vertrekt ook naar Amerika te vertrekken. Als ik niet in Los Angeles verschijn, zullen ze aannemen dat ik hen en u heb verraden.'

'Dat is voor mij een beetje te laat, makker.'

'Ik ben niet van plan u te verraden, Mr. Brenner. Om eerlijk te zijn, wens ik u een succesvolle reis, omdat het, als er iets met u gebeurt, voor mij of mijn familie in Los Angeles niet zo best zal zijn.'

'Ik begrijp het. Nou, we schieten geen mensen dood.'

'Ze hebben me anders verteld.'

Ik gaf daar geen antwoord op. Waar het hier op neerkwam, was dat de belangen heel hoog waren, wat voor spel het ook was, en Mr. Anh was of loyaal tegenover de Uncle Sam, of als de dood om zijn familie, of allebei. Ze waren niet zomaar wat aan het aanklooien daar in Washington. Ik zei: 'Goed. Sorry als ik u beledigd heb.'

'Helemaal niet. Het was een legitieme en noodzakelijke vraag. Uw leven staat op het spel.'

'Bedankt.'

'Voor u maakt het niet uit of ik loyaal ben of onder dwang sta. Ik sta aan uw kant.'

'Fantastisch.'

Mr. Anh bleef zwijgen, terwijl hij op zijn pinda's kauwde, en zei toen: 'Wat uw missie ook moge zijn, Mr. Brenner, ik neem aan dat die voor u belangrijk genoeg is om uw leven te riskeren. Zo niet, dan zou u het eerstvolgende vliegtuig naar Hanoi of Saigon moeten nemen en uit dit land weg moeten gaan. Dit kan een aangenaam land zijn voor de gemiddelde westerse toerist – maar als u van het toerisme afwijkt, kan de overheid heel onverzoenlijk zijn.' Hij voegde eraan toe: 'Mij is gevraagd te helpen, en ik stemde toe, waarmee ik mijn veiligheid in gevaar breng. Ik weet niet waarom dit gaat, maar ik ben een van die Vietnamezen die de Amerikanen nog steeds vertrouwen.'

'Nou, ik niet.'

We glimlachten allebei.

Ik zei tegen Mr. Anh: 'Goed, als u bent die u zegt te zijn, dan bedankt. Zo niet, dan denk ik dat ik u wel op mijn proces zal zien.'

'Als u een proces krijgt, hebt u geluk gehad. Ik zal u iets vertellen dat u misschien niet weet. De regering in Hanoi is geobsedeerd door het FULRO. U hebt van deze groep gehoord – Front Unité de Lutte des Races Opprimées – het gezamenlijke front van de onderdrukte rassen.

Ik dacht aan de foto's die ik had gezien in het Museum van Amerikaanse Oorlogsmisdaden in Saigon. Ik zei: 'Ja, ik heb van het FULRO gehoord.'

Mr. Anh had nog meer goed nieuws voor me. Hij zei: 'U zult door FULRO-gebied komen. De regering in Hanoi jaagt genadeloos op deze guerrillastrijders, en is genadeloos tegenover Amerikanen die contact met hen hebben gemaakt. Als dit uw missie is, en u wordt gepakt, kunt u verwachten dat u gemarteld wordt en daarna doodgeschoten. Ik weet dat dit waar is.'

Nou, dit was niet mijn missie, maar het kwam me voor dat ik het wel eens moeilijk zou kunnen uitleggen als ik gepakt werd. Ik had altijd aangenomen dat het ergste dat me kon gebeuren als ik werd gepakt, was dat ik het een paar weken of maanden ongemakkelijk zou krijgen, waarna er een diplomatieke oplossing voor het probleem zou komen en een repatriëring naar de Verenigde Staten. Maar als ik het FULRO in die vergelijking gebruikte, zou ik uiteindelijk weleens de laatste MIA in Vietnam kunnen worden.

Mr. Anh was een bodemloze put van interessante feitjes en hij zei: 'Er zijn mensen van de CIA geweest, de speciale eenheden, en Amerikaanse freelance huursoldaten die de afgelegen gebieden van het land zijn binnengegaan om het FULRO te helpen en van wie nooit meer iets is gehoord.'

'Bedankt voor de bemoedigende woorden.'

Mr. Anh keek me aan en zei: 'Dit is een ongelukkig land, een land met een geschiedenis waarin broer tegen broer werd opgezet, vader tegen zoon. Hier, in het zuiden, weet je nooit wie je kunt vertrouwen. Maar als je in het noorden komt, is het veel eenvoudiger: vertrouw niemand.'

'Behalve de bergvolken.'

Mr. Amh gaf geen antwoord. Hij nipte van zijn thee en vroeg me: 'Heeft uw bezoek slechte herinneringen teruggebracht?'

'Natuurlijk.'

'In dit land zijn de meesten van de oorlogsgeneratie dood, of gevlucht. Die het zich nog herinneren, praten er niet over. De overheid viert elke communistische overwinning en ze hebben elke nederlaag van hen omgezet in een overwinning. Als ze dertig jaar lang overwinningen hebben gehad, waarom heeft het dan zo lang geduurd voordat zij de oorlog wonnen?'

Het leek me een retorische vraag, maar het antwoord was: 'De overwinnaars schrijven de geschiedenis.'

Mr. Anh vervolgde: 'Ik moest naar Amerika om de geschiedenis van mijn land te leren. Als je maar lang genoeg naar Hanoi luistert, begin je je eigen herinnering en eigen gezonde verstand in twijfel te trekken.'

'Idem dito in Washington, Mr. Anh.'

'Nou, maar u maakt er een grap van. Hier is het geen grap.'

'Hoeveel jaar hebt u hier nog?'

'Een.'

'En daarna?'

'Ik weet het niet. Misschien blijf ik... de dingen hier veranderen op een positieve manier...'

'Ik heb een Amerikaanse vriendin die hier nu drie jaar zit en ze schijnt maar niet weg te kunnen gaan.'

'Iedereen heeft zijn of haar eigen redenen om te blijven of te vertrekken. Dit is een interessant land, Mr. Brenner; in vele opzichten een dynamisch land dat net uit een nachtmerrie is ontwaakt en vol sociale en economische veranderingen zit. Voor veel mensen, vooral Amerikanen, is de overgang opwindend, en biedt die vele mogelijkheden. Een Amerikaanse balling beschreef me ooit Vietnam als zoiets als het Wilde Westen, een land waar je je verleden achter je laat en waar alles gebeurt in het najagen van je fortuin.'

'God helpe Vietnam.'

Mr. Anh glimlachte en voegde eraan toe: 'In Japan, Singapore of Korea kun je doodgaan aan verveling. Hier ga je niet dood aan verveling.'

'Dat is zeker.' Ik dronk mijn cola op en keek op mijn horloge.

Mr. Anh zag dat en zei tegen me: 'De naam van het dorp dat u zoekt is niet Tam Ki, maar Ban Hin, in de provincie Lai Chau.' Hij spelde het voor me en voegde eraan toe: 'Het is een moeilijke reis. De enige luchtdienst gaat twee keer per week vanuit Hanoi, en u gaat niet via Hanoi, zoals me is verteld. In ieder geval zijn de plaatsen op het vliegtuig gewoonlijk al weken van te voren geboekt. Dus u moet over land. Helaas is er hier vandaan geen busverbinding, alleen vanuit Hanoi. De wegen, vooral nu met de regen, zijn verraderlijk, en u weet inmiddels dat u zelf geen auto mag huren. U hebt een auto met chauffeur nodig.'

'Misschien blijf ik wel thuis.'

'Dat is uw beslissing. Maar als ik zou gaan, zou ik een wagen met vierwielaandrijving nemen en een goede chauffeur. De afstand over land van Hué naar Dien Bien Phu is tussen de negenhonderd en duizend kilometer, afhankelijk van uw route.' Hij voegde eraan toe: 'Gelukkig gaan de eerste vijfhonderd kilometer over Highway One naar Hanoi. Ergens zuidelijk van Hanoi moet u een weg zoeken die u naar Route 6 brengt, en die brengt u dan weer naar het noordwesten door de bergen naar Dien Bien Phu.'

Hij vond in de reisgids een kaart van het noordelijk deel van Vietnam en schoof me het boek toe. 'Ziet u Dien Bien Phu?'

Ik keek op de kaart en vond het in het verre, noordwestelijke deel van het land, bij Laos. Ik zag ook Route 6, die komend uit Hanoi kronkelend door de bergen naar Dien Bien Phu leidde. Ik vroeg: 'Hoe is Route 6?'

'Geen goede weg in deze tijd van het jaar, of welke tijd dan ook. De wegen die u naar Route 6 brengen zijn erger.'

'Erger dan New Jersey?'

Hij glimlachte en vervolgde: 'U zult op de kaart twee of drie wegen zien die van Highway One naar Route 6 leiden voordat u bij Hanoi bent. U moet er een kiezen, afhankelijk van de weersomstandigheden, de conditie van de weg en misschien andere factoren waarover u pas kunt beslissen als het voor u tijd wordt Highway One te verlaten.' Hij keek me aan.

Ik zei: 'Ik begrijp het. Vertel me wat ik tegen mijn chauffeur moet zeggen over dat ik niet door Hanoi wil om daar Highway 6 naar Dien Bien Phu te pakken?'

'Vertel hem dat u van verraderlijke bergwegen in de regen houdt.'

Niet leuk.

Mr. Anh zei: 'Met een beetje geluk kunt u in twee dagen in Dien Bien Phu zijn.'

Ik dacht erover na en ik vroeg me af wat die idioten in Washington dachten. Ik zei: 'Is het mogelijk een klein vliegtuig te huren op Hué-Phu Bai?'

'Niet in dit land, Mr. Brenner. Privé-vluchten zijn absoluut verboden.'

'Hoe kwamen de Fransen in Dien Bien Phu?'

Hij glimlachte. 'Per parachute.' Hij zei: 'Er is een alternatieve weg. U zou hier vandaan naar Vientiane kunnen vliegen, de hoofdstad van Laos, en vandaar naar Luang Prabang in Laos vliegen, en dan bent u ongeveer op slechts honderdvijftig kilometer van Dien Bien Phu vandaan. Maar u hebt eerst een visum voor Laos nodig, en daarna moet u over land weer de grens naar Vietnam oversteken en dat zou weleens een probleem kunnen geven.'

'Nou, bedankt voor uw geografische college, professor. Ik weet zeker dat ik Dien Bien Phu kan bereiken voordat mijn visum verlopen is.'

Hij herhaalde: 'Huur een heel goede privé-chauffeur met een goede wagen met vierwielaandrijving. Dan móet u het halen.' Hij voegde eraan toe: 'Ga niet met Vidotour.'

'Dat weet ik.'

Mr. Anh speelde met zijn hoopje pindadoppen en zei tegen me: 'Mij is verteld u enige instructies door te geven.'

Ik gaf geen antwoord.

Mr. Anh zei: 'Als u deze persoon die u zoekt vindt, moet u aanbieden al zijn oorlogssouvenirs te kopen. Als hij dood is, leg dan zijn dood vast en doe zijn familie hetzelfde aanbod. Als hij nog in leven is, moet u hem fotograferen en zijn verblijfplaats met kaarten en foto's documenteren. Met deze persoon zal later, om welke redenen dan ook, door uw regering contact worden opgenomen.'

Weer gaf ik geen antwoord.

Mr. Anh leek zich door iets een beetje ongemakkelijk te voelen en hij meed mijn ogen toen hij zei: 'Of u wenst de zaak zelf af te handelen, waardoor een tweede bezoek aan dit individu niet meer nodig is.'

Ik zei tegen Mr. Anh: 'Sorry, zou u dat kunnen herhalen?'

Hij deed het en ik zei tegen hem: 'Ik weet niet helemaal zeker of ik wel begrijp wat dat inhoudt. U wel?'

'Nee, ik niet, Mr. Brenner. Ze zeiden dat u het wel zou begrijpen.'

'O ja? Als ik dat nou eens verkeerd begreep en dacht dat ze bedoelden dat ik hem moest doden terwijl ze iets anders bedoelden?'

Mr. Anh gaf hierop geen direct antwoord, maar zei: 'Na een lange, bittere oorlog zijn er veel rekeningen te vereffenen.'

Ik dacht niet dat dit ook maar iets te maken had met het vereffenen van een oude rekening of met een afrekening zoals gebeurde in de geheime wereld van de spionage of het moordprogramma van Phoenix, of zoiets. Tran Van Vinh was een eenvoudige soldaat die iets had gezien dat hij niet had mogen zien. Maar Mr. Anh nam aan dat dit te maken had met de smerige schemeroorlog naast de echte oorlog, wat een logische veronderstelling was; of dat was hem verteld.

Mr. Anh besloot met: 'In ieder geval zit uw opdracht er dan op en u moet meteen naar uw daaropvolgende bestemming met de dingen die u hebt verzameld. Deze boodschap is mondeling en verder weet ik niets.'

Ik gaf geen antwoord.

Mr. Anh zei: 'U moet vannacht en morgennacht hier blijven, zoals u weet, en daarna gaat u op weg naar Dien Bien Phu, en het dorp in kwestie. Ik neem contact met u op in uw hotel als er een verandering van plannen is, of als ik nog verdere informatie voor u heb. Ik heb een veilige manier om iemand in Saigon te verwittigen dat deze ontmoeting succesvol was, en u hebt nu de gelegenheid mij een boodschap te geven die ik door zal geven.'

Ik antwoordde: 'Vertel hun alleen dat ik mijn missie en mijn plicht begrijp, en dat er gerechtigheid zal geschieden.'

'Goed dan. Zal ik gaan, of wilt u als eerste vertrekken?'

'Ik ga.' Ik pakte een paar pinda's en stak die in mijn zak. Ik zei tegen Mr. Anh: 'Ik laat deze reisgids bij u achter. Ik wil dat u die op de ochtend dat ik vertrek naar Dien Bien Phu, wat dezelfde ochtend is dat u naar Los Angeles vertrekt, in mijn hotel afgeeft. Op die manier weet ik dat u niet gearresteerd bent en dat mijn missie niet in gevaar is gebracht. Als ik het boek niet krijg, hou ik me het recht voor het land te verlaten. U kunt dat doorgeven.'

Hij zei: 'Ik begrijp het.'

Ik stond op, haalde tien dollar uit mijn zak en legde die op het tafeltje. 'Dank u voor de interessante rondleiding.'

Hij ging staan en wij schudden elkaar de hand. Hij zei tegen me: 'Ik wens u een veilige reis. En een gelukkig nieuwjaar.'

'Insgelijks.'

Ik vertrok en liep door de markt naar het wandelpad langs de rivier in de richting van de brug naar de Nieuwe Stad.

Het was nog geen vier uur op nieuwjaarsdag, de eerste dag van het Jaar van de Os. Het kon ook de laatste dag zijn van het jaar van de ezel, van mij. Waarom raakte ik altijd betrokken in dit soort dingen? Voor een ondernemend type zoals ik, bleef ik maar in strontsituaties terechtkomen: carrière bekortende moordzaken, gevaarlijke opdrachten in vijandige landen en ingewikkelde liefdesaffaires.

Ik stapte op de voetgangersbaan van de Trang Tien-brug en bleef halverwege staan. Ik dopte een paar pinda's en liet de doppen in de rivier vallen. Ik stak een paar pinda's in mijn mond en kauwde.

De hemel was volgestapeld met wolken en er vielen een paar regendruppels. De lucht was vochtig en koel, en de Parfumrivier stroomde snel richting zee.

Nou, dacht ik, ik had Mr. Conway op Dulles, of Mr. Anh in Hué niet verkeerd begrepen. Washington wilde Tran Van Vinh dood hebben en ze zouden blij zijn als ik hem vermoordde. En ze namen zelfs niet de moeite mij een andere reden te geven dan die van nationale veiligheid, wat van alles kon betekenen en dat gewoonlijk ook deed.

De reden dat die genieën me niet vooraf vertelden waarom die man gemold moest worden, was dat ik dan, als hij al dood was, informatie zou hebben die ik niet hoefde te hebben.

Maar om de een of andere reden leken ze te denken dat ik, als en wanneer ik Mr. Tran Van Vinh ontmoette, de reden zou weten en dat ik zou doen wat ik moest doen.

Wat deze arme stakker ook in de puinhopen van Quang Tri had gezien tijdens Tet in 1968, zou terugkeren om hem op te jagen en hem te doden. En dat was niet echt eerlijk, als hij inderdaad de hele oorlog had overleefd en oud was geworden... nou, ongeveer mijn leeftijd, wat niet oud is, maar volwassen.

Ik probeerde al mijn niet onaanzienlijke deducerende vermogens op deze puzzel los te laten en ik kwam heel dicht in de buurt van iets, maar het bleef me ontglippen.

Wat wel gemakkelijk te deduceren was, was het volgende: als wat Mr. Vinh had gezien zijn dood zou betekenen, dan zou wat Mr. Vinh mij vertelde ook míjn dood kunnen betekenen.

29

Ik zat in de cocktailbar van het Century Riverside Hotel van mijn whisky-soda te nippen terwijl de kleine man aan de piano 'Strangers in the Night' speelde.

Het was tien over zes en de bar zat vol westerlingen die met elkaar babbelden, terwijl knappe serveersters in korte rokjes rondrenden om bestellingen verkeerd op te nemen.

Ik begon me af te vragen of Susan weer nijdig was geworden en van plan was me te laten zitten. Het kan vrouwen niet schelen waar ze zijn als ze kwaad zijn op de man met wie ze zijn. Ik heb vrouwen gehad die een scène schopten in sovjet-Moskou, Oost-Berlijn en andere plaatsen waar het niet zo'n goed idee is aandacht te trekken, zonder enig ontzag voor hun omgeving of de situatie; als ze kwaad zijn, zijn ze kwaad.

Een andere mogelijkheid was dat Susan opgepakt was voor een verhoor. Na de kleine scène op het politiebureau deze ochtend, zou het me niet verbaasd hebben als ze besloten me lastig te vallen via haar. Ondanks onze vertoning wisten ze dat we samen waren.

Een grotere angst betrof echter het pistool en de mogelijkheid dat iemand haar dat had zien begraven. Maar zelfs als de politie was gewaarschuwd, zouden ze pas in actie komen als iemand het kwam opgraven, waardoor ik van plan was het daar te laten.

Ik bestelde weer een whisky. De drie veteranen zaten een paar tafeltjes verderop en ze hadden gezelschap gekregen in de vorm van drie vrouwen van midden twintig, jong genoeg om hun dochters te zijn. Deze mannen mochten dan officier zijn geweest, het waren geen heren; het waren viespeuken.

De vrouwen zagen er Amerikaans uit en deden Amerikaans, maar verder kon ik weinig over hen vertellen, behalve dat zij toerist waren, geen ballingen, en ook hielden ze van mannen van middelbare leeftijd met geld.

Hoe dan ook, het werd halfzeven en ik raakte een beetje bezorgd.

Daarom is het beter alleen te reizen, vooral wanneer je met een opdracht bezig bent en het link kan worden. Ik heb al genoeg problemen met het in de gaten houden van mijn eigen hachje zonder dat ik me ook nog eens zorgen moest maken om een burger.

Maar misschien was ze geen burger. Dit deed me denken aan Mr. Anh, die net als Susan Uncle Sam een kleine dienst bewees. Dit land begon het Oost-Berlijn te worden van de wereld na de Koude Oorlog: duistere figuren die druk bezig waren deals te maken, gunsten te verlenen en die hun ogen en oren open hielden. De CIA moest een nieuwe energiestoot hebben gekregen nu ze een land hadden waar ze weer de nodige narigheid konden veroorzaken.

Amerikanen houden natuurlijk niet van verliezen, en ze hadden een goede les geleerd van de Duitsers en Japanners na de oorlog; als je de oorlog verliest, koop dan het land van de overwinnaar.

Susan verscheen in de deur en keek om zich heen. Ze zag me toen ik ging staan en glimlachte. Je weet het altijd wanneer iemand oprecht blij is je te zien door hoe ze glimlachen als ze je in de drukte opmerken.

Ze kwam naar het tafeltje en ik zag dat ze een zwarte spijkerbroek droeg, die ik niet eerder had gezien, en een witzijden sweatshirt met een v-hals, die ik ook niet had gezien.

Ze gaf me een stevige knuffel en een kus en zei: 'Ik wist dat je veilig terug was, want ik heb het bij de receptie gevraagd.'

'Gezond en wel.'

Ze ging zitten en ik ging tegenover haar zitten. Ze vroeg, bijna opgewonden: 'Dus hoe ging het? Je hebt het rendez-vous gehad?'

'Ja, het ging prima. Wat heb jij vandaag gedaan?'

'Gewinkeld en wat rondgekeken. Dus, wie heb je gesproken?'

'Een Europees-Aziatische vrouw die Deep Throat heette.'

'Kom nou, Paul. Dit is opwindend. Was het een man? Een Amerikaan? Een Vietnamees?'

'Een man. En meer zeg ik niet.'

'Weet je waar je nu naartoe moet?'

Ik scheen haar niet te bereiken. Ik zei: 'Ja, en dat is het einde van de conversatie.'

'Is het ver hiervandaan?'

'Wat wil je drinken?'

'San Miguel.'

Ik wenkte de serveerster en bestelde een San Miguel-bier.

Susan vroeg: 'Waar heb je die man ontmoet? Waar is nummer 32? Ik wed dat dat verwijst naar de kaart in de reisgids.'

'Heb je goed geslapen?'

'Ik heb als een roos geslapen, tot twaalf uur. Ben je naar de immigratiepolitie geweest?'

'Ja.'

'Ging het goed?'

'Ja.' Ik voegde eraan toe: 'Om eerlijk te zijn, we hadden een beetje ruzie.'

'Goed. Als je aardig tegen ze bent, denken ze dat je iets wilt. Als je ze een grote mond geeft, denken ze dat je oké bent.'

'Dat weet ik. Ik ben smeris geweest.'

'Ik ben uit de Citadel weggebleven, zoals je hebt gevraagd, en nu moet je me vertellen waar je die man hebt ontmoet.'

'Klaarblijkelijk heb ik hem in de Citadel ontmoet.'

'Denk je dat je bent gevolgd?'

'Ik ben niet gevolgd. Van hem weet ik het niet. Heb je die kleren vandaag gekocht?'

'Ja. Vind je ze mooi?'

'Heel mooi.'

'Dank je.'

Haar bier kwam en ze schonk het in een glas. We klonken en ze zei: 'Sorry van gisteravond. Je hebt niets aan die ruzie.'

'Dat geeft niet. Ik heb hetzelfde met jou gedaan over Bill.'

'Inderdaad. Ik heb hem gedumpt.'

Ik gaf geen antwoord.

Ik zag de drie veteranen weer en ze keken naar Susan, ook al hadden ze drie schoonheden. Wat een smeerlappen.

'Waar kijk je naar?'

'Drie Amerikanen verderop. Leger of mariniers. Ik zag ze hier gisteren en ook tijdens het eten. Ze kijken naar jou.'

'Ze zijn leuk.'

'Het zijn viespeuken.'

'De vrouwen schijnen zich wel te amuseren.'

'Dat zijn ook viespeuken.'

'Volgens mij ben je jaloers.'

'Nee, dat ben ik niet. Jij bent de mooiste vrouw hier.'

'Jij bent zo lief.' Ze bracht het onderwerp terug naar zaken en vroeg: 'Weet je hoe je naar die plaats komt waar je heen moet?'

'Ik denk het.'

Er was een heleboel achtergrondgeluid in de lounge, waardoor niemand ons kon afluisteren en de pianist speelde 'Once Upon a Time' van Tony Bennett. Ik besloot dat het tijd was geworden een paar dingen uit te spitten die van invloed konden zijn op mijn gezondheid. Ik zei tegen haar: 'Ik wil je een paar vragen stellen. Kijk me aan en blijf in mijn ogen kijken.'

Ze zette haar bier neer en ging rechtop op haar stoel zitten. Ze keek me aan.

'Voor wie werk je?'

Ze antwoordde: 'Ik werk voor de American-Asian Investment Corporation. Soms doe ik dingen voor het Amerikaanse consulaat in Saigon en de ambassade in Hanoi.'

Heb je ooit enige gunsten verleend aan de hier wonende CIA-man in Saigon of Hanoi?'

'Saigon. Eén keer.'

'Je bedoelt nu?'

'Ja.'

'Word je betaald?'

'Onkosten.'

'Heb je een officiële opleiding gehad?'

'Ja. Een maand in Langley.'

Wat de reis naar Washington verklaarde. Ik vroeg: 'Is het Amerikaans-Aziatische bedrijf een CIA-dekmantel?'

'Nee. Het is een echtc investeringsmaatschappij. Maar het bedrijf is grondig doorgelicht.'

'Zijn er nog meer bij AAIC die gunsten verlenen?'

'Daar kan ik geen antwoord op geven.'

'Wat waren je instructies ten aanzien van mij?'

'Gewoon ontmoeten en begroeten.'

'Hebben ze je gezegd mij uit te horen?'

'Nee. Wat maakt het uit? Vertel je me ook maar iets over waarom je hier bent?'

'Nee. Hebben ze je gezegd met mij samen te reizen?'

'Nee. Dat was mijn idee.'

'Susan, ben je op dit moment aan het werk of is het je vrije tijd?'

'Vrije tijd.'

'Ik geloof alles wat je zegt. Begrijp je dat? Als je het zegt, is het waar.'

'Het ís waar.'

'Ben je verliefd op me?'

'Je weet dat ik dat ben.' Ze glimlachte voor het eerst en zei: 'Ik heb één orgasme gespeeld.'

Ik probeerde niet te lachen en vroeg: 'Weet je iets over mijn opdracht dat ik niet weet?'

Ze gaf geen antwoord.

'Vertel op.'

'Ik kan het niet. Ik kan niet tegen je liegen, dus ik kan niets zeggen.'

'Laten we het nog eens proberen. Wat weet je hierover?'

Ze nam een slokje bier, schraapte haar keel en zei: 'Ik weet niet wat jouw bedoeling hier is, maar ik denk dat de CIA dat wel weet. Ze waren zeker niet van plan het me te vertellen. Ik denk dat iedereen een paar stukjes heeft en niemand vertelt iemand anders wat hij weet.'

Dat was waarschijnlijk waar. Ik vroeg me af of zelfs Karl het hele beeld wel had. Ik zei tegen Susan: 'Ontmoeten en begroeten dekt het niet helemaal.'

'Nou, er zat duidelijk meer aan vast. Ik werd gevraagd jou te informeren over dit land, zonder dat het leek alsof ik je de informatie gaf. Meer om jou te laten acclimatiseren en ervoor te zorgen dat je zou gaan.' Ze voegde eraan toe: 'Maar daar ben je zelf al op gekomen.'

'Goed, maar heb je, behalve met de CIA-man in Saigon, met iemand van de ambassade in Hanoi gesproken?'

'Jawel. De Amerikaanse militaire attaché. Kolonel Marc Goodman. Hij kwam naar Saigon gevlogen om me te spreken.'

'Waarover?'

'Hij wilde gewoon weten of ik wel uit het juiste hout was gesneden.'

'Waarvoor?'

'Om... jouw vertrouwen te winnen.'

'Ik krijg geen duidelijk beeld.'

'Je zet me wel onder druk.'

'Mijn leven staat onder druk, dame. Praat tegen me.'

'Ik zou niet met je meereizen. Maar ik werd wel verondersteld je aan te bieden je hier in Hué weer te ontmoeten, of je te vertellen dat ik er toch heen moest voor zaken of wat dan ook. Dan moest ik zeggen dat ik je weer zou zien in Hanoi.'

'En als ik je nu eens niet leuk vond?'

'De meeste mannen vinden me leuk.'

'Dat weet ik wel zeker. En wat was de zin van je afspraak met mij hier in Hué?'

'Om te kijken of ik je kon helpen, om verslag uit te brengen over je gezondheid en je instelling, problemen met de politie, het resultaat van je rendez-vous, enzovoort. Dat weet je.'

'Goed. Hebben deze militaire attaché, kolonel Goodman, en de CIA-man in Saigon met elkaar gesproken?'

'Ja. Maar ik was er niet bij tijdens het gesprek.'

'Je begrijpt dat een militaire attaché eigenlijk Militaire Inlichtingendienst is?'

Ze knikte.

'Wie is die CIA-man in Saigon?'

'Dat kan ik je niet vertellen.'

Kennelijk wist iedereen hiervan, behalve ik. De inlichtingendienst van het leger en de CIA praatten met elkaar over een CID/FBI-zaak waar ze helemaal niets over hoorden te weten; maar dat deden ze duidelijk wel. Wat was het verband? Hoe meer ik nadacht over Mr. Conway op Dulles, hoe minder hij FBI leek en hoe meer hij leger werd; maar ze wilden de schijn wekken van een FBI-betrokkenheid, zodat het meer op een moordzaak leek en minder op een internationaal probleem. Niet alleen deed kolonel Mang zich voor als het ene, terwijl hij het andere was, maar Mr. Conway deed het ook. En Susan hetzelfde. Op dit moment zou ik niet verbaasd zijn geweest als ik had ontdekt dat ik voor kolonel Mang werkte.

'Paul?'

'Wat is er?'

'Ben je boos op me?'

'Nog niet. Goed, dus toen ze je motiveerden om je vele charmes te gebruiken om mijn vertrouwen te winnen, wat vertelden ze jou om jóu te motiveren?'

'Nationale veiligheid. Mijn patriottische plicht. Dat soort gedoe.'

'Wat nog meer?'

'Hou je nog van me?'

'Meer dan ooit. Wat nog meer?'

'Ik heb het je al een paar keer gezegd. Het heeft te maken met nieuwe betrekkingen tussen Amerika en Vietnam. Zaken. Olie. Handel. Goedkope arbeidskrachten. Ze willen niet dat het verpest wordt. Ik ook niet.'

'Wie probeert het te verpesten?'

'Dat heb ik je ook verteld. De voorstanders van de harde lijn in Hanoi, en misschien in Washington.'

'En hebben ze je verteld dat mijn missie die zaak kon helpen of kwaad kon doen?'

'Ze gaven aan dat jij zou kunnen helpen.'

'Dat lijkt me ook, anders zou je me al van het dak van het Rex hebben geduwd.'

'Doe niet zo stom. Mij was verteld je te helpen.'

'Als ik je vertelde wat ik hier deed, denk je dan dat mijn stukje van de puzzel en dat stukje van de puzzel dat jij hebt op elkaar aan zullen sluiten?'

'Ik weet het niet.'

'Wil je stukjes van de puzzel ruilen? Jij eerst.'

'Ik hoef niet te weten waarom jij hier bent, en ik heb niet de wens het te weten.'

'O, je weet het al.'

'Dat doe ik niet. Ben je kwaad op me?'

'Nog niet.'

'Hou je nog van me?'

'Meer dan ooit.'

'Goed. Mag ik een sigaret opsteken?'

'Natuurlijk. Paf je maar suf.'

Ze haalde een pakje uit haar handtas en stak op. Ze nam een diepe haal en blies uit, leunde vervolgens achterover en sloeg haar benen over elkaar. Ze zei tegen me: 'Het heeft te maken met Cam Ranh Bay.'

'Goed.'

'Wij hebben het aangelegd en we willen het terug.'

'Dat weet ik.'

'De Filippijnen hebben ons eruit geschopt en de Japanners zijn bezig onze aanwezigheid te minimaliseren. De lease van Cam Ranh Bay door de Russen loopt over een paar jaar af, en ze betalen minder dan de oude huurprijs van 1975 met nieuwe roebels, die bijna niets waard zijn. Hanoi wil ze weg hebben.'

'Met Amerikaans geld krijg je alles gedaan.'

'Precies. We hebben het over miljárden Amerikaanse dollars aan Hanoi voor een huur op lange termijn.'

'Ga verder.'

'De Vietnamezen haten en vrezen de Chinezen. Dat hebben ze altijd gedaan. De Amerikanen vrezen de Chinezen. Strategische toekomstverwachtingen van het Pentagon laten zien dat we binnen twintig jaar in oorlog zijn met Rood-China. We hebben een tekort aan militaire bases in deze buurt. Plus dat er een heleboel olie voor de kust zit.'

'Dus dit gaat niet om koffie, rubber of betelnoten?'

'Nee. Olie en militaire bases.'

'Ik begrijp het. Ga verder.'

'Het Pentagon en anderen in Washington zijn hier heel opgewonden over. De huidige regering niet. Ze willen de Chinezen niet kwaad maken, die door het lint zullen gaan als we een militaire basis opzetten in Cam Ranh Bay.'

Ik knikte. Ik had nu een klein stukje van de puzzel, maar het sloot niet aan op mijn stukje. Ik bedoel, het moest wel, maar er zat nog een stukje tussen.

Susan vervolgde: 'Hanoi is bereid afstand te doen van Cam Ranh Bay ten gunste van ons, ondanks tegenstand uit de harde lijn-hoek van de oude Roden die ons nog steeds haten. Maar de huidige Amerikaanse regering heeft niet de kloten ervoor te gaan, ondanks dat bijna iedereen in het Pentagon en uit de inlichtingenwereld zegt het juist wel te doen. Het is van wezenlijk belang in het geval van een toekomstige oorlog. Het is goed voor ons en goed voor de Vietnamezen.'

Ik gaf geen antwoord, maar de gedachte dat Amerikaanse soldaten, mensen van de marine en luchtmacht weer terug zouden zijn op Vietnamese bodem, ging alle begrip te boven.

Ze nam een slokje van haar bier en stak weer een sigaret op. Ze zei tegen me: 'Je verraste me toen je kapitein Vu vroeg naar Amerikaanse oorlogsschepen in de buurt.'

'Dit is geen NASA-wetenschap, het is politicologie van de koude grond. Er is iets over in het nieuws geweest.'

'Geef jezelf wat meer krediet, Paul.'

'Goed. Laat me eens raden waardoor jij dit allemaal weet. Jij bent afdelingschef van de CIA.'

Ze glimlachte. 'Nee, ik ben een gewoon meisje; een verwende, beschermd opgegroeide, bedrijfskundige banneling van de hogere middenklasse, die op zoek is naar avontuur.' Ze legde haar sigaret in de asbak en zei zonder me aan te kijken: 'De afdelingschef in Saigon is Bill Stanley. Zeg alsjeblieft tegen niemand dat ik het je heb verteld.'

We maakten oogcontact en ik vroeg haar: 'Weet de Bank of America daarvan?'

'Hij werkt niet voor de Bank of America. Je arriveerde in Saigon tijdens een weekend, dus je kon geen dingen natrekken, maar ik heb je wel meegenomen naar mijn kantoor.'

'Ja, inderdaad. En hebben jij en Bill... een relatie?'

'Dat deel is waar. Was waar.'

'Amuseer je je een beetje?'

'Niet als je boos op me bent.'

'Ik? Waarom zou ik boos op je zijn?'

'Je weet wel. Omdat ik over een paar dingen tegen je heb gelogen.'

'Echt waar? Doe je dat nu nog?'

'Ik heb je alles verteld wat ik weet. Ze zullen me ontslaan.'

'Als je dat geluk hebt. Vertel me waarom ik hier ben.'

'Ik weet het echt niet.'

'Weet Bill het?'

'Hij moet iets weten.'

'Maar hij heeft het jou niet verteld?'

'Nee.'

'Waarom moest je me treffen in Hanoi?'

'Ik weet het niet. Ze zeiden dat je in Hanoi misschien een betrouwbaar iemand nodig had om tegen te praten. Niet iemand van de ambassade. Ze zeiden dat jij misschien, als je terugkwam van je missie... van streek zou zijn door wat je had ontdekt.' Ze voegde eraan toe: 'Ik word verondersteld de ambassade te vertellen hoe je er dan geestelijk aan toe bent en wat je denkt.'

'En je liet zo'n verklaring zonder meer passeren?'

'Ik begrijp dat hoe minder ik weet, hoe beter het is.'

'Waar heb je het pistool vandaan?'

'Uit de kluis van het bedrijf. Dat was de waarheid.'

'Besef je dat ongeveer de helft van wat je me de afgelopen week hebt gezegd leugens zijn, halve leugens en puur gelul?'

Ze knikte.

'En? Waarom zou ik dan ook maar iets geloven van wat je nu zegt?'

'Ik zal niet meer tegen je liegen.'

'Het kan me niet echt schelen.'

'Zeg dat niet. Ik deed gewoon een klus. Toen werd ik verliefd. Dat gebeurt voortdurend.'

'O ja?'

'Niet met mij. Maar met mensen. Ik had echt een hekel aan mezelf dat ik niet eerlijk tegen je was. Maar ik dacht dat je het toch allemaal wel zou uitdenken. Jij bent heel erg slim.'

'Probeer me niet te slijmen.'

'Je bént kwaad op me.'

'Reken maar.'

'Hou je nog van me?'

'Nee.'

'Paul? Kijk me aan.'

Ik keek haar aan.

Ze schonk me een soort trieste glimlach en zei: 'Het is niet eerlijk, weet je, als de goden in Washington tussen ons komen. Als we uit elkaar gaan, veranderen we allebei in steen.'

Wat Washington betrof, scoorde ze daar een punt, en ik denk dat je zou kunnen zeggen dat we allebei gemanipuleerd en belogen werden. Ik zei tegen haar: 'Natuurlijk hou ik van je.'

Ze glimlachte.

Ik vroeg haar: 'Welk orgasme heb je gespeeld?'

Haar glimlach werd breder. 'Zeg jij het maar?' Ze voegde eraan toe: 'Ik zal het niet meer doen.'

Dus daar zaten we, en we bestelden nog een rondje, trokken ons terug in onze eigen gedachten en probeerden er iets van te begrijpen.

Ten slotte vroeg ze me: 'Heb je vandaag nog berichten gekregen?'

'Nee.'

'Waarom willen ze dat je me laat vallen?'

'Ik weet het niet. Weet jij het?'

'Waarschijnlijk omdat het hun niet bevalt wat er tussen ons gebeurt. Ze willen beslist niet dat we informatie aan elkaar doorgeven.' Ze voegde eraan toe: 'Ik hoor voor hen te werken, maar ze vertrouwen me niet meer. En jij ook niet.'

Ik gaf geen antwoord op die laatste bewering en zei: 'Ik denk dat je vriend Bill op een persoonlijk vlak er bij Washington op heeft aangedrongen er bij mij op aan te dringen jou te laten vallen.'

'Ik weet het wel zeker. Hij is echt kwaad op je.' Ze lachte.

'Hij zou me moeten bedanken dat ik zijn narigheid heb overgenomen.'

'Dat is niet aardig.'

Ik gaf geen antwoord. Ik vroeg haar: 'Heb jij een boodschap gekregen?'

'Ja. Ze weten natuurlijk dat ik hier ben. Een boodschap van Bill die me bevéélt terug te keren naar Saigon. Een zakelijk bericht. Er stond in dat ik zou worden ontslagen en tot de orde geroepen, enzovoort, als ik me maandag niet op mijn werk meldde. Er ligt een ticket op me te wachten op Hué-Phu Bai Airport.'

'Je zou dat in orde moeten maken.'

'Eigenlijk wel, maar ik doe het niet. Ik wil met je mee naar Quang Tri.'

'Prima. Ik heb een wagen met vierwielaandrijving met chauffeur besteld voor morgenochtend acht uur om ons naar de A Shau-vallei, Khe Sanh en Quang Tri te brengen. Ik heb naar Mr. Cam gevraagd.'

Ze lachte en zei: 'Mr. Cam zit nu thuis voor het familiealtaar en vraagt de goden ons uit zijn herinnering te wissen.'

'Dat hoop ik.'

'Paul?'

'Ja?'

'Mag ik je een raad geven?'

'Gratis?'

'Ja. En uit het hart. Ga er niet heen, waar ze je naartoe sturen. Ga met me mee terug naar Saigon.'

'Waarom?'

'Het is gevaarlijk. Jij weet dat. Ik hoor je dit niet te vertellen. Dit is van mij persoonlijk.'

Ik knikte. 'Dank je. Maar zoals ze je misschien hebben verteld, ben ik het tegenovergestelde van beïnvloedbaar.'

'Daar weet ik niets van. Maar ik weet wel dat jij denkt dat dit een persoonlijke test van je moed is en misschien heb je nog een heleboel andere redenen om dit door te zetten. Dit gaat niet langer om plicht, eer en het vaderland, als het dat ooit heeft gedaan. Nou, jij heb je moed aan mij bewezen en ik zal een volledig verslag schrijven over Highway One en alles wat er verder nog is gebeurd. Je moet het besluit nemen de missie af te breken. We gaan morgen naar Quang Tri en de A Shau-vallei en naar Khe Sanh, en dan kom je ermee in het reine. Daarna gaan we samen terug naar Saigon, nemen een zootje gezeik van iedereen en dan... ga jij naar huis.'

'En jij?'

Ze haalde haar schouders op.

Ik dacht ongeveer een halve seconde na over dat verleidelijke aanbod, en antwoordde toen: 'Ik maak de klus af. Einde gesprek.'

'Mag ik met je mee?'

Ik keek haar aan en zei: 'Als jij Highway One slecht vond, wacht dan maar tot je deze reis ziet.'

'Het kan me echt niet schelen. Ik hoop dat je nu weet dat ik het wel aan kan.'

Ik gaf geen antwoord.

Ze liet me weten: 'Jij zult je kansen op succes met ongeveer vijfhonderd procent groter maken als ik meega.'

'Maar kan ik mijn inzet verdubbelen?'

'Natuurlijk. Luister, Paul, er zitten geen nadelen aan vast als je mij bij je hebt.

'Dat is een grap – toch? Luister, ik waardeer je bereidheid een gevangenisstraf te riskeren en misschien wel je leven door bij me te zijn, maar...'

'Ik wil me niet de hele volgende week zorgen om jou te hoeven maken. Ik wil bij je zijn.'

'Susan... misschien klinkt dit erg seksistisch, maar op sommige momenten moet een man...'

'Hou op met dat gezeik.'

'Goed. Wat dacht je hiervan? Ik blijf maar denken aan die foto's in jouw kantoor, en soms zie ik je weer als het kleine meisje van Mrs. en Mr. Weber, en ik zie de rest van de familie daar in Massachusetts, en zelfs al ken ik ze niet, ik zou hen of mezelf nooit meer onder ogen kunnen komen als er door mij iets met jou gebeurde.'

'Dat is heel lief gedacht. Gevoelig zelfs. Maar weet je, Paul, als er iets gebeurt tussen hier en Hanoi, gebeurt het hoogstwaarschijnlijk met ons allebei. We zouden aangrenzende cellen krijgen, ziekenhuisbedden of bij elkaar passende doodskisten in het vliegtuig. Je zult niets aan mijn ouders, of aan wie ook, uit te leggen hebben.'

Ik keek op mijn horloge. 'Ik heb honger.'

'Je mag pas gaan eten als je ja hebt gezegd.'

Ik stond op: 'We gaan.'

Zij stond op. 'Goed, je kunt gaan eten. Ik wist dat ik het je had moeten vragen als we in bed lagen. Ik krijg in bed van jou alles gedaan wat ik wil.'

'Ongetwijfeld.'

We liepen naar buiten en het regende, dus we namen een taxi de rivier over naar de Citadel waar Susan zei een tafeltje te hebben gereserveerd.

Het restaurant heette Huong Sen en was een zestienkantig paviljoen op palen midden in een lotusvijver.

We kregen een tafeltje bij de balustrade, bestelden iets te drinken, keken naar de vallende regen in het water en luisterden naar het gekwaak van brulkikkers. Het was een heel mooi, stemmig restaurant, verlicht met gekleurde lampions en kaarsen op de tafels. Romantisch.

Geen van beiden spraken we ook maar een woord over zaken of over iets dat in de cocktailbar was gezegd.

We aten en praatten over thuis en over vrienden en familie, maar niet over ons en over eventuele toekomstige plannen.

Ik denk dat ik het ergens daar in de cocktailbar over huwelijk heb gehad, en ik probeerde me te herinneren wat ik had gezegd. Misschien had ik het niet echt gebruikt, maar ik herinnerde me wel dat ik het had beaamd.

Susan staarde naar de regen in de vijver en ik keek naar haar profiel.

Ik had ongelooflijk kwaad op haar moeten zijn; maar ik was het niet. Ik zou geen enkel woord dat ze nog zei moeten vertrouwen; maar ik vertrouwde haar. Fysiek was ze onberispelijk en intellectueel gaf ze alle waar voor mijn geld. Als ik als meerdere een evaluatierapport over haar zou moeten schrijven, zou ik zeggen: dapper, intelligent, vindingrijk, gedecideerd en loyaal. Een gedeelde loyaliteit, zeker, maar loyaal.

Maar was ik verliefd op haar?

Ik denk het. Maar wat hier gebeurde, zou waarschijnlijk niet ergens anders kunnen gebeuren en kon misschien niet hier vandaan meegenomen worden. Daarbij was Cynthia er nog.

Susan draaide zich om en zag me naar haar staren. Ze glimlachte. 'Waar denk je aan?'

'Aan jou.'

'En ik denk aan jou. Ik probeer aan een gelukkige afloop te denken.'

Ik gaf geen antwoord.

'Kun jij een gelukkige afloop bedenken?'

'We zullen eraan werken.'

We keken elkaar aan en we hadden allebei waarschijnlijk dezelfde gedachte: dat de kansen op een gelukkige afloop niet zo groot waren.

30

De volgende ochtend, maandag, zaten Susan en ik in de lobby van het hotel te wachten op onze auto met chauffeur. We droegen allebei een spijkerbroek, hemden met lange mouwen en wandelschoenen. Susan had haar boodschappentas gevuld met spullen voor onderweg.

De lobby was vol toeristen die stonden te wachten op hun bus, auto's en gidsen. Hué was een toeristisch Mekka, besefte ik, een bestemming tussen Saigon en Hanoi, en, zoals was gebleken, een goede plaats voor mijn rendez-vous.

Ze vroeg me: 'Hoe kom je waar je morgen moet zijn?'

'Ik weet het nog niet. We hebben het er later nog wel over.'

'Betekent het dat je mijn hulp accepteert?'

'Misschien.'

'Ik zal je nu een raad geven – huur geen auto met een chauffeur van Vidotour. Dan kun je net zo goed kolonel Mang bij je hebben.'

'Dank je. Zo ver was ik al.'

We liepen naar buiten, en het was weer een grijze, bewolkte dag, koel en vochtig, maar zonder regen.

Susan zei tegen me: 'Je hebt me gisteravond behoorlijk aangepakt.'

'Ik was heel geil.'

'Dáár had ik het niet over. Ik bedoelde in de lounge.'

'O. Dat had al eerder moeten gebeuren, lieveling.'

Een open, witte Toyota RAV4 kwam de ronde oprit op rijden en stopte. Een man stapte uit en sprak met de portier, die naar ons wees.

De chauffeur kwam op ons af en Susan sprak met hem in het Vietnamees. Ze babbelden een minuut, waarschijnlijk over de prijs, wat Susans favoriete onderwerp is met de Vietnamezen.

Hij was een man van ongeveer veertig, en ik had er een gewoonte van gemaakt de leeftijd van een Vietnamees af te lezen in relatie tot de oorlog. Deze man was tiener geweest toen de oorlog was afgelopen, en hij kon een wapen hebben gedragen, óf voor de plaatselijke verdedigingstroepen van Zuid-Vietnam – voornamelijk samengesteld uit kinderen en oudere mannen – óf voor de Vietcong die veel jongens en meisjes in hun gelederen hadden.

Susan stelde me voor aan onze chauffeur, die Mr. Loc heette. Hij scheen niet bijzonder vriendelijk en maakte geen aanstalten mij een hand te geven. Ik had gemerkt dat de meeste Vietnamezen, in hun relatie tot westerlingen, of heel glad, of heel welgemoed waren. Westerlingen betekenden geld, maar daarnaast was de gemiddelde Nguyen beleefd tot je hem kwaad kreeg. Mr. Loc had in uiterlijk en gedrag niets van een huurchauffeur; Mr. Loc deed me denken aan die mannen met ondoorgrondelijke gezichten die ik op het ministerie van Openbare Veiligheid in Saigon had gezien. In mijn werk als crimineel rechercheur van het leger heb ik veel rollen aangenomen, en ik ben er goed in; Mr. Loc was niet zo goed in zijn rol als chauffeur, net zomin het kolonel Mang was gelukt zich voor te doen als immigratiesmeris.

Susan zei tegen me: 'Mr. Loc moet weten waar we naartoe gaan, zodat hij zijn bedrijf kan bellen.'

Ik sprak rechtstreeks tegen Mr. Loc en zei: 'A Shau, Khe Sanh en Quang Tri.'

Hij reageerde er amper op en liep het hotel in.

Ik zei tegen Susan: 'Ik heb dit via het hotel gereserveerd, dat, zoals je weet, verplicht is Vidotour te gebruiken. Vraag die grappenmaker naar zijn visitekaartje.'

Ze knikte begrijpend en ze vroeg Mr. Loc toen hij uit het hotel kwam naar zijn kaartje. Hij schudde zijn hoofd en zei iets tegen haar.

Ze kwam naar me toe en zei: 'Hij zegt dat hij zijn kaartjes heeft vergeten. Vietnamezen die visitekaartjes hebben, zijn er trots op, en ze vergeten nog eerder hun sigaretten dan hun kaartjes.'

'Goed, we gaan dus onder toezicht. Vraag hem of hij een kaart heeft.'

Ze vroeg het hem en zonder antwoord pakte hij een kaart van de stoel voorin en gaf die aan mij. Ik sloeg hem open en spreidde hem uit op de motorkap.

Met Mr. Loc vlak bij ons, zei ik tegen Susan: 'Hier heb je de A Shau-vallei, vanaf Hué pal naar het westen. De weg eindigt midden in de vallei bij deze plaats die A Luoi heet, vlak bij de Laotiaanse grens, waar ik eind april 1968 per helikopter aan de grond werd gezet. Van A Luoi loopt deze gespikkelde lijn, die wel of niet begaanbaar is. Hij maakte deel uit van de Ho Tsji Minh-route. Vraag Mr. Loc of we die naar Khe Sanh kunnen nemen.'

Ze vroeg het hem, hoewel hij waarschijnlijk verstond wat ik zei. Hij zei iets tegen Susan en ze zei tegen mij: 'Volgens Mr. Loc is dat voornamelijk een onverharde weg, maar zolang het niet regent kunnen we die naar Khe Sanh nemen.'

'Goed. Vraag hem of we niet allemaal Engels kunnen praten en eens ophouden met doen alsof.'

'Ik denk dat het antwoord nee is.'

'Juist. Goed, na A Shau moeten we zo ongeveer zeventig kilometer naar het noorden, naar Khe Sanh, waar ik begin april 1968 vanuit de lucht per helikopter aan een aanval meedeed. Daarna gaan we naar het oosten, terug naar de kust over Highway 9 langs de gedemilitariseerde zone en komen in Quang Tri-stad waar mijn oude basiskamp was en waar ik tijdens het grootste deel van het Tet-offensief in januari en februari 1968 gelegerd lag. Dus we reizen terug in de tijd in omgekeerde chronologische volgorde.' Ik voegde eraan toe: 'We doen dat omdat ik niet in de A Shau-vallei wil zijn als het donker wordt.'

Ze knikte.

Ik zei: 'Het is een totaal van ongeveer tweehonderd kilometer. Daarna gaan we weer pal naar het zuiden voor ongeveer tachtig kilometer en we zijn terug in Hué.' Ik vouwde de kaart dicht en gooide hem op de voorbank.

Susan stak een sigaret op, keek me aan en vroeg: 'Had je ooit gedacht zo terug te komen?'

Ik liep weg van de auto en van Mr. Loc, en dacht erover na. Ik antwoordde: 'Aanvankelijk niet. Ik bedoel, toen ik de laatste keer vertrok, in 1972, was het nog steeds oorlog. Toen, tien jaar daarna, hadden de communisten een stevige greep op dit land en Amerikanen waren niet bepaald welkom. Maar... eind jaren tachtig, toen hier alles wat losser werd, en toen ik wat ouder was, begon ik te denken over teruggaan. Veteranen begonnen terug te keren en bijna niemand die ik kende had spijt van die reis.'

'En hier ben je dus.'

'Ja. Maar dit was niet mijn idee.'

'Die andere twee keren ook niet.'

Ik antwoordde: 'Om eerlijk te zijn, gaf ik me als vrijwilliger op voor mijn tweede detachering.'

'Waarom?'

'Een combinatie van dingen... een goede carrièrezet – ik zat toen bij de militaire politie en was geen infanterist aan het front meer. Ook waren de dingen thuis een beetje wankel, en mijn vrouw schreef een brief op mijn briefpapier aan het Pentagon waarin stond dat ik terug wilde naar Vietnam.'

Susan lachte. 'Dat is maf.' Ze keek me aan en zei: 'Dus in wezen ging je naar Vietnam om van je huwelijk weg te zijn.'

'Precies. Ik nam de uitweg van de lafaard.' Ik dacht een ogenblik na en zei: 'Ook... had ik een broer, Benny, die... ze hadden een onge-schreven regel dat er maar één mannelijk lid van een familie naar een oorlogssituatie gestuurd zou worden... en Benny was heel erg geneigd tot ongelukken, dus ik won wat tijd voor hem. Gelukkig was de Ame-rikaanse betrokkenheid aan de oorlog voorbij toen hij het bevel kreeg te gaan. Hij kwam in Duitsland terecht. Ik vind het niet leuk dat ver-haal te vertellen, omdat ik er nobeler uit tevoorschijn kom dan ik ben.'

Ze legde een hand op mijn schouder en zei: 'Dat was een heel moe-dige en nobele daad.'

Ik negeerde dat en zei: 'De kleine schoft bleef me foto's sturen van hem in bierhallen met *fraüleins* op schoot. En mijn moeder, die abso-luut nergens iets van snapt, bleef iedereen maar vertellen dat Benny naar Duitsland was gestuurd omdat hij op de middelbare school een jaar Duits had gedaan. En Paul had Frans gekozen, waardoor ze hem naar Vietnam hadden gestuurd, waar ze, zo had ze gehoord, Frans spraken. Ze dacht dat Vietnam bij Parijs lag.'

Susan lachte.

'Klaar om te gaan?'

'Ja.'

Ze deed haar sigaret uit en we gingen op de achterbank van de RAV zitten. Susan vroeg me: 'Leven je ouders nog?'

'Ja.'

'Ik zou ze graag willen ontmoeten.'

'Ik zal je hun adres geven.'

'En Benny?'

'Die leeft nog steeds een lekker leventje. Ik heb nog een broer, Da-vey, die nog in Boston-Zuid woont.'

'Ik zou ze graag allemaal willen ontmoeten.'

Ik probeerde me de Webers uit Lenox voor de geest te halen die een paar biertjes dronken met de Brenners uit Boston-Zuid, en ik kreeg geen opwekkend beeld van die samenkomst.

Mr. Loc ging achter het stuur zitten en we vertrokken.'

We reden over de door bomen beschaduwde weg langs de rivier langs een paar hotels en restaurants, langs het Cercle Sportif en het Ho Tsji Minh-museum, en binnen een paar minuten waren we de kleine stad uit en waren we door de lage, voortrollende heuvels op weg naar het zuiden.

Ik zag de verspreid liggende keizerlijke graven, ommuurde tombes, omgeven door enorme bomen in een parkachtige opstelling. Susan nam een foto vanuit de rijdende auto.

Ik vermoedde dat de meeste toeristen uit de stad kwamen om de graven en pagodes te zien, maar ik ging ergens anders naartoe. Ik zei tegen Susan: 'Je had niet met me mee hoeven gaan. Er zijn hier betere dingen te zien dat slagvelden.'

Ze pakte mijn hand en zei: 'Ik heb de meeste bezienswaardigheden gezien toen ik hier de laatste keer was. Deze keer wil ik zien wat jij hebt gezien.'

Ik wist niet of ík wel wilde zien wat ik had gezien.

De weg bleef naar het zuiden leiden, dwars door de necropolis, draaide daarna naar het westen. Aangezien het de feestweek van Tet was, was er niet veel verkeer op de weg. In dorpen zag ik kinderen spelen en hele families buiten bij elkaar zitten, pratend en etend onder de bomen.

Ik pakte de kaart van de stoel naast Mr. Loc en keek erop. Dit was in wezen een wegenkaart, en niet zo'n beste. De kaarten die ik had gebruikt, waren gedetailleerde legerkaarten geweest, voor een deel overgenomen van de Franse militaire kaarten. De legerkaarten zaten in plastic in verband met het klimaat, en we gebruikten waskrijt om de Amerikaanse vuurbases, vliegvelden, basiskampen en andere installaties aan te geven. Van de militaire inlichtingendienst kregen we de allerlaatste gegevens van vermoedelijke locaties van Vietcong- en Noord-Vietnamese legereenheden door, die we dan op de kaart aantekenden. Ik weet niet waar zij deze informatie vandaan hadden, maar de meeste vuurgevechten van ons vonden plaats op locaties waar de vijand niet hoorde te zijn.

Ik keek naar voren en zag dat we de Parfumrivier naderden. Volgens de kaart was er geen brug en in het echt was er ook geen brug, voor het geval ik een aangename verrassing verwachtte.

Mr. Loc reed een veerboot op die twee auto's kon bevatten. We waren de enige auto die wachtte en de veerman zei iets tegen ons. Susan zei tegen mij: 'We kunnen voor twee auto's betalen, of we moeten hier misschien de hele dag wachten. Twee dollar.'

Ik gaf de veerman twee dollar en we stapten uit de RAV. Susan en ik gingen op het dek staan terwijl de pont de Parfumrivier overstak. Ze nam een foto vanaf de boot.

Ik zei tegen Susan: 'Vraag Mr. Loc of je een foto van hem mag maken.'

Ze vroeg het hem en hij schudde zijn hoofd terwijl hij een scherp antwoord gaf.

Susan zei tegen me: 'Hij wil niet dat er een foto van hem wordt gemaakt.'

Ik keek over de rivier naar de oever aan de overkant en zei tegen Susan: 'De genietroepen van het leger legden altijd pontonbruggen aan over deze rivieren. Maar Chuck vond die vaste bruggen maar niets en hij laadde een bamboeschuit vol zware explosieven en wachtte tot een konvooi overstak. Dan kwam hij langsdrijven met dat bootje en deed alsof hij Tom Sawyer was of Huckleberry Finn, en op het laatste moment plaatste hij een tijdontsteking, verliet het bootje en zwom onder water met een riet om adem te halen. Maar gewoonlijk zagen we dit aankomen en knalden Chuck en zijn boot uit het water voordat hij de brug had bereikt.'

Susan had geen commentaar.

Ik voegde eraan toe: 'Daarom vonden we brugdienst allemaal prettig. Het was een van de interessantere spelletjes die we speelden.' Ik keek naar Susan, die dit verwerkte en zei: 'Volgens mij had je erbij moeten zijn.'

Ze vroeg: 'Paul als je nu, nu je ouder bent geworden en volwassen, hierop terugkijkt, zie je het dan niet... nou, als iets dat buiten het normale gedragspatroon valt?'

'Destijds leek het normaal. Ik bedoel, het meeste dat we deden, zeiden en dachten, was geschikt voor de situatie. Elk ander gedrag dat jij normaal zou noemen, zou hier als abnormaal worden gezien. Om opgewonden te raken door de hele dag op een brug te zitten wachten om Charlie uit het water te knallen – in plaats van de hele dag door het oerwoud patrouille te lopen – is, denk ik, heel normaal. Vind je niet?'

'Ik denk het. Ik begrijp het wel.'

'Goed.' Maar ik gaf toe: 'Het klinkt wel een beetje raar, nu ik eraan denk.'

We bereikten de andere oever en we stapten weer achter in de auto.

Mr. Loc reed van de boot de weg op en we reden verder naar het westen, naar de heuvels en bergen die in de verte opdoemden.

We reden maar vijftig kilometer per uur en het zou ons meer dan een uur kosten om de A Shau-vallei te bereiken, als de weg zo goed bleef als nu.

Het landschap was heuvelachtig, maar de Vietnamezen hadden hun rijstvelden weten uit te breiden met behulp van een reeks dijken en watermolens. Het land zag er welvarend uit en was dichterbevolkt dan ik me herinnerde.

We bereikten een stadje dat Binh Bien heette, de laatste plaats op deze weg. Erachter kwam wat we vroeger indianengebied noemden.

De weg steeg en al gauw zaten we in de heuvels die waren bedekt met kreupelhout en rode kleischalie.

Ik zei tegen Susan: 'We moesten ons elke avond ingraven, en dan zochten we een heuvel met de steilste helling, zoals die daar, en met het beste uitzicht om te vuren. Dit is voornamelijk schalie en met die kleine scheppen kostte het ons uren om een ondiepe slaapkuil uit te schrapen die ook onze schietkuil zou worden voor als we 's nachts werden aangevallen. Het gat leek op een ondiep graf, wat het soms ook werd. We legden overal struikeldraden met lichtkogels en land-mijnen rond onze schuttersputten neer. De mijnen waren met een draad aan een knijpkat bevestigd, die net voldoende stroom gaf om de ontsteker in werking te brengen. De landmijn vuurde honderden ko-geltjes af, als een enorm hagelgeweer, en iedereen binnen ongeveer dertig meter van de ontploffing werd neergemaaid. Het was een heel effectief verdedigingswapen, en als we de lichtkogels en landmijnen niet hadden gehad, zouden de meesten van ons het hele jaar dat we hier waren niet hebben geslapen.'

Ze knikte.

De weg begon te draaien door een heel smalle pas met steile hellin-gen die aan weerskanten omhoogstaken, en de begroeiing werd dich-ter. Langs de weg stroomde een bergriviertje en ik kon me voorstellen dat het tijdens het regenseizoen buiten zijn oevers zou treden en de weg onbegaanbaar zou maken.

Ik zei tegen Susan: 'Dit is de enige weg naar de vallei vanuit Viet-nam, maar Amerikanen kwamen nooit over land binnen, omdat deze pas een gegarandeerde hinderlaag betekende. We werden erheen ge-vlogen in helikopters en brachten alles wat we daar nodig hadden via de lucht binnen.'

Het asfalt was bijna overal verdwenen, en naarmate we hoger kwa-men, hingen de wolken tegen de hellingen aan, steeg een mist op van de grond, en werd het koud. Mr. Loc was niet zo'n slechte chauffeur en deed het rustig aan. We hadden al twintig kilometer geen auto of mens meer gezien.

Susan zei: 'Ik ben nog nooit zo ver het binnenland in geweest. Het is spookachtig.'

'Het lijkt een ander land. Totaal verschillend van de vlakten aan de kust. Er zitten hier een heleboel Montagnards.'

'Wie zijn dat?'

'Bergstammen. Er zijn een heleboel stammen met verschillende na-men, maar allemaal bij elkaar heetten ze voor ons Montagnards, naar de Franse naam voor hen.'

'O. Nu noemen we ze etnische minderheden, of autochtone volken. Dat is politiek correct.'

'Juist. Het zijn Montagnards. Dat betekent gewoon bergvolken. Hoe dan ook, vroeger mochten ze de Amerikanen en haatten ze de Vietnamezen, uit het noorden en het zuiden. We bewapenden ze tot de tanden, maar de truc was hen alleen Noord-Vietnamezen en Vietcong te laten doden en niet onze ARVN-bondgenoten. Ik denk dat hun motto luidde: 'De enig goede Vietnamees is een dode Vietnamees.' Ik vroeg haar: 'Heb je ooit gehoord van het FULRO?'

Mr. Loc draaide zijn hoofd om en we maakten oogcontact. Nu zou deze idioot teruggaan en melden dat ik hier was om een Montagnard-opstand te leiden.

Susan zei: 'Ik heb een keer een paar foto's gezien in het oorlogsmuseum van...'

'Juist. Ik ook.'

Susan dacht een ogenblik na en zei toen: 'In al die jaren dat ik hier ben, heb ik nog nooit een lid van een bergstam gezien.'

'Zelfs niet in de Q-bar?'

Ze negeerde dat en vroeg me: 'Zijn ze... je weet wel... vriendelijk?'

'Vroeger wel. Ze zijn eigenlijk heel gemoedelijk, als je geen Vietnamees bent. Misschien moet je je haar anders doen.'

Ik keek op en zag Mr. Loc naar ons staren in het achteruitkijkspiegeltje. De man begreep duidelijk wat we zeiden en dit gepraat over het FULRO en de haat van de Montagnards jegens Vietnamezen bevielen hem niet.

We bereikten het hoogste punt in de weg en begonnen weer naar beneden te rijden. De pas was nog steeds heel smal en voor een deel verduisterd door mist en nevel, zodat we de A Shau-vallei beneden niet konden zien.

'Kijk, Paul.' Susan wees naar een bergkam waarop een lang bouwsel van stammen en riet op palen stond. Ze vroeg me: 'Is dat een huis van een bergstam?'

'Ziet ernaar uit.'

Toen we op minder dan honderd meter van het *longhouse* waren, verschenen drie mannen met heel lang haar, gekleed in wat op veelkleurige dekens leek, op de bergrug boven ons. Twee van hen droegen AK-47-geweren en de ander had een Amerikaanse M-16. Mijn hart sloeg een slag over en ik denk dat het bij Mr. Loc ook gebeurde, omdat hij op zijn rem trapte.

Mr. Loc staarde naar de drie gewapende mannen op minder dan vijftig meter van ons vandaan en hij zei iets tegen Susan.

Susan zei tegen mij: 'Volgens Mr. Loc zijn het leden van de Ba Co-stam of van de Ba Hy. Ze mogen geen geweren dragen, maar ze jagen ermee en de overheid schijnt er niets aan te kunnen doen.'

Dit was een stukje goed nieuws. Het idee van gewapende burgers die de overheid niet in de hand had, beviel me wel. Ik hoopte alleen dat ze nog wisten dat de Amerikanen hun vrienden waren.

De drie stamleden keken naar ons, maar kwamen niet in beweging. Ik besloot ervoor te zorgen dat ze wisten dat alleen de chauffeur Viet-namees was. Ik ging staan in de auto en wuifde. Ik schreeuwde: 'Hallo! Ik ben terug!'

Ze keken naar elkaar, en daarna weer naar mij.

Ik riep naar hen: 'Ik kom uit Washington en ik ben hier om jullie te helpen.'

Susan zei: 'Wil je dat we neergeschoten worden?'

'Ze zijn dol op ons.'

De drie stamleden wuifden met hun geweren en ik zei in het Engels tegen Mr. Loc: 'Goed, zij zeggen dat we verder mogen. Rijden.' Ik ging weer zitten.

Hij scheen het te begrijpen en zette de auto weer in beweging.

We daalden verder door de pas naar de vallei. Susan zei: 'Dat was ongelooflijk. Verdomme, ik had een foto moeten nemen.'

'Als je een foto van hen maakt, hakken ze je hoofd eraf en proberen dat in de camera te proppen.'

'Jij bent een idioot.'

'Ik zal je zeggen wat ze vroeger met Noord-Vietnamese soldaten en Vietcong deden – ze vilden die levend, fileerden ze vervolgens met vlijmscherpe messen en voerden de stukken aan de honden, en ze lie-ten de gevangene toekijken terwijl de honden hem stukje voor stukje opvraten. Elke keer dat ze een vijandelijke soldaat gevangennamen, werden de honden gek van verwachting. De meeste vijandelijke solda-ten schoten zichzelf liever dood dan dat ze gevangen werden genomen door de Montagnards.'

'Lieve god...'

'Ik heb het nooit gezien... maar ik heb een keer de resten gezien... Ik denk dat we daardoor een goed gevoel kregen dat we nog niet zo psy-chotisch waren geworden.'

Ze gaf geen antwoord. Mr. Loc draaide zich om en keek me aan. Het was niet echt een vriendelijke blik. Ik zei tegen hem: 'Rijden.'

De weg werd breder en minder steil. De grondmist trok op en we konden de A Shau-vallei zien, bespikkeld met plukjes witte mist die er hiervandaan uitzagen als sneeuw.

Ik keek naar de vallei en die kwam me heel vertrouwd voor. Niet alleen had ik nooit gedacht dat ik deze plek weer zou zien, maar toen ik hier was, had ik gedacht dat het de laatste plaats zou zijn die ik ooit nog op deze wereld zou zien.

Susan keek naar me en vroeg: 'Weet je het nog?'

Ik knikte.

'Je kwam aangevlogen. En wat dan?'

Ik zei een tijdje niets, maar toen zei ik: 'We kwamen aanvliegen vanuit Camp Evans, de voorste commandopost van de Eerste Cavaleriedivisie. Een enorme vlucht helikopters die infanteristen vervoerde voor een aanval vanuit de lucht. Het was 25 april en het was goed weer. We kwamen binnen via het noordoosten, over deze heuvels waar we net doorheen zijn gereden. In het noordelijke einde van de vallei ligt het plaatsje A Luoi, dat ooit een Vietnamees dorp was geweest, maar waar toen al geen spoor meer van te zien was. Daar eindigt deze weg. In A Luoi was ooit een post van het Franse vreemdelingenlegioen dat in de jaren vijftig door de communistische Vietminh onder de voet was gelopen. Daarna hielden de communisten deze vallei in handen, en heette die: een mes gericht op het hart van Hué. Dus in het begin van de jaren zestig kwamen hier de Speciale Eenheden en zetten een kamp op in A Luoi, midden in indianengebied. Ze herstelden het Franse vliegveldje en rekruteerden en trainden de Montagnards om tegen de Vietcong en de Noord-Vietnamezen te vechten.'

We hadden nu bijna de bodem van de vallei bereikt en ik zag het riviertje dat erdoorheen stroomde.

Ik vervolgde: 'Deze vallei komt verderop, achter die bergen, in Laos uit, en een vertakking van de Ho Tsji Minh-route komt recht in de vallei uit. Dus op een dag in 1966 verzamelde de vijand zijn strijdkrachten in Laos, duizenden van hen, en liep het kamp van de Amerikaanse Speciale Eenheden onder de voet en de communisten beheersten de vallei weer.'

We reden nu de vlakke vallei binnen en Mr. Loc gaf iets meer gas.

'Nadat het kamp van de Speciale Eenheden onder de voet was gelopen en de overlevende bergbewoners waren gevlucht, werden deze hele vallei en heuvels en bergen eromheen een schiettent, een bombardementszone voor de luchtmacht. Als ze een precisiebombardement moesten afzeggen door het weer, lieten ze hun bommen in deze vallei vallen. Toen ik hier kwam, zag deze vallei eruit als een Zwitserse kaas. Deze enorme kraters, zo groot als een huis, werden vuurgaten voor ons en voor hen, en we vochten van krater naar krater... in de vallei, in de heuvels, in het oerwoud daar boven.' Ik keek naar het zuidwesten en zei: 'Ergens verderop, vlakbij Laos, is een plek die Hamburger Hill heette, waar in mei 1969 het leger tweehonderd soldaten verloor en honderden gewonden telde terwijl ze probeerden die nutteloze heuvel in handen te krijgen. Deze hele klotevallei was jarenlang doorweekt van het bloed... nu... ziet het er nog steeds somber en onheilspellend uit... maar ik zie dat de Vietnamezen en de Montagnards terug zijn... en ik ben terug.'

Susan zweeg een tijdje, keek om zich heen en zei toen: 'Ik begrijp waarom je hier niet terug wilde komen.'

'Ja... maar... het is beter dan het weer te beleven in nachtmerries... zoals die man in de Cu Chi-tunnels... je gaat terug, ziet het in de ogen, en je ziet dat het anders is dan vroeger. Daarna neemt de nieuwe herinnering de plaats van de oude in... dat is de theorie. Maar ondertussen... krijg ik de zenuwen van deze plek.'

'Wil je weg?'

'Nee.'

De weg leidde naar het weer opgebouwde stadje A Luoi dat ik in de verte kon zien. Om ons heen, waar ooit olifantsgras, bamboe en kreupelhout had gegroeid, waren nu velden ontgonnen voor groenteteelt.

Ik zei: 'Dus dan is het april 1968 en het Amerikaanse leger wil de vallei terug. Dus we vallen hier vanuit de lucht aan en ik zit in een Huey met zes andere infanteristen, hier helemaal niet gelukkig mee, als plotseling granaten van luchtafweergeschut om de heli heen beginnen te ontploffen. We waren nooit eerder beschoten met triple-A – anti-aircraft artillery – en dit was absoluut om doodsbang van te worden... al die enorme zwarte explosies om je heen, als in een film over de Tweede Wereldoorlog, en enorme granaatscherven die aan alle kanten door de lucht vlogen. De heli voor me wordt in zijn staartrotor geraakt en het hele toestel tolt in de rondte en jongens van de infanterie vallen uit de deur, en daarna valt de heli als een baksteen en explodeert op de grond. Dan wordt er een volgende heli geraakt, en op dat moment is onze piloot bezig met een snelle verticale daling en probeert onder de granaten te komen. Dus ik heb twee heli's neer zien gaan, elk met zeven infanteristen en vier bemanningsleden aan boord, dus er zijn al tweeëntwintig doden voordat we ook maar op de grond zijn. We verloren nog tien heli's bij onze eerste luchtaanval. Ondertussen, terwijl we dalen, trekken we mitrailleurvuur aan vanuit de heuvels om de vallei heen en onze heli krijgt een treffer recht door het plexiglas van de voorruit, maar wij mankeren niets en de piloot geeft ons ongeveer drie meter boven de grond, wij springen en hij maakt dat hij als de sodemieter daar weg komt.'

'Lieve hemel. Je zult wel...'

'Ik was als de dood. Dus we zijn nu op de grond en het is een wat we noemen gevaarlijke landingszone, wat inhoudt dat we vuur aantrekken. De slechteriken zitten overal om ons heen in de heuvels, en ze zetten mortiergranaten, raketten en mitrailleurvuur in. Er landen daar in die dodenvallei duizenden manschappen met helikopters, en we beginnen ons te verspreiden om de vijand in de heuvels aan te vallen. Ondertussen laat de luchtmacht napalm en clusterbommen op de heuvels ploffen, terwijl Cobra-helikopters van het leger met behulp van hun raketten en Gatling-mitrailleurs proberen het vijandelijke vuur te beteugelen. Het was een grote kolerebende, zoiets als de landing in Normandië, maar dan vanuit de lucht in plaats vanuit boten. Aan het einde van de dag hadden we de situatie in bedwang, hadden we het vliegveldje van A Luoi veroverd en waaierden we uit in de heuvels, op zoek naar Charlie.

Ik keek in de achteruitkijkspiegel en zei tegen Mr. Loc: 'We hebben het Volksbevrijdingsleger een behoorlijk pak slaag gegeven die dag, Mr. Loc.'

Hij gaf geen antwoord.

'Paul. Niet doen.'

'De kolere voor hem. Zijn moe was een commiekoe.'

'Paul.'

Ik kreeg mezelf weer een beetje in bedwang en zag dat we A Luoi binnenreden, een modderig dorp van houten bouwsels. Er was een wit gestuukt gebouw met een vlag, duidelijk een overheidsgebouw. De enige voertuigen die ik zag, waren scooters, een landbouwtruck en twee gele politiejeeps. Er waren elektrische draden gespannen, wat inhield dat de plaats elektriciteit had, en wat een verbetering was vergeleken met de laatste keer dat ik hier was geweest.

Mr. Loc stopte op het dorpsplein. Er waren geen parkeermeters.

Susan en ik stapten uit en ik keek om me heen, terwijl ik probeerde mezelf te oriënteren. De heuvels waren niet veranderd, maar de vallei zelf wel.

Ik zei: 'Dus dit is het schijtgat waarvoor we drie weken lang bloedig hebben gevochten.'

Ik zei in het Engels tegen Mr. Loc: 'We gaan een eindje wandelen. Jij kunt je bij je bazen melden.' Ik wees met mijn duim in de richting van het overheidsgebouwtje.

Susan en ik liepen over het kleine plein naar een smal pad dat uitkwam op een veld westelijk van het dorp. Dwars door de boerenvelden liep de oude startbaan, een baan van anderhalve kilometer PSP –

geperforeerde staalplaten – nu overwoekerd door onkruid, maar nog altijd bruikbaar.

Ik zei tegen Susan: 'Hier is het vliegveldje en helemaal aan het noordelijke einde ervan zijn de resten van het kamp van de Speciale Eenheden dat de Eerste Cavalerie gebruikte als commandopost toen we hier waren geland. De genietroepen bouwden bunkers van zandzakken om de hele landingsbaan heen en binnen twee dagen hadden we prikkeldraad en landmijnen om de startbaan liggen. Mijn compagnie zat drie dagen in de heuvels om de slechteriken verder achteruit te drijven, weg van de startbaan. Toen kregen we een pauze van twee dagen om de bunkers te bemannen. Mijn bunker was verderop, aan de voet van die heuvel.'

Ik keek uit over het boerenland naar de heuvels die ongeveer vijf-honderd meter verderop omhoogstaken. Ik zei tegen Susan: 'Op een dag zitten we boven op de bunker, zes jongens die aan het pokeren zijn, en Charlie begint mortiergranaten af te vuren vanuit die heuvels verder naar achteren. En dan krijg je iets totaal mafs – we keken nau-welijks op naar de inslaande granaten omdat we inmiddels doorgewin-terde beroeps waren, en we wisten dat Charlie probeerde de com-mandobunker verderop te raken of de munitieopslag langs de lan-dingsbaan. Dus we bleven kaarten. En dan – en dat was het grappige ervan – moet een zo'n communistische klootzak in de heuvels – dui-delijk een mortierverkenner met een veldkijker – ons hebben gezien en kwaad zijn geworden dat we geen enkele aandacht aan zijn mortier-vuur schonken. Dus hij neemt het persoonlijk op en begint het mortier-vuur naar onze miserabele bunker te sturen. De inslagen kwamen op ons af en we beseften dat ze te dicht in de buurt kwamen toen aarde en stenen op ons begonnen neer te regenen. Nou, ik zat daar met drie azen en ongeveer dertig dollar in de pot, en iedereen laat zijn kaarten vallen, grijpt een handje geld, springt van het dak van de bunker en duikt naar binnen. Ik sprong naar binnen net toen een granaat buiten explodeerde en de bunker deed schudden. Ik had mijn kaarten gehouden en laat die idioten mijn drie azen zien, terwijl de bunker uit elkaar begint te val-len, en we ruziën erover of ik had gewonnen of dat we het fout delen moesten noemen. We hebben er nog weken lang om gelachen.'

Susan zei: 'Ik denk dat je erbij had moeten zijn.'

'Dat was ik.'

Ik liep over een pad tussen twee bebouwde akkers en Susan volgde. Het pad eindigde in een rij bomen en we liepen door de bomen naar waar het riviertje stroomde. Het was een ondiepe, rotsachtige stroom en ik herinnerde me dat ik hem ergens stroomopwaarts bij een doorwaadbare plaats was overgestoken. Ik liep naar de oever van het water en ging op een platte rots staan. Susan kwam naast me staan.

'Op een dag steken we een eindje verderop stroomopwaarts deze rivier over. We hadden nog maar ongeveer honderd man in de compagnie die voorheen ongeveer honderdzestig man telde. We waren een heleboel manschappen kwijtgeraakt tijdens het Tet-offensief in januari en februari; daarna in begin april bij Khe Sanh. Dus het is dan ongeveer 30 april en we waren al een paar man kwijtgeraakt hier in de A Shau, en de vleesmolen heeft nieuw vlees nodig, maar er komen geen vervangers en onze rantsoenen en gezuiverd water beginnen op te raken...'

Ik keek naar het water en zei: 'Dit is een schone bergrivier, dus we namen het risico en vulden onze veldflessen hier en dronken direct uit de rivier.'

Ik liep langs de rotsachtige oever tot ik de doorwaadbare plaats bereikte, met de stenen net onder water, die ik me nog herinnerde. Susan volgde en we gingen op de eerste steen in de rivier staan. Het water kwam tot onze enkels en het was nog net zo koud als ik me herinnerde. We staken de rivier over en klauterden tegen de andere oever op.

Ik zei: 'Dus we staken hier over en wat zien we? Er liggen ongeveer tien dode vijandelijke soldaten op de rivieroever, sommige half in het water. Ze lagen in de rivier te rotten, helemaal groen en opgezet en bij één man hing de kaak aan een stukje pees en lag op zijn schouder, met al zijn tanden erin... het was heel vreemd.' Ik voegde eraan toe: 'Iedereen gooide zijn veldfles leeg. Een gast kotste.' Ik knielde neer en schepte een beetje water op met mijn handen, staarde ernaar, maar dronk het niet.

Susan was stil.

Ik stond op en draaide me weg van de rivier. Ik zag waar het pad in de dichte vegetatie begon en klom van de oever naar het pad.

Susan volgde, maar zei: 'Paul, dit is zo'n plaats waar nog steeds landmijnen kunnen liggen.'

'Ik denk het niet. Deze doorwaadbare plaats wordt waarschijnlijk veel gebruikt en dit pad wordt ook veel belopen. Maar we zullen voorzichtig doen.' Ik begon over het pad te lopen en Susan volgde. 'Later kijken we wel of we bloedzuigers hebben.'

Ze gaf geen antwoord.

'Dus we lopen over dit pad en in de struiken beweegt iets. Maar het is Chuck niet, het is een hert. Ik loop bijna op de kop van het voorste peloton, en als idioten beginnen we allemaal op het hert te schieten. We missen, en we beginnen het door dit bos te achtervolgen, terwijl de rest van het peloton over het pad mee draaft om ons bij te houden.'

Ik bleef het pad volgen dat omhoog het dichte bos in leidde naar het begin van de heuvels.

'De compagniescommandant, kapitein Ross, bleef bij de rivier met de andere twee pelotons, en hij dacht dat we op de vijand waren gestuit, maar mijn pelotonscommandant gaf per radio door dat we achter een hert aan zaten. Dat resulteerde in een uitbrander van de kapitein, die ons nu met de rest van de compagnie kwam redden.' Ik lachte. 'Ik bedoel, volslagen idioot.'

Ik bleef doorlopen over het stijgende pad. Het regenwoud was hier heel dicht, en ik bleef maar denken dat ik bloedzuigers in mijn nek voelde neerkomen.

Susan zei: 'Waar gaan we naartoe?'

'Daarboven is iets dat ik wil zien. Het is ongelooflijk dat ik deze plek heb gevonden.'

We passeerden een paar bomkraters die nu vol bomen en struiken stonden, maar die toen alleen maar uit verse aarde hadden bestaan.

Ten slotte bereikten we een open plek die ik me herinnerde en die nog steeds vol bomkraters zat. Aan de overkant van de open plek was een muur van regenwoud, en ongeveer honderd meter achter het regenbos stak een reeks steile heuvels omhoog. Dit was de plek. Ik liep naar het bos.

Ik bleef aan de rand van de begroeiing staan en zei tegen Susan: 'Dus ongeveer met z'n twintigen zitten we schietend het hert na en het hert duikt deze rij bomen in, die toen een opening had waarvan we dachten dat het weer een pad was. We volgen, en heel plotseling bereiken we een open plek, maar het is geen natuurlijke open plek in het oerwoud, omdat we een heleboel boomstompen zien, en we beseffen dat het een basiskamp van de vijand is, verborgen in het oerwoud, en ook verborgen vanuit de lucht door het hoge driedubbele bladerdak dat daar een enorm soort hemelgewelf vormt. Zonlicht filtert naar binnen naar deze enorme open ruimte en het is volslagen surreëcl. Hutten, vrachtwagens, hangmatten, buitenkeukens, een veldhospitaal, een beschadigde tank en een heleboel luchtafweergeschut, allemaal hier.'

Ik probeerde een opening in de vegetatie te vinden, maar het lukte me niet. Ik zei tegen Susan: 'Het zit daarbinnen.' Ik werkte me de dichte begroeiing in en raakte verward in een klimplant die ik doorsneed met mijn Zwitserse legermes.

'Paul, dít is geen belopen pad. Het wordt je dood.'

'Ga jij terug.'

'Jij, jíj gaat mee terug. Dat is genoeg.'

'Blijf gewoon daar; ik roep je wel.' Ik werkte me verder het bos in, in de wetenschap dat deze omgeving barstensvol clusterbommen kon zitten die de gewoonte hadden te exploderen zodra je ze aanraakte. Maar ik moest dit oude basiskamp zien.

Ten slotte werd de begroeiing dunner en stond ik aan de rand van wat eens een enorm vijandelijk kamp was geweest onder het driedubbele bladerdak van de jungle. Er kwam hier zo weinig licht dat de vegetatie niet zo dicht was of hoog, en ik kon helemaal tot aan de oprijzende heuvels kijken op honderd meter afstand.

Susan kwam achter me staan en vroeg: 'Is dit het?'

'Ja. Dit was het basiskamp van de Noord-Vietnamezen. Kijk daar. Zie je die bamboehutten? Deze hele plek stond vol hutten, munitie, vrachtwagens, wapens...'

Ik stapte verder het oude kamp in en keek omhoog naar het bladerdak. 'Ze hadden zelfs camouflagenetten daar opgehesen. Héel slimme mensen.'

Susan gaf geen antwoord.

Dus we komen hier binnen denderen achter het hert aan, wij met z'n twintigen, en blijven ineens stokstijf staan. Het grappige is dat wij achter ons avondeten aan zaten, maar de Noord-Vietnamezen moeten hebben gedacht dat we met honderden soldaten een aanval uitvoerden, omdat ze allemaal waren *ge' di di mau' d*. Weg. Iemand zag dat een kookvuur zelfs nog rookte.'

Ik liep een paar meter verder het kamp in en zei: 'Dus we lopen nu heel voorzichtig verder, boom voor boom, boomstomp voor boomstomp. We hadden net enorm gescoord door dit kamp te vinden, en mijn pelotonscommandant, luitenant Merrit, geeft per radio het goede nieuws door aan de compagniescommandant, zonder dit keer het hert te noemen. Maar het bleek dat Charlie niet echt weg was, en ze hielden zich verscholen om het kamp heen, voornamelijk op die steile heuvels verderop. Maar wij zijn ook niet totaal stompzinnig, dus we kruipen achter de boomstompen en doen wat we verkenning met vuur noemen, wat er in wezen op neerkomt dat we de hele plek overhoopschieten om te kijken of we enig vuur bij de tegenstander kunnen losmaken voordat we te ver deze plek in gelopen zijn. En jawel, een van de slechteriken raakt de kluts kwijt of is te gretig en schiet terug voordat het hele peloton in het dodengebied is. Heel plotseling bevinden we ons in een enorm vuurgevecht en wij schieten granaten en raketten af in vaten benzine en munitieopslagen, die vervolgens ontploffen, en inmiddels zit de rest van de compagnie direct achter ons.'

Ik liep verder het overwoekerde kamp in en keek om me heen. Het was duidelijk dat de metaaljutters hier al waren geweest omdat nergens meer een stuk staal of ijzer was te bekennen – geen opgeblazen benzinevaten, geen onklaar geraakte vrachtwagens, en zelfs geen granaatscherf meer op de grond.

Susan kwam naast me staan en staarde naar al die open vierkante meters onder het bladerdak van de jungle. 'Dit is ongelooflijk... Ik bedoel, in heel Vietnam moeten dit soort plekken bestaan.'

'Jawel. Het lukte hen op elk moment een half miljoen mannen en vrouwen te verbergen in oerwoudkampen zoals dit, in Cu Chi-tunnels en andere tunnels, in dorpen langs de kust, in de moerassen van de Mekong Delta... en ze kwamen weer tevoorschijn om te vechten wanneer en waar zij wilden en op hun condities... maar deze keer kregen we hen in de val in deze vallei en zij moesten nu tegen ons vechten op onze condities...'

Ik liep verder het verlaten, spookachtige kamp in. 'Helaas bleek dat we met een troepenmacht te maken hadden die veel groter was dan onze eenheid, dus we lieten de strijd de strijd en gingen er als de sodemieter vandoor. We trokken ons terug naar de rivier, maar zij probeerden ons te omsingelen om ons af te snijden, en al schietend wisten we erdoorheen te komen. We riepen gewapende helikopters op en artilleriegeschut, wat de enige reden was waardoor we die dag niet omsingeld en vernietigd werden. Het was echt een puinhoop, maar het ergste moest nog komen. Onze bataljonscommandant, een luitenant-kolonel, was gewond geraakt tijdens de luchtaanval en zijn vervanger, een majoor, wilde echt luitenant-kolonel worden, dus twee dagen lang beval hij ons een tegenaanval in te zetten, ondersteund door artillerievuur en helikopters. Maar we waren met minder in aantal en op Dag Drie hebben we een derde van de compagnie verloren, gedood of gewond, maar we heroverden het kamp, of dat dachten we. Heel plotseling horen we iets vreemds aan de overkant van het kamp, en uit de jungle verschijnen twee tanks, en die waren niet van ons omdat wij geen tanks in de vallei hadden. Niemand van ons had ooit tegenover een vijandelijke tank gestaan, en we waren... als versteend. De tanks hadden een dubbel 57 millimeter snelvuurkanon op hun geschutskoepel en ze openen het vuur. Een jongen wordt midden in zijn borst geraakt en hij spat gewoon uit elkaar. Twee jongens worden geraakt door rondvliegende scherven en iedereen duikt in dekking of gaat ervandoor, maar op snelheid win je het niet van een tank. Dan pakt een van de jongens zijn M-72-antitankraket – zo'n klein geval in een kartonnen buis – gaat staan, stelt heel kalm zijn vizier in terwijl die tanks op ons af komen, en vuurt. De raket raakt de geschutskoepel van de voorste tank en de schutter wordt uit de koepel geblazen. Een andere jongen vuurt een raket af en raakt de rupsband van de andere tank. De jongens uit die tank komen naar buiten en beginnen te rennen, en we maaien ze neer. Nu hebben we twee tanks onklaar gemaakt, en de kapitein geeft dit per radio door naar het hoofdkwartier van dit bataljon, en we zijn helden. Dus worden we afgelost en teruggehaald naar A Luoi? Nee, de nieuwe bataljonscommandant probeert een reputatie te krijgen of zoiets, en hij beveelt ons door te drukken. Dat waren we helemaal niet van plan, maar de man is slim en hij vertelt ons over de radio dat volgens rapporten van inlichtingen er verderop in de heuvels misschien Amerikaanse krijgsgevangen in bamboekooien vastgehouden worden. Dit motiveert ons en we trekken verder.'

Ik liep naar de plaats waar we volgens mij de tanks geraakt hadden en Susan volgde. 'We beklommen die steile heuvel verderop, achtervolgden wat er nog over was van de vijand en hielden een oog open voor die kooien met krijgsgevangenen.' Ik haalde adem en vervolgde: 'Op Dag Zes hadden we ongeveer een stuk of tien gevechten met de Noord-Vietnamezen gehad, terwijl zij zich terugtrokken. We vonden inderdaad een paar bamboekooien, maar die waren leeg. Op dat moment waren we totaal uitgeput, overmand door de ergste vorm van oorlogsmoeheid, zodat je 's nachts niet meer kunt slapen, niet kunt eten en je jezelf eraan moet herinneren water te drinken. We spreken nauwelijks meer tegen elkaar, omdat er niets te zeggen valt. Elke dag worden meer mensen gedood of raken gewond, en de groep wordt kleiner tot pelotons en secties niet meer bestaan, en we alleen nog maar een zootje gewapende mannen zijn zonder echte leider of commandostructuur... alle officieren zijn dood of gewond, behalve de compagniescommandant, kapitein Ross, een vijfentwintigjarige jongen die nu de ouwe is van de compagnie, en alle sergeants zijn dood of gewond... de artsen zijn allemaal gewond, en ook de radiotelegrafisten en de mitrailleurschutters, dus we proberen ons te herinneren wat we tijdens onze rekrutentijd hebben geleerd over radio's, de M-60-mitrailleur en over eerste hulp... en we blijven doordrukken...'

Ik staarde naar de heuvels in de verte.

Susan zei zacht: 'Paul, kunnen we nu terug?'

'Ja... nou, we hadden moeten vragen afgelost te worden of versterking te krijgen, en misschien heeft de compagniescommandant dat gedaan, maar ik kan het me niet herinneren... maar deze voortdurende strijd was een eigen leven gaan leiden, en ik denk dat het veel te maken had met het blijven doden van mensen die er al zoveel van ons hadden gedood of verwond... het was als een gevecht tot het bittere einde; en hoe bang en moe we ook waren, we wilden alleen nog maar meer van hen doden. Er was om eerlijk te zijn iets heel vreemds met ons gebeurd.'

Ik bleef staan. 'Het duurde in totaal zeven dagen, en op de zevende dag kon je niet meer zien dat wij aardige Amerikaanse jongens uit een aardig, fatsoenlijk land waren. Ik bedoel, we hadden letterlijk bloed aan onze handen, op onze gescheurde uniformen, we hadden een baard van zeven dagen en holle, bloeddoorlopen ogen en vuil op ons lichaam, en we dachten niet aan scheren en douchen, of eten of verband... we dachten aan het doden van de zoveelste spleetoog.'

We bleven daar allebei staan, tot Susan uiteindelijk zei: 'Ik begrijp waarom je hierover niet hebt willen praten.'

Ik keek haar aan en zei: 'Ik heb dit verhaal een paar keer verteld. Dit is niet het verhaal waar ik niet graag over praat.'

Ik liep vijftig meter verder het kamp in en Susan volgde me. 'We trokken verder die heuvels in, en op de zevende dag patrouilleerden we over een bergkam en zochten naar een volgend gevecht. De compagniescommandant zette flankbeveiliging uit – twee jongens in het ravijn aan weerskanten van de bergkam. Ik was een van de jongens. Die andere jongen en ik lieten ons in het ravijn zakken en daar liepen we parallel aan de compagnie, die we nog steeds op de heuvel boven ons konden zien. Maar toen werd het ravijn dieper, maakte de bergkam een bocht en die andere jongen liep een eind voor me uit, en nu had ik zowel met hem als met de rest van de compagnie geen visueel contact meer. Dus ik loop daar in m'n eentje, wat je beter niet kunt doen, en ik probeer die jongen voor me in te halen, maar later bleek dat hij weer naar de bergkam boven hem was geklommen om te proberen de compagnie te vinden.'

Ik liep naar de voet van de steile heuvel waar nog steeds een paar hutten stonden, ingezakt en overwoekerd door klimplanten. Ik keek op tegen de heuvel. 'Het was daar, aan de andere kant van deze heuvel... Ik loop in mijn eentje en ik besloot dat het tijd was weer terug te klimmen naar de bergrug en iedereen te gaan zoeken. Net toen ik dat wilde doen, ving ik in mijn ooghoek een beweging op, en aan de andere kant van het ravijn, op nog geen twintig meter van me vandaan staat een Noord-Vietnamese soldaat met een AK-47-geweer en hij kijkt naar me.'

Ik haalde diep adem en vervolgde: 'Dus... we staan naar elkaar te kijken, en deze man is gekleed in een camouflagebroek, maar zijn borst is bloot en hij heeft bebloede zwachtels om zijn borst zitten. Mijn geweer is niet schietklaar, en dat van hem ook niet. Dus nu is het een kwestie van wie lost als eerste een schot, maar om eerlijk te zijn was ik verstard van angst en hij volgens mij ook. Maar dan... gooit die man zijn geweer op de grond en ik begon weer adem te halen. Hij gaf zich over, dacht ik. Maar nee. Hij komt op me af en ik hef mijn geweer en gil: *'Dung lai!* Stop. Halt. Maar hij blijft op me af komen, en ik gil weer: *'Dung lai.'* Dan trekt hij een lange machete uit zijn riem. Hij zegt iets, maar ik kom er niet achter wat hij me probeert te vertellen. Op dat moment had ik er genoeg van en wilde ik hem overhoopknallen. Maar dan zie ik dat hij naar mijn loopgraafgereedschap wijst – de pioniersschop die aan mijn riem hangt, en heel plotseling besef ik dat hij een gevecht van man tegen man wil.'

Ik voelde het koude zweet op mijn gezicht opkomen en ik luisterde naar de vogels en de insecten in de bomen en ik was weer terug in dat ravijn.

Ik zei tegen Susan of tegen mezelf: 'Hij wil man tegen man, en hij spuugt die woorden uit. Ik verstond niets van wat hij zei, maar ik wist precies wat hij zei. Hij zei: "Laat eens zien hoe dapper je bent zonder je artillerie, je helikopters, je jagers." Hij zei: "Vuile, stinkende lafaard. Laat eens zien of je werkelijk kloten hebt, volgevreten, zelfingenomen Amerikaans varken." Dat zei hij. Ondertussen komt hij dichterbij en hij is zelfs geen drie meter meer van me vandaan, en ik keek in zijn ogen en nooit eerder of later heb ik ooit zo'n haat gezien. Ik bedoel, deze man is absoluut knettergek; hij was gewond en was alleen, misschien de laatste overlevende van zijn eenheid... en hij gebaart me dichterbij, weet je, zoals bij een gevecht op het schoolplein. Kom op, schooier. Laat eens zien of je lef hebt. Jij mag de eerste klap geven... en dan... ik heb geen idee waarom... maar ik gooi mijn geweer op de grond... en hij blijft staan en glimlacht. Hij wijst weer op mijn schop en ik knik tegen hem.'

Ik hield op met praten en ging op een rots onder aan de heuvel staan. Ik haalde een paar keer adem en veegde mijn gezicht af.

Susan zei: 'Paul, laten we gaan.'

Ik schudde mijn hoofd en vervolgde: 'Dus wie is er gekker, hij of ik? Ik stak mijn hand naar achteren, maakte mijn schop los, zette het blad in een hoek van negentig graden op de steel en klikte het vast. Ik deed mijn helm af en gooide die op de grond. Hij glimlacht niet meer en zijn gezicht staat gespannen en geconcentreerd. Hij kijkt me in de ogen en wil dat ik hem aankijk, maar ik kom uit Boston-Zuid en ik weet dat je je ogen op het wapen van die ander houdt. Dus nu cirkelen we om elkaar heen, houden elkaar in de gaten, en geen van ons zegt iets. Hij haalt uit met de machete, en die snijdt door de lucht net voor mijn gezicht, maar ik stap niet achteruit want hij is niet dichtbij genoeg... maar zijn machete is langer dan mijn schop, en dit gaat een probleem worden als hij dichterbij komt. Dus we lopen om elkaar heen tot hij eindelijk zijn zet doet: een schuine uithaal naar de zijkant van mijn hals.'

Ik zweeg even en dacht aan wat erna gebeurde. Vreemd genoeg, hoewel ik het nooit tot in de details had herbeleefd, kwam het allemaal weer bij me terug. Ik zei: 'Ik spring achteruit en hij mist, dan komt hij weer op me af met de punt van zijn machete nu op mijn keel gericht. Ik stap opzij, struikel en val. Hij is binnen een halve seconde bij me en hij gaat met de machete op mijn benen af, maar ik draai mijn benen weg en hij slaat in de grond. Ik spring overeind als hij een volgende stoot naar mijn nek plaatst, maar die weet ik af te weren met mijn schop, zwaai vervolgens mijn schep omhoog, als een opwaartse stoot, en raak hem aan de zijkant van zijn kaak. Het blad van de schop, dat ik altijd heel scherp hou, snijd een deel van zijn kaak af, en die enorme lap bloedend vlees blijft daar hangen, en hij is tijdelijk in een shock, en meer heb ik niet nodig. Ik zwaai de schop rond als een honkbalknuppel naar een hard gegooide bal, en het blad hakt bijna zijn onderarm doormidden en zijn machete vliegt uit zijn hand.'

Ik dacht eraan dit verhaal hier te eindigen, maar ik ging verder: 'Dus... hij staat daar en het spel is voorbij. Ik heb een gevangene, als ik er een wil, of ik zou hem kunnen laten gaan. Of... ik zou hem kunnen doden met mijn schop... en hij staart me aan met dat grote stuk, bloederige kaak dat daar hangt en zijn bloedende onderarm... dus wat moet ik doen? Ik gooi mijn schop neer en trek mijn K-bar-mes. Voor het eerst tonen zijn ogen angst, vervolgens kijkt hij snel naar zijn machete op de grond en gaat erop af. Ik schop hem tegen zijn hoofd, maar hij blijft naar zijn machete grabbelen. Ik kom om hem heen, grijp zijn haar met mijn linkerhand, ruk hem overeind en trek zijn hoofd naar achteren. Vervolgens snij ik hem met mijn mes de keel door. Ik kan het mes nog steeds door het kraakbeen van zijn luchtpijp voelen gaan, en ik hoor lucht sissen als zijn luchtpijp wordt doorgesneden... Ik snij ook de halsslagader door en het bloed stroomt over mijn hand... ik laat hem los, maar hij blijft staan, draait zich naar mij om en we kijken elkaar aan, en terwijl het bloed uit zijn keel gutste, zag ik het leven uit zijn ogen verdwijnen, maar hij bleef naar me staren, dus we kijken elkaar aan tot zijn benen het begeven en hij met zijn gezicht voorover neervalt.'

Ik vermeed het Susan aan te kijken en zei: 'Ik veegde het bloed van mijn mes af aan zijn broek, klikte de schop aan mijn riem, stak mijn mes in de schede, pakte mijn helm en geweer en begon weg te lopen. Ik keek omhoog en zag twee jongens van mijn compagnie die me waren komen zoeken, en ze hadden er iets van gezien. Een jongen pakte mijn geweer uit mijn hand en vuurde drie signaalschoten in de lucht af. Hij zei tegen me: 'Het geweer doet het, Brenner.' Die jongens keken me aan... Ik bedoel, we waren allemaal een beetje gek tegen die tijd, maar... dit was alle gekte voorbij, en ze wisten dat.'

Ik dacht een ogenblik na en probeerde me te herinneren wat er daarna was gebeurd, en zei toen: 'De andere jongen pakte de AK-47 en zegt tegen ons: "Die spleetoog heeft een vol magazijn." Hij keek me aan en zegt: "Waarom ben je goddomme man tegen man gaan vechten met deze gast?" Ik zei niets, en de andere jongen zegt: "Brenner, je hoort die klojo's neer te knallen, geen messengevechten met ze te beginnen." Ze lachten allebei. Dan pakt de jongen de machete op, geeft die aan mij en hij zegt: "Neem het hoofd mee. Niemand gelooft dit gezeik." Dus... ik hakte de dode man zijn hoofd af... en de andere jongen zette zijn bajonet op mijn geweer, en hij pakt het hoofd op, steekt het op de bajonet en geeft mij mijn geweer...'

Ik wierp een blik op Susan en vervolgde: 'Dus we gaan weer terug naar de compagnie, ik met het hoofd op de punt van mijn geweer, en als we de positie van de compagnie bereiken, gilt een van de jongens bij me: "Niet schieten... Brenner heeft een gevangene," en iedereen lacht... iedereen wil weten wat er is gebeurd... een man hakt een bamboestaak af en steek het hoofd op de staak... Ik praat met de kapitein, samen met de twee jongens die me hebben gevonden... en ik ben er niet meer bij... Ik kijk naar dat hoofd dat wordt rondgedragen op een staak...' Ik haalde diep adem. 'Die avond zat ik in een helikopter terug naar het basiskamp... samen met het hoofd... waar de administrateur van de compagnie me een pas voor drie dagen in Nha Trang gaf.'

Ik keek Susan aan en zei: 'Dus, zo ben ik met verlof in Nha Trang terechtgekomen.

31

Susan en ik liepen zwijgend terug naar de rivier waar we onszelf op bloedzuigers controleerden. Zij was schoon, maar ik had een bloedzuiger op mijn rug die al begon op te zwellen van het bloed.

Ik zei tegen haar: 'Steek op.'

Ze stak een sigaret op en ik instrueerde haar de achterkant van de bloedzuiger te verhitten, zonder hem of mij te verbranden. Ze bracht haar sigaret dicht bij de bloedzuiger en hij trok samen. Ze plukte hem van mijn rug en gooide hem weg met een geluid van walging. Ze zei: 'Je bloedt.'

Ze hield een tissue op de beet van de bloedzuiger en hield hem daar tot het gestelpt was. We trokken onze kleren aan en gingen op een rots bij de rivieroever zitten.

Ze rookte en ik zei: 'Ik wil een trek.'

Ze gaf me de sigaret en ik nam een lange haal, hoestte en gaf haar de sigaret terug. Ik zei: 'Die zijn niet goed voor je.'

'Wie zei dan van wel?'

We zaten daar zwijgend naar het stromende water te luisteren.

Ze nam een laatste trek van haar sigaret en vroeg: 'Hoe gaat het met je?'

'Goed.' Ik dacht een ogenblik na en zei: 'Mannen die hier lang hebben gezeten, hebben ergere oorlogsverhalen te vertellen... en ik heb ergere dingen gezien... maar er is iets met dat man tegen man-gevecht. Ik kan die man nog steeds ruiken en zijn gezicht zien, en ik kan nog steeds zijn haar in mijn hand voelen en het mes dat door zijn keel snijdt...'

'Hou ermee op.'

'Ja... nou, daarna speet het me dat ik hem gedood had. Hij had nog moeten leven. Weet je, zoals een verslagen strijder die zijn dapperheid heeft getoond.'

'Denk je dat hij jou in leven zou hebben gelaten?'

'Nee, maar ik had zijn hoofd niet moeten pakken. Een oor of een vinger zou voldoende zijn geweest.'

Ze stak een volgende sigaret op en zei tegen me: 'Dat is niet wat je echt dwarszit.'

Ik keek naar haar en onze ogen ontmoetten elkaar.

We zaten daar naar de rivier te kijken. Ten slotte zei ik: 'Ik werd bang van mezelf.'

Ze knikte.

'Ik bedoel... waar kwam dat vandaan?'

Ze gooide haar sigaret in de rivier. Ze zei: 'Het kwam van een plek waar je nooit meer heen hoeft.'

'Ik zou liegen als ik zei dat ik er geen goed gevoel over had... over dat ik de uitdaging heb aangenomen en dat ik hem heb gedood.'

Ze gaf geen antwoord.

Ik zei: 'Maar zoals met veel traumatische gebeurtenissen heb ik het snel verstopt en op Dag Eén in Nha Trang zat het heel diep weggestopt in mijn gedachten. Behalve dat het zo nu en dan weer in mijn hoofd opkwam.'

Ze knikte en stak weer een sigaret op.

Ik zei: 'Toen ik weer thuis was, begon ik er meer over na te denken... zoals: waarom heb ik het gedaan? Niemand was me aan het opjutten, behalve hij, en het was geen rationele overweging om mijn geweer neer te gooien en te proberen die man met mijn schep te doden, terwijl hij probeert mij in mootjes te hakken met zijn machete. Wat dacht ik eigenlijk allemaal?'

'Soms, Paul, is het beter die dingen met rust te laten.'

'Ik denk het... ik bedoel, ik heb oorlogspsychose gezien, en ik heb mannen in gevechten gezien die om de een of andere reden geen enkele angst meer voelden en ik heb bij gewone jongens de meest onmenselijke en wrede handelingen gezien die je je maar kunt voorstellen. Ik heb op bureaus van officieren en sergeants schedels gezien die als presse-papier of kaarsenhouders werden gebruikt. Ik heb Amerikaanse soldaten gezien met kettingen van tanden of gedroogde oren of vingerbotjes, en ik kan je niet alle gruweldaden vertellen die ik elke dag aan beide zijden heb gezien... en het doet je vragen stellen over wie we zijn, over jezelf als je er even niet op let, en je begint je echt vragen over jezelf te stellen als je eraan mee gaat doen. Het was als een doodscultus... en je wilde erbij horen...'

Susan staarde naar de stromende rivier, terwijl de rook van haar sigaret omhoogkringelde.

'De meeste jongens kwamen hier normaal aan en waren geschokt en ziek door het gedrag van de mannen die hier al een tijdje zaten. Dan, binnen een paar weken, zijn ze niet meer geschokt, en binnen een paar maanden hebben een heleboel van hen zich aangesloten bij de club der waanzinnigen. En de meesten, denk ik, gingen naar huis en werden weer normaal, hoewel sommigen niet. Maar ik heb hier nooit iemand gezien die als hij eenmaal knetter was, hier weer normaal werd. Het werd alleen maar erger omdat ze in deze omgeving alle gevoel van... menselijkheid waren kwijtgeraakt. Of, als je aardig wilt zijn, zou je kunnen zeggen dat ze ongevoelig waren geworden. Het was eigenlijk eerder beangstigend dan ziekmakend. Een man die het oor had afgesneden van een vc die hij die ochtend had gedood, zou die middag grappen maken met de dorpskinderen en de oude vrouwen, en snoep uitdelen. Ik bedoel, ze waren niet slecht of psychotisch; we waren normaal, en dat joeg me echt de stuipen op het lijf.'

Ik besefte dat ik van 'zij' op 'wij' was overgegaan, waar het allemaal echt om ging; 'zij' werden 'wij', en 'wij' werden ik. De kolere voor pastoor Bennett, de kolere voor de kerk van St.-Bridges, de kolere voor Peggy Walsh, de kolere voor de oefening van berouw, de kolere voor het biechthokje en de kolere voor alles wat ik op school en thuis heb geleerd. Gewoon dat. Het heeft bij mij ongeveer drie maanden geduurd. Het had niet zo lang hoeven zijn, maar november en december in Bong Son waren min of meer rustig. Na Tet, Khe Sanh en de A Sau zou ik mijn eigen broer nog gedood hebben als hij het verkeerde uniform aan had gehad; en eigenlijk hebben een heleboel Vietnamezen dat gedaan.

Susan staarde nog steeds naar de rivier, en bewoog zich niet, alsof ze geen abrupte bewegingen wilde maken zolang ik mijn gewette schep bij me had.

Ik haalde diep adem en zei: 'Ik wil niet beweren dat ik een misdienaar was. Verre van dat. We waren allemaal krankzinnig, maar we dachten allemaal dat het tijdelijk was en wel over zou gaan. En als je geluk hebt, ga je op een dag naar huis. Maar helaas neem je het mee naar huis, en het verandert je voor altijd omdat je naar die duistere plek in je ziel bent geweest, de plek waarvan de meeste mensen weten dat het bestaat maar die er nog nooit zijn geweest, maar jij hebt er lange tijd gezeten en vond het niet zo vreselijk, en evenmin voel je ook maar een grammetje spijt, en dat wordt de angst... en je gaat verder met je leven in Amerika, mengt je weer met normale mensen, lacht en maakt grappen, maar draagt dat ding binnen in je mee... dit geheim dat mama niet kent, en waar je vriendin niet naar kan raden, behalve dat ze soms weet dat er iets mis is... en zo nu en dan kom je een van je eigen soort tegen, iemand die daar ook is geweest en je wisselt stompzinnige verhalen uit over dronken worden en wippen, en gevaarlijke landingsplaatsen, en stomme officieren die geen kaart konden lezen en de ergste druiper die je ooit hebt gehad, en over die arme Billy of Bob die neergeknald werd, en dit en dat, maar je blijft ver uit de buurt van zaken als die dorpelingen die je per ongeluk of niet per ongeluk hebt gedood, of hoeveel oren en hoofden je hebt verzameld, of die keer dat je iemand de keel hebt afgesneden met een mes...'

Susan vroeg: 'Was er iemand... normaal?'

Ik dacht erover na en zei: 'Ik zou graag zeggen dat er mannen bij ons waren die... die een zekere mate van moraal en menselijkheid behielden... maar ik kan het me echt niet herinneren... ik denk misschien. Een gevechtseenheid selecteert zichzelf uit... weet je, jongens die het niet aankonden, kwamen óf nooit bij het front óf werden teruggestuurd. Ik herinner me gasten die heel snel waren gebroken en die naar de achterhoede werden gestuurd om kleine klusjes te doen, en dat was min of meer een schande, maar we waren ze kwijt... en ja, we hadden er mannen bij die zich vasthielden aan hun religieuze en morele waarden, maar ik denk dat in een oorlog, net als in het leven, de goeden jong en als eersten sterven...' Ik zei tegen haar: 'Dat is het beste antwoord dat ik je kan geven.'

Ze knikte.

Ik keek naar de rivier die ik zoveel jaar geleden was overgestoken met mijn eigen stam, achter het hert aan dat ons door het donkere regenbos naar een duisterder plek leidde dan we ooit ervoor waren geweest.

We staken de rivier weer over bij de doorwaadbare plek en gingen terug naar A Luoi. Terwijl we over het rechte pad door de grondmist en de akkers liepen, zei Susan tegen me: 'Ik heb het gevoel dat alles wat ik zeg alledaags of bevoogdend of overdreven teerhartig klinkt. Maar laat me dit zeggen, Paul: wat er hier is gebeurd, met jou en met de anderen, is voorbij, in beide betekenissen van het woord. Het was oorlog, jij zat erin, en het is voorbij.'

'Ik weet het. Dat geloof ik.'

'En mocht je het je afvragen: mijn gevoel voor jou is niet anders.'

Ik gaf geen antwoord, maar ik wilde zeggen: 'Dat zeg je nu. Denk erover na.'

Susan pakte mijn hand en gaf er een kneepje in. Ze zei: 'En dan kom ik, krijg een etentje op het dak van het Rex Hotel en val een volslagen vreemde lastig met dat hij niet over de oorlog wil praten. Kan ik daarvoor mijn excuses aanbieden?'

'Dat is niet nodig. Deze hele reis heeft me goed gedaan. En als jij er niet was geweest, zou ik misschien niet zo eerlijk tegenover mezelf zijn geweest als ik nu tegenover jou ben.'

'Dat waardeer ik.'

Ik veranderde van onderwerp en zei: 'Ergens in deze vallei werd in mei 1968 tijdens een gevecht een Vietnamese soldaat gedood die Tran Quan Lee heette. Op zijn lichaam werd een brief van zijn broer, Tran Van Vinh, gevonden, ook een soldaat in het Noord-Vietnamese leger.'

Ik ging niet verder en wachtte tot zij zou reageren. Ten slotte vroeg ze: 'En jij hebt dat lichaam en die brief gevonden?'

'Nee. Iemand anders.'

'En je hebt die brief gezien?'

'Ja, ongeveer een week geleden. Weet jij iets over deze brief?'

Ze keek me onder het lopen aan en zei: 'Paul, ik weet niet waar je naartoe wilt.'

Ik bleef staan en zij bleef staan. Ik keek haar aan. 'Susan, weet jij iets over die brief?'

Ze schudde haar hoofd, dacht een ogenblik na en zei toen: 'Dit heeft iets te maken met waarom jij hier bent.'

'Precies.'

'Je bedoelt... iemand heeft een brief op het lichaam van een vijande-lijke soldaat gevonden... wie heeft de brief gevonden?'

'Een Amerikaanse soldaat van de Eerste Cavaleriedivisie heeft de brief gevonden.'

'Kende je die man?'

'Nee. Het was een grote divisie. Twintigduizend man. De man die de brief heeft gevonden, bewaarde hem als oorlogssouvenir, en kort-geleden is de brief vertaald, en wat er in de brief stond, is de reden dat ik hier ben.'

Ze overdacht het en ik keek naar haar. Ik kende deze vrouw inmid-dels, en ik kon zien dat ze iets wist en probeerde dat in te passen in wat ik had gezegd.

Ik vroeg haar: 'Wát hebben ze jou verteld?'

Ze keek me aan en antwoordde: 'Alleen dat er wat nieuwe informa-tie aan het licht was gekomen, en dat jij hier iemand moest vinden en die persoon erover moest ondervragen.'

'Dat heb ik jou verteld.'

'Dat weet ik. En dat is alles wat ze me in Saigon hebben verteld. Is deze brief de nieuwe informatie?'

'Ja.'

'Wat staat er in de brief?'

'Nou, wat erin staat is één ding, wat het betekent, is iets anders. Daarom moet ik de persoon vinden die de brief heeft geschreven en hem ondervragen.'

Ze knikte.

We liepen verder naar het dorpje A Luoi, ongeveer honderd meter verderop over vlak terrein. Het was irrelevant waar en hoe Tran Quan Lee was gestorven, maar het zou wel interessant zijn het te weten. Als ik in Washington de tijd zou hebben gehad, zou ik Victor Ort hebben opgezocht en vragen hebben gesteld, en misschien wat verhalen over de A Shau-vallei hebben uitgewisseld.

Ik was er zeker van dat Victor Ort voor zichzelf een fotokopie van de brief had gemaakt, of het origineel voor zichzelf had gehouden en een fotokopie naar de vva had gestuurd. In ieder geval had Victor Ort een originele tekst die ik had kunnen laten vertalen, in plaats van te vertrouwen op de aangepaste vertaling die ik had gezien. Maar waarschijnlijk had Karl iemand naar Orts huis gestuurd om de brief op te halen. Waar het op neerkwam, was dat Karl me in deze zaak geen gewoon speurwerk zou laten doen; hij had ervoor gezorgd dat ik half in het ongewisse in een weekend naar Saigon ging, waar Susan Weber een aantal rookgordijnen legde tot ik op de trein naar Nha Trang zat.

Ook begreep ik niet hoe de brief en Susans verklaring over Cam Ranh Bay bij elkaar aansloten, als ze dat inderdaad deden. Dat kon ook een rookgordijn zijn.

Susan vroeg me: 'Heb jij een kopie van de brief?'

Ik antwoordde: 'Jij moet een paar klassen in Langley hebben overgeslagen.'

'Doe niet zo sarcastisch. Ik ben geen geschoold geheim agent.'

'Wat hebben ze je daar dan geleerd?'

'Hoe ik me nuttig kan maken. Ik neem aan dat jouw contact in Hué je heeft verteld hoe je die... hoe heet hij... kunt vinden?'

'Tran Van Vinh. En ja, dat heeft hij verteld.' Ik vroeg haar: 'Zegt die naam je iets?'

'Nee. Moet dat?'

'Ik denk het niet.' Maar ik had een andere gedachte gekregen, en dat was dat Tran Van Vinh een hoge ambtenaar van de regering in Hanoi was geworden en dat op de een of andere manier de echte vertaling van de brief gebruikt zou kunnen worden als chantagemiddel om hem mee te laten werken met de Amerikanen in zoiets als misschien Cam Ranh Bay.

Mr. Vinh zou werkelijk in Hanoi kunnen wonen en alleen voor de Tet-feestdagen in Ban Hin zijn, wat logisch klonk. Maar als hij gechanteerd zou worden, waarom wilden ze hem dan dood hebben? Het was mogelijk dat Washington hem niet dood wilde hebben en me dat alleen maar had gezegd als nog meer onzin zodat ik er niet achter zou komen. Maar als dat het geval was, waarom had Mr. Anh me dan in Hué die boodschap gegeven die voorzover ik wist mijn laatste instructies waren vanuit Washington?

Het is heel moeilijk om een zaak op te lossen als alle bewijzen die je hebt, geschreven of verbaal zijn, en als het geschreven bewijs vals is en het verbale spul alleen maar uit leugens bestaat.

De waarheid van de zaak lag in het dorp Ban Hin – voorheen Tam Ki – in de persoon van Tran Van Vinh, een eenvoudige boer en voormalig soldaat, die misschien wel geen van beide was. Eigenlijk kon hij allang dood zijn, of op het punt staan dood te gaan, of op het punt staan te worden omgekocht of gechanteerd.

Oorlog, zoals ik al heb gezegd, heeft een grimmige eenvoud en eerlijkheid, zoals het doden van iemand met een pioniersschop. Inlichtingenwerk was, door de aard alleen al, een spel van liegpoker, gespeeld met een gemerkt spel en vals geld.

Susan zei: 'Het spijt me dat ik je niet kan helpen met die brief. Maar ik kan je helpen die man te vinden die hem geschreven heeft, en als hij geen Engels spreekt, kan ik je een precieze vertaling geven van wat hij tegen jou zegt en jij tegen hem.' Ze voegde eraan toe: 'Het lukt me vrij goed het vertrouwen van Vietnamezen te winnen.'

'Om maar te zwijgen van geile Amerikanen.'

'Dat is makkelijk.' Ze voegde eraan toc: 'Vertrouw me, of vertrouw me niet. Je zult geen betere vinden dan mij om jou te helpen.'

Ik gaf geen antwoord.

We bereikten de rand van A Luoi, waar een oude vrouw rijst gooide naar een troep kippen in een bamboeomheining achter haar huis. Ze keek verrast naar ons, en toen onze ogen elkaar troffen, wisten we allebei waarom ik hier was. Deze vallei was beslist geen attractie voor de gemiddelde toerist.

We liepen tussen een verzameling huizen door terug naar het pleintje. De RAV stond nog waar we hem hadden achtergelaten en Mr. Loc zat onder een rieten afdak van wat leek op een primitief café of kantine, vol plaatselijke bewoners. Hij dronk iets in zijn eentje en rookte. Ik had gemerkt dat de meeste Vietnamezen nooit ergens alleen gingen zitten en altijd met iemand een gesprek aangingen. Maar Mr. Loc straalde iets slechts uit, dat de Vietnamezen in de kantine herkenden en waardoor ze op een afstandje van hem bleven.

Susan vroeg me: 'Wil je iets eten of drinken?'

'Nee. Laten we hier weggaan.'

Ze liep naar de kantine en sprak met Mr. Loc, kwam toen terug waar ik bij de auto stond. 'Hij is over een paar minuten klaar.'

'Wie betaalt er voor deze reis – hij of ik?'

'Ik denk niet dat hij je mag.'

'Hij is een gore smeris. Ik kan die op een kilometer afstand ruiken.'

'Dan heeft hij misschien dezelfde gedachte over jou.' Susan vroeg me: 'Wil je hier een foto?'

'Nee.'

'Je komt hier nooit meer terug.'

'Ik hoop het niet.'

'Heb je foto's van toen je hier de laatste keer was?'

'Ik heb mijn camera niet één keer uit mijn rugzak gehaald.' Ik voegde eraan toe: 'Ik denk niet dat iemand hier foto's heeft gemaakt, en als ze het wel hebben gedaan, dan denk ik dat de familie ze aan het ontwikkelen was, terwijl de persoonlijke spullen van de overledene naar huis werden gestuurd.'

Ze liet het onderwerp vallen.

Mr. Loc dronk zijn drankje op, wat het ook mocht zijn, en kwam op de auto af.

Ik pakte de kaart van de stoel en sloeg die open. Ik zei tegen Susan: 'Deze stippellijn naar Khe Sanh zegt toch iets over de Ho Tsji Minh-route?'

Ze keek op de kaart en las: '"*He Thong Duong Mon Ho Chi Minh*." Dat betekent een soort netwerk van de route, een deel van het routestelsel van Ho Tsji Minh.'

'Precies. Het was niet alleen maar een weg – het was een volledig netwerk van oerwoudpaden, ondiepe stroombeddingen, bruggen, paden over boomstammen door moerassen, en wat nog meer allemaal. Het grootste deel loopt, zoals je ziet, door Laos en Cambodja, waar we niet mochten opereren. Deze route naar Khe Sanh loopt langs de Laotiaanse grens, en ik hoop dat deze grappenmaker niet verdwaald raakt en we uiteindelijk zonder visum in Laos terechtkomen.'

Mr. Loc stond in de buurt en ik gebaarde hem naderbij. Hij liep langzaam en kwam te dichtbij staan. Ik wilde hem neerslaan, zijn duimen aan elkaar binden en zelf gaan rijden. Maar dat zou een probleem kunnen geven. Ik wees op de kaart en zei tegen hem: 'Ho Tsji Minh-route. *Biet*? Khe Sanh.'

Hij knikte en stapte achter het stuur. Susan en ik stapten achterin en we vertrokken.

In de vallei waren ook een paar smalle boerenwegen en die namen we, tot we ergens een onverharde weg vonden die door de uitlopers van de bergen naar het noorden leidde. De bomen reikten tot aan de weg en de takken hielden het meeste zonlicht tegen. Dit was beslist de Ho Tsji Minh-route.

Het terrein werd ruwer en bergachtiger, en zo nu en dan waren delen van de weg verhard met rottende boomstammen, passages die we vroeger corduroywegen noemden. Er waren spectaculaire grote en kleine watervallen in de verte te zien, en ondiepe beken liepen dwars over de weg. Susan nam foto's terwijl we hobbelend verder reden. Mr. Loc leek ervan te genieten zo snel mogelijk door de modder te rijden om die zoveel mogelijk te laten opspatten, en Susan en ik kwamen een paar keer onder de spetters te zitten. In de achteruitkijkspiegel zag ik Mr. Loc glimlachen.

We haalden nauwelijks dertig kilometer per uur, en de RAV hobbelde vreselijk. Zo nu en dan draaide de weg om iets heen dat op een kleine vijver leek, maar wat in werkelijkheid gigantische bomkraters waren, veroorzaakt door blockbusters van duizend pond, die B-52-bommenwerpers van negen kilometer hoogte hadden laten vallen. Ik verduidelijkte dit aan Susan en zei: 'We hebben een fortuin uitgegeven om deze onverharde routes naar de verdommenis te helpen. We hebben misschien tussen de vijftig- en honderdduizend Vietnamese soldaten, mannen en vrouwen, langs deze infiltratieroutes gedood. Maar ze bleven maar komen, maakten de gaten dicht of verlegden zo nu en dan de weg, als een leger mieren dat je probeert te vertrappen voordat ze je huis bereiken.' Ik voegde eraan toe: 'Ik vond het allemaal maar niks, tot ik die in Rusland gefabriceerde tanks in dat basiskamp zag. Ik bedoel, die voertuigen waren in de buurt van Moskou gemaakt, en die bereikten uiteindelijk op de een of andere manier Noord-Vietnam, legden duizenden kilometers af op dit soort wegen, werden voortdurend aangevallen, hadden hun eigen benzine en reserveonderdelen bij zich, en op een dag haalt een ervan het hele eind tot de hekken van het presidentiele paleis in Saigon. Dat moet ik die schoften nageven. Ze hebben nooit begrepen dat we ze zo ongenadig op hun flikker gaven, dat ze onmogelijk konden winnen.' Ik gaf Mr. Loc een klopje op zijn schouder en zei: 'Hé, die kleine mannetjes van jullie zijn taai. De volgende oorlog tegen de Chinezen wil ik jullie naast me hebben.'

Onze ogen troffen elkaar in de achteruitkijkspiegel en ik had erop kunnen zweren dat Mr. Loc knikte.

Het regenwoud werd dunner en we konden zien dat de heuvels en bergen bespikkeld waren met huizen op palen, en we zagen de rook van kookvuren omhoogkringelen in de mistige lucht.

Susan zei: 'Dit is absoluut prachtig. Het is zo ongerept. Kunnen we stilhouden en een paar stamleden ontmoeten?'

'Ze houden niet van onaangekondigd bezoek.'

'Verzin je dat?'

'Nee. Je moet vooraf bellen. Ze ontvangen bezoek alleen tussen vier en zes.'

'Dat verzin je.'

'Jij verzint dingen,' zei ik.

'Nee, dat doe ik niet. Laten we stoppen.'

'Later. Er zijn een heleboel stammen rond Khe Sanh.'

'Weet je het zeker?'

'Vraag het James Bong.'

Ze glimlachte. 'Noem je hem zo?'

'Ja. James Bong. Geheim agent. Vraag het hem.'

Ze vroeg het hem, hij antwoordde en ze zei tegen mij: 'Hij zegt dat er Bru's rond Khe Sanh zitten.' Ze voegde eraan toe: 'Hij wil weten wat we van de Moi willen – Moi betekent wilden.'

'Nou, ten eerste gaat het hem niet aan, en ten tweede houden we niet van raciale etiketten, tenzij het een spleetoog of een gele is.'

'Paul. Dat is vreselijk.'

'Dat weet ik. Ik ben zwakzinnig aan het worden. Mijn excuus. Zeg hem dat hij maar met zijn pik moet gaan spelen.'

Ik denk dat Mr. Loc dit begreep. Ik zei tegen Susan en tegen Mr. Loc: 'Als we probeerden contact te maken met opstandige bergvolken, zouden we ons dan laten rijden door een geheim agent?'

Niemand gaf antwoord.

Susan nam nog een paar foto's en voerde een gesprek met Mr. Loc. Na een tijdje zei ze tegen mij: 'Mr. Loc zegt dat er ongeveer tachtig miljoen bergmensen in Vietnam leven in meer dan vijftig verschillende stammen met een eigen taal en dialect. Hij zegt dat de overheid probeert scholing en landbouw bij die stammen te brengen, maar dat ze beschaving weigeren.'

'Misschien weigeren ze de overheid.'

Susan zei: 'Misschien zouden ze met rust moeten worden gelaten.'

'Dat klopt. Luister, ik vind de Montagnards die ik heb ontmoet toevallig aardig, en ik ben blij dat ik ze nog steeds met geweren zie lopen. Mijn fantasie is om terug te keren en me net als kolonel Gordon, Marlon Brando of Mr. Kurtz aan te passen aan de lokale gebruiken. Ik zou die tachtig miljoen mensen tot een geduchte strijdkracht omvormen en we zouden deze bergen in bezit hebben. We zouden de hele dag jagen en vissen, en 's nachts vreemde en spookachtige rituelen uitvoeren, verzameld rond enorme kampvuren met de hoofden van onze vijanden op palen gespietst. Misschien zou ik tourgroepen organiseren voor Amerikanen. Paul Brenners Wereld van de Montagnards. Tien dollar voor een dagtoer, vijftig voor een overnachting. Ik zag Montagnards een keer een stier spietsen en hem levend villen, waarna ze zijn hals afsneden en zijn bloed dronken. Dat zou het hoogtepunt van de avond worden. Wat vind je ervan?'

Ze gaf geen antwoord.

We reden zwijgend door de in mist gehulde bergen onder een hemel zonder zon, met de geur van houtvuren in de zwaarbewolkte lucht, en de vochtige kilte die in mijn botten en mijn hart kroop. Ik denk dat ik deze plek haatte.

Susan zei iets tegen Mr. Loc en hij stopte.

Ik vroeg: 'Wat gebeurt er?'

Ze antwoordde: 'Er loopt daar een pad tegen de heuvel op naar een paar *longhouses*.' Ze pakte haar camera en stapte uit de RAV. Ze zei: Ik wil een Montagnard-dorp zien.'

Ze begon een steil pad opzij van de weg te beklimmen. Ik zei tegen Mr. Loc: 'Ik ben zo terug, Charlie. Niet weggaan.'

Ik stapte uit en volgde Susan het pad op.

Ongeveer tweehonderd meter tegen de heuvel op werd het land vlakker en toonde een grote open plek waar zes *longhouses* op palen stonden.

Op de open plek bevonden zich ongeveer vijfentwintig vrouwen en twee keer zoveel kinderen, allemaal bezig met hun dagelijkse werkzaamheden die voornamelijk leken te bestaan uit het klaarmaken van eten. Het hele gebied was heel schoon en vrij van plantengroei, buiten een stukje met kort gras waarop kleine geiten en twee vastgebonden bergpaarden graasden.

De vrouwen droegen lange, donkerblauwe kleding met wit borduurwerk, om het middel samengebonden met sjaals.

Zodra ze ons roken, begonnen de honden te blaffen, maar de Montagnards bleven gewoon doorgaan met hun bezigheden en schonken ons amper een blik, hoewel een paar kinderen ophielden met wat ze aan het doen waren.

De honden kwamen op ons af gerend, maar het waren kleine honden, zoals alle honden in Vietnam, en ik herinnerde me ze niet als bijzonder kwaadaardig. Toch wenste ik dat ik hondenkoekjes voor kleine honden bij me had. Ik zei tegen Susan: 'Ze bijten niet.'

'Beroemde laatste woorden.'

'Kniel niet om ze aan te halen – ze worden niet aangehaald en ze zouden kunnen denken dat je je lunch aan het uitzoeken bent.'

Susan zwaaide naar de Montagnards en zei iets in het Vietnamees.

Ik zei tegen haar: 'Dit is de Tribingo-stam. Het zijn kannibalen.'

Een kleine, stevige oude man, die op de trap van een van de huizen zat, stond op en kwam naar ons toe. Hij droeg een geborduurd hemd met lange mouwen, een zwarte broek en leren sandalen.

Ik keek weer om me heen, maar zag geen enkele jongeman of man van middelbare leeftijd. Ze waren allemaal aan het jagen, of misschien hoofden aan het drogen in het rookhok.

De oude man had ons bereikt en Susan zei iets tegen hem waarin het woord *My* voorkwam, en ze maakten alle twee een buiging.

Susan stelde me voor aan de oude man, wiens naam ongeveer klonk als John, en we gaven elkaar een hand. Deze man was oud genoeg om een Montagnard-strijder te zijn geweest, en hij nam me op alsof ik hier misschien was om hem nieuwe bevelen te geven.

Susan en de oude man, die duidelijk het dorpshoofd was – de *honcho*, zoals wij ze noemden, hoewel dat een Japans woord was – babbelden wat met elkaar en ik wist dat ze enige moeite hadden met elkaar in het Vietnamees te communiceren.

John keek mij aan en verraste me door te zeggen: 'Jij GI? Jij hier vechten?'

Ik antwoordde: 'A Shau.'

'Ah.' Hij gebaarde ons hem te volgen.

Ik zei tegen Susan: 'Ik denk dat ze ons als lunch gebruiken.'

'Paul, hou nou eens op met die flauwekul. Dit is fascinerend.'

De oude man informeerde ons dat hij en zijn volk van de Taoi-stam waren, die naar ik hoopte niet aan mensenoffers deed, en leidde ons rond door het kleine dorp dat geen naam had; volgens Susan heette het de Plaats van de Clan van *dai-uy* John, of baas John. *Dai-uy* is ook kapitein, en hij heette geen John, zo klonk zijn naam alleen maar. Ik dacht niet dat ik deze plaats zou vinden in een Wereldatlas, vooral niet als het elke keer dat er een nieuw stamhoofd kwam van naam veranderde.

Susan vroeg en kreeg toestemming om alles en iedereen te fotograferen. De honden volgden ons waarheen we maar gingen.

John wees allerlei dingen aan, waarvan hij dacht dat die ons misschien interesseerden, en die een van ons ook werkelijk interesseerde.

Hij stelde ons voor aan iedereen, zelfs aan de kinderen, en Susan bleef met hem praten terwijl ze het voor mij vertaalde. Susan zei tegen me: 'Hij wil weten of we met hem en zijn volk willen eten.'

'De volgende keer. We moeten verder.'

'Ik heb honger.'

'Dat gaat wel over als je ziet wat ze op het menu hebben. Ook duurt het eten bij hen eeuwen. Ze zullen wel van de Fransen hebben overgenomen dat een lunch vier uur hoort te duren. Zeg hem dat we ergens heen moeten.'

'We zitten midden in niemandsland.'

Ik keek de oude man aan en tikte op mijn horloge, wat hij misschien begreep, en ik zei: 'Khe Sanh.'

'Ah.' Hij knikte.

We waren klaar met de rondleiding door het dorp en ik merkte dat de kinderen ons niet volgden en niet om geld of snoep bedelden, zoals Vietnamese kinderen doorgaans doen in Saigon. Alleen de honden volgden ons op de voet.

De oude man bracht ons naar de houten trap waar we hem eerder hadden zien zitten en nodigde ons zijn huis binnen. Op alle treden stonden leren sandalen en zelfgemaakte schoenen, dus Susan en ik trokken onze schoenen uit zoals John ook deed.

We beklommen de treden en de honden volgden ons niet. Amerikanen zouden moeten leren hun honden buiten te houden, zoals de primitieve Montagnards dat deden.

We gingen het houten bouwsel binnen, ongeveer vijftien meter lang en zes meter breed. De vloer was van houten planken, met overal veelkleurige matjes. Boomstammen liepen door het midden van het huis en steunden het puntdak.

Er waren kleine ramen die waren bedekt met een dun weefsel dat een beetje daglicht toeliet en er hingen een paar brandende olielampen. Er was duidelijk geen elektriciteit. Ergens in het midden van het huis stond een grote, van klei gemaakte oven, maar zonder schoorsteen, en ik herinnerde me dat de rook naar het dak opsteeg en de ruimte vulde, waardoor de muskieten 's nachts weg bleven.

Er waren geen mensen in het huis en de hangmatten hingen opgevouwen aan de muren. Ik telde er ongeveer twintig en ik probeerde me een beeld te vormen van twintig mensen van alle leeftijden en beide seksen die samen sliepen in dit gemeenschapshuis vol rook. Geen wonder dat er niet zoveel Montagnards als Vietnamezen waren. Ik vroeg Susan: 'Doe je het weleens in een hangmat?'

'Kunnen we het gesprek niet naar iets cultureels verleggen?'

John bracht ons naar het midden van het huis, waar zijn plek was. Hij was de *honcho*, dus hij had een groot deel, vol bamboekisten en dozen. Er hingen machetes en messen aan de muur, samen met een paar sjaals en repen leer.

Ik zag in het midden van het huis een grote, vierkante tafel, onge-veer dertig centimeter hoog en volgepakt met porselein en aardewerk.

Op een vreemde manier was deze communegemeenschap het com-munistische ideaal, maar toch haatten de Montagnards de onbuig-zaamheid en bemoeizucht van de communistische overheid en waren ze in wezen vrije geesten en onafhankelijk. Daarbij hielden ze sowieso al niet van Vietnamezen.

John ging met gekruiste benen naast een grote houten kist zitten en Susan deed hetzelfde, dus ik deed het ook, wat gemakkelijker is dan hurken zoals de Vietnamezen doen.

John maakte de kist open, haalde er een groene baret uit en gaf die aan mij.

Ik nam hem aan en keek ernaar. Erin stond het label van een Ameri-kaanse fabrikant.

John zei iets tegen Susan die het vertaalde: 'Hij zegt dat hij hem in de oorlog van zijn Amerikaanse *dai-uy* heeft gekregen.'

Ik knikte.

Hij haalde er weer een groene baret uit, zei iets en Susan zei tegen mij: 'Deze heeft hij pas drie jaar geleden gekregen van een andere Amerikaan – een voormalige soldaat die op bezoek was gekomen.'

Ik zei tegen Susan: 'Ik heb geen groene baretten om aan hem te ge-ven.'

'Geef hem je horloge.'

'Geef hem jouw horloge.' Ik vroeg: 'Wat zou hij verdomme met een horloge aan moeten?'

John liet ons een paar andere schatten uit zijn kist zien: een gereed-schapsriem van een GI, een plastic veldfles, een kompas, een K-bar-mes, en een paar munitiezakken. Ik moest denken aan mijn eigen scheepskist in de kelder van mijn huis, die zoals een miljoen andere kisten in heel Amerika gevuld was met ditjes en datjes van een vroeger militair leven.

John haalde vervolgens een kleine, blauwe doos uit zijn koffer, die ik herkende als een militaire medailledoos, zoiets als een juwe-lenkistje, en hij maakte hem heel eerbiedig open. Op de satijnen be-kleding lag een ronde, bronzen medaille met een rood en wit lint. Op het metaal was een adelaar gedrukt, staand op een boek en een zwaard. Om de adelaar stonden de woorden: 'Bekwaamheid, Eer, Trouw.'

Ik staarde naar de medaille en herkende hem als de Medaille voor Goed Gedrag. Ik herinnerde me dat de jongens van de Speciale Eenhe-den die in de legerwinkels van het basiskamp kochten en die uitreikten aan hun Montagnard-strijdkrachten wegens moed, hoewel de medaille niets te maken had met moed, maar de Montagnards wisten dat niet, en het leger raakte niet op tilt dat de jongens van de Speciale Eenheden deze medailles van niets uitreikten aan hun Montagnard-strijders.

Ik nam de doos over alsof ik de Congressional Medal of Honor in handen hield en keek naar zijn Medaille voor Goed Gedrag en liet hem aan Susan zien. Ik zei: 'John heeft deze gekregen wegens uitzonderlijke moed, die uitsteeg boven zijn plicht alleen.'

Susan knikte en zei iets tegen John op een respectvolle toon.

John glimlachte, nam de doos weer van me over en sloeg hem dicht. Hij zette hem voorzichtig terug in de grote kist.

Ik dacht aan mijn Vietnamese Kruis wegens Moed, die me was uitgereikt door de Vietnamese kolonel die me op beide wangen had gekust, en ik vroeg me af of ik niet eigenlijk een medaille had gekregen wegens een schoon uniform of iets dergelijks.

Hoe dan ook, als laatste maar niet als minste, tilde John een lang ding uit de kist, gewikkeld in zeildoek, en ik wist wat het was voor hij hem uitgepakt had; *Day-uy* John had nog steeds zijn m-16-geweer, de plastic kolf en handgreep glinsterend van de olie, en de gegoten aluminium onderdelen en blauwstalen loop blinkend alsof ze net aan een compagniesinspectie onderworpen waren geweest.

Hij stak hem met beide handen naar me uit, alsof het een heilig object was, en we keken elkaar in de ogen. Ik legde mijn handen op het geweer en we hielden het allebei een paar momenten stevig vast. Zijn glimlach was overgegaan in een soort ernstige afwezige blik, en ik denk dat mijn eigen gezicht dezelfde uitdrukking had. We knikten allebei ter herinnering aan de dingen die voorbij waren – de oorlog, de vermiste kameraden, en de nederlaag.

Zonder een woord te zeggen, pakte hij het geweer weer in en legde het terug in de kist. Hij deed de kist dicht en stond op.

Susan en ik stonden ook op en we liepen het huis uit, het bewolkte daglicht in.

John bracht ons terug naar het pad en onderweg zwaaiden we naar iedereen. Aan het begin van het pad zei hij iets tegen Susan en zij gaf antwoord. Ze zei tegen mij: 'John wenst ons een veilige reis toe, en heet je welkom in het heuvelland.'

Ik antwoordde: 'Zeg John dat ik hem dank voor het tonen van zijn medaille en dat hij me heeft voorgesteld aan zijn volk.' Ik wist niet of de Montagnards Tet vierden, dus ik zei: 'Ik wenst de Taoi-stam voorspoed, goede jacht en geluk.'

Susan vertaalde en John glimlachte, zei daarna iets. Susan draaide zich naar me om en zei: 'Hij vraagt wanneer de Amerikaanse soldaten terugkomen.'

'Wat dacht je van nooit? Is dat snel genoeg?' Ik zei: 'Zeg hem dat de Amerikanen alleen in vrede terugkeren en dat er geen oorlog meer zal zijn.'

Susan vertelde het hem en hij leek volgens mij een beetje teleurgesteld. Hij zou het doden van Vietnamezen langer moeten uitstellen dan hij had gehoopt.

Ik greep in mijn zak en haalde er mijn Zwitserse legermes uit. Ik gaf het aan John, die glimlachte. Hij leek het mes te herkennen en begon inderdaad de messen en de andere snufjes eruit te trekken.

Ik zei: 'Dat is een kruiskopschroevendraaier, John. Voor het geval je ergens schroeven tegenkomt. Dit rare ding is een kurkentrekker voor je Château Lafite Rotschild, of je kunt hem in het hoofd van een volkscommissaris draaien als je wilt.'

Susan sloeg haar ogen ten hemel, terwijl ik John alle handige dingetjes van het mes liet zien.

John haalde de donkerblauwe sjaal van zijn hals en deed die om Susans hals. Ze wisselden een paar woorden en we zeiden elkaar vaarwel.

Susan en ik begonnen het pad af te lopen.

Ze zei: 'Dat was fascinerend... en ontroerend. Hij... nou, hij lijkt de Amerikanen nog steeds te verafgoden.'

'Ze hielden ook van de Fransen, wat aan beide kanten getuigt van een slecht oordeelsvermogen.' Ik voegde eraan toe: 'Ze houden gewoon niet van Vietnamezen, en het gevoel is wederzijds.'

'Dat begrijp ik.' Ze dacht een ogenblik na en zei: 'Ik vind het ongelooflijk dat ik hier drie jaar woon en helemaal niets van dit alles wist.'

'Het staat niet in de *Wall Street Journal* of de *Economic Times*.'

'Nee, dat is waar.' Ze vroeg me: 'Ben je blij dat je bent gestopt?'

'Jíj bent gestopt. Ik ging mee om te kijken of je niet aan een braadspit eindigde.'

We bereikten het einde van het pad en ik zei: 'Ik wed dat Mr. Loc aan zijn hielen aan een boom hangt, met zijn keel afgesneden, en dat de honden zijn bloed oplikken.'

'Paul, dat is vulgair.'

'Sorry. Ik wilde rijden.'

We vonden de RAV, en Mr. Loc was nog springlevend, maar zag er een beetje geïrriteerd en misschien nerveus uit.

We stapten weer in de auto en ik zei tegen Mr. Loc: *'Cu di.'*

Susan vroeg: 'Komt je Vietnamees weer terug?'

'Ja. Beangstigend.' Het meeste van mijn Vietnamees had te maken met wippen, maar ik herinnerde me ook een paar gangbare uitdrukkingen. Ik zei tegen Susan: *'Sat Cong,'* wat betekent: 'Dood de communisten.'

Dat vond Mr. Loc niet leuk en hij wierp een blik achterom naar mij. Ik zei: 'Hou je ogen op de weg.'

De slechte weg bleef naar het noorden leiden en we bereikten een kleine plaats op de kaart die Ta Ay heette, een verzameling primitieve bamboehutten op een vlakke bergweide, waarvan de bewoners er Vietnamees uitzagen. De Vietnamezen woonden in dorpen en cultiveerden het land; de stamvolken leefden in de heuvels en bergen en leefden van het land. Het wás fascinerend, zoals Susan had gezegd, en onder andere omstandigheden en zonder een persoonlijke geschiedenis in deze heuvels, zou ik misschien een beter humeur hebben gehad.

We kwamen door een ander gehucht, dat, volgens de kaart, Thon Ke heette, en de weg draaide naar het westen, naar de Laotiaanse grens en dook naar beneden naar een smalle vallei, draaide vervolgens weer naar het noorden en volgde deze slingerende bergvallei tot we, een uur later, een laaggelegen gebied van rijstvelden bereikten, en een dorp dat Li Ton heette. De weg hier liep over de brede dammen van rijstvelden. *De Ho Tsji Minh-route.* Verbazingwekkend als je erover nadacht; nog verbazingwekkender nu ik er een deel van had gezien.

Iets meer dan twee uur nadat we A Luoi hadden verlaten, staken we een nieuwe, betonnen brug over, bij een plaats die Dakrong heette, en een paar kilometer verder kruiste de Ho Tsji Minh-route Highway 9, een tweebaansweg met half geasfalteerd wegdek, voor een deel met de complimenten van de genietroepen van het Amerikaanse leger. Mr. Loc sloeg linksaf de snelweg op, en we reden naar het westen, in de richting van Khe Sanh.

Ik zei tegen Susan: 'Deze weg was tijdens het beleg van Khe Sanh, van begin januari tot april 1968, afgezet door het Noord-Vietnamese leger. Zelfs een gewapend konvooi kwam er niet doorheen. Maar begin april werden we gedropt in de heuvels rond het belegerde kamp, en ongeveer een week daarna, brak een gepantserde colonne met een paar mariniersregimenten en ARVN-soldaten de weg weer open en was het met het beleg gedaan.'

'En was jij hier?'

'Ja. De Eerste Luchtcavalerie kwam op veel plaatsen. Het is heerlijk om honderden helikopters tot je beschikking te hebben, maar meestal wilde je niet daarheen waar zij je brachten.

We reden een korte afstand over Highway 9. Het verkeer was mid-

delmatig en bestond voornamelijk uit scooters, fietsen en landbouw-
trucks.

Rechts was het plateau van de oorlogsbasis Khe Sanh, waarachter
met bomen begroeide heuvels oprezen, die aan het oog werden onttrokken door mist en nevel. Geografisch leek deze plek op de A Shau-
vallei, hoewel het niet zo afgelegen en ingeklemd tussen de heuvels
lag.

Historisch gezien was Khe San een plaats waar, zoals in de A Shau-
vallei en in Dien Bien Phu, een enorm westers leger zich had verzameld in een afgelegen, godvergeten vallei, om de strijd aan te gaan
met de Vietnamezen. Dien Bien Phu was in een beslissende nederlaag
geëindigd, terwijl Khe San en de A Shau hoogstens een militaire pat-
stelling hadden betekend, en uiteindelijk een psychologische tegen-
slag voor de Amerikanen die beseften dat een remise geen substituut
was voor een overwinning.

We reden langs het plateau van de oude legerbasis en bereikten het
stadje Khe Sanh, dat, net als A Luoi, tijdens de oorlog was verdwenen,
maar, à la Brigadoon, jaren later weer was verschenen.

De lucht was nog steeds somber en bewolkt en zo herinnerde ik me
het in april 1968, een lucht, net zo grijs en bewolkt als mijn stemming
toen was, een plek waar de stank van duizenden dode lichamen naar
jouw eigen noodlot verwees.

32

We reden het stadje Khe San in waar overal stevige gestuukte huizen met rode dakpannen aan keurig gerangschikte straten werden gebouwd.

We kwamen op een breed plein waar ze bezig waren met de bouw van een grote markthal. Deze stad was duidelijk bedoeld als voorbeeldstad, met een naam die herinneringen opriep, en die de autoriteiten als uithangbord wilden gebruiken voor de toeristen en de media. En er stonden dan ook vijf tourbussen op het plein geparkeerd en er liepen tientallen westerse toeristen langs de marktkramen, terwijl ze waarschijnlijk probeerden erachter te komen waarom ze hier waren, in deze afgelegen uithoek van het land.

Mr. Loc reed een benzinestation in en Susan en ik stapten uit de auto en rekten ons uit. Ik zei: 'Ik kan wel een koud biertje gebruiken.'

Ze zei iets tegen Mr. Loc terwijl hij benzine tankte, en we staken het plein over naar een caféterras.

Onder het lopen, zei Susan: 'Dit was toch niet de basis?'

'Nee. Onderweg hierheen zijn we erlangs gekomen – dat hoge plateau. De oorlogsbasis Khe Sanh had de naam van dit stadje dat toen al niet meer bestond. We komen later wel bij de basis.'

Er stond een aantal open kramen onderweg naar mijn bier, en Susan, getrouw aan haar aard, bleef bij de meeste even staan. Een heleboel kramen verkochten koffie in zakken van twee kilo, wat een plaatselijk product moest zijn, en een paar kramen hadden ananassen en groenten. Er waren ook groepjes kramen die oorlogssouvenirs verkochten, voornamelijk rotzooi, zoals sieraden die van de resten van koperen patroonhulzen waren gemaakt. Ik zag een paar koperen hulzen van 105mm-granaten waarin bloemen bloeiden, een ergere metafoor kon je niet bedenken. Er waren vazen met bloemknoppen die ooit .50 mitrailleurhulzen waren geweest, plus de korte, stevige hulzen van granaatwerpers die werden verkocht als drinkbekers waar oren op gelast waren.

Susan zei: 'Waar komt al dit spul vandaan?'

Ik zei: 'De Verenigde Staten van Amerika.'

'Mijn god, er is zoveel.'

'Het was een beleg van honderd dagen. Dit is waarschijnlijk maar een minuut van wat het zware geschut gebruikte.'

Ze liep naar een kraam waar ze onderdelen van wapentuig hadden: plastic kolven van m-16-geweren, pinnen van handgranaten, de kartonnen, telescopische buizen van lichte m-71-antitankraketten, enzovoort. En ook lagen er plastic veldflessen, gi-gereedschap, munitietassen, bajonetschedes, riemgespen en allerlei andere dingen, het archeologische bewijs van een leger dat hier ooit had gevochten, nu te koop als souvenir voor de overlevenden die het misschien mee naar huis wilden nemen als een stukje hel.

Susan vroeg me naar de verschillende spullen, wat ze waren en waarvoor ze waren gebruikt. Ik gaf antwoord en zei toen: 'Koud bier?'

'Heel even. Wat is dit?'

Ik keek naar wat ze in haar hand hield en zei: 'Dat is toevallig de houder waarin je pioniersschop zit. Je maakt hem vast aan je riem en het blad van je schop past er precies in.'

Ze legde het neer en liep naar een volgende kraam waar een familie Montagnards huisvlijt verkocht. Ze fluisterde tegen me: 'Paul, weet je welke stam dit is?'

Ze gingen gekleed in helderblauwe en rode kleren met minutieus borduurwerk, en de vrouwen droegen hun haar in een enorme bos boven op hun hoofd, samengebonden met helder gekleurde sjaals. De dames droegen enorme oorringen en rookten lange pijpen. Ik zei tegen Susan: 'Volgens mij komen ze uit Californië.'

'Wijsneus. Van welke stam zijn ze?'

'Hoe moet ik dat nu weten? Het zijn allemaal Montagnards. Vraag het hun.'

Ze sprak in het Vietnamees een oude vrouw aan en ze waren allebei verrast dat ze Vietnamees spraken. Susan babbelde met de oude vrouw en zei toen tegen me: 'Haar Vietnamees is moeilijk te verstaan.'

'Dat van jou ook.'

De hele familie stond er inmiddels omheen en praatte er op los, terwijl de vrouwen aan pijpen lurkten en de mannen sigaretten rookten. Ze bespraken Susans Taoi-sjaal en toonden haar feller gekleurde sjaals. Op een bepaald moment begonnen ze naar mij te kijken, en ik wist dat Susan hen op de hoogte bracht dat ik vroeger hier was geweest.

Een heel kleine oude man met kromme benen, gekleed in een soort tuniek met een gele sjerp om zijn middel, kwam op me af. Hij pakte mijn handen en keek me in de ogen, en we keken elkaar aan. Zijn handen voelden aan als leer en zo zag zijn gezicht er ook uit. Hij zei iets, en Susan zei tegen mij: 'Hij zegt dat hij een Amerikaanse soldaat is geweest.'

'O ja? Volgens mij haalt hij de vereiste lengte niet.'

Hij bleef praten en Susan vertaalde terwijl hij sprak. 'Hij zegt dat hij voor de Amerikanen bij... de groene baretten heeft gevochten... hij was er zeven jaar bij... ze betaalden hem goed... gaven hem een mooi geweer en mes... hij heeft er... veel, heel veel gedood... hij zei *beaucoup, beaucoup*... hoor je dat?'

De oude man zei: *'Beaucoup, beaucoup, vie-cie...'* Hij maakte een snijdende beweging langs zijn keel, wat ik heel goed begreep, omdat ik het zelf had gedaan. Ik zei tegen Susan: 'Vraag hem of hij nog steeds zijn geweer heeft.'

Ze vroeg het hem, hij keek me aan en knikte bijna onmerkbaar.

Dus, daar sta ik, kijkend naar dit ongelooflijk gerimpelde gezicht met spleetogen, we houden elkaars handen vast op het plein van de stad Khe Sanh en we hebben weinig met elkaar gemeen, behalve de band van de oorlog, die nooit verbroken kan worden.

Susan zei: 'Hij wil weten of je zijn commandant, kapitein Bob, kent.'

Ik antwoordde: 'Vertel hem dat ik kapitein Bob een keer in Amerika heb ontmoet en dat hij vaak over de dapperheid van de Montagnard-soldaten spreekt.'

Susan vertaalde dit en de oude man geloofde het helemaal. Hij kneep in mijn handen, liep toen naar de kraam en kwam terug met een bronzen Montagnard-armband, die je niet kunt kopen, maar die ze je geven als ze je aardig vinden of als je dapper bent. Hij maakte de smalle armband open, deed hem om mijn linkerpols en drukte hem dicht. Hij deed een stap achteruit en salueerde. Ik beantwoordde het saluut.

Inmiddels hadden we een paar Amerikanen om ons heen staan, plus een paar Vietnamezen die er niet zo gelukkig mee leken te zijn.

Ik zei tegen Susan: 'Bedank hem en vertel hem dat kapitein Bob en ik terug zullen komen om een volgend leger van Montagnards op te richten.'

Ze zei iets tegen de oude man, hij glimlachte en we schudden elkaar de hand.

Susan moest beslist zes sjaals en sjerpen in meerdere tinten hebben, en voor het eerst sinds ze in Vietnam was, onderhandelde ze niet over de prijs, maar gaf de oude dame tien dollar.

Susan wilde natuurlijk foto's nemen, dus ze vroeg de Montagnards of het goed was, en ze vonden het goed. Ik zei tegen Susan: 'Ze hakken je hoofd eraf.' Maar ze nam toch foto's en haar hoofd werd er niet afgehakt. We poseerden allemaal voor kiekjes, met sjaals om onze nek, zeiden vervolgens iedereen vaarwel en ik stevende recht op het café af.

Susan zei: 'Ze zijn van de Bru-stam. Laat je armband eens zien.'

Ik stak mijn arm uit als een slaapwandelaar.

Ze bekeek de eenvoudige armband en vroeg me: 'Zit hier nog een betekenis aan vast?'

Ik antwoordde: 'Het is een blijk van vriendschap. Om eerlijk te zijn, heb ik er thuis ook een. Nu heb ik er twee.'

'O ja? En van wie heb je de eerste?'

'Van een Montagnard, lijkt me.'

'Waarom heb je die van hem – haar – gekregen?'

'Hem. Je rotzooide niet met hun vrouwen omdat je anders je paal op een stok kon terugvinden.'

'Goed. Dus waarom hebben ze je een armband gegeven?'

'Gewoon een blijk van vriendschap. Ze gaven die nogal snel als ze je aardig vonden. Helaas verwachtten ze ook dat je met hen at, en ze aten dingen die erger waren dan legerrantsoenen.'

'Zoals?'

'Nou, niet zo slecht als de Vietnamezen. Het zijn vleeseters – herten, evers, vogels, wezels, en andere vreselijke wildsoorten. Het vlees is altijd verkoold. Maar de beker warm bloed was een beetje moeilijk weg te krijgen.'

'Heb jij het bloed gedronken?'

'Het paste goed bij het rode vlees.'

We bereikten het terras. Het was bijna één uur en de gelegenheid zat vol Euro's en Amerikanen, onder wie rugzaktoeristen. Er zaten een paar mannen die veteranen hadden kunnen zijn, maar voornamelijk zaten er een heleboel tourgroepen bij elkaar, die volgens mij geen enkele associatie met deze plaats hadden. Khe Sanh lag duidelijk op de tourroute en ik vermoed dat de meeste mensen zich in hun hotel in Hué hiervoor opgegeven hadden. In de brochure stond wellicht zoiets als: *Khe Sanh! Bezoek de plaats waar het beroemde drie maanden lang durende bloederige beleg van de basis van Amerikaanse mariniers plaatsvond – herbeleef de verschrikkingen van 30.000 manschappen, die verwikkeld waren in een dodelijke strijd, vanuit uw comfortabele bus met airconditioning. Uitstapje naar een Montagnard-dorp – lunch inbegrepen.*

In ieder geval waren de tafeltjes bezet, maar ik zag een tafeltje voor vier waar alleen maar een Amerikaan en een Vietnamees aan het bier zaten. Ik liep naar het tafeltje toe en zei: 'Heb je bezwaar als we hier komen zitten?'

De Amerikaan, een grote man van ongeveer mijn leeftijd, zei: 'Nee. Ga je gang.'

Susan en ik gingen zitten.

De man zei: 'Ik heet Ted Buckley.' Hij stak zijn hand uit.

Ik drukte hem en zei: 'Paul Brenner. Dit is Susan Weber.'

Hij pakte Susans hand. 'Leuk je te ontmoeten. Dit is Mr.... hoe heet je?'

De Vietnamees, die eruitzag als ongeveer zestig, zei: 'Ik ben Mr. Tram. Aangenaam met u kennis te maken.'

Ted Buckley zei tegen ons: 'Mr. Tram was officier in het Noord-Vietnamese leger, een kapitein – toch? Hij heeft hier gevechten mee-gemaakt. Niet te geloven, hè?'

Mr. Tram lachte min of meer en maakte een buiging met zijn hoofd.

Ted voegde eraan toe: 'En ik heb hier gezeten met het Zesentwintig-ste Mariniersregiment, van januari tot juni achtenzestig.' Hij glimlach-te en zei: 'Dus Mr. Tram en ik zaten hier op dezelfde tijd, maar aan verschillende kanten van het prikkeldraad.'

Ik keek naar Mr. Tram en onze ogen ontmoetten elkaar. Hij probeer-de erachter te komen of ik hier ook had gezeten, en of ik nog een wrok koesterde, of dat ik, net als Ted Buckley, dit allemaal verrekte toeval-lig vond.

Ted zei: 'Mr. Tram zei dat hij mijn gids wilde zijn op de basis. Gaan jullie naar de basis, of zijn jullie er al geweest?'

Ik antwoordde: 'We zijn onderweg erheen.'

De serveerster kwam en Susan en ik bestelden een biertje dat koud was.

Ted keek me aan en vroeg: 'Mariniers?'

Ik antwoordde standaard: 'Verrek, nee. Zie ik er zo stom uit?'

Hij lachte. 'Leger?'

'Eerste Cavalerie.'

'Neem je me in de zeik?' Hij keek Susan aan. 'Sorry.' Toen vroeg hij me: 'Was je toen hier?'

'Ja.' In de geest van goedaardige rivaliteit tussen de onderdelen, voegde ik eraan toe: 'Weet je niet meer dat de cavalerie aan kwam vliegen om jullie te ontzetten?'

'Gelul. We hadden Charlie precies waar we hem wilden hebben.'

'Hij had je drie maanden lang omsingeld, Ted.'

'Daar wilden we hem ook hebben.'

We lachten allebei. Dit was leuk. Denk ik.

Mr. Tram en Susan zaten allebei te roken en stil te luisteren.

Ted zei tegen Mr. Tram: 'Deze man was hier ook. Eerste Cavalerie-divisie. Begrijpt u dat?'

Mr. Tram knikte en zei tegen me: 'U kwam aan op de eerste dag van april.'

'Juist.'

Hij informeerde me: 'Ik weet het nog goed.'

'Goed. Ik ook.'

Het bier kwam en we hieven allemaal onze flessen. Ted zei: 'Op de vrede.'

We klonken de flessen en dronken.

Ik keek naar Ted Buckley. Hij was, zoals ik al heb gezegd, een grote man, maar hij was aan paar pondjes aangekomen sinds die schrale, nare maanden van het beleg van Khe Sanh. Zijn gezicht was verweerd en zijn handen waren ruw, dus hij werkte buitenshuis met zijn handen.

Susan vroeg hem: 'Ben je hier alleen?'

'Mijn vrouw is bij me. Ze is in het hotel in Hué gebleven. Ze zei dat ik er meer aan had als ik alleen ging.' Hij legde uit: 'We zitten met een tourgroep. We zijn uit Saigon gekomen met een minibus. Ik heb Mr. Tram net ontmoet. Hij zei dat hij me een privé-rondleiding zou geven. Hé, jullie kunnen mee als je wilt.'

Ik zei: 'Bedankt. Heel graag.'

Ted keek naar Susan en vroeg: 'Hoe ben jij hier terechtgekomen?'

Ze glimlachte en antwoordde: 'Als vrijwilliger.'

'Geef je nergens als vrijwilliger voor op. Toch, Paul?' Hij voegde eraan toe: 'Logeren jullie in Hué?'

Susan antwoordde: 'Jawel.'

Hij zei: 'We hebben gisteren de Citadel gezien. Jezus, het meeste ligt nog in puin.' Hij vroeg mij: 'Heb je daar ook gevochten?'

'Nee. Ik zat voornamelijk verderop bij Quang Tri.'

'Juist. LZ Sharon. Ik herinner me dat. Wat deden jullie met de cavalerie?'

'Het gewone infanteristenwerk.'

'Ik ook. Ik heb zes maanden van mijn detachering in dit schijthuis gezeten.' Hij zei tegen Susan: 'Sorry, ik kan er geen beter woord voor bedenken.'

Susan antwoordde: 'Ik ben er inmiddels aan gewend.' Ze wendde zich tot Mr. Tram en vroeg hem: 'Hoelang hebt u hier gezeten?'

Hij antwoordde: 'Vier maanden. Ik kwam aan in december 1967 en ik vertrok hier in april.' Hij keek naar mij en zei: 'Toen Mr. Paul kwam, ging ik weg.' Hij vond het een beetje grappig en giechelde min of meer.

Ted keek even naar Mr. Tram en vroeg hem: 'Hoe was het aan de andere kant van het prikkeldraad?

'Mr. Tram begreep de vraag, dacht een ogenblik na en antwoordde: 'Heel slecht. De Amerikaanse bommenwerpers kwamen dag en nacht, en de kanonnen schoten dag en nacht... het was heel slecht voor ons... en voor jullie ook, dat weet ik zeker... maar de bommenwerpers waren heel slecht.'

Ted antwoordde: 'Nou, makker, ik kreeg de inhoud van jullie, kanonnen drie klotemaanden lang op mijn bordje.'

'Ja, oorlog is vreselijk voor iedereen.'

Ik bleef een tijdje stil, toen zei Ted tegen mij: 'Hé, dit is toch niet te geloven? Ik bedoel, het is toch niet te geloven dat je terug bent?'

'Ik probeer het wel.'

Ted zei tegen Susan: 'Jij ziet er te jong uit om je hier ook maar iets van te herinneren.'

Ze antwoordde: 'Dat is zo, maar Paul is zo aardig geweest zijn herinneringen met mij te delen.'

Ted wilde duidelijk meer weten over onze relatie, dus voordat het hem dwars ging zitten, zei ik tegen hem: 'Susan en ik hebben elkaar in Hué ontmoet, en ik nodigde haar uit vandaag met me mee te gaan.'

'Goed. Dus jullie kennen elkaar net.' Hij vroeg Susan: 'Waar kom je vandaan?'

'Lenox, Massachusetts.'

'Ja? Ik kom uit Chatham, in New York, net over de grens. Ik heb een klein bouwbedrijf.' Hij glimlachte en zei: 'Ik heb hier zoveel loopgraven gegraven en zoveel bunkers gebouwd, dat ik, toen ik weer thuis was, zandzakken voor mijn huis neer wilde leggen en eromheen vuurgaten wilde graven. Maar mijn ouweheer zorgde voor een baantje bij een metselaar.'

Susan glimlachte.

Ted vroeg mij: 'Waar kom jij vandaan, Paul?'

'Oorspronkelijk uit Boston. Nu woon ik in Virginia.'

Susan vroeg Mr. Tram: 'En waar komt u vandaan?'

Hij glimlachte en antwoordde: 'Ik kom uit een klein stadje aan de kust dat Dong Hoi heet.' Hij voegde eraan toe: 'Het ligt in het vroegere Noord-Vietnam, maar sinds de hereniging is er geen grens meer, en dus ben ik zes jaar geleden met mijn gezin naar hier, naar Khe Sanh, verhuisd.'

Ted vroeg: 'Waarom?'

Hij antwoordde: 'Het is een economisch ontwikkelingsgebied.'

'Ja? Maar waarom híer?'

Hij dacht een ogenblik na en antwoordde: 'Ik herinner me de prachtige groene heuvels en vallei toen ik hier kwam, voor de strijd... veel Vietnamezen trekken weg van de kust waar te veel mensen zijn. Dit is, zoals jullie zouden noemen, het Wilde Westen.'

Ted antwoordde: 'Het is inderdaad het Wilde Westen. Inclusief indianen.'

Susan vroeg Mr. Tram: 'En u bent hier tourgids?'

Mr. Tram antwoordde: 'Ik geef Engels op de middelbare school. Het zijn nu de Tet-feestdagen, dus ik kom hierheen om te kijken of ik toeristen van dienst kan zijn.' Hij voegde eraan toe: 'Alleen voor veteranen.'

Ik keek naar Mr. Tram. Hij leek me een aangenaam mens, en als hij van het ministerie van Openbare Veiligheid was, was hij dat waarschijnlijk alleen parttime. In ieder geval had ik hém gevonden en hij had niet míj gevonden, dus hij had niets met mij te maken. Misschien kenden hij en Mr. Loc elkaar.

Mr. Tram vroeg me: 'Mag ik u vragen naar uw beroep?'

Ik antwoordde: 'Ik ben met pensioen.'

'Ah. U gaat vroeg met pensioen in Amerika.'

Susan zei: 'Hij is ouder dan hij eruitziet.'

Mr. Tram en Ted grinnikten, en Ted wierp een blik op ons allebei en besloot dat we het bed met elkaar deelden.

We praatten een tijdje, bestelden een nieuw rondje bier en iedereen moest even naar achteren.

Mr. Tram was niet de eerste Noord-Vietnamese soldaat die ik hier was tegengekomen, maar hij was de eerste met wie ik een paar biertjes dronk, en mijn nieuwsgierigheid was gewekt. Ik vroeg hem: 'Wat vindt u ervan dat al die Amerikanen hier terugkomen?'

Zonder aarzeling antwoordde hij: 'Ik vind het een goede zaak.'

Ik heb het niet graag over politiek, maar ik vroeg hem: 'Denkt u dat waarvoor u hebt gevochten, al die doden en dat lijden waard waren?'

Weer zonder enige aarzeling antwoordde hij: 'Ik vocht voor de hereniging van mijn land.'

'Goed. Het land is herenigd. Waarom behandelt Hanoi het zuiden zo slecht? Vooral de veteranen van het Zuid-Vietnamese leger?'

Iemand gaf me onder tafel een schop, en het was niet Ted of Mr. Tram.

Mr. Tram dacht erover na en antwoordde toen: 'Er zijn veel fouten gemaakt na de overwinning. De overheid heeft dit toegegeven. Het wordt nu tijd om aan de toekomst te denken.'

Ik vroeg hem: 'Hebt u vrienden die vroeger Zuid-Vietnamese soldaten waren?'

'Nee, die heb ik niet. Het is voor mijn generatie moeilijk te vergeten.' Hij voegde eraan toe: 'Als we elkaar op straat of in een bus of in een café zien, moeten we denken aan het lijden en de doden die we bij elkaar hebben veroorzaakt. We kijken vol haat en wenden ons af. Dat is vreselijk, maar volgens mij zal het met de volgende generatie beter gaan.'

We richtten ons allemaal weer op het bier. Vreemd genoeg dronk ex-kapitein Tram wel bier met twee Amerikanen die hadden geprobeerd hem niet ver van hier te doden, maar hij wou nog niet eens gedag zeggen tegen een voormalige Zuid-Vietnamese soldaat. Deze vijandigheid tussen Noord- en Zuid-Vietnamezen, de overwinnaars en overwonnenen, bleef maar voortduren, en het was een heel complexe zaak, die volgens mij minder te maken had met de oorlog dan met wat erna was gekomen. Oorlog is simpel; vrede is complex.

Ted zei tegen Susan en mij: 'De bus vertrekt over ongeveer een halfuur. Ik denk niet dat ze het erg zullen vinden als jullie meerijden.'

Ik antwoordde: 'Wij hebben een auto met chauffeur. Jullie kunnen met ons mee.'

'Ja? Goed.' Hij keek zijn gids aan. 'Goed?

'Natuurlijk.'

Ted stond erop voor het bier te betalen en we verlieten het overvolle café.

We vonden Mr. Loc waar we hem hadden achtergelaten en hij zei iets tegen Susan die in het Vietnamees antwoordde. Dit haalde Ted volledig onderuit en hij zei: 'Hé, jij spreekt spleetoogs? Ik bedoel, Vietnamees?'

Susan antwoordde: 'Een beetje.'

'Jezus, wie spreekt er verdomme Vietnamees?'

Susan, Mr. Tram en ik persten ons achter in de RAV, grote Ted ging voorin zitten en we vertrokken.

We reden naar het oosten over Highway 9, en Mr. Tram die zijn geld wilde gaan verdienen, zei: 'Als u naar rechts kijkt, ziet u de resten van het oude fort van het Franse vreemdelingenlegioen.'

We keken allemaal, Susan nam een foto en Ted deed het ook.

Mr. Tram vervolgde: 'Het Volksleger bezette het fort tot de aankomst van...' Hij keek naar mij, lachte min of meer en zei: 'Tot Mr. Paul arriveerde met honderden helikopters.'

Dit was echt een beetje vreemd. Ik bedoel, ik zat hier bil aan bil met deze man die ik in een oogwenk bloedrood geschilderd zou hebben als ik hem destijds hier gezien zou hebben. Of hij zou mij gedood hebben. Nu was hij mijn gids en vertelde hij me wanneer ik hier vanuit de lucht had aangevallen.

Mr. Tram vervolgde zijn rondleiding en zei: 'De weg rechts van u die op deze uitkomt, maakte onderdeel uit van de Ho Tsji Minh-route, en loopt verder naar het zuiden, naar A Luoi in de A Shau-vallei, de plaats van veel vreselijke gevechten. Op deze route, een kilometer naar het zuiden, bevindt zich de Dakrong-brug, een cadeau van onze socialistische Cubaanse broeders aan het Vietnamese volk. We kunnen de brug later bezoeken, als u wilt.'

Susan zei iets tegen Mr. Tram in het Vietnamees en hij knikte toen ze sprak.

Ted hoorde dit en draaide zich weer om. 'Wat gebeurt er?'

Susan legde uit: 'We komen net uit de A Shau-vallei. Paul heeft daar gezeten.'

Ted zei: 'O, juist. Jullie gingen hier vandaan naar A Shau. Hoe was het?'

Ik antwoordde: 'Het was klote.'

'Kan niet erger zijn geweest dan Khe Sanh, makker.'

Er zijn naar beneden toe verschillende kringen van de hel, zelfs in een oorlog, en elke soldaat is ervan overtuigd dat hij zich in de ergste kring bevindt, en het heeft geen enkele zin hem van het tegendeel te overtuigen. Jouw hel is jouw hel. Zijn hel is zijn hel.

Mr. Tram zei: 'Ik had een broer die in de A Shau-vallei zat.'

Niemand vroeg hem hoe het nu met zijn broer ging.

Mr. Tram keerde terug naar de inbegrepen rondleiding en zei: 'Zoals u ziet worden de velden aan beide zijden van de weg bebouwd. Koffie en groenten en ananas zijn de voornaamste producten. Tijdens de oorlog was de vallei niet bewoond, behalve door een paar bergvolken die zich hadden aangesloten bij de Amerikanen. Weinigen van de oorspronkelijke bevolking zijn hier teruggekeerd, en hier zitten voornamelijk nieuwe kolonisten van de kust. Ze noemen hun dorpen naar hun oude dorpen, dus als familie of vrienden van de kust op bezoek komen, hoeven ze alleen maar naar dat en dat dorp te vragen en de plaatselijke bevolking kan hun het nieuwe dorp wijzen dat dezelfde naam heeft als het dorp waaruit de kolonisten afkomstig zijn.'

Ted informeerde Mr. Tram: 'We hebben hetzelfde in de Verenigde Staten. New York, New Jersey, New London, New wat dan ook. Hetzelfde.'

'Ja? Heel interessant,' zei Mr. Tram, die nog niet betaald was. Hij vervolgde: 'Ziet u die vele vijvers in deze streek? Dat zijn geen vijvers, maar bomkraters. Er waren er ooit duizenden, maar de meeste zijn met aarde gevuld. De resterende worden gebruikt om eenden te fokken of om de dieren te laten drinken.'

Ik herinnerde me dit landschap toen ik aan kwam vliegen, en het enige dat je vanuit de lucht kon zien was het dode, bruine gebladerte, de grijze as, kilometers en kilometers aan Noord-Vietnamese loopgraven, en de ene na de andere krater, als de oppervlakte van de maan.

Ik stelde me kapitein Tram en zijn kameraden voor, 's nachts in hun bunkers of smalle loopgraven, rokend en pratend, en hopend op een rustige nacht. Ondertussen liet negen kilometer boven hen, te hoog om te worden gezien, een vlucht enorme, achtmotorige B-52-bommenwerpers hun bommen van duizend pond tegelijkertijd los. De bommen floten of gilden niet tijdens het vallen – het gillen kwam van de mensen op de grond als de honderden bommen zonder waarschuwing doel troffen.

'Arc Light Strikes' werden ze genoemd en ze veranderden de aarde beneden in een directe hel, alsof het dodenrijk naar de oppervlakte was gekomen om de wereld op te slokken. En er bestond geen bunker of tunnel die diep genoeg was om te ontkomen aan de vertraagde tijdsontstekers die de bommen van duizend pond pas nadat die zich diep in de aarde hadden geboord tot ontploffing brachten. En als de bom je niet werkelijk raakte en deed verdampen, veranderde de inslag je hersenen in gelei, of scheurde je inwendige organen aan flarden, deed je trommelvlies barsten en gooide je in de lucht als een kluit aarde. Of soms werd je levend begraven als je tunnel, loopgraaf of bunker instortte.

We hadden hier honderden Noord-Vietnamezen gevonden die naar de lucht lagen te staren, terwijl het bloed uit hun oren, neus en mond liep, of die rondliepen als zombies. Ze waren het niet waard gevangen te worden genomen, medische hulp mocht niet meer baten en we wisten niet of we hen moesten neerschieten of dat dat een verspilling van tijd was.

Ik wierp een blik op Mr. Tram en wist dat hij dit had gezien, vanuit zijn positie, en ik vroeg me af of hij er veel over nadacht, of dat het altijd bij hem was.

We reden ongeveer twee kilometer over Highway 9 toen Mr. Loc linksaf sloeg bij een bord waarop in het Engels stond: *Khe Sanh Gevechtsbasis*.

We reden over een onverharde weg die omhoogleidde naar het plateau. Een bus kwam naar beneden en een rij rugzaktoeristen klom naar boven. Binnen een paar minuten waren we op een parkeerterrein waar ongeveer zes bussen stonden, samen met een paar particuliere auto's en scooters. Mr. Loc parkeerde en we stapten allemaal uit.

Het plateau waar ooit de basis was geweest, was niets meer dan een uitgestrekt grasveld waarover de wind huishield. De mistige, groene heuvels torenden boven het plateau uit, en ik kon me de Noord-Vietnamese artillerie, raketten en mortieren daarboven voor de geest halen die op het plateau schoten. Welk militaire genie had deze plek uitgekozen om te verdedigen? Waarschijnlijk dezelfde idioot die de basis in A Luoi had opgezet, en aangezien beide plaatsen ooit Franse bolwerken waren geweest, dacht ik ook aan Dien Bien Phu, dat geografisch gezien een gelijke ligging had. Ik zei tegen Ted: 'Ze leerden ons het hoge terrein in te nemen en te verdedigen. Ik denk dat ze Les Nummer Een waren vergeten.'

Ted was het met me eens en zei: 'Jezus, we waren schietschijven hier.' Hij keek om zich heen naar de heuvels. 'Die klotespleetogen schoten en verborgen dan snel hun artillerie in een kloof. We antwoorden hier vandaan met tegenvuur van de artillerie, en de luchtmacht raakte de heuvels met brisantbommen en napalm. En dit spel duurde honderd klotedagen lang; dit kamp was een hel op aarde, makker. Als je naar buiten ging om te pissen werd je pik eraf geknald. We leefden hier goddomme als beesten in de loopgraven en bunkers, en overal zaten die kloteratten, en ik zweer je, het regende elke dag, en die rode klotemodder was zo dik dat je laarzen erin bleven steken. Ooit zat er iemand tot aan zijn knieën in de modder en een jeep probeerde hem eruit te trekken, en die werd tot aan de voorruit in de modder gezogen; daarna probeerde een vrachtwagen met een Buick 250-motor de man en de jeep eruit te trekken en die werd tot aan zijn dak begraven, vervolgens twee bulldozers en die verdwenen allebei in de grond; we riepen toen een heli met een kraan en kabels erbij en de heli werd de grond in getrokken en verdween. Weet je hoe we iedereen eruit hebben gekregen?'

Ik glimlachte en vroeg: 'Nee, hoe?

'De messsergeant riep: "Warme hap!"'

We lachten allebei. Echt, de mariniers zitten vol onzin.

Mr. Tram en Susan glimlachten beleefd. Mr. Loc, die ogenschijnlijk geen Engels sprak en toch al geen gevoel voor humor had, bleef er als een ijzeren Hein bij staan.

Mr. Tram zei: We bevinden ons hier op de gevechtsbasis. Zoals u kunt zien, is er niets meer van over, behalve de omtrek van de landingsbaan verderop waar niets schijnt te groeien.'

We keken allemaal naar de landingsbaan in de verte. Susan en Ted maakten een paar foto's van het kale landschap en van ons.

Ted zei: 'Ik was hier in juni toen de bulldozers de hele klotebasis onder de grond stopten. We lieten geen fok voor Charlie achter.'

Mr. Tram, die vroeger Charlie was, beaamde dat en zei: 'Toen de Amerikanen in juni deze basis opgaven, wilden ze niets achterlaten dat in een propagandafilm kon worden gebruikt en daarom zien we nu niets. Maar u ziet de gaten in de grond waar de metaaldieven alles dat begraven was weer hebben opgegraven. Ze hebben zelfs vrachtwagens gevonden die door artillerievuur waren vernietigd en begraven.' Hij voegde eraan toe: 'Er wordt over gepraat sommige delen van deze gevechtsbasis weer op te bouwen, omdat de toeristen als ze komen niets zien.'

Ik zei tegen Ted: 'Hé, ik heb een baan voor je.'

Hij lachte. 'Ja. Nooit, verdomme, vul ik nog een klotezandzak op deze kloteberg.'

Mr. Tram glimlachte en zei: 'Veel Amerikaanse mariniers zijn behulpzaam geweest door aan de plaatselijke autoriteiten informatie te geven over deze basis, en nu hebben we kaarten en tekeningen van hoe het er misschien uit heeft gezien.'

Ted zei: 'Het zag eruit als een klerezooi. Rode modder en zandzakken. Geen gras toen ik hier zat.'

Mr. Tram ging nog even door over het reconstrueren van de hel voor toeristen. Ik keek om me heen en zag dat er misschien vijftig mensen rondliepen, die probeerden erachter te komen waar al die drukte om was. Ik denk dat je erbij geweest moest zijn.

We liepen een tijdje rond en Mr. Loc bleef bij de auto. Mr. Tram wees naar het oosten en zei: 'Daar kun je de heuvels van Laos zien, vijfentwintig kilometer verderop. Bij die grens is het Amerikaanse kamp van de Speciale Eenheden van Lang Vei, dat werd veroverd door mijn regiment tijdens de eerste dagen van het beleg.' Hij zweeg even en zei toen: 'Het waren dappere mannen, maar ze waren met te weinigen.'

Ik zei: 'Hun Montagnard-strijders waren ook heel dapper.'

Mr. Tram gaf geen antwoord.

We bleven over het plateau lopen en ik zag twee mannen van middelbare leeftijd die een heel emotioneel moment beleefden, terwijl hun vrouwen een eindje verderop stonden en een andere kant op keken.

Ted zag hen ook, staarde een tijdje naar hen, liep er vervolgens heen en sprak met hen. Grote Ted zag er niet uit als de gezellig kussende knuffelbeer, maar binnen een minuut omhelsden de twee mannen en Ted elkaar.

Een paar minuten later kwam Ted terug, schraapte zijn keel en zei: 'Dat waren jongens van de artillerie. Allebei raakten ze gewond toen de munitieopslag de lucht in ging en ze zijn afgevoerd.' Hij voegde eraan toe: 'Ze hebben de meeste lol gemist.'

Niemand gaf hier commentaar op, hoewel Mr. Tram zich moest hebben herinnerd dat de grote munitieopslag werd geraakt door een Noord-Vietnamese artilleriegranaat. Jongens die ik kende en die in de heuvels bij Quang Tri patrouilleerden, hadden gezegd dat ze het op dertig kilometer afstand hadden gezien en gehoord. Het moest een enorme morele oppepper zijn geweest voor de Noord-Vietnamezen, en een slecht voorteken voor de belegerde mariniers.

We vervolgden onze wandeling.

Ted bleef bij de rand van het plateau staan en zei: 'Ik herinner me dat mijn bunker aan deze kant was, aan de zuidkant, ongeveer in het midden van de grens, en we konden uitzien op Highway 9.'

Mr. Tram zei: 'Ja? Mijn regiment lag ook aan de zuidkant, aan de andere kant van de snelweg, dus misschien hebben we een paar schoten gewisseld.'

'Hé, dat weet ik wel zeker, makker.' Ted vroeg me: 'Waar was jij, Paul?'

Ik keek uit over de vallei, naar de heuvels in de verre verte en zei: 'Ook hier aan de zuidkant. Vanuit de lucht vielen we die heuvels aan, aan de kant van A Shau. Ze hadden ons verteld dat we achter de vijand zouden neerkomen – achter Mr. Tram hier – maar er waren een heleboel Noord-Vietnamese soldaten waar we landden.'

Mr. Tram knikte peinzend en zei: 'Ja, ik herinner me die middag dat de helikoptercavalerie arriveerde nog heel duidelijk.' Hij voegde eraan toe: 'Ze bombardeerden ons dagenlang voor de helikopteraanval begon, en lieten veel napalm vallen, en toen de helikopters arriveerden met de luchtsoldaten, waren we heel erg bang.'

Ik zei: 'Jullie waren bang? Ik deed het in mijn broek. *Biet*?'

Mr. Tram knikte en bleef knikken, en ik zag dat hij ver weg was, terugdenkend aan de dag dat de helikopters kwamen.

Ted zei: 'Ik herinner me nog dat de cavalerie kwam, en we zeiden: "Verrek, nu jagen ze Charlie weg en is het gedaan met de lol."'

Er leken twee verschillende versies te bestaan van deze strijd: De Eerste Cavalerie zag het als het redden van de belegerde mariniers; de mariniers zagen het als spelbederf door de cavalerie. Ik zei tegen Ted: 'Ik zou het niet erg hebben gevonden thuis te blijven.'

Hij lachte.

Mr. Tram kwam terug van waar hij ook geweest mocht zijn, en vroeg Ted: 'Hadden jullie ratten?'

'Hadden we ratten? Jezus, we hadden ratten in de loopgraven die zo groot waren dat we dachten dat het herten waren. En dat waren hóngerige ratten. Je moest als je sliep je laarzen aanhouden, anders beten ze je tenen eraf. Ik maak geen grapje. Die klerelijers waren gemeen en agressief. We hadden speciale hagelpatronen voor de .45 automatics, en we joegen elke dag een keer op ratten. Op een keer pakten twee ratten een doos rantsoenen mee en droegen het een hol in, daarna kwam er een terug en probeert een pak legersigaretten te ruilen voor een blikopener.' Hij lachte. 'Dat is brutaal.'

Susan leek mild geamuseerd. Mr. Tram dacht nog steeds na over ratten. Hij zei: 'Onze loopgraven zaten vol ratten. Ze aten...' Hij keek naar Susan en maakte de zin niet af, maar ik wist dat het geen rantsoenen waren die de ratten aten.

Mr. Tram zei: 'Die ratten hadden ziektes bij zich... begrijpt u, de... in het Frans is het *les puces*.'

Susan zei: 'Vlooien.'

'Ja, en die vlooien hadden de builenpest bij zich... de zwarte dood, en de huid wordt zwart... vol builen... veel mannen zijn zo gestorven.'

We stonden daar onder de grijze, sombere hemel, met de voortdurende wind die uit de heuvels waaide, en drie van ons teruggetrokken in onze eigen gedachten. We hadden zo een week kunnen blijven staan en Ik Weet Iets Dat Nog Erger Is spelen, maar wat had het voor zin?

Ten slotte zei Ted: 'Ja, ik herinner me het nu, op een dag kwam een transportvliegtuig hier met dit spul... gamma en nog iets.'

Ik zei: 'Gammaglobuline.'

'Ja. Weet je dat nog? Ze staken die paardennaald in je reet en spoten die troep in je kont. Dat spul lag op ijs en ik zweer je, het was dik als stopverf. Ik had een week lang een bult op mijn reet, en we vroegen de artsen waar het voor was, en ze zeiden "mazelen". Maar later kwamen we erachter dat voor de pest was. Jezus Christus, alsof de binnenkomende granaten al niet erg genoeg waren om je zorgen om te maken.'

Susan vroeg: 'Werd er iemand ziek?'

Ted antwoordde: 'Denk je dat ze het ons zouden zeggen? Je ging met koorts naar het veldhospitaal, en soms werd je weer teruggestuurd met penicilline, en soms haalden ze je hier weg en zetten je op de eerste vlucht hier vandaan. Niemand gebruikte het woord pest.'

Ik knikte, herinnerde me de angst voor builenpest, waarvan we het bewijs hadden gezien op de dode en gewonde Noord-Vietnamezen.

Wij hadden gammaglobuline gekregen voor de luchtaanval en onze artsen waren er voornamelijk heel openhartig over geweest en hadden ons verteld beten van rattenvlooien te vermijden en, natuurlijk, ook beten van ratten. En terwijl we er toch mee bezig waren: te stoppen met roken en proberen niet geraakt te worden door een kogel. Bedankt, dokter.

De Eerste Cavalerie had deze operatie Pegasus genoemd, naar het mythologische vliegende paard, maar het had veel passender de Vier Ruiters van de Apocalyps genoemd kunnen worden – Oorlog, Honger, Pest en Dood.

Mr. Tram vervolgde: 'Dus dit vreselijke beleg duurde heel januari, februari, maart tot aan april. We hadden misschien twintig- of vijfentwintigduizend man rond dit kamp en de Amerikaanse mariniers hadden er... hoeveel, Mr. Ted?'

'Ongeveer vijf- of zesduizend.'

'Ja. En toen we hier weggingen, vertelden ze ons dat we tienduizend kameraden van ons hadden achtergelaten, ziek, gewond en dood... en we hadden nog veel meer duizenden bij ons die ziek en gewond waren... en veel van hen stierven daarna. Ik ben veel vrienden kwijtgeraakt en een paar neven en een oom die kolonel was. En ik weet dat ook veel Amerikanen gestorven zijn, dus toen ik hier wegging, dacht ik bij mezelf: 'Wat is het doel van dit alles?'

Ted zei: 'Ik zou het absoluut niet weten.'

Mr. Tram liep een tijdje zwijgend verder, bleef toen staan en wees. 'Ziet u die loopgraaf daar? Het is een van de loopgraven die wij hebben gegraven en die nog bestaat. We begonnen loopgraven naar dit kamp toe te graven – net als mijn vader en ooms hadden gedaan in Dien Bien Phu. Elke nacht groeven we, en de loopgraven kwamen steeds dichter bij jullie prikkeldraad. En toen we heel dichtbij waren, kwamen we 's nachts uit de loopgraven en vielen aan op een plek waarvan we dachten dat de verdediging minder was, en waar we jullie kamp konden binnendringen... maar dat lukte niet... en veel mannen zijn daar gestorven waar ooit het prikkeldraad heeft gestaan.'

Ted nam het verhaal over en zei: 'Als we dachten daar ergens beweging te zien, of als er een lichtkogel aan een struikeldraad de lucht in ging, schoten onze mortieren boven het gebied toortsen aan parachutes af, en alles werd net zo licht als overdag...' Hij keek naar beneden van het plateau waar ooit het prikkeldraad was geweest en zei: 'We zagen ze op ons af komen, honderden, heel stil, zonder te schieten, gewoon op het prikkeldraad af komen, en ze gingen zelfs niet in dekking, bleven gewoon op ons af komen rennen, en wij begonnen te schieten en ze vielen als kegels. Jezus, op een nacht blaast een van hen op een klotebugel, en ze beginnen allemaal te rennen en te schreeuwen, en ik knijp mijn reet dicht van angst en begin zo hevig te trillen dat ik mijn geweer niet stil kan houden, en zij beginnen van die knaltorpedo's in het buitenste prikkeldraad te gooien, en het draad vliegt de lucht in, en er komt een opening waar ze doorheen komen naar het tweede prikkeldraad, en mortiergranaten vallen overal om mijn bunker neer, en ik ben bang mijn gezicht bij het schietgat te brengen omdat mortier- en granaatscherven, en niet te vergeten brandpatronen erdoor naar binnen komen, dus ik hou mijn M-16 bij de spleet aan de pistoolgreep, en zit ineengedoken onder de spleet, dus kan ik geen reet zien, maar ik schiet het ene magazijn na het andere leeg naar beneden... en dan word ik in mijn hand geraakt door een scherf en ik laat het geweer vallen en zie dat het beschadigd is, dus ik denk, krijg de tyfus, en ik ren de bunker uit en begin granaten naar het prikkeldraad te gooien. Vijf fragmentatiegranaten en twee witte fosfor, en alles daar brandt, inclusief mensen en die kleine... die mannen blijven godverdomme komen, en ze hebben een opening in de tweede prikkeldraadversperring gekregen, en er is niets meer tussen hen en mij, behalve het laatste prikkeldraad, omdat we al onze landmijnen hebben opgeblazen en de mitrailleur buiten gevecht is gesteld, en ik kijk om me heen naar een klotegeweer... dan, heel plotseling, wordt weer op de bugel geblazen en ze zijn weg.'

Ted keek langs de helling van het plateau naar beneden en zei op nauwelijks hoorbare toon: 'En ze zijn weg... behalve die vele tientallen van hen die in het draad hangen, of kreunend op de grond liggen. Dus we gaan daarheen en... nou...' Hij keek naar Mr. Tram die van Ted wegkeek.

We liepen langs de omtrek van het grote kamp en er was niets meer van over, behalve de spookachtige resten van de lange landingsbaan waar, zoals Mr. Tram had gezegd, niets leek te groeien.

Mr. Tram zei tegen mij: 'Als u het niet erg vindt, zou u me dan over uw ervaringen hier kunnen vertellen?'

We begonnen weer te lopen, ik dacht een ogenblik na en zei toen: 'Nou, nadat we vanuit de lucht waren aangekomen, kregen we contact met de vijand... met het Noord-Vietnamese leger, maar het was duidelijk dat ze zich terugtrokken naar Laos. De hele week erna of zo hadden we wat lichte schermutselingen. Ik kan me echt niet herinneren hoelang we zijn gebleven. We zagen vele honderden dode soldaten, veel gewonden, veel graven... en de ratten... en er hing een vreselijke stank van dood, en het land was verwoest... en ik had nooit eerder zoiets gezien... de naweeën van een enorme slachtpartij, en in sommige opzichten was het vreselijker dan de strijd zelf. Ik bleef maar tegen mezelf zeggen: "Ik loop door de Vallei des Doods, en God heeft zich van deze plek afgekeerd."'

We waren weer terug op het stadsplein van Khe Sanh en we zeiden Ted en Mr. Tram gedag. Ik gaf Mr. Tram tien dollar en zei tegen hem: 'Dank u. Ik weet dat het moeilijk voor u is dit opnieuw te beleven.'

Hij maakte een buiging en antwoordde: 'Ik kan dit alleen met Amerikanen die hier zijn geweest. Voor anderen is het zonder betekenis.'

Susan zei: 'Nou, ik ben hier niet geweest, maar door jullie drieën heb ik het gevoel gekregen dat het wel zo was.'

Ted vroeg Susan: 'Hé, denk je dat mijn vrouw mee had moeten komen?'

Susan zei: 'Ja. Kom morgen met haar terug.'

Ted beet op zijn lip en knikte. 'Ze wilde meekomen... maar ik wilde niet dat ze dat deed.'

Susan zei: 'Ik begrijp het.'

Susan zei iets in het Vietnamees tegen Mr. Tram. Hij maakte een buiging en antwoordde, we schudden elkaar allemaal de hand en Ted ging weg naar zijn bus en Mr. Tram vertrok waarheen dan ook.

We stapten weer in de RAV en ik zei tegen Mr. Loc: 'Quang Tri.'

Hij reed Highway 9 op en we gingen naar het oosten, terug naar de kust, naar de plaats waar ik de meeste tijd hier had gezeten, als ze me niet een luchtaanval lieten uitvoeren in een volgende nachtmerrie.

Susan zei: 'Dat was ongelooflijk. Wat een ervaring.'

Ik gaf geen antwoord.

Ze vroeg me: 'Hoe voel jij je eronder?'

'Prima.'

'Paul... waarom denk jij dat je het hier overleefd hebt?'

'Geen idee.'

'Ik bedoel, de helft van de mannen bij Mr. Tram is gestorven, en hij heeft het overleefd. Ted Buckley heeft het overleefd, jij hebt het overleefd. Denk je dat het je lot was? Vaardigheid? Of geluk? Wat?'

'Ik weet het echt niet. De doden, als ze zouden kunnen spreken, zouden je vertellen waarom zij gestorven zijn, maar de levenden hebben geen antwoorden.'

Ze pakte mijn hand en we reden zwijgend verder over Highway 9 door de vredige vallei van Khe Sanh, wat Groene Vallei betekent, en die een gruwelijke grap moet zijn geweest voor de twintigduizend Noord-Vietnamezen die hier waren gekomen en de vallei rood zagen worden van hun bloed, en de door bommen omgewoelde grond grijs van de as en zwart door de rottende lijken.

En de Zuid-Vietnamezen die voor hun land hadden gevochten, moeten zich afgevraagd hebben of hun verzoek aan de Amerikanen om hen te helpen een zegen was geweest of een vervloeking, want niemand kan een land zo met de grond gelijk maken als Amerikanen, en de verwoesting moest iets zijn geweest dat veel verderging dan de Zuid-Vietnamezen konden bevatten.

En wat betreft de zesduizend Amerikaanse mariniers omsingeld en belegerd in hun basis Khe Sanh, zo ver van huis, die moeten zich afgevraagd hebben hoe ze in het epicentrum van de hel op aarde terechtgekomen waren.

En Khe Sanh, de Groene Vallei, was voor de mariniers een militaire legende geworden, van hetzelfde niveau als de Hallen van Montezuma, de Kust van Tripoli, Okinawa en Iwo Jima, en alle andere met bloed doorweekte slagvelden over de hele wereld.

En wat de Eerste Luchtcavaleriedivisie betrof: het aantal slachtoffers was gelukkig gering, de overwinning werd opgeëist en we voegden een volgende strijdwimpel toe aan de vlaggen van ons regiment, ontvingen een eervolle vermelding van de president en werden naar de A Shau-vallei gevlogen waar het noodlot ons opwachtte in de zoveelste donkere en mistige uithoek.

Ik keek naar het landschap terwijl we door de vallei reden, en ik zag dat het weer groen was, en dat het leven was teruggekeerd en dat groenten op het gebeente groeiden en dat het menselijk ras voortmarcheerde naar iets dat hopelijk beter was.

Toch, toen ik daar op het plateau stond, wist ik dat Ted, Mr. Tram en ik de fluistering van geesten op de wind konden horen en het geluid ver weg van de bugel die de stille nacht verscheurde en het beest in het hart van elke man wakker maakte.

33

We bleven over Highway 9 naar het oosten rijden. Ik zag hele velden in brand staan en de rook omhoogkringelen, alsof de oorlog was teruggekeerd, maar toen herinnerde ik me dat de Montagnards 'kap-en-brand'-landbouw beoefenden.

De ingang naar de vallei werd breder en de heuvels aan weerskanten trokken zich tot in de verte terug. Naarmate we verder naar het oosten kwamen, werd het land minder groen.

Om ons heen waren vlakke, open velden kreupelhout en schraal boerenland. Ik herinnerde me dat ik dit vanuit de lucht had gezien toen de armada aan helikopters ons in keurige formaties naar de landingsplekken op de heuvels bij Khe Sanh brachten.

Ik zei tegen Susan: 'De DMZ, de gedemilitariseerde zone, ligt ongeveer vijf kilometer noordelijk van hier. Deze hele strook land zuidelijk van de DMZ, van de kust tot aan de grens van Laos, was het operatiegebied van de mariniers. De mariniers zetten overal vuurbases op, van Cia Viet aan de kust tot aan Khe Sanh in het oosten. Er werd tien jaar om dit hele gebied gevochten en de mariniers zeiden dat DMZ betekende: Dode Mariniers Zone.'

Susan vroeg: 'Zag het er altijd al zo deprimerend uit?'

Ik antwoordde: 'Ik weet het niet. Dit kan het gevolg zijn van de ontbladering, napalm en bombardementen.' Ik voegde eraan toe: 'Het motto van de ontbladeringsmensen was "Alleen Wij Kunnen Bossen Voorkomen".' Ooit had ik dat leuk gevonden, maar nu leek het niet meer zo leuk.

We bereikten een voormalige mariniersbasis die de Rockpile heette, een tweehonderd meter omhoogstekende rotsformatie die we links van ons zagen toen de weg weer naar het oosten boog.

We bleven verder rijden en ik zag een bord bij een ongeplaveide weg rechts waarop stond *Camp Carroll*. Een minibus kwam over de onverharde weg naar Highway 9 toe, en op de zijkant van de bus stond *DMZ-tours*.

Ik merkte op: 'DMZ World.' Ik zei tegen Susan: 'Toen ik hier terug was voor Deel Twee in 1972, was Camp Carroll aan de Zuid-Vietnamezen overgedragen, zoals we probeerden de hele oorlog aan de Zuid-Vietnamezen terug te geven. Tijdens het Paasoffensief van '72 gaf de Zuid-Vietnamese commandant van Camp Carroll zich aan de Noord-Vietnamezen over zonder dat er een schot was afgevuurd. We hoorden hiervan in Saigon en we konden het eerst niet geloven. Het hele garnizoen legde gewoon de wapens neer.'

Ik herinnerde me dat ik toen al wist dat zodra de laatste Amerikaanse soldaat was vertrokken, de Zuid-Vietnamezen de oorlog zouden verliezen en dat al het Amerikaanse bloed dat hier was gevloeid, voor niets was geweest.

We bleven rijden en kwamen door het stadje Cam Lo, dat nooit een ansichtkaart zou sieren. Er stond een aantal DMZ-tourbussen geparkeerd op de straat bij een café en ik zei tegen Susan: 'Noordelijk hiervan is de vuurbasis Con Thien, wat zoals je weet Heuvel der Engelen betekent en waar een makker van me van de middelbare school is gesneuveld.'

We verlieten Cam Lo, passeerden de afslag naar Con Thien en bleven naar het oosten rijden.

Het landschap was niet veel beter geworden, en de lucht werd zelfs nog grijzer naarmate we de kust naderden.

Er stonden nu aan weerskanten van de weg een paar gebouwen, en er stond zelfs een keurig witgestuukt hotel van vier verdiepingen, met een spandoek waarop stond *DMZ-bezoekers welkom hier – dakrestaurant met uitzicht op DMZ*. Ik zei tegen Mr. Loc: *'Dung lai.'*

Hij keek me even aan en ging naar de kant.

Susan en ik stapten uit en liepen terug naar het hotel dat Dong Truong Son heette. De lobby was klein maar nieuw en we namen de enige lift naar het dakrestaurant.

Het was ver voorbij lunchtijd en nog geen borreluur, dus er was niemand, behalve een jongeman die wel de kelner moest zijn omdat hij op een stoel zat te slapen.

Susan en ik namen een tafeltje bij de lage muur van het overdekte restaurant, waar we een panoramisch uitzicht naar het noorden hadden.

Ik kende deze plaats; ik had hem vanaf de grond en vanuit de lucht gezien, ik had hem op kaarten gezien en zag hem nog steeds in mijn hoofd. Ik zei tegen Susan: 'Dat is de rivier de Cua Viet, die verderop in de Zuid-Chinese Zee uitmondt. Naar het oosten ligt Von Thien aan de rivier de Cam Lo en langs de hele Cam Lo waren kleinere ondersteuningsbases, te beginnen met Alfa Een, en verder naar het oosten, Alfa Twee, Drie en Vier.' Ik wees en zei: 'Achter de Cam Lo-rivier kun je de Ban Hai-rivier zien, die dwars door het midden van de gedemilitariseerde zone op de zeventiende breedtegraad loopt en de grens vormde die Noord- en Zuid-Vietnam scheidde. Daar ga ik morgen naartoe.'

Ze gaf geen antwoord.

Susan en ik keken uit over het nog steeds verwoeste land, en hiervandaan kon ik de voorspelbare vijvers zien, waarvan sommige in een rechte lijn op gelijke afstanden van elkaar liepen, waardoor er geen twijfel over bestond dat ze waren gemaakt door een bommenpatroon.

Ze zei: 'Het is naargeestig. Zo heel anders dan rond Saigon en Nha Trang.'

'Ik had hetzelfde gevoel toen ik uit Bong Son kwam in januari '68. We kwamen tijdens de wintermoesson; daarna was het Tet-offensief, vervolgens Khe Sanh en de A Shau-vallei. Regen, mist, nevel, modder, grijze luchten, verbrande aarde, en te veel lijken. Ik herinner me dat ik dacht dat mijn vader het misschien makkelijker had gehad toen hij in de zomer van 1944 in Frankrijk tegen de Duitsers vocht, hoewel ik dat nooit tegen hem heb gezegd.'

'Vocht je vader in de Tweede Wereldoorlog?'

'Hij was infanterist, net als ik. De Brenners zijn er trots op nooit een officier in hun familie te hebben gehad, of iemand met een veilige militaire baan. We zijn gewoon kanonnenvoer voor de oorlogen uit Boston-Zuid. Ik heb een oom verloren in Korea.'

Susan zei: 'Mijn vader was luchtmachtofficier in Korea. Een vlieger-arts.' Ze voegde eraan toe: 'Zoals ik al in Saigon heb gezegd, denk ik dat jullie elkaar wel mogen.'

'Vaders hebben het moeilijk om mannen aardig te vinden die seks hebben met hun dochter.'

'Ik heb nog nooit seks gehad. Ik ben nog steeds maagd. Vraag mijn vader maar.'

Ik glimlachte. 'Nou, dan heb je nog het leeftijdsverschil.'

'Paul, ik ben over de dertig – mijn ouders zouden het zelfs niet erg vinden als jij een veteraan uit de burgeroorlog was. Ze zijn wanhopig.' Ze voegde eraan toe: 'Ik ook, anders zou ik me toch niet met jou hebben ingelaten.'

De kelner was wakker geworden. Hij zag ons en kwam op zijn gemak naar ons toe. We bestelden twee koffie.

Susan zei tegen me: 'Hoe voelt het om zittend in een dakrestaurant uit te kijken op de gedemilitariseerde zone?'

'Ik weet het niet. Ik voel me een beetje... onsamenhangend, alsof ik weet dat ik hier ben, hoewel het moeilijk is dit te zien als een toeristen-attractie.' Ik zweeg even. 'Maar ik ben blij dat het zo is. Niets van dit alles moet banaal worden gemaakt, maar misschien is het onvermijde-lijk dat het gebeurt. Aan de positieve kant kunnen de toeristen mis-schien iets leren, en misschien kunnen de veteranen met een heleboel dingen tot een vergelijk komen, en de Vietnamezen kunnen een hele-boel Amerikanen ontmoeten en een paar dollar verdienen als ze dat doen.'

Ze knikte. 'Ik ben blij dat ik hierheen ben gekomen.'

De koffie kwam, Susan stak op en we keken uit over de zwijgende slagvelden beneden.

Ik zei tegen Susan: 'Goed, hier heb je de kopij voor de brochure – DMZ-tours: Een aangename ochtend in de mijnenvelden waar u bom-scherven kunt zoeken en mee kunt doen met een wedstrijd in het vul-len van zandzakken, gevolgd door een picknicklunch in de puinhopen van de vuurbasis in Con Thien, waarna we gaan zoeken naar onge-merkte graven langs Highway One, en we eindigen onze dag in het voetbalstadion van Dong Ha, waar we de opvoering zullen zien van de overgave van Camp Carroll, gespeeld door de oorspronkelijke cast. Picknicklunch inbegrepen.'

Ze keek me een tijdje aan en besloot niet te reageren.

Ergens tijdens haar tweede koffie en derde sigaret, zei ze tegen me: 'Alsof dit nog niet overspannen genoeg is voor jou – deze terugkeer naar je oude slagvelden – maak je je waarschijnlijk zorgen om je reis het binnenland in en om wat je daar moet doen, de mensen in Wash-ington maken het je moeilijk en kolonel Mang schaduwt je...'

'Vergeet jezelf niet.'

'Ik kwam er net aan toe. Dus, boven op dit alles, komt er dat dram-merige kreng bij...'

'Wie is dat?'

'Deze heel arrogante, heel brutale meid, die besluit jacht op je te maken...'

'Te verleiden.'

'Wat dan ook. En jij hebt miljoenen dingen aan je hoofd, en je hart is in Amerika en je ziel is op tijdelijke leenbasis bij de doden.'

Ik gaf geen antwoord.

Ze zei: 'En toch, Paul, denk ik dat het heeft gewerkt. Tussen ons.'

Ik knikte.

Ze zei: 'Maar ik zit te denken dat ik misschien niet met je mee het binnenland in moet.'

'Ik heb het je nooit gevraagd.'

'Misschien ben ik je meer tot last dan tot hulp.'

'Volgens mij moet je naar Hanoi en dan zie ik je daar.'

'Nee, ik denk dat ik terug moet naar Saigon.'

Dit verraste me min of meer en ik zei: 'Waarom?'

'Ik denk dat jij hier je klus moet afmaken en dan naar Honolulu moet gaan... om te kijken hoe het gaat en daarna... mij bellen.'

'Vanuit Honolulu?'

'Nee, Paul. Vanuit Virginia.'

'Goed. Wat dan?'

'Dan kunnen we allebei zien hoe we ons voelen.'

'Je bedoelt dat we op twee verschillende halfronden moeten zitten om te weten hoe we ons voelen?'

Susan leek om de een of andere reden haar geduld met mij een beetje te verliezen en zei: 'Ik geef je een uitweg. Ben je zo traag van begrip?'

'O. Waar is de uitweg? Ik heb de afrit gemist.'

'Jij bent een volslagen idioot. Ik probeer gevoel op te brengen voor jouw situatie, en ik ben bereid de man van wie ik hou op te geven...'

'Dat heb je al gedaan. Je hebt hem een fax gestuurd.'

Ze stond op. 'Laten we gaan.'

Ik gaf de kelner een paar dollar en we namen de lift naar beneden. Ik zei: 'Het spijt me. Het is nogal een enerverende dag geweest. Ik maak grappen als ik gestresst ben en wanneer ik gevaar bespeur – oude oorlogsgewoonte. Betekent geen moer, zoals we altijd zeiden over dingen die werkelijk veel betekenden. *Xin loi*. Sorry daarvoor.' Enzovoort. Tegen de tijd dat we de lobby bereikten, hield Susan mijn hand vast en vertelde me dat ze het begreep, wat meer was dan ik over mezelf kon zeggen. Ik bedoel, soms zit ik vol flauwekul, maar Susans zelfopofferende optreden was een heel magazijn vol van die onzin. Ik herken een uitweg als ik hem zie, en dat was dit niet. In lief en leed zouden we deze opdracht samen afmaken.

34

Weer op de weg reden we een stadje in dat Dong Ha Junction heette en dat eruitzag als een routierstadje in New Jersey. Er was een treinstation, een busstation, twee benzinepompen en een paar pensions. We bereikten de t-kruising met Highway One en reden naar het zuiden. Aan de overkant van de tweebaansweg zag ik een gebouw met een bord waarop in het Engels stond: *Quang Tri – vvv-kantoor*, met ervoor een paar tourbussen.

Susan vroeg me: 'Ken je dit stadje?'

'Ik ben hier nooit geweest, maar ik weet dat het een logistieke basis was voor de mariniers en het leger.'

Susan sprak met Mr. Loc die antwoordde, en Susan zei tegen mij: 'Dong Ha is de hoofdstad van de provincie Quang Tri.'

'De stad Quang Tri is de hoofdstad van de provincie. Laat Mr. Loc teruggaan naar school.

Susan sprak weer met Mr. Loc en zei toen tegen me: 'De stad Quang Tri werd in april 1972 volledig verwoest door de Amerikaanse bommenwerpers en is nooit weer opgebouwd. Dit is nu de hoofdstad van de provincie.'

'Kan gebeuren.'

We reden naar het zuiden over Highway One die bijna verlaten was, en ik zei tegen Susan: 'Van hier tot Hué heette het de Weg zonder Vreugde.'

Ze keek om zich heen naar de schaarse plantengroei, de bouwvallige huisjes en zo nu en dan een rijstveld en zei: 'Vochten jullie om dit te behouden of om het door de vijand te laten veroveren?'

Ik lachte. 'Ik moet die onthouden voor de volgende keer dat ik iemand tegen het lijf loop die hier is geweest.' Ik zei: 'Ergens hier in de buurt hield het operatiegebied van de mariniers op en werd het overgenomen door de landmacht.'

We bereikten een nieuwe brug, over een rivierarm van de Cua Viet, en ik zei tegen Mr. Loc: 'Stop.'

Hij stopte op de brug en ik stapte uit. Susan volgde.

Ik keek met de stroom mee, zag vlakbij de pijlers van de oude brug en zei tegen Susan: 'Mijn peloton heeft deze brug een paar keer bewaakt. Nou, niet deze brug, maar de brug die verderop lag.' Ik kon nog de resten zien van een Franse bunker, waar de oude brug de rivier had gekruist, en ik zei tegen haar: 'Ik heb een paar keer in die pillendoos geslapen. Ik heb mijn naam in de muur gekrast, tussen een paar honderd andere namen in, waaronder die van mannen die Jacques en Pierre heetten.'

Ze pakte mijn hand en zei: 'Laten we gaan kijken.'

'Vraag James Bong of hij een zaklantaarn heeft.'

Ze vroeg het hem en hij haalde er een uit het handschoenenkastje. Susan en ik liepen ongeveer tien meter langs de rivieroever naar de plaats waar de verwoeste brug was geweest. De Franse pillendoos of bunker was een rond bouwsel met een diameter van ongeveer tien meter, gemaakt van gewapend beton met een koepelvormig dak om raketten en mortiergranaten te laten afketsen. Ooit moeten dozen met pillen er zo hebben uitgezien, vandaar die naam, maar voor mij zag hij eruit als een iglo. Aan de basis van het betonnen geval, in de grond, zag ik resten van groen plastic dat afkomstig was van Amerikaanse zandzakken. Ik zei tegen Susan: 'We verstevigden vroeger de oude Franse betonnen bolwerken met zandzakken, omdat de nieuwere munitie door vijftien of twintig centimeter gewapend beton heen kon dringen en zandzakken een directe voltreffer konden absorberen. Toch, als je in een van die dingen zat, en hij werd geraakt door een voltreffer, bleven je hersenen een paar uur rammelen. We noemden het toen "mariniertje worden". Een oude grap.'

Ik nam de lantaarn van Susan over en scheen in de bunker. Ik zei: 'Het ziet er smerig uit daarbinnen. Ik kan zelfs de betonnen vloer niet zien, alleen maar modder.'

Ze vroeg: 'Zitten er bloedzuigers?'

'Niet daarin. Ik ga eerst en gooi de slangen naar buiten.' Ik stapte door de smalle spleetopening naar binnen.

In het midden was de koepel ongeveer vijf meter hoog, waardoor een man bij de schietgaten rechtop kon staan en nog voldoende ruimte boven zijn hoofd overhield.

Ik scheen met de lantaarn langs de betonnen wanden en vloer en zag smerige kruipers, waaronder duizendpoten, en een heleboel spinnenwebben met dikke, walnootgrote spinnen erop, plus een heleboel naaktslakken, maar geen slangen. De muren zaten onder de meeldauw, maar ik zag namen in het beton gekrast.

Susan riep naar binnen: 'Gooi een paar slangen naar buiten.'

'Geen slangen. Maar wees voorzichtig en raak de muren niet aan.'

Ze wurmde zich de bunker in en kwam naast me staan. Ze zei: 'Gatsie. Het stinkt.'

'We hielden deze dingen heel schoon, maar sinds 1975 is er niemand meer geweest.'

Grijs licht viel door de schietgaten naar binnen, en ik hield de lantaarn in beweging om alle dingen te zien waarmee ik niet in contact wilde komen.

Susan zei: 'Waar is jouw naam?'

Ik bewoog de lantaarn langzaam langs de ronde muren tot de straal op een groep namen viel. Ik stapte dichterbij, terwijl ik de spinnenwebben meed, en ik richtte de straal op de namen die in het beton gekrast waren. Het waren allemaal Franse namen, en er stond een datum bij: Avril 1954. Ik meende me die namen en de datum te herinneren, een datum die in 1968 nog maar veertien jaar ervoor was geweest, maar voor mij, een achttienjarige jongen die vier was toen de Franse oorlog in Indo-China eindigde, had dit op het schrijven van een leger uit de oudheid geleken. Nu besefte ik hoe dicht beide oorlogen op elkaar hadden gezeten en de tijd die er sindsdien voorbij was gegaan.

Susan zei: 'Iemand heeft iets onder de vier namen geschreven. Zie je dat?'

Ik richtte het licht op de Franse woorden: 'Er staat: "Het is klote".'

'Nee, dat staat er niet.' Ze stapte dichterbij en las het Frans: *'Les quatre amis, les âmes perdues* – vier vrienden, verloren zielen.'

Ik bewoog de straal rond en stopte bij de naam van Sal Longo. Ik zei: 'Deze man zat in mijn peloton. Hij werd gedood in de A Shau-vallei... ongelooflijk...'

Ik vond mijn naam, in het beton gekrast met de opener van mijn bierblikjes. De letters waren nauwelijks te lezen onder de zwarte meeldauw. Ik staarde naar de naam van Paul Brenner, gevolgd door de datum, 11 januari '68.

Susan keek naar waar het licht was blijven hangen en zei: 'Dat is verbazingwekkend.'

'Beter hier dan op de Wall in Washington.'

Ik keek een tijdje naar mijn naam, bewoog het licht toen verder rond en zag een paar andere namen die ik herkende en sommige die ik niet kende. Iemand had een hart met een pijl in de muur gekrast met erbij *Andy en Barbara, voor altijd.* Als dat Andy Hall was, dan was dat voor altijd in mei 1968 gekomen, ook in de A Shau-vallei. In wezen was Delta Compagnie, mijn compagnie, na die drie weken geen effectieve gevechtseenheid meer, en de overlevenden kregen bijna allemaal een volgende streep op hun mouw, wat het leger snelle slagveldpromotie noemde, maar wij bloedstrepen.

Ik pakte Susan bij de arm en bracht haar naar de ingang.

We bleven buiten onder de bewolkte lucht staan en Susan zei: 'Dat is niet te geloven. Daar stond je naam, bijna dertig jaar geleden ingekrast... en die Franse soldaten... het is eigenlijk... triest... bijna griezelig... Ik bedoel, ik weet dat sommigen van die mannen niet meer naar huis zijn gegaan.'

Ik knikte.

We liepen terug naar de RAV en vervolgden onze reis naar het zuiden over de Weg zonder Vreugde.

We kwamen langs een landingsbaan links van ons, die ik me herinnerde als het vliegveld van Quang Tri, waar het leger zijn kleine observatie- en verkenningsvliegtuig had staan. Het vliegveld was nu verlaten en gras groeide door het beton heen. De controletoren was verdwenen, en ook de enorme Franse wachttoren die vlak naast de baan had gestaan. Ik herinnerde me dat de betonnen wachttorens ooit het hele landschap hadden gesierd, maar tot nu had ik er nog niet een gezien. Eigenlijk waren alle wezenlijke oriëntatiepunten die ik me herinnerde – zoals scholen, kerken, pagodes, Franse en Amerikaanse bolwerken – verdwenen.

Ik zei tegen Susan: 'Het meeste van dit gebied werd verwoest tijdens het Tet-offensief, maar ze waren de boel weer aan het opbouwen toen ik vertrok. Het lijkt wel alsof niets het Paasoffensief van '72 of het laatste offensief in '75 heeft overleefd.'

Ze zei: 'De pillendoos heeft het overleefd.'

'Hé, ik had die hele klotenoorlog daarin moeten blijven zitten.'

Verderop, aan de linkerkant van de weg, zag ik een groot, verwoest betonnen gebouw, dat niet was geraakt door bommen of artilleriegranaten, omdat het grootste deel van het dak nog intact was. De schade bleek te zijn veroorzaakt door een enorm vuurgevecht. De muren zaten vol kogelgaten en in de dikke muren zag ik de kenmerkende kleine ronde gaten waar speciale betongranaten dwars doorheen waren gegaan, binnen waren ontploft, en de binnenmuren geblakerd hadden. Het duurde even voordat ik het herkende als de boeddhistische middelbare school waar Tran Van Vinh de brief aan zijn broer had geschreven.

Susan zei: 'O, mijn god. Moet je dat gebouw zien.'

Ik zei: 'Een boeddhistische middelbare school.'

Susan leek gefascineerd door de oorlogsruïne en nam een foto. Ze zei: 'In de buurt van Saigon zie je dat soort gebouwen met oorlogs-schade niet – Hé, moet je zien. Een tank.'

Voorbij de middelbare school stond aan de zijkant van de weg een enorme M-48 Patton-tank, waarvan de legergroene verf na dertig jaar nog steeds goed leek. Ik moest wat van die verf te pakken zien te krijgen voor de buitenkant van mijn huis.

Susan zei tegen Mr. Loc te stoppen, en hij deed het. Ze zei tegen mij: 'Ga op de tank zitten.'

'Ga jij maar op de tank zitten. Ik heb op genoeg tanks gezeten.' Ik pakte de camera van haar over.

Ze sprong uit de auto en klauterde op de aflopende achterkant van de tank. Ze was atletisch en lenig, zag ik, en klom als een straatjochie.

Ze ging met gekruiste benen op de geschutstoren zitten. Ik nam een foto en zei: 'Ik wou dat alle tankbemanningen er zo uitzagen als jij.'

Ze nam voor de camera allerlei overdreven poses aan en ik nam nog een paar foto's terwijl ze liggend en staand op het wrak van de tank poseerde.

Ze sprong eraf en kwam terug naar de RAV.

Ik wees naar het oosten waar ongeveer vijf kilometer verderop een wand van lage heuvels omhoogrees uit het vlakke land. Ik zei: 'Ik zat in die heuvels toen eind januari het Tet-offensief begon. We waren bezig met de constructie van de zoveelste vuurbasis, en ongeveer tien uur die avond zagen we een soort vuurwerk, maar beseften dat het iets anders was. De radio's kwamen tot leven en spraken over een vijandelijke aanval op de stad Quang Tri. We werden in de hoogste staat van paraatheid gebracht en terwijl de nacht voortduurde, kregen we meldingen dat Quang Tri en Hué op de Zuid-Vietnamezen waren veroverd en dat het hoofdkwartier van onze brigade, Landing Zone Betty, aan de rand van Quang Tri, belegerd werd.'

Ik keek om me heen. 'Onze hoofdbasis heette Landing Zone Sharon, en dat was hier ergens, maar ik zie er niets meer van.' Ik staarde naar de heuvels. 'Dus daar vierde ik Tet '68, het Jaar van de Aap.' Ik voegde eraan toe: 'Het was voor niemand een gelukkig jaar.'

Zij zei: 'Dit jaar wordt veel beter.'

Weer honderd meter verder op Highway One, waar vroeger het treinstation had gestaan, sloeg Mr. Loc linksaf een tweebaansweg op die, naar ik nog wist, naar Quang Tri leidde, op ongeveer anderhalve kilometer vanaf Highway One. Langs de weg stonden houten huizen met rieten daken, omgeven door groentetuinen. Er stonden hier bomen, maar die waren waarschijnlijk niet van vóór de slag in 1972. Ik zei tegen Susan: 'Langs deze weg stonden vroeger allemaal venters die dingen aan GI's verkochten.'

'Zoals wat?'

'Voornamelijk spul dat ze van ons hadden gestolen. Je kon het hier terugkopen.'

Mr. Loc stopte de auto en keek vervolgens om zich heen. Hij zei iets tegen Susan en ze zei tegen mij: 'Dit is Quang Tri, en de citadel van de stad was vroeger ergens naar links.'

Ik keek naar links, maar buiten nog meer kleine huizen, omheiningen van bamboe, tuinen en kippen, was daar niets.

Susan en Mr. Loc spraken met elkaar en zij zei tegen me: 'Volgens hem is de gracht van de citadel daar nog steeds en de dorpelingen kunnen ons de weg wijzen.'

'Goed. We zijn ongeveer een uur weg.'

Susan pakte de camera uit de tas, praatte wat met Mr. Loc en we stapten uit. Mr. Loc stak zijn hand naar achteren, gaf Susan de boodschappentas en zei iets tegen haar.

We liepen over een aarden pad tussen groentetuinen en kleine huizen die waren gebouwd met resten van de verdwenen stad en de vestingwerken die hier ooit waren geweest. Ik zag brokken beton en houten planken met kogelgaten, golfplaten die de Amerikanen gebruikten voor de daken van hun barakken, de groene plastic zandzakken van uit elkaar gehaalde bunkers en tuinpaden van rode dakpannen. De verwoeste stad en de verdedigingswerken waren hergebruikt door de boeren.

Ik zei tegen Susan: 'Dit was ooit een kleine stad, nu is het een groot dorp. Terug naar af dankzij de luchtmacht.'

'Ongelooflijk,' zei ze.

Ik vroeg Susan: 'Wat zei hij tegen je?'

'Waarover? O, hij gaat de auto parkeren en laat hem achter, dus hij wilde dat ik mijn spullen meenam.'

Ik knikte.

Een paar kinderen zagen ons en al snel werden we gevolgd door een hele meute ervan. Een paar volwassenen in de tuinen keken nieuwsgierig naar ons.

We bleven verder lopen over de dorpspaden en Susan keek om zich heen. Ze zei: 'Ik ben nooit echt in een plattelandsdorp geweest.'

Ik antwoordde: 'Ik ben er in honderden geweest. Ze lijken allemaal op elkaar. Behalve dat er in sommige Vietcong zaten en in sommige niet.' Ik keek om me heen. 'Zie je die hooiberg? Een keer vonden we een hele kamer in een hooiberg verborgen. Chuck was ervandoor, maar hij had wat spullen achtergelaten. Dus we zetten de hooiberg in de fik, raakten daarna een beetje meegesleept en staken een paar *hooches* eromheen in brand – zo noemden we die hutten.' Het kwam allemaal bij me terug en ik vervolgde: 'Dan had je van die gaten in de grond, die groot genoeg waren voor een kleine VC om in te staan – we noemden dat eenmansgaten, en ze waren moeilijk te vinden, tenzij Chuck besloot eruit te komen en het vuur te openen met zijn AK-47. Daarbij had elke hut een aarden bunker in de tuin, waar de familie in ging als de pleuris uitbrak. Maar in elke bunker konden ook een paar VC zitten, en je wilde er niet in gaan kijken, omdat je er nooit meer uitkwam als je het deed, dus je schreeuwde dat iedereen er uit moest komen met de handen omhoog, en gewoonlijk kreeg je een paar *co-deps* die *mama-san* wilde verbergen voor de GI's voor het geval we nog andere dingen van plan waren buiten het vinden van Mr. Charlie. Dus als iedereen werd verondersteld eruit te zijn, gooide je er een traangasgranaat in en zo nu en dan kwam Mr. Charlie naar buiten rennen, al schietend met zijn AK-47; je molde hem en trok verder.'

Ik was verbaasd dat dit allemaal zo levendig bij me terugkwam, en ik ging verder: 'Verborgen in de rieten daken vond je geweren, munitie, plastic explosieven en meer van dat lekkere spul, en je arresteerde de familie, gaf hen over aan de Nationale Politie, en brandde hun huis plat, hoewel die arme schooiers, die VC of wapens hadden verborgen, dat negen van de tien keer onder bedreiging hadden gedaan. Een keer – en dat was eigenlijk wel grappig – trokken we een touw van een waterput op. En ja hoor, wat daar beneden zat was te zwaar voor een emmer, en dus trokken ongeveer drie jongens Charlie omhoog, zijn zwarte pyjama zeiknat, zijn voeten in een houten emmer, en voor hij helemaal boven was, stak hij zijn AK-47 in de lucht zodat ze hem niet overhoop zouden knallen. Dus hij komt omhoog, kijkt bijna schaapachtig – zo van: jullie hebben me gevonden – en we lachten ons te pletter; daarna gaf iemand hem een knal voor zijn kop en hij viel weer in de put. We lieten hem ongeveer een kwartier watertrappelen voordat we de emmer lieten zakken en hem opvisten. Toen gaf dezelfde man die hem een stomp in zijn gezicht had gegeven hem een sigaret, gaf hem vuur en stak vervolgens het huis in de fik waar de put bij hoorde; we bonden Chuck vast, zetten hem op een heli terug naar een krijgsgevangenenkamp en we trokken weer verder. Elke dag weer, dorp na dorp na dorp, tot we doodziek waren van het doorzoeken van die ellendige dorpen en het fouilleren van de mensen en het overhoophalen van hun hutten, op zoek naar wapens, terwijl we ons afvroegen wanneer Charlie vanuit het niets tevoorschijn zou springen en je overhoop zou schieten. En op andere dagen hielpen we bij de geboorte van een baby, zonden we een zieke naar een hulppost, brachten we smeersels aan op de etterende wonden van een oude man en deelden snoep uit. Daden van menselijke vriendelijkheid, afgewisseld met daden van extreme gruwelijkheid, gewoonlijk op dezelfde dag en vaak in hetzelfde dorp. Je wist gewoon nooit hoe honderd gewapende jongens op een bepaald moment zouden reageren. Ik denk dat het een heleboel te maken had met het aantal slachtoffers dat wij de dag ervoor hadden gehad, of dat we iets in een dorp hadden gevonden, of hoe warm en dorstig we waren, of hoe scherp de officieren en sergeants de jongens in de gaten hielden, of dat het hen die dag geen moer kon schelen omdat ze een beroerde brief van thuis hadden gekregen, of dat ze over de radio door een hogere officier waren uitgekafferd, of dat ze zelf krankjorum begonnen te worden. Terwijl de oorlog voortduurde, werden de jonge luitenants jonger, en waren de sergeants nog geen maand ervoor nog gewoon soldaat eerste klas geweest... en ze wisten zich minder in te houden dan de meer volwassen mensen... weet je, zoals in *Lord of the Flies*... jonge mensen kunnen krankzinnig worden... en als er iemand van de bende gedood wordt, willen ze er bloed voor terug... en zo werden de zoektochten in de dorpen... ze liepen uit de hand, en het was geen oorlog meer, het waren kinderen met heel korte lontjes op rooftocht, die net zo makkelijk een fragmentatiegranaat in een familiebunker gooiden als een traangasgranaat, of net zo makkelijk *papa-san* een doos koekjes van thuis konden geven als een aangestoken sigaret in zijn gezicht uitdrukken, als ze een eenmansgat in zijn tuin hadden gevonden.'

Susan liep zwijgend naast me en ik vroeg me af of ik haar eigenlijk hierover moest vertellen. Ik vroeg me ook af of ik mezelf hierover moest vertellen. In Amerika kon je het vergeten, of opschonen in je geest, of het allemaal wijten aan het syndroom van het valse geheugen, het gevolg van het zien van te veel Vietnam-films. Maar hier... hier was het allemaal gebeurd, en hier kon je het op geen enkele manier van je af zetten.

We bleven door het dorp lopen, met de kinderen achter ons aan, maar niet bedelend of hinderlijk zoals in Saigon. Dit waren plattelandskinderen, die niet zo vaak *Lien Xo* zagen, en dus waren ze misschien verlegen; maar misschien hadden ze een voorouderlijk herinnering aan grote Amerikanen die door de dorpen van hun vaders en grootvaders hadden gelopen, en hielden daarom afstand.

Ik zei tegen Susan: 'Stel jezelf als dorpeling voor – je slaapt 's nachts niet en overdag lach je niet. Jij en iedereen om je heen staan op de rand van krankzinnigheid en wanhoop, en je bent volledig aan de genade van twee gewapende vijanden overgeleverd, die zeggen dat ze je hart en ziel willen winnen, maar die je op een dag kunnen verkrachten en je keel kunnen afsnijden. Zo was het leven in de dorpen van dit gemartelde land. Tegen de tijd dat het allemaal voorbij was, kon het de boeren niet meer schelen wie er had gewonnen. Als de duivel zelf met zijn legioenen uit de hel het had gewonnen, dan nog was het heerlijk geweest omdat de oorlog was afgelopen.'

Susan bleef enige tijd stil, en zei toen: 'Ik zou bij de guerrilla's zijn gegaan en de heuvels in zijn getrokken om te vechten. Ik ga liever vechtend dood.'

Ik dwong me tot een glimlach en zei: 'Jij bent een vechter.' Ik voegde eraan toe: 'Eigenlijk kozen de meeste jonge mannen en jonge vrouwen een kant en deden dat dus. Maar sommigen bleven in de dorpen om te planten en te oogsten, en om voor hun op jaren komende ouders en jonge familieleden te zorgen en ze hoopten maar op het beste. In ieder geval, als je ooit nog in een plattelandsdorpje komt, en als je mensen van die leeftijd ziet, dan begrijp je wat ze hebben doorgemaakt.'

Ze knikte.

Als geroepen stond een oude man aan de zijkant van het pad op en hij maakte een buiging naar ons. Susan sprak met hem en hij glimlachte om haar Vietnamees. Ze spraken een paar minuten en Susan zei tegen me: 'De Citadel is verderop op dit pad. Hij zegt dat hij al heel lang inwoner van Quang Tri is, en dat jij, als je een terugkerende soldaat bent, wel verbaasd zult zijn over wat je ziet.'

'Dat ben ik. Vertel hem dat ik bij de Eerste Cavalerie zat, en dat het hoofdkwartier van mijn brigade in een oud Frans fort was.'

Ze vertelde het hem en hij antwoordde behoorlijk uitgebreid. Ze zei tegen mij: 'In 1972 vochten de communisten en het Republikeinse Leger... de ARVN... over en weer om de stad, en het veranderde vele keren van machthebbers en lag in puin, en toen trok de ARVN zich terug naar Hué, en de Amerikaanse bommenwerpers kwamen en verwoestten alles wat er nog over was van de stad, en doodden veel communistische soldaten die in de Citadel, in het Franse fort en in het Amerikaanse basiskamp buiten de stad zaten. Er is niets meer van over.'

Ik knikte.

Hij zei nog iets en Susan zei tegen mij: 'Hij zegt dat andere Amerikanen van de cavalerie zijn teruggekomen en dat ze altijd triest en verrast zijn dat er niets meer over is van hun aanwezigheid hier. Hij heeft ook een keer een Fransman ontmoet die naar het fort kwam kijken waar hij gelegerd was geweest, en de Fransman was ervan overtuigd dat hij op de verkeerde plaats was en was de hele dag bezig het fort te zoeken en de... ik denk dat hij bedoelt, de wachttorens.'

De oude man vond dat leuk, lachte en zei weer iets, dat Susan vertaalde met: 'De Fransman verwachtte het café te vinden waar hij ooit wat had gedronken, en misschien ook zijn vroegere... vriendinnen.'

'Hé, daarom ben ik ook hier. Vertel het hem.'

Susan vertelde het hem en hij moest nog harder lachen. Waarom hij hier een kick van kreeg, weet ik niet, maar misschien was hij wel helemaal uitgehuild, en stond hem niets anders meer te doen dan te lachen om de dood en de vernietiging.

We bedankten de oude man en liepen verder.

Aan het einde van het pad bereikten we een enorme open vlakte, ongeveer een halve kilometer lang en breed, in de verte omgeven door boerenhutten en tuinen. Het terrein was begroeid met hoog gras en kleine bomen, en eerst leek het op een meent. Maar om het hele veld heen was een met onkruid overwoekerde vestinggracht, die eens om de muren van de Citadel had gelegen. Zo hier en daar, rond het open terrein, zag ik stukken muur, nergens meer dan een meter hoog, en waar ooit een brug over de vestinggracht had gelegen, stond nu alleen nog maar een door een bom verwoeste stenen boog.

Ik zei tegen Susan: 'Dit was de Citadel, zoiets als die in Hué, maar duidelijk in een veel slechtere staat. Dit was het centrum van de stad en er stonden overheidsgebouwen, een ziekenhuis, een bank, een paar cafés, de kazerne en de hoofdkwartieren van het Zuid-Vietnamese leger; ook het onderkomen van de MACV – dat is het Militaire Advies Commando Vietnam – Amerikaanse militaire adviseurs voor het ARVN.' Ik zei tegen haar: 'De meeste jongens van het MACV werden gedood toen de communisten de stad tijdens het Tet-offensief innamen. Hetzelfde gebeurde in Hué. Het is een riskante baan als je voor je veiligheid afhankelijk bent van onbetrouwbare bondgenoten.'

Susan keek om zich heen over het open veld midden in het uitgestrekte dorp. 'Het ziet eruit als een park of een sportveld, maar het is volkomen kaal.'

'Ik denk dat ze het tot monument hebben verklaard voor een verwoeste stad en voor de mensen die hier zijn gestorven, maar ik zie zelfs geen gedenksteen.'

'Ik ook niet... maar, kijk, Paul, er is een brug over de vestinggracht.'

Ik keek naar waar Susan wees en zag een intacte, hoewel door granaten getroffen betonnen brug die vroeger naar een poort in de verdwenen muren had geleid.

We liepen naar de brug en staken de droge gracht over naar wat eens de Citadel was geweest. De kinderen die ons volgden staken niet over en een van hen gilde iets naar ons. Susan zei tegen me: 'Hij zegt dat het overheidsterrein is, en dat we hier niet mogen komen.' Ze voegde eraan toe: 'Hij zei ook: *"Thanh Than."* Geesten.'

Ik antwoordde: 'Dat vertellen ze de kinderen om hen uit de buurt te houden van niet-geëxplodeerde munitie.'

'Waarschijnlijk heb je gelijk. Maar stap ondertussen niet op een niet-geëxplodeerde granaat, anders worden we allebei een geest.'

'Blijf op de paden.'

'Er zijn geen paden, Paul.'

'Nou, loop voorzichtig dan.'

We liepen naar het midden van het grasveld dat ooit het centrum van een stad was geweest en ik zei: 'De paradeplaats was ongeveer hier, en de militaire wijk van de Citadel was aan de overkant van het veld, daar... denk ik.'

'Herinner je je dit?'

'Min of meer. Ik ben hier maar één keer geweest, als deelnemer aan de een of andere idiote medailleceremonie die de ARVN graag veel te vaak organiseerde.'

'Bedoel je dat je hier een medaille hebt gekregen?'

'Ja. En het was niet de Medaille van Goed Gedrag.'

'Wat dan?'

'Iets dat het Kruis voor Moed heette, naar de Franse medaille met dezelfde naam. Het was het equivalent van onze Bronzen Ster, denk ik.'

'Waar kreeg je die medaille voor?'

'Ik weet het niet echt. De hele ceremonie was in het Vietnamees.'

'Kom op, Paul. Je weet waarom ze je een medaille hebben gegeven.'

'Ja. Om propagandaredenen. Ze hebben het hele gebeuren gefilmd en draaiden het voor de hoofdfilm... in de zes bioscopen die er waarschijnlijk bestonden in het hele land. Onze dappere Amerikaanse bondgenoten, enzovoort. De ARVN pakte gewoon de lijst van GI's die voor wat dan ook een Amerikaanse medaille hadden gekregen en gaven de overeenkomende Vietnamese medaille. Ik kreeg de Bronzen Ster voor de A Shau-vallei zonder ceremonie, en de Vietnamezen gaven me hier het Kruis voor Moed met een heleboel pracht en praal.'

Ze vroeg: 'Hebben ze je een kopie van de band gegeven?'

Ik glimlachte en antwoordde: 'Het was een film, Susan. Ik denk niet dat ze toen al videobanden hadden, maar als dat wel zo was, dan zouden ze me een kopie hebben verkocht, wat ze niet hebben gedaan.'

'Misschien kunnen we de originele film in de archieven in Saigon vinden.'

'Ik hoop dat het klereding is ontploft.'

'Jij bent zo sentimenteel.'

'Juist. Nou, ik stond ongeveer daar met misschien honderd andere Amerikanen van de Eerste Cavalerie, en ik wordt op beide wangen gekust door een kolonel... het was inmiddels juni of juli, en de temperatuur was tweeëndertig graden op deze paradeplaats, maar mijn opnieuw georganiseerde compagnie, aangevuld met groentjes – nieuwe jongens uit Amerika – was ergens op patrouille, dus dit was nog niet zo slecht. Ik dacht dat ik na dit kermisgedoe misschien een paar bars in de stad kon bezoeken, maar het Amerikaanse leger was zo aardig ons allemaal weer in vrachtwagens te duwen en terug te brengen naar Landing Zone Sharon dat, denk ik, niet meer bestaat.' Ik keek Susan aan en vroeg haar: 'Ben ik een leuke afspraak of niet?'

Ze glimlachte en stak haar arm door de mijne. Ze zei: 'Dit is echt een ongelooflijke ervaring voor mij.'

'Nou... dit is de laatste legerplaats voor jou. Ik heb je min of meer door mijn eerste detachering heen geleid – Bong Son in november en december '67, Quang Tri voor het Tet-offensief in januari en februari, vervolgens Khe Sanh in april en de A Shau-vallei in mei, daarna terug naar hier in de provincie Quang Tri, waar ik bleef tot ik in november naar het basiskamp Khe Sanh ging, daar mijn spullen pakte, naar Da Nang vloog en vandaar uit verder naar San Francisco.'

'Dat zal me wel een weekje geweest zijn in San Francisco.'

Ik zei: 'Ik was van plan er goed tegenaan te gaan met een paar jongens die ik kende en met wie ik terug naar huis was gekomen... maar we waren niet zo welkom in San Francisco...'

Ze gaf geen antwoord.

'Om eerlijk te zijn, was ik toch al niet in zo'n feeststemming en ik bleef een paar dagen in een hotel zitten, om mijn hoofd weer op orde te krijgen... elk halfuur douchte ik en liet ik het toilet doorlopen.' Ik glimlachte. 'Ik sliep in een zacht bed, keek een heleboel tv, dronk twee flessen gin en bleef mezelf maar knijpen om er zeker van te zijn dat ik niet droomde... daarna vloog ik naar huis, naar Boston. Maar ik was nog niet helemaal jofel.'

'En was er geen psychische hulp?'

Ik lachte bijna. 'We hebben het hier over 1968, op het hoogtepunt van een enorme oorlog... Je zag een psych voordat je opgeroepen werd en ze zeiden altijd dat je mentaal gezond genoeg was om te vertrekken en mensen te vermoorden, maar ze onderzochten je hoofd nooit als je terugkwam. En weet je? Ik nam het hen niet eens kwalijk.'

'Psychische hulp was misschien goed geweest.'

'Sigmund Freud in overleg met Jezus Christus zou nog niet geholpen hebben. De meesten van ons vonden onze eigen weg wel terug.'

We liepen over al die hectaren door een vestinggracht omgeven land dat ooit de stad Quang Tri was geweest, en ik bukte me, pakte een gekartelde granaatscherf op die de metaaljutters over het hoofd hadden gezien en keek ernaar. Ik zei: 'Het zou van een bom kunnen zijn, van een raket, van een mortiergranaat, een artilleriegranaat of van een fragmentatiegranaat, en het zou van ons of van hen kunnen zijn. En het maakt geen enkel verschil uit als je erdoor geraakt wordt.' Ik gaf hem aan Susan. 'Souvenir van de verloren stad Quang Tri.'

Ze stak hem in haar zak.

We liepen verder onder de grijze hemel en ik zag een paar Vietnamezen aan de overkant van de vestinggracht naar ons kijken, terwijl ze zich waarschijnlijk afvroegen of we deze plek verkenden als onderdeel van een DMZ-tour. Twee dollar om de nog overgebleven brug over te steken en door de Citadel te lopen. De touragenten strooiden elke ochtend voordat de bussen verschenen granaatscherven rond en iedereen kon een stukje mee naar huis nemen.

Ik zei tegen Susan: 'Goed, hier heb je een volgend stukje van de puzzel. De brief aan Tran Quan Lee die op zijn lichaam was gevonden in de A Shau-vallei was geschreven door zijn broer, Tran Van Vinh, die hier gewond raakte in de slag om Quang Tri tijdens het Tet-offensief van 1968. Vinh lag gewond in een van de gebouwen die daar stonden, en hij zag iets dat te maken had met twee Amerikanen. Weet je hiervan?'

'Nee.'

'Goed. Dus een dag later schrijft hij deze brief vanuit de kelder van die boeddhistische middelbare school die we onderweg hierheen hebben gezien, en die brief bereikt zijn broer in de A Shau-vallei.'

'Wat heeft hij gezien?'

'Wat hij zag, is de reden dat ik hier ben. De vraag is: heeft Tran Van Vinh deze slag overleefd, of de andere veldslagen in de zeven jaar erna, en als dat zo is, leeft hij vandaag de dag nog, en kan ik hem vinden, en als ik het doe, wat kan hij me vertellen?' Ik liet het deel erbuiten dat ik Tran Van Vinh zou doden en daarna misschien zelf zou worden gedood.

We liepen weer verder en Susan zei ten slotte tegen me: 'En dat is het?'

'Dat is het.'

'Wat hij zag is belangrijk?'

'Klaarblijkelijk, anders zou ik hier geen overheidsgelden aan het uitgeven zijn.'

'Wat heeft hij in de brief geschreven?'

'Hij zei dat hij een Amerikaanse legerkapitein een Amerikaanse legerluitenant in koelen bloede zag vermoorden, hier in een beschadigd gebouw in de Citadel, terwijl hij, Tran Van Vinh, gewond op de verdieping erboven lag.'

Ze dacht een ogenblik na en zei: 'Dus... dit is een moordonderzoek.'

'Klaarblijkelijk.'

Ze bleef een tijdje stil en zei toen: 'Maar...'

'Maar.'

Ze bleef staan en keek uit over het lege veld. 'Op deze plek?'

'Hier ergens in de buurt. Ik zou je niet kunnen zeggen waar al die gebouwen hebben gestaan, maar het is altijd goed om terug te keren naar de plaats van het misdrijf, zelfs al is het bijna drie decennia later en is de plaats vernietigd door bommen en artillerievuur. Smerissen zijn net zo bijgelovig en mystiek als soldaten, en het gevoel heerst dat de dode – de geest – tegen je zal praten, of je in ieder geval zal inspireren de moordenaar te vinden. Ik geloof dat niet echt, maar ik sluit het ook niet uit.' Ik glimlachte en vroeg: 'Zullen we een séance proberen?'

Ze beantwoordde mijn glimlacht en zei: 'Ik begrijp dat je geïnspireerd kunt raken door daar te zijn waar de moord is gepleegd.' Ze keek me aan. 'Maar jij denkt dat er meer achter de moord zit.'

'Wat denk jij?'

'Ik heb geen idee.'

Ik vroeg haar: 'Waarom hebben ze jou gezegd dat het te maken had met Cam Ranh Bay?'

'Ik weet het niet.'

'Wat zou dat te maken kunnen hebben met een moord tijdens de oorlog?'

'Ik weet het niet.'

'Waarom zijn de inlichtingendiensten betrokken bij een moordzaak van de Criminele Inlichtingendienst van het leger?'

'Ik heb geen idee. Jij wel?'

'Ik heb te veel ideeën. Sommige passen op een paar feiten, maar geen past op alle feiten. Wat ik nodig heb, zijn meer feiten. Heb jij er een paar?'

'Nee... behalve... zoals Bill en kolonel Goodman begonnen te hyperventileren, klinkt het als meer dan alleen maar een oude moordzaak.'

Ik knikte. 'Je bent heel slim. Dus gok eens.'

Ze dacht een ogenblik na en zei toen: 'De moordenaar, deze kapitein, of de getuige, Tran Van Vinh, was toen, of is nu, een heel belangrijk iemand.'

'Dat is een heel scherpzinnig antwoord.'

Ze dwong zich tot een glimlach en zei: 'Ik krijg boodschappen door van gene zijde.'

We bleven een tijdje op deze plek staan die minstens twee grote veldslagen had gekend, maar nu doodstil was. Onder deze grond lagen botten te rusten, en misschien bommen die naar ik hoopte bleven rusten en niet hadden gewacht tot ik terug zou keren.

Susan vroeg me: 'Denk je dat deze man Tran Van Vinh nog leeft?'

Ik antwoordde: 'Dat is ook zo ironisch, of toevallig... we kregen twee dagen nadat de Noord-Vietnamezen de stad hadden ingenomen het bevel uit de heuvels te komen, en we kregen het bevel een blokkade op te werpen om te verhinderen dat de Noord-Vietnamese soldaten uit de stad wegvluchtten... en we hebben een aantal van hen gedood... dus, eigenlijk zouden ik of mijn compagnie de kroongetuige kunnen hebben gedood.'

'Dat zou ironisch zijn, om niet te zeggen griezelig...'

Ik knikte en zei: 'Toch heb ik het gevoel dat Tran Van Vinh nog leeft.'

Susan vroeg: 'En hij woont in het dorp Tam Ki?'

'Nou, nee. Dat was een soort schuilnaam. Mijn mannetje in Hué gaf me de echte naam van het dorp.'

'Hoe héét het dorp?'

'Dat kan ik je op dit moment niet zeggen. Misschien later.'

'Waar ligt het?'

'Ver naar het noorden.' Ik voegde eraan toe: 'Bij Dien Bien Phu. Weet je waar dat ligt?'

'Min of meer. Het is een behoorlijk eind. En ga je daar morgen naartoe?'

'Dat is het plan.'

'Goed. Dien Bien Phu staat op mijn lijst van plaatsen die ik wil zien.'

'Hoe komen we daar?'

'Ik weet niet hoe ík er kom. Ik denk dat ik een trein langs de kust neem, zo noordelijk als ik maar kan komen, en dan het land doorkruisen in een wagen met vierwielaandrijving.'

'Goed idee. De treinen beginnen pas vrijdag weer te rijden. Geeft dat een probleem?'

'Ik denk het wel. Hoe wou jij daar komen?'

'Nou, als jij me vanavond mee uit eten neemt, zal ik het je vertellen.'

Ik keek haar aan en vroeg: 'Heb je echt een idee?'

'Ik heb gisteren niet alleen maar de hele dag lopen winkelen.'

'Vertel op.'

'Nee,' zei ze. 'Jij hoeft het pas te weten als het zover is.'

Ze pakte mijn arm en we draaiden ons om naar de brug.

Het eerste dat ik opmerkte, was dat alle kinderen aan de andere kant van de vestinggracht waren verdwenen.

Het tweede dat ik opmerkte, was dat er iemand midden op het terrein van de Citadel naar ons stond te kijken. Het was kolonel Mang.

35

Kolonel Mang en ik staarden elkaar aan over honderd meter open terrein.

Susan vroeg me: 'Wie is dat?'

'Gok eens.'

'O... wat doet hij hier?'

'Nou, om te beginnen wil hij dat ik naar hem toe kom lopen, wat ik niet doe.'

Susan zei: 'Paul, ik ken deze mensen. Als jij hem zijn gezicht laat verliezen, wordt hij gek.'

'Weet je, Susan. Ik ben het echt spuugzat dat westerlingen zich zorgen moeten maken over het gezichtsverlies van Oost-Aziaten. Hij kon de kolere krijgen.'

'Ik ga met hem praten.'

'Jij blijft hier.'

Ze antwoordde niet en bewoog zich niet.

Ik zag twee andere mannen op honderd meter achter kolonel Mang op de brug over de vestinggracht staan. Ze waren in uniform en droegen geweren. Zelfs van deze afstand haalde ik er mijn oude vriend Duwertje van Tan Son Nhat uit.

Kolonel Mang, zag ik, was gekleed in een donkergroen gekleed jasje, hemd en das, wat iets geschikter was voor dit koudere klimaat. Hij droeg ook een pet met een klep en een holster met pistool.

Er was een wind opgestoken en de zon zakte achter de bomen weg. Lange, grijze schaduwen strekten zich uit over het terrein van de voormalige Citadel en het zou snel donker zijn. Ik was bereid hier te blijven staan tot zonsopkomst.

Susan zei: 'Paul, laten we een derde van de weg lopen. Hij zal hetzelfde doen.'

'De kolere voor hem. Ik heb hem hier niet uitgenodigd.'

'Hij heeft geen uitnodiging nodig. Vertrouw me hierin. Kom mee.'

Ze deed een stap.

Ik aarzelde, begon toen te lopen. Susan liep naast me. Ik bleef staan na ongeveer dertig passen.

Kolonel Mang begreep het en deed precies dertig stappen in onze richting. Dat was allemaal heel dwaas natuurlijk, maar mannen worden jongetjes als hem om lef gaat.

Ik deed een aarzelende stap naar kolonel Mang toe, hij deed hetzelfde, en we begonnen naar elkaar toe te lopen. We liepen tot we op ongeveer tien meter van elkaar af waren en toen bleef die kleine etter staan. Ik bleef ook staan.

We keken elkaar aan. Hij scheen niet gelukkig, dus daarin waren we in ieder geval met zijn tweeën.

Susan zei: Kom op, Paul. Je hebt jezelf duidelijk gemaakt. Laten we gaan zien wat hij wil.'

'De kolere voor hem.'

Kolonel Mang zal me niet goed gehoord hebben, want hij zei: 'Goedenavond, Mr. Brenner.'

Ik gaf geen antwoord.

Susan had genoeg van dit gezeik en liep naar kolonel Mang toe. Ze sprak een minuut met hem, maar ik kon haar niet verstaan, dus ik wist niet welke taal ze gebruikte. Ze draaide zich naar mij om en zei: 'Paul, waarom kom je niet bij ons staan?' Ze gebaarde me dichterbij te komen.

Nou, dit was me wel een vreselijke dag geweest – de A Shau-vallei, Khe Sanh, de DMZ, en nu Quang Tri. Mijn hoofd zat vol oorlogsherinneringen en mijn lichaam vol kwalijke mannelijke hormonen. Ik had de slechte instelling van de infanterist in oorlogstijd en was niet langer een toerist in Saigon die naar gelul van Mang zat te luisteren; er was weinig voor nodig om mij tot ontploffen te brengen. Als ik mijn M-16 had gehad, zou ik de twee grappenmakers met geweren al hebben gemold voordat Mang zelfs maar bij het pistool op zijn heup had kunnen komen.

'Paul. Kom bij ons. Alsjeblieft.'

Ik haalde diep adem en liep de tien passen naar de plek waar Susan en kolonel Mang stonden.

We wisselden geen beleefdheden uit, maar ik sprak zonder dat tegen me gesproken was. Ik vroeg hem: 'Wat doet u hier?'

Hij staarde me lange tijd aan, antwoordde toen: 'Dat is mijn vraag aan u.'

'Ik heb u gezegd dat ik naar Quang Tri zou gaan om te zien waar ik gelegerd was geweest. Dus vraag me niet waarom ik hier ben.'

Hij nam me een ogenblik op en ik wist dat hij begreep dat ik mijn kordate, maar beleefde manier van spreken tegen hem had laten varen. Hij zei tegen me: 'Nou, wat hebt u gezien? Niets. Ik heb het u verteld: er is hier niets. Uw bommenwerpers hebben een hele provincie weggevaagd. Wilt u dit hier zien?' Hij gebaarde naar al die lege hectaren. 'Geniet u hiervan?'

Ik haalde diep adem en antwoordde: 'Kolonel, u weet heel goed waarom de bommenwerpers deze provincie hebben verwoest. Waarom probeert u zich niet aan te passen aan de realiteit zoals ik al probeer sinds ik hier ben aangekomen?'

Zonder aarzeling antwoordde hij: 'Realiteit is alles wat we als zodanig benoemen.'

'Nee, realiteit is wat er is gebeurd. De slachtpartij in Hué is gebeurd, en de slachtpartij hier in Quang Tri is gebeurd in 1968. Ik heb het met mijn eigen ogen gezien. En, ja, de slachtpartij in My Lai is ook gebeurd. We hebben allemaal bloed aan onze handen. Leef ermee en hou er eens mee op die klotenoorlog maar in mijn gezicht te duwen. Ik ben er niet mee begonnen en u ook niet. Laat hem achter u.'

Hij vond mijn preek of de klank van mijn stem maar niets, maar hij bewaarde zijn kalmte en antwoordde: 'Er was geen slachtpartij in Hué of Quang Tri. Het was een liquidatie van de vijanden van het volk. De slachtpartij was in My Lai.'

'Wat wilt u?'

'U kunt me vertellen waarom u en uw metgezellin hier proberen contact te krijgen met de bergvolken.'

'Bedoel je de Moi? De wilden?'

'De bergvolken, Mr. Brenner. Wat wilt u van hen?'

'Ik heb niets met ze te maken.'

'Mr. Loc zegt iets anders.'

'Mr. Loc is een idioot.'

Susan kwam tussenbeide en zei: 'Kolonel, uit de hele wereld komen toeristen om de autochtone bevolking van Vietnam te zien. We hebben hetzelfde gedaan.'

Kolonel Mang nam Susan een ogenblik op en vroeg zich ongetwijfeld af waarom een vrouw antwoord gaf voor een man. Dit land was zo seksistisch dat ik het hier misschien wel leuk zou kunnen vinden. Kolonel Mang zei, niet tegen Susan, maar tegen mij: 'U bent een aantal keren uit het gezicht van Mr. Loc geweest. U hebt de heuvels in de A Shau-vallei beklommen. U was even in een nederzetting van een bergvolk. U hebt met bergmensen gesproken op het plein van Khe Sanh.'

Ik zei: 'Nou en? Ik ben een toerist.'

'Ja? En geven de bergvolken alle toeristen die armband die u om uw pols draagt? Of de Taoi-sjaal die miss Weber nu draagt? En wisselen toeristen militaire groeten uit met voormalige Amerikaanse huurlingen?'

Ik dacht erover na en hij noemde daar een paar goede punten. Ik antwoordde: 'Kolonel, ik denk dat u te wantrouwig en te gevoelig bent wat betreft het onderwerp van de Montagnards.'

'Denkt u dat? U woont hier niet, Mr. Brenner.' Hij vroeg: 'Zou u me uw daden willen uitleggen?'

Eigenlijk niet. Ik zei tegen kolonel Mang: 'Waar is Mr. Loc? Breng hem hier en we zullen het bespreken.' Ik voegde eraan toe, om de zaak wat luchtiger te maken: 'Ik heb het grondwettelijke recht tegenover mijn aanklager te staan.'

Kolonel Mang glimlachte en zei: 'Mr. Loc moet helaas voor een tijdje weg.' Hij vroeg me: 'Waarom bent u naar de A Shau-vallei en naar Khe Sanh gegaan?'

Ik gaf geen antwoord.

Kolonel Mang zei tegen me: 'Mr. Loc zei dat u veel oorlogsverhalen hebt verteld, Mr. Brenner, en geen van die verhalen betrof uw functie als kok.'

Ik antwoordde: 'Mr. Loc spreekt geen Engels, kolonel.'

'Ah, maar dat doet hij wel. En u weet dat. U hebt het diverse keren tegen hem gezegd.'

'Precies. Dus waarom zou ik mezelf beschuldigen in zijn aanwezigheid als ik wist dat hij Engels verstond?'

'Omdat u niet wist dat hij een agent was van het ministerie van Openbare Veiligheid.'

'Natuurlijk wist ik dat. Ik heb hem verteld dat ik dat wist.'

'Dat heeft hij niet aan mij gemeld.'

Susan mengde zich erin en zei tegen kolonel Mang: 'Dan heeft hij u niet de waarheid verteld. We wisten vanaf het moment dat we hem leerden kennen dat hij een politieman was. Ik woon al drie jaar in dit land, kolonel, en ik herken een geheim agent zodra ik hem zie.'

Kolonel Mang staarde Susan een tijdje aan en zei tegen haar: 'Ik heb het tegen Mr. Brenner.' Hij wendde zich weer tot mij en zei: 'Ik geloof niet dat u wist dat...'

Susan zei scherp: 'En ik heb het tegen ú, kolonel. En u zult me antwoord geven.'

Kolonel Mang draaide zich weer naar Susan om. 'Pardon? Ik geloof niet dat ik het goed heb gehoord.'

'Nee? Begrijp dat...' Ze ging over op Vietnamees en stortte een hele lading narigheid over kolonel Mang uit, die, dat wist ik zeker, op het punt stond haar een klap te geven. Dan zou ik hem een dreun moeten verkopen en die handlangers met de geweren zouden over het veld aan komen draven, en voor je het wist zou ik het pistool van kolonel Mang tegen zijn hoofd houden en zouden we de rest van de nacht in een pat-stelling zitten of we zouden een schietpartij krijgen of wat ook. Dit was niet goed. Maar ik liet Susan stoom afblazen.

Voor Susan uitgegild was tegen kolonel Mang, begon hij tegen haar terug te gillen, en ze maakten er echt een vertoning van. Ik vroeg me af wat er met haar bezorgdheid ten aanzien van het gezichtsverlies van kolonel Mang was gebeurd. Ik vind het heerlijk als vredestichters he-lemaal gek worden en proberen de Derde Wereldoorlog te beginnen. Ik merkte ook dat de handlangers met de geweren waakzaam stonden toe te kijken. Op die afstand konden ze niet zoveel horen, maar ze wis-ten wel wat een woedende dame was als ze er een zagen, vooral als ze getrouwd waren. Het was in ieder geval nog positief dat Susan en ko-lonel Mang tegen elkaar spraken – of gilden. Als Mang rustig werd, zouden we een probleem hebben.

Ik moest dit sussen, dus ik zei tegen Susan: 'Goed. *Im lang. Fermez la bouche*. Hou je kop. Dit is genoeg.'

Ze hield haar kop.

Kolonel Mang was echt door het dolle heen, en ook al was hij niet hierheen gekomen om ons te arresteren, hij dacht er nu wel aan, vooral omdat die twee handlangers zagen dat hij een grote mond kreeg van het Amerikaanse kreng.

Kolonel Mang kreeg zichzelf in bedwang en wendde zich weer tot mij. Hij zei, alsof er niets gebeurd was: 'Ik geloof niet dat u wist dat Mr. Loc een agent was van het ministerie van Openbare Veiligheid.'

'Zie ik er stom uit?'

Kolonel Mang hield zich in om te zeggen: Ja, je ziet er stom uit. Waarom zou je hier anders zijn? Maar hij zei: 'Als u dan zo slim bent, waarom sprak u dan zo openlijk over uw veldslagen in aanwezigheid van Mr. Loc, terwijl u mij had gezegd dat u toen kok was?'

Ik antwoordde: 'Ik was dus duidelijk geen kok. Ik was een infante-rist.'

'Waarom hebt u tegen mij gelogen?'

Omdat halvegaren in Washington me dat hadden verteld. Ik ant-woordde beleefd: 'Ik wilde u op geen enkele manier kwaad maken, kolonel, door te zeggen dat ik tegen uw landgenoten heb gevochten.'

'Ja? Maar u hebt gelogen.'

Smerissen vinden het heerlijk om over een leugen door te zagen. 'Ik heb gelogen. Ik heb Noord-Vietnamezen en Vietcong gedood, hier, in en rond Quang Tri, in Khe Sanh, in de A Shau-vallei en verderop in Bong Son. Nou en? U was ook soldaat, en u hebt mijn landgenoten gedood. Het was oorlog. Daarvoor werden we betaald. Onderwerp gesloten. U bent niet hier gekomen om me te vertellen dat u hebt ontdekt dat ik aan gevechten heb deelgenomen. Wat wilt u?'

Hij antwoordde: 'Ik heb het u gezegd. Ik wil weten wat u wilde van de bergvolken.'

'Niets.'

'Waarom bent u dan de heuvels in gegaan?'

Deze gast was traag van begrip of paranoïde. Ik zei: 'Ik ben naar de A Shau-vallei en naar Khe Sanh geweest om te zien waar ik heb gevochten. Ik dacht dat we dat wel hadden begrepen.'

Hij dacht erover na en antwoordde: 'Misschien is de leugen wel dat u nooit in die plaatsen gelegerd bent geweest, maar dat u er nu heen gaat om namens uw regering contact op te nemen met de bergvolken, en dat u het excuus van een bezoek aan uw slagvelden gebruikt, hoewel die, in wezen, uw slagvelden niet waren. U bent geïnteresseerd in de bergvolken.'

Ik had even nodig om zijn logica te volgen. Klaarblijkelijk had kolonel Mang het idee dat ik niets goeds van plan was, maar hij kwam niet eens in de buurt van de waarheid. Bovendien hoefde hij dat niet; elke criminele aanklacht zou voldoende zijn in dit land.

Ik gebruikte wat logica van mezelf en zei: 'Als ik een excuus nodig had om de heuvels in te gaan, waarom zou ik u dan op Tan Son Nhat niet hebben gezegd dat ik misschien wel belangstelling had voor bomen en fauna? Volgt u me?'

Hij dacht over mijn logica na en antwoordde: 'U vertelde me eigenlijk dat u zelfs niet wist of u naar uw basiskamp in An Khe zou gaan, dat in het hoogland ligt en waar een heleboel bergstammen zijn. Waarom hield u dat verborgen?'

'Wát verborgen? Ik ben helemaal nooit in An Khe geweest.'

'Maar u ging naar andere berggebieden.'

Ik kreeg hoofdpijn van deze man en ik zag dat Susan ook ongeduldig werd door Mangs paranoia en dwaasheid ten aanzien van de bergvolken.

Hij zei tegen me: 'U hebt natuurlijk gehoord van het FULRO?'

Ik wist dat dat zou komen. Ik antwoordde: 'Ik leerde die kennen in het Museum van Amerikaanse Oorlogsmisdaden. Ik zag de foto's van de massa-executies van de bergbevolking. Tussen haakjes: daar raakt een toerist door van streek.'

'Ja? Het is bedoeld als les.'

'Waarom konden jullie de bergmensen niet gewoon in heropvoedingskampen stoppen en hen leren gelukkige burgers te worden? Waarom moesten jullie ze doodschieten?'

Hij keek me aan en liet me weten: 'Vijanden van de staat die hun wapens neerleggen, krijgen de gelegenheid zichzelf te veranderen op speciale scholen. Vijanden die worden gepakt met wapens, worden doodgeschoten.' Hij voegde eraan toe: 'Iedereen, gewapend of niet, die contact opneemt met gewapende rebellen, wordt ook doodgeschoten.' Hij keek me aan, vervolgens Susan en vroeg: 'Begrijpt u dat?'

Natuurlijk begreep ik het. Wij hadden hetzelfde gedaan in 1968, dus ik kon kolonel Mang moeilijk een preek geven over de juiste gang van zaken, schuld door contact of het recht op het dragen van wapens. Maar het werd tijd om hier een einde aan te maken. Ik keek Mang in de ogen en zei tegen hem: 'Kolonel, beschuldigt u mij ervan dat ik een spion ben?'

Hij staarde me aan en, terwijl hij zijn woorden zorgvuldig koos, antwoordde me: 'Ik probeer erachter te komen wat de werkelijke bedoeling is van uw bezoek aan mijn land.'

Nou, ik ook. Maar kolonel Mang kon me daarmee niet helpen. Ik zei tegen hem: 'Natuurlijk hebt u wel betere dingen te doen tijdens de Tct-feestdagen. Misschien zou uw familie het wel leuk vinden om u te zien.'

Die opmerking viel helemaal niet goed en hij zei: 'Mr. Brenner, het gaat u niets aan wat ik doe. Maar te uwer informatie: ik ben thuis geweest en nu ben ik gekomen om met u te spreken.'

'Het spijt me dat u dat hele eind voor niets bent gekomen, kolonel.'

'Ik kom zo'n heel eind niet voor niets, Mr. Brenner.'

Dat klonk alsof er nog meer onaangenaamheden stonden te komen. Ik zei: 'Kolonel, ik reageer niet zo goed op subtiele dreigementen. Misschien vindt u dit ongelooflijk, maar in mijn land, zoals ik u al heb verteld, kan een burger weigeren antwoord te geven op vragen van een politieman, en de burger heeft het recht te blijven zwijgen. Dan heeft de politieman als keuze de verdachte te arresteren of hem te laten gaan. Dus als u hier bent gekomen om mij te arresteren, doe dat dan. Anders vertrek ik.'

Kolonel Mang had waarschijnlijk nooit eerder een preek gehad over de beperkingen van de macht van de politie, dus hij koos zijn eigen mogelijkheid en die had niets met de eerder genoemde zaken te maken. Hij zei tegen me: 'Als u naar waarheid op mijn vragen antwoordt, kunnen u en uw metgezellin verder reizen.'

Ik keek Susan aan en ze knikte naar me. Haar bij me hebben, zoals ik al heb gezegd, had zijn plussen en minnen, en op dit moment was het een min. Als ik in de gevangenis zou belanden en werd ondervraagd, kon ik dat wel hebben. Maar als Mang besloot Susan ook in de bak te stoppen, zou ik een probleem krijgen.

Kolonel Mang zei: 'Mr. Brenner? Ik heb nog een paar vragen voor u. Mag ik?'

Ik knikte.

Hij glimlachte en zei tegen me: 'Beschrijf alsjeblieft uw relatie met deze dame.'

Die had ik ook aan zien komen, en ik antwoordde: 'We leerden elkaar kennen in Saigon – Ho Tsji Minh-stad – en reizen nu samen.'

'Ja? Waarheen?'

'Naar Hanoi.'

'O, ja. Naar Hanoi, en waar gaat u heen tussen Hué en Hanoi?'

'Ik denk dat ik het u al heb verteld, kolonel. Naar de kust.'

'Ach, ja. U wilde zien hoe de mensen in het voormalige Noord-Vietnam, zoals u het noemt, wonen en werken?'

'Dat heb ik gezegd.'

'En hoe stelt u zich voor naar Hanoi te gaan?'

'Ik weet het niet. Suggesties?'

Hij glimlachte en zei: 'U zou met mij mee kunnen gaan. Ik heb een auto met chauffeur.'

'Dat is een heel vriendelijk aanbod van u, maar ik wil u niet tot last zijn.'

'Ik ga die kant op. Mijn familie woont bij Hanoi.'

'Ik begrijp het. Ik neem aan dat ik u in Hanoi dus weer zal zien.'

'Daar kunt u zeker van zijn, Mr. Brenner.'

'Ik verheug me erop. Misschien kunnen we elkaar treffen op mijn ambassade.'

'Misschien niet.' Hij haalde een sigaret tevoorschijn en stak die op.

Susan pakte haar sigaretten en zei tegen kolonel Mang, met iets van sarcasme: 'Wilt u een sigaret?'

Hij negeerde haar, wat een enorme verbetering was vergeleken met een wedstrijd in gillen. Hij leerde snel.

Hij trok aan zijn sigaret en zei tegen me: 'Dus u reist langs de kust naar Hanoi?'

'Hoe moet ik anders in Hanoi komen?'

'Nou, iemand zou de lange route kunnen nemen door de heuvels naar Laos en dan terugkeren naar Hanoi via de Rode Rivier. Het is heel pittoresk.'

'En zitten daar bergvolken?'

Hij glimlachte en gaf geen antwoord.

Dit was te veel lol voor een dag. Het was koud en bijna donker, ik had trek in een whisky en ik was kat en muis aan het spelen met de Oost-Aziatische tweelingbroer van Sherlock Holmes, op een plek waar een moord was gepleegd terwijl soldaten en burgers met duizenden overal om die moordplek heen werden gedood. Dáárom was ik hier, en deze man probeerde me vast te pinnen op een halsmisdrijf. Ik kon niet wachten tot ik Karl weer zag en dan zouden we hier eens hartelijk om lachen.

Kolonel Mang keerde terug naar het onderwerp van mijn liefdesleven en zei tegen me: 'Dus u en miss Weber reizen samen als vrienden. Klopt dat?'

Ik antwoordde: 'Zoals u al weet, delen we hetzelfde bed.'

Hij zette een gezicht van geschokte verbazing op. Deze man had acteerlessen nodig. Hij zei: 'Maar u had in Nha Trang gescheiden kamers en ook nu in Hué. En u deelt hetzelfde bcd. Wat een buitensporigheid.'

Ik antwoordde: 'Amerikanen zijn buitensporig in hun idee van fatsoen en goede smaak.'

'Eigenlijk geeft u zichzelf over aan alles wat u leuk vindt en wilt hebben, om daarna te doen alsof u eenvoudige en deugdzame mensen bent. Ik geloof dat het woord in hct Engels hypocrisie is. Klopt dat?'

'Dat is heel goed opgemerkt, kolonel. Mag ik u nu iets zeggen over Vietnamezen? Dat zijn dc cnige mensen die ik ooit ben tegengekomen die meer van de dollar houden dan de Amerikanen.'

'U beledigt mij en mijn land, Mr. Brenner.'

'U hebt mij en mijn land beledigd, kolonel Mang.'

Hij deed een haal aan zijn sigaret en zei: 'Misschien moeten we weer terzake komen.' Hij keek naar Susan en zei iets in het Vietnamees tegen haar. Ze zag er niet al te gelukkig uit met de vraag en gaf kort antwoord.

Ik zei: 'Dit gesprek wordt in het Engels gevoerd.'

Susan zei tegen me: 'Hij vroeg me of Amerikaanse vrouwen de gewoonte hadden om met mannen te slapen die ze net hebben leren kennen. Ik vertelde hem dat de vraag een belediging was.'

Ik zei tegen kolonel Mang: 'Hebben Vietnamese officieren de gewoonte om vrouwen te beledigen?'

Hij zei tegen mij, niet tegen Susan: 'Ik probeer de werkelijke aard van uw relatie te achterhalen.'

'Waarom? Het gaat u niets aan.'

'Ik denk het wel. U bent zich natuurlijk bewust dat uw vriendin hier sliep met de afdelingschef van de CIA in Ho Tsji Minh-stad.'

Ik haalde diep adem en antwoordde: 'Ik ben me ervan bewust dat ze een vriend had.'

'Ja? En u kent die vriend. U hebt het me zelf verteld. Mr. Bill Stanley. De afdelingschef van de CIA voor het hele zuiden van Vietnam.'

Van alle namen die ik kon uitkiezen toen ik Mang vertelde wie mijn treinreserveringen had geboekt naar Nha Trang, koos ik uitgerekend die klote CIA-man. Maar dat krijg je, als de grote jongens in Washington besluiten dat je iets niet hoeft te weten wat je wel moet weten.

'Mr. Brenner? Waarom slaap u met de vriendin van uw vriend?'

Ik zei: 'Ik ken Bill Stanley alleen als werknemer van de Bank of America.'

'Ja? Dus u wist niet dat uw vriend afdelingshoofd van de CIA was?'

'U zegt dat hij dat is, en hij is niet mijn vriend.'

'Maar u zei dat u samen op de universiteit had gezeten. Princeton.'

Ik wierp een blik op Susan die er beduusd bij stond. Op een dag zouden mijn gladde antwoorden me nog eens in de problemen brengen; en eigenlijk was die dag al aangebroken. Ik zei tegen kolonel Mang: 'Hoe hadden we samen kunnen studeren als hij minstens tien jaar jonger is dan ik?'

'Dat vroeg ik me ook al af, Mr. Brenner.'

'Nou, ik maakte een grapje.'

'Wat is de grap?'

'Het valt moeilijk uit te leggen, kolonel. Ik ken Bill Stanley niet en hij is niet mijn vriend.'

'Maar hij ís een CIA-agent. Het geeft allemaal niet. De CIA kent onze agent in onze ambassade in Washington. Die dingen zijn niet te verbergen. In werkelijkheid heeft Mr. Stanley niets met de Bank of America te maken en is hij ambtenaar op het consulaat op de afdeling Economische Ontwikkeling. Dat is natuurlijk niet zijn echte baan, maar die verschaft hem de diplomatieke onschendbaarheid die hij nodig heeft om zijn andere werk te doen. En u, Mr. Brenner, zijn vriend, wist dit niet. Verbazingwekkend.'

Echt verbazingwekkend. En kolonel Mang was iets scherpzinniger, sarcastischer en ironischer dan ik had gedacht.

'Wat moet ik geloven, Mr. Brenner?'

Ik antwoordde: 'Ik ken Bill Stanley niet.'

Maar u hebt me verteld dat u hem kende.'

'Ik heb gelogen.'

'Waarom?'

'Nou, ik zal u zeggen waarom. Miss Weber heeft de treinkaartjes naar Nha Trang geregeld, maar ik wilde haar naam niet gebruiken, dus ik gebruikte de naam van haar vriend. *Biet*?'

'Nee, ik begrijp het niet. Waarom hebt u dat gedaan?'

'Luister, kolonel, als ik had geweten dat Bill Stanley een CIA-agent was, waarom zou ik dan zijn naam gebruiken in een gesprek met u?'

'Daar probeer ik juist achter te komen, Mr. Brenner.'

'Jawel. Nou, het antwoord is dat ik Bill Stanley niet ken, en niet weet voor wie hij werkt, en aangezien ik niemand in Saigon ken, maar me zijn naam en zijn werkkring herinnerde door iets wat miss Weber had gezegd, gaf ik u zijn naam in plaats van die van haar.'

Hij vroeg: 'Maar waaróm? U hebt die vraag nog niet beantwoord.'

'Beantwoordt u hem maar.'

'Hoe kan ik die voor u beantwoorden? U moet hem beantwoorden.'

'Goed... ik wilde niet dat de naam van miss Weber op welke manier dan ook onder de aandacht kwam van de politie, hoe onschuldig het onderwerp ook mocht zijn. Ze woont hier en ik wilde haar zakelijke activiteiten niet in gevaar brengen. Begrijpt u dat?'

'Misschien. Maar ik begrijp uw connectie met Mr. Stanley niet.'

'Er ís geen connectie.' *Klootzak.*

'Ah, maar toch wel. U slaapt met zijn vriendin.' Hij glimlachte.

Ik gaf het niet graag toe, maar deze man was bijna net zo goed en net zo sarcastisch als ik, als ik op een zaak zat. Ik zei tegen hem: 'Geef eens antwoord op míjn vraag. Als ik had geweten of geloofd dat Bill Stanley een CIA-agent was, waarom zou ik dan zijn naam gebruiken? Ik zal daar voor u antwoord op geven, kolonel. Ik wist het niet, en weet het nog steeds niet. En waarom zou ik u geloven als u zegt dat hij een CIA-agent is?'

Hij knikte. 'Ja, waarom?' Hij keek naar Susan en vroeg haar: 'Weet u dat de man met wie u sliep een CIA-agent was?'

Ze antwoordde: 'Waarom zou hij me dat vertellen?'

'Het is een heel irritante gewoonte van Amerikanen om een vraag met een wedervraag te beantwoorden.'

Susan vroeg: 'Waarom is dat irritant?'

Kolonel Mang begon zijn geduld met Susan te verliezen, die echt irritant kon zijn. Hij deed een stap naar haar toe en ik deed een stap naar hém toe. We hielden allebei op met het doen van stappen en bleven staan, maar bleven paraat.

Ten slotte wendde kolonel Mang zich weer tot mij, stak weer een sigaret op zonder er een aan de dame te presenteren, en zei tegen me: 'Dus u kent Mr. Stanley niet?'

'Nee.'

'Maar u hebt met hem gesproken voor de katholieke kathedraal in Ho Tsji Minh-stad.'

'Was dat Bill Stanley?'

'Dat weet u wel, Mr. Brenner. Speel geen spelletje met me.'

'Ik werd voor de kathedraal aan Bill Stanley voorgesteld, we hebben ongeveer drie minuten met elkaar gesproken, zoals u weet, en we hebben elkaar sindsdien niet meer gezien of gesproken.'

'Dat zegt u. Waarom zou ik u geloven? U loog tegen me over uw functie tijdens de oorlog, op uw tweede dag in Ho Tsji Minh-stad ontmoette u een CIA-agent, u toont te veel belangstelling voor de bergvolken, u bent vaag over uw reisplan, en u hebt me verteld dat u alleen naar Nha Trang zou gaan, maar deed dat niet. U ging met de vriendin van een CIA-agent. Dus hoeveel leugens hebt u me verder nog verteld?'

'Twee of drie.'

'Ja? Welke leugens hebt u me verteld?'

'Ik heb u, denk ik, verteld hoe goed georganiseerd en welvarend Vietnam eruitziet. Om eerlijk te zijn, is het geen van beide... De mensen zijn diep ongelukkig, en iedereen die ik in het zuiden heb ontmoet, haat Hanoi. Er zijn meer prostituees en pooiers in Saigon dan toen ik er was, en jullie hebben de voormalige soldaten van de Republiek Vietnam heel slecht behandeld, en ik weet dat jullie hun graven geschonden hebben en de overlevenden bijna tot slavernij hebben gebracht, en ik, als voormalig soldaat, vind het eerloos en beledigend, en dat zou u ook moeten vinden. De regering in Hanoi is niet wettig en wordt niet gesteund door de wil van het volk. Hier, kolonel, hebt u de echte waarheid; wat u zegt of gelooft is de waarheid niet.'

Kolonel Mang keek me niet aan. Hij keek weg, in de verte, terwijl hij stond te hyperventileren. Hij had een vreemde uitdrukking op zijn gezicht en zijn schouders gingen zwaar op en neer. Ik wist niet of hij flauw zou vallen, zou huilen, zijn pistool zou trekken, me om asiel in Amerika zou vragen, of wat ook. Ik wilde hem de lotushouding voorstellen, maar hij leek zichzelf weer zonder dat in bedwang te krijgen.

Hij haalde diep adem en schoot uit zijn trance, of wat het ook was. Hij schraapte zijn keel en vervolgde alsof hij niet op de rand van een psychotisch moment had gestaan. Hij vroeg me op zakelijke toon: 'Mr. Brenner, de immigratiepolitie in Hué heeft me geïnformeerd dat u een bus hebt genomen van Nha Trang naar Hué. Klopt dat?'

Ook zo'n vraag die ik niet wilde horen. Ik antwoordde: 'Dat klopt.'

Hij mijmerde er een ogenblik over, zei toen: 'En u vertrok vroeg in de middag uit Nha Trang en kwam die avond voor twaalf uur in Hué aan. Klopt dat?'

'Zo ongeveer.'

'Ik begrijp het.' Hij deed alsof hij deze informatie verteerde en een blik van onthutsing, bijna bezorgdheid, verscheen even op zijn gezicht, alsof hem iets dwarszat. Ik kende die blik, omdat de meeste ondervragers die gebruiken. Kolonel Mang zei: 'De agent op het politiebureau van immigratie in Hué vertelde me dat u hem had gezegd dat u alleen reisde. Klopt dat?'

Ik besefte dat Susan en ik, als deze vragen aan ons afzonderlijk zouden zijn gesteld, misschien wel verschillende antwoorden zouden hebben gegeven. Ik antwoordde: 'Ik heb nooit gezegd dat ik alleen reisde. Om eerlijk te zijn, heeft hij het me niet gevraagd. Maar misschien hebt u het hem gevraagd en heeft hij, zoals alle ondergeschikten in de hele wereld, een antwoord voor u verzonnen.'

Hij dacht erover na en zei toen: 'Ik denk dat ik het hem nog eens zal moeten vragen.' Tegen mij zei hij: 'Dus u en miss Weber reisden samen.'

'Dat klopt.'

'Per bus?'

'Klopt.'

'En waar hebt u gelogeerd toen u in Hué aankwam?'

'Een minimotel.'

'Ach, ja. Dat is mij gezegd.' Hij glimlachte en zei tegen me: 'De politieman kreeg de indruk dat u de nacht met een prostituee had doorgebracht.' Hij keek naar Susan, toen weer naar mij en zei: 'Maar hij zal een vergissing hebben gemaakt met de beschrijving van uw reisgenote.'

Ik zei: 'De politieagent in Hué, en ook Mr. Loc, moeten beter Engels verstaan als ze Engelstalige mensen willen ondervragen of afluisteren. Vindt u niet?'

Dat vond hij waarschijnlijk ook, maar hij zei tegen mij: 'Mijn Engels is, hoop ik, naar uw tevredenheid. Ik versta Engels vrij goed, maar ik begrijp uw antwoorden niet.'

'Ik begrijp ze wel.'

Kolonel Mang glimlachte en zei: 'Laat me u een simpele vraag stellen: hoe heette het minimotel waar u en miss Weber de nacht hebben doorgebracht?'

'Ik weet het niet. Hebben ze namen?'

'Ze dragen de naam van hun straatadres. Helpt dat u?'

'Nee.'

Hij keek Susan aan. 'Kunt u zich de naam van het motel herinneren?'

'Nee.'

Hij bleef haar aankijken en zei: 'Het verrast me nogal, miss Weber, dat u, terwijl u al drie jaar in Vietnam woont, naar zo'n plaats zou gaan.'

Ze antwoordde: 'Kolonel, als je moe bent, kun je overal slapen.'

'O ja?' Hij richtte zich weer tot mij en vroeg: 'Bent u toen u in Hué aankwam naar het Century Riverside geweest om te kijken of ze een kamer voor u hadden?'

'Nee.'

'En waarom niet? Dan zou u net als ik hebben ontdekt dat er kamers vrij waren.'

Ik antwoordde: 'Ik heb een bepaald budget. Het minimotel was heel goedkoop.'

Hij geloofde er allemaal niets van en ik kan het hem niet kwalijk nemen. Hij zei: 'Mr. Brenner, u zegt dat u vrijdagavond in Hué bent aangekomen en niet de moeite hebt genomen om te kijken of uw hotel of enig ander westers hotel, of zelfs maar een pension, een kamer beschikbaar had voor u en uw reisgenote. In plaats daarvan bent u, volgens u, van het busstation in Hué naar een minimotel gegaan dat bijna uitsluitend wordt bezocht door prostituees en hun klanten, en u hebt daar een kamer genomen, maar u herinnert zich het hotel niet. Daarna om vijf over halfeen, de volgende dag, schrijft u zich alleen in in het Century Riverside Hotel, waar na ongeveer twintig minuten, miss Weber arriveert en om een kamer vraagt. Vervolgens, op een bepaald moment, treft u elkaar in de lounge, en na een tijdje gaat u terug naar uw kamers – of naar de kamer van Mr. Brenner. Begrijp ik dit allemaal goed?'

Ik antwoordde: 'Zeker.'

'En toch slaat dit voor mij allemaal nergens op. Misschien kunt u me uw handelwijze uitleggen.'

Dit ging duidelijk niet goed en het zou ook helemaal niet beter worden. Ik zei tegen kolonel Mang: 'Kolonel, miss Weber en ik hebben een clandestiene verhouding. Begrijpt u dat?'

Hij bleef me aanstaren.

Ik vervolgde: 'We proberen elke mogelijke confrontatie met Mr. Stanley te voorkomen, vandaar onze handelwijze.'

Kolonel Mang dacht er anders over. Hij zei: 'Ik begrijp het nog steeds niet, Mr. Brenner, maar laat me verdergaan.' Hij keek weer naar Susan en naar mij en zei toen: 'U bent een knap stel. Mensen die je niet makkelijk vergeet. Dus heb ik de politie in Nha Trang de twee buschauffeurs laten ondervragen die de bus van twaalf en een uur hebben gereden. En geen van deze chauffeurs herinnert zich een westers stel van middelbare leeftijd met welke beschrijving ook op hun bus. Feitelijk, buiten een paar westerse rugzaktoeristen, zaten er alleen maar Vietnamezen in de bus.' Hij zweeg even. 'Het leek me al vreemd dat u met de bus zou gaan.'

Ik antwoordde: 'Er was geen ander vervoer te krijgen, en dat weet u. Ik zat op de bus van een uur van Nha Trang naar Hué, en weer, kolonel, heeft iemand u onjuiste informatie gegeven.'

'Ja? Dat is heel veel onjuiste informatie. Van verschillende mensen.' Hij keek Susan aan en vroeg haar: 'En u, zat u op die bus?'

'Jawel.'

Hij dacht een tijdje na, of deed alsof, en zei toen: 'Helaas geloofde ik de onjuiste informatie van de buschauffeurs, dat u niet op die bussen zat, dus ik ben verder gaan navragen. Ik heb Vidotour gevraagd of een van u een auto met chauffeur had gehuurd, en ze informeerden me dat u dat niet had gedaan. Ze houden de boeken heel zorgvuldig bij, dus natuurlijk is hun informatie correct. Vervolgens begon ik navraag te doen bij de privé-reisagentschappen.' Hij keek mij aan en vroeg: 'En weet u wat ik heb ontdekt?'

Ik gaf geen antwoord op de retorische vraag. Ik betwijfelde eerlijk gezegd of het Mang wel was gelukt een van de mensen te pakken te krijgen tijdens de feestdagen.

Kolonel Mang bleef me aankijken, maar geen van beiden speelden we een kaart uit. Ten slotte zei hij: 'Niets. Maar we doen nog steeds navraag in Nha Trang.'

Ik zei niets.

Hij voegde eraan toe: 'Ik denk, Mr. Brenner, dat u en miss Weber met een privé-minibus naar Hué zijn gekomen, of waarschijnlijker een privé-auto met chauffeur. Ik geloof dat mijn instructies aan u, Mr. Brenner, duidelijk waren. U mocht niet met privé-vervoer reizen.'

Ik moest hierop antwoorden en zei: 'Kolonel, ik denk dat ik genoeg heb van uw vragen, uw vermoedens en uw sarcasme. Ik weet niet wat de bedoeling is van dit alles, maar ik ga van Hué rechtstreeks naar Hanoi, en ik zal een officiële klacht indienen bij mijn ambassade en daarna vertrek ik uit het land. En als ik terug ben in Washington, zal ik rechtstreeks een klacht indienen bij Buitenlandse Zaken. Uw gedrag is onaanvaardbaar en onverdiend.'

Hij scheen zich hierover helemaal geen zorgen te maken; op dit moment was hij ervan overtuigd dat hij een zaak tegen mij had, en hij leek meer zelfvertrouwen te hebben. Hij zei tegen me: 'Ik denk dat ik zal ontdekken dat u een auto met chauffeur hebt gehuurd en dat de chauffeur u naar Hué heeft gebracht, en dat u ergens bent gestopt voor de nacht, en misschien bent afgeweken van uw directe weg naar Hué. En als ik die chauffeur vind, zal ik hem ondervragen over wat u hebt gedaan en wie u hebt gezien of ontmoet tijdens uw reis. Tenzij u het me natuurlijk nu wilt vertellen.'

Ik wilde hem niet vertellen dat ik onderweg twee politieagenten had vermoord, dus ik zei tegen hem: 'Ik heb verder niets meer tegen u te zeggen.'

'Nou, ik heb u nog meer dingen te zeggen.' Hij stak weer een sigaret op en zei: 'De politieman met wie u in Hué sprak, heeft me verteld dat u heel slecht meewerkte.'

Ik gaf geen antwoord.

'Hij zei dat u probeerde zonder toestemming zijn kantoor uit te lopen.'

Ik kon me niet weerhouden hier antwoord op te geven. 'Niet alleen probeerde ik zijn kantoor te verlaten, ik heb het gedaan, en hij hield me niet tegen.'

Kolonel Mang leek een beetje verrast. Duidelijk hadden zijn ondergeschikten de baas verteld wat ze hem wilden vertellen. Vreemd genoeg denk ik dat hij mij geloofde en niet hen, wat misschien ook weer niet zo vreemd was; in een politiestaat is iedereen bang voor de waarheid.

Hij zei tegen me: 'Ik geloof dat u, als u zich in mijn situatie verplaatste, zult inzien dat mijn vragen en wantrouwen wel terecht zijn. Er is een heleboel, van wat u indirect bewijs noemt, dat suggereert dat uw doel hier niet toerisme is. En dan hebben we de leugens nog die u me hebt verteld, en die u nu probeert te herstellen.'

Ik antwoordde: 'Kolonel, andere mensen hebben tegen u gelogen, of u misleid, of u valse vermoedens gegeven. Als ik politieman was, zou ik teruggaan en iedereen weer ondervragen, en dan zou ik zien dat ik op het verkeerde spoor zat. *Biet*?'

Hij wendde zich tot Susan die iets in het Vietnamees tegen hem zei. Hij knikte en keek mij weer aan. 'Interessante uitdrukking. Maar ik ben geen hond.'

Ik onthield me van elk commentaar.

Hij zei: 'Uit de faxen van Mr. Stanley aan miss Weber in het Grand Hotel, kreeg ik niet de indruk dat uw verhouding zo clandestien was.'

Ik antwoordde: 'Dat is de reden dat we proberen Mr. Stanley te ontlopen.'

'Ja? Is de CIA-afdelingschef zo stom dat u denkt dat u hem kunt ontlopen door een nacht in een minimotel te logeren en daarna in te checken in een hotel dat door bijna alle westerlingen wordt gebruikt?' Hij voegde eraan toe: 'Ik zou het hebben geloofd dat u Mr. Stanley probeerde te ontlopen, als u de hele tijd in Hué in het minimotel was gebleven, waar ze niet naar paspoorten en visums vragen.'

'Precies. Dat hadden we moeten doen. Nog iets?'

'Ja. Hoe weet uw vriendin Kay van uw relatie met miss Weber? En waarom waarschuwt deze vriendin u voor deze relatie?'

'Waarom houdt u er niet eens mee op mijn post te lezen?'

'Het is mijn werk uw post te lezen, Mr. Brenner. Geef antwoord op mijn vraag.'

Dit was een makkie, en ondanks mijn kwaadheid op kolonel Mangs rondsnuffelen, antwoordde ik: 'Ik heb haar vanuit Nha Trang gefaxt over mijn nieuwe romance, en volgens mij is ze jaloers. Ik neem aan dat u iets van vrouwen weet, kolonel, dus u begrijpt het. En ook is uw vraag weer een voorbeeld van het verkeerde spoor.'

'O ja? Laat me u dan een vraag stellen over uw fax-antwoord op Kay. U zei: "Als je slaapt met de vijand, weet je waar die 's nachts is."' Hij keek naar Susan, daarna naar mij en vroeg: 'Dus is deze dame hier de vijand over wie u het had?'

Ik keek even naar Susan, toen weer naar Mang en antwoordde: 'Het is een idiomatische uitdrukking. Je moet het Engels dat je hoort of leest niet altijd letterlijk nemen.'

'Ja? Nou, dank u, Mr. Brenner, voor die les.'

'Graag gedaan. En hou ermee op mijn post door te lezen.'

'Ik vind het interessant. U zei ook in uw antwoord aan Kay... laat me dit even herinneren...' Hij citeerde de laatste alinea woordelijk. '"De lange schaduwen van het verleden strekken zich inderdaad nog steeds van hier naar toen uit, maar de schaduwen in mijn gedachten en in mijn hart vervagen, dus als je lange tijd niet van me hoort, weet dan dat ik heb gevonden wat ik zocht, en dat ik persoonlijk geen spijt heb van deze reis. Liefs aan C."'

Ik keek niet naar Susan, maar bleef naar kolonel Mang kijken. Het kon me niet al te veel schelen dat hij me probeerde vast te knopen aan een halsmisdrijf, maar hij maakte mijn liefdesleven moeilijker dan het al was.

Kolonel Mang vroeg: 'Waarom zou Kay lang niet van u horen? En wat is het dat u hier gevonden hebt wat u zocht?'

Ik haalde diep adem en antwoordde: 'Ik heb innerlijke rust en geluk gevonden.'

'Ja? Waar? In Khe Sanh? De A Shau-vallei? Hué? Hier?'

'U haalt mijn karma onderuit, kolonel. Verander van onderwerp.'

'U houdt van geen van mijn onderwerpen.'

'Probeer het nog eens.'

'Misschien moet ik het proberen op het hoofdbureau van politie in Hanoi.'

'Prima. Laten we gaan.'

Hij begreep niet zoveel van bluffen en hij leek verrast. Hij schraapte zijn keel en zei: 'Te zijner tijd, Mr. Brenner.'

Ik keek op mijn horloge.

Hij zei: 'Hou ik u van een afspraak af?'

'U houdt me van mijn eten af.'

Hij negeerde dat en vroeg Susan: 'Bent u met een andere Amerikaan getrouwd?'

Ze antwoordde: 'Waarom controleert u de aanvraag voor mijn werkvisum niet?'

'Dat heb ik gedaan. U hebt opgegeven dat u niet getrouwd was.'

'Dan hebt u uw antwoord.'

Hij voegde eraan toe: 'En er lijkt geen bewijs van een echtgenoot in uw flat te zijn.' Hij glimlachte.

Susan staarde hem aan. Ik bedoel, dit is de dame die een kleine aanval van woede kreeg toen ze besefte dat iemand in haar hotelkamer in Nha Trang was geweest. Nu komt ze erachter dat kolonel Mang haar flat had doorzocht. Ze haalde diep adem en zei in het Vietnamees iets tegen hem. Het was een kort zinnetje, op zachte toon gezegd, maar wat ze ook had gezegd, het gezicht van kolonel Mang vertrok alsof iemand hem iets in zijn reet duwde. Ik had verzocht de conversatie in het Engels te laten gebeuren, maar soms moet je de taal van de streek gebruiken om te zeggen: 'Krijg jij de pestpokken, klootzak.'

Ik keek naar kolonel Mang die ongetwijfeld vooruit dacht naar een tijd dat hij ons gescheiden kon spreken met behulp van elektroshocks op de genitaliën en borsten.

Ik wachtte tot hij me zou vragen naar oudejaarsavond bij de Phams, of zondag, nieuwjaarsdag met Mr. Anh, maar dat vroeg hij niet, wat me ongeruster maakte dan wanneer hij het wel zou hebben gedaan. Het kwam me voor dat als kolonel Mang héél slim was, hij me opzettelijk de indruk had gegeven dat hij wat betreft het FULRO op het verkeerde spoor zat. Misschien weet hij dan wel iets over mijn werkelijke bedoeling hier, hoewel hij dat op geen enkele manier had kunnen weten – tenzij hij Mr. Anh had gearresteerd.

Ik wilde eigenlijk dat hij me vroeg naar zaterdag en zondag, maar in plaats daarvan bracht hij een nog ernstiger onderwerp ter sprake. Hij keek me direct aan en speelde zijn troefkaart uit. Hij zei: 'Uiteindelijk zullen we erachter komen hoe u van Nha Trang naar Hué bent gereisd. We zullen er ook achterkomen of u iets weet van een auto-ongeluk dat plaatsvond op Highway One, net buiten Nha Trang, waarbij twee politieagenten de dood vonden.'

Ik keek hem recht in de ogen en zei: 'Kolonel, ik weet niet waar u het over hebt. Maar u hebt me van alles beschuldigd, vanaf het overtreden van mijn reisschema tot aan seksuele misdaden, spionage, contact met het FULRO, en nu iets over een auto-ongeluk. Dit is schandelijk. Ik blijf hier geen moment meer naar luisteren.'

Ik pakte Susan bij de arm en liep weg.

Kolonel Mang schreeuwde: 'Stop! Geen stap meer.'

Ik liet Susans arm los en liep recht op kolonel Mang af, tot heel dichtbij.

We keken elkaar strak aan en hij zei tegen mij op een rustige toon: 'Ik zou u allebei hier en nu kunnen doodschieten en uw lichamen daar in de vestinggracht voor de honden kunnen achterlaten.'

'U zou het kunnen proberen. Maar dan kunt u maar beter heel snel zijn met uw pistool als u zo dicht bij me staat.'

Kolonel Mang deed een stap achteruit en ik deed een stap vooruit. Hij greep naar zijn wapen en Susan schreeuwde: 'Nee!' Ze gilde iets in het Vietnamees, kwam op ons af gerend en greep mijn arm, terwijl ze probeerde me van Mang weg te trekken.

Ik keek over kolonel Mangs schouders en zag zijn twee handlangers over het veld aan komen rennen.

Kolonel Mang deed weer een stap achteruit, hoorde het geluid van rennende voetstappen achter zich en gebaarde naar de twee mannen te blijven staan, wat ze deden.

Hij deed weer een stap naar achteren en zei tegen ons allebei: 'U hebt een officier van de Socialistische Republiek bedreigd, en daarvoor zou ik u kunnen arresteren en voor tien jaar kunnen opsluiten.' Hij keek naar Susan. 'Klopt dat?'

Susan antwoordde: 'U hebt geen excuus of aanklacht nodig, en dat weet u.'

Hij keek haar aan en zei: 'U bent al veel te lang in dit land, miss Weber. Misschien is het tijd voor u om te vertrekken.'

Precies wat ik ervan vond.

Maar Susan antwoordde: 'Ik vertrek als ik klaar ben om te vertrekken.'

'U vertrekt als ik u laat uitwijzen.'

'Ga u gang en probeer het maar.'

Hij wierp haar een woedende blik toe en zei: 'Eigenlijk, miss Weber, is het voor het hele bedrijf misschien wel tijd om te vertrekken.'

Ze meesmuilde bijna en zei: 'Mijn bedrijf, kolonel, heeft meer invloed in Hanoi dan u.'

Dit beviel kolonel Mang niet. Ik zag hem bijna hunkeren naar de tijd dat een pistoolschot in het hoofd een einde had gemaakt aan elk irritant probleem. Maar er bestond een nieuwe realiteit en noch kolonel Mang noch ik begreep die helemaal.

Kolonel Mang haalde diep adem en zei tegen Susan: 'Hanoi is erg ver van Ho Tsji Minh-stad verwijderd. Als u blijft, miss Weber, zal uw aangename leventje in uw dure flat met uw bedienden, uw illegale motor en uw avonden in de Q-bar niet langer meer zo aangenaam of rustig zijn.' Hij glimlachte en voegde eraan toe: 'Eigenlijk denk ik dat u maar in Vietnam moet blijven.'

'Dat is precies wat ik ga doen.'

We hadden die man echt woedend gemaakt en ik wist dat hij voor mij nog een paar woorden ten afscheid had, en ik hoopte dat die waren: 'Mr. Brenner, uw visum is ingetrokken. Ga naar huis.' Goed.

Hij richtte zich tot mij, lachte gemeen en zei: 'Ik wens u een aangename en veilige reis naar Hanoi. Misschien zie ik u daar. Maar misschien niet.'

'Ik ben van plan daar te zijn.'

Hij keek weer naar Susan en zei tegen haar: 'Haal de film uit uw camera en geef die aan mij.'

'Dat doe ik niet.'

Hij gebaarde naar de twee mannen achter zich en ze stapten naar voren. Duwertje en ik maakten oogcontact en hij glimlachte.

Ik zei tegen Susan: 'Geef hem de film.'

Ze aarzelde, pakte de camera uit haar boodschappentas en, in plaats van de film eruit te halen, maakte ze een foto van kolonel Mang. Dit was geen Kodak-moment.

Hij schreeuwde: 'De film! Nú!'

Ze opende de camera, haalde de deels belichte film eruit en gooide die op de grond.

Duwertje pakte hem op en hij keek Susan aan met een uitdrukking van verrassing, bijna ontzag, alsof hij wilde zeggen: 'Je maakt geen ruzie met een kolonel van het ministerie van Openbare Veiligheid, dame. Ben je gek geworden?'

Kolonel Mang besloot de confrontatie nu af te breken, terwijl hij nog op punten voor stond. Hij keek me aan en zei: 'U en ik, Mr. Brenner, hebben hier een heleboel wrede gevechten overleefd. Zou het niet ironisch zijn als u uw vakantie níet overleefde?'

Precies mijn gedachte.

Hij draaide zich om en liep weg over het verlaten veld met zijn twee handlangers. Duwertje draaide onder het lopen zijn hoofd naar ons om en maakte een snijdende beweging over zijn keel.

36

De hemel was nu donker en we stonden daar in de koude wind.

Ten slotte sprak Susan. 'Ik sta te trillen.'

'Het is koud geworden.'

'Ik sta te trillen van angst, Paul.'

Ik wist wat ze bedoelde. 'Je deed het prima. Eigenlijk geweldig.'

Ze stak een sigaret op en haar hand beefde, wat hij niet had gedaan in aanwezigheid van kolonel Mang.

Ik zei: 'Laten we gaan.'

We begonnen naar de brug te lopen. 'Konden jullie het in Saigon beter met elkaar vinden?'

'Iets, maar niet veel.'

Ze dacht een ogenblik na en zei toen: 'Vreemd, maar volgens mij heeft hij... positieve gevoelens over jou. Lach niet.'

Ik antwoordde: 'De kat heeft positieve gevoelens over een muis. Lunch.'

'Nee, het is meer dan dat. Er is iets tussen jullie... zoals in een wedstrijd, een uitdaging, respect...'

'We zijn met elkaar verbonden. Maar weet je wat? Als ik een schep had gehad en hij een machete, zou iemands kop op een paal zijn geëindigd.'

Ze antwoordde niet en we bleven lopen over de donkere uitgestrektheid van de voormalige Citadel. 'We zijn al die mooie foto's van het dorp van Chef John kwijt, van Khe Sanh... alles. Dáár word ik nu echt kwaad van.'

'Je had om een reçuutje moeten vragen voor je in beslag genomen eigendom.'

'Nu moeten we terug om weer foto's te maken.'

'In geen eeuwigheid, lieveling.'

'We komen hier ooit weer terug.'

Ik gaf geen antwoord.

Ze zei: 'Hij wilde zijn pistool trekken, Paul.'

'Maak mensen met pistolen niet kwaad.'

'Jij maakte hem kwaad,' herinnerde ze mij.

'Ik probeerde maatjes met hem te worden. Het liep verkeerd.'

Ze negeerde dat en zei: 'Dit maakt de rest van de reis moeilijker.'

'Het maakt hem uitdagender.'

We staken de kleine brug over de vestinggracht over en liepen terug langs de paden door het dorp naar de weg.

Er brandden elektrische lichten in de huizen die we passeerden en ik rook de onmiskenbare geur van houtskool in de koele, vochtige lucht. Dit was de geur die ik me het beste herinnerde van de schemering in de winter van 1968.

Susan zei tegen me: 'Sorry dat ik je niet eerder dat van Bill heb verteld.'

Ik antwoordde: 'Het was niet aan jou om het mij te vertellen.' Ik glimlachte en zei: 'Dus ik heb een naam nodig en gebruik de naam van de afdelingschef van de CIA. Goed gedaan, Brenner.'

Ze hield haar sigaret tussen haar middelvinger en ringvinger, op de manier van de Vietnamezen, en zei met een Vietnamees accent: 'Dus Mr. Brenner, u hebt contact gezocht met de bergmensen. Ja? En miss Weber informeert me dat u ze gaat organiseren tot een leger. Ja? En u zult heersen over de heuvels. Ja?'

'Niet leuk. Hé, denk je dat Mr. Loc op ons wacht?'

'Dat betwijfel ik heel erg.'

We liepen door het donkere dorp, en in de nacht was het moeilijk het zijpad van de weg te vinden waar Mr. Loc ons had achtergelaten. Ik rook gebakken vis en stomende rijst in de vochtige lucht.

We bereikten de weg en ik zei: 'Mr. Loc heeft niet op ons gewacht. Heel jammer. Ik wilde zijn nek breken. Hoe komen we terug in Hué?'

'Ik weet het niet. Wil je in Quang Tri-stad blijven?'

'Er is geen Quang Tri-stad,' zei ik.

'Misschien is er een pension. Of ik wed dat we voor een paar dollar in een van die huizen kunnen overnachten.'

'Ze moeten míj betalen. Laten we naar de snelweg gaan.'

We liepen naar Highway One, ongeveer een kilometer verderop. Ik zei: Die schoft heeft ons midden in niemandsland achtergelaten.'

We bereikten de snelweg, maar er waren geen auto's te zien, en het was twee dagen na nieuwe maan, dus het was pikdonker.

Susan keek om zich heen en zei: 'De bussen op Highway One rijden misschien tot middernacht. Ik ga het bij iemand hier vragen. Jij blijft hier en houdt een bus aan als er een langskomt. Ze stoppen als je je hand opsteekt.'

Susan liep naar de dichtstbijzijnde hut, ongeveer dertig meter verderop langs de weg en ik bleef wachten.

Ik dacht over de dag na en besefte dat ik vijf maanden van gevechten in een middag had gedaan. Misschien had ik nog willen blijven in A Shau of Khe Sanh, maar misschien was genoeg wel genoeg. Ik wist dat ik nooit zou terugkomen.

Ik dacht ook na over alles waarmee ik Susans hoofd had volgepropt en besloot dat dat ook genoeg was.

Susan kwam terug over de weg en zei: 'We zijn uitgenodigd voor het eten en om te blijven logeren.' Ze voegde eraan toe: 'We missen de cocktails.'

'Wat hebben ze te eten?'

'Rijst.'

'Lange korrel of kleefrijst?'

'Kleefrijst. Er komt binnen een halfuur een bus langs. Het is een plaatselijke bus.'

'Wanneer komt die in Hué aan?'

'Als hij daar aankomt.'

'Heb je je vandaag geamuseerd?'

'Paul, ik heb een ongelooflijke dag gehad en ik dank je oprecht. De vraag is, hoe is het met jou?'

'Ik voel me prima. Als ik me niet prima voel, laat ik het je wel weten.'

Ze stak een sigaret op. 'Deze oorlog... die oorlog was onvoorstelbaar. Ik heb zelfs geen besef of idee hoe jij en de anderen zo een heel jaar hebben kunnen leven.'

Niet iedereen leefde dat hele jaar, maar ik zei het niet.

We stonden zwijgend op het asfalt van Highway One en wachtten op koplampen die naar het zuiden reden.

Susan vroeg: 'Als er nu eens een legerpatrouille langskomt? Duiken we dan weg of blijven we gewoon hier staan?'

'Hangt af van mijn stemming.'

'Nou, we staan te wachten om een bus naar Hué aan te houden. Tien dollar boete.'

'Dit land is klote.'

Susan antwoordde: 'De mensen zijn voornamelijk aardig. Die familie met wie ik net heb gesproken, smeekte me praktisch om te blijven eten.'

'Boeren zijn aardig. Smerissen, politici en soldaten zijn klote.'

'Jij bent een smeris én een soldaat. Jij bent oké.'

'Soms.' Ik zei: 'Kolonel Mang wil jou eruit schoppen. Waarom ga je niet?'

'Waar moet ik heen?'

'Lenox, Massachusetts.'

'Waarom?'

'Waarom niet?'

Ze vroeg me: 'Waarom ga jij niet terug naar Boston, in plaats van in Virginia te blijven wonen?'

'Er is voor mij niets in Boston.'

'Wat is er in Virginia?'

'Niets.'

Ze staarde een tijdje naar het vuur van haar sigaret en vroeg toen: 'Waarom gaan we niet samen ergens heen?'

'Dan zul je moeten ophouden met roken.'

'Mag ik er een na het vrijen?'

'Dat blijft nog altijd een half pakje per dag.'

Ze lachte. 'Afgesproken.'

Uit het noorden naderden de koplampen van een grote auto en ik zag de verlichte ramen van een bus. Ik ging op de verlaten snelweg staan en wuifde.

De bus stopte, de deur ging open en we stapten in. Ik zei tegen de chauffeur: 'Hué.'

Hij keek nieuwsgierig naar Susan en naar mij en zei: 'Een dollar.'

De beste deal in de stad, dus ik gaf hem er twee, en hij glimlachte.

De bus was halfleeg en we vonden twee plaatsen naast elkaar. De banken waren van hout en de bus was oud, misschien Frans. De passagiers keken naar ons. Ik denk dat we er niet uitzagen als busreizigers.

De bus reed verder naar het zuiden over de donkere snelweg en stopte in elk klein dorp, en wanneer iemand ons aanhield. Mensen stapten in en mensen stapten uit. Susan was gelukkig dat ze in een bus zat waar ze mocht roken, wat in honderd procent van de bussen mocht. Ze hield mijn hand vast en keek uit het raam naar het zwarte, desolate landschap.

Er was geen grote stad tussen de dode stad Quang Tri en de weer opgebouwde stad Hué. Maar ergens onderweg begon de omgeving er beter uit te zien, van het weinige dat we zagen – huizen, lichten, rijstvelden – en ik had het gevoel dat we uit de provincie Quang Tri in de provincie Hué waren gekomen.

Ik dacht na over Quang Tri. Ik zou mijn oude basiskamp, Landing Zone Sharon, graag hebben gezien, of het oude Franse fort dat toen

Landing Zone Betty heette. Maar die plaatsen waar ik het grootste deel van een jaar had gezeten, bestonden alleen nog maar in mijn geest en op een paar verbleekte foto's. Het was vreemd om een beetje nostalgie te voelen voor een oorlogsgebied, maar die plaatsen – de basiskampen, Quang Tri-stad, de kramen, de hoerenkasten en massagesalons, het ziekenhuis waaraan we voedsel en medicijnen hadden gegeven, de boeddhistische en katholieke scholen waaraan we van onze maandelijkse soldij papier en pennen hadden gegeven, de kerk waar we vriendschap hadden gesloten met de oude Vietnamese priester en de non – allemaal weg nu, gewist van de aarde en uit de herinneringen van iedereen, behalve de oudsten van ons.

Misschien had ik te lang gewacht om terug te gaan. Misschien had ik terug moeten komen voordat zoveel zichtbare en psychologische littekens waren genezen, voordat de meesten van de generatie uit de oorlogstijd gestorven waren of te oud waren geworden. Ik zou tien of vijftien jaar geleden hier misschien iets anders hebben gezien; meer puin, meer geamputeerden, en zeker meer armoede. Maar ook iets van het oude Vietnam, voor de DMZ-tourbussen en Cong World, en de rugzakken en Japanse en Amerikaanse zakenlieden.

Maar het leven gaat door, dingen worden beter – de provincie Quang Tri daargelaten – en de ene generatie verdwijnt en een volgende wordt geboren.

Ik zei: 'Het spijt me als ik je aangename leventje hier op zijn kop heb gezet.'

'Zo aangenaam was het niet. Ik vroeg om een beetje opwinding, en ik kreeg het. Ik vroeg naar de oorlog, en jij vertelde het me.'

'Ik ben er klaar mee.'

De bus reed verder en we spraken enige tijd niet, toen vroeg ik haar: 'Hoe gaan we morgen het binnenland in?'

'Olifant.'

'Hoeveel olifanten?'

'Drie. Een voor jou, een voor mij en een voor mijn kleren.'

Ik glimlachte.

Ze vroeg me: 'Denk je dat kolonel Mang ons zal volgen?'

'Ik zal ervoor zorgen dat hij het niet doet.' Ik voegde eraan toe: 'Jij laat het pistool hier.'

Ze gaf geen antwoord.

We trokken ons terug in onze afzonderlijke gedachten, terwijl de bus voortpufte over de slechte weg. Ten slotte zei Susan: 'Ik ben niet boos over die fax.'

'Goed. Welke fax?'

'Waarin stond: "Slapen met de vijand", en "liefs aan C".'

Ik gaf geen antwoord.

Ze veranderde van onderwerp en zei: 'Toen kolonel Mang het ongeluk met de politieauto noemde, stond mijn hart stil.'

Weer gaf ik geen antwoord.

Ze zei: 'En als hij Mr. Cam of Mr. Thuc nu eens vindt?'

Ik antwoordde eerlijk: 'Dan hebben we een groot probleem.'

'Paul, ik ben bang.'

Ik gaf geen antwoord.

'Misschien moeten we het land uit voordat we aangeklaagd worden wegens moord.'

'Dat is een goed idee. Jij vliegt morgen naar Saigon en vertrekt.'

'En jij?'

'Ik moet doorgaan. Ik ben voor kolonel Mang niet meer beschikbaar als ik morgen landinwaarts ga. En als ik daarna in Hanoi kom, bel dan een man in de ambassade en laat me daar binnenhalen. Daarna is het aan Washington en Hanoi om een deal te regelen om mij naar huis te krijgen.' Ik voegde eraan toe: 'Ik hoop dat het Washington minstens een miljard kost aan buitenlandse hulpverlening.'

'Dit is niet grappig.'

'Susan, ga naar huis. Vlieg naar Saigon en pak het eerste vliegtuig daarvandaan.'

'Ik doe het als jij het doet.'

'Ik kan niet.'

Ze zei: 'Jouw Vietnam-geluk is op, Paul.'

Ik gaf geen antwoord.

Ik dacht aan ons treffen met kolonel Mang in de verlaten ruïnes van de Quang Tri-citadel en ik herinnerde me de Zuid-Vietnamese kolonel, nu waarschijnlijk dood of heropgevoed, die me de medaille had opgespeld. Twee heel verschillende gelegenheden, maar dezelfde plek. Eigenlijk was het niet dezelfde plek; tijd en oorlog hadden die plek veranderd van een veld van eer in een woestenij zo vol geesten dat ik zweer dat ik hun koude adem op mijn gezicht heb gevoeld.

De bus bleef naar Hué rijden.

Susan schudde haar gedachten van zich af en zei: 'Daarbij was hij beledigend. Hij beschuldigde me er praktisch van een slet te zijn.'

'Je had hem een klap moeten geven. Hé, wat heb je tegen hem gezegd over het doorzoeken van je flat?'

Ze aarzelde, antwoordde toen: 'Nou, ik vroeg hem of hij had gemasturbeerd terwijl hij mijn la met slipjes aan het doorzoeken was.'

'Ben je wel helemaal lekker?'

'Ik voelde me aangetast. Ik was kwaad.'

'Kwaadheid, miss Weber, is een luxe je je hier niet kunt veroorloven.'

'Misschien had ik dat niet moeten zeggen. Maar, let op, hij heeft het niet ontkend.'

Ik lachte. Maar het was niet grappig. Kolonel Mang had dat ook niet gevonden. Hij zat inmiddels waarschijnlijk in het politiebureau van Hué zijn elektroden uit te testen.

Een uur na ons vertrek uit Quang Tri-stad bereikte de bus Hué-Noord en stopte op het busstation An Hoa net buiten de Citadel. Dit leek de laatste halte, dus we stapten uit. Een taxi bracht ons naar het Century Riverside Hotel.

Er waren geen faxen of andere berichten voor ons bij de balie, waardoor ik wel moest geloven dat iedereen in Saigon en Washington het grootste vertrouwen had in mijn talenten om de missie te voltooien; of misschien hadden ze allemaal genoeg van Susan en mij. In ieder geval: geen nieuws, is goed nieuws.

Voor we naar het toilet gingen, gingen we naar de bar, en dat liet zien waar onze prioriteiten lagen.

We hadden sinds het ontbijt niets meer gegeten, maar vreemd genoeg had ik alleen trek in whisky. Susan dronk haar avondeten ook.

Om ongeveer tien uur 's avonds trokken we ons terug in mijn suite en gingen op het terras zitten met bier uit de minibar en keken door de mist naar de stad en de rivier.

Ze zei tegen me: 'In Saigon vertelde ik je dat Vietnam voor de mensen van mijn generatie een land was, geen oorlog. Weet je dat nog?'

'Jawel. Ik werd er kwaad om.'

'Ik begrijp nu waarom. Nou, ik hoop dat ik jou net zozeer het land heb laten zien als jij mij de oorlog.'

'Dat heb je. Ik heb een paar dingen geleerd.'

'Ik ook. En heb je een paar dingen verwerkt?'

'Misschien. Dat weet ik pas echt als ik weer een tijdje thuis ben.'

Uit het noorden waren donkere donderwolken aan komen drijven en het begon te regenen. Een bliksemflits verlichtte de stad en de rivier, en de bliksem sloeg knetterend in de grond, gevolgd door het verre geluid van rollende donder, als een artilleriesalvo.

De regen waaide het terras op, maar we bleven daar zitten drinken en binnen een paar minuten waren we doorweekt en koud.

Het was makkelijk om je de winter van 1968 weer voor de geest te halen; het Tet-offensief woedde, en hier vandaan naar het noorden lag Quang Tri-stad achter de ondergelopen rijstvelden te branden; we hadden ons voor de nacht in de modder ingegraven en we zaten te wachten op het zich terugtrekkende vijandelijke leger dat probeerde de heuvels achter ons te bereiken, nagezeten door Amerikaanse en Vietnamese troepen. Hamer en aambeeld heette het. Wij waren het aambeeld, de troepen achter ons waren de hamer, en van de arme sloebers ertussenin werd gehakt gemaakt.

Misschien dat ik Tran Van Vinh die nacht heb gezien en een reeks kogels op hem heb afgevuurd. Ik zou hem, als ik hem zag, moeten vragen hoe hij was ontsnapt aan de heksenketel in de versterkte stad.

Susan vroeg me: 'Nat genoeg?'

'Nog niet.'

'Waar ben je nu?'

'In een schuttersputje buiten Quang Tri. Het regent en de artillerie schiet.'

'Hoelang moet je daar nog blijven?'

'Tot ik het bevel krijg weg te gaan.'

Ze stond op. 'Nou, als je er klaar voor bent om te vrijen in plaats van te vechten, wacht ik op je.' Ze streek met haar hand door mijn haar en liep naar binnen.

Ik bleef nog een paar minuten in de regen zitten, zei mijn weesgegroetje en ging naar binnen.

Susan stond onder de douche en ik kleedde me uit en ging bij haar staan.

We vrijden onder de douche en gingen toen naar bed.

Buiten knalde de donder, en de bliksem lichtte de donkere kamer op.

Ik sliep rusteloos en de donder en bliksem vormden het decor voor mijn nachtmerries over de oorlog; ik was me bewust van het koude zweet op mijn gezicht en het trillen van mijn lichaam. Ik bleef naar mijn geweer tasten, maar kon het niet vinden. Ik wist dat dit allemaal niet echt was, maar mijn lichaam reageerde alsof het wel zo was en ik droomde dat ik bewusteloos was geslagen door een explosie, en toen ik wakker werd, werd ik naar een hospitaalschip gevlogen, het USS *Sanctuary*, in een heel stille helikopter.

Ik deed mijn ogen open.

Ik ging rechtop in bed zitten met het gevoel dat iets zwarts en zwaars van mijn hart was getild.

37

Ik keek op het digitale klokje op het nachtkastje. Het gaf 4:32 aan, of, zoals we in het leger zeggen: nul dertig over duisternis. Ik hoorde de regen, maar niet de donder. Ik draaide me om naar Susan, maar ze was niet in bed.

Ik stapte uit bed en keek in de badkamer, maar daar was ze niet. Mijn gewoel had haar misschien wakker gemaakt, dus ik liep de zitkamer van de suite in om naar de bank te kijken, maar daar was ze ook niet.

Ik pakte de hoorn op en belde haar kamer. Terwijl de telefoon overging, trok ik hem mee naar het terras, maar ze was niet op het terras en ze nam ook de telefoon niet op.

Ik liep terug naar de slaapkamer en kleedde me aan zodat ik naar haar kamer kon gaan, of naar de tuin aan de achterkant.

Terwijl ik me aankleedde, hoorde ik de deur in de zitkamer opengaan. Ik liep de kamer binnen toen ze net een lamp aandeed. Ze was gekleed in een spijkerbroek en een zwarte trui, en ze droeg een zwart gevoerd jack, dat ik niet eerder had gezien. Ze had ook haar rugzak bij zich en een paar andere dingen in een grote, plastic zak, die ze op de bank gooide.

Ik zei: 'Moet je ergens heen?'

'Het binnenland in.'

'Hebben de olifanten al te eten en te drinken gehad?'

'Jawel.'

'En heb je het wapen in de tuin laten liggen?'

'Jawel.'

'Erewoord?'

'Erewoord.' Ze zei: 'We moeten om halfzes zijn uitgecheckt en dan iemand spreken.'

'Wie en waar?'

'Heb je al gedoucht?'

'Nee.' Ik geeuwde. 'Waarom zou ik?'

'Schiet op en ga douchen. Luister, ik heb zondag, toen ik ging winkelen, een rugzak voor je gekocht, dit leren jack en twee rubberen regenponcho's, plus nog wat andere dingen voor onderweg. Je moet licht pakken en je bagage en kleren dumpen.'

Ik liep naar de bank en zei: 'Hoe kan iemand weten dat ik een Amerikaan ben zonder mijn blauwe sportjasje?'

'Daar gaat het om. Kijk.' Ze knoopte haar gevoerde jack dicht, zette een motorbril op, knoopte een Montagnard-sjaal om haar hals en gezicht, en zette een met zwart bont gevoerde pet met flappen op. 'Voilà.'

'Wat moet je nu voorstellen?'

'Een Montagnard.'

'Welke stam?'

'Ik heb beelden van ze gezien in kranten, in tijdschriften en op tv. Zo kleden ze zich in de hooglanden en in heuvelland als ze in de winter op hun motoren rijden.'

'Je meent het?'

'Ja. En zoals je weet zijn ze een beetje zwaarder en robuuster dan de Vietnamezen, dus op afstand moeten we voor Montagnards door kunnen gaan.'

'Welke afstand? Tien kilometer?'

Ze voegde eraan toe: 'Ook zijn er nog een aantal Amerikaanse Aziaten achtergebleven na jullie bezoek hier, en veel van hen leven in de heuvels... en ze zijn een soort verstotelingen.'

Ik zei: 'Die zullen niet aan de andere kant van de DMZ zitten; zo ver ben ik nooit gekomen.'

Ze zei: 'Nou, dan zijn we Montagnards van noordelijk van de DMZ. Waar het om gaat, is dat je wegvalt tegen je omgeving. Van een afstand.'

Ik gaf geen antwoord.

Ze haalde een donkerbruin leren jack uit de plastic zak en gaf dat aan mij. Ze zei: 'Ik heb voor jou de grootste gekocht die ik kon vinden. Probeer hem eens.'

Ik probeerde hem, en ik kreeg hem aan, maar hij was strak en reikte nauwelijks tot aan mijn middel.

Susan zei: 'Je ziet er sexy uit in leer.'

'Dank je. Ik neem aan dat we per motor gaan?'

Ze keek me aan en zei: 'Ik kan geen andere manier bedenken. Jij wel?'

'Ja. Een auto met vierwielaandrijving en een chauffeur. Ik ga van-

daag de privé-reisagentschappen af – Reisbureau Gladjanus, depen-
dance Hué. Ik heb nog een paar dagen om daar te komen waar ik moet
zijn, dus ik heb geen haast.'

Ze schudde haar hoofd en zei: 'Je moet er geen derde partij bij hebben. Kolonel Mang zal in de hele stad privé-reisagenten ondervragen,
als hij dat al niet gedaan heeft.'

'Nou... laten we dan naar een andere stad gaan om een auto met
chauffeur te huren. Of we kunnen het gewoon elke man met een auto
met vierwielaandrijving vragen. Elke Nguyen zal ons naar Diem Bien
Phu rijden voor driehonderd dollar.'

Susan antwoordde: 'Dat kan wel waar zijn, maar mijn idee is beter,
haalt er geen derde partij bij en geeft ons een volledige controle over
onze agenda.'

Op dat punt had ze gelijk. Transport en communicatie in dit land
waren een kwestie van het maken van de minst slechte keuze. Ik vroeg
haar: 'Waar heb je een motor vandaan?'

'Ga douchen. Ik zal beginnen met pakken voor jou.'

Ik draaide me om, liep terug naar de slaapkamer, trok mijn kleren
uit en liep de badkamer in. Ik probeerde me te herinneren wanneer ik
Susan de leiding over deze missie had gegeven.

Door de badkamerdeur hoorde ik haar door de slaapkamer romme-
len. Ik riep: 'Mag ik een sportjasje houden voor Hanoi?'

'Het is een kleine rugzak.'

Ik schoor me, nam een douche en slikte mijn malariapil.

Ik kwam de badkamer uit met een handdoek om me heen en Susan
had mijn koffer en weekendtas op het bed neergelegd, plus een donkergroene rugzak. Mijn kleren lagen over de lakens verspreid. Ik zei:
'Ik doe het wel.'

In de daaropvolgende tien minuten was ik bezig het noodzakelijkste
in de rugzak te stoppen; en alles dat ik zou achterlaten, deed ik in de
koffer en weekendtas.

Ze zag dat ik mijn sportschoenen en Ho Tsji Minh-sandalen inpakte
en zei: 'Neem alleen je sportschoenen. Je hebt te veel slips. Waarom
wassen mannen hun slips niet als ze op reis zijn?'

Nu herinnerde ik me waarom ik niet getrouwd was. Ik zei: 'Het is
makkelijker ze weg te gooien. Goed, hoe vind je dit?'

Ze rolde een regenponcho op, propte die in mijn rugzak en bond
hem dicht. 'Goed. Dat is het. Wil je je nog aankleden?'

Ik maakte de handdoek los en kleedde me aan met de spullen die ik
opzij had gehouden – sportsokken, een slip, spijkerbroek, een polohemd en mijn zwarte sportschoenen. Ik stak mijn paspoort en visum in

mijn portefeuille en stopte die in een kleine waterbestendige tas die Susan had gekocht. Ik zei: 'Waar ben je geweest voor dit spul? L.L. Bean?'

'Ik ben naar het centrale warenhuis geweest. Daar hebben ze alles.'

We pakten haar gevoerde jack en mijn leren jack, plus de twee petten, twee paar leren handschoenen en een zootje Montagnard-sjaals en propten die in de plastic zak, zodat niemand beneden ze zou zien of zich zou herinneren. Ik deed mijn camera in een plastic waszak, samen met mijn belichte en onbelichte filmrolletjes en deed die in een zijvak van mijn rugzak. Dit deed me te veel denken aan 1968.

Susan zei tegen me: 'Ik heb mijn camera bij me, dus we kunnen er één achterlaten om ruimte te besparen.'

Ik wist dat ik de souvenirs van Tran Van Vinh moest fotograferen als hij ze niet aan mij wilde verkopen, en ik moest zeker een foto van Tran Van Vinh zelf hebben, of van zijn graf. Ook moest ik zijn huis en omgeving fotograferen, zodat iemand er later heen kon, hem kon vinden en hem kon doden. Ik zei tegen Susan: 'Ik heb een camera nodig voor deze klus, dus we nemen er twee mee om op veilig te spelen.'

'Goed.'

Ik vroeg haar: 'Klopt je aantal filmrolletjes nog, inclusief het rolletje dat kolonel Mang heeft geconfisqueerd?'

Ze knikte. 'Ik heb die rolletjes nooit uit het oog verloren.'

'Goed.' Ik vroeg haar: 'Heb je die sneeuwbol?'

Ze gaf een ogenblik geen antwoord, zei toen: 'Nee. Hij is weer weg.'

Waarom heb je me dat niet gezegd?'

'Wat maakt het uit?' Ze dwong zich tot een glimlach en zei: 'Ik kan die in het Metropole in Hanoi ophalen.'

Ik antwoordde: 'Je kunt er zeker van zijn dat we niet naar het Metropole gaan als we Hanoi bereiken.'

Ze liet me weten: 'Het is onmogelijk om in Hanoi een plek om te logeren te vinden waar geen vragen worden gesteld. Ze melden elke gast aan de politie. Het is Zuid-Vietnam niet.'

'Dat regelen we wel als we daar zijn. Klaar?'

'Klaar.'

We droegen alles naar beneden naar de lobby en liepen naar de balie. We checkten uit en ik zag op mijn nota een rekening van honderd dollar voor de auto met chauffeur van Vidotour, wat niet zo onredelijk zou zijn geweest, als de chauffeur geen geheim agent was geweest die ons in de volgende provincie had laten stranden. Maar ik wilde er niet met de receptionist over bekvechten.

Susan vroeg de jongeman die Mr. Tin heette: 'Kunt u kijken of we nog boodschappen hebben?'

Ik zei tegen hem: 'Ik verwacht ook een pakketje, een boek, dat iemand vanmorgen zou komen brengen.'

'Ik zal eens kijken.' Hij liep naar de sleutelkast en haalde er een paar briefjes uit, liep vervolgens naar de kamer erachter.

Susan vroeg: 'Welk boek?'

'Mijn *Lonely Planet Guide*.' Ik legde het haar uit en ze gaf geen commentaar.

Mr. Tin kwam terug met een faxbericht en een geelbruine envelop die niet dik genoeg was om een boek te bevatten. Hij zei tegen me: 'Hier is een fax voor u, Mr. Brenner, en deze envelop is voor de dame.'

Ik vroeg: 'En geen boek?'

'Het spijt me, meneer.'

Ik liep van de balie weg en keek op mijn horloge. Het was pas vijf over halfzes en nog steeds donker buiten de lobbydeuren. Ik vroeg Susan: 'Hoe laat kunnen we hier op z'n laatst weg?'

'Nu.'

Ik dacht een ogenblik na. Op geen enkele manier kon ik weten of Mr. Anh na ons rendez-vous was opgepakt door de politie. Daarom had ik geen idee of kolonel Mang niet al elektrodes op Mr. Anh had gezet en van mijn bestemming wist.

Susan zei: 'Sorry voor dit vroege vertrek, maar ik had geen keuze. Laten we er optimistisch over blijven dat het boek hier met een paar uur wel zou zijn geweest.'

'Ja... oké. We zullen later proberen hier naartoe te bellen.' Ik opende mijn faxenvelop en las het korte bericht: **Lieve Paul. Slechts een kort berichtje om je een goede reis naar Hanoi te wensen. Hoorde van vrienden in Saigon dat alles goed is gegaan in Hué. C kijkt ernaar uit je in Honolulu te zien. God zegen je. Liefs, Kay. P.S. Geef alsjeblieft antwoord.**

Ik gaf de fax aan Susan, die hem las en zonder commentaar teruggaf. Ik zei: 'Het lijkt erop dat mijn contact hier in Hué inderdaad contact heeft opgenomen met Saigon en heeft gezegd dat het rendez-vous goed is verlopen. Maar ik weet nog steeds niet of deze man niet later is opgepakt.'

Ik liep naar de balie, kreeg een faxformulier en schreef: **Karl, in antwoord op je fax: ontmoeting in Hué verliep succesvol, zoals je weet. Ik ben maandag naar A Shau, Khe Sanh en Quang Tri geweest. Heel enerverend. Je moet terugkomen, kolonel. Ik vertrek nu met privé-vervoer om T-V-V te vinden. Miss W zal me vergezellen. Ze is een onbetaalbare** aanwinst gebleken, als tolk, gids en metgezel. Blijf daaraan denken, wat er ook gebeurt. Kwam kolonel Mang tegen in Quang Tri. Hij schijnt te vermoeden dat ik hier ben om een Montagnard-opstand te beginnen. Kijk FULRO na, als je er niet van weet. Mang wil me ontmoeten in Hanoi, of eerder, dus Metropole gaat niet door. Ik zal proberen bij aankomst in Hanoi contact op te nemen met Mr. E van USAmb. Ik zie nog steeds succes. Liefs aan C. Ik aarzelde, schreef toen: Laat C, om verschillende redenen, en niet als laatste mijn mogelijk langere verblijf hier, niet de reis naar Hawaï maken. Ik zie haar in de States. Ik zie jou waar en wanneer dan ook. Ik voegde eraan toe: Ik heb mijn uiterste best gedaan, Karl, maar ik voel me enigszins gebruikt. Biet? Ik ondertekende met:

Paul Brenner, Onderluitenant in ruste.

Ik gaf Mr. Tin twee dollar en zei: 'Laten we dit nu faxen.'

'Neem me niet kwalijk, meneer, de faxmachine...'

'Het is zes uur in de ochtend, makker. De faxmachine wordt niet gebruikt.' Ik kwam om de balie heen en hielp Mr. Tin naar de achterkamer waar het faxapparaat stond. Ook hielp ik hem met het nummer en binnen een paar seconden was de fax verstuurd. Ik leende lucifers van Mr. Tin, gooide de papierbak leeg op de grond en verbrandde de fax in de bak. Ik keek naar Mr. Tin die zich niet gelukkig voelde met mij in zijn nabijheid. Ik zei tegen hem: 'Mr. Tin, ik zal je later bellen. Ik wil weten of dat boek voor mij is aangekomen. *Biet*?'

Hij knikte.

Ik sloeg hem hard op de schouder en hij struikelde opzij. 'Verdwijn niet.'

Ik verliet de achterkamer, kwam om de balie heen en liep naar de bank waar Susan zat. Ze had haar envelop open en ik zag foto's op de salontafel en op haar schoot.

Ik ging naast haar zitten en zei: 'Goed, ik heb de fax verstuurd en ik heb Mr. Tin gezegd dat ik later zal bellen om...' Ik keek naar de foto's die op de salontafel lagen. Ik pakte er een op. Het was een kleurenfoto van een strand, genomen vanaf een hoog punt op het land. Het duurde even voor ik het strand op Piramide-eiland herkende; de foto was genomen vanaf de Piramiderotsen waar de vogelnestjesverzamelaars aan de touwen hadden gehangen.

Ik pakte de foto op die het eerst mijn blik gevangen had en zag dat het een grofkorrelige opname was van Susan die uit het water kwam lopen, duidelijk genomen met een telelens. Het was een frontaal naakt met mij erachter, nog steeds in het water.

Ik keek naar een paar andere foto's – Susan en ik die elkaar in het water omhelsden. Susan in gesprek met het Zweedse stel en ik voorover liggend op het strand met Susan die op mijn kont zat. Ik legde de foto's neer en keek haar aan. Ze had een afwezige blik en staarde in het niets.

Ik zei: 'Ik vermoord die klootzak.'

Ze gaf geen antwoord en bewoog zich niet.

'Susan? Kijk me aan.'

Ze haalde diep adem, toen nog een keer, en zei: 'Het geeft niet. Ik voel me prima.'

'Oké...' Ik verzamelde de foto's en deed ze in de envelop. Ik stond op. 'Klaar om te gaan?'

Ze knikte, maar stond niet op. Ze zei zacht: 'Die schoft.'

'Hij is een klootzak,' beaamde ik. 'Een gluiperige, perverse, sadistische, kleine lulhannes.'

Ze gaf geen antwoord.

Ik zei tegen haar: 'We verslaan hem. Oké?'

Ze knikte.

'Goed, laten we gaan.' Ik pakte haar bij de arm en trok haar overeind. Ze bleef een ogenblik onbeweeglijk staan en zei toen: 'Die schoft... waarom heeft hij dat gedaan?'

'Het maakt niets uit.'

Ze keek me aan en zei: 'Hij zou die foto's naar Bill kunnen sturen.'

Die foto's waren feitelijk al onderweg, en niet alleen naar Bill.

Susan zei: 'En mijn kantoor...'

'Laten we gaan.' Ik pakte haar arm, maar ze kwam niet in beweging.

Ze zei: 'En... mijn vrienden hier... mijn familie... de politie heeft mijn thuisadres in Lenox... mijn kantoor in New York.'

'Dat regelen we later wel.'

Ze keek me aan en zei: 'Van jou hebben ze alleen maar een thuisadres... van mij hebben ze een politiedossier... ze hebben van elke brief die ik ooit hiervandaan heb verstuurd het adres genoteerd voordat die verstuurd werd...'

'Maar jij gebruikte de postzak naar New York van het bedrijf voor je brieven. Dat is toch zo?'

'Ik stuur kerstkaarten direct vanuit het postkantoor...' Ze probeerde te glimlachen. 'Ik wilde er een Vietnamees stempel op hebben... Ik wíst dat ik het niet had moeten doen...' Ze keek me aan en vroeg: 'Denk je dat hij die foto's naar mensen in Amerika heeft gestuurd?'

'Luister, Susan, niet om het minder erg te maken, maar je was op een naaktstrand. Zo erg is dat niet. Goed. Je bent niet gefotografeerd terwijl je aan het vrijen was.'

Ze wierp me een boze blik toe. 'Paul, ik wil niet dat mijn familie, vrienden en collega's naaktfoto's van me zien.'

'Dat regelen we later wel. We moeten hier weg. Vietnam uit. Levend. Dán kun je je zorgen maken over de foto's.'

Ze knikte. 'Goed. Laten we gaan.'

We pakten onze bagage en liepen naar de deur. Ik zei tegen de portier: 'We willen een taxi hebben voor Hué-Phu Bien Airport.'

Hij gebaarde naar de duisternis buiten en zei: 'Vliegtuig gaat niet. Geen licht op Hué-Phu Bai. Zon. Vliegtuig gaat.' Hij glimlachte. 'U eerst ontbijten.'

'Ik wil niet ontbijten, makker. Ik wil een taxi. *Bay gio. Maintenant.* Nu.'

Susan zei iets tegen hem en hij glimlachte, knikte en liep naar buiten.

Ze zei tegen me: 'Ik vertelde hem dat jij een dwangmatige, anaal gefixeerde pietlut was.' Ze glimlachte.

Ik beantwoordde haar glimlach. Ze zag er beter uit. Ik zei: 'Wat is het woord voor anaal gefixeerd?'

'Klootzak.'

De portier kwam terug en hielp ons met onze bagage. Een taxi kwam de cirkelvormige oprit op rijden, wij stapten in en we vertrokken.

De regen was overgegaan in een lichte druilregen en de weg glinsterde. De taxi reed naar Hung Vuong Street, in de richting van Highway One en het vliegveld. Zij keek door de achterruit en zei: 'Ik zie niemand achter ons.'

'Goed. Waar gaan we heen?'

'Ik weet het niet. Ik dacht dat jij het wist.'

Ik sloeg mijn arm om haar heen en kuste haar op de wang. Ik zei: 'Ik hou van je.'

Ze glimlachte en antwoordde: 'Dat zullen over een paar dagen ongeveer honderd mannen doen.'

'De post hier is traag.'

Ze pakte mijn hand en zei: 'Voel jij je niet gepakt?'

'Kolonel Mang wil dat we ons zo voelen. Ik speel hier niet in mee.'

'Maar jij bent een man. Dat is anders.'

Ik wilde niet terugkomen op dat onderwerp, dus ik vroeg weer: 'Waar gaan we naartoe?'

'Niet ver.'

We bleven over Hung Vuong Street naar het zuiden rijden, de Nieuwe Stad door, en in de richting van Highway One. Susan zei iets tegen de chauffeur, hij vertraagde en maakte een U-bocht op de bijna verlaten straat. Terwijl we de weg terugreden die we waren gekomen, zag ik geen andere auto's hetzelfde doen.

We bleven naar het noorden rijden en Hung Vuong kruiste de Parfumrivier via de Trang Tien-brug, bij het drijvende restaurant. Ik zag de Dong Ba-markt op de andere oever, waar Mr. Anh en ik pinda's hadden gegeten en hadden gepraat.

De taxi stopte bij een busstation waarop ook Dong Ba stond, en Susan en ik stapten uit, pakten onze bagage en ik betaalde de chauffeur.

Ik zei: 'Gaan we met de bus?'

'Nee. Maar het busstation is nu open, en dat zal de chauffeur zich herinneren. We moeten naar de Dong Ba-markt lopen, die op deze tijd ook open is.'

We deden onze rugzakken om en ik reed mijn koffer achter me aan over de weg. Susan droeg mijn weekendtas. Ik zei: 'Ik ga hierin met je mee, omdat je enige opleiding in dit soort dingen hebt gehad op Langley en je dit land kent. Dus natuurlijk weet je wat je aan het doen bent.'

'Ik weet wat ik aan het doen ben.'

Binnen vijf minuten waren we op de Dong Ba-markt, en die was in de duisternis net voor zonsopkomst al open; mensen die waarschijnlijk restaurants hadden, waren aan het onderhandelen over de prijs van vreemd uitziende vissen en lappen vlees.

Onder een kale lichtpeer aan een draad stond een man en zei in het Engels: 'U komt eersteklas fruit bekijken.'

Ik negeerde hem, maar Susan volgde hem naar achteren een grote marktkraam in. Ik volgde.

De man opende een gammele deur achter in de kraam en Susan ging naar binnen. De man bleef bij de deur staan en zei tegen me: 'Kom. Snel.'

Ik liep de deur door en hij deed hem dicht. We bevonden ons in een lang, smal vertrek, verlicht door een paar peertjes. Het vertrek rook naar fruit en vochtige aarde.

Susan en de man spraken in het Vietnamees. Toen zei Susan tegen mij: 'Paul, herinner je je Mr. Uyen nog van het etentje bij de Phams thuis?'

Dat deed ik inderdaad. Om hem te laten zien dat ik me hem echt herinnerde, zei ik in het Vietnamees: *'Sat Cong.'*

Hij glimlacht een knikte enthousiast. 'Ja. *Sat Cong. Sat Cong.'*

Ik zei tegen Susan: 'De kiwi's zien er goed uit.'

Ze antwoordde: 'Mr. Uyen heeft aangeboden ons te helpen.'

Ik keek Mr. Uyen aan en zei: 'Begrijpt u dat we onder toezicht van het ministerie van Openbare Veiligheid staan, dat ze misschien hebben gezien dat we na de mis met u en uw familie hebben gesproken en dat we misschien gevolgd zijn naar uw huis? Begrijpt u dat allemaal?'

Zijn Engels was niet zo goed, maar hij verstond elk woord. Hij knikte langzaam en zei tegen me: 'Het kan me niet schelen als ik doodga.'

'Nou, Mr. Uyen, mij kan het wel schelen als ík doodga.'

'Mij kan het niet schelen.'

Ik dacht niet dat hij begreep dat het mij wel kon schelen als ík doodging. In ieder geval, ik zei tegen hem: 'Als de politie mij arresteert met motor, vinden ze u. Kentekenplaat. *Biet*?'

Hij antwoordde Susan die tegen mij zei: 'De kentekenplaat is afkomstig van een motor die bij een ongeluk total loss is geraakt.'

Ik zei tegen Susan: 'Goed, maar als ze de motor naar hem kunnen herleiden, vertel hem dat wij tegen de politie zullen zeggen dat we die van hem hebben gestolen. Goed? En vertel hem dat we hem in een meer of zoiets zullen dumpen als we hem niet meer nodig hebben.'

Ze vertelde het hem en hij antwoordde Susan in het Vietnamees, die tegen mij zei: 'Hij zegt de communisten te haten en hij is bereid te lijden... als martelaar... voor zijn geloof.'

Ik keek naar Mr. Uyen en vroeg: 'En uw familie?'

Hij antwoordde: 'Net zo.'

Het is moeilijk twisten met mensen die uitzien naar martelaarschap, maar ik had het in ieder geval geprobeerd.

Het kwam me voor dat Mr. Uyen waarschijnlijk niet alleen gemotiveerd werd door zijn geloof, maar ook door zijn haat voor wat er in 1968 en sindsdien was gebeurd. Mr. Anh was ook niet alleen maar gemotiveerd door idealen, zoals vrijheid en democratie; hij was gemotiveerd door dezelfde haat als Mr. Uyen – ze hadden allebei familieleden die waren vermoord. Je kunt de doden op het slagveld vergeven, maar je vergeet een koelbloedige moord nooit.

Ik zei: 'Goed, zolang iedereen hier maar de consequenties weet.'

In het vage licht zag ik een groot stuk zeildoek liggen over wat de motor moest zijn.

Mr. Uyen zag me ernaar kijken, liep erheen en trok het zeildoek weg.

Op de aarden vloer, in het smalle vertrek, stond een enorme, zwarte motor van een merk dat ik niet kon thuisbrengen.

Ik liep erheen en legde mijn hand op het grote leren zadel. Op de voorgevormde stroomlijnkap van glasfiber stond BMW en eronder Parijs-Dakar. Ik ging niet naar een van beide steden, hoewel Parijs goed klonk. Ik zei tegen Mr. Uyen: 'Ik heb dit model nog nooit gezien.'

Hij zei: 'Goede motor. U gaat naar berg, naar grote... weg...' Hij keek Susan aan en probeerde het in het Vietnamees.

Ze luisterde en zei toen tegen mij: 'Het is een BMW, model Parijs-Dakar, waarschijnlijk vernoemd naar de rally met dezelfde naam...'

'Dakar ligt in Noordwest-Afrika. Blijft het ding drijven?'

'Ik weet het niet, Paul. Luister, hij heeft een motor van 980cc en een tank voor vijfenveertig liter benzine, plus twee liter reserve, en heeft een bereik van ongeveer vijfhonderd tot vijfhonderdvijftig kilometer. Volgens Mr. Uyen is hij heel geschikt voor modder, cross-country en de openbare weg. Daar is hij voor gemaakt.'

Ik antwoordde: 'Dat lijkt me ook als je hiermee van Parijs naar Dakar kunt komen.' Ik keek naar de grote tank, die hoog op het frame was geplaatst zodat hij niet makkelijk lek gestoten kon worden vanaf de grond. Met een bereik van meer dan vijfhonderd kilometer hoefden we misschien maar één keer te tanken op de rit van 900 kilometer naar Dien Bien Phu. Ik knielde en bekeek de banden; die waren groot, ongeveer achttien inch, en hadden een goed profiel.

Susan praatte met Mr. Uyen en zei toen tegen me: 'Hij zegt dat hij heel snel is en... ik denk dat hij wendbaar bedoelt... en hij stoot niet, ik denk dat het betekent dat hij gerieflijk is om mee te rijden. Mijn motorlingo is niet zo best.'

Ik wendde me tot Mr. Uyen en vroeg: 'Hoeveel?'

Hij schudde zijn hoofd. 'Gratis.'

Ik had dat woord in welke context ook nog niet gehoord sinds ik op Tan Son Nhat uit het vliegtuig was gestapt en ik viel bijna flauw. Ik zei tegen Mr. Uyen: 'We kunnen u de motor niet teruggeven. Het is enkele reis. Dan dag dag. *Di di.*'

Hij knikte, maar ik wist niet of ik mezelf wel duidelijk had gemaakt.

Susan zei: 'Dat heb ik hem al verteld. Hij begrijpt het.'

'O ja? Waar en wanneer heb je met hem gesproken?'

'Tijdens het eten zei ik dat ik een probleem had, en ik werd uitgenodigd om op zondagochtend te komen ontbijten. Jij ook, maar je had afspraken.'

Ik meende me te herinneren dat zij had gezegd dat ze tot twaalf uur had geslapen. Ik zei: 'Dus deze afspraak is rond?'

'Alleen als jij het wilt.'

Ik dacht daarover na en zei tegen Susan in cryptisch Engels: 'Buiten mijn zorg dat we misschien andere mensen op ons dak hebben en op het dak van deze mensen, is het duizend kilometer naar je-weet-wel. Dat is een heleboel zadelpijn en modder. Ben je er klaar voor?'

Ze zei iets tegen Mr. Uyen en hij moest hard lachen.

'Wat is er zo leuk?'

Ze zei tegen me: 'Ik vertelde Mr. Uyen dat jij wilde weten of hij ook een olifant had.'

Ik was niet geamuseerd.

Mr. Uyen klopte op het zadel en zei: 'Goede motor. Gekocht van Franse man. Hij...' Hij sprak tegen Susan.

Ze zei tegen mij: 'Het afgelopen jaar hielden ze hier een cross-countryrally. Van Hanoi naar Hué.'

'Heeft de Fransman gewonnen?'

Susan glimlachte en vroeg het Mr. Uyen. Hij gaf antwoord en ze zei tegen mij: 'Hij werd tweede.'

'Laten we de motor gaan zoeken die als eerste aankwam.'

Ze raakte haar geduld met me kwijt. Ze zei: 'Paul. Ja of nee?'

Nou, de prijs was goed, dus ik sprong op de motor en zei: 'Leg hem me uit.'

Mr. Uyen gaf Susan en mij een snelle en verwarrende les over hoe je een BMW-Parijs-Dakar-motor moest rijden. Ik had de indruk dat Mr. Uyen niet echt wist hoe je deze machine bereed, of hij reed erop zoals alle Vietnamezen dat met alles deden – met vallen en opstaan en met heleboel claxongeweld.

Ik stapte van de motor. 'Volle tank?' Ik klopte op de tank.

Mr. Uyen knikte.

'Goed...' Ik keek Susan aan. 'Goed?'

Ze knikte.

We maakten de plastic tas open en trokken onze Montagnard-kleren aan: leren jack voor mij, gevoerde jack voor Susan, met bont gevoerde leren petten en Montagnard-sjaals. Mr. Uyen moest erom lachen.

We stopten de inhoud van onze rugzakken in de grote zadeltassen en propten onze lege rugzakken er bovenop.

Ik zei tegen Mr. Uyen: 'U houdt de koffer en weekendtas. Goed? Pas goed op mijn blauwe sportjasje.'

Hij knikte, haalde vervolgens een kaart uit een tasje met ritssluiting dat op de kap van glasfiber was vastgemaakt en gaf die aan mij. Hij zei: 'Vietnam.'

'Hebt u er een van Parijs?'

'Waar gaat u heen?'

'Om communisten te vermoorden.'

'Goed. Waar gaat u heen?'

'Dalat.'

'Oké. Goed. Rij veilig.'

'Dank u.' Ik haalde mijn portefeuille tevoorschijn en gaf hem de laatste tweehonderd dollar die ik had, wat geen slechte prijs was voor een dure BMW.

Hij schudde zijn hoofd.

Susan zei: 'Hij wil ons echt de motor géven.'

'Goed.' Ik zei tegen Mr. Uyen: 'Dank u.'

Hij maakte een buiging en keek vervolgens om zich heen naar zijn fruit, koos een kam bananen en drukte die in de zadeltassen van de BMW, pakte daarna twee literflessen met water en legde die boven op de bananen. Hij gebaarde naar me de motor naar de deur te duwen, wat ik deed.

Mr. Uyen liep naar de deur, deed die op een kier open en gluurde naar buiten. Hij keek naar ons en knikte.

Ik ritste mijn leren jack dicht, wikkelde een donkere sjaal rond mijn hals, zette de getinte motorbril op en trok daarna de leren handschoenen aan die een beetje krap zaten.

Susan deed hetzelfde en we keken elkaar aan. Het zag er grappig uit, maar het was niet grappig. Ze vroeg me: 'Ga je rijden of vliegen met dat ding?'

'Het was níet mijn idee.'

Susan en Mr. Uyen wisselden een gelukkig nieuwjaar uit en maakten een buiging. Ik schudde Mr. Uyen de hand en zei: 'Nogmaals bedankt. U bent een goed mens.'

Hij keek me aan en zei in perfect Engels: 'God zegene u en God zegene miss Susan en God zegene uw reis.'

Ik zei: 'Wees een beetje voorzichtig.'

Hij knikte en opende de deur.

Ik liep met de zware motor naar buiten de donkere markt op, Susan direct achter me. Ik wierp een blik achterom naar Mr. Uyen, maar de deur was dicht.

Susan zei: 'Blijf doorlopen naar die weg verderop.'

Ik duwde de motor door de vaag verlichte markt. De druilregen was opgehouden en had plaatsgemaakt voor een koude riviermist. Een paar mensen keken even naar ons, maar mijn moeder zou me nog niet herkend hebben, dus het maakte niet uit.

Susan zei: 'Goed, ik denk dat de beste weg hier vandaan linksaf langs de rivier is. Klaar?'

Ik sprong op de motor en startte hem. Het gebrul klonk fantastisch en ik voelde de kracht door het hele chassis trillen. Ik gaf een paar keer gas en keek naar de meters die allemaal leken te werken. Ik zette het licht aan terwijl Susan achterop klom. Ik trapte de motor in zijn eerste versnelling en we reden via een grashelling naar boven, naar de weg langs de rivier.

Ik reed langs de oever, met de Parfumrivier links van ons en de hoog oprijzende muur van de Citadel van Hué rechts van ons. De motor had een enorm vermogen, zelfs met twee mensen erop. Dit zou weleens leuk kunnen worden. Maar aan de andere, misschien ook niet.

Er was niet veel verkeer, dus ik kon leren omgaan met deze grote machine zonder ons of iemand anders dood te rijden.

We passeerden de twee rivierbruggen, daarna de vlaggentoren, vervolgens, een paar minuten later, hield de zuidelijke muur van de Citadel op en riep Susan: 'Hier rechtsaf.'

Ik draaide een weg op die parallel liep aan de westelijke muur van de Citadel en die naar het noorden liep langs de treinrails. De twee kilometer lange muur van de Citadel hield op en we staken de brede vestinggracht over die om de muren heen liep. De weg werd breder en ik besefte dat ik op Highway One moest zijn.

Susan tikte me aan en ik wierp over mijn schouder een blik naar haar. Ze had haar arm uitgestoken en ik keek naar waar ze wees. Verdwijnend in de verte waren de muren van de Citadel waarin zich de keizerlijke stad Hué bevond, de hoofdstad aller keizers, de bloem aller Vietnamese steden, die waren gestorven in 1968 en waren herrezen op de botten van het eigen volk.

Ik dacht aan Mr. Anh en zijn vader, de legerkapitein, en aan Mr. Uyen en de familie Pham, en aan het zestienzijdige restaurant waar Susan en ik in de regen hadden gegeten, en aan Tet-oudejaarsavond en aan de vuurpijlen. Aan het Jaar van de Os.

Susan sloeg haar armen om me heen, bracht haar mond bij mijn oor en zei: 'Ik voel me altijd triest als ik een stad verlaat waar ik goede herinneringen aan heb.'

Ik knikte.

De lucht werd in het oosten helderder en Highway One, de Weg zonder Vreugde, waarover we naar Quang Tri en terug, naar de hel en terug waren gereden, was vol ochtendverkeer.

Ik keek naar het voorgebergte in de verte dat de eerste zon ving die opkwam boven de Zuid-Chinese Zee. Ik herinnerde me die heuvels en de koude regen van februari 1968. En wat belangrijker was, ik herinnerde me de mannen die eigenlijk nog jongens waren, al te oud geworden voordat ze met hun jongenstijd klaar waren, en die te vroeg gestorven waren, voordat enige droom van hen bewaarheid was.

Ik had sinds 1968 altijd het gevoel gehad dat ik in geleende tijd leef-de, en elke dag was een dag die anderen nooit zouden krijgen; dus naar mijn beste vermogen, telkens als ik eraan dacht, probeerde ik de dagen goed te leven en de extra tijd te waarderen.

Ik stak mijn hand naar achteren en gaf Susan een kneepje in haar been.

Ze hielde me nog steviger vast en legde haar hoofd tegen mijn schouder.

Het was een lange, vreemde reis geweest vanuit Boston, in Mas-sachusetts; de bestemming was onbekend, maar de reis was een gods-geschenk.

DEEL ZES

Het binnenland in

38

We vervolgden onze rit over Highway One naar het noorden, en het verkeer werd drukker naarmate de hemel lichter werd. Zo nu en dan kreeg ik de motor op honderd kilometer per uur, en ik raakte bedreven in het toeterend zigzaggen van Vietnam.

Susan zei in mijn oor: 'Wat was vóór Cu Chi de laatste keer dat je op een motor reed?'

'Ongeveer twintig jaar geleden.' Ik voegde eraan toe. 'Dat verleer je nooit. Waarom vraag je het?'

'Ik vroeg het me gewoon af.'

We passeerden de afslag naar de stad Quang Tri en we zagen de achtergelaten tank en de verwoeste boeddhistische middelbare school waar dit alles was begonnen. Een tijdje later staken we de brug over met de pillendoos die binnen mijn ingekraste naam droeg.

Vijftien minuten later minderden we voor het knooppunt Dong Ha snelheid en reden we langzaam door het lelijke routiersstadje. Toen we de kruising met Highway 9 bereikten, zagen we twee politieagenten in een gele jeep aan de overkant van de weg geparkeerd. Ze keurden ons nauwelijks een blik waardig.

Susan zei: 'Die smerissen dachten dat we Montagnards waren.'

'Ik weet niet wat ze dachten, maar deze speciaal gebouwde motor valt op.'

'Alleen voor jou. Er zijn zoveel nieuwe, geïmporteerde artikelen in dit land dat de Vietnamezen het nauwelijks meer zien.'

Ik geloofde dat niet helemaal. Ik kreeg een andere gedachte en zei: 'Ik zie geen andere Montagnards op motoren.'

Zij antwoordde: 'Ik heb er twee gezien.'

'Wijs ze me de volgende keer aan.'

Ik reed verder in de richting van de DMZ. We bevonden ons nu noordelijk van Highway 9, in het oude operatiegebied van de mariniers, en ik was op dit stuk weg maar één keer geweest, toen ik met een konvooi meereed om die vriend van me uit Boston te zien, die gelegerd was in Con Thien. Hij was op patrouille, dus ik liep hem mis, maar ik liet een briefje op zijn brits achter dat hij nooit heeft gezien.

Noordelijk van Dong Ha stond een rij marktkramen langs de snelweg, maar toen ik die gepasseerd was, draaide ik het gas open tot honderd kilometer per uur. Vanaf deze positie merkte ik nu dat het minder gevaarlijk was dan het met Susan had geleken op weg naar Cu Chi.

Binnen vijftien minuten veranderde het landschap van naargeestig naar dood, en ik zei tegen Susan: 'Ik denk dat we net de gedemilitariseerde zone zijn binnengereden.'

'God... het is verschrikkelijk.'

Ik keek naar dit niemandsland, waar nog steeds geen mens woonde en dat getekend was door bom- en granaattrechters, de witte grond bedekt met een ongelijke, afgeknotte begroeiing. Als de maan een paar centimeter regen zou krijgen, zou die er waarschijnlijk zo uitzien.

In de verte zag ik resten prikkeldraad en het wrak van een verroeste jeep in een met een bord aangegeven mijnenveld, waar zelfs de metaaldieven niet zouden komen.

Verderop, in de mist, zag ik de vage omtrekken van een brug die, naar ik wist, over de rivier de Ben Hai liep. Ik ging langzamer rijden en zei tegen Susan: 'Toen ik hier was, was de brug er nog niet.'

Ik reed tot midden op de brug en stopte. Ik keek naar de rivier die twintig jaar lang Noord- en Zuid-Vietnam had gescheiden, en zei: 'Dit is het. Ik ben in Noord-Vietnam.'

Ze zei: 'Ik ben nog steeds in Zuid-Vietnam. Rijden.'

'Ga maar lopen.'

Ze stapte van de motor, maakte een zadeltas open en haalde er de geelbruine envelop uit met de foto's van Piramide-eiland. Met haar aansteker stak ze een hoek van de envelop aan. De envelop verbrandde in haar hand en ze hield hem tot op het laatste moment vast, daarna liet ze de brandende foto's van de brug in de rivier vallen.

We stapten weer op en reden verder de brug over.

Aan de andere kant van de brug stond een standbeeld van een Noord-Vietnamese soldaat, compleet met tropenhelm en AK-47-geweer. Hij had dezelfde levenloze ogen als de Amerikaanse beelden bij de Wall.

We reden verder, het voormalige vijandelijke land in. Hoe verder we van de DMZ vandaan kwamen, hoe beter het land eruitzag, hoewel nog steeds een heleboel bomkraters en vernielde gebouwen het landschap ontsierden.

De weg was hier niet beter, en was glad door de mist en de druilregen. Ik bleef mijn bril en gezicht schoonvegen met mijn Montagnard-sjaal en mijn leren jack glansde van het vocht.

We passeerden een motor die naar het zuiden reed en de berijders waren net zo gekleed als wij. Ze wuifden toen ze passeerden en wij wuifden terug.

Susan zei: 'Zie je? Zelfs Montagnards denken dat we Montagnards zijn.'

Binnen een uur naderden we een redelijk grote stad met een bord waarop *Dong Hoi* stond.

We reden de stad in. Ik ging langzamer rijden en keek om me heen. Het trof me dat de plaats er mistroostiger en sjofeler uitzag dan enige plaats die ik het voormalige Zuid-Vietnam had gezien. De auto's en vrachtwagens waren ouder dan daar, en er waren niet zoveel scooters en cyclo's. Bijna iedereen reed op een fiets of liep, en de kleding van de mensen zag er vuil en versleten uit. Ook was hier nauwelijks zoveel commerciële activiteit als zuidelijk van de DMZ; geen bars, geen winkels, en slechts een paar cafés. Het deed me denken aan de eerste keer dat ik van West-Duitsland naar Oost-Duitsland was gegaan.

Susan zei: 'Dit is de geboorteplaats van Mr. Tram – onze gids in Khe Sanh.'

'Ik begrijp waarom hij verhuisd is.'

Weer passeerden we een gele politiejeep en weer keek de smeris achter het stuur nauwelijks op van zijn sigaret. Dit zou wel eens echt kunnen werken.

Verderop zag ik een konvooi van militaire voertuigen: open vracht-wagens, jeeps vol soldaten en een paar stafauto's. Ik gaf gas en begon ze te passeren.

Ik keek even naar rechts en zag dat de chauffeurs en passagiers alle-maal naar ons keken – om eerlijk te zijn, keken ze naar Susan. Susans gezicht ging zwaar verborgen onder sjaals, een leren pet en een motor-bril, en wat hen betrof zou ze er net zo uit hebben kunnen zien als hun grootmoeder, maar ze herkenden een lekker stuk als ze er een zagen, en ze wuifden en riepen naar haar. Susan hield haar gezicht bescheiden afgewend, zoals een Montagnard-vrouw zou doen.

Ik keek naar de chauffeur van de open jeep naast me en we maakten oogcontact. Ik kon aan zijn gezicht zien dat hij probeerde te bedenken van welke stam ik was. Om eerlijk te zijn dacht ik zelf niet dat ik voor een Montagnard doorging. Ik gaf gas, we accelereerden naar de kop van het konvooi en reden voorbij het voorste voertuig.

Highway One was op dit stuk vlak en liep langs de kust; we schoten goed op, maar er reden zoveel andere soorten auto's van verschillend formaat en vermogen, samen met fietsen, karren en voetgangers, dat er van echte snelheid geen sprake was; het was een hindernisbaan en je moest altijd op je hoede en bang blijven.

We waren ongeveer tweehonderd kilometer van Hué en het was bijna 9 uur 's ochtends, dus we hadden ongeveer tweeënhalf uur over honderdtachtig kilometer gedaan. En Highway One was nog het gemakkelijkste gedeelte.

Verderop liep een bergketen rechts van ons uit in de Zuid-Chinese Zee en vormde, zoals meer in dit land gebeurde, een hoge pas vlak naast de zee. Terwijl de weg steeg, stapten fietsers af en reden de ossenwagens langzamer. Ik ging naar links en gaf gas. Binnen twintig minuten naderden we de top van de slingerende bergpas. Het was daar koud en winderig en ik had moeite met het besturen van de motor.

Voor we bij de top waren, begonnen de mensen op de weg me op te vallen. Ze waren gehuld in lagen smerige lompen, hun gezichten nauwelijks zichtbaar; en ze kwamen uit de rotsformaties op ons af gelopen met de handen uitgestrekt. 'Bedelaars,' riep Susan in mijn oor.

Bedelaars? Voor mij leken ze op figuranten uit *Revenge of the Mummy.*

Susan gilde naar hen toen we langsreden, maar een paar van hen wisten ons met hun handen aan te raken terwijl we de pas op reden en ik moest uitwijken voor een aantal dat midden op de weg liep.

Ik bereikte het hoogste punt van de pas en we begonnen aan de afdaling naar de kustvlakten. De motor slipte een paar keer op het gladde asfalt en ik bleef maar terugschakelen.

Beneden zag ik dat de vlakke rijstvelden tot aan de dijken onder water stonden en ik zag kleine groepjes boerenhutten op eilandjes droge grond. Er waren hier meer dennen dan palmbomen en meer grafterpen dan ik in het zuiden had gezien. Ik herinnerde me dat Noord-Vietnam tijdens de oorlog ongeveer twee miljoen mensen had verloren, ongeveer tien procent van de bevolking, en vandaar de ontelbare grafterpen. Oorlog is klote.

Anderhalf uur na de bergpas naderden we een grote stad. Ik sloeg een onverharde weg in en reed zo ver dat de motor uit het gezicht van de snelweg was.

Susan en ik stapten af en rekten ons uit. We maakten ook gebruik van het sanitair, dat uit een struik bestond.

Ik haalde de kaart uit het tasje met de rits en keek erop. Ik zei tegen haar: 'Die stad verderop is Vinh.'

Ze informeerde me: 'Dat is een toeristenstad. We kunnen daar stoppen als je dat telefoontje wilt plegen naar het Century Riverside.'

'Waarom is het een toeristenstad?'

'Net buiten Vinh is de geboorteplaats van Ho Tsji Minh.'

'En zijn er hier westerlingen?'

Ze antwoordde: 'Buiten een paar ex-hippies denk ik niet dat het geboortedorp van Ome Ho de westerlingen veel kan schelen, maar je kunt er zeker van zijn dat Vidotour het wel doet, dus de stad is een verplichte halte. Ook ligt hij ongeveer halverwege Hué en Hanoi, dus voor de tourbussen is de stad om te overnachten.'

'Goed. We stoppen daar en kopen een Ho Tsji Minh-T-shirt.'

Ze opende een zadeltas en haalde er twee bananen uit. 'Wil je een banaan of een banaan?'

We aten de bananen staande en dronken iets van het flessenwater terwijl ik de kaart bestudeerde. Ik zei: 'Ongeveer tweehonderd kilometer verderop is een stad die Thanh Hoa heet. Als we daar zijn, moeten we uitkijken naar een weg die naar het westen loopt. Kijk hier. We moeten op route 6 zien te komen, die ons naar... nou, hij zou ons naar Dien Bien Phu moeten brengen, maar ik zie dat hij ophoudt voordat hij daar is... daarna krijg je een kleinere weg naar Dien Bien Phu.'

Susan keek op de kaart en zei: 'Ik denk niet dat je dat laatste stuk een weg kunt noemen.'

Ik zei: 'Goed, laten we dat Montagnard-spul uittrekken en er proberen uit te zien als *Lien Xo* op een pelgrimstocht naar de geboorteplaats van Ome Ho.'

We deden de sjaals en de leren petten af en stopten die in de zadeltas.

We stapten op en reden terug naar Highway One.

Binnen een paar minuten bereikten we de buitenwijken van de stad Vinh. Rechts was een bord met een geschilderde tekst en ik ging langzamer rijden zodat Susan het kon lezen.

Ze zei: 'Er staat... "De stad Vinh werd volledig verwoest door Amerikaanse bommenwerpers en artilleriebeschietingen vanuit zee... tussen 1965 en 1972... en is herbouwd door de bevolking van Vinh... met de hulp van onze socialistische broeders van de Duitse Democratische Republiek...'

'Dat is een echte toeristentrekker.'

Toen we de stad binnenreden, zag die er ook inderdaad uit als Oost-Berlijn op een slechte dag; huizenblok na huizenblok van vaalbruin beton en andere betonnen gebouwen met een onduidelijke functie.

Een paar mensen op straat keken naar ons en ik kreeg mijn bedenkingen over stoppen. 'Weet je zeker dat er westerlingen in de stad zijn?'

'Misschien is het een slappe tijd.'

'Bij een park bereikten we een Y-splitsing en Susan zei: 'Linksaf.'

Ik nam de linkervork en dit bleek de straat te zijn die ons naar het centrum van de stad leidde, weer een Le Loi Street, waar we rechtsaf sloegen. Ik vroeg me af hoe ze dat wist.

Aan de linkerkant van de straat stonden enkele hotels en niet een ervan zou per ongeluk voor het Rex aangezien kunnen worden. Ik had nog nooit zulke akelige gebouwen gezien, zelfs niet in Oost-Berlijn, en ik vroeg me af of de Oost-Duitsers niet een grap met de Vietnamezen hadden uitgehaald. Maar ik zag in ieder geval tourbussen en westerlingen op straat, wat me een beter gevoel gaf.

Ik zei tegen Susan: 'Misschien kun je proberen in een van die hotels te bellen.'

Ze antwoordde: 'Ik heb op het postkantoor een betere kans om er door te komen. Ook zal het postkantoor, als het telefonisch niet lukt, een fax en een telex hebben.' Ze voegde eraan toe: 'Je hebt hier je interlokale verbindingen niet voor het uitzoeken.'

We reden een tijdje rond en zagen het postkantoor. Susan stapte af en liep direct het gebouw binnen.

Een paar passanten wierpen me een blik toe, maar dankzij Ome Ho trok ik niet al te veel aandacht. Na ongeveer tien minuten kwam een gele jeep met twee smerissen erin naast me tot stilstand. De smeris naast de bestuurder staarde me aan.

Ik negeerde hem, maar hij gilde iets tegen me en ik had geen andere keuze dan hem toch aan te kijken.

Hij zei iets, en ik dacht dat hij me gebaarde af te stappen, maar besefte toen dat hij me naar mijn motor vroeg. Omdat ik ineens weer wist dat buitenlanders op iets dat zo groot was als dit niet mochten rijden en wetend dat de BMW kentekenplaten uit Hué had, zei ik in het Frans: 'Le tour de Hanoi à Hué'.

De smeris leek het niet te verstaan en, om heel eerlijk te zijn, ik versta mijn eigen Frans de helft van de tijd ook niet. Ik herhaalde: 'Le tour de Hanoi à Hué,' wat niet helemaal verklaarde waarom ik voor het postkantoor stond, maar de smeris naast de bestuurder sprak nu met de smeris achter het stuur en ik wist dat de chauffeur iets begreep.

De smeris naast de bestuurder schonk me een harde smerisblik, zei iets in het Vietnamees en de gele jeep reed weg.

Ik haalde diep adem en dankte God voor het eerst van mijn leven dat ik voor een Fransman door had mogen gaan.

Ik wilde afstappen en Susan gaan zoeken, maar ik zag haar uit het postkantoor komen. Ze sprong achterop en ik reed naar Le Loi Street, waarvan ik al wist dat die Highway One was, en binnen vijf minuten waren we Vinh uit. Een bord aan de zijkant van de weg gaf in een stuk of tien talen aan: *Geboorteplaats van Ho Tsji Minh; 15 kilometer*. Ik zei tegen Susan: 'Wil je de blokhut zien waar Ome Ho is geboren?'

'Rijden.'

We reden verder naar het noorden over Highway One.

Susan zei tegen me: 'Ik kwam er telefonisch niet door, dus ik stuurde een telex en een fax. Ik moest op antwoord wachten.'

'Uitslag?'

'Het boek is niet binnengekomen, of dat zei Mr. Tin in zijn telex.'

Ik gaf geen antwoord.

Ze zei: 'Maar het boek is ongeveer vijftien dollar waard voor een rugzaktoerist, of voor een toerist die geen reisgids heeft... en we zijn niet daar... dus het is mogelijk dat Mr. Tin het wel heeft gekregen en dat het nu te koop is. Dat is een heleboel geld hier.'

Weer gaf ik geen antwoord.

Susan zei: 'Maar er was wel een bericht van kolonel Mang. Voor mij.'

Ik vroeg niet wat erin stond, maar Susan vertelde het me: 'Kolonel Mang wenst me een veilige reis toe en hoopt dat ik van de foto's heb genoten.'

Ik gaf geen antwoord.

Ze voegde eraan toe: 'Hij zei ook dat hij badpakken in mijn flat had gezien en hij vindt het jammer dat ik ze heb vergeten.'

We naderden de afslag naar de geboorteplaats van Ho Tsji Minh, waar twee minibussen met westerse toeristen in draaiden. Ik ging naar de kant en pakte Susans camera uit de rugzak en maakte een foto van het bord, voor het geval het rolletje uiteindelijk in handen kwam van de plaatselijke politie. Ik zei tegen Susan: 'Ik kreeg controle van een stel smerissen in een jeep. Ik overtuigde hen ervan dat ik Fransman was en meedeed aan een motorrally. Ze waren onder de indruk van mijn Parijse accent.'

'Noord-Vietnamezen hebben niet zulke negatieve gevoelens over Fransen.'

'Waarom niet?'

'Ik weet het niet. Maar in Hanoi zul je mannen van middelbare leeftijd met alpinopetten zien, en het is in die leeftijdsgroep nog steeds heel erg chic om een beetje Frans te kunnen spreken, Franse manieren te hebben en Franse literatuur te lezen. In Hanoi zien ze Fransen als beschaafd en Amerikanen als lompe, materialistische, oorlogszuchtige kapitalisten.'

'Daardoor zijn we nog niet slecht.'

Ze probeerde te glimlachen, verviel toen in gedachten. Ze zei: 'Ik ben kwaad door die foto's.'

Ik antwoordde: 'Ik ben kwaad dat het boek niet is gekomen.'

Ze keek me aan en knikte. 'Sorry.' Ze zei: 'Wat doen we nu het boek niet is aangekomen?'

Ik dacht erover na. Mr. Anh zou nu al enige tijd vastgebonden op een tafel kunnen liggen, terwijl kolonel Mang elektrodes aan zijn testikels bevestigde en de stroom opdraaide. Als dat zo was, zou Mr. Anh hebben gezegd: 'Dien Bien Phu! Ban Hin!' en alles wat kolonel Mang verder nog wilde horen.

Susan vroeg weer: 'Wat wil je doen?'

'Nou... we zouden naar Hanoi kunnen gaan en het eerste vliegtuig waarheen dan ook kunnen nemen. Of we kunnen naar Dien Bien Phu gaan. We kunnen zeker niet hier de hele dag blijven zitten.'

Ze dacht een ogenblik na en zei toen: 'Dien Bien Phu.'

Ik herinnerde haar: 'Jij zei dat er een einde was gekomen aan mijn Vietnam-geluk.'

'Dat is zo; ze zagen je abusievelijk aan voor een Fransman. Mijn geluk is nog goed, ondanks mijn *Playboy*-foto's. We gaan.'

Ik trapte de BMW in de versnelling en reed de snelweg op.

Susan boog zich naar voren en keek naar de benzinemeter. Ze zei: 'We moeten tanken. We zijn net langs een benzinepomp gekomen. Ga terug.'

'Er zal er verderop wel weer een komen. Sommige geven rijstkommetjes bij een volle tank.'

'Paul, ga terug.'

Ik maakte een scherpe U-bocht en we reden het benzinestation binnen naar een handpomp. Ik zette de motor uit en we stapten af.

De pompbediende zat in een klein open betonnen bouwsel en keek naar ons, maar kwam niet in beweging. Dit was duidelijk een overheidsinstelling en leek in niets op wat ik zuidelijk van de DMZ had gezien. Het was hier nog heel erg socialistisch en het goede nieuws van kapitalistische hebzucht en consumentenbinding had het territorium van Ome Ho nog niet bereikt.

Ik greep de handpomp en Susan stak de slang in de benzinetank.

Susan zei: 'Harder pompen.'

'Ik pomp net zo hard als elke Europese socialist zou doen.'

Ze zei tegen me: 'Als je die man betaalt, zijn we Fransen.'

'Bon.'

Ik wist vijfendertig liter in de grote tank te krijgen en ik keek naar het totale bedrag. Ik zei: 'Eenentwintigduizend dong. Dat is niet zo slecht. Ongeveer twee dollar.'

Ze zei: 'Het gaat in tienen, Paul. Tweehonderdtienduizend dong. Nog steeds goedkoop.'

'Goed. Jij betaalt.'

De bediende van het benzinestation was naar ons toe komen lopen en Susan zei tegen hem: *'Bonjour, monsieur.'*

Ik voegde eraan toe: *'Comment ça va?'*

Hij gaf in geen enkele taal antwoord, maar keek naar de motor toen Susan 210.000 dong uittelde met de beeltenis van Ome Ho op de biljetten. Ik wees op Ome Ho en zei: 'Numero uno hombre', wat misschien wel de verkeerde taal was. Susan gaf me een schop tegen mijn enkel.

De bediende nam ons op en keek vervolgens weer naar de motor. We stapten op en Susan zei tegen de man: 'Le tour de Hué-Hanoi.'

Ik gaf gas en reed weg voordat de man eigenwijs tegen ons ging doen.

We reden verder naar het noorden over Highway One, gingen toen naar de kant en tooiden ons weer met de Montagnard-sjaals en de met bont gevoerde leren petten.

Susan zei tegen me: 'Waarom zei je verdomme "numero uno hombre"?'

'Je weet wel: Ome Ho is een fantastische man.'

'Dat was Spaans.

'Wat maakt het uit? Jij bent Frans, ik ben Spaans.'

'Soms is die grappenmakerij van jou niet zo gunstig voor de situatie.'

Ik dacht daarover na en antwoordde: 'Het is een oude gewoonte. Infanteristen doen dat als het spannend wordt. Smerissen ook. Misschien is het wel iets dat mannen doen.'

Ze informeerde me: 'Soms maak je de situatie erger met je bijdehante opmerkingen – zoals tegen kolonel Mang, en dat jij en Bill samen op Princeton hadden gezeten.'

Susan had een pestbui en ik hoopte dat het haar periode was en geen teken van zwangerschap.

Highway One was de enige grote noord-zuidverkeersader in dit verstopte land, en hoewel het verkeer niet druk hoorde te zijn door de feestdagen, leek het wel alsof de helft van de bevolking gebruikmaakte van de zielige twee rijbanen van slecht asfalt. We kwamen niet boven de zestig kilometer per uur uit en elke centimeter van de weg was een uitdaging.

Het kostte ons bijna twee uur om de honderd kilometer af te leggen naar de volgende grotere stad, Thanh Hoa. Het liep al tegen drie uur 's middags en het werd koud. De lucht was bedekt met grijze wolken en zo nu en dan kwamen we door stukken met lichte regen; *crachin*, stofregen. Mijn maag rammelde.

Ik riep achterom naar Susan: 'Dit moet Thanh Hoa zijn. Dit is de eerste plaats waar we naar het westen en het noorden kunnen gaan naar Route 6.'

'Jij zegt het maar.'

Ik keek op de kilometerteller. We hadden al bijna 560 kilometer afgelegd sinds Hué en het had ons meer dan acht uur gekost. Het was nu zestien over drie 's middags en we hadden minder dan vier uur daglicht voor ons.

Ik speelde een beetje met een paar mogelijkheden en besloot dat ik nu, aangezien het niet regende, de slechte weg moest nemen, en zo dicht mogelijk bij Route 6 zien te komen voordat de zon onderging; morgen zou het kunnen regenen en zou de secundaire weg naar Route 6 wel eens onberijdbaar kunnen worden, wat Mr. Anh me had geprobeerd te vertellen tijdens zijn korte briefing. Ik zei tegen Susan: 'We nemen de weg uit Thanh Hoa. Als die ons niet bevalt, kunnen we terugrijden en de volgende proberen.'

We reden de stad Thanh Hoa binnen, nog altijd gekleed in onze Montagnard-sjaals en leren petten. De stad was duidelijk niet verwoest tijdens de oorlog en bezat enige charme. En ik zag inderdaad een oudere man met een alpinopet en er waren een paar hotels en cafés die niet door de Oost-Duitsers waren gebouwd.

Een paar mensen keken even naar ons en een paar smerissen voor het politiebureau namen ons nadrukkelijk op.

Susan zei: 'Ze zien niet zoveel Montagnards aan de kust, dus ze zijn nieuwsgierig, maar niet wantrouwig. Het is zoiets als Amerikaanse indianen die een westerse stad binnenkomen.'

'Verzin je dit?'

'Ja.'

We reden door de stad en ik zag een kleine geasfalteerde weg naar links. Op een bord stond *Dong Son* en nog iets in het Vietnamees. Ik ging langzamer rijden en wees.

Susan zei: 'Het is een plek van archeologische opgravingen... de Dong Son-cultuur, wat die ook was... duizend jaar voor onze jaartelling. Misschien is de weg nieuwer.'

Ik draaide de smalle weg op, reed ongeveer honderd meter en stopte toen.

Ik haalde de kaart uit het tasje en keek erop. Ik zei: 'Dit is de weg. We nemen deze ongeveer vijftig kilometer naar een dorpje dat Bai-enzovoort heet, nemen daarna Route 15 naar het noorden naar Route 6.'

'Laat me dat eens zien.'

Ik gaf haar de kaart en ze bestudeerde die zwijgend. Ze stak de kaart in haar jack en zei: 'Goed. Laten we gaan.'

Ik zette de BMW in de versnelling en we reden verder. De weg kwam langs de archeologische opgravingen en daarna verdween het asfalt. De onverharde weg had sporen van karren en auto's en ik hield de motor tussen de groeven, waardoor het wat beter ging.

We hobbelden voort met amper veertig kilometer per uur, en soms nog minder.

Het terrein bleef vlak, maar steeg. Er waren een paar rijstvelden, maar die verdwenen en plantengroei kwam ervoor in de plaats.

De BMW Parijs-Dakar was inderdaad een goede terreinmotor, maar het terrein was niet zo goed. Ik had moeite met het vasthouden van het stuur en mijn kont was meer van het zadel dan erop. Susan hield zich stevig aan me vast. Ik zei: 'Dit zullen we morgenochtend voelen.'

'Ik voel het nu al.'

Het kostte ons bijna twee uur om de veertig kilometer af te leggen naar het einde van de weg. We reden het dorpje binnen dat Bai-enzo-voort heette en de weg eindigde in een T-kruising. Ik nam de weg, Route 15, naar rechts en de ondergrond werd iets beter. Er lag zelfs grind op de weg en hij was verhoogd en had aan beide kanten afwate-ringsgeulen.

Volgens de kaart was het meer dan honderd kilometer naar Route 6, en met deze snelheid zou het minstens vier uur duren om die te berei-ken. Het was nu tien over halfzes 's middags en de zon zakte weg ach-ter de bergen links van me.

De weg klom naar de heuvels voor ons en erachter zag ik hogere heuvels met bergen. We spraken niet zoveel, want het was moeilijk de woorden eruit te krijgen met al dat gehobbel.

Het was bijna donker en ik keek uit naar een plek om te overnach-ten. We zaten nu beslist in de heuvels en de Vietnamezen woonden niet al te ver uit de buurt van steden, dorpen en landbouwcentra. Aan de zijkant van de weg verschenen dennen en het begon griezelig te worden. Ik stopte de motor en nam rust. Ik zei tegen Susan: 'Mis-schien is er een skihut verderop.'

Ze haalde de kaart uit haar jack en keek erop. 'Er is een dorpje ver-derop dat Lang Chanh heet, ongeveer twintig kilometer.

Ik dacht even na en zei toen: 'Ik denk niet dat ik na het donker een Noord-Vietnamees dorp wil binnen rijden.'

'Ik ook niet.'

'Nou... dit is het dan, denk ik.' Ik keek om me heen. 'Laten we een plek gaan zoeken om ons en de motor te verbergen.

'Paul, er is helemaal niemand op de weg. Je zou er zelfs midden op kunnen gaan slapen.'

'Daar zeg je wat.' Ik duwde de motor een paar meter verder en zette hem tegen de stammen van een paar dennen.

Susan opende een zadeltas en haalde er de twee laatste bananen, de laatste fles water en de twee regenponcho's uit.

We gingen bij de motor met onze rug tegen twee dennenbomen zitten en ik pelde mijn banaan. Ik zei: 'Ik heb goed nieuws. Geen bloedzuigers in een dennenbos.'

'Vlooien en teken.'

We aten de bananen en dronken water en keken naar het verdwijnende licht. Er hing een zwaar wolkendek en het was pikdonker om ons heen. We hoorden geluiden in het bos van kleine dieren die rondscharrelden.

Ze stak een sigaret op en keek op de kaart bij de vlam van haar aansteker. Ze zei: 'Nog vierhonderd kilometer naar Dien Bien Phu.

'We zwegen en luisterden naar de nacht. Ik vroeg haar: 'Heb je als kind gekampeerd?'

'Niet als ik het kon vermijden. Jij?'

'Nou, niet toen ik in Boston-Zuid woonde. Maar in het leger heb ik veel gekampeerd. Ooit heb ik berekend dat ik meer dan zeshonderd nachten onder de sterren heb geslapen – een jaar in Vietnam, plus de infanterieopleiding. Plus de nacht aan Highway One, dus dat is weer een nacht, plus deze. Dat is bijna twee jaar.' Ik voegde eraan toe: 'Soms is het leuk.'

Een enorme knal van de donder rolde door de heuvels en een bries stak op. Of het was hier koud, of ik zat alweer te lang in Vietnam. Ik zei: 'Soms niet.'

Susan stak een volgende sigaret op en vroeg me: 'Wil jij er een? Het onderdrukt je hongergevoel.'

'Ik heb net een banaan gehad.'

Het begon te regenen en we trokken onze poncho's over ons hoofd. We kropen dichter tegen elkaar aan om lichaamswarmte te sparen en trokken de poncho's dichter om ons heen. Ik zei: '*Crachin*. Stofregen.'

'Nee, dit is echte kutregen.'

De regen viel zwaarder en de wind werd sterker.

Susan vroeg me: 'Hoeveel betalen ze je hiervoor?'

'Alleen onkosten.'

Ze lachte.

We waren allebei doorweekt en begonnen te huiveren. Ik herinnerde me die koude, natte avonden in de winter van 1968, ingegraven in de modder met alleen maar een rubberponcho, en de hemel was vol vuurwerk, van een vreselijke schoonheid tegen de zwarte regen.

Susan moest hetzelfde hebben gedacht en ze vroeg me: 'Was het zoals dit?'

'Min of meer... eigenlijk was het erger, omdat je wist dat het elke avond hetzelfde zou zijn tot er in maart een einde kwam aan de winterregens... en je had als extra probleem dat er mensen op jacht waren die probeerden jou te doden.' Ik zweeg even en zei: 'Dat is het wat betreft de oorlog, Susan. Het is voorbij. Echt.'

'Goed. Dat is het wat betreft de oorlog. De oorlog is voorbij.'

We wikkelden de poncho's om ons heen en gingen samen in de regen onder de dennenbomen liggen.

Het regende de hele nacht en we lagen onder de rubberponcho's te huiveren en kropen zo dicht mogelijk tegen elkaar aan.

Morgen werd het Dien Bien Phu, als we het haalden, daarna het gehucht Ban Hin en de man of het graf van Tran Van Vinh.

39

Een grijze dageraad filterde door de druipende dennenbomen heen.

We wikkelden ons uit de natte poncho's, geeuwden en rekten ons uit. We waren allebei doornat en koud, en een verkilling was in mijn botten getrokken. Susan zag er niet goed uit.

We schudden onze poncho's uit en rolden ze op. We openden de zadeltassen en haalden er droge sokken, ondergoed en kleren uit, kleedden ons om en gooiden onze natte spijkerbroeken en hemden in het bos; er waren niet zoveel dagen meer dat we andere kleren nodig hadden. Misschien wel minder dan we dachten.

Susan had nog meer Montagnard-sjaals in de zadeltassen en we gebruikten er een om de motor af te vegen, deden toen de andere om en veranderden van stam.

We keken nog snel even op de kaart en stapten op de BMW. De motor startte snel en we vertrokken, naar het noorden over Route 15 naar Route 6.

De weg bestond voornamelijk uit rode klei en schalie die enige grip gaf als ik niet te snel gas gaf.

Een kilometer verder op de weg zag ik een kleine waterval van een rotsformatie neerstorten in een riviertje naast de weg.

Ik ging naar de kant, Susan en ik wasten ons met een stuk sinaasappelzeep dat ze had meegenomen en we dronken een beetje koud en hopelijk schoon water.

We stapten op en reden verder. Buiten ons zat er niemand anders op de weg, maar ik kon de snelheid niet hoger krijgen dan zestig kilometer per uur zonder de macht over het stuur te verliezen. Elk botje en elke spier in mijn lichaam deed pijn en de laatste echte maaltijd die ik had gegeten was in het zestienhoekige restaurant geweest en dat was zondag, nieuwjaarsdag. Vandaag was het woensdag.

We naderden het dorpje Lang Chanh; achter het dorp begonnen de hogere heuvels en daar weer achter de bergen, waarvan de toppen niet te zien waren door de lage bewolking en de bergmist.

Ik ging langzamer rijden toen we het erbarmelijke dorp van bamboehutten en gammele bouwsels van dennenhout binnenkwamen. Het was even na zevenen 's ochtends en ik rook het klaarmaken van rijst en vis.

Er liepen wat mensen rond en een heleboel kippen. Susan zei: 'Ik moet iets te eten hebben.'

'Ik dacht dat je gisteren een banaan had gegeten.'

Ze bracht haar handen naar mijn keel en kneep speels. Toen wikkelde ze haar armen om me heen en legde haar hoofd tegen mijn schouder. Ik merkte dat haar armen niet erg strak rond mijn borst zaten en ik besefte dat we moesten proberen iets te eten te krijgen.

We reden door Lang Chanh en gingen verder. Hier begon de weg steiler te klimmen, maar de BMW was een ongelooflijke machine en vrat modder terwijl we de hoge bergen in klommen.

Susan zei in mijn oor: 'Dit is eigenlijk wel leuk. Bijna lollig. Ik hou hiervan.'

Het wás echte pret, aan het einde van de wereld, op weg naar het einde van nergens.

Op geen enkele manier wist ik hoe hoog we zaten, maar de kaart had hoogtemarkeringen gegeven van 1500 tot 2000 meter voor de bergtoppen over meer dan anderhalve kilometer, dus we zaten op deze weg ongeveer halverwege. Het was koud, maar er stond geen wind en de druilregen was opgehouden, hoewel het wolkendek geen enkele barst vertoonde.

Zo nu en dan zag ik enorme bossen bergbamboe omgeven door nog hogere dennenbomen, en ik moest aan de maïsvelden in Virginia denken, omgeven door omhoogtorenende dennenbossen. Ik herinnerde me van de laatste keer dat ik hier was, dat als de dingen die helemaal niet leken op de dingen van thuis op de dingen van thuis gingen lijken, het tijd werd om naar huis te gaan.

Ik keek even op mijn kilometerteller en zag dat we sinds Lang Chanh veertig kilometer hadden gereden en dat dus vlak voor ons het dorp Thuoc moest zijn. De laatste veertig kilometer over Route 15 had een uur gekost, maar ik had er vertrouwen in dat ik wat tijd zou winnen als ik Route 6 had bereikt, die op de kaart stond aangegeven als een verharde weg, hoewel dat een relatieve omschrijving was.

De weg draaide scherp naar links en na een paar minuten ging ik langzamer rijden voor Thuoc, dat op Lang Chanh leek, behalve dat daar minder kippen liepen.

Terwijl we door het dorp reden, volgden een paar mensen ons met

hun ogen. Ik was er redelijk zeker van dat ze zo nu en dan een terreinmotor zagen, en ik was er ook zeker van dat zij niet wisten wat of wie
we waren. Ik wist echter wel dat zíj etnische Vietnamezen waren, dus
we zaten nog niet in het gebied van de bergvolken en ik had bovendien
nog geen *longhouse* gezien.

We reden nog eens twintig of dertig kilometer verder en de heuvels
werden hoger. De weg volgde een bergstroom en verderop zag ik hoog
oprijzende bergtoppen. Ik heb een goed richtingsgevoel en hoewel de
zon niet zichtbaar was, wist ik dat we de verkeerde kant op reden.

Ik ging naar de kant, stopte en keek op de kaart. Ik bestudeerde die
een tijdje, verkende daarna het terrein en probeerde erachter te komen
welke kant ik opging. Ik kan heel goed kaartlezen, maar de kaart was
niet écht goed en er was geen enkele wegmarkering. 'Aan welke kant
van de boom groeit er mos?'

'Zijn we verdwaald?'

'Nee, we zijn, zoals ze dat in het leger noemen, tijdelijk gedesoriënteerd.'

'We zijn verdwaald.'

'Jij je zin.'

We stapten allebei van de motor, staken onze hoofden bij elkaar en
keken op de kaart. Ik zei: 'Ik denk dat we bij Thuoc ergens hadden
moeten afslaan om op Route 15 te blijven, maar ik zag geen bord of
een weg.'

Susan zette haar vinger op de kaart en zei: 'Toen 15 naar het westen
draaide bij die bocht net voor Thuoc, ging de weg verder als Route
214, waar we nu op zitten. We hadden scherp rechtsaf gemoeten om
op de 15 naar het noorden te blijven.'

Ik zei: 'De grens van Laos is even verderop.'

'En dat betekent grensbewaking en soldaten.'

'Juist. Laten we maken dat we hier wegkomen.'

Ik begon de motor om te draaien en zag op een bergrug verderop
rook opkringelen en het silhouet van een *longhouse* tegen de grijze
lucht. Ik zei: 'We zitten in Montagnard-territorium.'

Ze keek om naar de heuvels en vroeg: 'Zit hier het FULRO?'

'Ik weet het niet. Ik ben niet zo bekend met het FULRO, ondanks wat
Mang denkt.' Terwijl ik de motor omdraaide, hoorde ik een geluid en
ik keek de weg af in de richting die we waren gekomen. Er kwam een
open donkergroene legerjeep op ons af met twee mannen voorin.
'Spring erop.'

We stapten allebei op en ik startte de motor. De motor stond bijna
dwars op de smalle weg en ik had de keuze om naar de jeep toe te rij-

den en die te passeren, of naar het westen te rijden naar de Laotiaanse grens, waar zij naartoe reden; en geen van beide keuzes had mijn voorkeur.

De jeep was nu op minder dan honderd meter van me vandaan, en de chauffeur zag ons. Hij stuurde de jeep opzettelijk naar het midden van de smalle weg, zodat ik me er niet langs kon wurmen, waardoor mijn keuzes tot één werden teruggebracht.

Ik draaide het wiel naar rechts, trapte hem in de versnelling en gaf gas in de richting van de grens van Laos.

Susan riep: 'Paul, we zouden kunnen stoppen en proberen ons hieruit te praten. We hebben niets fouts gedaan.'

'We zijn gekleed als Montagnards, en we zijn geen Montagnards. We zijn Amerikanen, zoals in ons paspoort staat, en ik wil niet moeten uitleggen wat we hier aan het doen zijn.'

Ik keek in mijn zijspiegel en zag dat de jeep me bijhield. Ik reed zeventig kilometer per uur en de motor hield zich goed, maar ik had moeite met in het zadel blijven en Susan hield zich zo stevig mogelijk vast.

Om de zaken nog erger te maken, reed ik nu in de richting van een grenspost waar ik aangehouden zou worden, of waar ik dwars doorheen kon rijden, terwijl ik probeerde te ontkomen aan het automatisch geweervuur van de AK-47's van de Vietnamezen en waarschijnlijk van de Laotiaanse grensposten aan de andere kant, die ook communisten waren en zo nu en dan min of meer vriendschappelijk omgingen met de Vietnamezen. Dus dit was zoiets als hamer en aambeeld; de mannen in de jeep waren de hamer, de grenspost was het aambeeld en wij waren het aanstaande gehakt.

Ik keek weer even in mijn zijspiegel en zag dat de jeep iets verder achter lag; hij zou me gewoon blijven volgen tot ik de grens bereikte, die nu heel dichtbij moest zijn, en daarna zouden we een babbel hebben. Ik keek naar een plek waar ik kon proberen met de motor de heuvels links of rechts af te rijden, maar het leek niet mogelijk, en de soldaten achter me wisten dat.

Susan zei: 'Paul, als je niet stopt of langzamer gaat rijden, zullen ze aannemen dat we proberen hun te ontvluchten. Stop alsjeblieft. Ik kan me niet meer vasthouden. Ik val bijna. Rij langzamer en ga naar de kant, en kijk of ze ons alleen maar willen passeren. Paul, ik val er bijna af. Alsjeblieft.'

Ik ging langzamer rijden en bracht de motor naar rechts en de jeep begon op ons in te lopen. Ik zei tegen Susan: 'Goed... we doen gewoon kalm aan en kijken wat ze willen.' We trokken onze sjaal en leren petten af.

Ik had het sterke gevoel dat dit het einde van de weg was.

De jeep zat nu direct achter ons; de soldaat naast de bestuurder was gaan staan en had een AK-47-geweer in zijn hand. De jeep kwam naast ons rijden en de man keek ons onderzoekend aan. Hij schreeuwde: *'Dung lai! Dung lai!'*, wat indertijd in '68 míjn tekst was. Hij gebaarde met zijn geweer dat ik naar de kant moest en moest stoppen.

Terwijl ik langzamer begon te rijden, zag ik een vreemde uitdrukking op het gezicht van de man komen, daarna hoorde ik een luide explosie vlak naast mijn hoofd, en de soldaat met het geweer deed een soort salto achterover. Het geweer vloog de lucht in en hij viel achterover in de lege stoel. Weer klonk er een pistoolschot en het hoofd van de chauffeur explodeerde. De jeep kwam met een schok tot stilstand, aarzelde en reed vervolgens achteruit langs de helling tot de achterwielen in de greppel terechtkwamen.

Ik bracht de motor tot stilstand.

Ik bleef daar voor me uit zitten staren. Ik rook het kruit. Zonder me om te draaien zei ik tegen Susan: 'Jij had me gezegd dat je het pistool in Hué had achtergelaten.'

Ze gaf geen antwoord, maar stapte af en liep naar de jeep, terwijl er rook uit de loop van de Colt .45 kwam.

Ze besteedde geen aandacht aan de chauffeur, van wie de halve schedel was verdwenen, maar onderzocht heel vaardig de andere soldaat, die half uitgespreid achter in de jeep lag. Ze zei: 'Ze zijn allebei dood.' Ze stak de .45 onder haar gevoerde jack. 'Bedankt dat je langzamer bent gaan rijden.'

Ik gaf geen antwoord.

We keken elkaar een paar momenten aan. Ten slotte zei ze: 'Ik kon het niet laten gebeuren dat we hier door hen werden aangehouden.'

Ik gaf geen antwoord.

Ze haalde een sigaret tevoorschijn en stak die op. Haar hand was stil als een rots. Ik wist dat ik iemand tegenover me had die niet onbekend was met wapens.

Ze nam een paar halen, gooide vervolgens de sigaret in het water en zag hem op de stroom wegdrijven. Ze vroeg: 'Wat denk je dat we moeten doen met deze rotzooi?'

Ik zei: 'Laat liggen. Ze zullen denken dat het het FULRO was. Maar we moeten de wapens pakken om het er zo uit te laten zien.'

Ze knikte, liep naar de jeep en verzamelde twee AK-47's en een Chicom-pistool uit de holster van de chauffeur.

Ik liep naar de jeep en pakte de extra magazijnen en gooide die in het bos, pakte daarna hun portefeuilles, sigaretten en horloges en stopte alles in mijn zakken.

Ik keek naar de twee dode mannen die onder het bloed en de vuiligheid zaten, maar ik kreeg geen flashbacks; dat was toen, dit was hier en nu, en het een had niets te maken met het ander. Nou, misschien een beetje.

Susan rommelde een paar ogenblikken in de open jeep en vond een zak van cellofaan met gedroogde vruchten. Ze maakte de zak open en bood die mij aan.

Ik schudde mijn hoofd.

Ze greep een handje gedroogde vruchten en deed die in haar mond, kauwde erop en slikte, deed vervolgens weer een handvol in haar mond en stak de zak in haar zijzak.

We liepen terug naar de motor, allebei met een AK-47 over onze schouder.

Ik draaide de motor om, we stapten op en ik begon heuvelafwaarts over de modderige weg terug naar Thuoc te rijden, waar ik mijn afslag had gemist.

Voor we Thuoc bereikten, stopte ik, en we gooiden de geweren, het pistool en de persoonlijke spullen van de dode mannen in een bos bamboe.

We reden verder en bereikten Thuoc. Nu zag ik de afslag en kwam terug op Route 15.

We reden zwijgend verder. We staken een houten brug over een bergrivier over en reden door het dorp Quan Hoa. Na weer eens twintig kilometer bereikten we Route 6 en ik sloeg linksaf, naar het westen, naar Dien Bien Phu.

Het was een keurige weg, twee smalle rijbanen, maar breed genoeg voor twee vrachtwagens om elkaar in tegenovergestelde richting te passeren als ze zoveel mogelijk rechts hielden. Het wegdek was een soort vettig grind, dat zo nu en dan overging in dun asfalt. Ik kreeg de BMW tot tachtig kilometer per uur.

Het meeste van het schaarse verkeer betrof houtwagens, een paar auto's met vierwielaandrijving en zo en dan een motor. Ik zag geen scooters of ossenwagens, en geen fietsers of voetgangers; dit was inderdaad de weg van nergens naar nergens.

Links rezen de heuvels en bergen op die langs de grens met Laos lagen; rechts waren nog meer heuvels en erachter waren de verre, omhoogstekende toppen van wat de Tonkinese Alpen heette.

Al met al was het een spectaculaire weg, hoewel zo en dan het wegdek zonder waarschuwing verslechterde en ik langzamer moest rijden.

De richting van de weg was over het algemeen naar het noordoosten en heuvelopwaarts. Naarmate we verder naar het westen kwamen, verdwenen de paar tekenen van bewoning, behalve de rook van nederzettingen van bergvolken, die uit het bos omhoogkringelde in de mistige lucht, de rook die soms niet was te onderscheiden van de bergnevel.

Ik reed twee uur en Susan en ik zeiden geen woord. Ten slotte zei ze: 'Praat je nog tegen me?'

Ik gaf geen antwoord.

'Ik heb een sanitaire stop nodig.'

Verderop zag ik een vlak gedeelte opzij van de weg waar dennen waren omgehakt. Er was een kleine duiker in de rivier, ik reed er overheen en stopte tussen de dennenstronken. Ik zette de motor uit.

Ik bleef een minuut zitten, stapte toen af. Susan stapte ook af, maar gebruikte het sanitair niet. Ze rekte zich uit, stak een sigaret op en zette haar voet op een boomstronk. Ze wendde zich tot mij en zei: 'Zeg iets, Paul.'

'Ik heb niets te zeggen.'

'Zeg dat ik het goed heb gedaan.'

'Je hebt het goed gedaan.'

'Dank je.' Ze zei: 'Ik kon ons niet door hen laten aanhouden.'

'Dat heb je al gezegd.'

'Nou... als je niet de verkeerde afslag had genomen, zou dit alles niet zijn gebeurd.'

'Sorry. Soms heb je pech.'

Ze keek naar de kringelende rook van haar sigaret. Na een tijdje zei ze: 'Wat wel waar is, is dat ik krankzinnig verliefd op je ben.'

'Is dat het goede of het slechte nieuws?'

Ze negeerde dat en zei: 'En dat vinden ze niet prettig... als ze het geloven.'

Ik zei: 'Ik denk dat ik dat ook niet leuk zou vinden, als ik het geloofde.'

'Zeg dat alsjeblieft niet.'

'Moet je nog achter een struik?'

'Nee. We moeten praten.'

'Nee, dat moeten we niet.'

'Jawel.' Ze keek me even aan en zei: 'Goed, ik werk inderdaad voor de CIA, maar ik ben ook als burger werkzaam voor American-Asian, dus we hebben geen van beiden enige directe betrokkenheid bij de overheid en ze zouden ons kunnen laten vallen als ze dat wilden. En nee, ze wilden niet dat jij me loosde; ze wilden dat jij me vertrouwde, dus ze vertelden jou dat je me moest lozen. En ja, ik moest jou in het oog blijven houden...' Ze glimlachte en zei: 'Ik ben je beschermengel.' Ze vervolgde: En ja, ik had een relatie met Bill, en ja, hij is echt afdelingschef van de CIA, en ze worden echt furieus als ze erachter komen dat ik het je heb verteld, en nee, ze hebben me niet gezegd met jou te slapen... dat was mijn idee. Het maakte de klus makkelijker, maar ja, ik ben verliefd op je geworden... en ja, ze wantrouwen me nu echt, omdat ze weten of vermoeden dat we seksueel en romantisch met elkaar te maken hebben, en het kan me niet schelen.'

Ze keek me aan en vervolgde: 'En nee, ik weet niet wat Tran Van Vinh weet of heeft gezien, maar ja, ik weet alles van deze missie, behalve de naam van het dorp, waarvan ze niet wilden dat ik er mee in mijn hoofd rondliep, en zondag om 4 uur 's middags, nadat jij hem had gesproken, had ik een ontmoeting met Mr. Anh en hij informeerde me over alles wat ik nog niet wist, behalve over de naam van het dorp, die hij alleen aan jou kon geven.' Ze voegde eraan toe: 'Hij zegt dat hij je mag en erop vertrouwt dat je de klus klaart.' Ze keek me aan en vroeg: 'Heb ik iets overgeslagen?'

'De familie Pham.'

Ze knikte. 'Juist. De ontmoeting voor de kerk was geregeld. De motor was al gekocht en je haalde het examen van je motorrijbewijs op weg naar Cu Chi.' Ze voegde eraan toe: 'Ik ontmoette Pham Quan Uyen de laatste keer dat ik in Hué was. Hij is te vertrouwen.'

'Dat is meer dan ik over jou kan zeggen.'

Ze keek geschokt. 'Goed... vertrouw me niet. Maar vraag me alles wat je wilt en ik zweer dat ik je de waarheid zal zeggen.'

'Je bezwoer me dat je niets dan de waarheid vertelde in Saigon, Nha Trang en Hué. Je hebt ook gezworen dat je het pistool niet bij je had.'

'Ik had het pistool nódig. Wíj hadden het pistool nodig, voor het geval er zoiets gebeurde als wat er is gebeurd.'

Ik zei tegen haar: 'En je hebt het pistool nodig om Tran Van Vinh overhoop te knallen. Klopt dat?'

Ze gaf geen antwoord.

Ik vroeg haar: 'Waarom moet hij dood?'

Ze antwoordde: 'Ik zweer je dat ik het niet weet. Maar we komen er wel achter.' Ze voegde eraan toe: 'Ik geloof dat hij nog leeft.'

'Dus je hebt toegezegd een man te doden zonder dat je weet waarom.'

'Jij hebt mensen gedood zonder te weten waarom.'

'Zij probeerden míj te doden.'

Ze keek me aan en zei: 'Hoeveel van hen probeerden je echt te doden?'

'Allemaal. Probeer dit niet naar me terug te spelen, Susan. Ik ben dan misschien soldaat geweest, maar ik was nooit een huurmoordenaar.'

'Nooit?'

Ik wilde haar zeggen dat ze dood kon vallen, maar dan zou ze de A Shau-vallei ter sprake brengen en wat ik haar verder nog met mijn stomme kop had verteld, en die kant wilde ik echt niet op.

Ze zei: 'Luister, Paul... ik weet dat je kwaad bent; en je hebt alle recht om kwaad te zijn. Maar dit is niet zo koelbloedig en zo slinks als het lijkt...'

'Ik trapte erin.'

'Laat me dit afmaken. Ze vertelden me dat ze jou hadden uitgekozen omdat jij goed bent, maar ook omdat je baas persoonlijk hoog van je opgeeft. Hij wilde je carrière weer herstellen, of minstens een goed einde geven...'

'Zoals me te laten doden? Hoe goed is dat?'

Ze vervolgde: 'Hij dacht ook dat het, als je hier terugkeerde, goed voor jou zou zijn, en goed voor... je relatie met... je vriendin. Dus doe niet zo cynisch. Mensen geven om je.'

'Alsjeblieft. Als ik geluncht had, zou ik het er nu allemaal uitgooien.'

Ze kwam dichter naar me toe en zei: 'Ik zou graag denken dat er een menselijk element zit in wat we doen... ik bedoel, als Amerikanen. We zij geen slechte mensen, hoewel we soms slechte dingen doen. En ik denk dat we die doen in de hoop dat we de slechte dingen doen om een goede reden. In een ander land zouden ze gewoon twee huurmoordenaars hebben gestuurd om deze man te doden, en einde verhaal. Maar wij werken niet op die manier. We willen zeker zijn dat als er iets gedaan moet worden met deze man, hij werkelijk de man is die we zoeken, en dat wat hij weet op geen enkele andere manier geregeld kan worden.' Ze keek me aan en zei: 'Ik loop niet zomaar op de man af die Tran Van Vinh heet en schiet hem door zijn hoofd.' Ze voegde eraan toe: 'Misschien nemen we hem wel met ons mee naar Hanoi.'

'Ben je klaar?'

'Ja.'

'Kunnen we nu gaan?'

'Pas als je me hebt verteld dat je echt gelooft dat ik van je hou. Al het andere kan me niet schelen. Als je wilt, kunnen we hier omkeren en naar Hanoi rijden. Vertel me wat je wilt, of wat je wilt dat ik doe.'

Ik dacht daarover na en zei: 'Nou, wat ik echt wil doen, is doorgaan en deze man vinden, en erachter komen waar dit godverdomme allemaal om gaat.' Ik keek haar aan en zei: 'En wat ik van jou wil, is dat je teruggaat naar Saigon of naar Hanoi of naar Washington, of waar je verdomme ook vandaan bent gekomen.'

Ze staarde me lange tijd aan. Toen stak ze haar hand in haar jack en haalde er de Colt .45 uit.

Ik keek naar het pistool – je houdt je ogen altijd op het wapen gericht – en het zag er in haar kleine hand groter uit dan een Colt .45.

Ze draaide de kolf naar me toe en gaf me het pistool. Ik nam het aan. Ze haalde twee reservemagazijnen uit haar zak en legde die in mijn andere hand. Ze trok haar rugzak uit een zadeltas en deed hem om.

Ik keek naar haar gezicht en zag tranen uit haar ogen stromen. Ze zei niets, maar nam mijn hoofd in beide handen, kuste me hard op de lippen, draaide zich om en liep snel de weg over.

Ze ging daar staan, keek niet naar mij maar naar het verkeer dat in de richting van Hanoi ging. Er naderde een auto met vierwielaandrijving, bestuurd door een Vietnamees met twee mannelijke passagiers, en Susan stak haar hand op. De auto vertraagde en kwam tot stilstand in de berm.

Nou... ik kon haar laten gaan, dan zou ik er verderop spijt van krijgen en uiteindelijk de auto tot halverwege Hanoi achternazitten. Of ik kon haar roepen en haar vertellen dat ik van gedachten veranderd was. Of ik kon haar echt laten gaan.

Susan zat gehurkt en sprak met de twee Vietnamezen op de voorbank. Het achterportier ging open en ze stapte in zonder naar mij te kijken. De chauffeur reed weer de weg op.

Ik stak de weg over en ging voor de auto staan. De chauffeur draaide zijn hoofd om naar Susan en stopte toen. Ik liep om naar het achterportier en maakte het open. Ik zei tegen haar: 'Laten we gaan.'

Ze zei iets tegen de drie Vietnamese jongens, die allemaal lachten.

Ze stapte uit en ik sloeg het portier dicht. De auto reed verder.

Susan en ik staken de weg over en ze stopte haar rugzak in een zadeltas. We stapten op de motor. Ik draaide me naar haar om en onze ogen vonden elkaar. Ze huilde weer, maar stil, wat ik niet zo erg vind. Ik zei tegen haar: 'Als je liegt over dat je verliefd op me bent, dan, zweer ik je, schiet ik de kop van je romp. Begrijp je?'

Ze knikte.

Ik startte de motor, trapte hem in zijn versnelling en we reden de weg op.

We reden verder de heuvels in naar Dien Bien Phu, waar een leger zijn noodlot was tegengekomen en waar mijn noodlot geduldig had zitten wachten.

40

We bleven verder naar het noorden rijden over Route 6. Het was even voor twaalven en de benzinemeter gaf minder dan een halve tank aan. We zouden het niet de hele weg naar Dien Bien Phu halen zonder te tanken. Als Susan niet op de motor had gezeten, had ik Dien Bien Phu misschien kunnen halen op deze tank. Maar als Susan niet op de motor had gezeten, zat ik nu misschien in een militaire gevangenis moeilijke vragen te beantwoorden.

Maar om nog een stapje verder terug te gaan, naar het dakrestaurant in het Rex Hotel, had mijn leven ergens tussen mijn tweede gelukkige biertje en het dessert een verkeerde afslag genomen, en deze missie ook. Ik kreeg even een scherp zicht op het overduidelijke, dat iedereen die bij deze missie betrokken was, veel meer wist dan ik, en heel wat eerder dan ik.

Modderverschuivingen, veroorzaakt door de te grote ontbossing, bedekten hele stukken van het asfalt, maar het had het voordeel dat de gaten waren opgevuld. Ik reed een gemiddelde van ongeveer zestig kilometer per uur, wat meer was dan de meeste auto's met vierwielaandrijving haalden. Bovendien zag ik twee auto's met vierwielaandrijving onder in een ravijn liggen.

Terug naar miss Weber, die niet langer met haar armen rond mijn middel reed, maar zich vasthield aan de beugel. De tranen waren echt geweest, en ook de tranen in de Apocalypse Now. Dit was een vrouw die net zoals ik in conflict lag met het leven, Vietnam en ons. Maar nou en? Ik hou er net zomin van als iemand anders om gemanipuleerd of belogen te worden, en als mijn leven op het spel staat, hou ik er nog minder van. Met een beschermengel als Susan Weber hoefde ik me geen zorgen te maken de engel des doods tegen te komen, wat me op de gedachte bracht dat als Susan de opdracht had gekregen Tran Van Vinh op te ruimen, ze ook wel eens de opdracht kon hebben gekregen indien nodig Paul Brenner op te ruimen. Maar ik kwam er niet uit, dus ik zette het uit mijn gedachten. Hoewel niet helemaal.

De weg dook weg naar een hooglandvlakte en ik zag de *longhouses* van de Montagnards in de heuvels. Een wind waaide over het open land vanuit het noordoosten, dus ik moest tegendruk geven door tegen de zijwind aan te leunen. Daarbij was het gaan regenen en ik ging langzamer rijden om te kijken wat er voor me reed.

Een andere gedachte over het onderwerp van deze heel vreemde missie, was: waarom ik? Er waren beslist meer enthousiaste types bij de CID die stonden te trappelen om hun leven te riskeren en naar Vietnam te gaan, en die wisten hoe ze bevelen moest opvolgen.

Maar misschien had Karl het goed uitgekiend dat Paul Brenner de man was die ze nodig hadden. Het meest voor de hand liggende voordeel van mij, was mijn niet-overheidsgebonden status, waardoor iedereen een heleboel plausibele ontkenningen kreeg als de zaak misliep. En ik was er zeker van dat Susan al evenmin op een loonlijst van de overheid stond, en zij had alle eigenschappen die noodzakelijk waren voor de missie in Vietnam: kennis van het land, de taal en de cultuur; Vietnam-kennis die de inlichtingendiensten van Amerika de afgelopen kwart eeuw waren vergeten. Bovendien was ze een vrouw en daardoor minder verdacht voor de Vietnamezen, die weinig hoog opgaven over vrouwen.

Ik denk dat het er op papier allemaal wel goed uitzag, maar het probleem bleef bestaan dat agenten van tegengestelde seksen weleens op elkaar konden vallen. Het was met mij en Cynthia gebeurd. Maar Karl had zijn collega's ervan overtuigd dat Paul Brenner verliefd was op Cynthia Sunhill, en dat Paul een monogame man was die een goede, hoewel niet perfecte staat van dienst had en zijn pik tijdens zijn werk wel in zijn broek kon houden. Bovendien was Susan Weber heel dik met Bill Stanley, afdelingshoofd van de CIA in Saigon.

De laatste gedachte was dat Karl echt om me gaf en dit voor mij wilde, omwille van mijn carrière en om persoonlijke redenen, die voor een deel te maken hadden met mijn gespannen relatie met Cynthia. En wat Cynthia betrof, had ik geen idee wat zij wist, of wat haar was verteld, maar ik zou er de helft van mijn pensioenuitkering op ingezet hebben dat ze het met miss Weber niet over miss Sunhill hadden gehad.

We kwamen door een klein agrarisch stadje, dat zelfs bewegwijzerd was, en dat Yen Chau heette. Aan weerszijden van de weg was een grote markt van eigen producten en de mensen leken voornamelijk Montagnards in traditionele kledij. Onder de afdaken van de kramen stonden een heleboel auto's geparkeerd, en de chauffeurs ervan stonden met elkaar te praten en keken naar de regen terwijl ze rookten. Aan de overkant van de weg stond een groene militaire jeep met zijn voorkant naar me toe, maar de canvas kap zat eroverheen en de twee mannen binnen rookten en keken naar niemand.

Ik reed verder.

De weg maakte een paar spannende draaien en bochten en ik moest langzaam blijven rijden zodat we niet uit zouden glijden. De ravijnen waren zo diep dat ik nog aan het vallen zou zijn als de geldigheidsdatum van mijn visum al voorbij was.

We kwamen door een klein Montagnard-dorp waar een brug van hout en staal over een door de regen gezwollen rivier lag.

Ongeveer een uur daarna nam de regen af en zag ik tekenen van beschaving voor me. Susan zei tegen me: 'Son La, recht vooruit. Provinciehoofdstad.'

We reden het stadje Son La binnen, dat eruitzag als een stad uit het Wilde Westen en zich uitstrekte langs de hoofdstraat. Er waren een paar pensions en cafés aan weerszijden van Route 6, die hier heel smal was. Een vaal geworden bord wees in het Frans naar een zijweg en erop stond: *Pénitentiaire*. De Fransen wisten echt hoe je een paar naargeestige gevangenislocaties kon kiezen. Ik bedoel, deze plek deed Duivelseiland eruitzien als Tahiti.

Veel bewoners van Son La bleken Montagnards in moderne kledij, en veel van hen droegen alpino's. Aan de zijkant van de weg stond een oude Franse kilometerpaal waarop stond: *Dien Bien Phu, 150 km*. Ik keek op mijn benzinemeter en schatte dat ik nog voor ongeveer honderd kilometer benzine had, misschien minder.

Susan vroeg me: 'Wil je stoppen voor benzine?'

'Nee.'

We reden verder door de buitenwijken van Son La. Het ministerie van Publieke Werken kwam dong te kort en de weg werd een dunne mix van modder en asfalt. Ik slipte veel, de wielen draaiden veel door, en de weg liep alleen nog maar naar boven.

We reden weer de hoge heuvels in en de weg werd steiler en smaller. Voor me was een muur van mist die ik binnenreed. Het rijden door de bergmist was surrealistisch en ik liet mijn verbeelding de vrije loop; het leek op vliegen op een motor door een turbulente lucht.

Susan zei: 'Dit is de Pha Din-pas. Ik moet er even af.'

Ik stopte op de weg en we stapten af. Ik duwde de motor naar de rand van een ondiepe beek en trapte de standaard naar beneden.

Susan en ik maakten gebruik van het toilet. We zaten onder de modderspatten en we wasten ons een beetje in ijskoud water dat langs de zijkant van de rotsen naar beneden liep en daarna dronken we er iets van.

Susan bood me de zak van cellofaan met gedroogd fruit en ik schudde mijn hoofd. Ze at een paar vruchten en stak vervolgens een sigaret op.

Ze zei tegen me: 'Als je niet tegen me praat, of als je de pest aan me hebt, dan had je me moeten laten gaan.'

Dat was waar, maar ik gaf geen antwoord.

Ze zei: 'Ik heb je het pistool gegeven. Wat kan ik nog meer doen om je vertrouwen te winnen?'

'Heb je nog andere wapens bij je?'

'Nee.'

Ik wilde haar vragen of van haar werd verwacht mij overhoop te knallen als ik een probleem werd, maar ik kon me er niet toe zetten die vraag te stellen, en ik zou zeer zeker geen oprecht antwoord krijgen.

Ze zei: 'Wil je praten?'

'Dat hebben we gedaan.'

'Goed.' Ze gooide de sigaret in het riviertje, stak me vervolgens de zak van cellofaan toe. Ze zei: 'Ik ga niet verder voordat je wat gegeten hebt.'

Ik hou niet van fruit, zelfs niet van gedroogd fruit, maar ik begon een beetje licht in mijn hoofd te worden, misschien door de hoogte. Ik nam de zak aan en at een paar vruchten. Ik zei: 'Laat me de kaart even zien.'

Ze gaf me de kaart en ik bestudeerde die.

Ze vroeg: 'Hoe staat het met de benzine?'

Ik antwoordde: 'Hier vandaan is het voornamelijk nog heuvelafwaarts.'

Ze kwam naast me staan en keek op de kaart. Ze zei: 'Er moet benzine te krijgen zijn in Tuan Giao, waar Route 6 naar het noorden draait en die andere weg naar het zuiden leidt, naar Dien Bien Phu.'

'Zoiets dacht ik ook. Klaar om te gaan?'

'Ik wil nog een sigaret.' Ze stak er weer een op.

Ik wachtte.

Ze zei: 'Als je niet van me houdt of me niet vertrouwt, spring ik van deze steile rots.'

Ik antwoordde: 'Dit is geen steile rots en ik ben niet in de stemming voor je betoverende charmes.'

'Heb je de pest aan me?'

'Nee, maar ik baal van je.'

'Kom je er wel overheen?'

'Laten we gaan.' Ik stapte op de motor.

'Hou je van me?'

'Waarschijnlijk wel.' Ik startte de motor.

'Vertrouw je me?'

'Helemaal niet.'

Ze gooide haar sigaret neer en zei: 'Goed. Laten we gaan.'

Ze stapte op, ik zette me af en trapte de motor in de versnelling.

We reden verder over de pas en het zicht was in de mist minder dan drie meter. Ergens kwamen we op een recht stuk dat naar beneden liep en ik zette de motor in zijn vrij om benzine te sparen. Zelfs in zijn vrij reden we te snel en ik moest mijn voet op de achterrem houden.

Ik zag een stel naderende gele koplampen, en binnen een paar seconden verscheen er een legerjeep uit de mist. Het enige dat iemand van onze gezichten kon zien, waren onze ronde ogen, maar zelfs dat kenmerk ging schuil achter een motorbril. Maar de chauffeur keek naar ons en ik had het idee dat het nieuws bekend was geworden van de vermeende FULRO-aanval op de legerjeep in de buurt van de Laotiaanse grens. Dat soort dingen haalden nooit het nieuws, maar ik dacht wel dat het vaker gebeurde dan de Vietnamezen toegaven, en de legerjongens waren heel alert en behoedzaam.

De jeep ging langzamer rijden en de man naast de bestuurder hield zijn AK-47 in de aanslag. Ik dacht dat hij de weg zou blokkeren, dus ik hield een hand op de rem en de andere klaar om het pistool te pakken dat in mijn riem stak.

De jeep kwam bijna volledig tot stilstand en zag ons voorbijrijden. Ik telde tot vijf, zette toen de motor in de versnelling en gaf gas. Ik doofde ook de lichten, waardoor het eigenlijk makkelijker werd door de mist te kijken. Ik versnelde tot tachtig kilometer per uur, wat veel te snel was voor de weg of het slechte zicht. In wezen vloog ik in den blinde, vertrouwend op mijn niet-bestaande geluk en mijn gevoel over hoe deze weg draaide. Het sierde Susan dat ze niets zei, en toonde hoezeer ze me vertrouwde, of misschien hield ze haar ogen dicht.

Ik keek in de zijspiegel, maar ik zag geen gele mistlampen achter me.

Binnen een halfuur reden we de mist uit en zag ik een draaiende weg door beboste heuvels lopen.

Ik was nog nooit op zo'n godvergeten plek geweest, ook in de oorlog niet, en ik zag dat er geen enkele ruimte bestond voor ook maar één verkeerde beoordeling; er was maar één misser voor nodig om een einde aan deze reis te maken.

Ik schakelde naar de derde versnelling en we reden verder door het bos. Ik keek op de benzinemeter en zag dat we bijna leeg waren. Ik had erop gerekend wat te dure benzine te kopen van een langskomende auto of vrachtwagen als ik zonder kwam te zitten, omdat ik wist dat alle auto's jerrycans met benzine bij zich hadden en waarschijnlijk hevels. Maar ik scheen de enige idioot op de weg te zijn, buiten de legerjeep, en ik denk niet dat hij me benzine zou hebben verkocht.

Ik hoorde de motor kuchen en ik schakelde over op de reservetank.

Susan hoorde het ook en vroeg: 'Zit je nu op de reserve?'

Ik knikte.

Ze gaf me geen advies of kritiek over mijn benzinebeheer.

Ongeveer op het punt dat de reservetank leeg moest zijn, zag ik verderop bewerkt land en een paar hutten.

Binnen een paar minuten bereikten we het stadje Tuan Giao dat op de splitsing lag van Route 6 die naar het noorden, naar China, afboog en een andere weg die naar het zuiden, naar Dien Bien Phu, liep.

Ik zag een bord waarop stond: *Et-xang*, en ik zei tegen Susan: 'Wij zijn Frans.'

We deden allebei onze Montagnard-sjaals en onze leren petten af en propten die in onze jacks, terwijl ik in de richting van het bord reed.

Onze benzine was op voordat we het zogenaamde benzinestation hadden bereikt, en Susan en ik duwden de motor de laatste honderd meter.

De *et-xang*-nering bestond uit een modderig terrein en een afbrokkelend witgestuukt gebouw waarin flessen en blikken benzine in alle afmetingen, vormen en inhoud stonden.

De eigenaar was een oude Vietnamees die ingepakt was alsof het sneeuwde en hij glimlachte toen hij twee westerlingen de BMW door de modder zag duwen. Hij zou de vader van Gladjanus kunnen zijn.

Susan zei tegen de oude baas: *'Bonjour, monsieur.'*

Hij antwoordde: *'Bonjour, mademoiselle,'* wat heel aardig was gezien haar leeftijd.

Veel meer viel er niet te zeggen; de man had er geen moeite mee te bedenken dat we zonder benzine zaten en hij begon benzine uit diverse containers door een trechter in de BMW-tank te gieten. Hij stak twee, drie vingers in de lucht en zei onder het schenken in het Frans: *'Litres.'* Met zijn telling kwam hij op veertig liter, meer dan de tank kon bevatten en ik stopte hem.

De prijs kwam overeen met ongeveer anderhalve dollar per liter, wat duur was voor Vietnam, maar ik wist trouwens amper waar we zaten, dus ik betaalde hem in dollars.

Het was kwart over zes 's middags en de zon begon onder te gaan achter de bergen in het westen. De afstanden in dit deel van de wereld waren niet groot, maar de reistijden waren bedrieglijk. We hadden bijna duizend kilometer afgelegd, wat misschien acht uur zou hebben geduurd op een echte weg, maar die ons twee dagen van twaalf uur had gekost en we waren er nog niet eens.

De volgende dag, donderdag, was het officiële einde van de Tetfeestdagen, hoewel die in werkelijkheid tot na het weekend zouden duren. Maar ik had het idee dat we, als we het dorp Ban Hin en het huis van Tran Van Vinh vonden, alleen maar zouden horen: 'O, sorry, jullie zijn hem net misgelopen. Hij is op terugreis naar Saigon, waar hij tegenwoordig woont. Hij beheert het Rex Hotel.' Of zoiets.

Susan zei tegen me. 'Het is leuk om je weer te zien glimlachen. Waar denk je aan?'

'Dat wil je niet weten.'

'Alles wat jou blij maakt, maakt mij blij.'

'Als ik iets in mijn maag zou hebben, zou ik kotsen.'

'Doe niet zo naar tegen me.'

'Stap op.'

We stapten op en reden naar het zuiden. Ik zag een betonnen kilometerpaal met erop: *Dien Bien Phu, 81 km.*

We waren nu westerse toeristen, op weg om het Franse equivalent van Khe Sanh en de A Shau-vallei te zien, de Vietnamese versie van Yorktown, Thermopylae, Armageddon en tientallen andere Laatste en Uiteindelijk Slagvelden die in werkelijkheid slechts de ouverture waren bij de openingsbeelden van de volgende oorlog.

En wat mijn pistool dragende, sigaretten rokende vriendin achter me betrof, moest ik zien uit te vinden of ik daar een beschermengel had zitten of iets dat gevaarlijker was. Pistolen zijn net kakkerlakken; als je er een ziet, zijn er meer. Of, als ik haar wat meer vertrouwde, dan zou het laatste rondje bekentenissen van miss Weber de hele waarheid en niets dan de waarheid zijn.

De weg was slecht, dus ze sloeg haar armen om me heen. Ik was nog steeds behoorlijk pissig, maar niets is zo goed om alle pis en azijn uit je lijf te halen als honger en vermoeidheid. Deze dame kon rijden, ze kon schieten en ze kon zich redden, en ik had al voldoende vijanden in dit deel van de wereld om me zorgen te maken, dus ik gaf haar een klopje op haar hand.

Ze wreef over mijn buik en zei: 'Zijn we weer vriendjes?'

Ik antwoordde: 'Nee, maar ik hou van je.'

Ze kuste me in mijn nek. En ik moest denken aan een heel grote kat met heel lange tanden die een gevangen antiloop likte voordat hij hem de nek brak.

41

Op ongeveer veertig kilometer voor Dien Bien Phu werd de weg bij het naderen van de stad slechter in plaats van beter. Wat is er mis met dit land? Er was nergens een reflecterende pijl of reflecterend wat ook te zien, de grondmist werd dichter en verstrooide het licht van mijn koplamp en ik begon gedesoriënteerd te raken.

Susan zei: 'Paul laten we stoppen en hier slapen.'

'Waar?'

'Híer. Aan de kant van de weg.'

'Ik zie geen kant van de weg.'

We reden door, met een gemiddelde snelheid van ongeveer vijftien kilometer per uur, en de motor begon te slingeren bij lagere snelheden. Ongeveer twee uur later, terwijl we tien kilometer per uur reden, opende zich naar beide zijden van de weg een vallei. De weg begon aan een afdaling en binnen een kwartier bereikte die een brede, open vlakte. Ik zag niet echt veel van de vlakte, maar ik kon hem voelen en ik zag overal lichten om me heen. Er was een opening in het wolkendek gekomen en het zwakke maanlicht en licht van de sterren reflecteerden op wat ik aanvankelijk als een meer zag, maar toen herkende als een reeks rijstvelden. Destijds, in 1968, kregen een heleboel valleien in Vietnam de bijnaam Blije Vallei omdat GI's op patrouille blij waren de vallei te zien. Dit was Blije Vallei.

De weg draaide scherp naar rechts en aan weerskanten stonden hutten. Het duurde even voordat ik besefte dat ik in de stad Dien Bien Phu was. Ik zag links een verlicht bord waarop stond: *Nga Luan Restaurant* en rechts van me een gebouw dat het Dien Bien Phu Motel heette. Dit leek allemaal een spookbeeld en ik dacht dat ik van de rotsen gereden was en nu in de Vietnamese hemel verkeerde. Ik zei: 'Het Dien Bien Phu Motel ziet er fantastisch uit.' We reden naar het kantoortje van het motel in het midden van een lang gestuukt gebouw en stapten af. Ik rekte me uit en merkte dat mijn spieren nergens mee verbonden waren of niet werkten. Ik had zelfs moeite met het lopen naar het kantoortje en ik dacht dat ik op mijn gezicht zou vallen. Ik kon zelfs mijn leren handschoenen niet uittrekken.

Voor we naar binnen gingen, zei Susan tegen me: 'Ze zullen onze paspoorten en visums willen hebben; ze nemen in het noorden geen genoegen met een weigering en ook nemen ze in plaats daarvan geen tien dollar aan.'

'Nou, we zijn Amerikanen. Dat maakt van ons geen boeven.'

Ze zei: 'Uiteindelijk worden onze namen naar het ministerie van Openbare Veiligheid in Hanoi gestuurd en daar komt een dossier dat we hier zijn geweest.'

'Ik begrijp het. Maar ik denk dat wij eerder in Hanoi zijn dan onze namen. We zitten op de laatste etappe van onze reis, maar als je wilt, kunnen we onder de sterren slapen.'

Ze dacht een ogenblik na en ik zag nu de goed opgeleide beroeps, die de risico's tegen elkaar afwoog. Ze zei: 'Laten we een kamer nemen.'

'Neem hem voor vier nachten, zodat ze denken dat we hier een tijdje blijven hangen.'

Ze antwoordde: 'Ze houden onze paspoorten tot we uitchecken, dus als we morgen uitchecken, weten ze dat we weer weg zijn. Dit is een politiestaat.'

'Precies. Maar maak er toch maar vier nachten van, en dat zal aan Hanoi gemeld worden. Jij gaat naar binnen. Ze hoeven mij niet te zien.'

'Dat hoeven ze wel. Heb ik niet gezegd dat dit een politiestaat was?'

We liepen naar binnen, naar de kleine receptie. Een vrouw van middelbare leeftijd achter de balie las een krant.

Susan vroeg in het Frans om een kamer en de vrouw leek verrast dat we ons zo laat incheckten. Zij en Susan wisselden slecht Frans, een beetje Engels, een beetje Vietnamees. We moesten onze paspoorten en visums laten zien en de vrouw stond erop die te houden.

Voor tien Amerikaanse dollars per nacht kregen we een sleutel voor Kamer 7. Mijn geluksgetal.

We verlieten het kantoortje en ik reed de motor naar Kamer 7 aan het linkereinde van het motel. Susan maakte de deur open en zei: 'De vrouw zei de motor op de kamer te zetten, omdat we hem anders nooit meer terugzien.'

Ik duwde de motor een kleine kamer binnen en zette hem aan het voeteneinde van het tweepersoonsbed neer.

De kamer had een kleine badkamer en een nachtkastje, een lamp, en een klerenhaak die aan kettingen aan het plafond hing en die leek op een trapeze voor seksueel avontuurlijke koppels.

We haalden onze rugzakken uit de zadeltassen en legden die op het bed. Daarna liep Susan de badkamer in, zette de elektrische boiler aan en waste haar handen en gezicht met koud water. Ze liep vervolgens naar de deur en zei: 'De vrouw zei dat ze voor ons iets te eten zou halen. Ik ben zo terug.'

Ze vertrok.

Ik ging op het bed zitten en deed mijn sportschoenen uit, trok vervolgens mijn natte sokken uit. Ik werkte me uit mijn leren jack en handschoenen en stopte de Colt .45 onder het kussen. Ik keek om me heen. Ik wist ergens diep vanbinnen dat dit een vreselijk motel was, maar op dit moment leek het voor mij op het Ritz-Carlton in Washington.

Susan kwam terug met een bamboeblad waarop bamboemandjes stonden die, toen we ze open hadden gemaakt, kleffe stoomhapjes bleken te bevatten. Ze zette het blad op het bed. Op het blad stonden ook kommen koude rijst, eetstokjes en een fles water.

We knielden naast het bed neer en aten de stoomhapjes en rijst met onze vingers. Het kostte ongeveer dertig seconden om het spul weg te werken en het water kostte ons nog minder tijd.

Susan gaf als commentaar: 'Ik denk dat je meer honger had dan je dacht.' Ze voegde eraan toe: 'Het vlees was stekelvarken. Geen grap.'

'Al was het hond geweest.'

Ze glimlachte, zette het blad op de vloer en trok haar natte, modderige kleren uit. Onder het uitkleden zei ze: 'De vrouw bij de receptie was heel verbaasd dat we 's nachts op een motor over de bergen zijn gekomen.'

'Ik ook.'

'Ze zei dat ze nog nooit iemand zo laat had ingecheckt, en ze stond op het punt de lichten uit te doen en te vertrekken. Misschien hebben we enige argwaan gewekt.'

'Alles wat we hier doen, wekt argwaan.'

Susan antwoordde: 'Ik denk dat we nu geen last hebben. Ze zei dat er een paar westerlingen in de stad zaten, hoewel de meesten later in het seizoen komen.'

'Hebben ze hier seizoenen?'

Ze zette haar handen op het klemmetje van haar beha, en keek me toen aan alsof ze wilde zeggen: 'Vind je het wel goed dat ik naakt voor je ga staan? Of zijn we geen geliefden meer?'

Ik stond op en knoopte mijn hemd open. Susan maakte haar beha los, gooide die op de motor en stapte vervolgens uit haar slipje.

Nou, hoe pissig ik ook was, jongeheer Pielemans was helemaal niet zo kwaad. Hij was eigenlijk wel blij, en hij en ik stonden op het punt een meningsverschil te krijgen. Maar mijn grote brein was nagenoeg dood van vermoeidheid en de hersenen van kleine jongeheer hadden de hele reis geslapen, dus ik was geen partij voor zijn onophoudelijke argumenten. Ik trok mijn hemd, broek en onderbroek uit, terwijl jongeheer zich strekte.

We stonden daar in het lamplicht en onze gezichten waren smerig op die plaatsen na waar de motorbrillen en de sjaals hadden gezeten, en onze lichamen waren bedekt met vochtig zweet en wie weet wat nog meer na twee dagen zonder douche.

Susan vroeg me: 'Wil je nog wat doen terwijl het water warm wordt?'

Ik knikte.

Ze sloeg de lakens open die een roodachtige tint hadden van zwaar geoxideerd water.

Susan kroop in bed, rolde zich op haar rug en gebaarde naar me bij haar te komen. Ik stapte in bed, terwijl jongeheer de weg wees.

Ik ging boven op haar liggen en gleed meteen naar binnen. Ik bedoel, ik kon zelfs niet meer lopen of de bewegingen van mijn ledematen sturen, en mijn ruggengraat voelde aan alsof ik een parachutesprong had gemaakt in een betonnen put met dertig kilo bepakking bij me en allemaal verwarde draden; maar ik wilde gewipt worden. Verbazend.

Dus jongeheer was thuis waar hij wilde zijn, maar ik kon die oude in- en uitbeweging niet meer maken. Susan voelde dit en bewoog haar heupen op en neer.

Ik denk dat we tegelijk het hoogtepunt bereikten, of misschien gelijktijdige spiertrekkingen, gevolgd door een korte periode van bewusteloosheid. Toen ik bijkwam, lag ik nog steeds op haar. Ik stapte uit bed en schudde haar wakker.

Ik droeg haar bijna de badkamer in en zette de douche open. Er lag een schijfje zeep op de wasbak, en we stapten samen het kleine hokje van glasfiber in. We lieten het lauwe water over onze lichamen stromen en droogden ons toen af met kleine handdoeken.

We wankelden terug naar het bed en ploften daar naast elkaar neer. Susan geeuwde en vroeg me: 'Hebben we gevrijd?'

'Ik denk van wel.'

'Goed.' Ze geeuwde weer en zei: 'Zijn we vriendjes?'

'Natuurlijk.'

Ze zweeg een tijdje en ik dacht dat ze sliep. Ik draaide de lamp uit.

In het donker vroeg ze me: 'Waar is het pistool?'

'Onder mijn kussen. Blijf af.'

Ze zweeg een tijdje en zei toen: 'Alles wat ik je vertelde over mijn persoonlijke leven is waar.'

'Welterusten.'

'Het andere... nou, welke keuze had ik?'

'Ik weet het niet. Droom lekker.'

Ze bleef stil, zei toen: 'Ik heb een fotoboek bij me, Paul.'

Dit maakte me wakker. 'Een fotoboek van het slachtoffer?'

'Ja. En van de mogelijke moordenaar.'

Ik ging rechtop zitten en deed het licht aan. 'En?'

'Dat is het. Het zijn allebei jonge mannen, in uniform, en de foto's hebben geen onderschriften.'

'Waar zijn de foto's?'

'In mijn rugzak.'

Ik stapte uit bed en maakte aan het voeteneinde haar rugzak open. Ik gooide hem helemaal leeg op het bed, en vond geen tweede pistool waardoor ik een beter gevoel kreeg.

Ik vond het pak foto's, een in vinyl gebonden in plastic gewikkeld album dat op elke pagina een afzonderlijke kiek had zitten. Ik bracht het album naar de lamp en hield hem onder het licht. Ik begon door de pagina's te bladeren en de eerste tien foto's, in kleur en zwart-wit, waren allemaal van dezelfde man in diverse uniformen – in kaki uniform, in Amerikaans werktenue, groen uitgaanstenue en zelfs een in een blauw ceremonieel tenue. Op sommige foto's droeg de man niets op zijn hoofd en op sommige droeg hij een helm of het bij het uniform passende hoofddeksel. Aan de ranginsignes zag ik dat de man luitenant was en hij droeg de gekruiste geweren van de infanterist. Op een foto droeg hij oerwoudkleding en ik herkende het schouderembleem van de Eerste Cavalerie en die van het Militaire Advies Commando Vietnam. Hij was ongeveer vijfentwintig, misschien iets jonger. Hij had kortgeknipt, zandkleurig haar, grote, onschuldige ogen en een vriendelijke glimlach.

Ik wist, zelfs zonder de rang, dat deze jongen geen moordenaar was; hij was het slachtoffer. Hij leek op een heleboel jongens die ik in Vietnam had gekend, die iets in hun lach en hun ogen hadden dat zei dat ze het niet zo lang zouden maken. Echt, de goeden sterven jong, en de hele rest had een kans van fifty-fifty. Ik stelde me voor dat deze foto's van de familie van de man kwamen.

De tweede groep van ongeveer tien foto's toonde een man met kapiteinsbalken. Hij droeg, net als de andere man, het insigne met de gekruiste geweren van de infanterie, en op een paar foto's droeg hij junglekledij met dezelfde twee mouwemblemen als de luitenant.

Ik bestudeerde het gezicht van de man, maar mijn ogen waren troebel en mijn geest sliep half. Toch zat er iets bekends in het gezicht, hoewel ik het gezicht niet in de juiste context kon plaatsen en niets vorm kreeg – behalve dat ik het gezicht kende.

Op een foto droeg de kapitein een groen uitgaanstenue, en met de das om zag het gezicht er nog bekender uit. Hij was een man met een onregelmatig gezicht, donker, militair kortgeknipt haar, donkere, doordringende ogen en een glimlach die gemaakt was, maar die voor oprecht kon doorgaan.

Op zijn groene uitgaanstenue zag ik twee rijen lintjes en ik herkende de meeste ervan, waaronder het Vietnamese Kruis van Moed, zoals dat van mezelf, maar ook de Silver Star, die uitgereikt was wegens moed uitstijgend boven plicht enzovoort, plus de Vietnamese Dienstmedaille, die aangaf dat, net als de medaille wegens moed, deze foto na Vietnam was gemaakt. Deze man had ook het Purple Heart, maar aangezien hij in uniform was en Vietnam achter hem lag, was het geen tot invaliditeit leidende verwonding geweest. Wie de man ook was, hij was thuisgekomen vol eer en glorie en leefde misschien nog, als hij niet was teruggegaan naar Vietnam en zijn geluk hem in de steek had gelaten. Natuurlijk leefde hij nog; daarom was ik hier.

Ik staarde naar de foto van de kapitein in zijn groene uniform en ik keek in zijn ogen, die heel ver weg leken, als de ogen van een man wiens geest elders is. Wie de man ook was, iemand bij de CID en/of de FBI dacht dat hij een moordenaar was.

Ik bladerde weer door de foto's en deze keer concentreerde ik me op de naamplaatjes die op sommige foto's zichtbaar waren. Geen van de naamstrookjes was leesbaar en ik had de duidelijke indruk dat de foto's waren geretoucheerd om de namen onleesbaar te maken. Interessant.

Susan vroeg: 'Komen ze je bekend voor?'

Ik maakte oogcontact met haar en antwoordde: 'Nee. Waarom zouden ze?'

'Nou... Ik dacht dat we het erover hebben gehad dat een van hen nu misschien beroemd was.'

Ik gaf er geen antwoord op, maar zei: 'Misschien kan onze getuige er een of allebei identificeren, hoewel dat een gok blijft.'

Ik legde het fotoboek op het nachtkastje. Ik moest een nachtje over die foto's slapen en misschien wist ik het dan. Ik had het gevoel dat Susan op beide mannen namen kon plakken.

Ik deed het licht uit en viel in bed.

Susan zei iets en ik hoorde een zin die begon met 'Morgen' en eindigde met 'conclusie', wat voor mij een goed moment was om volledig weg te raken.

42

Ik droomde van mijn boerderij in Virginia: buiten mijn raam viel een lichte sneeuw. Ik werd wakker bij zonsopkomst in een totaal andere realiteit.

Susan was wakker en zei tegen me: 'Als we samen teruggingen naar Amerika, denk ik dat we dit allemaal achter ons zouden kunnen laten.'

Ik zei: 'Laten we teruggaan naar Amerika.'

Ze pakte mijn hand en zei: 'En als mensen ons vroegen hoe we elkaar zijn tegengekomen, kunnen we zeggen dat we elkaar tijdens een vakantie in Vietnam hebben ontmoet.'

'Ik hoop niet dat dit jouw idee van vakantie is.'

'Of we kunnen zeggen dat we geheim agenten waren op een gevaarlijke missie en dat we er niet over mogen praten.'

Ik ging rechtop zitten. 'We moeten weg.'

Ze gaf me een kneepje in mijn hand en zei: 'Als er iets met me gebeurt en jij komt hieruit, zul je dan mijn familie opzoeken en hun hierover vertellen? Over... de afgelopen paar weken...?'

Ik gaf geen antwoord. Ik had die belofte in 1968 aan drie jongens uit de buurt van Boston gedaan en één had het niet gehaald, dus toen ik thuis was, hield ik me aan mijn belofte en bezocht de ouders in Roxbury, en het waren de langste twee uren van mijn leven. Ik was echt veel liever terug geweest in de oorlog dan daar. Mam, pap, twee jongere broers en een zustje, van ongeveer vier jaar die me maar bleef vragen waar haar broer was.

'Paul?'

Ik zei: 'Ik zal het doen. Doe hetzelfde voor mij.'

Ze ging rechtop zitten en kuste me, stapte vervolgens uit bed en liep de badkamer in.

Ik kleedde me aan, bracht toen al onze spullen in orde en stak het pistool achter tussen mijn riem.

Susan kwam uit de badkamer. Terwijl ze zich aankleedde, vroeg ze me: 'Wat is het plan?'

'We zijn Canadese toeristen en kijken wat rond.'

We lieten de motor in de kamer en liepen het motel uit naar de straat, de weg waarover we hierheen waren gekomen.

Het was koel en deels bewolkt, en in het daglicht zag ik dat de meeste huizen in de Frans koloniale stijl waren gebouwd en omgeven waren door weelderige tuinen. Er liepen en fietsten tientallen mensen over de onverharde weg. De mannen droegen tropenhelmen. Zoals de Noord-Vietnamese soldaten hadden gedaan in 1968, en die helmen joegen nog steeds een huivering langs mijn ruggengraat. De Vietnamese vrouwen droegen taps toelopende strooien hoeden, en de Montagnards, die het merendeel van de bevolking leken uit te maken, droegen de traditionele kledij van ten minste twee afzonderlijke stammen.

Gezien de afstand naar de omliggende bergen, was deze vallei groter dan Khe Sanh of A Shau.

We liepen de weg af en kwamen langs een lage heuvel aan de linkerkant waarop een oude Franse tank stond. We liepen verder en kwamen langs een legermuseum en een grote militaire begraafplaats, gingen vervolgens rechtsaf bij een bord waarop twee gekruiste zwaarden stonden, het internationale symbool van een slagveld.

Onder het lopen zag ik een bunker met een houten bord in het Frans, het Vietnamees en in correct Engels. Op het bord stond: *Hier is de bunker van kolonel Charles Piruth, commandant van de Franse artillerie. Op de tweede avond van de strijd verontschuldigde kolonel Piruth, die besefte dat hij omsingeld was door een overweldigende Vietminh-artillerie, zich persoonlijk bij alle artilleristen, ging vervolgens deze bunker in en pleegde zelfmoord met een handgranaat.*

Ik staarde naar de bunker, die open was, en nam aan dat ze de troep hadden opgeruimd.

Susan zei tegen me: 'Ik denk niet dat ik het begrijp.'

Ik antwoordde: 'Ik denk dat je erbij geweest moet zijn.'

Ik keek naar de heuvels die deze vallei omringden en dacht dat ik het misschien begreep. De Fransen waren uit op een zorgvuldig geplande operatie, zoals de Amerikanen in Khe Sanh, en ze kwamen hier, midden in niemandsland, om de communisten tot een gevecht uit te lokken. Ze kregen meer dan waarop ze gerekend hadden. Het kan weleens verkeerd lopen.

Susan nam een foto en we liepen verder. We staken een brug over een kleine rivier over die door de vallei stroomde. Aan de andere kant van de brug stond een monument ter herinnering aan de Vietminh-verliezen, neergezet op een Frans bolwerk dat Elaine heette.

Er liepen kleine groepjes westerse toeristen rond, allemaal met een gids.

We volgden een groep die rechtsaf een landweg op ging. In groentetuinen stonden een paar verroeste tanks en stukken artillerie, en er waren een paar borden te zien in het Frans en Vietnamees.

We bereikten een grote bunker waar een groep omheen stond. Het bord bij de bunker gaf aan: *Dit is de bunker van generaal Christian de Castries, commandant van de Franse strijdkrachten, en de plaats van de Franse overgave.*

Een Vietnamese gids hield een praatje in het Frans voor tien mannen van middelbare leeftijd en een paar vrouwen. Ik vroeg me af of iemand van hen een overlevende was van deze plek. Een oudere man, merkte ik, had tranen in zijn ogen, dus ik denk dat dat het antwoord was op mijn vraag.

Een jonge Vietnamese man kwam naar ons toe en zei iets in het Frans. Ik zei: *'Je ne parle pas français.'*

Hij leek verrast, nam ons op en vroeg: 'Amerikanen?'

Ik antwoordde: 'Canadezen', dat, zoals me is geleerd, een goede dekmantel is voor Amerikanen in bepaalde delen van de wereld waar Amerikanen niet erg gewaardeerd werden. De hemel zij dank voor Canada.

De man sprak Engels en vroeg: 'Komt u slagveld zien?'

Denkend aan mijn vele dekmantels antwoordde ik: 'Ja. Ik ben militair historicus, botanist en naturalist. Ik verzamel vlinders.'

Susan glimlachte in plaats van haar ogen ten hemel te slaan. Ik denk dat ze de oude Paul Brenner gemist had en dat ze blij was dat hij nu weer terug was.

De gids zei: 'U geeft me alstublieft een dollar en ik vertel u over veldslag.'

Susan gaf de man een dollar en het leek op het doen van kwartjes in een jukebox. Hij begon een babbel die nauwelijks te begrijpen was, en als hij vastliep op een Engels woord, gebruikte hij Frans, en als het Frans een probleem werd, gebruikte hij Vietnamees.

Waar het eigenlijk op neerkwam, was dat in begin 1954 tienduizend soldaten van een Frans leger, waaronder het vreemdelingenlegioen en ongeveer drieduizend Montagnards en Vietnamese koloniale troepen, in deze vallei een rij van bolwerken opzetten, allemaal vernoemd naar vrouwen die minnares waren geweest van de Franse generaal. Er waren zeven bolwerken en ik was meteen onder de indruk van de Franse generaal.

De gids maakte wat waarschijnlijk een standaardgrap was en zei:

'Misschien meer minnaressen, maar hij had niet genoeg soldaten.'
   'Die zit.'
   De gids ging een tijdje door en de hele treurige geschiedenis leek
een heropvoering van Khe Sanh, behalve dat de Fransen niet het lucht-
potentieel hadden om de overweldigende krijgsmacht van vijftigduizend Vietminh-soldaten te neutraliseren, geleid door generaal Vo
Nguyen Giap, dezelfde man die het beleg van Khe Sanh en het Tet-
offensief van 1968 had opgezet, en aan wie ik een hekel begon te krijgen, of die ik misschien wel begon te bewonderen.
   De gids zei: 'Mannen van generaal Giap vervoeren vele honderden
kanonnen door de heuvels en omsingelen Dien Bien Phu. Schieten vele duizenden granaten af op de Fransen. Franse kolonel doodt zichzelf
als duizenden granaten neerkomen. Hij erg verrast.'
   Ik keek naar de heuvels waar ik de vorige avond doorheen was gereden. Ik zou ook verrast zijn geweest. Ik had nauwelijks mijn motor
hier weten te krijgen; honderden stukken geschut zouden echt een uitdaging zijn.
   Er was iets met de Vietnamezen waardoor ze ongelooflijk geduldig,
ijverig en volhardend waren. Ik dacht aan de Ho Tsji Minh-route, de
Cu Chi-tunnels, het verslepen van honderden stukken artillerie over
terrein waar te voet al nauwelijks doorheen te komen is. Ik vroeg onze
gids: 'Hebben ze hier tunnels en loopgraven gemaakt?'
   'Ja, ja, vele, vele kilometers – *les tranchées*. Ziet u daar? *Les tranchées*. Vietminh-soldaten graven dichtbij, vallen Elaine aan, Ann-Ma-
rie, Françoise, Dominique, Gabrielle, Beatrice, Claudine.'
   Ik zei tegen Susan: 'Ik zou een fort naar jou vernoemen. Bolwerk
Susan.'
   De gids verstond het en glimlachte beleefd. 'Ja? U noemt fort naar
deze dame?'
   Susan was weer terug bij het ogen ten hemel slaan en gaf geen antwoord.
   De gids liet ons weten dat de Fransen nog eens drieduizend para-
troepers in Dien Bien Phu hadden gedropt om het omsingelde leger te
redden. Maar uiteindelijk waren na twee maanden alle dertienduizend
Fransen en koloniale troepen gedood, gewond of gevangengenomen,
en de Vietminh, volgens onze gids, hadden de helft van hun vijftigduizend man verloren, maar de oorlog gewonnen. Hij zei: 'Franse volk
heeft genoeg oorlog. Franse soldaten gaan naar huis.'
   Dit verhaal had een bekende klank, alsof het 1968 was in plaats van
1954, en aangezien niemand in Washington ook maar iets had geleerd
van Dien Bien Phu, zou je naar mijn mening kunnen stellen dat de

Amerikaanse oorlog in Vietnam op deze plaats was begonnen.

De gids zei: 'Hier lagen tweeduizend Franse soldaten...' Hij maakte een vegend gebaar met zijn arm om de groentetuinen aan te geven waar waterbuffels liepen en vrouwen met schoffels bezig waren. 'Franse volk maakte monument daar. Ziet u daar? Veel Fransen komen het zien. Sommige Amerikanen komen ook. Ik ontmoet nooit Canadese mensen. U vindt mooi?'

Ik dacht dat ik de afgelopen twee weken wel genoeg slagvelden had gezien voor de rest van mijn leven. Desalniettemin voelde ik een band met de mannen die hier gevochten hadden en waren gestorven. Ik zei: 'Interessant.'

Vandaag was donderdag en zondag zou ik in Bangkok zijn. Ik voelde me wat de meeste kortverbanders voelen die nog vier dagen te gaan hebben en die dagen aftellen: paranoïde. Ik herinnerde me dat mijn pelotonssergeant een paar dagen voordat ik het land zou verlaten en naar huis zou gaan zo aardig was me te vertellen: 'Hoop er niet te veel op, Brenner. Charlie heeft nog steeds tweeënzeventig uur om je naar de kloten te helpen.'

Susan gaf de gids haar camera en hij nam een foto van ons bij de commandobunker van generaal de Castries. Het fotoalbum zou de titel moeten krijgen: *Mijn Ergste Wintervakantie Ooit*.

De gids vroeg: 'Wilt u alle slagvelden zien? Ik breng u. Een dollar.'

Ik antwoordde: 'Misschien morgen. Hé, wat voor lol valt er in de stad te beleven?'

'Lol? Wat is lol?'

Ik vroeg me af hoe we Tran Van Vinh naar Hanoi moesten krijgen op een motor die voor twee was gebouwd, aangenomen dat hij in leven was en in leven bleef – en ook aangenomen dat ik hem echt naar Hanoi moest brengen, wat ik niet wist, hoewel Susan het wel wist. Het kwam in me op dat Susan misschien alleen zou rijden en zich hierover geen zorgen hoefde te maken. Toch vroeg ik: 'Wat is de beste manier om in Hanoi te komen?'

'Hanoi? U wilt naar Hanoi?'

'Ja. Gaat er een trein? Bus? Vliegtuig?'

'Vliegtuig. Bus heel gevaarlijk. Geen trein. Franse mensen gaan met vliegtuig. Vliegtuig gaat morgen niet, gaat *samedi*. Maar misschien geen plaats voor u. *Biet*?'

'En een auto met chauffeur?'

'Nee. Nu Tet. Geen chauffeur naar Hanoi. *Lundi* gaat chauffeur naar Hanoi. U wilt chauffeur?'

'Misschien. Goed, bedankt voor de geschiedenisles. Viet-volk heel dapper.'

Hij glimlachte bijna, wees toen op zichzelf en zei: '*Ong* hier dood. Begrijpt u? *Grand-père*.'

'Ik begrijp het.'

We lieten de gids achter en liepen over de onverharde weg terug naar de stad. We kwamen langs een uitgebrande tank en een paar Franse bunkers die waren overwoekerd door onkruid. Ik merkte op: 'Op de een of andere manier is dit rustiger en waardiger dan Cong World en DMZ-World.'

Susan antwoordde: 'Het noorden is somberder en minder commercieel. Daarbij hebben ze hier te maken met Fransen die iets waardiger en ernstiger zijn dan sommige landgenoten van ons in Cong World of Apocalypse Now.'

Ik zei: 'Ik ben Canadees.'

Ze informeerde me: 'Ik verstond het Vietnamees van die gids amper. Ze spreken hier een ander dialect.'

Ik had de wantrouwige gedachte dat miss Weber nog iets aardigs voor me in petto zou hebben als we mijn kroongetuige te spreken kregen. Ik zei: 'De geschreven taal is dezelfde, hè?'

Ze aarzelde, antwoordde toen: 'Voornamelijk.'

'Goed. Geef me een pen.'

We bleven lopen en ze vroeg me: 'Wat is nu het plan?'

'Ons gezamenlijke contact in Hué, Mr. Anh, stelde voor dat ik naar de markt ging om met een paar Montagnards te gaan babbelen. Heeft hij je dat niet verteld?'

'Ja.'

'Dat is het plan.'

Ze vroeg: 'Maak je je zorgen over wat er misschien met Mr. Anh is gebeurd?'

'Jawel.'

'Denk je dat hij doorslaat tijdens een verhoor?'

'Iedereen slaat door.'

Ze gaf geen antwoord.

We sloegen een straat in aan de rand van de stad. Er waren daar voldoende westerlingen om niet op te vallen, en het waren voornamelijk mensen van middelbare leeftijd of ouder, en geen rugzaktoeristen, wat een zegen was. Ik zag het busstation links van ons; een oud, gestuukt gebouw met twee ongelooflijk wrakkige bussen ervoor.

Ze zag me naar de bussen kijken en vroeg: 'Waarom vroeg je de gids naar het vervoer naar Hanoi?'

'Misschien moet ik mijn getuige meenemen naar Hanoi. Ik kan niet op de motor gaan, of je moet achter willen blijven.'

Ze veranderde van onderwerp en zei: 'Je moet me nu de naam noemen van het dorpje waar we naar zoeken.'

Als ik haar geloofde, was dit het enige dat ze niet wist, en als ik het haar vertelde, dan had ze me niet langer nodig. Maar de tijd was aangebroken en ik zei tegen haar: 'Het heet Ban Hin. Het is hier vandaan ongeveer dertig kilometer naar het noorden.' Ik voegde eraan toe. 'Als er iets met me gebeurt, ga jij door.'

Ze gaf geen antwoord.

We bereikten de markt, die voor een deel een bestraat gebied was, overdekt door lange rijen afdaken.

Terwijl we over de markt liepen, merkte ik dat niemand ons lastigviel om iets te kopen. Ik zei dit tegen Susan en ze vertelde: 'De kooplui in het noorden zijn niet agressief of opdringerig. Als zakenvrouw vindt ik de Noord-Vietnamezen hopeloos.'

Ik zei: 'Je kunt je dekmantel laten vallen, miss Weber.'

'Ik moet blijven oefenen voor de volgende man met wie ik dit doe.'

Ik keek rond over de markt en zag veel stekelvarkens hangen, naast wezels, eekhoorns en ander smakelijk wild. Ik vroeg Susan: 'Dus wat is ons verhaal? Hebben we familie in Ban Hin? Een correspondentievriend? Zoeken we een plek om ons terug te trekken?'

Ze zei: 'Ik regel het wel.'

Een heel deel van de markt werd ingenomen door Montagnards en hun handelswaar, en we liepen erdoorheen. Susan zei tegen me: 'Ik zie je in pad 8, schrijfbenodigdheden en lampen.'

Ik keek om me heen om te zien of de paden echt een nummer hadden en ze lachte me uit. 'Zoek de theekramen. Daar vind ik je.'

Ik liep door en keek even achterom, zag Susan met gekruiste benen op een laken zitten praten met een paar vrouwelijke Montagnards en wat damesspullen bekijken terwijl ze een sigaret rookte; de verkoopdames rookten wat er ook in hun pijpen mocht zitten. Misschien waren ze minder opdringerig omdat ze apestoned waren.

Ik vond de overdekte kramen met theebladeren in gevlochten manden op de grond. De verkopers waren voornamelijk Montagnards van dezelfde stam en ze waren thee aan het zetten, dus ik kreeg een kom hete thee voor tweehonderd dong, ongeveer twee cent, en nipte ervan. Het was vreselijk, maar het was warm en ik had het koud.

Dit was een vreemde plek en ik was er zeker van dat alle westerlingen hier met georganiseerde groepen waren. Alleen maar een idioot zou hier alleen komen.

Vier soldaten met AK-47's kwamen de theesectie binnen, namen me op en bestelden daarna thee.

Ze stonden op geen drie meter van me vandaan thee te drinken, te roken en zacht te praten. Een van hen bleef me blikken toewerpen. Moest dat nou?

Als ik de Colt .45 niet tussen mijn riem had zitten, zou ik me niet al te veel zorgen hebben gemaakt. Dus als je er een bij je hebt waar je hem niet bij je mag hebben, lijkt het klotewapen onder je kleren almaar groter te worden totdat het in je gedachten zo groot is als een artilleriekanon.

De vier soldaten waren eerder klaar dan ik en liepen weg.

Ik bleef naar mijn hartslag staan luisteren.

Susan verscheen en zette een grote plastic zak neer die vol helder gekleurde kleren zat. Ze bestelde thee, nipte van de kom en zei: 'Dat voelt goed.'

'Hoe is het gegaan?'

'Redelijk goed. Ban Hin is hiervandaan ongeveer dertig kilometer naar het noorden.'

'Dat weet ik. Hoe komen we daar?'

Ze zei: 'Deze Montagnards zijn allemaal Tai en H'mong, ze wonen in de noordelijke heuvels en komen met hun waar lopend naar Dien Bien Phu, of ze nemen soms een pony of de bus die een keer per dag rijdt, en de rijken hebben scooters of motorfietsen.'

'Nee maar. Hoe komen we in Ban Hin?'

'Daar kom ik zo op. Ik heb een vrouw ontmoet die bij Ban Hin woont.'

'Goed. Heeft ze een kaart voor je getekend?'

'Nee. Ze heeft me de richting gegeven. Het probleem is dat zij en haar volk voornamelijk gebruikmaken van paden en eigen routes, dus ze was niet zo duidelijk over de richting. Daarbij kon ik de helft van haar Vietnamees niet verstaan. De Montagnards hebben een erger accent dan de Noord-Vietnamezen.'

'Ga terug en laat de richting opschrijven.'

'Ze zijn analfabeet, Paul.'

'Laat haar dan een kaart tekenen.'

'Ze begrijpen het concept kaart niet. Kaarten zijn abstract.'

'Voor jou en haar misschien. Niet voor mij.'

'Rustig nou maar. Ik denk dat ik haar aanwijzingen wel kan volgen.'

Ik dacht over dit alles na. Mr. Anh had heel duidelijk gezegd een etnische Vietnamees niets te vragen, omdat ze naar de smerissen zouden rennen als ze dachten dat je iets van plan was. Montagnards waren prima omdat ze op zichzelf waren. Maar Mr. Anh had niet gezegd dat ze anders spraken, paden namen in plaats van wegen, analfabeet waren en nog nooit in hun leven een kaart hadden gezien. Kleine probleempjes, maar Susan meende de weg naar Ban Hin te weten.

Ik vroeg haar: 'Wat vertelde je haar als reden om naar Ban Hin te willen?'

'Ik zei dat ik had gehoord dat ze daar prachtige sieraden maakten.' Susan voegde eraan toe: 'Vrouwen onder elkaar.'

Ik sloeg mijn ogen ten hemel, maar ik kan dat niet zo goed, en het ontging Susan.

Ze zei: 'Ze zei dat Ban Hin een Vietnamees dorp was en niet van de Montagnards, zoals we waarschijnlijk wel wisten, en dat Vietnamezen lelijke sieraden maakten, plus dat ze nooit had gehoord dat er in Ban Hin sieraden gemaakt werden.'

Ze was klaar met haar thee, liep vervolgens naar andere kramen en kocht wat flessen water, rijstkoeken en bananen. Ik zocht naar een tacokraam.

We verlieten de markt met plastic tassen en liepen naar het hotel, honderd meter verderop aan het pad. We gingen Kamer 7 in, pakten onze spullen in de zadeltassen van de BMW, en ik duwde de motor de kamer uit naar de receptie.

Binnen checkten we uit en kregen onze paspoorten en visums terug. Ik hoopte dat ze nog geen kopieën naar het ministerie van Openbare Veiligheid hadden gefaxt, maar ik zou het niet vragen.

Er zat een man achter de balie en hij vroeg me: 'Waar gaat u nu heen?'

Ik antwoordde: 'Parijs.'

Susan zei tegen hem: 'We rijden naar Hanoi.'

'Ah. Hoog water, Weg 6. U kunt alleen naar Son La. U wacht in Son La. Twee dagen, drie dagen.'

Ik zei: 'Bedankt voor het verkeer en het weer, makker. Tot het volgende seizoen.'

We verlieten het kantoortje en ik zei tegen Susan: 'Moet ik begrijpen dat Route 6 is geblokkeerd door overstromingen of aardverschuivingen?'

'Zo klinkt het. Volgens Mr. Anh was het heel normaal, maar gewoonlijk komen ze met bulldozers en maken de weg weer in een dag of zo vrij.'

'Wat is er verdomme met dit land aan de hand?'

'Vat het niet persoonlijk op.'

'Goed. Hoe komen we hiervandaan naar Hanoi als Route 6 afgesloten is?'

'Er loopt een andere route langs de Rode Rivier. Komt recht in Hanoi uit.'

'En als we met drie mensen zijn?'

Ze antwoordde: 'Er rijdt een trein langs de Rode Rivier bij een plaats die Lao Cai heet, aan de Chinese grens, ongeveer tweehonderd kilometer noordelijk van hier.'

'Goed. Hoe komen we in Lao Cai met Tran Van Vinh?'

'Misschien met de bus. Laten we ons daar pas zorgen over maken als we in Ban Hin zijn en weten hoeveel mensen we in Lao Cai moeten zien te krijgen. Ook begint de trein pas morgenochtend weer te rijden. Van Lao Cai is het vierhonderdvijftig kilometer naar Hanoi, dus we kunnen het in twaalf uur halen.' Ze keek me aan en zei: 'Mocht ik niet bij je zijn, dan weet je de weg.'

Ik knikte.

Ze zei: 'Als alles mislukt, zoek dan een houttruck naar Hanoi. De enige vragen die ze je stellen, zijn of je tien dollar hebt en of je wat opium wilt kopen.'

'Heeft Mr. Anh je dit allemaal verteld?'

'Ja, maar we zouden het in de reisgids hebben kunnen lezen als je hem niet aan Mr. Anh had gegeven. Als je iemand iets meegeeft om iets door te geven, geef je niet iets dat je nodig hebt. Gebruik een zak pinda's of zoiets. Sliep je tijdens die lessen?'

'Ik ben met pensioen.' Ik vroeg haar: 'Waarom vroeg je hem het boek niet terug toen je hem zag?'

'Ik wist niet dat hij het had.' Ze voegde eraan toe: 'Ook zo'n amateur.'

'En jij?'

'Ik ben een investeringsbankier.'

'Juist.' We stapten op en ik reed naar de weg. Ik ging naar het zuiden, voor het geval iemand keek en ik was binnen een paar minuten Dien Bien Phu uit. Waar de tank stond, ging ik naar de kant. Een bord informeerde me dat dit Dominique was. Ik vroeg me af wat er met al die dames van de generaal was gebeurd en ik vroeg me af of iemand van hen ooit hier was gekomen om haar naamgenoot te zien.

Susan stapte van de motor en opende een zadeltas. We zetten onze met bont gevoerde petten en motorbrillen op, Susan pakte twee donkerblauwe sjaals die ze had gekocht en zei: 'H'mong-stam.'

'Dat weet ik.'

Ze lachte. 'Je lult maar wat.'

We wikkelden de sjaals om onze hals en kin en ze zei: 'Helaas weten de stamvolken hier niet hoe ze verfstof moeten laten hechten, dus je zult blauwe verf op je gezicht krijgen.' Ze liet me haar handen zien waar inderdaad blauwe verf op zat. Niemand in Washington zou deze onzin geloven.

Ik bestudeerde de kaart enige ogenblikken en zei tegen haar: 'Waar ligt Ban Hin?'

Ze wees op een plek op de kaart en zei: 'Ergens hier in de vallei van de rivier de Na. Het staat niet aangegeven, maar ik kan het vinden.'

We keken elkaar aan en ik zei: 'Dit komt allemaal wel goed.'

Ze stapte op de motor, ik draaide het gas open en we scheurden weg.

Ik vond een pad dat door de rijstvelden liep en binnen een paar minuten zaten we op de weg die langs de commandobunker van generaal de Castries liep. Ik vroeg me ook af wat er met hem was gebeurd, en of hij ooit zijn zeven minnaressen had teruggezien. Als ik zeven minnaressen had gehad, zou ik misschien wel besloten hebben in een krijgsgevangenenkamp te blijven zitten.

We reden door de groentetuinen, kwamen langs de verroeste tanks en de stukken artillerie en reden naar het noorden, naar de heuvels en bergen waar we de vorige nacht uit waren gekomen, hoewel via een andere weg, westelijk van de weg die ik naar Dien Bien Phu toe had genomen.

Ik keek op mijn horloge en zag dat het nog geen twaalf uur was. Deze eenbaansweg was onverhard, maar droog, hard aangestampt en niet zo hobbelig tussen de wielsporen, dus ik haalde zonder veel moeite dertig kilometer per uur. Over een uur zou ik, als we niet verdwaald raakten, iemand in Ban Hin vragen of ze een man kenden die Tran Van Vinh heette. De uitkomst van deze dag viel niet te raden.

Deze weg die op de kaart stond aangegeven als Route 12 liep door de Na-vallei, die op de meeste plaatsen niet eens breder was dan vijfhonderd meter. De rivier was smal, maar stroomde snel, en de weg was in feite niets anders dan een rivierdijk naast de rivier.

De heuvels werden hoger en staken hoog boven de vallei uit die op sommige plaatsen niet meer was dan een bergengte. Waar de vallei zich weer verbreedde lagen overstroomde rijstvelden en stonden aan weerskanten van de weg boerenhutten. De paar mensen die we zagen leken etnische Vietnamezen in traditionele zwartzijden pyjama's en conische strooien hoeden die op ongeveer dezelfde manier als ze dat op de kustvlakten deden rijstvelden bewerkten, maar heel ver van hun voorouders vandaan.

De heuvels waren hier meer dan tweeduizend meter hoog en een voortdurende tegenwind waaide vanuit het noorden door de tunnel-achtige vallei. Susan en ik moesten ons naar voren buigen om niet van de motor geblazen te worden.

Niemand werkte in de rijstvelden en er was geen verkeer op de een-baansweg. Ik dacht eraan dat het de laatste dag van Tet was, en dat mensen thuisbleven, inclusief, hoopte ik, Tran Van Vinh. De Vietna-mezen die hadden gereisd om het huis van hun voorouders te bereiken, zouden pas morgen of de dag erna weer op de weg zitten. Het kwam in me op dat Tran Van Vinh natuurlijk nog een vroeger voorouderlijk huis aan de kust kon hebben, en dat hij daarheen zou zijn gegaan met Tet. Maar als dat het geval was, zou ik hem te pakken krijgen op zijn weg terug naar Ban Hin, hoewel daarmee mijn tijdschema onder druk zou komen te staan. Ik wilde zondag echt in Bangkok zijn, of ergens anders dan in Vietnam. Maar ik wist dat ik zou blijven tot Mr. Vinh en ik met elkaar gesproken hadden.

In de heuvels zag ik de Montagnard-huizen vervaarlijk aan de vrij-gemaakte bergkammen kleven, en het trof me dat twee heel verschil-lende beschavingen in dezelfde omgeving, hoewel loodrecht op el-kaar, konden bestaan.

Ongeveer een uur nadat we waren vertrokken, zag ik op de kilome-terteller dat we dertig kilometer hadden afgelegd. 'Wat zeggen jouw aanwijzingen?'

'Ban Hin is op deze weg.'

'Echt? Jij laat het ingewikkeld klinken.'

'Soms wil je me achterlaten dus ik moet klinken alsof ik van on-schatbare waarde ben.'

Ik gaf geen antwoord op die interessante verklaring, maar zei tegen haar: 'Zie je die hut daar? Ga hun naar Ban Hin vragen.'

'We praten alleen met Montagnards. We zijn niet zo ver gekomen om het op het laatste moment te verknallen.'

'Je hebt gelijk.' We reden langzaam verder naar het noorden over Route 12. Ongeveer tien minuten daarna zagen we drie jongemannen, Montagnards, op pony's op ons af komen rijden.

Ik stopte de motor en zette hem uit.

Terwijl de Montagnards dichterbij kwamen, zag ik dat hun kleine paarden ongezadeld waren, zoals altijd, en dat er zakken met iets over hun ruggen gebonden waren.

Susan en ik deden onze sjaals, petten en brillen af, en Susan stapte af en liep naar de ruiters toe. Ze begroette hen met een zwaai en ze hielden stil, terwijl ze naar haar keken.

Ze sprak met hen en ze knikten. Ze keken naar mij, die nog geen twee minuten eerder zelf nog een Montagnard was geweest, keken toen weer naar Susan. Bijna tegelijkertijd wezen ze alledrie over hun schouder. Zo ver waren we in ieder geval wel.

Susan leek hen te bedanken en wilde net weglopen toen een van hen een greep in zijn zak deed en er iets uithaalde, dat hij aan haar gaf. Ze wuifde en kwam naar me teruggelopen.

De drie ruiters haalden haar in en ze babbelden weer. Ze vonden het blijkbaar leuk wat ze zagen. Ze kwamen langs mij en de motor en salueerden min of meer, waarna ze verder naar het zuiden reden.

Susan kwam naar me toe gelopen en zei: 'Ze waren aardig. Ze hebben me deze huid gegeven.' Ze hield een dierenhuid op van ongeveer een halve meter lengte met zwart bont. Ze zei: 'Volgens mij is het een veelvraat. Jammer genoeg is hij niet geloogd en stinkt hij.'

'Het gaat om het gebaar.' Ik zei: 'Gooi weg.'

'Ik hou hem een tijdje.'

'Waar is Ban Hin?'

'Een eindje verder op de weg.'

'Hoever?'

'Nou... ze meten blijkbaar niet in tijd of afstand. Ze volgen oriëntatiepunten, dus het is het grotere dorp na twee kleinere dorpen.'

'Goed. Stap op.' Ik voegde eraan toe: 'Je hebt blauwe verf op je gezicht.'

Ze stapte op, ik startte de motor en trapte hem in de versnelling. We reden verder zonder onze Montagnard-uitrusting.

Binnen vijf minuten passeerden we een kleine verzameling hutten. Dorpje Een.

Vijf minuten later kwamen we door Dorpje Twee.

Vijf of zes minuten daarna naderden we een groter dorp dat aan de rechterkant van de weg lag. Voor het dorp stonden vier gestuukte bouwsels, een eindje van de weg vandaan, en ik wist dat het eerste een bescheiden pagode was, het volgende een kliniek en het derde een school. Het vierde droeg een rode vlag met een gele ster en er stond een donkergroene militaire jeep voor geparkeerd. Ik wist dat dit te gemakkelijk was gegaan. Ik stopte de motor.

Susan zei: 'Dit is Ban Hin.'

'En dat is een militaire jeep.'

'Weet ik. Wat wil je doen?'

Ik zei: 'Ik ben niet zo ver gekomen om terug te gaan.'

'Ik ook niet.'

Ik reed snel langs de militaire post, vervolgens de goed onderhouden tuin voor de pagode in en reed de motor naar de achterkant, uit het gezicht van de weg en hopelijk van het militaire bouwsel.

Ik zette de motor uit en we stapten af.

Susan zei: 'Goed, hoe wil je vragen of Tran Van Vinh nog leeft en thuis is?'

Ik antwoordde: 'We zijn Canadese, militaire historici, die een beetje Frans spreken. We vragen naar veteranen van het Tet-offensief, gaan vervolgens over op de slag om Quang Tri. We improviseren. Jij bent er erg goed in om mensen voor de gek te houden.'

We pakten onze rugzakken en camera's uit de zadeltassen en Susan liep om naar de ingang van de pagode.

Ik volgde haar de open deuren in en binnen was niemand. In keramische urnen stonden Tet-bloesems, er was een klein altaar aan de andere kant van het raamloze bouwwerk en op het altaar brandden wierookstaafjes.

Susan liep naar het altaar, pakte een wierookstokje en stak het aan, gooide vervolgens een paar dong in een schaal. Tja, je moet er iets voor doen.

Ze draaide zich om en kwam bij me bij de voordeur staan. Ze zei: 'Vandaag is de laatste dag van het Tet-festival, de vierde dag van het Jaar van de Os. We zijn in Ban Hin aangekomen. Laten we Tran Van Vinh gaan zoeken en daarna naar huis gaan.'

We verlieten de pagode en liepen het dorp Ban Hin in.

43

Het dorp Ban Hin was anders dan de tropische en subtropische dorpen van de kustvlakten; om te beginnen waren er geen palmbomen, maar een heleboel dennen en enorme bladerrijke bomen, plus dichte groepen wilde rododendrons die op deze koude februarimiddag in bloei begonnen te komen.

Het dorp was omsloten door een steil oprijzende berg in het oosten, de rijstvelden in het noorden en zuiden en de onverharde eenbaansweg waarover we aangekomen waren.

De boerenhutten waren voornamelijk gebouwd van grof gekapt hout van dennen met een dak van bamboebladeren. Elk huisje werd omgeven door een groentetuin en in sommige tuinen zag ik de ingang naar aarden schuilkelders, overblijfselen van de Amerikaanse bombardementen.

Ik zou er nooit aan hebben gedacht dat zo'n afgelegen vallei als deze gebombardeerd was geweest, maar ik herinnerde me uit de brief van Tran Van Vinh aan zijn broer, Lee, dat Vinh melding had gemaakt van hun neef, Liem, die had geschreven over vrachtwagens vol gewonde soldaten en colonnes verse manschappen die op weg waren naar het zuiden. Ik kon me er nu een voorstelling van maken, van deze weg door de afgelegen vallei, die begon aan de Chinese grens waar veel van het oorlogsmaterieel vandaan kwam en vervolgens slingerend richting de grens van Laos liep waar het netwerk van de Ho Tsji Minh-route begon. Ik had het gevoel dat iedereen hier die ouder was dan dertig zich de Amerikaanse luchtmacht herinnerde.

Het dorp was vol kinderen en volwassenen van alle leeftijden en het leek alsof de meeste inwoners van Ban Hin thuis waren op deze laatste dag van Tet.

Eigenlijk iedereen staarde naar ons, op de manier zoals mensen van een klein Amerikaans plattelandsdorp misschien naar twee Oost-Aziaten zouden kijken die rondwandelden in hun zwartzijden pyjama's en met hun gepunte strooien hoeden.

We bereikten het centrum van het dorp, dat bestond uit een rood aarden plein, niet groter dan een tennisveld, omgeven door nog meer huizen en een open paviljoen waarin een kleine markt was gehuisvest. Ik zag een paar picknicktafels waaraan mensen zaten te praten, te drinken en te eten. Ze hielden op met wat ze aan het doen waren en keken naar ons.

Ik heb altijd geweten dat als we zo ver kwamen, het grootste probleem hier in dit dorp zou beginnen. De militaire post aan de weg voegde nog iets toe aan het probleem.

Midden op het plein stond een eenvoudige betonnen plaat van ongeveer drie meter breed en twee meter hoog, die was geplaatst op een andere betonnen plaat op de grond. De staande plaat was wit geschilderd en op de witte verf was in het rood iets geschreven. Aan de voet van de plaat stonden Tet-bloesems en wierookstaafjes die brandden in keramische urnen. We liepen naar het monument en gingen ervoor staan.

De rode belettering bleek een lijst namen, die in rijen van boven naar beneden liep. Bovenaan stonden grotere letters en Susan las: 'Ter herinnering aan de mannen en vrouwen die hebben gevochten voor de Hereniging van het Vaderland in de Amerikaanse oorlog van 1954 tot 1975.' Ze zei: 'Dit zijn de namen van de vermisten, en dat zijn er een heleboel, onder wie Tran Quan Lee.' Ze wees.

Ik zag Tran Quan Lee en zag ook dat veel leden van de familie Tran officieel vermist werden.

Allebei lazen we de namen, maar we zagen Tran Van Vinh niet. Tot dusver liep alles goed. Ik zei: 'De doden moeten aan de andere kant staan.'

We liepen om het monument heen, waarvan het hele oppervlak was beschreven met namen in rode letters die eruitzagen alsof ze kortgeleden opgeknapt waren.

Een menigte van ongeveer honderd mensen had zich verzameld en ze kwamen voorzichtig iets op ons af. Ik zag dat een aantal mannen en vrouwen van middelbare leeftijd een arm of een been misten.

Ik keek naar de namen van de doden, die chronologisch waren genoteerd, zoals de namen op de Wall in Washington. Als Tran Van Vinh tijdens gevechtshandelingen was gedood, hadden we geen idee wanneer, maar het was niet voor februari 1968 geweest, dus ik begon daar, terwijl Susan begon met eind april 1975.

Ik hield mijn adem in toen ik de namen las.

Susan zei: 'Ik zie hem nog niet...'

'Ik ook niet.' Maar ik wilde zijn naam niet zien, en misschien had ik hem onbewust wel geblokkeerd, hoewel mijn hart, elke keer dat ik een 'Tran' zag staan, een slag oversloeg.

De menigte was nu direct achter ons. Het gaf een beetje een vreemd gevoel naar het monument te staren met de tientallen doden en vermisten uit dit dorp, die allemaal waren gedood door mijn landgenoten, en misschien zelfs door mij. Aan de andere kant had ik met mijn eigen muur te maken. Bovendien was ik Canadees.

Susan en ik bleven de namen lezen en ze zei zacht tegen me: 'Een heleboel van deze namen zijn van vrouwen en kinderen, en bij de namen is genoteerd dat ze aan het thuisfront zijn gesneuveld, wat, denk ik, door bommen betekent.'

Ik antwoordde niet.

Susan en ik kwamen midden in de lijst bij elkaar en lazen de laatste namen voor onszelf. Ik zei: 'Hij staat er niet bij.'

'Hier ook niet. Maar leeft hij nog?'

'Ik wed dat iedereen die achter ons staat antwoord op die vraag kan geven.'

Terwijl ik naar de eenvoudige betonnen plaat keek met de handgeschilderde namen, moest ik onwillekeurig denken aan de glanzende granieten muur in Washington. Uiteindelijk bestond er geen verschil tussen deze twee gedenktekens.

Ik zei tegen Susan: 'Canadees. Klaar?'

'*Oui.*'

We draaiden ons om en keken naar de menigte. Op het platteland van Zuid-Vietnam hadden we voorbijgaande nieuwsgierigheid gewekt; hier wekten we een intense belangstelling op, en als zij ontdekten dat wij Amerikanen waren, zouden ze weleens vijandig kunnen worden. Ik kon niets uit de gezichten van de mensen opmaken, maar ze zagen er niet uit als een ontvangstcomité. Ik zei: '*Bonjour.*'

Er volgde enig gemompel, maar geen glimlach. Het kwam in me op dat er met Dien Bien Phu zo dichtbij misschien enige overgebleven vijandschap bestond jegens de Fransen. *Ong* hier dood... *grand-père*. Ik zei: '*Nous sommes Canadienes.*'

Ik dacht dat ik de menigte iets zag ontspannen, of misschien was het wel wat ik wilde zien.

Susan zei ook: '*Bonjour.*' Ze zei toen iets over dat we van Dien Bien Phu kwamen en of het goed was als we een *photographie* van *Le Monument* maakten?

Niemand scheen bezwaar te hebben, dus Susan stapte naar achteren en maakte een foto van de namen van de doden.

Uiteindelijk stapte iemand naar voren, een heer van middelbare leeftijd, in een zwarte wollen broek en een oranje trui. Hij zei iets in het Frans tegen me, maar ik verstond het helemaal niet en ik denk niet dat het hem iets kon schelen of mijn vader een pijp rookte.

Susan zei iets tegen hem in haperend Frans en hij gaf antwoord..

Het Frans van de man was iets beter dan dat van Susan, dus zij vermengde het een beetje met wat hakkelend Vietnamees, wat tot gevolg had dat de menige schrok en iedereen dichterbij kwam.

Het zou niet lang meer duren voor er een paar soldaten verschenen, die naar onze paspoorten zouden vragen en erachter zouden komen dat we geen echte Canadezen waren.

Ik begon me iets minder als James Bond te voelen en meer als Indiana Jones in een film die *Dorp der Verdoemden* heette.

Susan gaf deze man een zootje flauwekul over *l'histoire de la guerre américaine*, wat hij maar voor de helft leek te geloven.

Ten slotte zei ze in vloeiender Vietnamees iets tegen hem en ik hoorde de naam Tran Van Vinh.

Naar iemand bij naam vragen in een klein dorp in Vietnam, of in Kansas of waar dan ook, maakt min of meer een einde aan de voorstelling.

Er volgde een lange stilte, daarna keek de man ons allebei aan, en ik hield mijn adem in tot hij eindelijk knikte en zei: *'Oui, il suvivre.'*

Ik wist dat ik niet zo ver was gekomen om een graf te bezoeken, en hier was ik in het dorp Ban Hin, en het antwoord op de vraag of Tran Van Vinh al of niet nog leefde, was: 'Ja, hij leeft nog.'

Susan wierp een blik op mij, knikte en glimlachte... Ze richtte zich weer tot de man en vervolgde in gebroken Vietnamees, met een beetje Frans, en hij antwoordde in langzaam Vietnamees met een heleboel Frans. We kwamen er echt mee weg.

Ten slotte sprak hij de magische woorden: *'Allons.'*

En we begonnen te lopen en volgden hem door de menigte die voor ons opzij ging.

We liepen door de overdekte markt en de man bleef staan voor een mededelingenbord dat was bedekt met doorschijnend plastic. Hij wees op twee vaag geworden zwart-witfoto's van Amerikanen in vliegtenue met hun handen in de lucht, omgeven door in het zwart gehulde boeren met oude grendelgeweren. Er was nog wat ruimte over voor een foto van Susan en mij in een gelijke pose.

De man zei: *'Les pilotes Americains.'* Ik keek even naar Susan en we maakten oogcontact.

We liepen verder over een smal door bomen overschaduwd pad tussen kleine huizen door naar de oprijzende berg aan het einde van het dorp, waar een kleine groep lage heuveltjes tegen de voet van de heuvel lag die ik herkende als grafterpen. Achter de terpen stonden kleine, houten huizen.

We volgden de man omhoog langs een slingerpaadje naar een huis dat was gebouwd van omgehakte dennenstammen en een dak van stro met bamboebladeren had.

We bereikten de deur van het huis en de man gebaarde ons te wachten. Hij ging door een open deur naar binnen.

Een paar seconden later kwam hij naar buiten en gebaarde ons naar binnen te gaan. Terwijl we naar binnen liepen, zei hij iets tegen ons in het Frans over *chez Tran*.

We bevonden ons in een eenkamerhuisje met een vloer van rode aangestampte klei. Glazen ramen lieten wat grijs licht toe en ik rook ergens in de vochtige lucht brandende houtskool.

Toen mijn ogen zich hadden aangepast aan het vage licht, zag ik hangmatten opgevouwen met dekens erin aan de muren hangen, en op de vloer stond een aantal gevlochten manden en kisten. Een lage tafel zonder stoelen stond in het midden van de vloer op een zwart kleedje.

In de hoek tegenover ons stond een stenen oven die rood gloeide door een vuurkom met brandende houtskool. Rechts van de stenen oven stond een eenvoudig altaar tegen de muur en op het altaar stonden brandende wierookstaafjes en ingelijste foto's. Rechts van het altaar hing een grote poster van Ho Tsji Minh aan de muur. Ernaast hingen een Vietnamese vlag en een paar ingelijste diploma's of getuigschriften.

Ik keek weer om me heen om er zeker van te zijn dat er niemand thuis was.

We bleven daar een ogenblik staan en toen zei Susan: 'Hij zegt dat dit het huis van Tran Van Vinh is en dat we hier moeten wachten.'

Ik hou er niet van ingesloten te zitten tussen muren, maar het was te laat om me er nu zorgen om te maken. We waren hoe dan ook aan het einde van onze reis aangekomen. Ik vroeg: 'Heeft hij gezegd waar de drankkast was?'

'Nee. Maar hij zei dat ik kon roken.' Ze liep naar de houtskooloven, deed haar rugzak af, ging op een haardkleedje zitten en stak een sigaret op.

Ik liet mijn rugzak van mijn rug glijden en zette die naast die van haar. Ik zag dat het dak aan de andere kant slechts ongeveer twee meter hoog was. Ik liep erheen en haalde het pistool onder mijn leren jack vandaan. Omdat ik een paar dingen van de Vietcong had geleerd, schoof ik de .45 en de twee extra magazijnen tussen twee rijen samengebonden stro.

Susan zei: 'Goed idee. Ik denk dat we, als de soldaten komen, ons bijna overal wel uit kunnen kletsen, behalve uit dat wapen.'

Ik gaf geen antwoord op die al te boute bewering, maar vroeg haar: 'Wat heb je die man verteld?'

Ze antwoordde: 'Hij heet Mr. Khiem en is de schoolmeester van het dorp. Zoals jij voorstelde, heb ik hem verteld dat we Canadese militaire geschiedschrijvers zijn die naar Dien Bien Phu zijn geweest, en dat we ook de Amerikaanse oorlog bestudeerden. Ook zei ik tegen hem dat ons in Dien Bien Phu is verteld het oorlogsmonument op het plein van Ban Hin te gaan zien. Dat heb ik verzonnen.'

'Daar ben je goed in.'

'Ik zei dat ik had gehoord dat er veel veteranen uit de Amerikaanse Oorlog in de Na-vallei woonden en dat we in het bijzonder geïnteresseerd waren in veteranen van het Tet-offensief in '68, en meer nog van de slag om Quang Tri.' Ze deed een haal aan haar sigaret en vervolgde: 'Maar Mr. Khiem gaf geen enkele naam, behalve die van zichzelf. Hij was bij de slag om Hué. Ten slotte, uit frustratie, zei ik gewoon dat ik de naam van Tran Van Vinh had gehoord in Dien Bien Phu. We hadden gehoord dat hij een dappere soldaat was die in Quang Tri gewond was geraakt.' Ze keek me aan en zei: 'Ik wilde niet nog langer op dat plein blijven hangen, dus ik zette alles op alles.'

'Geloofde Mr. Khiem het?'

'Misschien. Hij zat zo'n beetje tussen ongeloof en trots in, dat ze in Dien Bien Phu zo lovend spraken over Ban Hin.' Susan voegde eraan toe: 'Mr. Khiem is ook een Tran en is op de een of andere manier familie van Vinh.'

Ik zei: 'Er stonden een heleboel dode en vermiste Trans op die gedenksteen. Ik ben blij dat we Canadezen zijn.'

Ze probeerde te glimlachen en zei: 'Ik hoop dat hij dat geloofde.'

'Hij werd niet vijandig, dus ik denk van wel. Op onze volgende missie naar Vietnam worden we Zwitsers.'

Ze stak weer een sigaret op. 'Stuur me een kaartje.'

Ik zei tegen haar: 'Je hebt het prima gedaan. Ik ben echt trots op je, en als Mr. Khiem de soldaten is gaan halen, is het niet jouw schuld.'

'Dank je.'

Ik vroeg haar: 'Woont Tran Van Vinh hier, of is hij slechts op bezoek voor Tet?'

'Volgens Mr. Khiem woont Tran Van Vinh hier in Ban Hin en woont hij hier al zijn hele leven.'

'Waar is hij nu?'

'Mr. Khiem zei iets over het uitgeleide doen van zijn familie.'

'Dat zal hem in een goede stemming brengen. Wanneer wordt hij te-rugverwacht?'

'Zodra de dagelijkse bus uit Dien Bien Phu is gearriveerd.'

Ik keek naar de prent van Ome Ho en vroeg: 'Denk je dat dit een hinderlaag is?'

'Wat denk jij?'

'Ik denk dat jullie Canadezen de hinderlijke gewoonte hebben een vraag met een wedervraag te beantwoorden.'

Ze dwong zich tot een glimlach en rookte.

Ik liep naar het familiealtaar en keek in het vage licht naar de inge-lijste foto's. Ik zag dat alle mannen en vrouwen jong waren, van begin tot midden twintig. Ik zei tegen Susan: 'Niemand wordt oud in deze buurt.'

Ze wierp een blik op de foto's. 'Ze gebruiken foto's van de overle-denen als ze in de bloei van hun leven zijn, ongeacht hoe oud ze zijn als ze sterven.'

'O ja? Dus als ik vandaag doodging en ik was boeddhist, zouden ze een van de foto's kunnen gebruiken die jij net van mij hebt genomen.'

Ze glimlachte. 'Ik denk dat ze je moeder bellen voor een iets minder recente foto.' Ze voegde eraan toe: 'Het familiealtaar is eerder voor voorouderverering dan boeddhisme. Het is een beetje verwarrend. De Vietnamezen die niet katholiek zijn noemen zichzelf boeddhist, maar allemaal hangen ze een primitief soort voorouderverering aan. Daarbij praktiseren ze confucianisme en taoïsme. Ze noemen het *Tam Giao* – de Drievoudige Religie.'

'Ik tel er vier.'

'Ik zei je al dat het verwarrend is. Jij bent katholiek. Maak je er geen zorgen over.'

Ik keek naar de kleine foto's en merkte dat veel jongemannen in uniform waren. Ik wist zeker dat een van hen Tran Quan Lee was, van wie, hoewel hij officieel niet dood was, na bijna dertig niet te zijn ver-schenen met de feestdagen, dat wel kon worden aangenomen.

We hadden nog altijd de mogelijkheid ervandoor te gaan en ik zei tegen Susan: 'Als we een beetje haast maken kunnen we met vijf mi-nuten op de BMW zitten.'

Ze aarzelde zelfs niet voor ze antwoord gaf: 'Ik weet niet wie er door die deur komt, maar we weten allebei dat we nergens naartoe gaan tot iemand dat doet.'

Ik knikte.

Susan vroeg me: 'Hoe wil je ons gesprek met Tran Van Vinh aanpakken?'

'In de eerste plaats is het míjn gesprek, niet óns gesprek, en ik doe het eerlijk. Zo doe ik het in Amerika met een getuige. Tegen verdachten bluf je, maar tegen getuigen ben je eerlijk.'

'Inclusief het feit dat we Amerikanen zijn die door onze regering zijn gestuurd?'

'Nou, zó eerlijk niet. We zijn Amerikanen, maar we zijn gestuurd door de familie van de vermoorde man om gerechtigheid te vinden.'

'We weten niet hoe de vermoorde man heet.'

'Tran Van Vinh wel. Hij heeft de portefeuille van de dode man gepakt. Laat mij het praten en het denken doen, Susan. Jij doet de vertaling. *Biet*?'

We maakten oogcontact en zij knikte.

We wachtten.

Ik keek naar Susan. We waren van een heel eind gekomen, maar buiten dat werd dit het moment van de waarheid, en wat tot nu toe abstract was gebleven, werd ineens heel echt en direct. Tran Van Vinh leefde nog en wat hij ons ging vertellen, als hij dat deed, zou weleens voor een heel nieuwe reeks problemen kunnen zorgen.

Susan ging staan en sloeg haar armen om me heen. 'Ik heb je bedrogen en zal misschien nog een paar dingen moeten doen die jou niet bevallen, maar wat er ook gebeurt, ik hou van je.'

Voor ik antwoord kon geven, hoorde ik een geluid achter me en we draaiden ons allebei om naar de deur. In de deuropening was het donkere silhouet van een man te zien, die naar ik hoopte Tran Van Vinh was.

44

Susan liep direct op de man in de deur af, maakte een buiging en zei iets in het Vietnamees tegen hem.

Hij antwoordde met een buiging, zei iets, keek vervolgens naar mij. We maakten oogcontact en ik twijfelde er niet aan dat dit Tran Van Vinh was.

Hij leek ongeveer zestig, maar was waarschijnlijk jonger. Hij was mager en langer dan de gemiddelde Vietnamees. Hij had al zijn haar nog, nog steeds gitzwart en kortgeknipt. Hij droeg een wijde broek en een zwart gevoerd jasje en aan zijn voeten had hij sokken en sandalen.

Susan zei tegen me: 'Paul, dit is Mr. Vinh.'

Ik liep recht op hem af en stak mijn hand uit.

Hij aarzelde, nam toen mijn hand aan. Ik zei: 'Ik ben Paul Brenner, Amerikaan, en ik ben een lange weg gegaan om u te ontmoeten.'

Hij staarde mij aan terwijl Susan vertaalde.

Ik zei tegen hem: 'We hebben uw landgenoten verteld dat we Canadezen waren, omdat we het gevoel hadden dat er in uw dorp misschien nog nare gevoelens ten aanzien van Amerikanen bestonden.'

Weer vertaalde Susan het en weer bleef Mr. Vinh me aanstaren.

Ik keek hem in de ogen en hij keek in die van mij. De laatste Amerikaan die hij had gezien, had hem waarschijnlijk willen doden, en vice versa, maar ik zag geen vijandschap in zijn gezicht: eigenlijk zag ik helemaal niets.

Ik haalde mijn paspoort uit mijn zak en gaf dat aan hem met het eerste blad open.

Hij nam het aan en keek erin, sloot het vervolgens en gaf het aan mij terug. Hij zei iets dat Susan vertaalde met: 'Wat wilt u?'

Ik antwoordde: 'Ten eerste is het mijn onaangename taak u te melden dat uw broer, Lee, in mei 1968 in de A Shau-vallei in de strijd gesneuveld is. Zijn lichaam is gevonden door een Amerikaanse soldaat, die persoonlijke spullen heeft meegenomen die hem identificeren als Tran Quan Lee.'

Mr. Vinh begreep A Shau en koppelde dat aan de naam van zijn broer, en hij moest geweten hebben dat dit geen goed nieuws was.

Susan vertaalde en Mr. Vinh luisterde zonder emoties te tonen. Hij bleef naar me kijken, liep toen naar het familiealtaar, pakte een foto en keek er lange tijd naar. Hij zette hem terug, draaide zich om en zei iets.

Susan gaf hem direct antwoord en zei toen tegen mij: 'Hij wil weten of jij zijn broer hebt gedood. Ik heb hem gezegd dat het niet zo was.'

Ik zei: 'Vertel hem dat ik soldaat ben geweest bij de Eerste Cavaleriedivisie en dat ik gevechten heb meegemaakt in de A Shau-vallei in mei 1968, en dat ik zijn broer gedood zou kunnen hebben, maar dat ik niet degene ben die zijn lichaam heeft gevonden.'

Susan aarzelde en vroeg me: 'Weet je zeker dat je...'

'Zeg het hem.'

Ze vertelde het hem en hij keek me aan, knikte toen.

'Vertel hem dat ik buiten Quang Tri lag in de tijd dat hij herstelde van zijn wonden in de boeddhistische school en dat het mijn plicht was Noord-Vietnamese soldaten die uit de stad probeerden te ontsnappen te doden.'

Susan vertaalde en Mr. Vinh keek verrast dat ik iets van zijn oorlogservaringen wist. We maakten weer oogcontact en weer zag ik geen vijandigheid, en ik wist dat het niet zou gebeuren. Eigenlijk, toen we elkaar aankeken, twijfelde ik er niet aan dat hij tegen zichzelf zei: 'Die arme klootzak was er ook.'

Ik zei tegen Mr. Vinh: 'Ik ben blij dat ik u niet heb gedood en ik ben blij dat u mij niet hebt gedood.'

Susan vertaalde het en ik zag een zweem van een glimlach op zijn lippen verschijnen, maar hij gaf geen antwoord.

Ik zou wel ergens met hem komen, maar ik wist niet waar. Ik zei tegen hem: 'Om eerlijk te zijn, Mr. Vinh, ben ik erg verrast dat u nog eens zeven jaar oorlog hebt overleefd.'

Susan vertaalde en Mr. Vinh staarde in de ruimte, bij zichzelf knikkend alsof hij ook verrast was. Ik dacht dat ik zijn bovenlip iets zag trillen, maar dat kon mijn verbeelding zijn geweest. De man was erg stoïcijns, wat voor een deel omwille van ons was, en ook een oude oorlogsgewoonte.

Ik zei tegen Susan: 'Hoe gaat het met je vertalen?'

Ze antwoordde: 'Hij heeft tijdens de oorlog lange tijd in het zuiden gezeten, en hij herkende mijn zuidelijke accent. Ik vang het meeste van wat hij zegt goed op.'

'Goed. We willen de waarheid en een juiste vertaling.'

Ze gaf geen antwoord.

Ik zei verder niets meer tegen Mr. Vinh en liet hem nadenken of hij iets tegen mij wilde zeggen. Ten slotte sprak hij en Susan luisterde, zei daarna tegen mij: 'Mr. Vinh zegt dat hij in de 304e Infanteriedivisie van het Volksleger van Vietnam heeft gediend.'

Mr. Vinh ging verder en Susan vertaalde: 'Hij werd in augustus 1965 naar het zuiden gestuurd en heeft in de provincie Quang Tri gevochten. Hij zegt dat jij moet weten waar zijn divisie was tijdens het Tet-offensief in de winter van 1968.'

Dat wist ik inderdaad. De 304e was onze grootste tegenstander toen ik in januari 1968 naar Quang Tri kwam. Deze man zat er toen al tweeënhalf jaar, zonder uitzicht op een einde en geen verlof.

Mr. Vinh sprak en Susan zei: 'In juni 1968 keerde de divisie terug naar het noorden... er waren nog maar en paar mensen over van de divisie... de divisie werd weer aangevuld met nieuwe soldaten en keerde terug naar Quang Tri in maart 1971, nam toen deel aan het Lenteoffensief van 1972... Het Paasoffensief... en zijn divisie nam de provincie en de stad Quang Tri in... en leed zware verliezen door de Amerikaanse bombardementen en trok zich weer terug naar het noorden om de divisie opnieuw op te bouwen.' Susan voegde eraan toe: 'Hij wil weten of jij er was tijdens het Lenteoffensief.'

Ik antwoordde: 'Ik ben ook in november 1968 naar huis teruggegaan, kwam weer naar Vietnam in januari 1972, en was tijdens het Lenteoffensief gelegerd in Bien Hoa.'

Susan vertelde het hem en hij knikte, keek me vervolgens aan. Ik betwijfelde het of hij ooit eerder met een Amerikaanse veteraan had gesproken, en hij was duidelijk nieuwsgierig, maar omdat ik vanuit het niets was verschenen, probeerde hij zijn gedachten weer te ordenen; hij had niet, net zoals ik, de afgelopen twee weken aan deze ontmoeting gedacht.

Mr. Vinh sprak en Susan vertaalde: 'Hij zegt dat hij in 1973 terugkeerde naar het front, toen deelnam aan het laatste Lenteoffensief van 1975, dat de 304e Divisie Hué veroverde, en daarna langs Highway One naar beneden zakte op buitgemaakte tanks. Hij kwam Saigon binnen op 28 april en was de volgende dag aanwezig bij de overgave van het presidentiële paleis.'

En ik dacht dat ik een paar oorlogsverhalen had. Deze man had het allemaal meegemaakt, van het begin tot het einde, tien jaar slachtingen. Als mijn jaar er tien had geleken, dan moeten zijn jaren er wel honderd zijn geweest. En hier stond hij, thuis in zijn geboortedorp, verdergaand met zijn leven nadat hem tien jaar van zijn jeugd waren afgenomen.

Ik zei tegen hem: 'U zult wel veel medailles en decoraties hebben ontvangen.'

Susan vertaalde en zonder aarzeling liep hij naar een gevlochten kist, zoals ik al had gehoopt, en opende die. Ik had het nodig dat hij kisten met oorlogsherinneringen ging openen.

Hij haalde er een zwartzijden doek uit die hij openvouwde op de lage tafel. Hij knielde en spreidde twaalf medailles van verschillende vormen en afmetingen uit, die allemaal in verschillende kleuren waren geëmailleerd, en die allemaal veelkleurige linten eraan hadden zitten; en daar lag dan het mooie bewijs van tien jaren hel.

Mr. Vinh benoemde elke medaille en Susan vertaalde.

Ik wilde niet bevoogdend overkomen op Mr. Vinh door hem te prijzen met de medailles; hij leek me capabel genoeg om flauwekul te herkennen, dus ik knikte alleen maar en zei: 'Dank u dat u het ons hebt laten zien.'

Susan vertaalde en zij en ik maakten oogcontact. Ze knikte, alsof ze wilde zeggen: 'Je doet het behoorlijk goed voor een ongevoelige idioot.'

Mr. Vinh legde zijn medailles terug, sloot de kist en stond op.

We bleven allemaal een paar seconden zo staan en ik was er zeker van dat Mr. Vinh wist dat ik die twaalfduizend kilometer niet was gekomen om zijn medailles te zien.

Het ogenblik was aangebroken en ik zei tegen hem: 'Ik ben hier om met u te spreken over wat u hebt gezien toen u gewond in de Citadel van Quang Tristad lag.'

Hij herkende Quang Tri, en misschien zelfs Citadel, en zijn ogen gingen naar Susan die vertaalde.

Hij keek weer naar mij, maar antwoordde niet.

Ik zei tegen hem: 'De Amerikaanse soldaat die het lichaam van uw broer in de A Shau-vallei heeft gevonden, vond een brief op zijn lichaam die door u aan uw broer was geschreven, terwijl u lag te herstellen van uw wonden in de boeddhistische middelbare school. Herinnert u zich die brief?'

Meteen toen Susan het had vertaald, knikte hij om aan te geven dat hij begreep waarom ik wist wat ik wist.

Voor de eerste keer loog ik tegen hem en zei: 'Ik ben hier namens de familie van de luitenant die door de kapitein werd vermoord,' wat misschien niet helemaal een leugen was. Ik vervolgde: 'Mij is gevraagd onderzoek te doen naar deze zaak en om begrip en gerechtigheid bij de familie te brengen.' Ik keek naar Susan alsof ik wilde zeggen: 'Vertaal dit goed.'

Ze keek me even aan en vertaalde.

Mr. Vinh antwoordde niet.

Ik probeerde mezelf in zijn plaats te stellen. Hij had zijn generatie uitgeroeid zien worden en was niet onder de indruk of geroerd door de wens van een Amerikaanse familie die gerechtheid probeerde te vinden in die massale slachting, of om de dood van een soldaat af te sluiten. De overheid in Hanoi geloofde eigenlijk maar weinig van al die miljoenen dollars die de Amerikaanse overheid uitgaf om de stoffelijke resten van een paar MIA's te vinden. Ik weet niet of het een cultureel verschil was, of een praktische aangelegenheid; Vietnam had niet de tijd of het geld om te gaan zoeken naar een derde miljoen vermiste soldaten. Wij, aan de andere kant, waren geobsedeerd geraakt door de zoektocht naar onze tweeduizend vermiste manschappen.

Mr. Vinh bleef zwijgen, en ik ook. Je kunt die mensen niet haasten en ze worden niet nerveus zoals Amerikanen tijdens lange perioden van zwijgen.

Ten slotte sprak Mr. Vinh en Susan vertaalde. 'Hij wil niets te maken hebben met welk onderzoek dan ook, tenzij zijn regering hem ertoe opdracht geeft.'

Ik haalde diep adem. Ik zou deze oude soldaat niet beledigen door hem geld te bieden, maar ik herinnerde hem aan het volgende: 'Deze familie heeft gehoord van het lot van uw broer, Lee, hetgeen ik u zojuist heb doorgegeven. Zou u zo vriendelijk willen zijn mij het lot van hun zoon te te vertellen, zodat ik het aan hen kan doorgeven?' Ik zweeg even, voegde er toen aan toe: 'Dit is een privé-zaak van de familie en heeft geen enkele overheidsbemoeienis.'

Susan vertaalde en er volgde weer een stilte in de kamer, doorbroken door het knetteren van de houtskool in de oven en het geluid van een zangvogel buiten.

Mr. Vinh draaide zich om en liep naar de deur.

Susan en ik keken elkaar aan.

Mr. Vinh verdween en we konden hem buiten met iemand horen spreken, daarna kwam hij terug en zei iets tegen Susan.

Ze maakte een buiging naar hem en ik dacht dat ons was gevraagd te vertrekken, of daar te blijven tot de soldaten kwamen, maar Susan zei tegen me: 'Mr. Vinh heeft zijn kleinzoon gevraagd een vrouwelijk familielid te halen om thee voor ons te zetten.'

Waarom twijfel ik aan mezelf? Ik ben hier goed in. Getuigen houden van me. Verdachten vrezen me. Ook heb ik veel geluk.

Mr. Vinh gebaarde ons naar de lage tafel en we liepen erheen. Hij ging met gekruiste benen zitten, met de warme oven in zijn rug, en wees Susan een plek op de vloer links van hem en mij een tegenover hem.

Susan pakte haar sigaretten en bood er Mr. Vinh een aan. Ze bood mij er een aan met een knikje en ik pakte de sigaret. Susan stak alle drie sigaretten aan en legde haar plastic aansteker op de tafel. De asbak was een stukje vervormd metaal dan eruitzag als een bomfragment.

Ik nam een haal van de sigaret en liet hem verder in de asbak liggen. Mr. Vinh leek de Marlboro Light wel lekker te vinden.

Ik zei tegen hem: 'Mag ik u het verhaal vertellen hoe ik uw brief aan uw broer onder ogen heb gekregen?'

Susan vertaalde en hij knikte.

Ik vertelde het verhaal van Victor Ort, en de Vietnam-veteranen van Amerika, met de nadruk op het humanitaire programma van de VVA om de regering van Hanoi te helpen bij het zoeken naar het lot van de vermiste soldaten. Maar het verhaal werd iets anders, Mr. Ort en ik werden allebei leden van de Vietnam Veterans of America en toevallig kende ik een familie wier zoon, een eerste luitenant bij de Cavalerie, in Quang Tri-stad was gedood. Het klonk mij goed in de oren.

Ik legde verder uit dat de familie ervan overtuigd was dat deze luitenant, die in de brief van Mr. Vinh de dood vond, hun zoon zou kunnen zijn. Ik vlocht er nog wat meer spul doorheen en omdat ik een Ier uit Boston ben, kan ik dit heel goed. Ik noemde niet de CID en evenmin noemde ik de naam van de overleden luitenant, omdat ik die niet kende; maar Mr. Vinh kende die wel.

Mr. Vinh luisterde terwijl Susan vertaalde.

Een vrouw van middelbare leeftijd kwam binnen en liep zonder een woord te zeggen naar de oven waar permanent een ketel boven de houtskool hing. Ze zette drie kommen op het kleedje op de grond, haalde wat theeblaadjes uit een keramische doos en deed die in elke kom. Toen, met een grote lepel, vulde ze elke kom met heet water, zette de kommen op een gevlochten blad en kwam op haar knieën naar de tafel, waar ze een buiging maakte.

Dit land beviel me echt. Ik keek naar Susan en gaf een knipoog. Zij stak haar tong naar me uit.

Hoe dan ook, toen de theeceremonie gedaan was, verdween de dame.

We nipten van onze thee. Ik glimlachte en zei: 'Dit is vreselijk.'

Susan zei iets anders tegen Mr. Vinh en hij glimlachte.

Susan en Mr. Vinh rookten, dronken van hun thee en babbelden. Susan zei tegen mij: 'Mr. Vinh vraagt of we geliefden zijn. Ik vertelde hem dat we begonnen als vrienden toen je me in dienst nam in Saigon, en dat we daarna geliefden zijn geworden.'

Ik keek naar Mr. Vinh die een vage glimlach op zijn gezicht had, waarschijnlijk denkend: 'Nog een heel eind te gaan, ouwe.'

Susan zei: 'Mr. Vinh is verbaasd over het aantal Amerikaanse veteranen die zijn teruggekeerd om het zuiden te bezoeken. Hij ziet dit in de kranten en op de televisie in het schoolgebouw.'

Ik knikte en kreeg de gedachte dat Ban Hin niet volledig van de wereld was afgesneden, en dat dit feit wel eens relevant kon zijn als mijn vermoedens over de moordenaar juist waren.

Susan en Mr. Vinh vervolgen hun theebabbel en staken weer eens op. Dit was nodig, wist ik, voor je terzake kwam, maar ik begon een beetje ongeduldig te worden, om niet te zeggen bezorgd, over wie er vervolgens kon verschijnen.

Ik zei rechtstreeks tegen Mr. Vinh: 'Mag ik u vragen of die dame uw vrouw was?'

Susan vertaalde en hij knikte.

Ik vroeg: 'Was dat Mai, die u in uw brief noemde?'

Susan aarzelde, maar vertaalde toen.

Mr. Vinh zette zijn kom met thee neer en keek recht voor zich uit. Hij zei iets, tegen niemand in het bijzonder.

Susan zei tegen me: 'Mai kwam om bij het bombardement van Hanoi in 1972. Ze trouwden in 1971 toen hij terugkwam van het front, en ze hadden geen kinderen.'

'Het spijt me.'

Hij begreep het en knikte.

Susan en hij wisselden nog een paar woorden en ze zei tegen me: 'Hij is hertrouwd en heeft zeven kinderen en heel veel kleinkinderen. Hij wil weten of jij kinderen hebt.'

'Niet dat ik weet.'

Susan gaf hem antwoord met een woord, dat waarschijnlijk 'Nee' betekende. De beleefdheden waren voorbij en Mr. Vinh vroeg me iets en Susan vertaalde: 'Hij zou willen weten of je de brief bij je hebt die hij aan zijn broer heeft geschreven.'

Ik antwoordde: 'Ik had er een fotokopie van, maar ben hem kwijtgeraakt tijdens mijn omzwervingen. Ik zal hem het origineel sturen als hij ons vertelt hoe dat moet.'

Susan gaf dit aan hem door, en hij antwoordde. Ze zei: 'Hij heeft een neef in Dien Bien Phu en je kunt hem daarheen sturen.'

Ik knikte.

Ik wenste dat ik de brief had, natuurlijk, om te zien of wat hij had geschreven de vertaling was die ik had gelezen. Maar hopelijk zou ik er snel achterkomen.

De thee werd niet bijgevuld, godzijdank, en Mr. Vinh en Susan hielden de muskieten weg met sigarettenrook.

Ik vroeg Mr. Vinh: 'Hebt u last van uw wonden?'

Susan vertaalde het en zijn antwoord was: 'Soms. Na Quang Tri heb ik nog meer verwondingen opgelopen, maar geen zo ernstig dat ik langer dan een maand niet mijn plicht kon doen.'

Hij wees op mij.

Ik antwoordde: 'Ik ben niet gewond geweest.'

Susan vertaalde het en hij knikte.

Ik vroeg hem: 'Hoe bent u ontsnapt uit Quang Tri?'

Hij antwoordde en Susan vertaalde: 'Ik kon lopen en alle lopende gewonden werd gezegd te proberen 's nachts te vluchten. Ik vertrok 's morgens vroeg en liep in mijn eentje in een maanloze nacht door een wolkbreuk. Ik kwam op minder dan tien meter langs een Amerikaanse stelling en ontsnapte naar de heuvels in het westen.

Ik hoopte dat hij het spul van de dode luitenant had meegenomen.

Hij zei iets en Susan zei tegen me: 'Mr. Vinh zegt dat hij misschien wel vlak langs jou is gekomen.'

'Dat is zo.'

Dat bracht een glimlach bij iedereen teweeg, maar geen daverende lach.

Goed, nu terzake. Ik zei tegen Mr. Vinh: 'Mag ik u een paar foto's laten zien zodat we misschien ontdekken of de luitenant wiens familie me hierheen heeft gestuurd, dezelfde luitenant is die u in het gebombardeerde gebouw in Quang Tri hebt gezien?'

Susan vertaalde en hij knikte.

Susan stond op, liep naar haar rugzak en keerde terug met de foto's. Ze legde het kleine album op de tafel en sloeg het op de eerste pagina open.

Mr. Vinh staarde naar de foto, stond toen op en liep naar een gevlochten kist. Hij kwam terug met iets dat in een doek was gewikkeld en haalde er een canvas portefeuille uit. Hij opende de portefeuille en haalde er het plastic fotomapje uit, dat hij naast de foto op tafel legde.

Susan keek naar beide foto's, haalde de foto van het album eruit en gaf beide foto's aan mij.

Ik keek naar de foto uit de portefeuille waarop een jong stel stond. De vrouw was knap en de man was dezelfde als in het fotoboek.

We hadden nu het slachtoffer, en wat we vervolgens nodig hadden was de naam van het slachtoffer, hoewel de CID die natuurlijk al kende; maar ik niet.

Ik zei tegen Mr. Vinh: 'Mag ik de portefeuille zien?'

Susan vroeg het en Mr. Vinh schoof de portefeuille over de tafel.

Ik maakte hem open en doorzocht hem. Er zaten een paar militaire betaalbewijzen in – die we als geld gebruikten in plaats van dollars – en nog een paar familiefoto's – mam en pap, twee tienermeisjes die zijn zusjes leken en een baby die het kind zou kunnen zijn van de overledene.

Er zaten nog een paar geplastificeerde dingen in de portefeuille: de kaart van het Verdrag van Genève, de kaart met erop de Regels van Landoorlog en een andere kaart met de Regels van Gevechtshandelingen. Een heleboel regels in de oorlog. De meeste stelden geen zak voor, behalve Regel Een, die luidde: 'Dood hem voor hij jou doodt.'

Maar deze jonge officier had de juiste kaarten en ik kreeg het gevoel van een jongeman die oprecht was. Dit werd nog enigszins versterkt door zijn Drankkaart, die alleen officieren kregen. De kaart had maar twee knipjes, wat de aanschaf van twee flessen drank betekende. Als ik deze kaart in Vietnam zou hebben gehad, zou hij eruit hebben gezien als een gruyèrekaas waar met hagel op geschoten was.

De laatste kaart was de militaire identificatie van de man.

Ik keek naar de identiteitskaart en zag dat de dode man William Hines heette, en hij was eerste luitenant bij de infanterie.

Ik keek naar Mr. Vinh en zei tegen hem: 'Mag ik deze portefeuille mee terug nemen naar de familie van luitenant Hines?'

Mr. Vinh begreep het zonder vertaling en knikte zonder te aarzelen.

Ik schoof de portefeuille opzij. Als dit verder niets opleverde, zou de familie Hines na bijna dertig jaar deze portefeuille terugkrijgen, aangenomen dat Paul Brenner uit Vietnam terugkeerde.

Ik zei tegen Mr. Vinh: 'In uw brief schreef u aan uw broer dat deze man door een Amerikaanse kapitein was vermoord.'

Susan vertaalde het en Mr. Vinh knikte.

Ik vervolgde: 'We hebben een paar foto's van een man van wie wij geloven dat het zijn kapitein is. Misschien kunt u deze man herkennen.'

Susan sprak tegen hem en sloeg het fotoboek open naar de laatste tien foto's en liet die, een voor een, aan Mr. Vinh zien. Ik keek naar zijn gezicht terwijl hij aandachtig de foto's bekeek.

Toen Susan de laatste bereikte, staarde Mr. Vinh ernaar en zei iets, ging daarna weer door de foto's heen en zei weer iets. Ik had het gevoel dat hij onzeker of niet bereid was een identificatie te doen en ik nam het hem niet kwalijk.

Susan zei tegen me: 'Hij zegt dat het licht niet goed was. Het gezicht van de kapitein zat onder het vuil en hij droeg een helm, en van de plek waar Mr. Vinh lag, op de eerste verdieping, kon hij het gezicht niet duidelijk zien, en in ieder geval zou hij het zich na al die jaren toch niet meer kunnen herinneren.'

Ik knikte. Ik was dichtbij, maar zat op een doodlopende weg. Ik vroeg Mr. Vinh: 'Kunt u me vertellen wat u die dag hebt gezien?'

Susan vroeg het hem, hij gaf antwoord en ze vertaalde direct: 'Wat er in de brief staat, heb ik gezien.'

Ik wilde hem niet vertellen dat zijn brief en mijn brief misschien niet dezelfde waren. Dus terwijl ik mijn rechercheurspet opzette, zei ik tegen hem: 'In uw brief aan uw broer zei u, dat u de zin niet begreep van de moord op de luitenant door zijn kapitein. Maar u zei dat ze ruzie hadden. Kan de luitenant de kapitein bedreigd hebben? Of toonde hij insubordinatie of lafheid? Het lijkt ongewoon dat een officier zijn pistool trekt en een andere officier doodschiet bij een ruzie. Zou u nog eens kunnen nadenken over wat u hebt gezien? Misschien schiet u nog iets te binnen.'

Susan vertaalde het voor hem en Mr. Vinh staarde me aan, hoewel ik niet wist waarom. Ten slotte zei hij iets en Susan zei tegen mij: 'Hij zegt dat hij de zin ervan nog steeds niet begrijpt.'

Ik gaf niet zo snel op, vooral niet omdat we onze levens op het spel hadden gezet om hier te komen, en en passant vier mannen hadden gedood. Ik zei tegen Mr. Vinh: 'Misschien is mijn herinnering van de brief niet zo goed, en misschien was de vertaling van de brief niet accuraat. Zou u me alstublieft het verhaal weer willen vertellen zoals u het zich herinnert?'

Susan vertaalde het.

Mr. Vinh haalde diep adem, alsof hij geen oorlogsverhaal wilde vertellen, en gaf geen antwoord.

Ik zei: 'Mr. Vinh, niemand vindt het leuk om weer terug te denken aan die tijd, maar sinds ik hier ben, heb ik de plaatsen van mijn oude veldslagen bezocht, waaronder Quang Tri en ook de A Shau-vallei. Ik heb die tijd herbeleefd in mijn geest, ik heb die oorlogsverhalen aan deze dame verteld en ik geloof dat het me goed heeft gedaan. Ik vraag u nu deze tijd te herbeleven, alleen maar omdat er dan misschien iets goeds uit voortkomt.'

Susan vertaalde het en Mr. Vinh zei iets dat zij vertaalde met: 'Hij wil er niet over praten.'

Er was hier iets mis en ik zei tegen Susan: 'Vertaal jij het precies?'

Ze gaf geen antwoord.

'Susan, wat is er hier verdomme aan de hand?'

Ze keek me aan en zei: 'Je wilt het echt niet weten, Paul.'

Ik voelde een huivering langs mijn ruggengraat gaan. Ik zei: 'Ja, ik wil het godverdomme wel weten.'

'Paul, we zijn een heel eind gekomen en we hebben Mr. Vinh levend gevonden. Nu moeten we zien of hij nog meer souvenirs heeft en dan terug naar Hanoi en een verslag opmaken.'

Ik keek even naar Mr. Vinh en zag dat hij begreep dat zijn gasten ruziemaakten.

Ik pakte de portefeuille en hield die omhoog. Ik zei tegen Mr. Vinh: *'Souvenir?'* een woord dat de meeste Vietnamezen wel begrepen. *'Souvenir de guerre? Dai-uy souvenir?* Kapitein souvenir? *Trung-uy souvenir?* Luitenant souvenir?' Ik wees op de gevluchten kist. *'Beaucoup souvenir? Biet?'*

Hij knikte, stond op en liep naar zijn oorlogskist.

Ik keek naar Susan en vroeg: 'Weet jij waar dit om gaat?'

'Jawel.'

'Heb jij de vertaling van de brief gezien?'

'Jawel.'

'Je bent een leugenachtig kreng.'

'Dat ben ik.'

Mr. Vinh kwam terug met een paar dingen in zijn hand die hij op de tafel legde.

Ik keek ernaar. Ik zag een Amerikaans legerhorloge, waarvan de grote wijzer lang geleden was gestopt, een plastic legerveldfles, die nog steeds door Mr. Vinh gebruikt zou zijn als er geen gaten van bomscherven van de een of andere veldslag in hadden gezeten, een gouden trouwring, een setje identiteitsplaatjes en een paar vellen papier in een canvas zak.

Ik pakte de identiteitplaatjes op en erop stond *Hines, William H.*, gevolgd door zijn registratienummer, vervolgens zijn bloedgroep en zijn geloof, dat methodistisch was.

Ik pakte de ring en erin stond gegraveerd *Bill & Fran, 15/1/67*, ongeveer een jaar voor zijn dood.

Ik maakte de canvas zak open en vond een bundeltje brieven van Fran, van pa en ma, en van andere mensen. Ik legde de brieven opzij en vond een onafgemaakte brief die hij aan het schrijven was geweest, gedateerd 3 februari 1968. Erin stond:

Lieve Fran,
Ik weet niet wanneer en of ik deze brief af kan maken. Zoals je nu al weet, hebben de VC en het NVA door het hele land aanvallen uitgevoerd, en hebben ze zelfs de Citadel hier in Quang Tri aangevallen.

Het hoofdkwartier van de MACV is getroffen door mortiervuur en we hebben een heleboel gewonden die geen medische hulp kunnen krijgen. De ARVN-soldaten zijn ervandoor gegaan en de mensen van MACV vechten voor hun leven. Dat krijg je dan met zo'n makkelijk baantje als adviseur. Ik weet dat deze brief heel pessimistisch klinkt en ik weet zelfs niet of je hem wel krijgt, maar misschien wel en ik wil dat je weet

En daar hield hij op. Ik legde de brief neer.

In de canvaszak zat ook een aantekenboekje en ik sloeg het open. Het was een typisch officiersjournaal, met radiofrequenties en zendercodes, codenamen, namen van Zuid-Vietnamese legercontacten enzovoort. Bovendien had luitenant Hines de pagina's als dagboek gebruikt en terwijl ik erdoorheen bladerde las ik een paar notities met datum. Het ging voornamelijk over het weer, stafvergaderingen, gedachten over de oorlog en andere willekeurige notities.

Mijn blik werd getroffen door een notitie die was gedateerd op 15 januari. Er stond: 'Kapitein B. zeer geliefd bij zijn meerderen, maar niet bij mij of de anderen. Brengt te veel tijd door met sjacheren op de zwarte markt & elke nacht in een hoerenkast.'

Ik sloot het dagboek. Het klonk alsof kapitein B. van zijn oorlog had genoten tot aan Tet.

Ik keek naar Mr. Vinh en wees naar het spul op de tafel, daarna op mezelf.

Hij knikte.

Ik keek Susan aan en zei: 'De familie Hines zal dit willen hebben. Ze willen ook weten hoe luitenant William Hines is gestorven.'

Susan zei tegen me: 'Je weet hoe hij is gestorven. In de strijd.'

'Sorry. Hij was vermoord.'

'Dat hoeven zij niet te weten.'

'Nou, ik kan niet voor de familie Hines spreken, maar ik was hierheen gestuurd om erachter te komen wie luitenant Hines heeft vermoord.'

'Nee, daarom ben je niet hierheen gestuurd. Je werd hierheen gestuurd om te kijken of de getuige van deze moord nog in leven was. Dat is hij. En kunnen we die souvenirs krijgen? Dat doen we. De mensen in Washington hebben inmiddels al de naam van de moordenaar – duidelijk de andere man op deze foto's – en jij noch ik hoeft die naam te weten. Je wílt hem niet weten.'

'Fout.' Ik keek naar een opgevouwen velletje vergeeld papier op de tafel, het laatste souvenir uit de kist van Mr. Vinh. Ik had het herkend als een dienstrooster, en ik trok het naar me toe. Het was getypt op oud stencilpapier en de namen waren moeilijk te lezen, maar niet onleesbaar. Het papier had als briefhoofd *U.S. Army MACV, Quang Tri, RVN*. Het was gedateerd op 3 januari 1968.

Ik liep de namen na en zag dat er zestien Amerikanen bij het hulpteam zaten, allemaal officieren en sergeanten eerste klas. Het was niet bepaald gevaarlijk werk, tot er iets misging, zoals tijdens het Tet-offensief.

De commandant van de groep was een luitenant-kolonel die Walter Jenkins heette, en zijn tweede officier was een majoor, Stuart Billings. De derde officier was een kapitein, de enige kapitein op de lijst boven een reeks luitenanten, onder wie zich William H. Hines bevond. De kapitein heette Edward F. Blake.

Ik staarde een tijdje naar de naam, trok toen het fotoboek naar me toe en keek naar een van de foto's, die waarop de kapitein een das droeg. Ik keek naar Susan en zei: 'Vice-president van de Verenigde Staten, Edward Blake.'

Ze stak een sigaret op en zei niets.

Ik haalde diep adem. Als ik een whisky-soda gehad zou hebben gehad, zou ik hem achterover hebben geslagen. *Edward F. Blake. Kapitein B.*

Vice-president Edward Blake, één hartslag en één verkiezing verwijderd van het moment dat hij de volgende president van de Verenigde Staten werd. Behalve dat hij een probleem had: hij had iemand vermoord.

Ik keek even naar Mr. Vinh, die geduldig bleef zitten, hoewel hij nu misschien slechte vibraties voelde. Ik probeerde koel en kalm te blijven om Mr. Vinh niet van streek te maken. Op normale toon vroeg ik Susan: 'Wat zijn de kansen dat onze gastheer hier de vice-president Edward Blake herkent?'

Ze trok aan haar sigaret en antwoordde: 'Dat is de vraag, hè?'

'Ja. Ik bedoel, de tv-ontvangst is niet echt goed hier.'

Ze zei: 'We hebben het er allemaal over gehad in Washington. Ze vroegen me mijn mening.'

'Wat is je mening?'

'Nou, mijn mening is dat bijna elke Vietnamees in het land de president kan herkennen en misschien ook de vice-president van de Verenigde Staten van foto's in de kranten. Kranten hier zijn, zoals in de meeste communistische landen, voor iedereen goedkoop en makkelijk te krijgen, en bijna iedereen kan lezen. Dat heb ik hun verteld in Washington.'

Ze voegde eraan toe: 'Ook is het nieuws zeer politiek en gericht op Washington. De Vietnamezen zijn niet slecht geïnformeerd, zelfs niet in Ban Hin. Bovendien hebben we het televisietoestel in het schoolgebouw nog. En zoals jij misschien weet, zat vice-president Blake, toen hij nog senator was, in de commissie voor buitenlandse relaties en in het MIA-comité en heeft hij veel reizen naar Vietnam gemaakt. Misschien herinner je je dat hij een goede persoonlijke vriend is van onze ambassadeur in Hanoi, Patrick Quinn.' Susan wierp een blik op Mr. Vinh en zei: 'Er zou een potentieel probleem kunnen bestaan, vooral als Edward Blake president wordt.' Ze keek me aan en vroeg: 'Wat denk jíj?'

Ik zag Tran Van Vinh al voor me, zittend op het marktplein in het centrum, waar hij een sigaret rokend de plaatselijke *Pravda* leest, en hij staart naar een foto van Edward Blake, en in zijn hoofd gaan kleine belletjes rinkelen en hij zegt tegen zichzelf: 'Nee... is niet waar. Nou, misschien. Hé, Nguyen, deze man die president is van het imperialistische Amerika is de man over wie ik je heb verteld... de man die in Quang Tri die luitenant overhoopschoot.'

Maar wat dan? Zou hij die interessante toevalligheid melden bij de plaatselijke autoriteiten? En als hij het deed, wat zou ermee gebeuren? Dát was de vraag.

Susan vroeg het weer: 'Wat denk jij, Paul?'

Ik keek haar aan en zei: 'Ik kan begrijpen waarom sommige mensen in Washington nerveus zouden kunnen zijn, en waarom Edward Blake wat slechter slaapt, aangenomen dat hij van dit alles weet, en ook van de missie van Paul Brenner naar Vietnam. In ieder geval is de kans dat onze gastheer hier hem zal identificeren en dat zal melden heel klein.'

'Voorzichtigheid is de moeder van de porseleinkast.' Ze voegde eraan toe: 'Ik voel me nu iets beter nu we al die oorlogssouvenirs hebben.'

'En als je deze man hebt gedood, zul je je nog beter voelen.'

Ze gaf daar geen antwoord op, maar zei: 'Hij herkende de foto min of meer. Ik bedoel, hij zal er niet direct een naam aan vastplakken, maar op een dag misschien wel. Zoals wanneer hij in een van de nationale kranten leest over een bezoek van Edward Blake. Om eerlijk te zijn is vice-president Blake op dit moment in Hanoi op een officieel bezoek.'

Ik antwoordde: 'Wat toevallig.' Ik vroeg: 'Weet Blake dat hij een probleem heeft? Is hij daarom hier?'

'Ik weet het echt niet... Maar als hij het niet weet, zal hij het, volgens mij, wel van zijn assistenten te horen krijgen, als en wanneer we in Hanoi aankomen. Dat denk ik.'

'Dus we weten niet of de mensen die ons op deze missie hebben gestuurd, proberen Blake in te dekken of hem te chanteren?'

Ze gaf daar geen antwoord op en vervolgde: 'De landelijke kranten verschijnen wekelijks, dus de volgende zal iets over Blakes bezoek hebben, met foto's erbij. De Vietnamezen tonen vaak oorlogsfoto's naast een actuele foto, en ze noemen altijd de functie in oorlogstijd, dus ze zullen zeggen dat Edward Blake in 1968 in de slag om Quang Tri heeft gevochten, maar sinds die tijd een vriend is geworden van Vietnam. Ze vinden dat heerlijk.' Ze keek me aan. 'Wat denk jij? Zou onze vriend hier het verband leggen als hij de foto's naast elkaar zag van kapitein Blake en vice-president Blake?'

'Ben ik het leven van deze man aan het verdedigen?'

Ze gaf geen antwoord.

Ik zei: 'Deze man heeft niet tien jaar in de hel gezeten om door jou in zijn eigen huis afgeknald te worden omdat hij zich op een dag misschien iets zal herinneren.'

Mr. Vinh bleef roken terwijl zijn gasten in het Engels spraken. Hij vond ons waarschijnlijk heel erg onbeschoft, maar hij was beleefd genoeg om er niets van te zeggen. Ik vroeg me ook af of hij de naam Edward Blake zou herkennen als Susan en ik die noemden. Ik vroeg Susan: 'Verstaat hij de naam?'

Susan antwoordde: 'Nee. Die wordt anders gelezen en uitgesproken. Niet zo Engels als wij doen. Zonder accenten klinkt het voor hem anders. Maar we moeten dat rooster meenemen zodat hij niet de naam in een krant ermee kan vergelijken... plus dat hij zich onze aanwezigheid hier zal herinneren en ook dat fotoalbum.'

Ik staarde Susan aan en dacht over dit alles na. Het werd tijd om Susan weer eens door te nemen. Hield ik nog steeds van haar? Ja, maar ik zou er wel overheen komen. Vertrouwde ik haar? Nooit gedaan. Was ik nijdig? Ja, maar onder de indruk. Ze was heel goed. En, ten slotte: stond ze op het punt iets abrupts en gewelddadigs te doen? Ze was het aan het overwegen.

Ze trok peinzend aan haar sigaret en zei toen tegen me: 'Ik wilde echt dat je niet zo verdomde nieuwsgierig was geweest.'

'Hé, daarvoor word ik betaald. Daarom nocmen ze me speurder.'

Ze glimlachte, besefte toen dat we onze gastheer hadden verwaarloosd en babbelde een tijdje met hem over god mag weten wat. Misschien vroeg ze hem waar hij zijn aarden vloer vandaan had. Ze gaf hem weer een sigaret, vond daarna de rekening van het Dien Bien Phu Motel in haar zak en schreef iets op de achterkant terwijl ze met Mr. Vinh sprak. Misschien wisselden ze *pho*-recepten uit, maar toen zei ze tegen me: 'Ik noteer het adres in Dien Bien Phu van de neef van Mr. Vinh zodat we de brief van Mr. Vinh aan hem terug kunnen sturen.'

'Waarom? Jij of iemand anders gaat Mr. Vinh vermoorden.'

Susan gaf geen antwoord.

Mr. Vinh glimlachte naar me.

Ik zei tegen Susan: 'Laten we hier vandaan gaan voor de kit arriveert.'

Susan zei tegen me: 'We lopen geen gevaar. Je gelooft dit niet, maar Mr. Vinh is de partijchef van het district.' Ze knikte naar de poster van Ho Tsji Minh aan de muur. 'De soldaten komen alleen als Mr. Vinh hen roept.'

Ik keek naar Mr. Vinh. Dat heb ík weer; ik ben in het huis van de topcommunist van de provincie. Buiten dat leek hij heel bereidwillig, en als Susan mijn vragen had vertaald over wat er die dag had plaatsgevonden toen hij kapitein Blake luitenant Hines had zien neerschieten, zou Mr. Vinh er antwoord op hebben gegeven. Ik vroeg Mr. Vinh: *'Parlez-vous français?'*

Hij schudde zijn hoofd.

'Zelfs niet een klein beetje. *Un peu?'*

Hij gaf geen antwoord.

Susan zei: 'Goed, misschien moeten we gaan, Paul, voor Mr. Vinh lont ruikt.'

'Ik ben nog niet klaar.'

'Laat het rusten.'

'Zeg eens, Susan, waarom is het belangrijk dat Edward Blake gedekt wordt?'

'Je zou eens wat meer kranten moeten lezen, en ik heb het je verteld: Edward Blake heeft hier goede connecties. Hij heeft veel vrienden gemaakt in de regering van Hanoi – de nieuwe mensen die onze vrienden willen zijn. Edward Blake is dicht in de buurt van een regeling wat betreft Cam Ranh Bay, en ook wat betreft een handelsovereenkomst en een oliedeal. Daarbij maakt hij een vuist tegen China.'

'Wie kan het schelen? Voor mij lijkt het erop dat hij een moord heeft gepleegd.'

'Wie kan dát schelen? Hij wordt de volgende president. De mensen houden van hem, de militairen houden van hem, de inlichtingendiensten houden van hem en de zakenwereld houdt van hem. Ik wed dat jij zelfs tien minuten geleden nog van hem hield.'

Dat was, eerlijk gezegd, zo. Oorlogsheld en dat soort dingen. Zelfs mijn moeder hield van hem. Hij was knap. Ik zei: 'Goed, laten we Edward Blake het voordeel van de twijfel gunnen en aannemen dat hij luitenant Hines heeft vermoord om een goede militaire reden. Dan vraag je Mr. Vinh nu, zonder gelul, wat hij die dag heeft gezien. Nu.'

Susan antwoordde. 'We zullen nooit de reden weten, die doet er niet toe, en Mr. Vinh weet het niet.' Ze stond op. 'We gaan.'

Ik zei tegen haar: 'Jíj weet het. Vertel op.'

Ze liep naar de achtermuur bij de daklijn en ze was veel dichter bij het pistool dan ik. Ze zei tegen me: 'Ik wil niet dat je het weet. Je weet al te veel.'

Mr. Vinh probeerde dit allemaal te begrijpen en keek van mij naar Susan.

Ik stond op en hield mijn ogen op Susan.

Ze wist dat ik wist waar ze op af ging, en ze zei tegen me: 'Paul... ik hou van je. Echt waar. Daarom wil ik niet dat je nog meer weet dan je al doet. En in feite zal ik het niet eens vermelden dat je de naam van Edward Blake hebt ontdekt.'

Ik zei: 'Ik wel. Nu vraag je hem wat ik wil weten, of je vertelt mij wat jij weet.'

'Geen van beide.' Ze aarzelde, zei toen: 'Geef me de sleutels.'

Ik haalde de sleutels uit mijn zak en wierp die naar haar toe.

Ze ving ze op, keek me aan en zei iets tegen Mr. Vinh. Wat ze ook gezegd mocht hebben, Mr. Vinh keek weer naar mij en begon te praten.

Ik zag Susan haar hand in het stro steken en het pistool pakken. Ze hield hem op haar rug. Ik vroeg me af of een schot in het dorp gehoord kon worden. Of twee schoten.

Ik zei tegen haar: 'Ik heb mensen gedood voor mijn land, en ik heb allerlei smerige dingen gedaan voor mijn land. Heb je ooit dat oude gezegde gehoord: "Ik verraad nog eerder mijn land dan mijn vriend"? Ooit heb ik dat niet geloofd. Nu weet ik het niet meer zo zeker. Als je zo oud wordt als ik, Susan, en je kijkt hierop terug, zul je het misschien begrijpen.'

We keken elkaar aan en ik zag dat ze op het punt stond om in tranen uit te barsten, wat geen goed teken was wat betreft mijn gezondheid of de gezondheid van Mr. Vinh.

Mr. Vinh was gaan staan en keek ons de een na de ander aan.

Susan zei iets tegen Mr. Vinh en hij begon de spullen op tafel bij elkaar te rapen.

Ik wilde dat hij ermee ophield, maar het leek me om een aantal redenen geen goed idee, en niet in de laatste plaats om het wapen.

Mr. Vinh gaf het fotoboek aan Susan dat ze in de zijzak van haar gevoerde jack stak, daarna de canvaszak met de brieven en het MACV-rooster, de identiteitsplaatjes, de portefeuille, de trouwring en het horloge die ze ook in haar zakken stopte.

Mr. Vinh besefte nu dat Susan en ik het ergens niet over eens waren, maar beleefd als hij was, wilde hij niet midden in een kiftpartij tussen twee westerlingen van tegengestelde sekse terechtkomen.

Ondertussen was miss Weber haar volgende zet aan het overwegen, wat een keurig vertrek of een smerig vertrek kon zijn. Ze zou het geluid van het pistool moeten dempen, en misschien dacht ze daarover na. Ik had er moeite mee me Susan Weber voor te stellen terwijl ze Tran Van Vinh doodde, of haar nieuwe geliefde, maar toen dacht ik eraan hoe ze zonder ook maar met haar ogen te knipperen die twee soldaten van de wereld had geknald. Ze liep naar haar rugzak en haalde de huid eruit die ze van de Montagnards had gekregen. Zo zou ik het pistoolschot dempen. Ik keek naar haar, maar ze wilde geen oogcontact met me maken, wat geen goed teken was.

Ze aarzelde lang, nam toen een beslissing en stak het pistool achter in haar broeksband zonder dat Mr. Vinh ook maar merkte wat er net had plaatsgevonden.

Ze bood Mr. Vinh de pels aan en maakte een buiging die Mr. Vinh beantwoordde. Ze keek naar mij en vroeg: 'Ga je met me mee?'

'Als ik met je meega, pak ik je wapen en de bewijzen. Dat weet je.'

Ze haalde diep adem en zei: 'Het spijt me,' en vertrok.

Dus hier stond ik, aan het eind van de wereld, in een huis van de plaatselijke communistenchef die zelfs geen Frans sprak, laat staan Engels, en mijn nieuwe vriendinnetje was ervandoor met de sleutels van de motor en het wapen. Nou, het had erger gekund.

Ik zette mijn vinger tegen de zijkant van mijn hoofd en zei tegen Mr. Vinh: '*Co-dep dien cai dau.* Maf.'

Hij glimlachte en knikte.

'Dus gaan er vandaag nog bussen hier vandaan?'

'Eh?'

Ik keek op mijn horloge. Het was bijna drie uur 's middags. Dien Bien Phu was dertig kilometer. In een geforceerd marstempo zou ik zes of zeven kilometer per uur over vlak terrein halen. Dat zou me ongeveer om acht uur in het stadje brengen; of misschien kon ik liften.

Ik zei tegen Mr. Vinh: '*Cam un...* nou ja. Bedankt. *Merci beaucoup.* Fantastische thee.' Ik stak mijn hand uit en hij schudde die. Ik keek hem in de ogen. Deze veteraan had tien keer de hel overleefd, en nu was hij eigenlijk niet meer dan een arme boer, een agrarische communist van de oude school, niet gecorrumpeerd en volslagen overbodig. Als Washington hem niet molde, dan zouden de nieuwe mensen in

Hanoi het misschien doen. Mr. Vinh en ik hadden een paar dingen gemeen.

Ik deed mijn horloge af, een mooi Zwitsers merk, en gaf het aan hem. Hij nam het aarzelend aan en maakte een buiging.

Ik pakte mijn rugzak op en verliet het huis van Tran. Ik liep naar beneden, langs de grafterpen, naar het dorp Ban Hin.

Ik trok niet zoveel belangstelling als eerder die dag, en als het wel zo was, viel het me niet op.

Waar het op neer kwam, was dat ik, ondanks mijn bravoure en mijn sarcasme, nog altijd verliefd was op miss Kreng. Om eerlijk te zijn voelde ik mijn maag samentrekken en mijn hart bloeden. Ik dacht terug aan Saigon, aan het dak van het Rex, de trein naar Nha Trang, het Grand Hotel, Piramide-eiland, Higway One naar Hué, Tet-oudejaarsavond, en A Shau, Khe Sanh en Quang Tri, en als ik alles nog eens over moest doen zou ik dat met haar doen.

Vervolgens dat gedoe met Edward Blake. Ik kreeg het nog steeds niet helemaal op een rijtje en ik was nog niet zover dat ik het kon analyseren. Wat ik zeker wist, was dat het een of andere machtsconsortium lucht had gekregen van deze brief en zich ermee was gaan bemoeien, of misschien was het wel omgekeerd; de brief was als eerste onder de aandacht van de CIA of de FBI gekomen, en het CID van het leger was alleen maar de dekmantel. En Paul Brenner was Don Quichot die met een ridderlijke opdracht door het land toerde met miss Sancho Panza, die de echte macht en de echte hersenen had. Natuurlijk had ik iets hiervan al een tijdje geleden uitgedokterd, maar ik had er weinig mee gedaan.

In ieder geval hadden sommige mensen in Washington zichzelf een ernstige paranoia aangepraat, waar ze heel goed in zijn. En Edward Blake was een winnaar, volgens de opiniepeilingen; een knappe oorlogsheld, mooie vrouw en kinderen, geld, vrienden met hoge posities, dus met iets of iemand die zijn aanstaande presidentschap bedreigde was het gebeurd.

Buiten dat dacht ik niet dat de man problemen had, vooral niet als iemand Mr. Vinh om zeep hielp en mij om zeep hielp. Susan kon in de laatste analyse de trekker niet overhalen, dus misschien zou ik haar een bedankbriefje moeten sturen.

Ik liep het dorpsplein over en wierp een blik op het monument voor de doden. Deze oorlog, deze Vietnam-oorlog, deze Amerikaanse oorlog, bleef maar moorden.

Ik bereikte Route 12 en keek om me heen voor een lift, maar het was de laatste dag van de feestdagen en ik veronderstelde dat iedereen het verlengde met het weekend, en voorlopig ging niemand ergens heen.

Ik begon naar het zuiden te lopen, in de richting van Dien Bien Phu. Ik kwam voorbij de militaire post, en merkte dat de jeep was verdwenen.

Ongeveer een halve kilometer verder op de weg hoorde ik een zware motor achter me, maar ik bleef lopen.

Ze kwam naast me rijden en we keken elkaar aan.

Ze vroeg: 'Waarom ga je naar Dien Bien Phu? Ik heb je verteld hoe je naar Hanoi moest komen. Waarom luister je niet naar me? Je moet liften naar Lao Cai. Ik ga die kant op. Spring achterop.'

'Bedankt, maar ik kruip liever, en ik ga liever daarheen waar ík wil zijn.' Ik bleef lopen.

Ik hoorde haar naar me roepen. 'Ik volg je niet en smeek je niet. Dit is het. Ga met me mee, of je ziet me nooit meer terug.'

We hadden dit al op Highway 6 gedaan, maar deze keer hield ik mijn poot stijf. Ik gaf te kennen dat ik haar had gehoord met een gebaar van mijn hand en liep verder.

Ik hoorde de motor loeien, luisterde toen naar het zwakker wordende geluid van de motor terwijl ze wegreed.

Ongeveer tien minuten later was het geluid van de motor weer achter me. Ze kwam naast me rijden en zei: 'Laatste kans, Paul.'

'Beloofd?'

'Ik was bang dat je een lift had gekregen en dat ik je kwijt was.'

Ik bleef lopen en ze bleef naast me rijden door gas te geven en af te remmen. Ze zei: 'Jij mag rijden.'

Ik gaf geen antwoord.

Ze zei: 'Jij moet naar Hanoi en dan pak je op zondag het vliegtuig hiervandaan. Ik moet je naar Hanoi zien te krijgen, omdat ik anders in moeilijkheden kom.'

'Ik dacht dat je mij had moeten doden.'

'Dat is belachelijk. Kom op. Tijd om naar huis te gaan.'

'Ik vind mijn eigen weg naar huis wel, dank je. Ik heb het twee keer gedaan.'

'Alsjeblieft.'

'Susan, krijg de tering.'

'Zeg dat niet. Ga alsjeblieft met me mee.'

We stonden daar met zijn tweeën op de onverharde weg elkaar aan te kijken. Ik zei: 'Ik wil je echt niet in mijn buurt hebben.'

'Ja, dat doe je wel.'

'Het is voorbij.'

'Is dit je dank dat ik jou en Mr. Vinh niet heb gedood?'

'Wat ben je toch lief.'

'Vind je het erg als ik rook?'

'Voor mijn part verbrand je.'

Ze stak op en zei: 'Goed, ik zal je zeggen wat er is gebeurd. In de brief schreef Tran Van Vinh dat hij gewond op de eerste etage van het ministerie van Financiën naar beneden lag te kijken. Hij zag twee mannen en een vrouw binnenkomen, die maakten een muurkluis open en begonnen er zakken uit te halen. Het waren burgers, en Mr. Vinh, toen sergeant Vinh, gokte dat ze óf het ministerie beroofden, óf van het ministerie waren en de buit naar een veilige plaats wilden brengen. Mr. Vinh schreef in zijn brief dat die mensen een paar zakken open-maakten en dat hij gouden munten zag, Amerikaans geld, en wat sie-raden.' Ze deed een haal aan haar sigaret. 'Je begrijpt waar dit heen leidt? Wil je dat horen?'

'Daarom ben ik hier. Je luistert niet naar me.'

Ze glimlachte en ging verder: 'Dit verhaal strookt met het feit dat het ministerie in Quang Tri tijdens de slag werd beroofd. Het staat in de geschiedenisboeken. Ik heb het nagekeken.'

'Maak het verhaal af.'

Ze vervolgde: 'Sergeant Vinh zegt in zijn brief dat hij uren ervoor al zonder munitie was komen te zitten, dus hij keek alleen maar. Een paar minuten later kwam de luitenant – Hines – het gebouw binnen en hij sprak met de drie burgers, alsof hij samen met hen de opdracht had de inhoud van de kluis in veiligheid te brengen. Maar heel plotseling brengt luitenant Hines zijn geweer omhoog en doodt de twee mannen. De vrouw smeekte om haar leven, maar hij schoot haar dood met een geweerschot door het hoofd. Kapitein Blake komt binnen, ziet wat er gebeurt en hij en luitenant Hines krijgen ruzie en luitenant Hines wil zijn geweer omhoogbrengen, maar kapitein Blake schiet met zijn pi-stool luitenant Hines dood. Daarna brengt kapitein Blake het papier-geld en het goud in veiligheid door het terug te doen in de kluis en hem op slot te doen. Dan vertrekt hij.' Ze voegde eraan toe: 'De buit ver-dween daarna.'

Ze gooide haar sigaret weg en zei: 'Dus dat is er gebeurd, en dat heeft Tran Van Vinh gezien en in de brief aan zijn broer geschreven.'

Ik keek haar een tijdje aan en zei: 'Volgens mij heb je de twee Ame-rikanen omgewisseld.'

Ze glimlachte min of meer. 'Misschien heb je gelijk. Maar ik denk dat het zo beter klinkt.'

Ik zei: 'Dus Edward Blake heeft eigenlijk vier mensen in koelen bloede gedood en is nog een dief ook. En deze man wil jij als president?'

'We maken allemaal fouten, Paul. Vooral in de oorlog. Ik zou, om eerlijk te zijn, zelf niet op Edward Blake stemmen, maar hij zou goed zijn voor het land.'

'Niet voor mijn land. Ik zie je nog wel.' Ik draaide me om en liep weg.

Ze bleef naast me rijden en zei: 'Ik hou van een man die zich blijft inzetten voor rechtvaardigheid.'

Ik gaf geen antwoord.

Ze zei: 'Dus nu weet je het geheim. Kun je het bewaren?'

'Nee.'

'Kun je het bewijzen?'

'Ik zal het proberen.'

'Dat is geen goed idee.'

Ik bleef staan en keek om me heen. Er was geen ziel te bekennen. Ik zei tegen haar: ''Hé, dit zou een goede plek voor je zijn om mij te doden.'

'Dat wel.' Ze haalde de .45 automatic uit haar riem, draaide hem heel vaardig rond aan de trekkerbeugel en stak hem mij toe, met de kolf vooruit. 'Of je kunt je van mij ontdoen.' Ik pakte het pistool en gooide het zo ver mogelijk in het ondergelopen rijstveld.

Ze zei: 'Ik heb nog een pistool. Nog twee, eigenlijk.'

'Susan, je bent niet lekker.'

'Ik heb je verteld dat mijn familie krankzinnig is.'

'Jíj bent krankzinnig.'

'Nou en? Daardoor ben ik interessant. Denk jij dat jij wel helemaal lekker bent?'

'Luister, ik wil geen ruzie met je hier...'

'Hou je van me?'

'Natuurlijk.'

'Wil je mijn hulp om Edward Blake onderuit te halen?'

'Hij is goed voor het land,' herinnerde ik haar.

'Niet mijn land. Kom mee. Mijn benzine raakt op en jij bent te oud om te lopen.'

'Ik was infanterist.'

'Welke oorlog? Burgeroorlog of de Spaans-Amerikaanse? Stap op. Je kunt met mij afrekenen in Hanoi. Ik moet billenkoek hebben.'

Ik glimlachte.

Ze maakte een u-bocht om me heen en stak haar hand uit. Ik pakte die en ze trok me naar de motor.

Ik stapte op.

We reden naar het noorden, langs Ban Hin, naar Lao Cai en naar Hanoi.

Dit zou een prettig resultaat zijn geweest als ik zelfs maar de helft van wat ze had gezegd, echt had geloofd.

45

We bleven naar het noorden rijden over Route 12, die een onverharde eenbaansweg bleef langs de rivier de Na, links van ons.

De hemel ging schuil achter lage, donkere wolken die eruitzagen alsof ze van plan waren daar tot de lente te blijven hangen. Ik had geen zonnige dag meer gezien sinds we de Hai Van-pas over waren gegaan, op weg naar Hué.

Wat betreft weer dat van invloed is op cultuur, bestaan er echt twee verschillende Vietnams: zonnig, lawaaierig en glimlachend in het zuiden; grijs, stil en somber hier. Raad eens wie de oorlog gewonnen heeft?

Susan en ik zeiden nauwelijks een woord tegen elkaar, wat mij wel zo goed uitkwam. Ik heb een hekel aan dat gekibbel tussen geliefden waarin de een iemand wil vermoorden en de ander niet.

Ik probeerde dit allemaal op een rijtje te zetten en ik denk dat ik het meeste ervan begreep, in ieder geval de politieke, economische en wereldstrategische kant ervan. En zoals altijd sloeg het net zomin ergens op als waarom we hierbij betrokken waren geraakt. In de uiteindelijke analyse moest het alleen maar ergens op slaan voor de mensen in Washington, die anders dachten dan gewone mensen.

Gezien de motieven van Washington, was dit een mengeling van legitieme bezorgdheid ten aanzien van China, een ongezonde obsessie voor Vietnam in het algemeen en een diepgevoeld geloof dat macht zoiets was als een grote lul die je van God had gekregen om lol mee te maken.

Buiten deze diepgaande gedachten waren er de menselijke elementen. Om te beginnen: Edward Blake hoorde naar de gevangenis te gaan wegens moord. Iemand anders kon wel president worden.

Verder was daar Karl. Kolonel Hellmann had een generaalsster nodig, omdat hij anders gedwongen zou zijn met pensioen te gaan, en een hogere officier die probeerde een ster te krijgen was net zoiets als een meisje van de middelbare school dat probeerde een afspraakje te versieren op de avond voor het eindexamenbal; pijpsessies waren niet ongewoon. Ik nam het hem niet kwalijk, maar hij had me er niet in mee hoeven slepen.

En dan had je nog de figuranten, zoals Bill Stanley, Doug Conway en nog een paar van die mensen, die een filmscript lazen dat 'God zegene Amerika' heette maar dat door de producenten en regisseurs uitgebracht zou worden onder de titel 'Mr. Blake gaat naar Washington', en waarin president Blake de Russen verneukt met Cam Ranh Bay, van Vietnam een Amerikaanse oliebedrijf maakt, en zodoende het verleden inlost, en waarin in de laatste scène de Zevende Vloot Cam Ranh Bay uitvaart in de richting van Rood-China zodat iedereen de doodsstuipen krijgt.

Misschien zouden die mensen maar eens moeten gaan tennissen.

En dan was daar Cynthia, die door Karl Hellmann was gemanipuleerd om Paul Brenner te suggereren dat Paul een opdracht nodig had; dat dit de beste manier was om de relatie te redden. Cynthia's motieven waren misschien zuiver geweest, maar als ze mc werkelijk begreep, zou ze volledig eerlijk zijn geweest in plaats van te doen alsof zij en Karl niet onder een hoedje speelden. God beware me voor vrouwen die alleen maar mijn belang voor ogen hebben.

En dan had je Susan nog, mijn snorrende poesje met de scherpe nagels. Het echt beangstigende eraan was, dat ze werkelijk verliefd op me was. Ik schijn intelligente vrouwen met een geestelijk gezondheidsprobleem aan te trekken. Of, als je het anders bekeek, lag het probleem misschien wel bij mij. Gewoonlijk kan ik jongeheer Pielemans de schuld geven van de meeste problemen die ik met dames heb, maar ik denk dat het deze keer mijn hart was.

Voor ons lag verderop een grote stad, volgens de kaart Lai Chau, die jammer genoeg niet Lao Cai was, en zelfs niet in de buurt lag.

We hadden de Montagnard-versieringen op zodat we op de weg niet door de militairen als westerlingen zouden worden herkend en zij ons voor de grap naar de kant zouden halen. Maar toen we Lai Chau naderden, deden we onze sjaals, de met bont gevoerde petten en motorbrillen af en reden een benzinestation binnen in het midden van de stad, die er heel wat minder voorspoedig uitzag als Dien Bien Phu.

Susan ging naar de wc terwijl ik benzine tankte met een handpomp. Gaat het langzamer als je liters pompt in plaats van gallons? Of sneller?

Susan kwam terug zonder blauwe kleurstof op haar gezicht en handen en zei: 'Ik pomp. Jij kunt de doos gebruiken.'

'Ik vind pompen leuk.'

Ze glimlachte en zei: 'Mag ik je slangetje vasthouden?'

Totaal mesjokke. Maar een fantastische wip.

'Ben je boos op me?'

'Natuurlijk niet.'

'Vertrouw je me?'

'Volgens mij hebben we dit al gehad.'

'Goed, geloof je dat ik aan jouw kant sta? Dat ik net als jij geloof dat Edward Blake in het openbaar rekenschap moet afleggen over hoe William Hines is gestorven?'

'Absoluut.' Ik was klaar met pompen en vroeg haar: 'Heb je nog dong?'

Ze betaalde de bediende die vlak bij ons stond, ons bekeek en onze BMW bestudeerde. Waarom pompen die gasten geen benzine. De dingen zullen hier anders worden als alle benzinestations in Amerikaanse handen zijn en door hen worden geleid. Dat zou die schooiers eens laten zien wie er echt de oorlog gewonnen had.

Ik wilde rijden, dus ik stapte op. Susan kwam naast me staan en zei: 'Kijk me aan, Paul.'

Ik keek haar aan.

Ze zei: 'Ik had die man niet kunnen doden. Je moet dat geloven.'

Ik keek haar in de ogen en zei: 'Ik geloof dat.'

Ze glimlachte en zei: 'Maar jij maakt me nijdig.'

Ik glimlachte, maar zei: 'Het is geen grap.'

'Dat weet ik. Sorry. Ik maak slechte grappen als ik gespannen ben.'

'Stap op.'

Ze ging achterop zitten en sloeg haar armen om me heen.

Ik startte de motor en we vertrokken over Route 12, die voornamelijk heuvelopwaarts ging toen de Na-vallei omhoogliep.

Susan had honger, zoals altijd, en we gingen naar de kant en hadden een picknicklunch naast een stinkend rijstveld. Bananen, rijstkoekjes en een liter water. De laatste goede proteïnen die ik had gehad, waren van het stekelvarken van de avond ervoor.

Susan stak een na-de-maaltijd-sigaret op en zei: 'Als jij je afvraagt waarom ze jou hebben gekozen, dan is één reden dat ze een oorlogsveteraan wilden hebben. Er bestaat een soort band tussen twee oude soldaten, ook als ze aan verschillende kanten hebben gevochten, en ik zag dat ook meteen tussen jou en Mr. Vinh.'

Ik dacht erover na en antwoordde: 'Er bestaat geen band tussen mij en kolonel Mang.'

'Eigenlijk wel.'

Ik negeerde dat en zei: 'Dus ik was door een computer uitgekozen? Knap, tweetalig in Frans en Vietnamees, uitgebreide kennis van het land, is dol op inlands eten, motorrijbewijs en sociaal vaardig.'

Ze glimlachte. 'Vergeet goeie wip niet.'

'Juist. Ik zal je eens wat zeggen... ze hebben verkeerd gerekend.'

'Misschien. Misschien niet.'

Ik liet dat zitten en we stapten op.

Ongeveer zestig kilometer en twee uur na Lai Chau splitste de weg zich en er stond een heus bord: links was het naar de Laotiaanse grens, tien kilometer, en rechts was het Lao Cai, zevenenzestig kilometer. Ik nam de rechterweg omdat ik op deze reis niet naar Laos wilde en beslist niet weer in contact wilde komen met grenswachten of militairen.

Maar in mijn zijspiegeltje zag ik achter me een militaire jeep stof opwerpen. Ik zei tegen Susan: 'Soldaten.'

Ze keek niet achterom, maar boog zich naar voren en vond de jeep in de zijspiegel. 'Je kunt ze makkelijk achter je laten op een karrenspoor.'

Wat ze bedoelde was dat de wielsporen heel erg ongelijk waren, maar dat de verhoging in het midden egaler was. Ik draaide het gas open en bracht de motor naar zestig kilometer per uur en ik zag de stofwolk achter me steeds kleiner worden.

We hielden die snelheid een halfuur aan en ik dacht dat als de jeep de helft van onze snelheid reed, hij vijftien kilometer achter ons moest zitten.

Ze zei tegen me: 'Ik heb je gezegd dat een motor beter was.'

Veel van deze reis was van te voren uitgedacht, en wat mij als willekeurig of als een gelukkig toeval was voorgekomen, was allemaal berekend geweest. Ik had de vergissing gemaakt mijn vrienden in Washington te onderschatten, want ik wist van hen dat ze niet zo stom konden zijn als ze eruitzagen.

Dit was een volledig verlaten stuk weg, die, volgens de kaart, 4D heette, wat duidelijk betekende desolaat. Het werd koud en donker. Ik pakte Susans hand en keek op haar horloge. Het was ongeveer 7 uur 's avonds. De zon zakte snel op deze breedtegraad, zoals ik in 1968 had gemerkt, en je kunt bij verrassing ineens in het donker komen te zitten.

Weer begon ik om me heen te kijken naar een plek waar we konden stoppen om de nacht door te brengen. Ik kon mijn adem werkelijk zien en ik gokte dat de temperatuur tegen het vriespunt liep.

Net toen ik naar de kant wilde, naar een stukje grond bij een bergbeek, zag ik een bord met *Sa Pa* erop, en in het Engels *Mooi uitzicht, goede hotels*. Ik stopte en staarde naar het bord. Misschien was het een grap van rugzaktoeristen. Ik zei: 'Is dat echt waar?'

Susan liet me weten: 'Er is een plaats verderop op de heuvel die Sa Pa heet. Een oud Frans zomervakantiedorp. Iemand van mijn kantoor in Hanoi is daar geweest. Laten we op de kaart kijken.'

Ik haalde de kaart tevoorschijn en we keken er allebei op in het wegvallende licht. En jawel, er was een klein punt dat Sa Pa heette, maar op de kaart geen enkele aanwijzing dat dit iets meer was dan een zoveelste gat met twee kippen. De hoogte werd op de kaart aangegeven met 1800 meter, wat de verklaring was dat ik mijn adem wel kon zien, maar mijn neus niet kon voelen. Ik zei: 'Het is zo'n kilometer of dertig van Sa Pa naar Lao Cai. We stoppen in Sa Pa.'

Ik gaf gas tegen de scherp stijgende weg op. De mist was nu dicht, maar ik liet mijn koplamp uit en hield het midden van de onverharde weg aan.

Binnen vijftien minuten zagen we het schijnsel van lichten en een paar minuten later waren we in Sa Pa.

Het was een aangenaam plaatsje en in het donker kon ik me inbeelden dat ik me in een Frans skidorp bevond.

We reden een tijdje rond en de stad was dood in de winter. Er waren een heleboel kleine hotels en pensions in Sa Pa, en elk ervan zou ons inchecken melden aan de immigratiepolitie.

Ik zag een paar mensen op straat, en de meesten ervan waren Montagnards. Ik zag een Vietnamees op een scooter voor me en zei tegen Susan: 'Vraag die man wat het beste hotel in de stad is.' Ik gaf gas en ging naast hem rijden. Susan sprak met hem en hij gaf haar de richting. Ze zei tegen me: 'Keer om.'

Ik maakte een U-bocht op de stille straat en Susan leidde me naar een weg die uit de stad omhoogklom.

Helemaal aan het einde van de weg, als een luchtspiegeling, stond een enorm modern hotel dat het Victoria Sa Pa heette.

We gaven de motor over aan de portier, pakten onze rugzakken en liepen een grote, luxueuze lobby binnen.

Ze zei tegen me: 'Alleen maar het beste voor mijn held. Gebruik je American Express. Ik denk dat ik niet meer gedekt ben.'

'Laten we eerst wat gaan drinken.'

Opzij van de lobby was een lounge en ik pakte Susan bij de arm en leidde haar deze moderne lounge binnen met een panoramisch uitzicht op de bergen in de mist. We zetten onze rugzakken neer en gingen aan een tafeltje zitten. Een serveerster nam onze bestelling van twee bier op. Ik keek om me heen en zag ongeveer tien westerlingen in de grote ruimte, dus we vielen niet op, wat de reden was waarom ik in het beste hotel van de stad wilde zijn.

Susan zei tegen me: 'Ik heb het gevoel dat we hier niet inchecken.'

'Nee, dat doen we niet.' Ik voegde eraan toe: 'Kolonel Mang kan inmiddels weten dat we in het Dien Bien Phu Motel hebben gelogeerd, dus hij weet dat we in het noordwesten van Vietnam zitten. Hij zou graag willen weten waar precies, maar ik weet niet wat hij met die informatie zal doen. In ieder geval wil ik hem of zijn plaatselijke handlangers niet aan mijn cocktailtafeltje hebben zitten. Dus we gaan verder.'

Ze antwoordde: 'Ik ben het ermee eens niet in een hotel of pension te overnachten, maar misschien moeten we ergens iets in de stad vinden, zoals een kerk of dat park dat we hebben gezien. Lao Cai is ongeveer twee uur gevaarlijk rijden door de bergmist. Als een militaire jeep achter ons reed, zouden we hem niet horen boven de motor uit en misschien zijn we niet in staat hem te snel af te zijn. Als hij op ons afkwam over een kleine bergweg, zouden we moeten omkeren en zijn we misschien niet in staat hem te snel af te zijn.' Ze keek me aan en zei: 'En jij hebt mijn pistool weggegooid.'

'Ik dacht dat je er nog twee had.'

Ze glimlachte.

Ik zei: 'Nou, ik heb een infanteristenoplossing om 's nachts te ontsnappen en te ontwijken. We gaan lopen.'

Ze gaf geen antwoord.

Het bier kwam en Susan hief haar glas naar mij. 'Op de ergste drie dagen die ik ooit in Vietnam heb gehad, en op de beste man ooit met wie ik ze heb doorgebracht.'

We klonken. Ik zei: 'Jij wilde wat avontuur.'

'Ik wilde voor vannacht ook een warme douche en een zacht bed. Om maar te zwijgen van een goed diner.'

'Die krijg je allemaal niet in de gevangenis.' Ik keek haar aan en zei: 'We zijn al te ver gekomen om nu nog een fout te maken.'

'Ik weet het. Jij bent de expert in het hier wegkomen met slechts een paar uur voor het vertrek van je vlucht.'

'Ik heb het twee keer gedaan.'

Susan riep de serveerster en liet haar in het Frans weten dat we iets te eten wilden hebben.

Susan glimlachte naar mij en zei: 'Misschien komen we hier in de zomer terug.'

'Stuur me een kaartje.'

Ze dronk peinzend van haar bier en zei toen: 'Ze zullen hier wel een faxapparaat hebben.' Ze keek om zich heen naar de tien mensen in de lounge. 'We kunnen een van die westerlingen vragen een fax voor ons te versturen. Gewoon om te zeggen dat we al zo ver zijn gekomen.'

Ik antwoordde: 'Als we het niet helemaal tot Hanoi halen met het missieverslag, zal het hen niet kunnen schelen hoe ver we zijn gekomen.'

'Nou... we zouden hun minstens moeten vertellen dat we TVV hebben ontmoet en hij ons een paar souvenirs heeft gegeven.'

'Susan, hoe minder ze in Saigon, Washington en op de Amerikaanse ambassade in Hanoi weten, hoe beter het is. Ik ben hun niets verschuldigd na al die flauwekul die zij – en jij – mij twee weken hebben lopen voeren.'

De serveerster bracht een kom pinda's en twee borden met stokjes saté, bedekt met iets dat naar pindasaus rook.

'Wat is dit voor vlees?' vroeg ik.

'Fixeer je niet zo op het vlees. Je heb nog een lange wandeling te gaan.' Susan stond op. 'Ik zag wat toeristische brochures in de lobby. Ik ben zo terug.'

Ik zat daar met mijn bier en geheimzinnige vlees. Jaloerse mannen vinden het niet leuk als hun vrouwen uit het gezicht verdwijnen. Ik ben geen jaloerse man, maar ik had geleerd dat ik Susan niet uit mijn gezicht moest laten verdwijnen.

Ze keerde een paar minuten later terug met een paar brochures in haar hand, ging zitten en bekeek er een. Ze zei: 'Goed, hier is een plattegrond van Sa Pa, en ik zie de weg naar Lao Cai. Wil je wat over de weg horen?'

'Natuurlijk.'

'Oké... om ons heen hebben we het Hoang Lien Son-gebergte dat de Fransen de Tonkinese Alpen noemden... het gebied is het woongebied van een overvloed aan wild, waaronder berggeiten en apen...'

'Ik haat apen.'

'Het is heel koud in de winter. Als we lopen, en ik denk dat we dat gaan doen, zijn er geen berghutten of schuilplaatsen, en we zullen regenkleding en een kacheltje nodig hebben...'

'Susan, het is maar vijfendertig kilometer. Ik doe dat nog in mijn onderbroek. Komen we nog door dorpen?'

'Ik denk het niet... het staat er niet... maar er zitten mensen in de bergen van de Rode Zao-stam, en hier staat dat ze heel verlegen zijn en niet van bezoekers houden.'

'Mooi.'

'Goed... op twaalf kilometer van Sa Pa ligt de Dinh Deo-pas, met

2500 meter de hoogste bergpas in Vietnam. Aan deze kant van de pas is het weer koud, nat en mistig. Als we voorbij de pas zijn, is het vaak zonnig.'

'Zelfs 's nachts?'

'Paul, hou je kop. Goed... er waait een sterke wind door de pas, maar al een paar honderd meter lager begint het weer warmer te worden. Sa Pa is de koudste plaats in Vietnam, en Lao Cai is de warmste. Dat is goed... de Dinh Deo-pas is de scheidslijn tussen twee heel verschillende weersgesteldheden.'

'Mag ik wat zeggen?'

'Nee. Ongeveer tien kilometer na Sa Pa is de Zilveren Waterval, waar we de motor kunnen dumpen.'

'Staat dat in de brochure?'

Ze keek op van de brochure en zei tegen mij: 'Ze vertelden me in Saigon dat die Paul Brenner een reputatie had van een moeilijk-mee-te-werken-geinponem. Ze wisten nog niet de helft ervan.'

Ik zei haar: 'Ze vertelden me in Washington dat jij iemand uit de zakenwereld was die de regering een dienst bewees. Ze hebben me nog niet één procent verteld.'

'Je hebt geboft.'

Ik zei: 'Laten we hier weggaan voordat we gezelschap krijgen.'

We betaalden de rekening, gaven de portier een fooi en kregen de motor.

Susan zei: 'Het is koud buiten.'

'Het is zonnig aan de andere kant van de pas.'

We trokken onze handschoenen aan, deden de leren petten op en Montagnard-sjaals om, stapten op en reden weg. We gingen terug de stad in en Susan gidste me naar de weg die naar het noorden, naar Lao Cai, liep.

De donkere, mistige weg klom hoger de bergen in. De weg was bestraat, maar het zicht was zo slecht dat ik de snelheid tussen tien en vijftien kilometer per uur moest houden.

Ongeveer drie kwartier buiten Sa pa hoorde ik het neerkletteren van de waterval voor ons, en een minuut later zagen we de waterval van een hoge berg ergens links voor ons naar beneden vallen. De zijkant van de weg ging over in een steile afgrond en ik stapte af. Ik kon niet door de mist heen kijken, dus ik pakte een grote steen op en gooide die. Een paar seconden later hoorde ik hem een andere steen raken, daarna een volgende tot de echo's wegstierven. Ik zei tegen Susan: 'Nou, zoals in de brochure staat is dit de plaats waar we de motor dumpen.'

We lieten de motor draaien en duwden samen de Parijs-Dakar-BMW over de rand van de weg. Ongeveer twee seconden later hoorden we hem neerkomen, daarna weer en nog een keer, tot we hem niet meer konden horen. Ik zei: 'Goede motor. Ik denk dat ik er een koop.'

We gingen te voet verder, over de steil klimmende weg. Het was bitterkoud en de noordenwind blies in ons gezicht.

Het kostte bijna een uur om de twee of drie kilometer naar de Dinh Deo-pas af te leggen. Toen we de top van de pas naderden, begon de wind te janken en moesten we ertegenaan leunen; zwijgend liepen we verder.

Boven aan de pas was de wind zo sterk dat we moesten stoppen en een pauze nemen in de luwte van een rotsblok. We gingen daar zitten om weer op adem te komen.

Susan had een paar minuten nodig om in de wind haar sigaret aan te krijgen. Ze zei: 'Ik moet stoppen met roken. Ik ben buiten adem.'

'Naar beneden moet het beter worden. Gaat het wel met je?'

'Ja... ik moet alleen even bijkomen.'

'Wil je mijn jasje?'

'Nee. Dit is een tropisch land.'

Ik keek naar haar in het schemerige licht, en onze ogen maakten contact. Ik zei: 'Ik vind je aardig.'

Ze glimlachte. 'Ik vind jou ook aardig. We zouden een fantastisch leven samen kunnen hebben.'

'Dat zou kunnen.'

Ze maakte haar sigaret uit en we wilden allebei opstaan, toen ze verstarde en zei: 'Ga liggen!'

We lieten ons allebei vallen en drukten ons plat tegen de grond.

Ik hoorde het geluid van een automotor boven het lawaai van de wind uit en ik zag gele lichten gebroken worden door de mist. We bleven daar liggen en de lichten werden helderder toen de auto naderde uit de richting die wij waren gekomen. Toen hij passeerde, ving ik een glimp op van een grote militaire truck.

We bleven daar een volle minuut liggen, toen zei Susan: 'Denk je dat hij naar ons op zoek is?'

'Ik heb geen idee, maar als dat zo is, zoeken ze naar twee mensen op een motor.'

Ik liet weer een minuut voorbijgaan. Toen stonden we op, kwamen achter het rotsblok vandaan en liepen weer tegen de wind in. Ik duwde de sjaal naar mijn hals en deed de kleppen van mijn pet omhoog zodat ik beter kon horen. Zo nu en dan keek ik over mijn schouder voor lichten. De kans dat iemand in een auto ons te voet zou zien voordat wij hem hoorden, was heel klein. Maar we moesten op onze hoede blijven.

We staken de top van de pas over en de wind werd weer sterker, maar nu ging het heuvelafwaarts en we schoten goed op.

Op ongeveer vijfhonderd meter van de top van de pas werd de wind een bries en ik voelde echt dat de lucht warmer werd.

Vijf minuten later zag ik gele mistlampen onze kant uit komen en hoorde het geluid van een motor, naar ons toe gedragen op de wind.

Links van ons was een steile helling en rechts was een smalle stroom tussen de weg en de bergwand. We aarzelden een halve seconde, lieten ons toen in het ijskoude water vallen.

De auto kwam langzaam dichterbij, de motor werd luider en de gele lichten werden helderder.

We bleven daar onbeweeglijk liggen.

Ten slotte reed de auto ons voorbij, maar we kregen er niets van te zien.

Ik gaf hem dertig seconden, kwam toen op een knie overeind en keek naar het zuiden. Ik zag de lichten naar de pas klimmen. Ik stond op. 'Goed. Laten we gaan.'

Susan stond op, we stapten terug op de weg en liepen verder. We waren doorweekt en koud, maar zolang we bleven lopen zouden we niet doodvriezen.

Langs de weg was geen enkele teken van bewoning, zelfs geen Montagnard-huis. Als de Vietnamezen en heuvelvolken Dien Bien Phu al koud vinden, zouden ze beslist niet hier gaan wonen.

Twee uur nadat we de pas overgestoken waren, verdween de mist en was de lucht warmer. We waren bijna droog en ik trok mijn handschoenen uit, deed mijn sjaals en leren pet af en stopte ze in mijn rugzak. Susan hield die van haar aan.

Binnen een halfuur zagen we de lichten van een stad beneden, in wat een diepe vallei bleek te zijn en die volgens mij de Vallei van de Rode Rivier moest zijn, hoewel ik de rivier zelf niet zag.

We hielden stil en gingen op een rots zitten. Susan haalde een van de toeristenbrochures tevoorschijn, die doorweekt was, en las de brochure bij de vlam van haar aansteker. Ze zei: 'Dat moet Lao Cai zijn, en aan de noordwestelijke kant van de rivier ligt China. Er staat dat Lao Cai werd verwoest tijdens de Chinese invasie in Vietnam in 1979, maar de grens is weer open, voor als we de Volksrepubliek China willen bezoeken.'

'De volgende keer. Wat staat er over vervoer naar Hanoi?'

Ze knipte de aansteker weer aan en zei: 'Dagelijks rijden er twee treinen. De eerste is om tien over halfacht 's ochtends en komt aan in Hanoi om halfzeven 's avonds.'

Ik keek op mijn horloge, maar dat was er niet. Ik vroeg Susan: 'Hoe laat is het?'

Ze keek op haar horloge en zei: 'Bijna één uur. Waar is jouw horloge?'

'Dat heb ik aan Mr. Vinh gegeven.'

'Dat was aardig van je.'

'Ik zal hem volgend jaar een nieuwe batterij sturen.'

Ze vroeg me: 'Wat wil je de komende zes uur gaan doen?'

'Mijn hoofd laten onderzoeken.'

'Dat kan ik wel. Wil je het horen?'

'Nee. Laten we naar beneden gaan, naar een iets warmere hoogte, iets dichter bij Lao Cai, dan een plaats gaan zoeken waar we tot zonsopkomst kunnen schuilen.' Ik stond op. 'Klaar?'

Ze stond op en we liepen verder de weg af.

De bergen werden voorgebergten en we zagen hutten en kleine dorpen, maar geen brandende lichten. De weg daalde steil naar de vallei en ik zag nu de Rode Rivier en de verspreide lichten van twee stadjes aan weerskanten van de rivier; deze kant was Lao Cai en het stadje aan de overkant, ongeveer een kilometer stroomopwaarts, moest in China liggen.

Ik herinnerde me slechts vaag de grensoorlog van 1979 tussen China en Vietnam, maar ik herinnerde me wel heel duidelijk dat de Vietnamezen de Rode Chinezen behoorlijk op hun lazer hadden gegeven. Deze mensen waren hard en zoals ik onderweg naar de A Shau-vallei tegen Mr. Loc had gezegd, wilde ik hen in de volgende oorlog aan onze kant hebben. En ik denk dat in zekere zin deze missie voor een deel daarom was.

Ik bedoel, ik wilde er niet van beschuldigd worden dat ik het machtsevenwicht in de wereld had verstoord; de militaire en politieke genieën in Washington waren duidelijk hard bezig een nieuwe Vietnamese-Amerikaanse alliantie te smeden tegen Rood-China. Om de een of andere reden was vice-president Blake belangrijk voor deze alliantie, en moest hij president worden. Ik hoefde alleen maar te vergeten wat ik in Ban Hin had gezien en gehoord, en met wat geluk zouden we Cam Ranh Bay terugkrijgen, en zouden de matrozen van de Zevende Vloot veel kunnen wippen in Vietnam, plus dat we nieuwe oliebronnen zouden hebben, en een groot Vietnamees leger hier aan die grens voor me, en we konden allemaal de Chinezen een pak op hun lazer geven – of in ieder geval dreigen dat te doen als ze er niet mee ophielden zich als klojo's te gedragen. Klonk goed.

Nog beter, ik kon president Blake chanteren mij tot minister van Defensie te benoemen, zodat ik kolonel Karl Hellmann kon ontslaan, of hem degraderen tot gewoon soldaat en hem op permanente latrinedienst kunnen zetten.

Er konden duidelijk een heleboel goede dingen gebeuren als ik gewoon mijn mond hield – maar misschien zorgden zij daar wel voor.

Ik wist niet, en evenmin zou ik het ooit weten, of van Susan Weber werd verwacht mijn carrière te beëindigen en mijn pensioen om te zetten in een overlijdensverzekering voor ma en pa. Er stond behoorlijk wat op het spel, voor haar voldoende om tot zo'n handelwijze te komen – ik bedoel, als Washington had gedreigd de hele familie van Mr. Anh te doden als hij een verrader bleek te zijn, dan waren de inzetten zeker voldoende om onderluitenant Paul Brenner op de dodenlijst te zetten.

Tijdens de oorlog had het Phoenix Program meer dan 25.000 Vietnamezen vermoord die ervan werden verdacht samen te werken met de Vietcong. Voeg aan dat aantal een paar Amerikanen in Vietnam toe die vc-sympathieën hadden en een paar lokale Fransen die regelrechte vc-collaborateurs waren, en andere Europeanen die in Vietnam woonden en te ver naar links neigden. Het was een verbazingwekkend aantal – 25.000 mannen en vrouwen – het grootste moord- en liquidatieprogramma dat ooit door de Verenigde Staten van Amerika was uitgevoerd. En ik kon aannemen dat een paar van die Amerikanen, die met het programma te maken hadden gehad en ongeveer van mijn leeftijd waren, klaar, bereid en in staat waren een paar ontevredenen en lastpakken zoals ik binnen een oogwenk om zeep te helpen.

De positieve kant was dat ik het meisje van mijn dromen had gevonden. Hier in Vietnam. Een man hoorde niet zoveel geluk te hebben.

Terwijl we naar Lao Cai liepen, zei ik tegen Susan: 'Je begrijpt dat ik aan de bel ga trekken over Edward Blake.'

Ze gaf een tijdje geen antwoord, zei toen: 'Denk erover na.' Ze vervolgde: 'Soms, Paul, zijn waarheid en gerechtigheid niet de dingen die iemand wil of nodig heeft.'

'Nou, als die dag komt – als hij al niet gekomen is – dan verhuis ik naar een plaats als Saigon of Hanoi, waar in ieder geval niemand pretendeert dat waarheid en gerechtigheid belangrijk zijn.'

Ze stak een sigaret op en zei: 'Diep vanbinnen ben jij een padvinder.'

Ik gaf geen antwoord.

Ze zei: 'Wat je ook mag besluiten, ik sta achter je.'

Weer gaf ik geen antwoord.

We vonden een bosje bamboe en gingen erin, rolden onze poncho's uit en gingen op de grond liggen. Ik ben niet zo'n grote fan van bamboeadders, en hoopte dat het koud genoeg was om ze te laten slapen tot de zon ze verwarmde. Zo stond het in het handboek voor ontsnapping en ontwijking.

Susan sliep, maar ik kon het niet. De lucht werd helderder en ik zag sterren door het gebroken wolkendek heen. Een paar uur later begon de hemel lichter te worden en hoorde ik vogels die klonken als krijsende papegaaien en ara's. Ik hoorde het domme gesnater van apen ergens in de verte.

We moesten weer aan de wandel voordat de bamboeadders dat deden en ik schudde Susan wakker. Ze ging rechtop zitten, geeuwde en stond op.

We gingen naar de weg en liepen verder.

Rechts van ons was een brede rivier die snel uit de bergen naar de Rode Rivier stroomde. Er stonden groepjes hutten bij de weg, maar het was te vroeg voor mensen of voertuigen om al op weg en in beweging te zijn.

De weg werd vlakker en we bevonden ons nu op de bodem van de vallei. Binnen een halfuur daarna liepen we het ongelooflijk lelijke stadje Lao Cai binnen.

Ik zag dat al de gebouwen betrekkelijk nieuw waren en dat de hele stad verwoest moest zijn geweest in de oorlog van 1979. Dit was in ieder geval een verwoeste Vietnamese stad die niemand het leger, de mariniers, de marine of de luchtmacht van de Verenigde Staten kon aanrekenen.

Er liepen een paar mensen rond, maar niemand besteedde aandacht aan ons. Ik zag een groepje van ongeveer vijftien jonge rugzaktoeristen bij elkaar op het marktplein zitten en liggen, alsof ze daar de nacht hadden doorgebracht.

Ik zei tegen Susan: 'Met onze rugzakken kunnen jij en ik voor studenten doorgaan.'

'Ik misschien.'

Susan hield een Vietnamese vrouw staande en vroeg: *'Ga xe lua?'*

De vrouw wees, mimede iets en sprak.

Susan bedankte de vrouw in het Frans en ik bedankte haar in het Spaans en we liepen verder.

Susan zei: 'We moeten de rivier over.'

We staken de Rode Rivier over via een nieuwe brug en ik zag de pijlers van twee vernielde bruggen verder stroomopwaarts. Ook stroomopwaarts, waar de rivier zich vertakte, zag ik gebouwen met Chinese karakters erop geschilderd.

Susan zag die ook en ze zei: 'China.'

Toen we van de brug kwamen, keek ik om me heen en zag een paar ruïnes van gebouwen aan de Vietnamese kant die niet waren herbouwd. Het was een vreemde oorlog geweest, en ik kon me zelfs niet herinneren waarvoor de Chinezen en Vietnamezen elkaar naar de strot waren gevlogen, zo snel na de hulp die de Chinezen aan de Vietnamezen hadden gegeven tijdens de Amerikaanse Oorlog. In de grond mochten ze elkaar niet, en dat was al duizend jaar zo. Er zou waarschijnlijk maar heel weinig voor nodig zijn om hen weer naar elkaars strot te laten vliegen.

We volgden een weg die parallel liep aan het treinspoor, dat, naar ik zag, smalspoor was. Ik zag het station verderop en dat was ook een nieuw gebouw van betonnen platen, omdat het oorspronkelijke station wellicht als eerste tijdens de oorlog was gesneuveld.

We gingen het stationsgebouw binnen en zagen honderden mensen bij twee kaartverkooploketten, en nog eens honderden die kampeerden op het perron voor Hanoi. Er waren maar een paar mensen op het perron naar het westen voor de trein naar China, dat slechts 1500 meter verderop langs het spoor lag.

De stationsklok gaf 6:40 aan en het leek erop dat we hier een uur in de rij zouden moeten staan en dan misschien nog geen plaats zouden krijgen. De volgende trein vertrok volgens het opgehangen bord om halfzeven die avond en bereikte Hanoi om halfzes zaterdagochtend.

Ik hoefde niet voor zaterdag in Hanoi te zijn, maar ik wilde geen twaalf uur in Lao Cai blijven hangen. Plus dat het soms aardig is om wat vroeger te verschijnen om indruk te maken op mensen.

Ik zei tegen Susan: 'Waarom gebruik je je charmes en je Amerikaanse dollars niet om de rij over te slaan?'

'Ik wilde het net gaan doen.' Ze liep naar de voorkant van een van de rijen en sprak met een jongeman. Geld wisselde van eigenaar en binnen tien minuten was ze terug met twee kaartjes naar Hanoi. Ze zei: 'Ik heb zachte zitplaatsen voor tien dollar, en daarbij heb ik voor de jongen een couchette gekocht voor zeventien dollar, en hem vijf dollar extra gegeven. Hou je onze onkosten bij?'

'Ik word alleen betaald voor het actieve werk. Eigenlijk, aangezien jij er bij bent, kan ik ook risicotoeslag vragen.'

'Je bent grappig.'

Het was geen grap.

We liepen naar het perron waar honderden mensen stonden, zaten en lagen. De smalspoortrein stond op een zijspoor en zag eruit als het treintje in een amusementspark.

De hemel was licht, maar bewolkt en de temperatuur was rond de twaalf graden. Er waren een aantal jonge rugzaktoeristen en westerse toeristen van middelbare leeftijd, en veel van hen droegen net gekochte Montagnard-kledingstukken van diverse stammen, en haalden waarschijnlijk stammen en sekses door elkaar. De echte Montagnards op het perron vonden het grappig en wezen gniffelend.

Susan stak een sigaret op en vroeg me: 'Hoeveel bedroeg de soldij?'

'Vijfenvijftig dollar per maand. Zeshonderdzestig dollar per jaar. Niet zo'n goede deal. Ondertussen waren mannen zoals Blake die niet in de jungle zaten om overhoopgeschoten te worden, bezig met zaken op de zwarte markt, geldhandel en gewoon jatwerk. Sommige mensen hier werden rijk aan de oorlog, de meesten sneuvelden, raakten gewond of werden knetter, met natuurlijk vijfenvijftig dollar voor de moeite.'

Susan dacht er een ogenblik over na en zei toen: 'Ik begrijp waarom je dit persoonlijk opvat.'

Ik gaf geen antwoord.

Ze vroeg me: 'Ik vraag me af of Blake die buit mee naar huis heeft genomen.'

'Dat zullen we misschien nooit weten, maar het was niet zo moeilijk. Voor je naar huis terugging, werd je hier eerst gecontroleerd of je geen drugs of militaire spullen mee naar huis nam. Buiten dat kon het hen niet schelen wat je verder in je plunjezak had. Aan de Amerikaanse kant gebaarde de douane je gewoon verder, omdat ze wisten dat je hier op drugs en explosieven was gecontroleerd. Ook werden officieren zoals kapitein Blake zonder meer op hun woord geloofd.'

Ze knikte en zei: 'Achter elk groot fortuin zit een misdaad.'

Omdat dit een grensstadje was, liepen er te veel mannen in uniform rond, voornamelijk types van de grenspatrouilles, maar ook een heleboel zwaarbewapende soldaten, alsof ze elk ogenblik een volgende oorlog konden verwachten. Deze plaats was een beetje griezelig, maar er waren voldoende avontuurlijke reizigers uit Europa, Australië en Amerika om ons enige dekking te geven.

Douaneagenten begonnen over het perron te patrouilleren en vroegen mensen naar hun identiteitsbewijzen en vroegen bijdragen voor het weduwen- en wezenfonds. Ik merkte dat ze het de etnische Chinezen echt heel moeilijk maakten en ook dat zij westerlingen eruit pikten die alleen of in kleine groepjes zonder gids waren.

Susan merkte dit ook op en zei tegen me: 'Zie je die groep daar?

Volgens mij zijn het Amerikanen. We gaan ons aansluiten.'

Ik wist dat het Amerikanen waren omdat twee mannen in deze temperatuur van twaalf graden een korte broek droegen, en de vrouwen voldoende sieraden van de Montagnards hadden gekocht en om zichzelf heen hadden gehangen om eruit te zien als radarantennes.

We liepen naar de tourgroep van ongeveer twintig Amerikanen die een mannelijke Vietnamese gids bij zich hadden.

Susan, die wat socialer is dan ik, begon een gesprek met een paar van de vrouwen. Ze spraken over sieraden en stoffen.

De agenten bleven bij ons uit de buurt.

Om ongeveer zeven uur begon het pretparktreintje van het zijspoor naar het enkelvoudige hoofdspoor te rijden en stopte aan het perron. Susan zei haar nieuwe vriendinnen gedag en we liepen naar onze wagon in de korte trein van acht wagons. We stapten in wagon nummer 2 en vonden onze plaatsen.

De wagon was smal met slechts twee zitplaatsen aan de linkerkant en het gangpad langs de ramen aan de rechterkant.

Ze legden onze rugzakken boven onze hoofden en Susan zei: 'Ga jij aan het gangpad zitten, dat kun je je wat strekken. Dit is echt heel klein.' We gingen zitten.

We spraken geen van beiden en ik denk dat we allebei beseften dat we meer dan ons deel aan geluk hadden gehad en er maar beter niet over konden praten. Natuurlijk hadden vaardigheid, hersenen en ervaring er ook een heleboel mee te maken. En Susan Weber bleek ook een goede reisgenote te zijn. Ik vroeg me af of ik het in mijn eentje gered zou hebben, en ik wist dat ik me dat de rest van mijn leven zou afvragen.

Om tien over halfzeven reed de trein uit het station weg en waren we onderweg naar Hanoi.

Het spoor liep langs de noordelijke oever van de Rode Rivier, en aan beide zijden van de rivier strekten de Tonkinese Alpen zich langs de vallei uit. Met een beetje voorstellingsvermogen lukte het me om mezelf in Europa voor te stellen, op weg naar iets leuks.

De wagon zat vol Vietnamezen en westerlingen en er stonden mensen op het balkon, maar niemand zat op het smalle gangpad naast ons gehurkt.

We zwegen een tijdje en keken naar het landschap dat eigenlijk heel erg spectaculair was. De trein maakte een heleboel geluid op de rails, en ik besefte dat er geen verwarming in de wagon was. Ook nam ik aan dat er geen restauratiewagon was.

Susan wendde zich af van het raampje en keek me aan. Ze zei: 'Zover zijn we in ieder geval al.'

'Zover zijn we in ieder geval al.'

Ze vroeg: 'Was ik een goed maatje?'

'Ben ik al ongeschonden thuis?'

Ze stak een sigaret op, keek een paar minuten uit het raampje en vroeg me toen: 'Wat zijn je instructies met betrekking tot Hanoi?'

'Wat zijn die van jóu?'

Ze gaf een tijdje geen antwoord en zei toen: 'Mij is verteld naar de ambassade te gaan voor een debriefing.'

Ik vroeg haar: 'Is er Vietnamese politiebewaking rond de ambassade?'

Ze antwoordde: 'Nou, ik ben daar maar één keer geweest... maar, ja, er is een Vietnamese politiepost. Bovendien is me verteld dat er undercover ambassadebespieders zijn die iedereen die naar binnen en buiten gaat natrekken, foto's nemen en soms mensen aanhouden.'

'Wat moest je op de ambassade?'

'Gewoon op bezoek.'

'Natuurlijk.'

Ze vroeg me weer: 'Wat zijn jouw instructies?'

Ik antwoordde: 'Mij werd verteld naar het Metropole te gaan en verdere instructies af te wachten. Er wordt wel of niet contact met me opgenomen. Ik word wel of niet verwacht op de ambassade. Morgen moet ik vertrekken naar een andere stad...'

'Bangkok. Ik heb je tickets gezien en kolonel Mang ook.'

'Precies. Het Metropole komt niet meer ter sprake, het vliegveld van Hanoi komt niet ter sprake en de ambassade wordt in de gaten gehouden.'

'Dus? Wat gaan we nu doen?'

'Is het Hanoi Hilton nog open?'

'Dit is geen grap.'

'Ik maak grappen als ik gespannen ben. Heb ik je dat nog niet verteld? Hoe dan ook, ik meen van jou te begrijpen dat vice-president Blake een bezoek aan Hanoi brengt?'

'Hij is hier om zijn oude vriend, ambassadeur Patrick Quinn te ontmoeten, en om aanwezig te zijn op een congres over MIA's, en ik weet zeker op een paar andere, minder bekendgemaakte ontmoetingen met de Vietnamese autoriteiten.'

Ik knikte. 'Hij moet een ontmoeting hebben die niet op zijn agenda staat. Met ons.'

Susan gaf een tijdje geen antwoord, zei toen: 'Dat zou weleens een goed idee kunnen zijn, of een heel slecht idee.'

'Als hij van dit probleem afweet, zal hij in Hanoi willen zijn waar hij de situatie praktisch kan aanpakken over waar en wanneer de missie afgelopen is. Wij kunnen hem daarmee helpen.'

Susan antwoordde: 'Eerlijk gezegd weet ik niet of hij zich er wel bewust van is dat hij een probleem heeft. Maar andere mensen wel, en ik denk dat het Mr. Blake in Hanoi duidelijk zal worden gemaakt. Het slechte nieuws, Mr. vice-president, is dat we weten dat u in Vietnam drie Vietnamezen en een Amerikaanse officier hebt vermoord. Het goede nieuws, meneer, is dat we de situatie in de hand hebben.'

'Ze hebben het niet in de hand,' wees ik haar terecht.

'Dat was wel de bedoeling.'

De trein bleef naar het oosten, naar Hanoi, rijden. Susan en ik bespraken een paar ideeën en mogelijkheden en probeerden een strategisch plan te bedenken. Ik deed alsof ik haar volledig vertrouwde. Zij deed ook alsof.

Ik bleef het gevoel houden dat ik niet zo ver had moeten komen en dat Susan dingen moest bijstellen omdat ik nog leefde. Maar dat was misschien al te paranoïde gedacht. Misschien moest ik nog net Bangkok halen, dan worden geëvalueerd over hoeveel ik eigenlijk aan de weet was gekomen en over hoe er, zoals Mr. Conway had gezegd, mee afgerekend moest worden. Misschien gingen ze ervan uit dat Susan een getuige voor of tegen me was. En misschien zou mijn vriend Karl, die om me gaf, mijn rechter worden. Ik vroeg Susan: 'Word er van jou verwacht dat je naar Bangkok gaat?'

Ze gaf geen antwoord.

'Hallo? Susan?'

'Ja.'

'Goed.' Ik verduidelijkte haar iets: 'Als de mogelijkheid bestaat dat ik misschien... laten we zeggen, een volledige militaire begrafenis zou krijgen voordat ik er aan toe was, is het dan bij je opgekomen dat jij ook in een soortgelijke gevaarlijke situatie zit?'

'Dat is bij me opgekomen.'

'Goed.' Daar liet ik het bij.

We reden in de opkomende zon naar Hanoi, naar het einde van de missie en naar het einde van mijn derde diensttijd in Vietnam.

De trein uit Lao Cai reed langzaam door de noordelijke buitenwijken van Hanoi en om vier minuten over halfzeven 's avonds reden we het Long Bien Station binnen.

De reis van het zwoele, zondige Saigon had me langs de slagvelden van Zuid-Vietnam geleid, het hart van mijn eigen duisternis in, en landinwaarts op een reis vol ontdekkingen en hopelijk zelfbewustzijn.

Ik had eindelijk leren leven met dit land, zoals veel mannen die hier hadden gezeten, en zoals zovelen van mijn generatie, mannen en vrouwen, die niet naar Vietnam waren geweest, maar die zoveel jaar geleden Vietnam doorgemaakt hadden.

En toch, op een onverwacht moment, had de oorlog nog steeds de kracht om in onze dromen te spoken en ons overdag lastig te vallen. En wat Edward Blake aanging, was dit een van die momenten

Deel zeven

Hanoi

46

Hanoi. Een naam die voor mijn generatie herinneringen oproept, zoals Berlijn en Tokio voor de generatie van mijn vader. Tijdens de oorlog ging er bijna geen week voorbij dat er geen nieuwsverslag werd gegeven over een bomaanval op Hanoi. *Amerikaanse bommenwerpers troffen vandaag doel op drie kilometer van het centrum van Hanoi en bombardeerden een spoorbrug over de Rode Rivier, een energiecentrale en vermoedelijke vijandelijke SAM-installaties.* Na ongeveer vijf of zes jaar van dat soort nieuwsberichten, was dat geen nieuws meer, behalve voor de piloten en de mensen op de grond.

De passagiers om ons heen pakten hun bagage en begonnen de trein te verlaten.

Susan en ik bleven zitten en verkenden het perron.

Er waren veel geüniformeerde agenten van de grenspolitie op het perron die de uitstappende passagiers bekeken, plus nog een paar mannen in burger die gemakkelijk te herkennen waren. Ik zei tegen Susan: 'Sommigen van die gasten hebben iets in hun handen wat foto's kunnen zijn.'

Ze bleef uit het raampje kijken en zei: 'Dat is niet zo ongewoon op stations... we moeten niet automatisch aannemen dat ze naar ons zoeken... maar ze kijken wél naar westerlingen.'

'Precies.' Ik nam ook aan dat ze foto's hadden van Piramide-eiland, dus zouden ze ons misschien niet met kleren aan herkennen. En om eerlijk te zijn leken een paar agenten meer geïnteresseerd in de foto's dan in de uitstappende passagiers.

Ik zei: 'Laten we ons aansluiten bij die Amerikaanse groep met wie jij gepraat hebt.'

We stonden op, pakten onze rugzakken en liepen naar wagon 6 waar de groep Amerikanen met hun Vietnamese gids aan het uitstappen was.

Voor Susan schuifelde een Vietnamese vrouw naar buiten; Susan sprak met de vrouw in het Vietnamees en sprak daarna tegen mij. Susan kwam erachter dat het Long Bien Station in een buitenwijk was, aan de oostelijke kant van de Rode Rivier en dat de passagiers van onze trein op een trein op normaalspoor moesten overstappen als ze in het centrum van Hanoi wilden komen. Er waren ook bussen en taxi's beschikbaar. En politiewagens.

Een van Susans mooiste uiterlijke kenmerken was haar steile, schouderlange haar, en ze vroeg me dat onder haar gevoerde jack te stoppen.

Ik heb veel mooie uiterlijke kenmerken, maar die kon ik niet allemaal onder donkerblauwe Montagnard-sjaals verbergen zonder de aandacht te trekken of zonder sjaals te komen zitten, dus ik wikkelde gewoon een donkerblauwe Montagnard-sjaal rond mijn hals en kin. Susan deed hetzelfde.

'Na het uitstappen gaan we uit elkaar.'

We stapten op het perron, gingen uit elkaar en gingen in het midden van de groep van ongeveer twintig Amerikanen met hun gids staan.

Susan praatte met de mensen om haar heen en ik raakte in gesprek met twee mannen terwijl ik met mijn ogen de smerissen volgde. Een paar van hen keken naar onze groep, maar niemand toonde enig teken van herkenning.

De tourgroep werd bij elkaar geroepen en we begonnen het perron af te lopen. Misschien haalden we het net, maar ik hield toch mijn adem in.

Het station was een combinatie van oud en nieuw en ik zag waar de vernielingen door bommen waren hersteld met nieuwer beton. Een land dat een oorlog heeft meegemaakt, zal er nooit meer helemaal hetzelfde uitzien, in ieder geval niet voor de mensen die nog wisten hoe het er had uitgezien.

Het weer was bewolkt en veel warmer dan het in de bergen was geweest. Dit land had een zonnige dag nodig. Ik had een zonnige dag nodig.

Ik zag links van me een taxistandplaats, waar twee agenten van de grenspolitie naar de westerlingen stonden te kijken die in de taxi's stapten.

Onze Amerikaanse tourgroep liep in de richting van een wachtende bus met een aanduiding *Love Planet Tours*. Ik voelde niet echt veel love op het moment, maar mensen op de vlucht kunnen niet al te kieskeurig zijn.

Onze groep begon in te stappen in de bus van Love Planet. Susan liep voor me en ze sprak een ogenblik met de Vietnamese tourgids, gaf hem wat geld, waardoor hij ging glimlachen, en ze stapte in. Ik bereikte de gids en gaf hem vijf dollar. Hij glimlachte en knikte.

Ik stapte in de bus. De chauffeur, die deze groep nog nooit had gezien, besteedde helemaal geen aandacht aan me, maar als hij dat wel zou hebben gedaan, dan zou hij ook een paar dollar hebben gekregen.

Er konden ongeveer veertig mensen in de bus, en er waren een heleboel lege plaatsen, maar Susan nam plaats aan het gangpad naast een vrouw van middelbare leeftijd met grote Montagnard-oorringen. Ik nam de plaats aan de andere kant van het gangpad, tegenover Susan, en gooide mijn rugzak op de lege stoel naast het raam. Ik hoorde de bagage in de ruimte onder mijn voeten gegooid worden.

Het duurde een eeuwigheid voordat de slome Amerikanen ingestapt waren en ik keek naar de grenspolitie die buiten rondliep, nog altijd starend op foto's en nog altijd zoekend naar iemand.

De bus was eindelijk vol en de Vietnamese gids stapte in. Hij zei: 'Goed, is iedereen aanwezig?'

De tourgroep antwoordde eenstemmig: 'Ja.'

Ik haat tourgroepen, maar het alternatief in dit geval – een politiewagen – is misschien wel erger, hoewel niet veel.

Ik zag een grenspolitieman naar de bus komen lopen en hij stapte in.

Ik moest mijn schoenveters knopen, wat ik deed, en wat Susan ook deed. Ondertussen hield de vrouw naast haar een non stop betoog en voor de agent moet het geleken hebben alsof ze in zichzelf sprak.

Ik hoorde de tourgids en de smeris een paar woorden wisselen en ik dacht dat het slechts een kwestie van seconden was voordat de smeris me op mijn schouder zou tikken. Ik wierp een blik op Susan, die naar mij keek en we hielden oogcontact.

Na wat een eeuwigheid leek plus een paar seconden, hoorde ik het hydraulische geluid van sluitende deuren. Een ogenblik later kwam de bus in beweging. Toch bleven Susan en ik onze veters dichtknopen tot de bus uit de buurt van het station was en op de weg zat.

Ik ging rechtop zitten, evenals Susan. Ik zei tegen haar: 'Hai, ik ben Paul. Is dit de eerste keer dat je in Vietnam bent?'

Ze sloot haar ogen, legde haar hoofd tegen de hoofdsteun en haalde lang en diep adem. De dame naast haar sloeg geen tel over en bleef doorsnateren.

De bus reed naar het zuiden en de ondergaande zon viel door de ramen aan de rechterkant naar binnen. We deden allebei onze blauwe Montagnard-sjaals af en stopten die in onze rugzakken. Ik zei tegen Susan: 'Waar kom je vandaan?'

Ze antwoordde: 'Hou alsjeblieft je mond.'

De vrouw naast haar voelde zich aangesproken, sloot haar mond en wendde zich tot het raampje.

Susan zei tegen haar: 'Sorry, ik had het tegen deze lastpost.'

De vrouw wendde zich naar mij en schonk me een harde blik.

Ik keek even naar de tourgids die bij de chauffeur stond, met zijn gezicht naar ons. Ik zag dat hij naar mij keek en onze ogen troffen elkaar een halve seconde; toen keek hij een andere kant op.

Ik had geen idee wat hem had gemotiveerd zijn mond te houden, maar het had waarschijnlijk een heleboel te maken met angst; niet voor Susan en mij, maar voor de smeris. Om een paar dollar aan te nemen van passagiers die niet op de lijst stonden, was een klein misdrijf; het verbergen van vluchtelingen, zelfs onbedoeld, kon hem een boete kosten, zijn baan en zijn vrijheid. Dit was een land waar de angst regeerde; ik ben in dat soort landen geweest, en dat kon voor of tegen de autoriteiten werken. Deze keer werkte het tegen hen. De volgende keer hadden we misschien niet zoveel geluk.

De bus reed over een brede straat en de gids zei: 'Nu bereiken we de Chuong Duong-brug die over de Song Hong – de Rode Rivier – leidt. Mooie rivier. U neemt foto.'

Gehoorzaam nam iedereen foto's van de brug en van de Rode Rivier. De gids zei: 'We gaan nu naar Hanoi, Hoan Kiem-wijk – Oude Wijk. Heel mooi. U neemt foto.'

We staken de brug over naar de Oude Wijk van Hanoi en de straten en trottoirs waren druk, maar nog lang niet zo druk als in Saigon. Om eerlijk te zijn, in plaats van de uitzinnige, toeterende en met zelfmoordneigingen behepte automobilisten en voetgangers van Saigon viel er een rustige vastberadenheid af te lezen van de gezichten van de mensen hier, en was het tempo van mensen en voertuigen langzamer en doelbewuster. Het deed me denken aan een kolonie mieren in een terrarium.

De huizen waren voornamelijk in Frans koloniale stijl, heel schilderachtig, heel vervallen, maar nog steeds charmant. Er stonden een heleboel bladerrijke bomen aan de straat, en zonder borden in het Vietnamees kon ik me inbeelden in een Frans provinciestadje te zijn, waar ik ook veel liever geweest was.

Aan de horizon zag ik de lichten van de omhoogrijzende nieuwe wolkenkrabbers. Ik zei tegen Susan: 'Het is niet zo naargeestig als ik me had voorgesteld.'

Susan maakte zich los van het eenzijdige gesprek met de vrouw en zei: 'De buitenkant is misleidend.'

'Doe niet zo negatief. Het geeft een beeld van succes.'

Ze was niet in de stemming voor me en bracht haar aandacht terug bij Kletskous.

Ik keek weer uit het raam. Ik herinnerde me dat we nooit daadwerkelijk het centrum van Hanoi hadden gebombardeerd; alleen de militaire doelen in de buitenwijken van de stad, en daarom zag het er nog steeds Frans uit en niet Oost-Duits. Maar ik herinnerde me niet dat Amerika ooit een goede pers had gekregen voor het sparen van het centrum van de stad. Het is moeilijk om het resultaat van bombardementsvluchten precies te bepalen, ook die heel nauwkeurig opgezet werden.

De bus draaide door smalle, kronkelige straatjes. De gids gaf een doorlopend verslag en ook hij feliciteerde de Amerikanen niet dat ze de Oude Wijk intact hadden gelaten. Mensen waarderen Amerikanen niet.

De gids zei: 'Morgen bezoeken we het Ho Tsji Minh-mausoleum, het Ho Tsji Minh-huis, het Lenin-monument, het Legermuseum, het Luchtverdedigingsmuseum en een meer in de stad waar een Amerikaanse B-52-bommenwerper is neergestort en nog steeds in meer ligt.'

Ik zei tegen Susan: 'Dat missen we allemaal.'

Ze gaf geen antwoord.

Ik wierp een blik uit het raam en vroeg Susan toen: 'Weet jij waar we zijn?'

Ze antwoordde: 'Ik weet in grote lijnen waar we zijn. Heb je enig idee waar we naartoe gaan?'

Om eerlijk te zijn had ik niet veel verder gedacht dat de directe problemen toen die ontstonden. Eigenlijk had ik nooit gedacht dat we zo ver zouden komen, maar dat was wel gebeurd, en dus moest ik nu zien uit te denken waar we de nacht zouden doorbrengen. Ik zei tegen haar: 'Nou, we kunnen niet naar de ambassade of naar het Metropole als ze naar ons op zoek zijn. Wat dacht je van je Hanoi-kantoor?'

Ze antwoordde: 'Mijn kantoor is dicht. Ik heb geen sleutel en het kan in de gaten gehouden worden.'

'Kun je een van je werknemers thuis bellen?'

Ze zei: 'Ik wil hen er niet bij betrekken.'

'Je bedoelt dat ze geen van allen voor de CIA werken?'

Ze gaf geen antwoord.

Ik zei: 'Nou, ik heb een contact in de ambassade. Hij heet John Eagan, een FBI-man, hier aangesteld, Ik bel hem morgen vanuit een telefooncel en regel wel ergens een ontmoeting.'

Ze zei: 'Je weet dat de telefoons van de ambassade afgetapt worden. Heb je geen vooraf geregelde ontmoetingsplaats?'

'Nee. Maar die kan ik wel regelen.' Ik vroeg haar: 'Weet jij wat een grote, smerige klootzak is?'

'Ik zit er naast een.'

Ik glimlachte. 'Dat is een B-52-bommenwerper. Militair slang. Iemand in de ambassade zal het wel weten. De militaire attaché, kolonel Marc Goodman, zal het weten.'

De dame naast Susan was onze conversatie aan het afluisteren en haar oorringen staken recht omhoog.

Ik vroeg Susan: 'Ken je het meer waar de grote, smerige klootzak ligt?'

De ogen van de vrouw werden groot. Susan glimlachte en knikte.

'Goed. Dat is onze ontmoetingsplek. Eagan is de man. Voor het geval we gescheiden worden. Goed?'

Weer knikte ze.

Ik vroeg haar: 'Wie is jouw contact in de ambassade?'

Ze gaf een ogenblik geen antwoord, zei toen: 'Ook Eagan.'

Ik ging er niet op door.

Ik zei: 'Wat vannacht betreft, zouden we moeten proberen een Amerikaan te vinden die bereid is zijn of haar hotelkamer met ons te delen. Maar niet deze groep.'

Ze antwoordde: 'Ik zal geen moeite hebben iemand te vinden die zijn hotelkamer met mij wil delen. Waar slaap jíj?'

'Bordeel.'

'Niet in deze stad.'

Susan leek na te denken en zei toen tegen me: 'Eigenlijk is er wel een plek waar we vanavond naartoe kunnen gaan...'

Door de uitdrukking op haar gezicht dacht ik dat ze een oude minnaar bedoelde, wat niet mijn directe keuze voor een overnachting was. Maar toen zei ze: 'Ik was uitgenodigd voor een receptie vanavond... in het huis van de Amerikaanse ambassadeur.'

'O ja? Ben ik uitgenodigd?'

'Dat hangt ervan af.'

'Waar vanaf?'

'Of we al of niet vanavond in Hanoi komen.'

Ik denk dat het voornamelijk afhing van het feit of ik al of niet dood was. Ik zei: 'Ik dacht dat je me alles had verteld.'

Ze maakte geen oogcontact en antwoordde: 'Mijn aanwezigheid op die receptie was vrijblijvend en niet belangrijk.'

'Ik begrijp het. Laat me dus raden wie er op deze receptie zijn. Nou, aangezien de ambassadeur in de stad is, doe ik de wilde gok dat Edward Blake eregast is.' Ik keek naar haar.

Ze knikte.

'En jij wordt verondersteld hem op de hoogte te brengen over een paar onderwerpen die voor hem weleens belangrijk zouden kunnen zijn.'

'Niet rechtstreeks aan hem.'

De vrouw naast Susan leunde zo ver naar links, dat ik dacht dat bus om zou slaan.

Ik zei tegen Susan: 'Ben ik gekleed voor een diplomatieke receptie?'

Ze glimlachte en antwoordde: 'Jij bent zo sexy, Paul, dat je nog kunt gaan in een smerige spijkerbroek, gympen en een leren jack dat onder de modder zit.'

'Goed. Hoe laat begint die soiree?'

'Om acht uur.'

Ik keek op mijn horloge dat nog steeds om de pols van Mr. Vinh zat. Ik zei: 'Hoe laat is het?'

Ze keek op haar horloge. 'Het is kwart over zeven.'

'Kan ik in deze stad een horloge kopen?'

'Ik koop er een voor je.'

De bus ging in een smalle straat naar de kant en stopte. De gids zei: 'We zijn hier bij hotel. Goed hotel.'

Ik keek uit het raam en zag een oud, gestuukt hotel dat de *Michelin-gids* gemist moest hebben.

Onze tourgids zei: 'We schrijven in in hotel, treffen elkaar in lobby en gaan lekker eten in Italiaans restaurant.'

Dit kreeg een rondje applaus van de groep die de afgelopen week waarschijnlijk in het binnenland alleen maar rijst met wezel had gegeten. Ik applaudisseerde ook.

Iedereen begon achter elkaar de bus uit te stappen en ik kwam achter de babbelvriendin van Susan te lopen. Ze draaide haar hoofd naar me om en schonk me een blik alsof ik een ongeschoren, onder de modder zittende, stinkende viezerik was. Ze vroeg: 'Hoort u bij onze groep?'

'Nee, mevrouw. Ik ben Canadees.'

We stapten uit de bus en troffen onze gids. Hij wendde zijn hoofd van Susan en mij af, maar ik pakte een briefje van twintig en duwde dat in zijn hand toen we hem passeerden.

Dus hier waren we, in Hanoi, in een smalle straat vol voetgangers, cyclo's en een paar auto's. Het was nu donker en de straatlantaarns brandden, maar de bomen hielden het meeste licht tegen, dus de straat was in schaduwen gehuld.

We liepen van het hotel weg en ik vroeg Susan: 'Weet jij waar we zijn?'

Ze zei: 'Niet ver van het huis van de ambassadeur.' Ze stelde voor: 'Laten we een plek zoeken om iets te drinken, dan kunnen we naar de wc en ons wat opfrissen. Ook wil ik een telefoontje plegen met de officier van dienst op de ambassade.'

'Goed idee.' Ik keek door de straat naar een café of bar, toen iets me deed omkijken naar het hotel, zo'n vijftig meter achter ons. Voor de bus stond een grijsbruine auto geparkeerd, een sedan waarvan je er niet zoveel ziet in dit land. Ik kreeg de indruk dat het een soort officiële auto was. Er stond een man in uniform op de stoep met zijn rug naar ons toe, en in het licht van de luifel van het hotel zag ik hem praten met onze gids en met de buschauffeur. Het beviel me helemaal niet wat ik zag; het beviel me nog minder toen ik de buschauffeur naar Susan en mij zag wijzen. De man in uniform draaide zich om en keek naar ons. Het was, om precies te zijn, kolonel Mang.

47

Kolonel Mang kwam naar ons toe gelopen en riep: 'Mr. Brenner! Miss Weber!'

Ik zei tegen Susan: 'Zei hij iets?'

'O, shit... Paul... Gaan we ervandoor?'

Voordat ik een beslissing kon nemen, kwam de sedan op ons af gereden en stopte naast ons. De geüniformeerde man naast de bestuurder trok een pistool en richtte dat op mij.

Kolonel Mang kwam aangewandeld over de stoep, gekleed in zijn groene uitgaanstenue zonder wapenholster. Hij gebaarde naar zijn handlanger in de auto zijn pistool weg te doen, bleef toen een paar passen van ons vandaan staan en zei: 'Ik was bang dat ik u gemist had op het Long Bien Station.'

Ik antwoordde: 'Dat is ook gebeurd.'

'Ja. Maar nu heb ik u gevonden. Kan ik u allebei een rit aanbieden?'

Hij kon een slecht gevoel hebben gehad dat hij ons zonder auto in Quang Tri had achtergelaten en wilde het nu goedmaken. Maar ik zei: 'Dat is niet nodig. Lopen is goed voor me.'

'Waar gaat u heen?'

'Naar het Metropole.'

'Ja? Het Meteropole is de andere kant op. Waarom bent u met die tourbus meegereden?'

Ik antwoordde: 'Ik dacht dat het een stadsbus was.'

'U weet dat het niet zo is. Eigenlijk doet u alsof u ergens voor op de vlucht bent.'

'Nee, we gaan naar het Metropole. Die kant op, hè?'

Hij keek Susan aan en vroeg: 'Hebt u mijn boodschap in het Century Hotel gekregen?'

Ze gaf geen antwoord.

Kolonel Mang zei: 'Mr. Tin vertelde me dat hij die u heeft nagestuurd per telex naar het postkantoor in de stad Vinh. Wat deed u in Vinh?'

Susan antwoordde: 'Een bezoek brengen aan de geboorteplaats van Ho Tsji Minh.'

'Ach, ja. U bent allebei Canadese historici, zoals ik onlangs hebt ontdekt.'

Geen van ons gaf antwoord. En geen van ons was gelukkig met die vaststelling.

Kolonel Mang stak een sigaret op. Misschien viel hij wel dood neer door een hartaanval.

Ik zag over Mangs schouder dat een paar Amerikanen van de tourbus naar ons keken, tot twee geüniformeerde mannen voor het hotel hen gebaarden naar binnen te gaan. Ook zag ik dat de buschauffeur en de gids waren verdwenen; die waren waarschijnlijk onderweg naar hun bestemming, en dat was niet het Metropole Hotel.

Ik merkte ook dat voetgangers de straat naar de andere kant overstaken om alle activiteiten van de politiestaat aan deze kant te ontlopen.

Kolonel Mang zei tegen mij: 'U bent allebei heel vroeg vertrokken uit het Century Hotel in Hué.'

'Nou en?'

Hij negeerde mijn onbeschofte antwoord, maar moest toch zijn gelijk halen tegenover mij en zei tegen Susan: 'Jammer genoeg voor u hebben ze geen naaktstranden aan de Rode Rivier.'

Susan snauwde: 'Val dood.'

Hij glimlachte onverwachts en zei tegen haar: 'U bent heel populair geworden bij de mannen van mijn afdeling die de foto's van u op Piramide-eiland nauwgezet hebben bestudeerd.'

'Val dood.'

Kolonel Mang wist zich te beheersen en ik denk dat hij geen schreeuwwedstrijd in aanwezigheid van zijn mannen wilde houden, die waarschijnlijk niet verstonden dat Susan tegen hem zei dood te vallen.

Mang bestudeerde ons en zei: 'U lijkt enige tijd op het platteland te hebben doorgebracht.'

Geen van tweeën gaven we antwoord.

Hij vroeg me: 'Waar is uw bagage?'

'Gestolen.'

'Ja? En waar hebt u allebei deze jassen vandaan die niet in uw bagage zaten?'

'Gekocht.'

'Waarom?'

'Waarom niet.'

'En ik zie blauw pigment op uw gezicht en handen van Montagnard-sjaals. Het lijkt me dat u allebei probeert uzelf te vermommen.'

'Als wat.'

'U antwoorden bevallen me niet, Mr. Brenner.'

'Uw vragen bevallen me niet.'

'Dat doen ze nooit.' Hij veranderde van onderwerp en zei: 'Uw reservering in het Metropole, Mr. Brenner, is voor morgen. Waarom bent u een dag eerder aangekomen?'

Susan antwoordde: 'Kolonel, we hebben een uitnodiging...'

'Later,' onderbrak ik haar. De receptie in het huis van de ambassadeur was een troef die maar één keer uitgespeeld kon worden, en dit was misschien niet de juiste tijd.

Susan begreep het en zei tegen Mang: 'Ik heb morgen een vroege afspraak op de ambassade.'

'Met wie?'

'Om een gesprek te hebben met de handelsattaché.'

'Over wat?'

'Over handel, lijkt me.'

Hij schonk Susan een scherpe blik en zei toen tegen haar: 'Ik heb wat navraag gedaan en ontdekt dat u ook in het Metropole hebt geboekt, maar voor vandaag.'

Kolonel Mang bezat meer informatie dan ik over het reisschema van miss Weber. Maar om eerlijk te zijn, had ze in Nha Trang iets tegen mij gezegd over zaken in Hanoi, hoewel ik inmiddels niet dacht dat het ook maar iets te maken had met de handelsattaché.

Kolonel Mang die genoot van zijn eigen sarcasme, zei tegen Susan: 'Aangezien Mr. Brenner voor vanavond geen kamer heeft, zou ik kunnen voorstellen dat u uw kamer met hem deelt, maar dat zou de schijn kunnen hebben van onfatsoen.'

Susan stelde voor: 'Val dood.'

Het werd tijd om te zien of deze man aan het vissen was, aan het jagen of aan het uitzetten van vallen. Ik zei tegen hem: 'Kolonel, ik waardeer het dat u zich zoveel inspanningen getroost om ons welkom te heten in Hanoi, maar als er verder niets is, zouden we graag verder willen gaan.'

Hij gaf geen antwoord.

Ik voegde eraan toe: 'U maakt de toeristen bang.'

'Ja? Maar ik schijn u niet bang te maken.'

'Niet in het minst.'

'De avond is nog vroeg. Bent u ooit eerder in Hanoi geweest, Mr. Brenner?'

'Nee, maar vrienden van me zijn er tijdens de oorlog overheen gevlogen, hoewel ze niet zijn blijven hangen.' Een goeie.

Hij glimlachte en zei: 'Een paar zijn er wel blijven hangen en werden ondergebracht in het Hanoi Hilton.'

Niet slecht. Ik ben dol op zeikspelletjes. Het was mijn beurt en ik zei: 'Ik wilde het Luchtverdedigingsmuseum zien, maar ze hebben me verteld dat er niets te zien is.'

Hij vroeg me: 'Zou u het ministerie van Openbare Veiligheid niet van binnen willen zien?'

'Dank u, maar ik heb er al een in Saigon gezien.'

'Ho Tsji Minh-stad.'

'U zegt het maar.' Hij leek niet graag zijn dreigementen in daden om te willen zetten, of misschien genoot hij te veel hier op straat. In ieder geval zei ik tegen hem: 'Miss Weber en ik hebben de officier van dienst in de ambassade gebeld om onze aanwezigheid in Hanoi te melden. Misschien kunnen u en ik morgen afspreken? Laten we zeggen borreltijd, om zes uur, de bar van het Metropole? Ik betaal. Afgesproken?'

Hij staarde me aan in het vage licht en zei: 'U hebt uw ambassade niet gebeld.' Hij vervolgde: 'Ik begrijp dat u denkt dat ik onderworpen ben aan diplomatieke overwegingen. Maar ik zal u vertellen, Mr. Brenner, als ik een kwartier heb met alleen u en miss Weber, zal ik bewijzen dat u allebei in dit land bent namens uw regering en dat u iets onderneemt tegen mijn land.'

'Kunt u nog wat duidelijker zijn?'

'Ik zal heel duidelijk zijn als ik u in een verhoorkamer heb.'

We schenen hier in een patstelling te zitten. Ik wilde naar een vijfsterrenhotel en kolonel Mang wilde mij in de gevangenis hebben. Maar hij wilde er zeker van zijn dat hij geen slechte carrièrebeslissing nam, dus we bleven op straat staan babbelen en hij wilde dat óf ik óf Susan iets deed of zei om een arrestatie te rechtvaardigen. Ik heb dat allemaal meegemaakt, maar ik stond niet zo welwillend tegenover zijn dilemma.

Kolonel Mang had een oplossing en zei tegen me: 'Ik zou graag zien dat u me allebei vergezelt naar het ministerie van Openbare Veiligheid om een gesprek te hebben.'

Ik heb dit honderden keren tegen verdachten gezegd en de meesten gingen die dag niet meer terug naar huis. Ik antwoordde: 'Dit is een grap. Toch?'

'Nee. Het is geen grap.'

'Het klinkt als een grap.'

Hij scheen of in de war of geïrriteerd door mijn afwijzing van zijn uitnodiging. Hij zei: 'Als u vrijwillig meegaat, beloof ik u, dat u binnen een uur vrij bent om weer te vertrekken.'

Susan herinnerde hem: 'U zei dat u maar een kwartier met ons nodig had.'

Ik was inmiddels al zover dat ik kolonel Mang heel goed kende en ik zag dat hij echt nijdig was. Ik merkte ook dat Susan hem nijdiger maakte dan ik. Ik denk niet dat Mang en ik samen iets hadden opgebouwd, maar ik was er zeker van dat hij een hekel aan Susan had. Om onder meer deze reden wilde ik niet dat hij haar in zijn klauwen kreeg. Ik zei tegen hem: 'Kolonel, ik heb een voorstel. Breng ons naar de ambassade en laat miss Weber naar binnen gaan. Daarna ga ik vrijwillig met u mee naar het ministerie.'

Hij dacht er niet te lang over na en zei: 'Nee.'

Susan zei ook: 'Nee, waar we ook heen gaan, gaan we samen heen.'

Niemand werkte mee, dus ik zei tegen Mang: 'Goed, laat ons een telefoontje plegen met de officier van dienst in de ambassade en hem of haar informeren dat we in Hanoi zijn aangekomen en dat kolonel Nguyen Qui Mang ons graag een paar vragen wil stellen en dat we hem vergezellen naar het ministerie van Openbare Veiligheid. Vrijwillig, natuurlijk. U kunt meeluisteren met het telefoontje.'

Hij schudde zijn hoofd.

Kolonel Mang wist niet hoe je moest onderhandelen. Of hij meende het niet te hoeven doen.

Ik zei tegen hem: 'Nou, kolonel, ik heb geen enkel idee meer.' Ik pakte Susan bij de arm en zei tegen Mang: 'Goedenavond.'

Mang sloeg op tilt en schreeuwde: *'Dung lai!'* zijn Engels vergetend.

Ik keek hem aan.

Hij was weer aan het hyperventileren en nu we hem uitgedaagd hadden, moest hij iets doen. Hij sprak tegen de man naast de bestuurder, die uitstapte en het achterportier opende. Ik hoopte dat kolonel Mang vertrok, maar pech gehad. Hij keek over zijn schouder om er zeker van te zijn dat de Amerikaanse toeristen allemaal verdwenen waren en zei toen tegen ons: 'Stap in de auto.'

Noch Susan noch ik kwam in beweging.

Hij glimlachte en zei: 'Bent u bang?'

'Nee. U wel?'

'Waarom zou ik bang zijn? Stap in de auto.'

Ik antwoordde: 'Iemand zal een wapen op ons moeten richten om ons in de auto te krijgen.'

Hij begreep het en knikte waarderend. Hij zei iets tegen de man die naast de auto stond, die blij was om te kunnen helpen, en die trok zijn wapen.

Ik pakte Susan bij de arm en we gingen achter in de sedan zitten. Mang ging naast de bestuurder zitten en de man met het wapen bleef achter.

We reden zwijgend door de straten van de Oude Wijk en binnen een paar minuten vertraagden we voor het Metropole Hotel, een enorm, statig gebouw dat eruitzag alsof het in Parijs thuishoorde.

Ik dacht dat kolonel Mang van gedachten was veranderd en ik zei tegen hem: 'Bedankt voor de rit.'

Hij draaide zich om op zijn stoel en zei: 'Ik wilde u laten zien waar u de nacht níet zult doorbrengen.'

Klootzak.

De sedan reed door de Oude Wijk naar het westen. Alleen maar om mezelf te bewijzen dat deze mensen niet volslagen gestoord waren, probeerde ik de deurkruk, maar hij zat op slot.

De situatie was van slecht in slechter overgegaan, en aan niets viel af te leiden dat het beter zou worden. Ik ging mijn mogelijkheden na, maar die had ik niet, behalve om gewelddadig te worden, waar ik beslist toe bereid was. Mang had geen wapen voor zover ik kon zien, maar de chauffeur wel, dus de chauffeur moest als eerste onschadelijk worden gemaakt. Ik keek even uit het achterraam en zag dat we gevolgd werden door een ondersteuningsauto. Ik moest beslissen, zoals ze me hadden geleerd tijdens mijn legercursus 'Wat te Doen als Krijgsgevangene', of fysiek verzet mogelijk was, en zo ja, wat de consequenties waren als een poging mislukte. Soms vererger je een klein of middelmatig probleem door iemands nek te breken; andere keren loste je het probleem ermee op. Het hing ervan af, denk ik, wat er aan het einde van de rit te wachten stond.

Ik piekerde hierover, de volgauto meetellend, en het feit dat Susan en ik nooit een gecoördineerde ontsnappingspoging geoefend hadden.

De auto sloeg een hoek om en ik leunde naar haar toe en fluisterde: 'Pistool?'

Ze schudde haar hoofd en zei: 'Dat was een grapje.'

Mang zei: 'Niet praten.'

We reden een smalle, slechtverlichte straat in waarvan het bordje meldde *Yet Kieu*, en we kwamen tot stilstand voor een groot koloniaal gebouw van vijf verdiepingen. De volgauto stopte achter ons.

Kolonel Mang pakte een attachékoffertje van de bank en stapte zonder een woord te zeggen uit.

Susan stootte me aan en zei zacht: 'De receptie bij de ambassadeur, Paul.'

'Is die vanavond?'

'Paul.'

'Speel je troef pas uit als je hem nodig hebt.'

Ze keek me aan en zei: 'Ik denk dat we hem nodig hebben.'

Twee mannen uit de volgauto kwamen naar de sedan en openden de achterportieren. Susan en ik stapten uit en we werden, niet vriendelijk, naar de voordeur van het ministerie van Openbare Veiligheid geleid, en kolonel Mang liep naar binnen, gevolgd door Susan en mij met de twee handlangers.

De grote hal was heel erg vervallen en hij deed me denken aan de tegenhanger ervan in Saigon. Er liepen een paar geüniformeerde en in burger geklede mensen rond; ze keken ons aan alsof ze niet zoveel westerlingen in dit ministerie zagen en er graag meer zouden willen zien.

Kolonel Mang bracht ons naar een oude liftkooi en zei iets tegen de liftbediende toen we met ons vijven instapten.

We gingen zwijgend naar boven en stapten uit op de derde verdieping, die zwak verlicht en haveloos was. Aan een kant van de gang was een reeks dicht bij elkaar staande deuren en achter een ervan hoorde ik een man het uitschreeuwen van de pijn, gevolg door het geluid van een klap en weer een schreeuw van pijn. Eén deur stond op een kier en ik hoorde een vrouw huilen.

Kolonel Mang leek dit allemaal niet te merken en de twee handlangers ook niet. Ik denk dat ze het gewend waren en het de normale achtergrondgeluiden van de derde verdieping waren.

Kolonel Mang opende een deur en hij wilde naar binnen lopen. Ik ving een blik op van een man die naakt op de vloer lag, onder het bloed en zacht kreunend. Achter een bureau zat een man in uniform te roken en een krant te lezen.

Kolonel Mang wisselde een paar woorden met de man achter het bureau en sloot de deur. Hij zei: 'Die kamer wordt gebruikt.'

Ik wisselde blikken met Susan en ik wist dat zij had gezien wat ik had gezien. De meeste mensen hebben geen referentiepunt om dit soort taferelen tegen af te zetten, en ik herinnerde me mijn eerste gevechtservaring en de doden en stervenden die overal lagen, en dat ik het niet registreerde als werkelijkheid. Zo reken je ermee af.

Kolonel Mang vond een lege kamer en we gingen allemaal naar binnen.

Het vertrek had geen ramen en was warm, verlicht door een enkel kaal peertje aan een snoer. Midden in het vertrek stond een bureau met een stoel en verder twee houten krukken.

Mang legde zijn pet en attachékoffertje op het bureau, ging zitten en stak een sigaret op. Hij gebaarde ons naar de krukken en zei: 'Zitten.'

We bleven staan.

De vloer was een oude parketvloer en had bruinachtig rode vlekken. Door de muur achter me hoorde ik geschreeuw, gevolgd door een bons tegen de muur.

Kolonel Mang zag er behoorlijk blasé uit, alsof een pak slaag op het politiebureau net zo gewoon was als het nemen van vingerafdrukken en het maken van politiefoto's.

Hij gaf als commentaar: 'Mensen die niet meewerken in de verhoorkamer worden naar de kelder gebracht, waar ze alle medewerking geven en waar je niet mag zitten.' Hij gebaarde met zijn hand en zei: 'Zitten.'

De twee hulpjes achter ons schopten de krukken achter tegen onze benen en duwden ons neer.

Kolonel Mang keek Susan en mij lange tijd aan en liet ons toen weten: 'U hebt me enorm veel last bezorgd.' Hij voegde eraan toe: 'U hebt mijn vakantie bedorven.'

Ik antwoordde: 'U maakt mijn vakantie ook niet erg plezierig.'

'Zwijg.'

Susan pakte zonder te vragen haar sigaretten en stak op. Het kon Mang niet schelen of hij zag het niet, alsof roken het enige onvervreemdbare recht was van een gevangene in een Vietnamese cel.

En zo zaten we daar, terwijl twee van ons rookten en de handlangers achter ons zwaar ademden. Mijn intuïtie zei me dat Susan en ik een beetje in de problemen zaten. Ons grootste probleem was natuurlijk de twee dode smerissen op Highway One en de twee dode soldaten op Route 24. Het feit dat Susan en ik allebei op de tijd van hun dood op beide plaatsen waren geweest, zou puur toeval kunnen zijn, maar ik dacht niet dat Mang dat zou accepteren. Verder had je Mr. Cam, onze chauffeur, die ik had moeten doden. Waar het op neerkwam, was dat Susan en ik waarschijnlijk wegens moord voor een vuurpeloton zouden eindigen, en de Amerikaanse regering zou ons daarin niet kunnen helpen.

Mang keek naar ons en wij keken naar hem in het licht van het hangende peertje. Hij zei: 'Laten we bij het begin beginnen.' Hij deed een haal aan zijn sigaret en liet ons toen weten: 'Ik ben er uiteindelijk achter gekomen hoe u van Nha Trang naar Hué bent gereisd. Mr. Thuc was heel behulpzaam toen ik hem en zijn reisagentschap een bezoekje bracht.'

Voor het eerst voelde ik een klein alarm afgaan.

Kolonel Mang zei: 'Dus, Mr. Brenner, u hebt een privé-auto gehuurd, terwijl u gezegd is dat u niet...'

Ik onderbrak hem en zei: 'Miss Weber kon reizen hoe ze maar wilde. Ik was passagier.'

'Zwijg.' Hij vervolgde: 'En de auto werd bestuurd door Duong Xuan Cam, die me zeer gedetailleerd verslag heeft gedaan van uw reis.' Kolonel Mang staarde me aan en zei: 'Dus misschien zou u me in uw eigen woorden over uw reis willen vertellen, zodat we elkaar niet misverstaan.'

Ik concludeerde uit dit gelul dat Mr. Cam of was overleden tijdens het verhoor voordat hij had toegegeven medeplichtig te zijn aan een moord, of Mr. Cam hield zich schuil of was op de vlucht voor zijn leven. Ik zei: 'Ik ben ervan overtuigd dat ik u niets meer kan vertellen dan de chauffeur heeft gedaan. Miss Weber en ik hebben de hele reis geslapen.'

'De chauffeur heeft me iets anders verteld.'

'Wat heeft hij gezegd?'

Kolonel Mang antwoordde: 'Als u me nog een vraag stelt, Mr. Brenner, of u, miss Weber, dan zal deze sessie onmiddellijk naar de kelder verhuisd worden. Ben ik duidelijk genoeg?'

Ik antwoordde: 'Kolonel, ik hoef u er niet aan te herinneren dat miss Weber en ik geen krijgsgevangenen zijn in het Hanoi Hilton, waar uw landgenoten tijdens de oorlog honderden Amerikanen hebben gemarteld. De oorlog, kolonel, is voorbij, en u zult verantwoording moeten afleggen voor uw daden.'

Hij staarde me lange tijd aan en antwoordde toen: 'Als ik er op bescheiden wijze voor kan zorgen dat uw land weer de vijand van mijn land wordt, zou dat mij en de anderen hier heel blij maken.' Hij glimlachte onaangenaam en voegde eraan toe: 'Ik denk dat ik een manier heb gevonden om dat te doen. Ik heb het natuurlijk over de berechting en executie van een Amerikaanse zogenaamde toerist en een Amerikaanse zogenaamde zakenvrouw, wegens moord of anti-Vietnamese activiteiten, of allebei.'

Ik denk dat hij ons bedoelde, dus ik herinnerde hem: 'U zult rekenschap moeten afleggen, niet alleen aan mijn regering, maar ook aan de uwe.'

'Dat is uw zorg niet, Mr. Brenner. U hebt andere problemen.'

Hij zat daar een ogenblik na te denken, waarschijnlijk over mijn problemen en hopelijk zijn eigen potentiële problemen. Hij zei tegen mij en Susan: 'Toen we elkaar de laatste keer zagen in Quang Tri-stad, hadden we het over uw bezoek aan Hué, uw ontbrekende tijd op uw reis van Nha Trang naar Hué, uw aanmatigende gedrag tegen de politieman in Hué, en andere zaken die te maken hadden met de keuze van miss Weber wat betreft mannelijk gezelschap. We hebben ook gesproken over uw bezoek aan de A Shau-vallei, aan Khe Sanh en uw contact met de heuvelvolken. Ik geloof dat ik nu voldoende bewijs heb om u in hechtenis te houden.'

Ik zei: 'Ik denk dat u een Amerikaanse legerveteraan en een prominente Amerikaanse zakenvrouw lastigvalt voor uw eigen politieke en persoonlijke doeleinden.'

'Ja? Dan zullen we ons gesprek moeten voortzetten tot u en ik anders denken.' Hij vroeg me: 'Hoe bent u uit Hué vertrokken?'

Ik zei tegen hem: 'We zijn op een motor uit Hué vertrokken, zoals u weet, en op dezelfde manier in Dien Bien Phu aangekomen.'

'Je, en onderweg bent u Canadees geworden.'

Ik gaf geen antwoord.

'Waar hebt u die motor vandaan.'

'Ik heb hem gekocht."

'Van wie?'

'Een man op straat.'

'Hoe heette hij?'

'Nguyen.'

'Ik begin mijn geduld met u kwijt te raken.'

'Je kunt iets wat je niet hebt niet kwijtraken.'

Dat beviel hem en hij glimlachte. 'Ik denk dat ik weet waar u die motorfiets vandaan hebt.'

'Dan hoeft u me dat niet steeds te vragen.'

Hij keek me aan en zei: 'Eigenlijk weet ik het niet. Maar ik weet wel – dat u, voordat u en miss Weber hier vertrekken, het me heel graag zullen willen vertellen.'

Voorlopig was Mr. Uyen veilig. De hebzucht van Gladjanus had hem in de problemen gebracht en Mr. Cam was dood of werd vermist. Dus bleef Mr. Anh over, maar ik hoopte dat hij een aangename hereniging met zijn familie in Los Angeles had.

Mang vroeg me: 'Waar bent u gestopt tijdens uw twee dagen durende reis naar Dien Bien Phu?'

'We hebben in het bos geslapen.'

'Kan het zijn dat u in een Montagnard-dorp hebt geslapen?'

We waren weer bij de Montagnards. Ik zei: 'Ik denk dat ik het me herinnerd zou hebben.'

Hij keek me aandachtig aan en zei: 'Er zijn twee soldaten vermoord in de buurt van de Laotiaanse grens op Route 214. Een had een kogel kaliber .45 in zijn borst zitten, munitie die wordt gebruikt in het Colt automatisch pistool van het Amerikaanse leger.' Hij keek me aan alsof hij dacht dat ik daar misschien iets over wist. 'U zou daar op die tijd in de buurt kunnen zijn geweest.'

Ik bleef oogcontact met hem houden en antwoordde: 'Ik weet niet waar Route 214 is, maar ik nam Highway One naar Route 6 en die naar Dien Bien Phu. Nu vertelt u me dat ik op Route 214 zat en beschuldigt u me van het vermoorden van twee soldaten. Op zo'n absurde beschuldiging kan ik niet eens antwoord geven.'

Hij bleef me aanstaren.

Ik herinnerde hem: 'Zoals het er nu voorstaat, zijn we vrijwillig met u meegegaan om antwoord te geven op een paar vragen. Over niet al te lange tijd zullen we in overweging nemen dat we tegen onze wil zijn vastgehouden en zult u, kolonel Mang, wiens naam ze kennen op de ambassade, verantwoording moeten afleggen over onze afwezigheid.' Voor mij klonk het goed, maar ik denk niet voor kolonel Mang.

Hij glimlachte en zei: 'U hebt niet naar me geluisterd, Mr. Brenner. Uw ambassade of uw regering kan me niet schelen. Om eerlijk te zijn, zou ik een confrontatie verwelkomen.'

'Nou, kolonel, u zult er gauw een krijgen.'

'U verdoet mijn tijd.' Hij keek Susan aan en zei: 'Ik besef dat ik u negeer.'

'Eigenlijk negeer ik ú.'

Hij lachte. 'Ik denk dat u me niet mag.'

'Nee, inderdaad.'

'Waarom? Door die foto's? Of door uw superieure raciale opstelling tegenover de Vietnamezen, zoals zovelen van uw landgenoten?'

Ik zei: 'Wacht even. Deze manier van ondervragen is...'

'Ik heb het niet tegen u, Mr. Brenner.' Hij voegde eraan toe: 'Maar als ik dat wel had gedaan, zou ik u gevraagd hebben hoe vaak u de scheldwoorden pinda, spleetoog, gele hebt gebruikt. Hoe vaak?'

'Waarschijnlijk te vaak. Maar de afgelopen vijfentwintig jaar niet. Ga op een ander onderwerp over.'

'Dit onderwerp interesseert me.' Hij keek naar Susan. 'Waarom bent u in mijn land.'

'Ik vind het hier prettig.'

'Dat geloof ik niet.'

Ze zei tegen hem: 'Het kan me niet schelen of u het gelooft of niet, maar ik hou van de mensen van dit land, de cultuur en de tradities.'

Hij zei: 'U slaat het geld over.'

'Maar ik hou niet van uw regering en nee, de regering en het volk zijn niet hetzelfde.' Ze voegde eraan toe: 'Als u Amerikaan was, zou ik u nog steeds walgelijk en afschuwelijk vinden.'

Ik dacht dat we binnen drie seconden in de lift naar de kelder zouden zitten, maar kolonel Mang staarde gewoon in de leegte. Ten slotte zei hij: 'Het probleem blijft de buitenlanders.' Hij voegde eraan toe: 'Er zijn hier te veel toeristen en te veel zakenlieden. Gauw zullen er twee minder zijn.'

Weer was ik er tamelijk zeker van dat hij ons bedoelde.

Susan gaf hem de raad: 'Kijk eens wat dichter bij huis voor de oorzaak van uw problemen. Begin hier in dit gebouw.'

Kolonel Mang zei tegen haar: 'We hebben u of welke buitenlanders dan ook niet nodig om ons te vertellen hoe we ons land moeten besturen. Die tijden zijn voorbij, miss Weber. Mijn generatie en de generatie van mijn vader hebben met bloed de bevrijding van dit land uit handen van het Westen betaald. En als we nog een oorlog nodig hebben om de kapitalisten en de westerlingen kwijt te raken, dan zijn we bereid dat offer wederom te brengen.'

Susan zei: 'U weet dat het niet waar is. Die dagen zijn ook voorbij.'

Kolonel Mang bracht het onderwerp weer op hoe hij Susan en mij voor het executiepeloton kon krijgen, waar hij zich veel vertrouwder bij voelde. Hij richtte zijn aandacht op mij en zei: 'U vertrok dinsdagochtend vroeg per motor uit Hué en arriveerde woensdagavond laat in Dien Bien Phu, waar u zich inschreef in het Dien Bien Phu Motel.'

'Dat klopt.'

'En op donderdagochtend hebt u de slagvelden bezocht en de gids verteld dat u Canadese historici was, en ik meen botanisten.'

'Ik zei historici uit Connecticut.'

'Wat is dat?'

'Connecticut. Dat is een deel van de Verenigde Staten.'

Hij scheen een beetje in de war, dus ik voegde eraan toe: 'Nootmuskaatstaat.'

Hij negeerde dat en vervolgde: 'Later die dag arriveerde u allebei per motor in het dorp Ban Hin, uzelf weer voordoend als... historici.'

Ik gaf geen antwoord.

'Miss Weber vertelde heel nadrukkelijk aan een man op het dorpsplein dat u Canadezen was. Waarom gaf u zich voor Canadezen uit?'

'Sommige mensen houden niet van Amerikanen. Iedereen houdt van Canadezen.'

'Ik hou niet van Canadezen.'

'Hoeveel Canadezen kent u?'

Hij zag dat ik hem van het onderwerp afhaalde en hij zag ook in dat ik tijd aan het rekken was. In werkelijkheid had het, als we enige kans hadden hier weg te komen, te maken of hij al of niet van plan was ons te houden tot na de tijd dat we misschien vermist werden. Maar ik vroeg me af of iemand in Washington, Saigon of de ambassade hier zich werkelijk zorgen zou maken over dit punt. Morgen, ja, maar vanavond, misschien niet. De receptie van de ambassadeur klonk als een vrijblijvende gelegenheid, en misschien werden we niet gemist. Ik zou zeker niet gemist worden als ze ervan uitgingen dat ik naast Mr. Vinh in de rivier de Na dreef. Ik overwoog mijn laatste troefje uit te spelen, maar intuïtief voelde ik dat kolonel Mang er nog niet klaar voor was.

Hij vroeg me: 'Waarom bent u naar Ban Hin gegaan?'

'U weet waarom.'

'Jawel. Maar om heel eerlijk te zijn, kan ik weinig maken van uw bezoek aan Tran Van Vinh. Dus dat kunt u me uitleggen.'

Er waren vijf namen die ik vanavond niet en nooit van kolonel Mang wilde horen: Mr. Thuc, Mr. Cam, Mr. Anh, Mr. Uyen en Tran Van Vinh. Drie had hij er al genoemd. Wat Tran Van Vinh betrof, had die als loyale kameraad zijn volledige medewerking, hoewel niet helemaal verhelderend, aan kolonel Mang gegeven. Ik maakte me meer druk om Mr. Anh en Mr. Uyen, die de fout hadden gemaakt hun nek uit te steken voor de Amerikanen, zoals twintig miljoen Zuid-Vietnamezen dat tijdens de oorlog hadden gedaan. Je zou denken dat die mensen wel iets geleerd hadden. In ieder geval waren die namen nog niet gevallen, maar ik begreep inmiddels de ondervraagtechnieken van kolonel Mang, en ik wist dat hij nu wat van de hak op de tak sprong en het beste voor het laatst bewaarde.

Hij raakte ongeduldig door mijn zwijgen en vroeg weer: 'Misschien kunt u me het doel uitleggen van uw bezoek aan Mr. Vinh.'

Ik antwoordde: 'Ik ben ervan overtuigd dat Mr. Vinh u de bedoeling van mijn bezoek heeft verteld.'

'Hij vertelde me van uw bezoek over de telefoon, maar ik ben niet in de gelegenheid geweest hem persoonlijk te spreken.' Kolonel Mang keek op zijn horloge en zei: 'Hij kan elk moment hier aankomen met het vliegtuig, dan zal ik dit verder met hem bespreken. Ondertussen moet u me vertellen waarom u hem een bezoek hebt gebracht.'

'Oké, dat zal ik doen.' Ik hield me heel dicht bij de waarheid en vertelde kolonel Mang hetzelfde verhaal dat ik Tran Van Vinh had verteld over de brief, de Vietnamese Veteranen van Amerika, de familie van luitenant William Hines, de kennelijke moord op de luitenant door een onbekende kapitein – het had geen zin de vice-president van Amerika te noemen – en dat ik, omdat ik toch op een nostalgische trip naar Vietnam ging, de familie Hines had beloofd de zaak voor hen te bekijken.

Ik was klaar met mijn verhaal en zag dat de kolonel diep in gedachten was. Hij had dit al gehoord van Tran Van Vinh, en dit verhaal was een soort met effect gegooide bal en paste in niets van wat hij vermoedde of wist. Natuurlijk veroorzaakte deze wending meer vragen dan antwoorden voor kolonel Mang en ik zag dat hij van zijn stuk was gebracht. Hierna zou hij de oorlogssouvenirs in Susans rugzak willen zien. Ik had het gevoel dat we hier nog heel lang zouden zitten. Misschien wel voor altijd.

Kolonel Mang keek naar Susan en vroeg haar: 'Bent u het eens met dit verhaal?'

Ze antwoordde: 'Ik ben gewoon het sletje voor onderweg.'

Hij keek haar aan en vroeg: 'Wat is een sletje?'

Ze antwoordde in het Vietnamees en hij knikte, alsof dit het eerste was dat hij tot dusver van een van ons geloofde. Maar hij zei: 'Maar u hebt die relatie met Mr. Stanley waardoor ik wantrouwen voel.'

Ze antwoordde: 'Ik heb met de helft van alle westerse mannen in Saigon geslapen, kolonel. U moet niet zoveel belang hechten aan mijn relatie met Bill Stanley.'

Soms, zoals ze in mijn beroep zeggen, is naaktheid de beste vermomming. Kolonel Mang leek oprecht blij om te zien dat zijn mening over Susan werd bevestigd door het sletje zelf, ook al maakte het de relatie met Bill Stanley minder verdacht.

En natuurlijk, nu was kolonel Mang zich dingen aan het afvragen over mijn relatie met Susan, en of hij me via haar te pakken kon krijgen. Om eerlijk te zijn ben ik in het verleden heel loyaal geweest tegenover sletjes, maar kolonel Mang wist dat niet, dus ik wierp Susan een geïrriteerde blik toe en draaide mijn lichaam van haar af.

Kolonel Mang leek het op te merken en hij zei tegen Susan: 'U bent niet beter dan de straatprostituees van Ho Tsji Minh-stad.'

Ze antwoordde: 'Ik vraag geen geld.'

'U zou eerlijker zijn als u het wel deed.'

Dus nu hij Susan op haar plaats had gezet, wendde hij zijn aandacht weer op mij en zei: 'Tran Van Vinh sprak over een ruzie tussen u en miss Weber. Hij zei dat zij zonder u zijn huis had verlaten en dat u een paar minuten later vertrok. Klopt dat?'

'Dat klopt.'

'Waarom?'

'Tijdens de reis waren we het over veel dingen samen niet eens, en uiteindelijk waren we het oneens over de beste manier om in Hanoi te komen.'

Hij dacht erover na en zei toen: 'En u besloot allebei de trein uit Lao Cai te nemen.'

'Ik denk het, als we samen op het Long Bien Station zijn aangekomen.'

'Ik wist waar u was en ik wist dat u naar Hanoi ging. U stond niet geboekt als vliegpassagier, dus ik liet het Long Bien Station in de gaten houden, net als het busstation en natuurlijk het Metropole Hotel en de Amerikaanse ambassade, voor het geval u per auto of motor naar Hanoi ging.'

'Hoe wist u dat we op de toerbus zaten?'

'Ach. De politieman die in de bus stapte, merkte dat de tourgids nerveus leek, maar hij wilde geen problemen maken in aanwezigheid van uw landgenoten, dus we hebben gewacht.' Kolonel Mang liet ons weten: 'Misschien ontmoet u de tourgids later in een ander deel van dit gebouw.' Hij glimlachte en zei: 'Ik heb u gezegd dat we elkaar zouden weerzien in Hanoi.'

'En als we nu eens naar Ho Tsji Minh-stad waren gegaan?'

Hij leek erg gelukkig om antwoord te geven op vragen over hoe goed hij in zijn werk was, en hij antwoordde: 'Als we niet hier hadden gezeten, dan zouden we in hetzelfde ministerie in Ho Tsji Minh-stad zijn geweest. Er ontsnapt maar weinig aan onze aandacht, Mr. Brenner.'

Ik had het moeten laten rusten, maar ik zei: 'U hebt geen idee wat er allemaal aan uw aandacht ontsnapt.'

Hij glimlachte weer. 'U en miss Weber zijn niet aan mijn aandacht ontsnapt. Hier bent u.'

'Daar zegt u wat.' Ik zei tegen hem: 'De immigratiepolitie in dit land is meedogenloos, kolonel. We zouden wel zo'n immigratiepolitie in Amerika kunnen gebruiken.'

Hij glimlachte weer en antwoordde: 'Overtredingen van de reisregels, illegale vervoermiddelen en onregelmatigheden met visums zijn een ernstige zaak, Mr. Brenner.'

'Dat moet wel, om zo'n mensenjacht door het hele land op te zetten voor mij en miss Weber.'

'Zijn we klaar met het spelen van spelletjes?'

'Ik hoop het. Bent u Sectie A of B?'

'Hij antwoordde: 'Sectie A. Het equivalent voor u van uw Central Intelligence Agency.'

'Nou, de volgende keer dat ik naar Vietnam kom, zal ik mijn visum eerder aanvragen.'

Hij glimlachte weer eens en zei: 'Er komt geen volgende keer.'

'Zijn we klaar?'

'Nee. En vraag dat niet meer.'

Ik zou op mijn horloge gekeken hebben, maar ik herinnerde waar het was.

Dus daar zaten we allemaal, terwijl Susan, Mang en de twee handlangers rookten en ik meerookte en er niet eens een raam openstond. Alsof het hier al niet ongezond genoeg was, zaten er oude bloedvlekken op de vloer en leek de ondervrager in de kamer achter me ervan te genieten zijn gast tegen de muur te laten stuiteren waardoor onze lichtpeer heen en weer zwaaide.

Kolonel Mang liet ons een tijdje luisteren naar het Vietnamese spelletje squash achter ons, wendde zich toen tot Susan en vroeg haar: 'Waarom hebt u een telex naar Mr. Tin gestuurd vanuit het Century Hotel in Hué?'

Susan antwoordde: 'Mr. Brenner heeft zijn reisgids uitgeleend aan een tourgids en vroeg die terug te brengen op dinsdagochtend. Hij was er niet en ik stuurde een telex met de vraag of het was aangekomen. Ik ben ervan overtuigd dat u de telex hebt gelezen.'

Hij gaf niet aan dat het zo was en vroeg Susan: 'En wat zou u gedaan hebben als het boek was aangekomen in het hotel? Zou u teruggereden zijn naar Hué?'

'Natuurlijk niet. Ik zou Mr. Tin hebben gevraagd het naar ons in het Metropole op te sturen.'

Hij keek mij aan en vroeg: 'En wie is deze gids aan wie u het boek hebt uitgeleend?'

Ik denk dat ik beetje door mijn Nguyens heen was, dus ik zei: 'Ik denk dat hij Mr. Han heette. Een student.'

'Waarom hebt u hem uw reisgids gegeven?'

'Hij vroeg of hij het mocht lenen. Heb ik weer een wet overtreden?'

Zelfs kolonel Mang zag er de humor van in en glimlachte. Maar gewoonlijk was het geen goed teken als hij glimlachte.. Hij zei tegen me: 'Ik moet iets bekennen.'

'Goed, want ik niet.'

Hij vervolgde: 'Ik heb u laten volgen in Hué.'

Ik gaf geen antwoord en we zaten daar allemaal een tijdje te luisteren naar iemand die gillend door een gang gesleurd werd. Het had onze tourgids kunnen zijn.

Ten slotte zei kolonel Mang: 'Mijn collega's verloren u uit het oog, maar ze zeiden wel dat uw omzwervingen die waren van een man die dacht dat hij gevolgd werd.'

'Wat had u dan verwacht dat ze zouden zeggen? Dat ik op een parkbankje zat toen ze me uit het oog verloren?'

Het beviel hem niet en hij wendde zich tot Susan: 'En hetzelfde gold voor u, miss Weber. U liep op een verdachte manier.'

'Ik was aan het winkelen.'

'Ach, ja. Voor uw vermommingen.'

'Voor geschikte reiskleren naar Dien Bien Phu.' Ze voegde eraan toe: 'Ik kan u uitgebreid vertellen over mijn manier van winkelen als u die wilt horen.'

Noch kolonel Mang noch ik was enthousiast over dat onderwerp. Ook kon Mang gedacht hebben dat hij op al te veel verschillende sporen zat. Dat zat hij eigenlijk niet, maar ik was er tamelijk zekere van dat Mr. Anh veilig was. Hoewel je met kolonel Mang nooit wist welke verrassingen hij nog in petto had.

Hij wendde zich tot mij en vroeg: 'Waar is de motor die u in Hué hebt gekocht?'

'Ik heb hem in Lao Cai aan iemand uit Australië verkocht.'

'Hoe heette deze man?'

'Vrouw. Sheila en nog wat. Blond, blauwe ogen, mooie glimlach.'

Kolonel Mang vermoedde dat ik hem in de maling nam, maar hij speelde het spel mee. Hij vroeg: 'Hoeveel hebt u er in Hué voor betaald en voor hoeveel hebt u hem verkocht.'

'Ik heb er drieduizend voor betaald, maar kon er in Lao Cai niet meer dan vijfhonderd voor krijgen van de Australische dame.' Ik voegde eraan toe: 'Ze wist dat we een trein moesten halen en onderhandelde keihard.'

'Ik begrijp het. En hebt u nog wat op papier staan van deze dame of dc persoon in Hué?'

'Kolonel, ik heb al sinds ik in dit land ben geen enkel reçu gezien.'

Hij liet dat passeren en keek Susan aan. 'Ik heb uw motorsleutels in uw flat gevonden, maar we kunnen uw motor niet vinden. Kunt u ons helpen?'

'Hij is gestolen.'

'Ik denk dat hij verborgen is.'

Susan vroeg hem: 'Heeft Sectie A niet iets beters te doen dan een motor te zoeken?'

'Feitelijk wel, miss Weber, daarom bent u hicr.'

'Ik heb geen enkel idee waarom ik hier ben.'

'O, jawel.'

Susan vertelde hem: 'Ik denk dat ú het niet weet, kolonel.'

Hij informeerde haar: 'Wat ik niet weet, daar kom ik altijd achter bij de verdachte.' Hij herinnerde ons beiden: 'Dit is slechts een voorlopig verhoor. Het volgende verhoor is wat u ziet en hoort in deze kamers. Het laatste verhoor vindt plaats in de kelder. Op dat moment keren we terug naar het onderwerp van de twee politiemannen die zijn vermoord en de soldaten die zijn vermoord, en naar andere onderwerpen zoals motorfietsen waar ook nog enig uitleg over nodig is.'

Ik informeerde kolonel Mang: 'Marteling is de laatste toevlucht van een stompzinnige en luie ondervrager. En de bekentenissen zijn nutteloos.'

Hij keek me aan alsof hij dit nooit eerder had gehoord, wat waarschijnlijk ook zo was. Hij vroeg me: 'Wat weet u van ondervragingen?'

'Ik zie een heleboel politieseries op de tv.'

'Eigenlijk heb ik geprobeerd meer over u aan de weet te komen via onze ambassade in Washington.'

'Ik ken daar niemand.'

'Uw sarcasme bevalt me niet.'

'Dat doet het niemand.'

Hij keerde terug naar het onderwerp van mijn verleden en zei: 'We zijn erachter gekomen dat u afgelopen september bij het leger met pensioen bent gegaan en dat u de rang behield van onderluitenant.'

'Dat heb ik u op Tan Son Nhat verteld.'

'Maar u was niet duidelijk over uw werk.'

'Niemand in het leger is duidelijk over zijn werk.'

'Blijkbaar niet, gezien uw laatste optreden hier.'

'We hebben het hier prima gedaan, kolonel, en u weet het. Vraag het elk vriendje van u van de middelbare school.'

Kolonel Mang sloeg volledig op tilt en begon in het Vietnamees te schreeuwen, sloeg op zijn bureau en ging staan. Ik zag echt speeksel in zijn mondhoeken. Ik had het gevoel dat ik de oorlog niet had moeten noemen.

Hij rende om het bureau heen en kwam naar me toe. Ik ging staan, maar voordat ik kon reageren, hadden beide hulpjes me in een armklem. Kolonel Mang sloeg me in het gezicht en ik draaide me uit de greep van de twee handlangers, die niet zo sterk waren, en een van hen viel. De ander kwam weer op me af en Susan stond op en schopte mijn kruk voor zijn benen. Hij viel met zijn gezicht voorover op de vloer en Mang en ik kwamen tegenover elkaar te staan.

Voor ik hem uit elkaar kon halen, krabbelden de twee handlangers over de vloer naar de muur, trokken hun pistolen en begonnen te schreeuwen.

Kolonel Mang zei iets tegen hen, verliet toen onverwachts het vertrek. Ik denk dat hij moest piesen of zoiets.

Susan zei tegen me: 'Paul, de klotereceptie.'

Een van de klojo's sprak scherp in het Vietnamees tegen Susan en ze zei tegen me: 'Hij zegt ons te gaan zitten en onze bek te houden. Als we bewegen of praten schiet hij ons neer.'

Dus we gingen zitten met de twee bewakers achter ons die hun pistolen op ons gericht hielden. Ik had beide pistolen in vijf seconden kunnen hebben, maar ze bewaarden afstand.

Het lawaai in deze kamer had niet bijzonder veel aandacht getrokken door het lawaai in de andere kamers. Kolonel Mang had toen hij vertrok de deur niet dichtgedaan, en ik hoorde een heleboel gemep op de gang.

Het duurde ongeveer vijf minuten voor kolonel Mang terugkeerde. Hij had nog twee gewapende handlangers bij zich die ook achter ons gingen staan. Toen Mang langsliep, rook ik alcohol.

Hij ging achter het bureau zitten en stak een sigaret op. Hij probeerde te doen alsof er niets was gebeurd en zei tegen ons: 'Laat me terugkeren tot het onderwerp van de moord op twee politieagenten en twee soldaten. Of u deze moorden nu bekent of niet, er zijn getuigen voor deze moorden en die zullen u identificeren als de moordenaars. Dus u kunt zichzelf zien als aangeklaagd wegens moord.'

Ik dacht eraan mijn troef uit te spelen, maar die troef leek nu een beetje een verkeerde kleur te hebben.

Kolonel Mang liet ons nadenken over de aanklacht wegens moord en zei toen: 'Ik ben bereid die aanklachten wegens moord te laten vallen in ruil voor een geschreven bekentenis van u beiden, waarin u verklaart agenten te zijn van de Amerikaanse regering, en waarin u tot in details uitlegt wat uw missie hier is.'

'Gaan we dan met zijn allen naar het Metropole voor een drankje?'

'Nee. U blijft in de gevangenis tot u uitgewezen wordt.'

'En mijn regering excuses aanbiedt en een cheque uitschrijft.'

'Ik hoop niet dat ze excuses aanbiedt. En u kunt uw geld houden.'

'Wat wilt u dat ik beken?'

'Ik wil dat u allebei bekent wat u hebt gedaan – contact maken met gewapende opstandelingen, het helpen van het FULRO, spionage en contact onderhouden met de vijanden van het volk.'

'Ik ben hier pas twee weken.'

Hij vatte niet al mijn sarcasme samen, en hij knikte. Hij keek naar me en probeerde redelijk over te komen. Hij zei: 'U ziet natuurlijk de voordelen van een bekentenis inzake politieke misdaden in plaats van aangeklaagd te worden wegens gewone moorden. Politieke misdaden kunnen tussen onze regeringen afgehandeld worden. Moord is moord.' Hij herinnerde me: 'Ik heb getuigen voor vier moorden. Ik heb ook getuigen voor de politieke misdaden. De keuze is aan u.'

Het gerechtelijke systeem werkte hier een beetje anders dan thuis. Ik denk dat ik dat tegen Karl gezegd had.

Kolonel Mang zei: 'Ik heb een beslissing van u nodig, Mr. Brenner.'

Susan zei: 'U negeert me weer.'

Hij keek haar aan: 'Ik wil niets van u, behalve dat u uw mond houdt.'

Voor Susan hem weer kon zeggen dood te vallen, zei ik: 'Ik zal u de beslissing laten nemen, kolonel. Mijn vrijwillige medewerking is afgelopen, zoals u misschien al gemerkt hebt.'

Kolonel Mang zei iets tegen de bewakers en ik dacht dat we op weg zouden gaan naar de benedenverblijven, maar een van de mannen pakte onze rugzakken en legde die op het bureau.

Een andere bewaker gebaarde ons onze jassen uit te trekken. We deden ze uit en hij gooide ze op het bureau.

Kolonel Mang stortte mijn rugzak leeg op het bureaublad. Hij maakte niet speciaal een opmerking over mijn gebrek aan onderbroeken, maar hij zei wel: 'Waar zijn uw kleren?'

'In de bagage die is gestolen, blijkbaar.'

Hij negeerde dat, keek naar mijn camera, film, Montagnard-armband en mijn laatste schone hemd. Hij legde mijn toilettasje opzij en kneep in mijn tandpasta en spoot scheercrème op het bureau. Terwijl hij met mijn persoonlijke spullen speelde, sprak hij tegen me en vroeg: 'Wat was dus uw werk in het leger?'

'Dat heb ik u verteld.'

'U vertelde me dat u kok was. Daarna gaf u toe dat u aan gevechtshandelingen deelnam.'

'Dat was ook zo. Toen werd ik kok.'

'Ik denk eigenlijk dat u bij de inlichtingendienst van het leger zit.'

In de buurt, maar geen sigaar.

Hij kreeg genoeg van mijn waardeloze bezittingen en gooide Susans rugzak op het bureau leeg. In tegenstelling met gewoonlijk liet hij haar beha's en slipjes links liggen en rommelde door haar andere spullen, waaronder de Montagnard-sjaal die zij had gekregen van Chef John, een paar Montagnard-sieraden en andere snuisterijen.

Hij zette haar camera naast die van mij, samen met alle belichte filmrolletjes.

Uiteindelijk richtte hij zich op de dingen die Tran Van Vinh ons had gegeven. Hij bestudeerde het horloge, de identiteitsplaatjes, de trouwring, het logboek, de portefeuille en de spullen in de portefeuille, en uiteindelijk het canvas zakje met de brieven en het MACV-rooster. Het rooster hield zijn belangstelling slechts een paar tellen, daarna ging hij snel door de brieven heen. Ten slotte keek hij Susan aan en vroeg: 'Zijn dit alle dingen die Tran Van Vinh u heeft gegeven?'

Ze knikte.

'Waarom hebt ú die en niet Mr. Brenner.'

'Wat maakt dat uit?'

'Wat draagt u op uw lichaam?'

'Niets.'

'Dat zien we zo direct wel.'

Ze zei tegen hem: 'Als u me aanraakt, vermoord ik u. Zo niet vandaag, dan wel een andere dag.'

Hij antwoordde: 'Wat kan het een slet schelen dat een man haar aanraakt?'

'Val dood.'

Ik zei tegen Susan: 'Rustig aan.' Ik zei tegen Mang: 'Als u haar aanraakt, kolonel, en zij vermoordt u niet, dan doe ík het. Zo niet vandaag, dan wel een andere dag.' Ik voegde eraan toe: 'U weet dat ik het kan.'

Hij keek op van zijn bezigheid en zei tegen me: 'Ach, u houdt van deze dame. U wilt zelfs voor haar moorden.'

'Ik zou u gewoon voor de lol vermoorden.'

'En ik zou ú gewoon voor de lol vermoorden. U hebt eigenlijk niet langer de keuze om politieke misdaden te bekennen. Ik wil beslist niet dat iemand die zo gevaarlijk is als u of miss Weber ooit nog vrij komt. Misschien vermoordt u me wel.'

Ik zei tegen hem: 'Zo niet ik, dan wel iemand anders.'

Hij keek me even aan en ik zag dat hij begreep dat ik hem liet weten dat ik niet alleen was. Dit had hij vermoed en hij was blij dat bevestigd te krijgen, maar niet zo blij op een dodenlijst gezet te worden.

Hij besloot mijn opmerking te negeren en richtte zijn aandacht op de jassen die van geen enkel belang voor hem waren. Hij vroeg Susan: 'Waar zijn de foto's die ik u heb gestuurd?'

Ze zei iets tegen hem in het Vietnamees, wat gewoonlijk iets is dat hij niet wil horen.

Hij gaf een scherp antwoord in het Vietnamees en ik herinnerde iedereen eraan: 'Praat Engels.'

Kolonel Mang zei tegen mij in niet mis te verstane taal: 'Hou je smerige bek.'

De situatie vereiste enige diplomatie, dus in het Frans, de internationale taal van de diplomatie, zei ik tegen hem: *'Mangez merde.'*

Het duurde even voor hij besefte dat ik hem had gezegd stront te vreten. Hij zei tegen me: 'U kunt dan nu wel uw lolletje hebben, Mr. Brenner, en deze gelegenheid te baat nemen om dapper te doen in aanwezigheid van uw dame. Later zal geen van u meer zo dapper zijn.'

Ik gaf geen antwoord.

Hij opende zijn attachékoffertje en haalde er een stapeltje foto's uit. Hij bestudeerde er een paar, gooide vervolgens ongeveer een stuk of zes naar ons toe, en een paar ervan vielen op de vloer met de afbeelding naar boven. Het waren, natuurlijk, de foto's van Piramide-eiland. Kolonel Mang zei tegen Susan: 'Misschien raak ik een beetje in de war door het onderwerp westerse preutsheid. U brengt me in een moeilijke situatie wat betreft het fouilleren van u.'

Susan zei: 'Raak me niet aan.'

Mang keek mij aan. 'Mr. Brenner? Kunt u me helpen?'

Ik zei: 'U moet er een vrouw bij halen om haar in een andere kamer te fouilleren.'

'Waarom kunnen we niet allemaal doen alsof we op het strand zijn?'

Ik zei: 'Waarom hou je er niet mee op zo'n klootzak te zijn?' Ik stond op en voelde iets kouds in mijn nek.

Kolonel Mang zei: 'Zitten.'

Het pistool in mijn nek had ik zo kunnen hebben als ik had gewild, maar ik wist niet of de andere drie pistolen getrokken en gericht waren. Ik ging zitten.

Het werd tijd de troef uit te spelen. Ik zei tegen Mang: 'Kolonel, de Amerikaanse ambassadeur, Patrick Quinn, heeft mij en miss Weber uitgenodigd voor een receptie bij hem thuis om acht uur vanavond. De receptie is ter ere van de vice-president van de Verenigde Staten, Edward Blake, die, zoals u weet, in Hanoi is. We horen op die receptie te zijn, die inmiddels al is begonnen.'

Kolonel Mang keek naar mij, daarna naar Susan. Hij zei: 'En wat draagt u op de receptie van de ambassadeur? Ik zie geen geschikte kleding op uw lichaam of in deze tassen.'

Susan zei: 'Mevrouw Quinn heeft geschikte kleding voor me. Daar hoeft u zich geen zorgen om te maken.'

Kolonel Mang keek naar mij. 'En u, Mr. Brenner?'

'Ik speel alleen maar gitaar. En ik ben laat.'

Hij negeerde dat en vroeg: 'Waarom zou een van u voor zo'n gelegenheid uitgenodigd worden?'

Susan antwoordde: 'Ik ben een vriendin van mevrouw Quinn.'

'O ja?' Hij keek mij aan. 'En u, Mr. Brenner?'

'Pat Quinn en ik zaten samen op school.'

'Ach. Wat een hoop beroemde mensen op die school. Dus ik hou u allebei af van een etentje met uw landgenoten.'

Susan informeerde hem: 'Uw minister van Buitenlandse Zaken, Mr. Thuang, zal er ook zijn, en ook de minister van Binnenlandse Zaken, Mr. Huong, die, geloof ik, uw directe baas is. Ik zou deze zaak wel of niet tegen hem kunnen noemen.'

Ik raak gewoonlijk niet onder de indruk van *namedropping*, maar ik maakte een uitzondering voor dit moment. Natuurlijk kon kolonel Mang nu een goede reden hebben ons hier niet levend weg te laten komen. Ik keek kolonel Mang aan, maar hij bleef ondoorgrondelijk en ik wist niet naar welke kant hij zou doorslaan.

Ik zei tegen hem: 'Ik heb uit Lao Cai een telex naar de ambassade gestuurd om hun te informeren dat we per trein zouden aankomen, ons zouden inchecken in het Metropole en om acht uur op de receptie zouden zijn.'

'Het postkantoor is niet open op het moment dat de trein naar Hanoi vertrekt.'

Oeps. Ik zei: 'Ik heb het bericht aan de Australische dame gegeven die beloofde het weg te sturen. De dame die mijn motor kocht.' Ik ben echt blij dat ik Ier van geboorte ben.

Kolonel Mang stak weer een sigaret op en dacht hierover na. Ten slotte vroeg hij me: 'Wordt deze man Blake uw volgende president?'

'Mogelijk.' Ik voegde eraan toe: 'Wij hebben verkiezingen.'

Hij dacht een ogenblik na en zei toen: 'Ik mag die man niet.'

Nou, eindelijk hadden we iets gemeenschappelijks.

Mang zei: 'Hij was in de oorlog hier soldaat.'

'Ja, dat weet ik.'

'Hij legt hier veel te veel bezoeken af.'

Ik antwoordde: 'Hij is een vriend van Vietnam.'

'Dat zegt hij.' Hij voegde eraan toe: 'Ik heb geruchten gehoord dat hij weer Amerikaanse soldaten op Vietnamese bodem wil zetten.'

Noch Susan noch ik gaf antwoord. Kolonel Mang had hier een heleboel om over na te denken, en ik wilde zijn gedachten niet onderbreken met dreigementen of met beloftes een goed woordje voor hem te doen op de receptie.

Hij keek ons aan en zei: 'Ik ben nog steeds niet tevreden met al uw antwoorden. Het is mijn plicht mijn land te verdedigen.'

Hij klonk niet helemaal overtuigd van zichzelf en hij wist het. Hij wierp een blik op zijn horloge, wat een goed teken was. Toch kon hij nog steeds niet tot een besluit komen.

Hij keek mij aan en zei: 'Ik ga u een paar vragen stellen, Mr. Brenner, en als u me waarheidsgetrouw antwoord geeft, zou ik in overweging kunnen nemen u en miss Weber vrij te laten.'

Ik gaf geen antwoord.

Hij vroeg me: 'Bent u hier om de moord op deze luitenant Hines door een Amerikaanse kapitein in Quang Tri-stad in februari 1968 te onderzoeken?'

'Dat heb ik u gezegd.'

'Maar u hebt aangegeven dat u een onderzoek deed namens de familie.'

'Dat is zo.'

'Doet u dit onderzoek ook namens uw regering?'

'Jawel.'

Hij leek verrast door het eerlijke antwoord. Ik ook, en Susan ook. Ik zag een uitweg uit dit gebouw en de uitweg had te maken met Edward Blake, die er in de eerste plaats al verantwoordelijk voor was dat ik hier zat.

Kolonel Mang vroeg me: 'En miss Weber is uw officiële collega?'

Ik was er niet zo zeker van en ik antwoordde: 'Ze heeft aangeboden me te helpen met de taal en de reis.'

Hij keek Susan aan. 'Welke relatie hebt u met uw regering?'

'Ik heb met Bill Stanley geslapen.'

'En wat nog meer?'

'Ik ben burger en belastingbetaler.'

Hij had helemaal niets met Susan, dus hij bracht zijn aandacht weer bij mij en vroeg: 'En wat is uw relatie met uw regering?'

Ik heb ooit een keer tijdens een zaak met een FBI-agente geslapen, maar ik dacht niet dat hij dat nu wilde weten. Ik zei: 'Ik ben een gepensioneerde agent van de criminele recherche van het Amerikaanse leger.' Het was me ook vergund mijn dienstnummer te geven, maar ik weet me dat niet altijd te herinneren.

Hij dacht een tijdje na en vroeg zich waarschijnlijk af wat een CID-man van het leger deed. Hij vroeg me: 'Wat is uw huidige relatie met uw overheid?'

'Civiel werknemer.'

'Werkt u voor de Central Intelligence Agency?'

Waarschijnlijk, maar ik antwoordde: 'Nee, ik werk niet voor hen. Dit is een criminele zaak. Ik onderzoek een moord, ik pleeg er niet een.'

Hij miste de grap en vervolgde: 'Toen u met Tran Van Vinh sprak, hebt u toen de identiteit van de moordenaar ontdekt?'

'Misschien.'

'Waarom is dit na zoveel jaar belangrijk?'

'Gerechtigheid is belangrijk.'

'Voor wie? De familie? De autoriteiten?'

'Voor iedereen.'

Hij trok peinzend aan zijn sigaret. De man was niet dom, en ik ook niet, dus ik hield mijn mond. Hij moest helemaal alleen zijn conclusies trekken.

Hij zei tegen me: 'Dus u bent na bijna dertig jaar teruggekomen naar Vietnam om de waarheid over deze moord te vinden?'

'Zo is dat.'

'Voor gerechtigheid.'

'Voor gerechtigheid.'

'Deze vermoorde luitenant Hines moet wel uit een zeer welgestelde en machtige familie komen dat uw regering zich al deze moeite getroost.'

'Het maakte niets uit of hij nu rijk of arm was. Moord is moord. Gerechtigheid is gerechtigheid.'

Hij keek Susan aan en vroeg haar: 'Waar zijn de foto's die u aan Mr. Ving hebt laten zien?'

'Ik heb ze weggegooid.'

'Waarom?'

'Ik had ze niet meer nodig.'

Hij zei tegen haar: 'Mr. Vinh zei dat u twee setjes foto's had. Een van luitenant Himes, de ander van een kapitein die u als de vermoedelijke moordenaar zag.'

Susan knikte.

'Mr. Vinh kon u de foto van luitenant Himes geven die in zijn portefeuille zat, en deze spullen bevestigen dat hij de man was die is vermoord.'

'Dat is zo.'

'Maar Mr. Vinh kon niet de foto's van de kapitein identificeren als de man die hij de luitenant in Quang Tri-stad zag vermoorden. Klopt dat?'

'Dat klopt.

'Hij vroeg Susan: 'Wat is de naam van deze kapitein?'

'Dat weet ik niet.'

'Hoe kan dat? U had zijn foto's.'

Ik onderbrak hem en zei: 'Dat waren mijn foto's, kolonel. Miss Weber vertaalde alleen maar.'

'Ach, ja. Dan vraag ik u hoe die kapitein heette?'

'Ik heb geen idee.'

'Ze hebben u niet verteld naar wie u op zoek was?'

'Nee, dat hebben ze niet gedaan. Wat maakt het voor u uit? Denkt u dat u hem misschien zou kennen?'

Hij keek me aan en zei: 'Om eerlijk te zijn, heeft Mr. Vinh zitten na-denken over uw bezoek nadat u was vertrokken, en...'

Ik zag dat kolonel Mang zijn hersencellen aan het pijnigen was en net zoals ik een paar dagen geleden iets bijna in zijn greep had, maar dat hem steeds weer ontglipte.

Ik herinnerde hem: 'Ik heb u eerlijk antwoord gegeven. Nu kent u de bedoeling van mijn bezoek hier. We hebben geen wetten overtre-den. We moeten nu weg.'

Hij was nu echt diep in gedachten verzonken, en hij wist instinctief dat hij eindelijk iets op het spoor was. Hij vroeg me: 'Als u de moord onderzoekt van een Amerikaan op een Amerikaan, waarom heeft uw regering dan niet de hulp ingeroepen van mijn regering?' Hij herinner-de mij: 'U betaalt miljoenen dollars voor informatie over uw vermiste soldaten.'

Dat was echt een goede vraag en ik herinnerde me dat ik Karl het-zelfde had gevraagd, hoewel binnen de vraag het antwoord besloten lag. Het had mij ongeveer twee minuten gekost bij de Wall om zelf het antwoord te vinden. Het kostte kolonel Mang langer, dus hij herhaalde de vraag, als voor zichzelf.

Ik antwoordde: 'Zoals u van Mr. Vinh hebt gehoord, heeft deze ka-pitein ook drie Vietnamese burgers gedood en kostbaarheden gestolen van het ministerie van Financiën in Quang Tri. Het leek mijn regering het beste een situatie te vermijden waarin uw regering erop zou staan deze kapitein te berechten.'

Kolonel Mang zei niet echt 'gelul', maar hij schonk me een blik die zei: 'Gelul.' Hij zei: 'Dat antwoord is niet bevredigend.'

'Beantwoord de vraag dan zelf.'

Hij knikte en ging de uitdaging aan. Hij stak weer een sigaret op en ik dacht de klok van de televisiequiz te horen tikken.

Ten slotte begon hij de persoonlijke bezittingen van luitenant Hines te onderzoeken. Hij pakte het MACV-rooster op en bekeek het. Hij zei: 'Mr. Vinh merkte op dat een papier met Amerikaanse namen bij u alle-bei emotie opwekte.' Hij las het rooster, keek toen naar mij en vervol-gens naar Susan. Hij zei iets tegen haar in het Vietnamees, en ik meen-de het woord *dai-uy* te horen, en beslist hoorde ik Blake uitgesproken worden met een Vietnamees accent.

Susan knikte.

Kolonel Mang had de uitdrukking van een man die de waarheid had gevonden. Hij was blij met zichzelf, maar ook een beetje geagiteerd, en misschien een beetje bang. Net als Karl kon hij uitzicht hebben op een generaalsster, maar als hij deze kennis verkeerd gebruikte en aan de verkeerde mensen van zijn regering bracht, zou hij weleens de rest van zijn leven visums kunnen stempelen aan de Laotiaanse grens, of erger.

Hij keek me aan en stelde een scherpzinnige vraag: 'Wordt deze man beschermd of aangeklaagd?'

Ik antwoordde: 'Ik ben hierheen gestuurd om de waarheid te achterhalen en om verslag uit te brengen. Ik heb er geen zeggenschap over wat er met deze man gebeurt.'

Hij zei tegen mij: 'U had moeten zeggen dat u hier was gekomen om hem aan te klagen. Ik heb u gezegd dat ik hem niet mocht.'

'Ik weet wat ik had moeten zeggen. U vroeg de waarheid en ik gaf u de waarheid. Moet ik nu weer gaan liegen?'

Hij negeerde dat en zei tegen ons: 'Geef me uw visums.'

Dit was het beste nieuws dat ik sinds een tijdje had gehoord en ik gaf hem mijn visum. Susan overhandigde hem ook haar visum. Hij nam niet de moeite om onze paspoorten te vragen, omdat we alledrie wisten dat de Amerikaanse ambassade in tien minuten voor een paspoort kon zorgen, en zonder de door Vietnam uitgegeven visums kwamen we dit land niet uit. Maar we kwamen wél dit gebouw uit.

Kolonel Mang zei iets tegen een van zijn handlangers, die het vertrek verliet. Hij zei tegen mij: 'U en miss Weber kunnen wat mij betreft naar uw receptie.'

Ik wilde hem feliciteren om zijn verstandige besluit, maar in plaats daarvan zei ik: 'Wanneer kunnen we onze visums terugverwachten?'

'U hebt geen visum nodig om weer gearresteerd te worden, Mr. Brenner.'

'Dat lijkt me ook niet.'

De deur ging open en de bewaker keerde terug met een vrouw in uniform. Ze sprak in het Vietnamees tegen Susan en Susan liet zichzelf aftasten, hetgeen leek te voldoen aan de eisen van een fouillering zonder Susan iets te geven om op de receptie van de ambassadeur over te spreken.

Het was mijn beurt en de mannelijke bewaker fouilleerde mij.

Het enige dat we bij ons droegen waren onze portefeuilles en Mang onderzocht de inhoud van beide en gooide ze daarna op het bureau. Hij zei: 'Pak uw portefeuilles en vertrek.'

We pakten allebei onze portefeuille en begonnen onze rugzakken in te pakken.

Mang zei: 'U weet dat u dat allemaal niet meeneemt.'

Ik zei: 'We moeten de persoonlijke bezittingen van luitenant Himes hebben.'

'Ik ook. Vertrek.'

'Ik heb mijn vliegticket nodig.'

'Dat zult u niet gebruiken.'

'We hebben onze jacks nodig.'

'Vertrek. Nu.'

Susan zei: 'Ik wil mijn films en camera hebben.'

Hij keek haar aan, daarna mij en zei: 'Uw arrogantie is absoluut verbazingwekkend. Ik geef u uw leven en u twist met mij over wat ik van u gepakt heb in ruil voor uw leven.'

Hij had daar helemaal gelijk in en ik pakte Susan bij de arm.

Hij zei: 'Wacht. Er is iets dat u wel mee kunt nemen naar uw feestje. Pak de foto's van de vloer.'

Ik kon Susan bijna horen zeggen dat hij dood kon vallen, dus ik zei snel: 'Miss Susan heeft haar setje al naar de handelsattaché op de ambassade gestuurd. Dank u.'

Hij glimlachte. 'En ik zal dit setje naar de ambassadeur en mevrouw Quinn sturen. Ze moeten weten dat zij in hun huis aan een hoer gastvrijheid bieden.'

Susan glimlachte liefjes en zei: 'Ik zal de minister van Binnenlandse Zaken de groeten van u doen.'

'Dank u. En vergeet hem niet te zeggen dat zijn vriend Edward Blake een moordenaar en een dief is.'

Ik had geen antwoord moeten geven, maar ik zei: 'Dat kunt u beter zelf doen, kolonel. U hebt het bewijs en u hebt Tran Van Vinh. Maar wees voorzichtig. U hebt een tijger bij de staart.'

We maakten oogcontact en in dat korte moment, denk ik, zagen we onszelf in elkaars gezicht; wij, hij en ik, Amerika en Vietnam, bleven elkaar steeds weer tegenkomen, op geheel verkeerde tijden, op totaal verkeerde plaatsen en om alle verkeerde redenen.

48

De bewakers brachten ons naar de hal en door de voordeur naar buiten. Susan zei iets dat hun niet beviel en ze zeiden gedag met een duw.

We bleven een tel in de donkere straat staan, Susan pakte mijn hand en we liepen in de richting van een verlichte avenue, een paar straten verderop. Susan zei: 'Waarom heb je hem niet eerder over de receptie van de ambassadeur verteld?'

'Ik bleef het maar vergeten.'

Ze kneep mijn vingers stevig samen en het deed pijn. Ze zei: 'Niet leuk.'

Ik zei: 'Ik denk niet dat de receptie van de ambassadeur ons daar vrij heeft gekregen. Edward Blake haalde ons eruit.'

Ze gaf geen antwoord.

We zorgden voor enige afstand tussen ons en het ministerie van de Angst en kwamen op een brede avenue die Pho Trang Hung Pao heette en eigenlijk een andere naam zou moeten krijgen.

Susan oriënteerde zich en we gingen rechtsaf. We kwamen langs een groot, lelijk, modern gebouw dat volgens Susan het Paleis van Cultuur was en waar een heleboel taxi's en cyclo's geparkeerd stonden. Ik zei: 'We kunnen beter een taxi nemen.'

'Ik moet lopen. Het is niet zo ver.'

We liepen verder over de drukke avenue. Ze haalde haar sigaretten uit haar spijkerbroek en stak op met een lucifer. Ze zei: 'In ieder geval heeft hij mijn peuken niet afgepakt.'

'Zo sadistisch is hij niet.'

We liepen verder. Omdat het koel weer was droegen veel mannen truien of dikke sportjasjes en de meesten droegen alpino's of tropenhelmen. Niemand droeg een glimlach, ik ook niet. Deze plaats veegde op de een of andere manier de glimlach van je gezicht, vooral als je net van Yet Kieu Street kwam.

Susan zei: 'Hij heeft al ons bewijs. Wat denk je dat hij ermee gaat doen?'

'Dat blijft de vraag.'

'We zijn door de hel gegaan om het te krijgen en nu heeft hij het, en hij is erachter gekomen...' Ze zei tegen me: 'Washington krijgt een beroerte.'

Ik gaf geen antwoord.

Ze vroeg me: 'Dus wat is nu het plan?'

'Ik moet wat drinken.'

'Je krijgt van mij een drankje op de receptie.'

'Ken je de vrouw van de ambassadeur echt?'

'Ja. Ik heb haar twee keer hier in Hanoi ontmoet en ik ben met haar en haar vriendinnen in Saigon gaan winkelen en we hebben samen gegeten. Speel jij gitaar?'

'Dat was een leugen. Ken je de ambassadeur?'

'Ik heb hem een keer op de ambassade in Hanoi ontmoet en een andere keer bij hem thuis.'

'Zou hij nog weten wie je bent?'

'Waarschijnlijk wel. Hij probeerde me te versieren.'

'Hoe deed hij dat?'

'Heel goed, tot Bill zich ermee ging bemoeien.' Ze lachte en stak haar arm door die van mij. 'Ik ben soms moeilijk te hanteren. Maar jij kunt me aan.'

We bereikten een andere brede avenue die Susan herkende; we sloegen linksaf en liepen verder. We bereikten een groot meer, omgeven door grasland met verkopers en mensen die schaak speelden. Op het verlichte meer was een verscheidenheid aan kleine boten en ik zag een eiland in het meer waarop een pagode stond, met bovenop een rode ster. Ik vroeg: 'Is dit het meer waar de B-52-bommenwerper ligt?'

'Nee. Er zijn een heleboel meren in Hanoi. Dit is het Meer van het Teruggekeerde Zwaard.'

'Is er een Meer van het Teruggekeerde Bewijsmateriaal?'

'Ik denk het niet.'

We liepen langs het meer en Susan vroeg weer: 'Paul, wat is het plan?'

'Wat het ook is, het is mijn plan.'

Ze reageerde een tijdje niet, zei toen: 'Je vertrouwt me nog steeds niet.'

Ik gaf geen antwoord.

'Na alles wat we samen hebben doorgemaakt.'

'Daar gaat het om.'

Zij bleef staan, ik bleef staan en ik draaide me naar haar toe. We keken elkaar aan en ik zag dat ze van streek was. Ze zei tegen me: 'Ik zou mijn leven voor je op het spel zetten en ik heb het gedaan.'

'Je hebt je leven op het spel gezet.'

Ze ging er niet op door en vroeg me: 'Hou je echt van me?'

'Jawel, maar ik hoef je niet te vertrouwen.'

'Liefde kan niet bestaan zonder vertrouwen.'

'Dat is vrouwenlulkoek. Natuurlijk kan dat wel. Laten we gaan.' Ik pakte haar arm en we liepen verder.

Ze maakte zich van me los en zei: 'Ik ga naar het hotel. Jij gaat naar de receptie.'

Dit klonk als iets van mijn laatste drie of vier relaties. Het moest aan mij liggen. Ik zei tegen haar: 'Ik heb je daar nodig.'

'Probeer het nog een keer.'

'Jij hebt de uitnodiging en jij kent de weg. Jij kent de gastheer en gastvrouw.'

'Probeer het nog eens.'

'Ik wil dat je daar bent.'

'Waarom?'

'Ik weet het niet. Maar jíj weet het wel. Vertel me wat er vanavond op het programma stond.'

Ze gaf me een paar tellen geen antwoord een zei toen: 'Als ik het tot zover had gehaald, moest ik naar die receptie komen en iemand vertellen of ik al of niet geslaagd was en afgeven wat ik bij me had.'

'Werd ik verondersteld het tot zo ver te halen?'

Ze dacht een ogenblik na en antwoordde: 'Situatie A was dat we Tran Van Vinh niet vonden of geen enkel bewijs kregen. Dan zou jij naar Bangkok gaan en ik ging terug naar Saigon. Situatie B: we vonden wat we zochten, maar jij weet niet wat het betekent. Jij gaat naar Bangkok, ik ga naar Saigon. Situatie C: jij begrijpt wat we hebben ontdekt en jij vindt het prima zo. Jij praat erover in Bangkok, ik ga naar Saigon. Situatie D is dat jij een held en een padvinder wilt zijn en jij en ik gaan samen naar Bangkok. Dat is nu de situatie.'

Ik keek naar de boten die een wedstrijd hielden of misschien een zeeslag naspeelden; dat was moeilijk te zeggen met Vietnamezen.

'Paul?'

Ik keek haar aan.

Ze zei: 'Natuurlijk werd het ingewikkeld omdat ik verliefd op je werd.'

'Dat doet iedereen. Dat is Situatie E.'

'Oké. Situatie E.'

Ik zei tegen haar: 'Laten we teruggaan naar D. Wat moet jij doen als ik jou vertel dat ik alles wat ik te weten ben gekomen meld aan mijn baas, daarna aan de FBI, aan het ministerie van Justitie en, als het moet, aan de pers?'

Ze gaf geen antwoord.

'En dit resulteert in een officieel onderzoek naar en een mogelijke veroordeling van Edward Blake, en zijn berechting wegens moord, hetgeen misschien zijn plannen om president te worden dwarsboomt. Goed, als ik je dit vertelde, wat ik heb gedaan, wat was dan de bedoeling?'

'Met je praten.'

'Met mij is niet te praten. Wat dan?'

'Je brengt me in een moeilijke situatie.'

'Welkom in een moeilijke situatie. Praat tegen me.'

'Wat wil je dat ik zeg? Dat van mij werd verwacht dat ik je doodde? Ik heb het je verteld, ik moest je alleen maar in het oog houden totdat ik je in Bangkok had.' Ze zweeg even en zei toen: 'Ik had geen idee wat ze daarna met jou van plan waren.'

'Dat is behoorlijk koud en harteloos.'

'Ik weet het. Maar het klonk goed tijdens de briefing. Heb jij dan nooit een briefing gehad waar harde beslissingen heel logisch en zakelijk werden besproken en ze allemaal prima klonken, en dat je er dan op uit gaat en de mensen ziet tegen wie je hard moet optreden?' Ze keek me aan.

Eigenlijk was het mijn hele professionele leven, vanaf gevechtsbriefings tot en met JAG-bijeenkomsten, zo geweest. Ik zei: 'Ik begrijp het, maar waar jij het over hebt, is onwettig, om maar niet spreken van immoreel en oneerlijk.'

'Ik weet het.'

'Wat was jouw motivatie?'

Ze haalde haar schouders op. 'Stomme dingen. Opwinding, avontuur, het gevoel dat belangrijke mensen je vertrouwen en op je rekenen.' Ze keek me aan. 'Ik zie dat je hier niet intrapt.'

'Nee, dat doe ik niet.'

'Goed. Jij bent niet zo stom als je eruitziet.'

'Ik hoop het niet. Waar heb je geleerd met wapens om te gaan?'

'Een heleboel plaatsen.'

'Voor wie werk je?'

'Dat kan ik je echt niet vertellen, en het maakt niet uit.' Ze voegde eraan toe: 'Neem niet de moeite het nog eens te vragen.'

Ik gaf geen antwoord.

Ze zei: 'Luister, Paul, jij kreeg de opdracht vanaf de eerste dag tegen mij te liegen, en ik kreeg de opdracht vanaf de eerste dag tegen jou te liegen. Je hebt niet het recht kwaad te zijn door míjn leugens, als je denkt dat je eigen leugens gerechtvaardigd zijn.'

Ik knikte. 'Goed. Maar daarom ben ik uit dat wereldje gestapt.'

'Je zou kunnen overwegen erin te blijven. Je hebt het fantastisch gedaan met Tran Van Vinh, en met kolonel Mang, en hoe je een en een bij elkaar hebt opgeteld.'

'Het is goed om op te houden als je voor staat en nog in leven bent.'

Ze keek me aan en zei: 'Toen we daar in de Na-vallei stonden en ik je het pistool gaf, heb ik je verteld dat ik je zou helpen Edward Blake aan het kruis te nagelen, hoewel dat niet mijn opdracht was. Ik meende dat, en ik doe het ook, omdat dat het enige juiste is om te doen en omdat... ik alles zal doen wat je me vraagt. Zelfs als jij en ik elkaar nooit meer zien. Ik wil dat je goed over me denkt...'

Ik zag tranen over haar gezicht lopen en ze veegde ze weg met haar handen.

Ik zei: 'Laten we gaan.'

We liepen verder langs het meer en Susan kende de weg. We bereikten een straat die Pho Ngo Quyen heette en bereikten het Metropole Hotel op een hoek. Susan zei tegen me: 'Ik kan inchecken en we kunnen een douche nemen en dan, als je wilt, vrijen.'

'Waarom zouden we zo'n perfecte dag verpesten?'

'Ben je nu wreed of grappig?'

'Grappig. Laten we naar het huis van de ambassadeur gaan en de boel afmaken.'

'We zijn smerig en we stinken.'

'Dat doet deze opdracht ook. Hoever is die plek?'

'Een straat verder.'

We liepen voorbij het Metropole, sloegen een hoek om en kwamen door een smalle straat met bomen. Verderop zag ik een goed verlicht perceel en ik wist dat dat het huis van de ambassadeur moest zijn.

Susan bleef staan en keek me aan. Ze zei: 'Ik ben van streek en ik kan daar niet naar binnen terwijl ik er zo uitzie.'

'Je ziet er prima uit.'

'Ik heb geen make-up op, ik heb gehuild, ik ben niet gekleed en door jou voel ik me ellendig.'

'Je kunt wel wat lippenstift lenen.'

'Kijk me aan.'

'Nee.'

'Paul, kijk me aan.'

Ik keek haar aan.

Ze zei: 'Drie dingen: ik sta aan jouw kant, je kunt me vertrouwen en ik hou van je.'

'Goed.'

'Kus me.'

Ik kuste haar, we sloegen onze armen om elkaar heen en bleven elkaar kussen. Hoever was dat hotel ook alweer?

We maakten ons van elkaar los en ze keek me aan. Ze zei: 'Nog drie dingen: we hebben geen bewijs, Tran Van Vinh is in handen van kolonel Mang en als je uit Hanoi vertrekt, moet je in Bangkok net zo voorzichtig zijn als je hier was.'

Ik zei: 'Daarom wil ik ook dat je je gewoon rustig houdt en zo onopvallend mogelijk doet. Je hebt helemaal niets te maken met mijn padvindersinsigne van verdienste.'

Ze gaf geen antwoord.

We liepen de korte afstand langs een hoge, gestuukte muur naar een smeedijzeren hek van de ingang dat naar een oprit leidde.

Er stond een Vietnamees politiehokje tegen de muur en een man in burger kwam op ons af en zei in het Engels: 'Paspoorten.'

We gaven hem onze paspoorten die hij met een zaklantaarn bekeek. Hij keek naar ons alsof hij wist wie we waren, alsof kolonel Mang al gebeld had.

Als kolonel Mang van mening was veranderd, zouden we nu op de terugreis zijn naar het ministerie van Openbare Veiligheid. Ik zag het hek van het huis van de ambassadeur op nog geen zes meter van me vandaan en ik zag twee Amerikaanse mariniers die daar op wacht stonden.

De smeris in burger zei niets en ik kon maar niet bepalen of ik hem nu wel of niet een trap tegen zijn kloten moest geven en dan naar het hek moest rennen. Er stonden twee geüniformeerde smerissen voor het politiehokje, allebei gewapend en ze keken naar ons.

De agent in burger zei tegen me: 'Waar gaat u naartoe?'

'Naar de receptie van de Amerikaanse ambassadeur.'

Hij keek naar onze kleren, maar zei niets.

Ik stak mijn hand uit en zei: 'Paspoorten.'

Hij sloeg beide paspoorten in mijn hand, draaide zich om en liep weg.

We gingen verder naar het hek en ik zei tegen Susan: 'Eruit komen gaat misschien niet zo makkelijk.'

'Ik had hetzelfde idee.'

Het hek stond open en de twee mariniers op wacht in ceremonieel tenue waren een welkom gezicht, hoewel ik dat nooit tegen een marinier zou zeggen.

De mariniers stonden op de plaats rust, met hun handen op hun rug, en ze namen ons op. Ze gingen niet in de houding staan en salueerden niet, maar onze ronde ogen lieten ons door.

Een paar meter achter het hek bevond zich rechts een wachthuisje waar een volgende marinier stond in een grijsbruin uniform, gewapend met een M-16-geweer. Een sergeant der mariniers kwam op ons af en zei: 'Sorry, jongens, dit is privé-terrein.'

Susan zei: 'We zijn hier voor de receptie van de ambassadeur.'

'Eh...' Hij nam ons op. 'Eh...'

Susan zei: 'Weber. Susan Weber. En dit is mijn gast. Mr. Paul Brenner.' Ze voegde eraan toe: 'Onderluitenant Paul Brenner.'

'Goed... eh...' Hij keek met een zaklampje op het klembord in zijn hand en zei: 'Ja, mevrouw. Hier staat u.' Hij keek haar aan, toen mij en vroeg: 'Kan ik een soort identificatie zien?'

Ik gaf hem mijn paspoort, dat hij met het zaklampje bekeek, waarna hij het paspoort teruggaf en zei: 'Dank u, meneer.'

Susan gaf hem haar paspoort, hij controleerde dat en gaf het aan haar terug. Hij zei: 'Eh... vanavond is formele kleding vereist.'

Susan zei: 'We komen net van het platteland en er liggen kleren op ons te wachten. Dank je, sergeant.'

'Ja, mevrouw.' Hij vroeg mij: 'Bent u hier eerder geweest, meneer?'

'Hier niet, nee.'

Hij wees naar het huis en zei: 'U volgt de ronde oprit naar de voordeur. De receptie is vanavond in de tuin. Een prettige avond.'

Ik keek deze jonge marinierssergeant aan en dacht aan Ted Buckley in Khe Sanh. De wereld was heel erg veranderd sinds de winter van 1968, maar als je er nooit bij was geweest, zou je dat niet weten.

Ik wilde me net omdraaien toen de marinier me vroeg: 'Hebt u hier gediend?'

'Jawel. Heel lang geleden.'

Hij sprong in de houding en salueerde voor voormalig soldaat eersteklas Brenner.

Ik pakte Susans arm en we liepen de bestrate oprit op.

Het huis was een Franse villa van drie verdiepingen met een leien mansardedak. Het crèmekleurige stucwerk was gevoegd om het op stenen blokken te doen lijken en er zaten Franse versieringen aan de gevel, waaronder smeedijzeren balkons en luiken met jaloezieën. Een verlichte Amerikaanse vlag hing aan een mast bij de ingang. Een bries deed de vlag klapperen en ik voelde een lichte tinteling langs mijn ruggengraat gaan.

Een Vietnamese man in een donker pak stond bij de ingang. Hij glimlachte en zei: 'Goedenavond.'

Susan antwoordde in het Engels: 'Goedenavond.'

Ik hou van mensen die niet te koop lopen met hun tweede taal zodra ze de kans hebben. Toch zei ik tegen hem: *'Bon soir'*, zodat hij tegen zijn vrienden kon zeggen dat een Fransman, gekleed als een varken, naar de receptie van de ambassadeur was gekomen.

Hij antwoordde: *'Bon soir, monsieur.'* Hij opende de deur en we gingen naar binnen.

We liepen een korte marmeren trap op, waar ook weer een Vietnamees stond, ditmaal een vrouw, gekleed in een blauwzijden *ao dai* die ons ook in het Engels welkom heette en een buiging maakte. Ze zei: 'Volg me, alstublieft. De receptie is in de tuin.'

Susan zei tegen haar: 'Ik zou graag even naar het damestoilet willen.'

De Vietnamese vrouw vond dat wellicht een goed idee.

Buigend wees ze ons een zitkamer aan de rechterkant, van waaruit een trap naar de volgende verdieping leidde, maar Susan liep die voorbij.

Terwijl we door de mooi gemeubileerde zitkamer liepen, gebaarde Susan naar gesloten dubbele deuren in de wand links en zei: 'Het kantoor van de ambassadeur.'

Ze opende een volgende deur die leidde naar een grote badkamer en zei: 'Kom binnen. Ik ben niet verlegen.'

We gingen allebei de badkamer in en ik deed de deur op slot.

Susan begon direct aan haar toilet.

Er hingen twee marmeren wastafels aan de muur, met zeep en handdoeken, en ik waste het vuil en de blauwe verfstof van mijn gezicht en handen. Ik keek in de spiegel en een heel vermoeide, ongeschoren man keek naar me terug. Dit waren niet de ergste twee weken van mijn leven geweest – de A Shau-vallei bleef op de eerste plaats staan – maar het waren emotioneel misschien wel de meest uitputtende geweest. En het was nog niet voorbij. En dat zou het ook nooit zijn.

Susan stond bij de wastafel naast me en keek naar zichzelf in de spiegel. 'Ik zie er goed uit zonder make-up... vind je niet?'

'Kijk of de ambassadeur je weer wil versieren.'

Ik zag geen mondwater, dus als goed soldaat beet ik een stuk zeep af, deed een handvol warm water in mijn mond en gorgelde. De zeep schuimde rond mijn mond.

Susan lachte en zei: 'Wat ben je nu aan het doen?'

Ik spoog in de wasbak. 'Gorgelen.'

Ze waste zich en probeerde de zeep in haar mond. 'Getver.'

Ik liep naar het raam dat uitzicht bood op de tuin aan de voorkant waar we naar binnen waren gekomen. Ik zag de mariniers bij de ingang, de twee mariniers in het wachthuisje, en de Amerikaanse vlag die buiten het raam wapperde. Aan de andere kant van de muur was Hanoi, territorium van Mang.

Ik zei tegen haar: 'We moeten hier vannacht blijven. Of in de ambassade.'

Susan kwam naast me staan met een hete, natte handdoek en legde die achter in mijn nek. 'Hoe voelt dat?'

'Fantastisch.'

Ze keek uit het raam en zei: 'Weet je, Paul, je hoeft hier geen confrontatie aan te gaan. Waarom zou je je tot persona non grata maken in de ambassade?'

'Waarom niet? Ik ben persona non grata in de rest van dit land. Ben ik persona non grata in deze badkamer?'

Ze glimlachte. 'Jouw veiligheidszone is beslist aan het slinken. Weet je, kolonel Mang maakt die klus misschien voor je af.'

'Ik wil wat drinken.'

We verlieten de badkamer en gingen terug naar de Vietnamese dame die ons door een gang, langs een grote woonkamer of salon leidde, waarachter ik een nog grotere eetzaal zag. Het meubilair was hier eersteklas, een mengeling van Frans en Oost-Aziatisch, hoewel er een heleboel lelijke moderne schilderijen aan de muren hingen.

We bereikten een lange veranda die langs de achterkant van het huis liep en de dame gebaarde ons naar een stel openslaande deuren. Ik hoorde muziek en praten in de tuin.

Toen Susan en ik naar de deuren liepen, zei ze tegen me: 'Bill wordt hier ook verwacht.'

'Zoiets had ik al gedacht.'

'Heb je er last van?'

'Nee. We waren klasgenoten op Princeton.'

We liepen door de deuren naar een marmeren trap met roze, granieten leuningen. Ik zei: 'Je zou een B-52-bommenwerper kunnen kopen van wat dit huis kost.'

Susan pakte mijn hand, wat een heel lief gebaar was, en we liepen de trap voor de helft af. Er was een paviljoen op het erf opgezet die helemaal verlicht was door lampions. Het erf werd omgeven door muren en tuinen, die ook verlicht waren. Links zag ik een groot, verlicht zwembad. Ik zou de volgende ambassadeur in Vietnam kunnen worden als ik mijn kaarten goed uitspeelde.

Susan keek uit over de menigte van ongeveer tweehonderd mensen, van wie niemand een spijkerbroek of een polohemd droeg. Ze zei tegen me: 'Daar heb je de ambassadeur... en daar heb je Anne Quinn... ik zie de vice-president niet... maar waar je een menigte mensen ziet staan en waar je veel juichkreetjes hoort, moet hij zich ergens middenin bevinden.'

'Ik denk dat ik hem zie.'

Susan zei: 'We zijn een beetje laat om verwelkomd te worden, dus we moeten als eerste naar Anne Quinn om onze aanwezigheid kenbaar te maken.'

'Heb je dat bij de Junior League geleerd? Kunnen we niet eerst naar de bar?'

'Nee. Protocol voor alcohol.'

We liepen de laatste treden af en een paar mensen merkten ons op, daarna meer. Er leek een kleine stilte in het geluidsniveau te vallen.

Susan liep recht op de vrouw van de ambassadeur af, die onder het zeildoek met een groepje mannen en vrouwen stond te praten. Susan stak haar hand uit en zei: 'Anne. Hoe is het? Je ziet er fantastisch uit.'

Anne Quinn was een knappe vrouw van ongeveer vijftig met een expressief gezicht. Om eerlijk te zijn drukte haar gezicht iets uit dat in de buurt van schrik kwam, maar ze herstelde zich prima en zei: 'Susan! Wat heerlijk je te zien!'

Getverderrie.

Ze wisselden een kusje in de lucht en de neus van mevrouw Quinn vertrok, alsof ze net Vietnam had geroken.

De rest van de groep scheen achteruit te deinzen.

Susan zei tegen onze gastvrouw: 'Je raadt nooit wat voor een week ik heb gehad.'

Nee, dat zou ze nooit doen ook.

Susan zei: 'O, Anne, alsjeblieft, ik wil je voorstellen aan mijn vriend, Paul Brenner. Paul, Anne Quinn.'

Ik probeerde voor haar met de wind in de rug te staan toen ik haar hand pakte en zei: 'Aangenaam kennis te maken. *Chuc Mung Nam Moi.*'

Ze glimlachte flauwtjes en beantwoordde mijn nieuwjaarswens.

Ik had nog steeds de smaak van zeep in mijn mond en ik probeerde een zeepbel te blazen, maar dat ging niet.

Susan zei tegen mevrouw Quinn: 'Neem ons alsjeblieft niet kwalijk dat we zo laat zijn gekomen. Paul en ik hebben een week door het land gereisd en de trein uit Lao Cai was te laat; bovendien is onze bagage gestolen.'

'O, wat vreselijk.'

Ik denk dat dit op onze kleding sloeg, zonder het direct zo te zeggen. Susan, merkte ik, leek hier te passen, en zelfs haar stem was veranderd van sexy naar een soort bekakt vrolijk. Ik moest iets drinken.

Mrs. Quinn keek even naar mij en begon iets te verwerken. Ze zei tegen Susan: 'Je bent... naar waar gereisd...?'

'Naar Dien Bien Phu en Sa Pa. Je moet er absoluut heen.'

'Nou... ja...'

'Paul en ik hebben drie fantastische dagen in Nha Trang doorgebracht. Ben je er weleens geweest?'

'Nee...'

'Je moet gaan. En mis Piramide-eiland niet. Daarna zijn we naar Hué gegaan en hebben in het Century gelogeerd. Waar jij vorig jaar hebt overnacht.'

'O, ja...' Ze keek weer even naar mij en zei toen tegen Susan: 'Bill Stanley is hier...'

De vrouw maakte nooit een zin af. Maakte waarschijnlijk ook nooit een gedachte af.

Susan keek min of meer rond. 'O, ja? Ik moet hem even gedag zeggen.'

'Ja... hij vroeg eigenlijk...'

Susan zei tegen haar en de andere mensen die nog steeds achteruitdeinsden: 'Paul heeft tijdens de oorlog in Vietnam gediend en we hebben een paar van zijn oude slagvelden bezocht.'

Mevrouw Quinn keek me aan. 'Wat int, ressant... vond u... het moeilijk...?'

'Deze keer niet.'

Susan zei tegen haar: 'Paul wil al sinds Lao Cai iets drinken. En ik kan er zelf ook wel een paar gebruiken. Vreselijke treinreis. Als je me wilt excuseren.'

'Natuurlijk.'

Ze pakte mijn arm en we liepen naar een van de bars. Susan zei: 'Lieve vrouw.'

'Je hoeft geen uitnodiging meer in je post te verwachten.'

We werkten ons door de menigte en iedereen keek even naar ons. Het goede aan een eenvoudig geklede vrouw is, dat ze altijd mooi blijft.

We bereikten een tuinbar waar twee Vietnamese jongens in witte jassen stonden te glimlachen. Susan bestelde een gin-tonic en ik bestelde een dubbele whisky met ijs, wat ze begrepen.

Ik keek om me heen. De menigte van ongeveer tweehonderd mensen was voornamelijk blank, hoewel er ook een behoorlijk aantal Vietnamezen waren, van wie een paar in militair uniform, zodat ik weer aan kolonel Mang moest denken. Misschien had ik hem hiervoor moeten uitnodigen. Hij zou genoten hebben. Ook had ik hem dan de struiken in kunnen trekken en hem verrot kunnen slaan.

De meeste westerlingen en ook de Aziaten zagen eruit als zakenmensen, maar ik zag een paar mensen die van andere ambassades konden zijn. Oost en west.

Waar het hier op neerkwam: vice-president Edward Blake was een enorme attractie.

Ik maakte de mentale notitie mijn FBI-contact, John Eagan, te gaan zoeken, hoewel ik ervan overtuigd was dat hij me wel als eerste zou vinden.

Een Vietnamees kwartet speelde op het gazon 'Moonlight in Vermont' en ik merkte een paar mannen op met oormicrofoontjes en bulten onder hun jasjes, die duidelijk door de geheime dienst aan de VP waren toegewezen. Op dit moment was ergens een oplettend type in zijn microfoontje aan het praten en zei zoiets als: 'Twee zwervers bij de zuidbar. Hou ze in de gaten.'

Onze drankjes werden geserveerd en ik draaide me om en botste tegen een van de geheimedienstjongens aan, die zijn oormicrofoontje had verwijderd zodat hij tegen me kon praten. Hij zag eruit als ongeveer vijftien en hij glimlachte. Hij stak zijn hand uit en zei: 'Hai.'

Ik negeerde zijn hand en zei: 'Ik ben Amerikaans staatsburger.'

Hij hield zijn glimlach op zijn gezicht gepleisterd en zei: 'Meneer, zouden we binnen even kunnen praten?'

'Nee, ik denk het niet, jongen.'

Susan onderbrak mijn lol en zei tegen hem: 'Ga met mevrouw Quinn praten. Ze kent ons persoonlijk.'

Hij keek naar Susan en zei, nog altijd glimlachend: 'Ja, mevrouw. Ik zal dat doen.' En weg was hij.

Ik nam een slokje van mijn whisky, gorgelde en slikte.

Susan liet me haar glas vasthouden terwijl zij een sigaret opstak. Ze zei: 'Ik heb bijna geen sigaretten meer.' Ze pakte haar glas en zei: 'Ik heb je al verteld dat jij er verdacht uitziet. Dit is me nog nooit eerder overkomen.'

Ik glimlachte.

Ze pafte een eind weg en zei: 'Wil je de ambassadeur nu ontmoeten?'

'Ik wil eerst mijn drankje opdrinken.'

'Hij komt deze kant uit.'

Ik keek naar rechts, naar het zwembad, en zag een man, die Patrick

Quinn moest zijn, alleen onze kant op komen, maar op een afstandje gevolgd door een paar andere mannen. Hij was ongeveer van mijn leeftijd en mijn lengte, goedgebouwd en niet onknap. Hij droeg een donkerblauw pak, zoals bijna elke andere man hier, en schonk Susan een stralende glimlach. Hij liep recht op haar af en schreeuwde: 'Susan!' en omhelsde haar stevig en kuste haar. Hij zei: 'Je ziet er heerlijk uit! Hoe is het met je?'

Hij maakte zijn korte zinnen af door zijn stem aan het einde te verheffen.

Susan antwoordde: 'Ik voel me heerlijk. Jij ziet er fit en bruin uit voor februari.'

Getverderrie.

Hij antwoordde: 'Nou, mijn geheim is een zonnelamp en een nieuw fitnesscentrum in de kelder. Jij ziet er zelf heel bruin uit. Waar ben je geweest?'

'In Nha Trang. Met deze heer. Meneer de ambassadeur, mag ik je voorstellen aan mijn vriend, Paul Brenner.'

Hij sloeg geen tel over en zonder met zijn ogen te knipperen draaide hij zich naar mij om en stak zijn hand uit. 'Paul! Fantastisch je te ontmoeten!'

Hij had een stevige hand en schudde krachtig, dus mijn whisky spatte alle kanten op. Hij zei: 'Welkom op ons feestje. Blij dat je hebt kunnen komen, Paul.'

'Dank u, meneer de ambassadeur.'

'Noem me Pat. Dus jij en Susan waren in Nha Trang?'

'Een paar dagen.'

'Ik moet er ook naartoe. God, ik zou graag wat meer door dit land reizen.'

'Het is een avontuur,' zei ik tegen hem.

'Dat geloof ik graag. Dat geloof ik graag.'

Dat mag je wel zeggen. 'Het is zo.' Ik wist niet of hij wist wie ik was, of waarom ik in Vietnam was en of mijn aanwezigheid hier een verrassing of een schok of zonder betekenis was. De ambassadeur wordt bijna altijd in het ongewisse gelaten over wat de geheim agenten deden, waardoor hij het later allemaal kon ontkennen en nog oprecht zou klinken ook. Maar ik vond het vreemd dat hij hier met tweehonderd mensen op het gras naar Susan was komen draven. Natuurlijk wilde hij haar waarschijnlijk neuken, wat ook een verklaring voor zijn enthousiasme kon zijn.

Susan vertelde hem over de trein uit Lao Cai en de bagage en hij hing aan elk woord en knikte meelevend. Hij wilde haar beslist neuken, maar dat was wel het minste van mijn problemen, en misschien mijn probleem wel helemaal niet.

Hij zei tegen Susan: 'Anne zal voor jou zeker wel iets om aan te trekken hebben.'

Susan antwoordde: 'Ik vind mijn oude spijkerbroek wel lekker.'

Hij lachte. Ha ha. Hij wendde zich tot mij: 'Paul, zal ik een sportjasje voor je laten halen?'

'Niet als de dame een spijkerbroek draagt. Zo dapper ben ik niet.'
Ha ha.

Susan vertelde hem: 'Paul zat in het leger in Vietnam. We hebben slagvelden bezocht.'

'Ach, is dit de eerste keer dat je terug bent?'

'Ja.'

'Ik was hier met de marine. Buiten de kust. Ik heb geen echte actie meegemaakt.'

'Je hebt niets gemist.'

Hij lachte en sloeg me op mijn schouder. Hij zei: 'Zoals je weet, heeft vice-president Blake hier in de oorlog gevochten. Help me er later aan herinneren dat ik jullie voorstel. Nou, ik ben blij dat jullie allebei zijn gekomen ondanks alle pech. Ga wat te eten halen. Het Metropole verzorgt de catering.'

Hij richtte zich tot Susan en zei op zachtere toon: 'Bill Stanley vroeg naar jou.' Hij keek haar aan. 'Je moet hem laten weten dat je hier bent.'

'Doe ik.'

Patrick Quinn liep terug naar zijn gezelschap op het gazon.

Ik dronk mijn whisky op en zei tegen Susan: 'Is die gozer wel echt?'

'Hij is heel charmant.'

'Jouw keuze wat betreft mannen baart me zorgen.'

Ze glimlachte en keek om zich heen. 'Daar staat een buffettafel. Wil je wat eten?'

'Nee. Ik word raar als ik eet.' Ik gaf mijn lege glas terug aan de barkeeper en hij vulde het opnieuw.

Susan vroeg: 'Vind je het erg als ik Bill ga zoeken?'

'Bill vindt jou wel, schat.'

'Ben ik gearresteerd?'

'Nee, ik voel me gewoon veel veiliger als je bij me bent.'

Ze haalde haar schouders op.

We liepen een beetje rond en Susan kende een paar mensen, voornamelijk zakenmannen en -vrouwen die in Hanoi woonden. Er was een man van haar kantoor in Hanoi en ze praatten een tijdje.

Ondertussen bleef ik glimpen opvangen van Edward Blake die aan alle kanten opgevrijd werd.

Macht.

Edward Blake zou snel de machtigste man worden van het machtigste land dat de wereld ooit heeft gekend. En ik had zijn kloten in mijn hand. Maar als je de koning in zijn ballen wilt knijpen, kun je beter op je hoede zijn voor de soldaten van de koning.

Ik wierp een blik op Susan die met haar collega praatte. Zij was de onbekende factor in dit spel.

Een man kwam op me af en stak zijn hand uit. 'Hallo, ik ben John Eagan. Jij moet Paul Brenner zijn.'

Ik pakte zijn hand en antwoordde: 'Hoeveel andere mensen lopen hier zo gekleed rond?'

Hij glimlachte, wierp vervolgens een blik op Susan en zei tegen mij: 'Kan ik je even spreken?'

Susan zag hem en ik zei tegen haar: 'Ik ben zo terug.'

John Eagan en ik liepen naar de andere kant van het gazon, achter het combootje dat 'Carry Me Back to Old Virginia' speelde. Ik kreeg heimwee.

Eagan had een drankje in zijn hand en hij tikte ermee tegen mijn glas. 'Welkom in Hanoi.'

Ik zei tegen hem: 'Volgens mij heb je niet gedacht dat je dit vanavond zou zeggen.'

Hij gaf geen antwoord en we bleven zo staan.

Hij was ongeveer veertig, te jong voor de oorlog, maar hij zou in het leger gezeten kunnen hebben, voordat hij bij de FBI was gegaan. Ik kreeg een andere gedachte, dat hij, als Susan de waarheid sprak over dat hij haar contact op de ambassade was, bij de CIA kon zitten. Ik had geleerd niets te geloven van hetgeen me was gezegd over deze missie.

Zonder aanleiding zei hij tegen me: 'Dit land is klote.'

'Wat was je eerste aanwijzing?'

Hij glimlachte. 'Het opleiden van Vietnamese narcoticajongens. Ze zijn allemaal te koop en ze telen opium in hun achtertuin.'

Ik zei tegen hem: 'Goed, jij hebt gesteld dat je een FBI-man bent die de Vietnamese politie opleidt. Ik geloof het helemaal. Wat kan ik voor je doen?'

Hij leek mijn cynisme niet te appreciëren en zijn gedrag veranderde. Hij vroeg me: 'Hoe ben je hier vanavond terechtgekomen?'

'Waar had ik anders terecht moeten komen?'

'In het Metropole, morgen.'

'Wat maakt het uit?'

'Waarschijnlijk niets.' Hij vroeg me: 'Dus hoe is het gegaan?'

'Hoe is wát gegaan?'

'Je reis.'

'Prima.'

'Kun je er iets duidelijker over zijn?'

Ik zei tegen hem: 'Ik weet niet wat jij weet, of wat je mag weten, of zelfs maar wie je bent. Ik word verondersteld alleen maar contact met je op te nemen als ik zwaar in de stront zit. Ik zit zwaar in de stront. De politie heeft mijn visum en ik wil dat je mij morgen als de sodemieter hier vandaan krijgt. Ik heb een debriefing in een ander land, en ik heb een visum of een diplomatiek paspoort nodig en een vliegticket, en een escorte van de ambassade naar het vliegveld. Goed?'

Hij dacht erover na en vroeg me: 'Hoe is de politie aan je visum gekomen?'

'Je helpt me niet met deze vragen, John.'

'Goed... Ik heb een stukje nieuws voor je. Je hebt vanavond de debriefing. Hier.'

'Dit is een moordonderzoek van de CID. Ik praat alleen met mijn baas. Dat waren mijn laatste en enige instructies.'

'Doug Conway en je baas hebben je verteld dat dit een onderzoek is in samenwerking met de FBI. Je kunt met mij praten. Paul, we zouden je graag om middernacht in het kantoor van de ambassadeur zien.'

'Je luistert niet naar me, John.'

'Wees er gewoon, goed? We kunnen je vertrek op dat moment oplossen.'

'Wie wil me zien?'

'Om te beginnen ik, plus kolonel Goodman, de militaire attaché, en een heer uit Saigon, die je even voor de kathedraal hebt ontmoet, en misschien een of twee anderen. We hebben gewoon een beetje van je tijd nodig voor we je verder sturen.'

Ik zei tegen hem: 'Ik neem aan dat de VP hier vannacht blijft.'

'Dat kan ik om veiligheidsredenen niet zeggen, maar je kunt het gevoeglijk aannemen. Waarom vraag je het?'

'Ik wilde hem ontmoeten.'

'Ik zal proberen dat te regelen.'

'Ik heb hier ook een kamer nodig.'

'Waarom?'

'Omdat ik, zodra ik buiten het hek kom, gearresteerd kan worden.'

'Waarom?'

'Ik heb graag roerei als ontbijt.'

Hij keek me aan. 'Hebben we een probleem, Paul?'

'Jawel. En mijn reisgezellin, Susan Weber, heeft hier ook een kamer nodig. Ze zit in dezelfde situatie als ik.'

'Dat moet wel een interessant verhaal zijn.'

Ik zei tegen hem: 'Zorg dat ik hier weg kom. Vis en logés beginnen na drie dagen te stinken.' Ik draaide me om en liep terug naar de tent.

Ik wist echt niet wie John Eagan was, maar Bill Stanley werkte ooit voor de Bank of America en Susan Weber werkte voor de American-Asian Investment Corporation; Marc Goodman, de militaire attaché, was in werkelijkheid van de militaire geheime dienst, kolonel Mang was een immigratiesmeris en Paul Brenner was een toerist. Ik zou dit allemaal moeten opschrijven.

In ieder geval was mijn bedoeling overgekomen en om middernacht zou ik zien wat hun probleem was.

Ik kreeg weer een whisky en keek om me heen naar mijn vriendinnetje. Een lange, slanke, knappe vrouw in een avondjurk kwam op me af en vroeg: 'Zoek je naar iemand?'

Ik antwoordde: 'Ik ben al mijn hele leven op zoek naar jou.'

Ze glimlachte en stak haar hand uit. 'Laat ik mezelf voorstellen. Ik ben Jane Blake.'

Plotseling herkende ik haar gezicht. Ik schraapte mijn keel en zei: 'O, het spijt me vreselijk...'

Ze glimlachte weer. 'Dat geeft niet. Ik word volledige over het hoofd gezien als Ed in de kamer is. Of in de tuin. Of waar dan ook.'

'Ik kan me niet voorstellen waarom.'

Ze glimlachte en zei: 'Laat ik heel stoutmoedig zijn. Iedereen wil weten wie u bent.'

Eindelijk een James Bond-moment. Ik zei: 'U bedoelt waarom ik een smerige spijkerbroek draag en me nog niet heb geschoren?'

Ze lachte. 'Ja, inderdaad.'

'Nou, mevrouw Blake, ik zou de graaf van Monte Cristo kunnen zijn die net uit de gevangenis is gekomen. Maar ik heet Paul Brenner en ik ben terug uit een dorp hier ver vandaan, Ban Hin, waar ik een man moest zoeken die Tran Van Vinh heet.' Ik keek haar aan, maar ze toonde absoluut geen enkel teken dat dit haar ook maar iets zei.

Ze vroeg me: 'Waarom moest u deze man zoeken?'

'Het heeft met de oorlog te maken en ik ben bang dat ik niet de vrijheid heb erover te praten.'

'O, dat klinkt intrigerend.'

'Dat was het ook.'

'En wie is die vrouw bij u?'

'Susan Weber. Mijn gids en tolk. Ze spreekt vloeiend Vietnamees. Woont in Saigon.'

'O, dat ís geheimzinnig.' Ze glimlachte. 'En romantisch.'

'We zijn gewoon vrienden.'

'Nou, ik denk dat u op zoek bent naar uw vriendin. Ze is verderop, bij het zwembad.' Ze liet me weten: 'Niemand kwam ook maar in de buurt met raden wie u was. Ed dacht dat u een beroemde acteur was. Die kleden zich zo slecht. De meesten van ons dachten dat u een weddenschap had verloren, of op deze manier gekleed kwam om de boel te provoceren.'

'Eigenlijk kwam ik ook om te provoceren. Ik wens uw man geluk met zijn kandidaatstelling.'

Ze glimlachte, knikte en verdween om het nieuws rond te vertellen. Ik hoopte niet dat ze gordijnen aan het opmeten was voor het Witte Huis.

Ik liep naar het zwembad waar ik de vrouw zag naar wie ik werkelijk mijn hele leven op zoek was geweest. Ze praatte met haar oude minnaar, Bill Stanley, die mogelijk kwaad op me was omdat ik zijn vriendin had afgepakt, hoewel hij me zou moeten bedanken.

Ze zagen me allebei aan komen, hielden op met hun gesprek en stonden daar met hun drankjes terwijl ik naderbij kwam. Ik hield van dit soort gezeik.

Ik kwam binnen gehoorsafstand en zei: 'Stoor ik?'

Susan antwoordde: 'Nee. Paul, herinner je je Bill Stanley?'

Ik stak mijn hand uit en hij schudde die. Ik vroeg hem: 'Hoe gaat het op de bank?'

Hij gaf geen antwoord en hij glimlachte niet tegen me.

Brave Bill was gekleed in een donkerblauw wollen tropenpak dat waarschijnlijk speciaal voor hem was gemaakt in Saigon, met een bollinkje in zijn broek om zijn ondermaatse genitaliën de ruimte te geven.

Susan zei tegen me: 'Ik vertelde Bill over onze ontmoetingen met kolonel Mang.'

Bill sprak voor de eerste keer en zei: 'Ik heb die man nagetrokken en je hebt geluk dat je nog leeft.'

Ik vertelde hem: 'Als je mij nagetrokken zou hebben, zou je weten dat kolonel Mang geluk heeft dat hij nog leeft.'

Bill leek niet onder de indruk van mijn machotekst.

Ik informeerde hem: 'Mang denkt jou ook te kennen. Hij vertelde me dat jij afdelingschef van de CIA in Saigon was. Kun je je dat voorstellen?'

Weer had Bill niets te zeggen, maar in ieder geval was Susan gedekt over waarom ik wist dat Bill CIA was.

Dus we stonden daar allemaal even in een drukkende stilte. Ik vroeg me af of Susan zich ongemakkelijk voelde tussen twee mannen met wie ze kortgeleden had geslapen. Ze zag er beheerst uit, dus misschien was dit al besproken tijdens een bijeenkomst van de Junior League. Ze zei: 'Paul, Bill vertelde me dat je vannacht uitgenodigd bent voor een bijeenkomst hier. Hij vroeg me samen met jou te komen. Dat lijkt me een goed idee.'

Ik zei tegen Bill: 'Zoals ik net John Eagan heb verteld en zoals hij het jou zal vertellen, heb ik niet de vrijheid iets met jou te bespreken, met de CIA, de militaire inlichtingendienst, de FBI of iemand anders hier. Dit is nog steeds een moordzaak van de CID, dus je kunt de regels en de spelers niet veranderen.'

Hij antwoordde: 'Je kunt en je zult hierover praten als jou dat is opgedragen door je baas of een juiste, hogere autoriteit.'

Zijn toon beviel me niet, maar om aardig te zijn, zei ik: 'Als en wanneer mijn bevelen veranderen, volg ik die op. Maar ik ben burger en ik behoud me het recht voor de tijd en de plaats te kiezen voor mijn debriefing. En die is zeker niet hier.'

Bill Stanley keek me aan en zei: 'Het zou een goed idee zijn als je naar die bijeenkomst kwam, aangezien we het over jouw vertrek uit het land zullen hebben. Je hoeft niet meer te zeggen dan wat je wilt zeggen.'

'Dat staat buiten kijf.' Dit was een diplomatieke receptie en ik probeerde diplomatiek te zijn, maar dat is niet mijn sterkste punt en ik vroeg Bill: 'Wat had je in gedachten?'

'Pardon?'

'Wat had je in gedachten toen je je vriendin aan mij koppelde om op een gevaarlijke missie te gaan?'

Hij leek te denken aan wat hij toen in gedachten had. Hij schraapte zijn keel en zei: 'Soms, Mr. Brenner, gaan zaken van nationale veiligheid voor persoonlijke aangelegenheden.'

'Soms. En als dit een van die momenten is, zou je geen enkel gevoel van spijt moeten hebben over wat er is gebeurd.'

Dat beviel hem niet en hij antwoordde: 'Om eerlijk te zijn, was dit niet mijn idee.'

'Ik nam niet de moeite om hem te vragen wiens idee het dan wel was, hoewel ik zei: 'Je had nee kunnen zeggen.'

Hij was witheet, maar zei niets.

Ik vervolgde: 'Hoewel dat geen goede carrièrestap zou zijn geweest.'

Misschien dacht Bill dat ik hiermee bedoelde dat hij een ambitieuze man was die zijn vriendin zou laten tippelen als het zijn carrière ten goede kwam. Maar hij bleef beleefd zwijgen, zoals mensen doen als ze praten met iemand die een terminale aandoening heeft.

Susan meende dat het tijd werd van onderwerp te veranderen en zei: 'Paul, ik vertelde Bill dat we achter de identiteit van de vermoorde luitenant zijn gekomen, maar dat we nog steeds de identiteit van de moordenaar niet weten.'

'Geloofde Bill dat?'

Bill antwoordde: 'Nee, Bill geloofde dat niet.'

Ik zei tegen Susan: 'Bill geloofde dat niet.'

Susan zei: 'Nou, het is de waarheid.' Ze vervolgde: 'Ik vertelde Bill dat we Tran Van Vinh hebben gevonden, maar dat we hebben besloten dat we geen risico wilden lopen door die dingen mee te sjouwen, en we ze daarom verborgen hebben.'

Onze ogen troffen elkaar een halve seconde en ik keek naar Bill om zijn reactie te zien, maar Bill was net zo ondoorgrondelijk als kolonel Mang.

Ik wist echt niet of Susan dit had gezegd, omdat Susan zoveel zegt. Ze kende de identiteit van de moordverdachte al die tijd al, en Bill wist dat, dus ze probeerde me te beschermen, wat aardig was, maar wat helemaal niet zou werken. Ik zei tegen Bill: 'Het zou eigenlijk wel een goed idee zijn als de vice-president op deze middernachtelijke bijeenkomst aanwezig is.'

Bill keek me lange tijd aan voordat hij me informeerde: 'De vice-president heeft geen belangstelling voor een moordonderzoek.'

'Misschien is hij wel geïnteresseerd in dit onderzoek. Vertel zijn staf dat het in zijn belang is erbij te zijn.'

Bil herinnerde me: 'Je hebt diverse verklaringen ondertekend die te maken hebben met nationale veiligheid en officiële geheimen. Wat je huidige status ook mag zijn, ze blijven bindend.'

'Ik heb ook gezworen de grondwet te gehoorzamen.'

Hij schonk me een lange, harde blik en zei: 'Ik ben ervan overtuigd dat ze je in Washington hebben verteld dat je leven in gevaar kon komen als je de opdracht aannam.'

Dat was gewoonlijk het soort verklaring dat vóór een missie werd gegeven, niet erna, dus in deze context zou het eigenlijk wel een bedreiging kunnen zijn.

Ik zei tegen Bill: 'Zou ik je even alleen kunnen spreken?'

Voor Bill antwoord kon geven, zei Susan: 'Nee.'

Ik zei tegen haar: 'Alleen maar persoonlijk. Niet zakelijk.'

Ze informeerde me: 'Ik wil niet op die manier besproken worden.'

Bill ging door op het onderwerp en zei tegen me: 'We zijn allemaal volwassen genoeg om dit met zijn allen te bespreken.'

Ik liet hun weten: 'Ik ben niet zo volwassen.' Ik liep weg en gebaarde naar Bill bij me te komen. 'Mannenpraat.'

Susan keek nijdig, maar bleef staan waar ze was en stak een sigaret op.

Bill en ik liepen tot buiten gehoorsafstand en ik zei tegen hem: 'We moeten het over Susan hebben en... o, en één zakelijk dingetje. Als ik er ooit achterkom, of zelfs maar vermoed, wat ik doe, dat ik de te verwaarlozen partij in deze operatie was, en dat jij ervan wist, of het goedkeurde of opzette, dan vermoord ik je. Goed, laten we het nu over Susan hebben.'

Hij bleef me staan aankijken en zei niets.

Ik kan ongeveer vijf minuten aan een soapdrama meedoen voor ik weer mijn ware zelf word, en ik had het gevoel dat ik dit moest doen, dus ik zei: 'Op persoonlijk vlak spijt het me echt wat er is gebeurd. Ik moet toegeven dat ik wist van jouw relatie met Susan, en het is niet mijn gewoonte achter de vrouwen of vriendinnen van andere mannen aan te zitten.' Meestal niet. 'En zoals ik zeker weet, is jou verteld dat ik een hechte relatie met iemand thuis heb. Dus ik maak geen excuses over wat er is gebeurd en je moet weten dat Susan zich heeft verzet tegen mijn attenties. De missie is voorbij en ik ga naar huis. Ik bied weer mijn verontschuldiging aan over alle narigheid die ik tussen jou en haar heb veroorzaakt, en ik hoop dat jullie dit allebei achter jullie kunnen laten.'

Ik bestudeerde zijn gezicht terwijl hij dit man tot man-gelul verwerkte. Ik geloofde het zelf eigenlijk ook een beetje, en ik stond echt in conflict over Susan. Maar ik was er tamelijk zeker van dat Susan verder geen belangstelling meer had voor Bill, en misschien had Bill geen belangstelling meer voor haar. Maar ik moest de atmosfeer zuiveren, zoals ze zeggen, en Bill de kans geven zijn zegje te doen.

Maar Bill had niets te zeggen, dus ik ging verder met het op me nemen van de schuld van welke vage relatie dan ook die ik had. Ik vertelde hem: 'Susan hield om eerlijk te zijn de relatie platonisch en zakelijk tot we door omstandigheden werden gedwongen in Dien Bien Phu een kamer te delen.' Bill zou dat graag geloven en ik had het gevoel mijn staaltje ridderlijkheid tegenover de dame te hebben getoond, en ik was klaar om terug te keren naar het onderwerp dat ik hem zou vermoorden en vice versa.

Bill zei tegen me: 'Ik logeer in het Metropole.'

'Goede keuze.'

'Toen ik gisteren incheckte, lag daar een verzegelde envelop op me te wachten, afzender onbekend.'

'O ja? Je moet geen brieven openmaken waar geen afzender op staat.'

'Ja. Dat weet ik. Maar ik heb het wel gedaan. In de envelop zaten twintig foto's van jou en Susan op een strand dat Nha Trang, Piramide-eiland heette.' Hij voegde eraan toe: 'Het enige dat jullie droegen, was een glimlach.'

Oeps. Ik zei: 'Nou, ik herinner me op het strand te zijn geweest, en we hadden zwemkleding aan. Die foto's moeten digitaal bewerkt zijn.'

'Ik denk het niet. Wat bezielde jullie tweeën om publiekelijk naakt rond te dartelen als jullie wisten dat jullie gevolgd werden? Hebben ze je dan niets geleerd op die school waarop je gezeten mag hebben?'

De man had daar gelijk in, dus ik zei: 'Ik moet toegeven dat dat een beoordelingsfout was.'

'En dan vertel je me dat jij en zij een platonische relatie hadden tot een paar dagen geleden?'

'Nou, we gingen gewoon naakt zwemmen. Het was mijn idee.'

'Zeker. Heb je ooit gehoord van telelenzen?'

'Ik hoef echt geen preek van je.'

'Die foto's zouden gebruikt kunnen worden voor chantage.'

'Ik denk eigenlijk dat de politie ze aan iedereen stuurt, onder wie jou, om Susan in verlegenheid te brengen. Dus met chantage heeft het niets te maken.'

'Lieve heer...' Hij vroeg me: 'Heb je die foto's gezien?'

'Om eerlijk te zijn wel, ja. Kolonel Mang was zo vriendelijk om ze ons van tevoren even stiekem te laten zien.'

Hij schudde zijn hoofd en scheen in gedachten verzonken. Hij zei tegen me: 'Misschien kan het jou niet schelen, maar Susan komt uit een goede familie met enig sociaal aanzien en...'

'Bill, hou eens op met dat corpsballengelul, voor ik kwaad word. We geven allebei om Susan. Einde gesprek.'

'Oké...' Hij keek me aan. 'Susan zegt me dat ze van je houdt. Dat heeft ze jou zeker ook verteld.'

'Ja, dat is zo, maar dit was zo'n kunstmatige situatie. Ze moet er nog eens over nadenken.'

'Wat voel jij voor haar?'

'Tweestrijdig.'

'En dat betekent?'

'Dat betekent dat ik steeds nieuwe facetten van haar persoonlijkheid ontdek.' Ik denk dat ze dat een gespleten persoonlijkheid noemen, maar Bill wist dat al. Om eerlijk te zijn, ik ben zelf ook niet altijd helemaal jofel en daarom voelde ik me echt aangetrokken door Susan. Maar om nog loyaler tegenover Susan te zijn, zei ik tegen Bill: 'Ze is een opmerkelijke vrouw en ik zou heel makkelijk verliefd op haar kunnen worden.'

Hij mijmerde erover. Mijn vijf minuten van 'Het leven zoals het was' kwamen ten einde, dus ik zei tegen hem: 'Ik denk dat de keuze hierin aan Susan is en niet aan ons.'

Bill kende me helemaal niet, en hij nam waarschijnlijk alles wat ik zei kritiekloos aan, ondanks wat er in zijn briefingmemo over mij was gezegd. Hij zei tegen me: 'Ik had de indruk van Susan dat jij... dat jij hetzelfde voor haar voelde.'

Voor ik kon antwoorden, kwam Susan bij ons en zei: 'Ik vind dit welletjes.'

Tijd voor de reclame. Ik zei: 'Ik blijf zeggen dat er verder niets over deze zaak te bespreken valt, zolang ik geen opdracht heb gekregen.'

Bill antwoordde: 'Dit is absurd en schandelijk.'

'Toch sta ik erop.'

Bill snauwde: 'Ik wil dat je weet dat jij niets hebt te zeggen over wie er met wie praat. Susan werkt niet voor je, en ik ook niet.'

Ik vroeg hem: 'Voor wie werkt Susan?'

'Niet voor jóu.'

Susan zei: 'Alsjeblieft, jullie allebei...'

Ik onderbrak haar: 'Luister, Bill, het wordt tijd dat je alles eens een keer op een rijtje zet. Noodlot, geluk en hard werken hebben mij Edward Blakes ballen in handen gegeven. Ik heb er niet om gevraagd en ik wilde het niet. Maar ik heb ze.' Ik stak mijn hand uit met de palm naar boven en kneep mijn vingers samen. 'Goed, ik begrijp dat dit gevaarlijke informatie is, dus ik moet echt voorzichtig zijn aan wie, wat, waar, wanneer en hoe het verspreidt wordt. Iedereen zal me later bedanken voor mijn toewijding en vooruitziendheid. En jij ook, Bill. Dus we hebben de keuze dat we allemaal tot middernacht bij elkaar blijven, wat niet mijn eerste keuze is, of we gaan allemaal ons weegs, zonder de boel te belazeren, of Susan en ik houden elkaar gezelschap. Iemand moet een beslissing nemen.'

Susan zei tegen Bill: 'Paul en ik gaan iets drinken. We zien je straks.'

We lieten Bill stomend achter en hij had niet eens een sigaret.

Terwijl Susan en ik naar een bar liepen, vroeg ze: 'En wie heeft me gewonnen?'

'We gaan er later nog om gooien.' Ik zei tegen haar: 'Wat deze vergadering betreft, wil ik niet dat je me steunt. Blijf neutraal of doe alsof je bij de volgende verkiezingen op Edward Blake stemt.'

'Als je dat wilt.'

We kregen een drankje en Susan zei: 'Ik denk dat mijn dagen als contractwerker geteld zijn.'

'Ben je dat dan?'

'Ik heb het je gezegd, ik ben burger. Geen directe banden met de overheid.' Ze dacht een ogenblik na en zei: 'Ik zal ook ontslagen worden uit mijn gewone baan.'

Ik zei tegen haar: 'Luister, schat, er zijn misschien tien mensen op de wereld die weten waar dit om gaat, en wij zijn er twee van. De andere acht denken dat wij het bewijs hebben en zij willen het. Als we het hadden, zouden we kunnen onderhandelen. Ook als we hun hadden verteld dat er geen bewijs was, hadden ze ons misschien geloofd. Maar jij hebt Bill verteld dat we het bewijs hebben gevonden en het hebben verstopt. Nu zitten we in de allerslechtste positie wat betreft onze gezondheid. Waar het op neerkomt, is dat we te veel weten en niets hebben om mee te onderhandelen.'

'Nou... zo kun je het ook bekijken.'

'Vertel me een andere manier, zodat ik weet of ik mijn auto blijf afbetalen.'

'Nou... vertel hun de waarheid. Kolonel Mang heeft het bewijs en de getuige, en hij heeft het een en ander bij elkaar opgeteld. Ze gaan door het lint, maar het haalt de druk van ons af. Ze zullen met Mang moeten onderhandelen. Het beste scenario is dat Mang aan de bel trekt, Blake heeft het gehad, de CIA vermoordt Mang en wij leven nog lang en gelukkig.'

'Volgens mij werkt het niet zo in het leven. Luister, er waren twee redenen om burgers te gebruiken – de eerste was de geloofwaardige ontkenning als de zaken verkeerd liepen en de andere is dat ze zelden hun eigen mensen mollen. Maar als ze denken dat het moet, mollen ze ons in een handomdraai.'

'Zo meedogenloos zijn ze niet.'

'De CIA en de inlichtingendienst van het leger hebben tijdens de oorlog meer dan vijfentwintigduizend mensen vermoord.'

'Dat is niet waar.'

'Wil je dansen?'

'Graag.'

We zetten onze drankjes neer en liepen naar de kleine dansvloer voor de band. Ze speelden weer een nummer met een Amerikaanse geografische naam, Ray Charles' 'Georgia on My Mind', en ik zag Edward Blake voor me die in zijn hoofd zijn stemmen aan het tellen was.

Een heleboel mensen keken naar ons terwijl we dansten en de societyfotograaf nam een foto van ons die ik al in de *Washington Post* zag staan met het onderschrift: '*Paul Brenner en Susan Weber, een paar uur voor hun verdwijning.*'

Ik ving een glimp op van Edward Blake die naar ons keek, maar hij leek niet zo bijzonder verontrust. Ik begon al te denken dat hij geen enkel idee had van zijn probleem.

De band ging over naar 'Moon Over Miami' waar een heleboel stemmen waren. Ik zag Bill praten met John Eagan, en ze bleven naar ons kijken alsof ze probeerden te beslissen met welk formaat kist wij naar huis gevlogen moesten worden.

Susan zei: 'Ik wou dat we weer in Saigon dansten op het dak van het Rex en dat ik dan alles had verteld wat ik wist.'

'Dat zou een lange dans zijn geworden.'

'Je weet wat ik bedoel.'

Ik gaf geen antwoord.

'Heb je Bill verteld dat je van me hield?'

'Ik deel mijn gevoelens niet met andere mannen.'

'Goed, deel ze met mij.'

Om de een of andere reden moest ik denken aan een oud legergezegde: De afleidingsaanval van de vijand die je negeert, is de hoofdaanval.

Maar dat was weer cynisch en paranoïde. Ik zei tegen Susan: 'Ik hou van je. En weet je? Ook al bedrieg je me en ook al verraad je me, ik blijf van je houden.'

Ze hield me steviger vast terwijl we dansten en ik wist dat ze huilde. Hopelijk waren dit tranen van vreugde en niet van voortijdige wroeging.

49

Om ongeveer tien voor twaalf 's nachts vertrokken de laatste gasten, was de band bezig met inpakken en deden de barkeepers de kurken terug op de chardonnay.

Susan en ik gingen het huis van de ambassadeur in en liepen door de stille woning naar de zitkamer.

Er stonden een paar mannen van de geheime dienst in de salon. Ik zag mijn jonge vriend, Scott Romney, bij de trap en hij verstrakte toen hij me zag. Ik zei tegen hem: 'Je kunt melk en koekjes in de keuken krijgen.'

We liepen de zitkamer in; Bill Stanley en John Eagan waren er al. Ook was er een man in legergroen uitgaanstenue met de rang van kolonel en een naamplaatje waarop *Goodman* stond. Dit was de man van militaire inlichtingen, Marc Goodman, en hij zou normaliter geen belangstelling hebben voor een moordzaak. Ik gokte dat hij geïnteresseerd was in Cam Ranh Bay.

Hij was een lange, slanke man, een paar jaar ouder dan ik. Ik herinnerde me dat ik hem op het gazon had gezien. Hij herkende Susan van hun ontmoeting in Saigon, ze schudden elkaar de hand en zij stelde me voor.

De deur van de werkkamer van de ambassadeur was dicht en John Eagan zei: 'De ambassadeur heeft iemand bij zich en is zo klaar.'

Kolonel Goodman zei tegen me: 'Ik begrijp dat jij en miss Weber een paar problemen hadden.'

Ik antwoordde in militaire stijl: 'Niet iets onoverkomelijks, sir.'

Goodman droeg de insignes van een infanterieofficier en had genoeg lintjes om een beddensprei te maken. Ik zag ook het Combat Infantryman's Badge, dat ik ook had, en de Silver Star, Bronze Star en twee Purple Hearts. Mijn intuïtie zei dat deze man oké was, maar mijn intuïtie had dat ook gezegd over Edward Blake.

Noch Bill noch John had zin in sociale conversatie, maar Goodman zei tegen me: 'Dus jij zat in 1968 bij de Eerste Cavalerie?'

'Ja, sir.' Ik noemde hem sir omdat ik als ex-militair een legerop-dracht had en hij mijn meerdere was. Over twee dagen, als ik hem dan weer zou zien, zou het Marc zijn.

Hij vroeg: 'Waar was de actie?'

Ik vertelde het hem en hij knikte. We wisselden een paar details over onze militaire carrières en hij vroeg me: 'Mis je de CID?'

'De laatste tijd niet.'

'Denk je aan een burgercarrière bij de politie?'

'Ik heb eraan gedacht.'

'Het lijkt niet moeilijk om na deze missie bij de federale recherche te komen.'

Dat klonk als een grap, maar hij lachte niet. Dus misschien was het een stimulans om mee te werken. Ik gaf geen antwoord.

Hij zei tegen Susan: 'Ben je wel keurig bedankt voor je werk als tolk en gids?'

Susan antwoordde: 'Ik was blij dat ik kon helpen.'

'Ik weet zeker dat het niet makkelijk was om je werk in de steek te laten.'

Dit gesprek had een surrealistische kwaliteit, zoals alle overheids-gesprekken, vooral als het onderwerp gevoelig ligt; de kunst van het insinueren, halve waarheden, ontwijkende zinnen en geheime code-woorden. Je zou kunnen denken dat je werd meegevraagd om een kop koffie te drinken, terwijl ze in werkelijkheid bedoelen dat je de presi-dent van Colombia moet vermoorden. Je moest er met je gedachten bij blijven.

Bill kwam op me over als een stille man, wat misschien het enige aan hem was dat ik wel aardig vond. Maar hij besloot wat te zeggen. Hij zei tegen Susan: 'Ik heb kolonel Goodman en de ambassadeur ge-zegd dat jij misschien onvrijwillig het land uit moet.'

Ze zei tegen alle aanwezigen: 'Ik blijf liever. Maar zoals je weet is mijn verblijfsvisum door de politie ingenomen en is mijn status hier onzeker.'

Ik helderde dit op door te zeggen: 'We zijn gearresteerd en kunnen weer gearresteerd worden.'

John Eagan zei: 'Ik heb het er met de ambassadeur over gehad dat jullie tweeën hier vannacht blijven.'

'Goed. Het is óf hier óf Yet Kieu Street.'

Iedereen kende dat adres en het hoefde niet verder uitgelegd te wor-den. Ik zei tegen Bill: 'Waar is je baas?' doelend op de plaatselijke CIA-chef – topgeheim agent in Vietnam.

Hij antwoordde: 'Hij is de stad uit.'

Waarom hij de stad uit was bij de finale van een heel belangrijke missie, was een beetje mysterieus. Het kon zijn dat hij niet bij de groep van Blake hoorde en zó eerlijk was dat hij niet vertrouwd kon worden. Maar ik kreeg een andere gedachte, en keek John Eagan aan. Ik vroeg hem: 'Hoe lang zit jij bij de FBI?'

'Niet zo lang.'

'Ongeveer twee weken?'

Hij gaf niet direct antwoord, maar zei tegen me: 'Paul, ik weet dat je enig idee hebt van de inlichtingenwereld, en het lijkt voor een smeris misschien allemaal een beetje diefje met verlos, maar er zijn een heleboel goede redenen waarom niets is wat het lijkt. Het werkt voor iedereen, ook voor jou.'

'Het werkt niet voor mij, John.'

'Echt wel, Paul.'

Er was een koffiebar in de zitkamer en ik schonk mezelf een kop koffie in. Susan ging naar de wc om te roken.

Bill maakte van de gelegenheid gebruik om me te vragen mee te gaan naar de gang, wat we deden. Hij zei: 'Ik kan je hier met een dag of twee weg hebben. Susan blijft een paar dagen langer.'

'Wie zegt dat?'

'Ze zal wat tijd nodig hebben om haar persoonlijke en zakelijke dingen in Saigon af te wikkelen. Van hier uit, natuurlijk. Dan regelen we voor haar een veilig vertrek het land uit.'

'Met andere woorden: ze is gijzelaar.'

'Ik volg je niet.'

'We gaan samen weg.'

'Onmogelijk.'

'Maak het mogelijk.'

Hij vertelde me iets dat ik al wist. 'Je bevindt je op glad ijs. Zorg dat je niet valt.'

Ik vroeg Bill: 'Hoe bezorgd ben je nu?'

Hij draaide zich om en liep terug de zitkamer in.

Ik dronk mijn koffie op de gang op en liep net terug toen Susan uit de wc kwam. Ze had ergens een tube lippenstift gevonden en zichzelf weer opgeschilderd.

Een van de dubbele deuren van het privé-kantoor van de ambassadeur ging open en Patrick Quinn kwam naar buiten zonder zijn gebruikelijke glimlach. Hij keek om zich heen, vond zijn glimlach terug en zei: 'Bill, Marc, John, Paul, Susan!'

Hij noemde graag voornamen, alsof hij net het golftoernooi had gewonnen. Hij zei: 'Ik weet dat er wat zaken gedaan moeten worden, dus maak het je makkelijk in mijn kantoor.'

Iedereen mompelde dank. Ik zei tegen Patrick Quinn: 'Ik moest je helpen herinneren me voor te stellen aan je vriend, de vice-president.'

Hij keek op zijn horloge en zei: 'Ik zal kijken of hij beschikbaar is.' Hij zei tegen kolonel Goodman: 'Marc, als je iets nodig hebt, bel dan de bewaking of de keuken.' Hij zei tegen iedereen: 'Bedankt dat jullie vanavond allemaal zijn gekomen.' Hij vertrok.

Degene met wie hij in zijn kantoor was geweest, was er nog steeds of was via het raam vertrokken.

We liepen allemaal naar de open deur, Susan als eerste, gevolgd door Bill, Marc en John.

Ik kwam als laatste het vaag verlichte kantoor binnen en het eerste dat ik zag, was een man die in een oorfauteuil in de hoek zat. Hij leek sprekend op Karl Hellmann.

Hij stond op en kwam glimlachend op me af. Hij stak zijn hand uit en zei: 'Hallo, Paul.'

Hij klónk zelfs als Karl, tot en met het accent. Ik pakte zijn hand en zei: 'Hallo, Karl.'

We waren zo opgewonden elkaar te zien, dat we amper konden spreken. Ik vond mijn stem uiteindelijk terug en zei zacht tegen hem: 'Jij leugenachtige, verneukeratieve vuile kolerelijer.'

Hij antwoordde: 'Ik ben blij dat je het goed maakt. Ik maakte me zorgen om je. Stel me alsjeblieft voor aan miss Weber.'

'Doe dat zelf.'

Hij wendde zich tot Susan en zei: 'Ik ben K. Karl Hellmann. We hebben met elkaar gecommuniceerd per fax en e-mail.'

Susan zei: 'Aangenaam kennis te maken. Paul is zo lovend over u.'

'We hebben groot respect voor elkaar,' zei Karl tegen de anderen. 'Bedankt voor jullie uitnodiging.'

Karl gaf Bill en John een hand, en uit de flarden tekst maakte ik op dat ze elkaar nooit hadden ontmoet, of deden alsof ze elkaar nooit hadden ontmoet of met elkaar hadden gecommuniceerd, en dat ze blij waren elkaar te leren kennen. Karl zei: 'Mijn vlucht kwam een uur geleden aan en ik heb nog niet ingecheckt in mijn hotel. Dus vergeef me als ik een beetje vergeetachtig doe.'

Iedereen begreep dat gelul.

Ik zei tegen Karl: 'Kan ik je even spreken?'

'Natuurlijk.'

We liepen de zitkamer in en ik sloot de deur. Ik zei tegen Karl: 'Ik was bijna dood door jou.'

'Hoe kan dat? Ik was in Falls Church. Je ziet er moe uit.'

'Ik heb twee godvergeten weken in deze hel gezeten, de afgelopen paar dagen op een motor, op de vlucht voor de politie.'

'Tussen haakjes, hoe was Nha Trang? Heb ik je verteld dat ik daar drie dagen verlof heb gehad?

'Waarom ben je hier?'

'Ze vroegen me te komen.'

'Waarom?'

'Zodat je je debriefing hier kon krijgen en niet in Bangkok.'

'Waarom?'

'Ze zijn hier erg zenuwachtig over.'

Ik benadrukte: 'Ze zouden Susan hier de debriefing kunnen geven. Zij werkt waarschijnlijk voor de CIA.'

'Nou... het blijkt dat jij en zij een vriendschap hebben ontwikkeld, en ze hadden het gevoel dat ze het nu meteen moesten doen.'

'Wat je bedoelt is, dat zij willen weten aan welke kant ik sta.'

'Je zegt het maar.'

'Mag ik aannemen dat jij weet waar dit om gaat?'

Hij zag de koffiemachine en schonk zichzelf een bekertje in. Hij vroeg me: 'Denk je dat ik hier kan roken?' Zonder een antwoord af te wachten, stak hij een sigaret op.

'Karl, weet jij waar dit allemaal om gaat?'

Hij ademde een sliert rook uit en antwoordde: 'Eigenlijk was ik de eerste die het wist. Toen de brief van Tran Van Vinh op mijn bureau terechtkwam, dacht ik eraan wie ik de zaak zou toevertrouwen. Maar hoe vaker ik de brief las, hoe geïntrigeerder ik raakte. Dus ik belastte mezelf ermee. Ik wist achter de identiteit van de vermoorde man te komen door de legerarchieven, de gevechtshandelingen en de officiële geschiedenis van de eenheden na te pluizen. Zoals jij in Washington al stelde was dit nauwelijks iets anders dan het terugbrengen van de lijst manschappen die in februari 1968 in Quang Tri-stad hadden gediend. Luitenant Hines, een adviseur van MACV, sneuvelde in de citadel op 7 februari 1968 of daaromtrent. En zijn naam komt voor op de Wall. En toen stuitte ik op de naam van kapitein Edward Blake, en natuurlijk besefte ik dat ik waarschijnlijk iets van immens belang had gevonden. Kapitein Blake was de directe commandant van Edward Hines, en hoogstwaarschijnlijk de enige kapitein van de Amerikaanse Eerste Cavalerie waarmee hij nauw verbonden was. Natuurlijk wist ik het niet zeker en eigenlijk weten we het nog steeds niet zeker.'

'Ik wel.'

'Wees er niet zo zeker van.' Hij herinnerde me: 'Je veroordeelt niemand op grond van flinterdun, indirect bewijs.'

'Nee. Je chanteert hem en laat hem president van de Verenigde Staten worden.'

Hij keek om zich heen naar een asbak terwijl hij van onderwerp veranderde en zei: 'Een mooie vrouw.'

'Je hebt haar nooit 's ochtends om zeven uur met een kater gezien.'

'Dan is ze nog een mooie vrouw. Is Mr. Stanley kwaad op jou?'

'Hij zou weleens opgelucht kunnen zijn.'

'Ach.' Karl glimlachte dunnetjes en tikte zijn as in een potplant. Hij zei: 'Ze lijkt me een vrouw die zich door geen man iets laat zeggen. Ook niet door jou.'

'Is dat een compliment?'

'Dat was de bedoeling. Dus ik ben net aangekomen en weet bijna niets, alleen wat de ambassadeur me heeft verteld.'

'Wat heeft hij je verteld?'

'Alleen wat hij weet en wat Bill Stanley hem heeft verteld over dat je een moord tijdens de Vietnam-oorlog aan het onderzoeken was en dat jouw naspeuringen succes hadden. Is dat zo?'

'Hangt ervan af wat jij onder succes verstaat.'

'Heb je Tran Van Vinh gevonden?'

'Ja. In Ban Hin.'

'En had hij oorlogssouvenirs?'

'Jawel.'

'En heb je die?'

'Hoe is het met Cynthia?'

Het veranderen van onderwerp stoorde Karl niet. Hij antwoordde: 'Prima, en je moet de hartelijke groeten hebben. Ze was teleurgesteld dat je van Hawaï was afgestapt. Maar ik begrijp waarom je dat hebt gedaan.'

'Oordeel niet op grond van een flinterdun bewijs.'

'Doe ik nooit.' Hij dronk zijn koffie op en tikte zijn as in het bekertje. Hij vervolgde: 'Mr. Stanley heeft de ambassadeur gezegd dat jij min of meer de reisregels hebt overtreden en dat de politie jou erover heeft ondervraagd.'

'Dat klopt.'

'Was dit een ernstige overtreding?'

'Ik heb twee politiemannen en twee soldaten gedood.'

Karl vertrok geen spier. 'Ik neem aan dat de politie er geen bewijs voor heeft?'

'Dat maakt hier echt niets uit.'

'Dat is waar. De ambassadeur lijkt van streek jou hier als gast te hebben, maar hij lijkt zich te verheugen op het gezelschap van miss Weber.'

'Ik kan me niet voorstellen waarom.'

'We moeten je uit dit land zien te krijgen voor de regering erachter komt dat je hier zit en vraagt om je uitlevering aan de politie.'

'Welke regering?'

'Die van Hanoi, natuurlijk. Ben je paranoïde geworden?'

'Nee, ik weet heel zeker dat in Washington een paar mensen me willen vermoorden.'

'Als ook maar iemand jou dood had willen hebben, was hij wel hier geweest. Te beginnen met Mr. Stanley, maar niet om redenen die jij denkt.'

'Karl, ik heb even geen trek in jouw verwrongen gevoel voor humor. Bovendien ben ik kwaad op je.'

'Op een dag zul je me ervoor bedanken. Ik zie dat je bent afgevallen. Heb je niet goed gegeten?'

'Luister, kolonel, ik wil hier uiterlijk morgenavond weg zijn. Ik krijg de bibberaties en wil eigenlijk alleen nog maar schieten. *Biet*?'

'O, dat gevoel ken ik maar al te goed. Vind je dat ik naar Cu Chi en Xuan Loc zou moeten gaan?'

'Waarom niet. Je bent er toch. Ook wil ik Susan mee hebben.'

'Dat is mijn probleem niet.'

'Nu wel.'

'Ik zal zien wat ik kan doen.' Hij vroeg me: 'Is kolonel Mang de oorzaak van je problemen?'

'Mijn problemen komen door een heleboel dingen, maar hij is daarin het duidelijkst en het eerlijkst.'

Karl negeerde de insinuatie en vroeg me: 'Waar is die man nu?'

'Ongeveer tien minuten rijden hier vandaan. Susan en ik hebben eerder vanavond een onplezierig uurtje in het Gestapo-hoofdkwartier doorgebracht.'

'Maar als hij je vrijgelaten heeft, Paul, dan zou ik me niet al te veel zorgen maken.'

'Het is een heel lang verhaal en we moeten die mensen binnen niet al te lang alleen laten.'

'Waarom niet?'

'Karl. Kijk me aan. Kijk eens goed. Zie ik er zo stom uit?'

Hij speelde mee en bestudeerde mijn gezicht. Hij zei: 'Je ziet er tamelijk intelligent uit. Misschien wel te intelligent.'

'Waarom heb je me op deze opdracht gezet?'

'Omdat jij de beste man bent die ik heb.'

'Dat is waar. Maar niet de beste man voor deze klus.'

'Waarschijnlijk niet. Maar ze probeerden me deze zaak afhandig te maken en ik moest hen imponeren met mijn beste agent.'

'Wie zijn zíj?'

'Dat doet er niet toe.'

'Wat word jij er wijzer van?'

Hij had de vraag verwacht en antwoordde: 'Slechts de bevrediging een moeilijke klus tot een goed einde te hebben gebracht.'

'Ben ik uitgenodigd bij je promotie?'

'Natuurlijk.'

Ik keek hem lang aan en zei: 'Kolonel, besef je dat de volgende president van de Verenigde Staten weleens een dief en een moordenaar zou kunnen zijn?'

'Een mogelijke dief en moordenaar.'

'Terwijl jij en ik voor onze kloten werden geschoten, zit die man in zijn hoofdkwartier van het MACV in de citadel van Quang Tri alleen maar stoned wat te rotzooien op de zwarte markt. En als dan de pleuris uitbreekt en Amerikaanse soldaten en mariniers om hem heen dood neervallen, heeft hij nog de godvergeten tijd om mensen te vermoorden en de boel te jatten. Jij hebt het origineel van de brief gelezen. Heb jij er geen last van?'

Hij dacht een ogenblik na en zei tegen me: 'Ik neem aan dat miss Weber het verhaal van Tran Van Vinh voor je vertaald heeft?'

'Geef antwoord op mijn vraag.'

Hij antwoordde: 'Wat gebeurd is, is gebeurd. We kunnen het niet veranderen wat er daar... met ons is gebeurd. We deden wat we moesten doen, anderen niet. We moeten niet vast blijven houden aan die woede, zoals jij schijnt te doen...'

'Je hebt zeker gelijk dat ik kwaad ben.' Ik dacht aan mijn advies aan kolonel Mang om zijn woede los te laten, maar vaak neem ik mijn eigen goede raad niet ter harte. Ik zei tegen Karl: 'Je vroeg me bij de Wall of ik kwaad was op de mannen die geen dienst hadden genomen en ik vertelde je toen van niet. Ik vertelde je dat ik kwaad was op de mannen die oneervol hun dienst vervulden. Weet je dat nog?'

'Jawel. Dat was voor mij de eerste aanwijzing dat ik misschien een fout had gemaakt jou op deze opdracht uit te sturen.'

'Dat had je tien jaar eerder al kunnen weten.'

Hij knikte. 'Misschien deed ik dat wel. Ik sta hier zelf nogal twee-slachtig tegenover.'

'Je kunt hier niet tweeslachtig in zijn.'

Hij gaf daar geen antwoord op en zei: 'Jouw woede mag niet van invloed zijn op je oordeel. We weten het niet of Edward Blake ook maar ergens schuldig aan is en evenmin zullen we dat ooit kunnen bewijzen.'

'Daar gaat een jury over.'

'Nee, nietwaar. Zie het probleem als een kans. Een kans voor mij en voor jou om toch nog iets over te houden aan die oorlog.'

'Ik vind het ongelooflijk dit van jou te horen. Kolonel Orde en Gezag Hellmann. Je zou je moeder nog aangeklaagd hebben als je haar in de legerwinkel iets zag jatten.'

'Mijn moeder wordt niet de volgende president van de Verenigde Staten en ze is niet omgeven door machtige en meedogenloze mensen.'

Ik staarde hem aan.

Hij zei: 'Je kunt iemands leven niet beoordelen op een moment uit de tijd. Als jij en ik op die manier beoordeeld zouden worden, zouden we heel wat uit te leggen krijgen. Waar het om gaat, Paul, is dat Edward Blake sinds de oorlog een ogenschijnlijk voorbeeldig leven heeft geleid, en hij is wat het land nodig heeft en op dít moment in de tijd ook wil hebben. Wat zou het jou uitmaken dat hij misschien de volgende president werd?'

Ik draaide me om naar de deur van de werkkamer, maar Karl greep mijn arm. Hij zei: 'Maak mijn leven niet moeilijk en maak je eigen leven niet moeilijker dan het al is. We zijn allebei ontsnapt aan een heleboel kogels, Paul, en staan op het punt een verdiende promotie en een gerieflijk pensioen binnen te halen. Onze begrafenis met militaire eer komt al snel genoeg. Er is geen enkele reden die datum te versnellen.'

Ik trok mijn arm los en liep de werkkamer in.

Susan zat in een fauteuil, John Eagan en Bill zaten op een leren bank en Marc Goodman had de bureaustoel naar de groep getrokken. Ik plantte mijn achterste op het bureau van de ambassadeur. Karl kwam binnen en ging zitten in de grote, leren stoel die hij zich al eerder toegeëigend had.

Het vertrek werd flauw verlicht door twee groene schemerlampen en aan de andere kant van de ramen hoorde ik op het gazon de geluiden van stoelen die dichtgeklapt werden.

Kolonel Goodman zei tegen me: 'Het is afgesproken dat ik de discussie leid.'

Ik zei niets.

Goodman zei tegen me: 'Terwijl jij op de gang was, gaf Susan ons een kort overzicht van jullie reizen van Saigon naar Nha Trang, naar Hué, en daarna naar Dien Bien Phu, en over jullie problemen met de politie en de soldaten, en jouw conflicten met kolonel Mang. We zijn nu bij Ban Hin.' Hij keek naar mij en naar Susan en zei: 'Ik moet zeggen dat jullie allebei voortreffelijke werk hebben geleverd.'

Ik gaf geen antwoord.

Hij zei tegen me: 'Als kolonel Hellmann het goed vindt, Paul, zou je ons dan kunnen vertellen wat er in Ban Hin is gebeurd?'

Kolonel Hellmann zei: 'Paul kan vrijuit spreken. Maar ik kan jullie op dit moment vertellen dat Mr. Brenner een paar ernstige twijfels heeft over de bedoeling van deze opdracht en deze bijeenkomst.'

Iedereen keek me aan en ik maakte even oogcontact met Susan. Dit noemen ze een beslissend moment. Mijn persoonlijke leven is altijd een puinhoop geweest en mijn professionele leven is afgezet met briljante hoogtepunten die ik later altijd weer wist te overschaduwen door een soort koppigheid of conflict met de autoriteiten. Ik zag niet in waarom deze zaak ook maar enigszins anders zou zijn, dus ik zei: 'Zoals Bill jullie wellicht heeft verteld, bevind ik me op glad ijs en kan ik me alleen maar staande houden aan de ballen van de vice-president.'

Er werden een paar kelen geschraapt en er werd wat onrustig bewogen. Susan hield haar hand voor haar gezicht en ik wist niet of ze nu van streek was of moest lachen.

Ik zei: 'Laten we duidelijk stellen dat Susan haar werk heeft gedaan wat betreft de missie, Tran Van Vinh en mij. Ik tastte volledig in het duister over het onderwerp van mijn onderzoek tot helemaal aan het einde, toen ik onder de oorlogssouvenirs van Mr. Vinh een dienstrooster vond van het MACV, waarop luitenant William Hines en kapitein Edward Blake voorkwamen. Op dat moment gaf ik Susan te kennen dat ik begreep waar dit om ging en dat ik ook de noodzaak begreep om de informatie uiterst geheim te houden. Uit mijn woorden begreep ze dat ik hierin mee zou doen, hoewel dat niet mijn...'

Susan onderbrak me. 'Paul, je herinnering is niet goed. Je ging door het lint toen je erachter kwam dat Edward Blake verdachte was in een moordzaak. Je wilde het aan de grote klok hangen en ik zei tegen je dat je wel gek zou zijn als je dat deed. We ruzieden erover en jij won. Ik was het met je eens. We moeten de wet handhaven. Het is echt zo simpel.'

Er volgde een lange stilte in het vertrek en ik kon zien dat niemand er gelukkig mee was, vooral Bill niet, die ongetwijfeld voor Susan garant stond. Karl had ook storende gedachten over zijn beste agent, en zowel hij als kolonel Goodman zwaaide zijn generaalssterren gedag. Alleen John Eagan leek kalm, en onderhand was ik er zeker van dat hij niet de man van de FBI was die hier was om de Vietnamese narcoticabrigade te trainen.

Ik keek naar Susan die zichzelf net in een heel slechte situatie had gemanoeuvreerd. Ze gaf me een knipoog.

Ik zei: 'Ik ben een smeris, dus ik zal doen alsof dit een stafvergadering is van de CID, en ik doe alsof jullie allemaal van mij verlangen mijn bewijs inzake een moord te presenteren. In deze zaak spelen geen persoonlijke of politieke overwegingen mee, en ook niet het gezeik over nationale veiligheid of wat ook, alleen de wet.'

John Eagan zei: 'Je kunt je zaak presenteren zoals je wilt, Paul. Dat verandert de werkelijkheid niet.'

'Om eerlijk te zijn, zal het jóuw werkelijkheid veranderen. En jij hebt ermee te maken. Dat is mijn probleem niet.'

Niemand bood andere realiteiten aan, dus ik ging verder: 'Twee weken geleden nam kolonel Hellmann contact met me op en hij vroeg me een onderzoek te doen naar een mogelijke moord tijdens de oorlog. Bij de briefing kwam ik tot de conclusie dat er meer aan vastzat dan alleen maar een moord van dertig jaar geleden. Toch nam ik de zaak op me, wat misschien wel mijn eerste fout was.'

Ik vervolgde mijn verhaaltje en gebruikte de taal van de criminele recherche. Ik sloeg onze reis vanaf Saigon landinwaarts over, maar noemde wel Mang, het incident op Highway One en dat op Route 214. Ik liet de seks onvermeld, omdat ik een heer ben, het er niet toe deed en omdat Bill in de kamer was. Maar Marc Goodman en John Eagan hadden waarschijnlijk al bedacht dat Susan en ik meer dan alleen partners waren en ze telden dat mee.

Ik maakte een sprong in de tijd en beschreef tot in bijzonderheden onze laatste ondervraging door kolonel Mang en suggereerde dat Mang nog steeds dacht dat dit te maken had met de FULRO.

Ik ging terug naar Dien Bien Phu en Ban Hin en het huis van Tran Van Vinh. Ik noemde voldoende bijzonderheden om hen te laten begrijpen dat ik, als ik tegenover de commissie van het Congres of mensen van het ministerie van Justitie zou komen te staan, geloofwaardig zou klinken.

Ik besloot met: 'Tran Van Vinh is in mijn overtuiging een betrouwbare en geloofwaardige getuige. De vertaling van de brief die ik van kolonel Hellmann heb gekregen is, hoewel aangepast voor mij en niet het oorspronkelijke document, een belangrijk document. In die zin, dat ik het vanuit Dallas Airport naar een vriend heb gefaxt met een aantekening het voor mij te bewaren.'

Die onzin leverde een paar vragende blikken op.

Ik vervolgde: 'Wat het fysieke bewijs betreft, bestond dat uit de persoonlijke bezittingen van luitenant William Hines. Een portefeuille, een trouwring, een canvas tasje met erin brieven, niet door mij of Susan gelezen, een logboek waarin luitenant Hines kapitein Blake in niet-vleiende bewoordingen omschrijft – hij noemde hem een zwarthandelaar en een goede klant van de plaatselijke hoeren.'

Ik zag wat ongemakkelijke bewegingen bij John en Bill. Kolonel Godman leek zich ook niet op zijn gemak te voelen. Ik zei: 'Ik oordeel niet, maar luitenant Hines deed dat wel. Ik moet toegeven dat enige hoererij en een beetje blowen mij ook niet vreemd waren toen ik hier zat. Maar geen zwarte handel.'

John zei: 'Dit is niet relevant.'

Ik gaf hem te kennen: 'In een moordzaak is bijna alles relevant als je erachter wilt komen waarom de ene man een andere vermoordt.'

Karl, mijn goede vriend, beaamde het. 'Alles is relevant, en de meest inconsequente dingen geven je, als je ze samenvoegt, een beeld en vormen de motieven en de persoonlijkheid van het slachtoffer en de dader.'

Ik zei: 'Dank je, Karl. En van wat ik begreep uit de bezittingen van de overledene, was William Hines een braverik en was Edward Blake een slechterik. Nee, dat maakt hem nog niet tot moordenaar. Maar we hebben een paar feiten die hem aanwijzen als verdachte. We hebben het dienstrooster van het MACV, dat aangeeft dat beide mannen tegelijkertijd in dezelfde kleine groep adviseurs zaten, en dat er maar één kapitein in de groep zat. De legerarchieven zullen dat ondersteunen – als ze niet vernietigd zijn in die beroemde en gunstige archiefbrand. We hebben de verklaring van de getuige die een Amerikaanse legerkapitein van de Eerste Cavaleriedivisie een luitenant zag doodschieten die nu is geïdentificeerd als luitenant Hines, met dezelfde mouwemblemen als de kapitein, en van wie de getuige de persoonlijke bezittingen heeft meegenomen.'

Ik melkte dit magere bewijs zoveel mogelijk uit, maar als deze groep een jury was en ik was de aanklager, dan zou ik me zorgen hebben gemaakt. Dus, als je je zaak aan het verliezen was, verzon je dingen. Ik zei: 'Zoals Susan jullie misschien heeft verteld, identificeerde Tran Van Vinh Edward Blake op de foto's als de moordenaar.'

Ik wierp een blik op Susan die zei: 'Een positieve identificatie.'

Bill, John en Marc leken ongerust; Karl leek sceptisch, zoals het hoorde.

Ik eindigde mijn presentatie met: 'En dan heb je de buit uit de schatkamer. Iemand zal het financiële verleden van Edward Blake moeten onderzoeken, vooral na zijn terugkeer uit Vietnam. Er zaten sieraden in de kluis en die zijn misschien op te sporen, of ze zijn nog steeds in het bezit van Mr. Blake, of van zijn vroegere vriendinnen of van zijn huidige vrouw.'

Er volgde een stilte in het vertrek, toen sprak Bill: 'Het bewijs klinkt mij niet alleen als indirect in de oren, maar ook als zwak en niet overtuigend, om maar te zwijgen van dertig jaar oud. Ik zou zeker geen aanklacht beginnen op wat ik heb gehoord.'

John Eagan was het met hem eens en zei: 'Zo'n zware aanklacht tegen Edward Blake zal het voor de rechtbank niet redden, maar zal wel een buitenkans zijn voor zijn politieke tegenstanders en de media.'

Marc Goodman leek verdiept in ongelukkige gedachten en vroeg me toen: 'Is de getuige in jouw opinie betrouwbaar?'

'Ik denk het wel. Maar ik begrijp dat een Amerikaanse jury misschien anders denkt.'

John vroeg me achteloos: 'Waar is deze getuige?'

Ik zei: 'Hij ligt waarschijnlijk te slapen. Hij is een boer.'

Bill, die eerder te maken had gehad met mijn gevatheid, vroeg op geïrriteerde toon: 'Wáár ligt hij te slapen? In zijn dorp?'

'Ik denk het. Het was voor ons niet zo praktisch om hem hier naartoe te brengen.' Ik keek naar Bill en John en zei: 'En het was voor Susan niet zo praktisch om zijn hoofd eraf te knallen.'

Niemand, inclusief Karl, deed of hij geschokt of verrast was, en dat was een cadeautje. Maar ook gaf niemand commentaar.

Kolonel Goodman keek naar Susan en vroeg: 'En jij en Paul hebben het fysieke bewijs verborgen?'

'Ja.'

'Waar?'

Susan antwoordde: 'Als ik het je zou vertellen, zou het niet meer verborgen zijn.'

Kolonel Goodman glimlachte toegeeflijk en zei: 'Het hoeft niet langer verborgen te blijven.'

Susan gaf geen antwoord.

Kolonel Goodman vroeg: 'Ergens in de buurt?'

Susan antwoordde: 'Nee. We hadden problemen voorzien met de politie als we van de trein uit Lao Cai kwamen.'

'Dus jullie hebben die zaken ergens in Lao Cai of bij Ban Hin verborgen?'

'Daar ergens.'

Bill was geschokt door het gebrek aan medewerking van zijn exvriendin, en als Eagan zijn baas was, wat hij waarschijnlijk was, dan zou Bills volgende opdracht zijn om Russische schepen voor de kust van IJsland in de gaten te houden. Bill zei scherp: 'Susan, vertel ons waar jullie het bewijs hebben verborgen.'

Ze fixeerde Bill met een blik die Bill waarschijnlijk eerder had gezien. 'Jouw toon bevalt me niet.'

Hij veranderde van toon. 'Susan, zou je ons de bergplaats kunnen beschrijven van de persoonlijke eigendommen van luitenant Hines?'

'Later.'

'Susan...'

John Eagan onderbrak hem en richtte een vraag op mij: 'Hou jij bewijs achter in een crimineel onderzoek?'

'Nee. Ik heb het alleen maar verborgen.'

'Waarom?'

'We bevinden ons in een vijandig gebied, John. Ik heb het bewijs veilig gesteld op een veilige plek.'

'En die zul je ons nu onthullen.'

'Waarom? Je vindt het toch al niets. Maak je er niet zo druk over.'

Hij negeerde dat en herhaalde: 'Je zult ons nu vertellen waar je het verborgen hebt.'

'Waarom? Wie ben jij?'

Eagan keek naar Karl die tegen mij zei: 'Ik geef je een direct bevel, Paul.'

'Oké. Ik zal het je later zeggen. Onder vier ogen.'

Karl was blij dat hij de enige was die mij kon hanteren en nog blijer dat hij de enige was die belangrijke informatie zou krijgen. Hij zei: 'Mooi. We spreken er later over.'

Iedereen moest het daarmee doen, en kolonel Goodman vervolgde en zei tegen Karl: 'Kolonel, u bent een ervaren en professioneel onderzoeker. Wat is uw mening over dit bewijs? Zou u verder onderzoek willen aanbevelen? Een beschuldiging indienen? Of de zaak seponeren?'

Karl speelde een ogenblik met zijn onderlip en antwoordde toen: 'Je moet de factor tijd meerekenen en de aard van de getuige. Hij kan dan betrouwbaar en geloofwaardig lijken, maar ik zou hem pas als getuige willen hebben als ik nog ander bewijs had om zijn getuigenis te staven... en een enkel relevant fysiek bewijsstuk, zoals een dienstrooster, is gewoon niet genoeg. Als dit nu mijn zaak was, zou ik hem laten vallen.'

Ik zei: 'Karl, dat is niet waar en dat weet je. Nu zou je het enige doen dat je kunt doen: de getuige ondervragen.'

John Eagan reageerde meteen en zei: 'Dat gebeurt niet, hier niet en nergens.' Hij keek iedereen aan en herinnerde ons: 'We verliezen uit het oog waar het hier werkelijk om gaat. Deze... deze zaak zou het leven en de politieke carrière kunnen verwoesten van een eerbaar man, een gedecoreerd veteraan, een echtgenoot, een vader en een toegewijd overheidsdienaar. Het Amerikaanse volk heeft geen behoefte aan weer een schandaal of heksenjacht. En er zijn internationale consequenties. Ik vind dit alles te min om verder nog over te praten.'

Kolonel Goodman dacht een ogenblik na en zei toen: 'Ik zou graag willen weten hoe ieder van ons met deze informatie verder zou willen gaan. John?'

'Laten vallen, en deze bijeenkomst heeft nooit plaatsgevonden.'

'Bill?'

'Laten vallen.'

'Kolonel Hellmann? Dit is eigenlijk toch uw zaak, hè?'

Karl Hellmann antwoordde: 'De zaak is nooit officieel geweest en zal het nooit worden. Beschouw het dossier als vernietigd.'

Kolonel Goodman keek mij aan. 'Paul?'

'Ik wil een gesprek met de verdachte.'

Goodman wilde iets zeggen, maar vermande zich en wendde zich tot Susan. 'Miss Weber?'

'Ik heb absoluut geen enkele ervaring met de wet of met criminele zaken en ik zou niet weten wat een goed bewijs of een indirect bewijs inhoudt, en evenmin wat een betrouwbare of onbetrouwbare getuige is. Maar ik weet wel dat er vier moorden en een diefstal zijn gepleegd door een kapitein van het leger en dat de enige kapitein van ons die dat gedaan zou kunnen hebben in de logeerkamer boven zit. Het gezonde verstand zegt met hem te praten. Misschien kan hij u vertellen waar hij die dag was. Ik bedoel, hij had met verlof kunnen zijn, of in een hospitaal, of in gezelschap van tien andere mannen kunnen zijn geweest. Je moet iets verder graven en misschien ben je gelukkig met wat je vindt, of misschien zul je merken nog verder te moeten graven.'

Weer een lange stilte, toen zei ik: 'Luister, ik ben er zelf niet van overtuigd dat Edward Blake een moordenaar is. Misschien wil ik wel overtuigd worden van het tegendeel. Susan heeft gelijk. Er is niets te verliezen door met de man te praten.'

Eagan zei tegen me: 'Dus jij wilt dat ik naar boven ga om de vicepresident van de Verenigde Staten uit zijn bed te halen, zodat hij beneden kan komen om vragen te beantwoorden over zijn mogelijke betrokkenheid bij een moord?'

'Waarom niet?'

'Omdat ik, als ik hem was, jou zou zeggen dat je de kolere kon krijgen.'

'Dat is me zo vaak verteld, John. Dan haal ik een dagvaarding.'

'Ben je wel goed bij je hoofd?'

'Karl kan dat beantwoorden.'

Eagan nam niet de moeite het Karl te vragen. Hij zei tegen me: 'Luister als je dit conform de wet wilt spelen, heb je noch de macht noch de autoriteit om iemand hier te ondervragen en zeker niet de vice-president.'

'Het gebeurt vaak, John, dat mensen vrijwillig vragen beantwoorden. Eerst vraag je de persoon of hij vrijwillig een paar vragen wil beantwoorden. Als hij dat niet wil, word je een beetje achterdochtig en dan ga je een beetje dagvaarden.'

'Gelul.'

Legerofficieren gebruiken zelden grove woorden en Goodman zei: 'Let op je taal, alsjeblieft.'

Eagan zei: 'Jezus Christus... Dit is niet te geloven.'

John Eagan was duidelijk de beul hier en had op Edward Blake na waarschijnlijk het meeste te verliezen. Eagan had, als hij de plaatselijke directeur van het CIA-bureau was, samen met Bill het grootste deel van de missie gepland, en als het gelukt was, zouden John en Bill aanwezig zijn geweest op het inauguratiefeest van Edward Blake en hem privé Ed noemen.

Washington heeft een afwijkend systeem van belonen en straffen, en dat gaat als volgt: als ik weet dat jij iets verkeerds hebt gedaan en ik straf je niet, dan wil ik een beloning. Maar zo werken de wet en ik niet.

Ik zei tegen Karl: 'Jij en ik, Karl, zijn beëdigde handhavers van de wet. We bevinden ons op Amerikaans grondgebied. De vermoedelijke misdaad werd gepleegd terwijl de verdachte in militaire dienst was. Hebben wij het recht om Edward Blake aan een vrijwillig verhoor te onderwerpen?'

Karl wilde zijn hoofd schudden, maar zijn opleiding dwong hem tot een knik. Het resultaat zag eruit als een vertrekking van zijn nek. Ten slotte zei hij: 'Het kan een kwestie van bevoegdheid worden.'

Ik zei tegen Eagan: 'Ben jij FBI?'

'Nee.'

'Wie is de man van de FBI in de ambassade?'

Eagan antwoordde: 'Wie kan het wat schelen? Je maakt me razend, Paul.'

Bill vroeg me: 'Wil je je flink voordoen tegenover Susan?'

Voor ik 'krijg de kolere' kon zeggen, zei Susan: 'Nee, hij is al sinds hij achter de waarheid is gekomen onuitstaanbaar. Hij meent het echt.'

Ik liet me van het bureau glijden en zei: 'Ik ga naar boven naar Edward Blake.'

Eagan stond op. 'Als je één stap die trap op doet, makker, heb je het gehad.'

'John, ik wil je geen pijn doen.'

Iedereen was nu gaan staan en kolonel Goodman, onze gespreksleider, zei: 'Zo is het wel genoeg.' Hij keek me aan en vroeg: 'Paul, als ik ervoor kan zorgen dat de vice-president bij ons komt, hebben we dan je woord dat je tevreden bent dat dit onderzoek voorbij is?'

Ik begrijp waarom de militaire inlichtingendienst een slechte reputatie heeft, maar ik ben níet stom en ik antwoordde: 'Natuurlijk.'

'En heb ik je woord dat je begrijpt dat alles wat hier vanavond is gezegd, voor altijd geheime informatie blijft?'

'Absoluut.'

'En dat jouw twee weken Vietnam alleen maar van toeristische aard waren?'

'Precies.' Ik merkte dat Bill en John elkaar aankeken. Ze protesteerden niet, dus dat betekende dat ik had gewonnen. Eigenlijk betekende het dat ik dood was.

Kolonel Goodman liep naar de deur en zei: 'Ik zal een agent naar de vice-president sturen.' Hij vertrok.

Karl zei tegen me: 'Paul, je moet dit niet doen.'

Ik antwoordde: 'Ik wil alleen maar de vp ontmoeten. En hem om een handtekening vragen voor mijn neefje.'

Susan stond op en kwam naar me toe. Ze zei zacht: 'Als je nog een dag had in Vietnam voor je naar huis ging, zou je je dan aanmelden voor een gevaarlijke opdracht?'

'Nee. Maar ik zou bevelen opvolgen. Mijn laatste bevelen waren een moordenaar op te sporen.'

'Volgens mij wil Karl dat je niet verder zoekt.'

'Karl kan de kolere krijgen. Hoe is het met jou?'

'Ik sta aan jouw kant. Doe wat je moet doen.'

Goodman keerde terug en zei: 'De vice-president komt eraan.' Hij zei tegen mij: 'Je hebt tien minuten. Je bént beleefd en eerbiedig.'

'Ja, sir.'

'Je uit géén beschuldigingen. Je legt hem de feiten voor en als de vice-president een verklaring wil afleggen, doet hij dat. Zo niet, dan heeft hij het recht er het zwijgen toe te doen.'

'Ja, sir. Ik weet hoe dit moet.'

'Goed.'

De deur ging open en iedereen stond op, maar het was slechts mijn vriendje Scott Romney. Hij keek rond, schonk me wat een stoere blik moest zijn en vertrok.

Een paar ogenblikken later liep vice-president Edward Blake de spreekkamer van de ambassadeur binnen. Hij had ongeveer mijn lengte, maar was niet zo knap als ik. Hij droeg een pantalon, een wit overhemd zonder das en een malle zijden kimono.

Edward Blake leek niet verveeld, ongeduldig of verwonderd en zeker niet persoonlijk aangedaan, slechts officieel betrokken, alsof er een crisis speelde. Hij zei: 'Goedenavond. Problemen?'

Kolonel Goodman schraapte zijn keel en zei: 'Nee, meneer... helemaal niet. Mag ik iedereen aan u voorstellen?'

Goodman had over de introducties nagedacht en introduceerde eerst Susan Weber als woonachtig in Saigon en een vriendin van de Quinns. Daarna stelde Goodman Bill Stanley en Karl Hellmann voor met de uitleg: 'Bill is hier vanuit Saigon en een vriend van Susan en tevens een collega van John, die u kent. Kolonel Hellmann is van het leger en net aangekomen vanuit D.C.' Hij bewaarde het beste voor het laatst en zei: 'Dit is Paul Brenner, ook een vriend van miss Weber en een collega van kolonel Hellmann.'

Ik schudde de aanstaande president de hand en hij zei tegen me: 'Ah, ik weet wie je bent. Mijn vrouw heeft je gesproken.'

'Ja, meneer.'

'Je kostte me een weddenschap van tien dollar.'

Wel meer ook, Ed. 'Ja, meneer. Dat zei ze tegen me.'

De VP zei dit op een opgewekte toon en iedereen lachte beleefd. Edward Blake zei tegen Susan: 'En jij bent zijn reisgenote.'

'Ja, meneer.'

'De vrienden van Pat en Anne zijn mijn vrienden.'

De man was glad, maar ook charismatisch, een mannenman, de droom van elke vrouw, en misschien de nachtmerrie van een land.

Edward Blake keek om zich heen en zei: 'Nou, het was aangenaam jullie allemaal te leren kennen.'

Niet zo snel, Ed.

Kolonel Goodman zei tegen de vice-president: 'Meneer, dit is niet alleen maar sociaal... Zouden we een paar minuten van uw tijd mogen hebben? Er is een ernstige zaak opgedoken die onder uw aandacht gebracht dient te worden.'

Ik bestudeerde het gezicht van Edward Blake. De vraag die sinds Washington door mijn hoofd had gespeeld was: wist hij hiervan? In zekere zin maakte het niets uit, behalve als het te maken had met zijn aandeel – als dat er was – in het verdoezelen van een misdaad. Mijn idee was dat hem nog niet was verteld dat het verleden was teruggekeerd. Eerst ga je op onderzoek uit, daarna vertel je de baas dat je goed nieuws en slecht nieuws hebt. Het slechte nieuws is, dat we weten wat je hebt gedaan; het goede nieuws, dat we kunnen helpen.

Goodman gebaarde de vp naar de vrijgekomen stoel van Karl, en hij ging zitten, sloeg zijn benen over elkaar en gebaarde naar ons ook te gaan zitten. We gingen allemaal zitten, behalve dat ik mijn achterste op het rand van het bureau plantte.

Kolonel Goodman zei tegen Edward Blake: 'Meneer, dit heeft te maken met de reden waarom Mr. Brenner in Vietnam is, en waarom kolonel Hellmann hier is...'

Blake keek ons allebei aan, maar zei niets.

Goodman vervolgde: 'Meneer, ik kan u verzekeren dat alles wat in deze kamer is besproken en nog besproken zal worden, beperkt blijft tot een handjevol mensen van wie de meesten hier zijn... en dat alles wat nu hier wordt besproken, gezien zal worden als vertrouwelijk en geheim...'

Blake zei: 'Goed, je hebt me gerustgesteld en je hebt mijn nieuwsgierigheid gewekt. Kunnen we terzake komen?'

'Ja, meneer. Misschien wil Mr. Brenner nu iets zeggen. Het was zijn idee u te vragen bij ons te komen.'

Blake zei tegen me: 'Jouw beurt, Paul.'

'Ja, meneer. Het is mijn plicht u te zeggen dat kolonel Hellmann en ik van de criminele recherche van het leger zijn.'

Dit scheen geen enkele reactie bij hem los te maken en misschien kwam het niet over.

Er zijn twee openingsvragen die je altijd stelt in een moordonderzoek en ik stelde de eerste vraag. 'Kent u een man die William Hines heet?'

Dit verraste hem volkomen; zijn gelaatsuitdrukking maakte een opmerkelijke verandering door en ik zweer dat alle kleur uit zijn gezicht wegtrok. Iedereen die daar was, zag het en iedereen moest wel tot dezelfde conclusie komen.

'Meneer?'

'Eh... ik... hoe heette hij?'

'William Hines. Luitenant William Hines.'

'O... ja... ik heb met hem gediend. In Vietnam.'

'Ja, meneer.' Ik stelde de tweede vraag. 'Wanneer hebt u hem voor het laatst in leven gezien?'

'Eh... in leven? O, ja, hij is omgekomen. Zo is het.'

'Wanneer hebt u hem voor het laatst in leven gezien, meneer?'

'Eh... laat eens kijken... het begin van het Tet-offensief was eind januari... ik meen dat ik hem een paar dagen daarna nog heb gezien... hij werd vermist... ons hoofdkwartier werd ingenomen... dus... ik weet het niet helemaal zeker, maar ongeveer vier of vijf februari... 1968.' Hij deed wat ze allemaal deden en vroeg me: 'Waarom vraag je het?'

Gewoonlijk zeg ik: 'Ik stel de vragen, jij geeft de antwoorden.' Maar zelfs ik ben niet zo dapper. Ik zei: 'Meneer, het is de criminele recherche van het leger ter ore gekomen dat luitenant William Hines op of rond zeven februari 1968 is vermoord in het ministerie van Financiën binnen de Citadel van de stad Quang Tri. We hebben alle reden te geloven dat zijn aanvaller een kapitein van het Amerikaanse leger was. We hebben bewijs en een ooggetuige, en we proberen nu achter de identiteit van die moordenaar te komen.'

Hij begon zich weer in de hand te krijgen en hij keek geschokt. 'Mijn god... weet je het zeker?'

'Ja, meneer. We weten zeker dat hij werd vermoord door een legerkapitein.'

'Lieve hemel...' Hij keek niemand in het vertrek aan en keek evenmin naar mij. Hij zei: 'Dat was een vreselijke tijd... Ik zat toen bij de MACV-groep, en we waren omsingeld in de Citadel en vochten voor ons leven. Volgens mij waren er maar ongeveer twintig Amerikaanse officieren en onderofficieren...'

'Acht officieren en negen onderofficieren volgens het dienstrooster.'

Hij keek me aan. 'O ja? Hoe dan ook, volgens mij hebben maar zeven van ons het overleefd...' Hij meende dat het een goed idee zou zijn van onderwerp te veranderen en zei tegen me: 'Pat Quinn heeft me verteld dat je in Vietnam hebt gevochten.'

'Ja, meneer. Eerste Cavalerie, net als u, 1968, net als u. Ik was in die tijd soldaat bij de Delta Compagnie, Eerste Bataljon, Achtste Cavalerie, Eerste Luchtcavalerie, buiten Quang Tri.'

'O ja?' Hij dwong zich tot een glimlach en zei: 'Wat deden jullie buiten Quang Tri? We hadden jullie binnen nodig.'

Ik beantwoordde zijn glimlach. 'Het zag er ons te gevaarlijk uit.'

Hij lachte en zei: 'Nou, als me iets te binnen schiet, waarmee ik je kan helpen, Paul... en Karl... in deze zaak, neem ik contact met jullie op.' Hij stond op en iedereen stond op.

Ik zei tegen hem: 'Meneer, zou u onder vier ogen met me willen praten?'

Hij antwoordde: 'Waarom?'

'Over het betreffende incident.'

'Ik weet er niets van. Maar ik zal erover nadenken.' Hij liep naar de deur.

Op dit moment informeer ik de getuige soms dat hij een verdachte is, maar dan moet ik hem zijn rechten voorlezen en gewoonlijk kan ik het kleine kaartje in mijn portefeuille niet vinden. Ik zei tegen Edward Blake: 'Zoals ik al heb gezegd, meneer, was er een getuige en die heb ik ondervraagd.' Ik nam niet de moeite te melden dat het om een vijandelijke soldaat ging en ik liet Blake tot de conclusie komen dat het een Amerikaanse GI was. Ik zei: 'Hij lag gewond op de eerste verdieping van het gebouw van Financiën, en door een gat in de vloer zag hij deze kapitein van het leger niet alleen luitenant Hines vermoorden, maar ook drie Vietnamezen. De moordenaar plunderde vervolgens een kluis in het gebouw.'

Ik kon weer de kleur uit zijn gezicht zien wegtrekken. In geen miljoen jaar had hij ooit gedacht een ooggetuigenverslag van dit gebeuren te horen te krijgen; hij had gedacht dat hij alle getuigen gedood had. Ik kon zijn knieën echt zien knikken en hij legde zijn hand op de deurknop die hoorbaar rammelde. Hij zei tegen me: 'Er bestaan veel voorbeelden van getuigen die jaren na het gebeuren tevoorschijn komen en die lijden aan de een of andere psychologische aandoening, of die gewoon regelrecht liegen. Ik weet zeker dat je er bekend mee bent.'

'Ja, meneer. Daarom hebben we uw hulp nodig.'

'Het spijt me, ik kan je niet helpen. Maar ik wens je geluk met je onderzoek.' Hij wilde weggaan, maar dacht toen aan zijn manieren en zei tegen Susan: 'Miss Weber, een genoegen. Heren, welterusten.' Weer wilde hij weggaan, maar toen gebeurde er iets vreemds: hij kwam op me af en schudde mij de hand. Hij draaide zich om en verliet het vertrek.

Karl en Susan grepen tegelijkertijd naar hun rookwaar en staken op.

Ik liep naar een dressoir en hielp mezelf aan een whisky met ijs.

Er volgde een bijna gênante stilte in de kamer. Ik keek naar de gezichten van iedereen daar en ik wist dat ze allemaal geloofden dat Blake drie mannen en een vrouw had vermoord om een roof te kunnen plegen, en een van de mannen was een wapenbroeder en dat viel niet zo goed bij kolonel Goodman en kolonel Hellmann, en evenmin bij mij.

Maar we hadden dit allemaal al vanaf het begin geweten en niemand was geschokt. Ze maakten zich zorgen. Zorgen om hun carrière, om hun leven en misschien zelfs om hun land. Zeker maakten ze zich zorgen om mij. En om eerlijk te zijn, maakte ik me ook zorgen om mij.

Kolonel Goodman sprak als eerste en hij zei tegen me: 'Kun je het over je hart verkrijgen kapitein Edward Blake hierin een vrijbrief te geven?'

Ik gaf geen antwoord.

Hij zei tegen me: 'Ik was tijdens de oorlog een jonge luitenant bij de infanterie... Ik verwacht niet dat iedereen die tijd en die omgeving begrijpt, Paul, maar jij en ik doen het, en kolonel Hellmann begrijpt het. Niemand van ons zal graag rekenschap willen afleggen voor die krankzinnigheid.'

Weer gaf ik geen antwoord.

Karl zei tegen me: 'Waar het hier om gaat, Paul, is niet schuldig of onschuldig, of zelfs maar rechtvaardigheid of moraliteit. Waar het hier om gaat, is het verleden. Ik heb het je gezegd: de schaduwen strekken zich van hier naar thuis uit. Wij, als soldaten, werden toen allemaal uitgescholden en bespuugd, en we zijn niemand enige uitleg verschuldigd voor onze daden, of welke nieuwe onthulling over die oorlog ook. Als we ook maar enigszins schuldig zijn, is het een gedeelde schuld, als we ook maar enige eer hebben, is het alleen maar onder ons. We zijn voor altijd met elkaar verbonden door bloed en gemeenschappelijke nachtmerries. Ik zal je dit zeggen, vriend van me, dit heeft weinig tot niets te maken met Edward Blake; en tot op zekere hoogte zijn we allemaal Edward Blake.'

Ik haalde diep adem en gaf geen antwoord.

Bill zei: 'Paul, Edward Blake zal de eerste Vietnam-veteraan zijn die president van de Verenigde Staten wordt. Wil je dat dan niet?'

'Bill, hou je bek.'

De stille kamer werd stiller. Ik zei: 'Ook al geloofde ik dat... en misschien doe ik het... waar het hier verder om gaat, zijn jullie en jullie ambities, jullie leugens en bedrog, en jullie gelul. Edward Blake zal dan een slecht moment hebben gehad; jullie hebben een slechte carrière gehad.'

Ik zette mijn glas neer en liep naar de deur. Ik zei tegen Karl: 'Ik heb je gezegd iemand anders te zoeken.' Tegen Susan zei ik: 'Ga mee.'

50

De volgende dag om twaalf uur bracht een auto van de ambassade Susan en mij naar het Noi Bai Airport noordelijk van Hanoi. We zeiden niet veel tijdens de rit die twintig minuten duurde.

Twee veiligheidsagenten van de ambassade liepen met ons mee de terminal in, langs de luchthavencontrole en incheckbalie, rechtstreeks naar de diplomatieke foyer.

Mr. Uyen en kolonel Mang hadden mijn bagage, dus ik reisde redelijk licht: de kleren die ik aan had, mijn portefeuille, mijn paspoort, een vliegticket en een diplomatieke *laissez-passer*.

Susan droeg een mooie, lichtgroene jurk, die ze te leen had gekregen van Anne Quinn, en ik droeg mijn vuile spijkerbroek, maar een schone boxershort en een afschuwelijk roze golfhemd dat ik had gekregen van mevrouw Quinn, die me aangaf dat het wat haar betreft prima was als ze mij of het hemd en de short nooit meer zag. Een souvenir uit Vietnam.

De diplomatieke foyer was een beetje smerig ondanks de naam, maar er waren die zaterdag niet zoveel diplomaten of familieleden die op reis gingen, dus we hadden de ruimte min of meer voor ons alleen. De twee veiligheidsagenten van de ambassade bleven bij ons, wat niet zo'n slecht idee was.

De afgelopen nacht hadden Susan en ik op de slaapbank in de zitkamer geslapen. De logeerkamers boven waren bezet door de Blakes en de mannen van de geheime dienst die ons om de een of andere reden niet boven wilden hebben. Hoe vermoeid en uitgeput we allebei ook waren geweest, Susan en ik vrijden in de wetenschap dat dit de laatste keer kon zijn.

Ik kreeg mijn roereieren met Susan in de ontbijtkamer. Alleen Anne Quinn was daarnaartoe gekomen en ze had uitgelegd dat de Blakes en de ambassadeur vroeg naar de ambassade waren gegaan en dat ze op weg was om zich bij hen te voegen. Susan en ik spraken onze spijt uit dat we ze gemist hadden, en Anne zei dat ze onze groeten zou overbrengen. We bedankten haar voor haar gastvrijheid en het fantastische feest en ze vertrok zonder ons nog eens uit te nodigen. Ik denk dat ze wist dat er iets aan de hand was.

Nu stonden Susan en ik in de diplomatenfoyer door een groot panoramaraam naar buiten te kijken, naar de landingsbanen en de grijze, bewolkte lucht. Er leken meer vliegtuigen op te stijgen dan te landen, als van een vakantieplaats waar het seizoen ten einde liep, hoewel in dit geval dit waarschijnlijk de uittocht was van Vietnamezen die na het Tet-feest hier teruggingen naar hun land van verbanning.

Voor mij was een stoel gereserveerd aan boord van een Air France-vlucht naar Parijs, waar iemand me zou opwachten om me een ticket naar Dulles International te geven. Dit was niet de kortste verbinding naar huis, maar het was de eerst beschikbare vlucht uit Hanoi en ik had mijn verblijf al te lang gerekt.

Van Dulles, waar deze reis was begonnen, naar mijn huis in Falls Church zou maar een korte taxirit zijn, maar het was waarschijnlijker dat ik zou worden opgewacht door mensen die me verder hielpen. In ieder geval was de reis naar huis begonnen en net als de twee vorige keren hier, wist ik niet hoe ik me op het moment voelde.

Ik had erop gestaan dat Susan met me meeging, maar Susan zelf had in Hanoi willen blijven; ze zat al lang hier in Vietnam en er moesten nog veel losse eindjes van haar leven, haar werk en, naar ik denk, van deze missie aan elkaar geknoopt worden. Wat mij betrof had ik, net als de laatste twee keer, weinig aanmoediging of overtuiging nodig om snel uit Vietnam weg te komen.

In de diplomatenfoyer was een witte deur die, volgens Susan, direct uitkwam op het tarmac waar een wachtend voertuig me naar het vliegtuig zou brengen. De vlucht vertrok over twintig minuten..

Susan en ik gingen niet zitten en namen geen koffie of iets anders te drinken; we stonden daar alleen maar, bij de witte deur die naar Falls Church in Virginia leidde.

Susan zei: 'We hebben ongeveer tien minuten. Iemand komt je waarschuwen.'

Ik knikte.

Ze zei: 'Ik ga niet huilen.'

Weer knikte ik.

We keken elkaar aan en geen van beiden wisten we wat we moesten zeggen, maar de tijd drong.

Ten slotte glimlachte ze en zei: 'Nou, we hebben een mooie twee weken gehad, hè?'

Ik glimlachte.

Ze stelde voor: 'We zouden het nog eens moeten doen.'

'De tweede keer is nooit meer zo leuk.'

'Misschien niet. Maar we hebben niet één foto.' Ze glimlachte. 'Zelfs niet van Piramide-eiland.'

Ik gaf geen antwoord.

Er klonk muzak in de foyer en er werd op een piano getingeld. We stonden zwijgend te luisteren naar 'Let It Be'.

Ik zei tegen haar: 'Bedankt voor zondag in Saigon.'

'Hé, je bent me nog een toer door Washington schuldig.'

'Wanneer je maar wilt.'

Ze knikte en keek me aan. 'Met een week of zo zal ik hier wel weg zijn...'

'Waar ga je naartoe?'

Ze haalde haar schouders op. 'Lenox, denk ik. Daarna naar New York om te kijken of ik nog een baan heb bij AAIC. Daarna... ik denk dat ik weer een baan overzee wil hebben. Ik denk dat ik een geboren banneling ben.'

'Kies deze keer eens een leuke plek uit.'

'Ik heb dat boek met de slechtste landen om te wonen nog steeds.'

Ik glimlachte en vroeg haar: 'Zul je dit land missen?'

'Vreselijk. Maar het is tijd om verder te gaan.'

'Dat is zo.'

Ze knikte. 'Weet je, Paul... in de bar van de Apocalypse Now... toen ik moest huilen... weet je dat nog?'

'Ja.'

'Ik voelde me afschuwelijk over alles... Plotseling had ik vreselijk heimwee en ik denk dat het op de een of andere manier door jou kwam... en ik dacht ook vooruit aan... wat ik moest doen... al vanaf het begin dat ik je leerde kennen had ik moeite met liegen tegen je...'

'Ik weet het. Ik kon het zien.'

'Echt waar? Fijn.'

'Laten we dat deel van de reis vergeten. Hoe interessant het ook was.'

Ze lachte, kreeg toen tranen in haar ogen en zei weer: 'Ik ga niet huilen. Daar hou je niet van.'

Ik wist niet wat ik moest zeggen, dus ik veranderde van onderwerp. 'Misschien kunnen je vrienden in Langley jouw kennis van Vietnam daar gebruiken.' En het is niet ver van Falls Church vandaan.

Ze schudde haar hoofd. 'Ik denk dat ik die baan ook kwijt ben.'

'Je hebt je werk goed gedaan. Je bent een natuurtalent.'

Ze negeerde dat en vroeg: 'Hoe is het met jou? Wat ga jij doen?'

'Nou... zoals ik al zei... ik moet wat persoonlijke dingen afhandelen... kijken hoe het daarmee gaat...'

Ze knikte. 'Dat moet je doen.'

Ik gaf geen antwoord.

'En daarna?'

'Ik denk dat het afhangt van mijn missierapport.'

Ze knikte. 'Wat ga je daaraan doen?'

'Ik weet het nog niet. Misschien hoef ik helemaal niets te doen. Misschien kan ik helemaal niets meer doen.'

'Wees gewoon voorzichtig, Paul. Ik bedoel echt voorzichtig.'

'Ik weet het.'

'Je zegt dat je het weet, maar van wat ik heb gezien, Mr. Brenner, heb je meer kloten dan hersens.'

Ik glimlachte. 'Soms is dat genoeg.'

'Voor hier, maar niet voor Washington.' Ze keek me aan. 'Ik sta nog steeds aan jouw kant. En ik ben beschikbaar.'

'Ik zal het je laten weten.'

Ze zei: 'Ik ga met Karl praten. Hij moet aan de juiste kant komen.'

'Karl heeft me teleurgesteld. Maar ik denk dat je, als je de droom van je leven binnen je bereik hebt, er bijna alles voor doet.'

Ze keek me in de ogen. 'Maar je moet erna met jezelf kunnen leven. Soms moet je gewoon wachten om te zien of je hoop en dromen bewaarheid worden... zoals de reuzenelf op Nui Co Tien Mountain.'

'Dat liep niet zo goed af.'

'Wel waar. Ze wachtte op haar geliefde en hij keerde zo snel mogelijk terug... nu zijn ze voor eeuwig bij elkaar.'

'Ja... luister... Susan.'

Een jonge Vietnamees kwam door de witte deur met een stuk karton waarop geschreven stond *Brenner Paul*. Susan zei: 'Nou, Mr. Paul, je wordt gehaald.'

'Ja...' Ik probeerde te glimlachen. 'Nou, miss Susan...'

Ze zei: 'Ik ga níet huilen.' Ze haalde diep adem. 'Pas op jezelf. Goede vlucht en...' Tranen stroomden uit haar ogen.

Ik sloeg mijn armen om haar heen en we kusten elkaar. Ik zei: 'Susan... Ik moet dit netjes doen.'

'Ik weet het. Dit was te intens. We hebben een paar maanden nodig om te zien...'

De man met het bord stak het omhoog en hij keek me gespannen aan. Een van de veiligheidsagenten van de ambassade gaf me een teken er een einde aan te maken.

Susan zei iets tegen de jonge Vietnamees en zei toen tegen mij:

'Mis je vlucht naar de vrijheid niet, soldaat.'

We omhelsden elkaar weer. 'Bel me... wanneer je maar wilt.'

'Doe ik. Misschien over een paar weken.'

'Geeft niet. Je moet gaan.'

'Prima...' Ik liep naar de open deur en Susan kwam niet met me mee. Ik draaide me naar haar om en vroeg: 'Lenox?'

'Ja. Ik zal op je telefoontje wachten.'

'Wacht op een klop op de deur.'

Ze glimlachte.

Ik draaide me om en volgde de jongeman de deur door.

We liepen een paar treden af, stapten in een open elektrisch wagentje en reden naar het instappunt van het vliegtuig.

Een gele politiejeep stond bij het vliegtuig geparkeerd en toen we naderbij kwamen, stapte een man in uniform uit de jeep. Het was, ongelukkig genoeg, kolonel Mang.

Hij stak zijn hand omhoog en de chauffeur stopte.

Ik stapte niet uit en bleef zitten wachten op Nguyen Qui Mang, kolonel Sectie A van het ministerie van Openbare Veiligheid. Hij droeg zijn pistool, hetgeen me niet verontrustte; als ik het wilde, werd het van mij. Maar hij had ook zijn attachékoffertje bij zich, wat me altijd nerveuzer maakte dan een wapen.

Achter de naderbij komende kolonel stond mijn Air France 747 met de trap er nog voor en ik zag de laatste passagiers aan boord stappen. Een grondsteward stond in de buurt op zijn horloge te kijken.

Kolonel Mang bleef naast het wagentje staan en vroeg me: 'Waar gaat u naartoe, Mr. Brenner?'

'Ik ga naar huis, kolonel. U zou hetzelfde moeten doen.'

'Ja? En hoe was uw diplomatieke receptie? Hebt u de vice-president ontmoet?'

'Jawel.'

'En was hij blij kennis met u te maken?'

'Zeker. We hebben oorlogsverhalen uitgewisseld.'

Ik zag dat het grondpersoneel op het punt stond de trap weg te rollen. Ik zei: 'Ik zou graag nog wat willen babbelen, maar dan mis ik mijn vlucht. Dus als u me wilt verontschuldigen.'

'Ik heb hun opdracht gegeven op u te wachten.'

'Daar ziet het niet naar uit.'

'Waar is miss Weber?'

'Ze blijft nog een tijdje. Ze vindt het hier leuk.'

'O ja? En u? Vindt u het hier ook leuk?'

'Ik heb er gemengde gevoelens over.'

'Ach. En was uw afscheid van miss Weber triest?'

'Minder gelukkig dan óns afscheid zal zijn. Tussen haakjes: de dame zou graag haar filmrolletje terug willen hebben.'

'Misschien. Eerst wil ik de foto's nog zien die u hebt gemaakt.'

'Nu we het er toch over hebben, als u die foto's van Piramide-eiland naar iemand stuurt, krijgt u er spijt van.'

'Is dat een bedreiging?'

'Ik zeg het u.'

'Heeft Mr. Stanley niet genoten van de foto's?'

Ik gaf hem niet de bevrediging van een antwoord en ik zei: 'Goed, bedankt dat u me bent komen uitzwaaien. Ik moet nu echt gaan.'

'Zo meteen. Dus u denkt dat deze meneer Blake uw nieuwe president wordt?'

Ik beantwoordde de vraag met een wedervraag: 'Wat denkt u?'

'Ik heb gisteravond een interessant gesprek gehad met Tran Van Vinh. Ik moet erover nadenken.'

'Doe dat.' Ik zag het grondpersoneel mijn richting uit kijken.

Mang zei tegen me: 'U hebt een diplomatieke pas en u hebt hem niet eens genoemd.'

'Ik heb alleen maar een ticket nodig om op dat vliegtuig te komen.'

'Misschien geniet u van mijn gezelschap.'

'Nee, dat doe ik niet. Maar ik vind u interessant.'

We keken elkaar aan en voor het eerst sinds ik de pech had gehad hem te leren kennen, zag ik geen kwaadaardigheid in zijn ogen. Hij zei: 'Ik heb iets voor u.' Hij greep in zijn attachékoffertje en gaf me de sneeuwbol. Ik pakte hem aan en keek naar de sneeuw die neerdwarrelde op de Wall.

Hij zei: 'Uw andere persoonlijke bezittingen krijgt u terug via uw ambassade. Ik zal niets nemen dat niet van mij is.'

Ik gaf geen antwoord.

Hij zei tegen me: 'U en ik, Mr. Brenner, zullen nooit vrienden worden, maar ik wil u zeggen dat ik bewondering heb voor uw moed. Dus alleen om die reden wens ik u een veilige vlucht naar huis.'

Ik gaf hem de bol terug en zei: 'Een aandenken aan mij.'

'Dat is heel attent. En zie ik u nog terug?'

'Dat zou ik niet hopen.'

'Hetzelfde voor u.'

'Wees een beetje aardig voor het land, kolonel. De mensen hebben al genoeg geleden.'

Hij gaf geen antwoord en zei iets tegen de chauffeur, die verder reed naar het vliegtuig.

Toen we de trap bereikten, wierp ik een blik over mijn schouder, maar kolonel Mang was verdwenen.

Ik keek in de verte naar de witte deur van de diplomatenfoyer en zag Susan in haar lichtgroene jurk naar me kijken. Ze zwaaide en ik zwaaide terug.

Vietnam, derde detachering, was voorbij, en weer ging ik rechtop terug naar huis.

Ik beklom de trap naar het vliegtuig en bovenaan nam een stewardess mijn ticket in ontvangst, bekeek het en zei met een mooi Frans accent: 'Ach, Mr. Brenner, we hebben op u gewacht.'

'Ik ben er.' Ik draaide me om en, zoals ik jaren geleden ook had gedaan, keek uit over de enorme uitgestrektheid van rijstvelden en dorpen die nu, net als toen, mistig voor mijn ogen werden.

Ik keek weer naar de deur waar ik Susan net nog had gezien, en ze stond er nog.

We zwaaiden weer. Ik nam haar voor de laatste keer in me op, draaide me om en stapte het vliegtuig in.

De reis naar huis is nooit rechtstreeks; eigenlijk is die altijd met een omweg, en ergens onderweg ontdekken we dat de reis zelf belangrijker is dan de bestemming en dat de mensen die we onderweg tegenkomen voor altijd reisgenoten van onze herinnering zullen zijn.

Dankzegging – en andere zaken

Toen ik in januari 1997 terugging naar Vietnam, ging ik met twee goede vrienden: een was Dan Barbiero, een vriend uit mijn vroegste jeugd en voormalig luitenant bij de mariniers van de Derde Mariniersdivisie. Dan diende op ongeveer dezelfde tijd en plaats als ik in Vietnam: de provincie Quang Tri, van november 1967 tot december 1968. Toen we daar waren, probeerden we een afspraak met elkaar te maken, maar de oorlog legde al te veel beslag op onze tijd.

De andere vriend die in 1997 met me meeging, was Cal Kleinman. Cal diende als hospik bij de Elfde Pantserdivisie, ook in dat gedenkwaardige jaar 1968. Cal is net als ik afkomstig uit Long Island en we groeiden op in aangrenzende steden met rivaliserende footballteams, maar we zitten nu in hetzelfde team.

Cal en Dan wisten dat ik overwoog een roman te schrijven die was gesitueerd in het huidige Vietnam, en zij verschaften me extra ogen en oren voor mijn research en maakten goede aantekeningen en interessante foto's. Belangrijker was dat we elke avond bij een paar borrels de dingen die we hadden gezien en gevoeld konden bepraten en verwerken na soms emotioneel uitputtende dagen op plaatsen die we hadden gedacht nooit meer te zien. Bedankt, jongens, en welkom thuis.

Vooral ook gaat mijn dank uit naar een mede-Long Islander, Al DeMatteis, directeur operaties van DeMatteis Vietnam en president van DeMatteis International Group. Al woont en werkt al jaren in Vietnam en hij was zo vriendelijk mij het echte Hanoi te laten zien, waarvoor ik hem zeer erkentelijk ben. Hij is een fantastische gastheer en een geweldige, onofficiële goodwillambassadeur voor Vietnam. Door Amerikaanse mannen en vrouwen zoals DeMatteis, die in Vietnam wonen en werken, zullen de twee landen uiteindelijk bij elkaar gebracht worden op een manier waaraan de politici nog moeten beginnen.

Ook hadden Dan, Cal en ik in Hanoi het geluk voorgesteld te worden aan een Amerikaanse inwoonsters van die stad, Mattie Genovese, en ik dank haar voor alle inzichten in het leven van een Amerikaanse zakenvrouw in Vietnam. Mijn fictieve personage Susan Weber zou onmogelijk zijn geweest zonder de echte Mattie Genovese.

Ik zou graag inspecteur John Kennedy willen bedanken, ondercommissaris van Nassau County, voor zijn aandachtige lezen en zijn suggesties, vooral met betrekking tot de Criminele Recherche van het leger. John heeft met mannen en vrouwen van de CID gewerkt, en heeft me een paar scherpzinnige observaties en feiten gegeven. John was van grote hulp bij *Plum Island* en *Het spel van de leeuw* en heeft een verbazingwekkende kennis over het strafrecht.

Dit is een goede tijd en plaats om een oude vriendin, Patricia Burke, te bedanken, die een unieke positie bekleedt. Patricia is onderdirecteur van Literary Affairs van Paramount Pictures en was zo behulpzaam mijn roman *De dochter van de generaal* onder de aandacht van Paramount te brengen, waaruit de film met dezelfde naam is voortgekomen. Patricia is een van de meest belezen mensen ter wereld, dus terwijl ik bezig was met dit vervolg op *De dochter van de generaal* nam ik de ongewone stap haar bij het redactionele proces te betrekken. Ik heb nooit geweten of ze geïrriteerd of gevleid was, maar zij leverde een overtuigende en samenhangende lijst aantekeningen, die als een goede gids diende voor dit verhaal. Patricia heeft ook *Missie Saigon* bij Paramount aanbevolen en momenteel is een film ervan in voorbereiding.

Een auteur hoort zijn of haar redacteur te bedanken, en ik ben gezegend met veel redacteuren. Ten eerste mijn redacteur en uitgever, Jamie Raab van Warner Books, en ook mijn redacteur, vriend, en voorzitter van Time Warner Trade Publishing, Larry Kirshbaum, en natuurlijk mijn redacteur en vrouw sinds lange tijd, Ginny DeMille, die me nog steeds dialogen probeert bij te brengen. En als laatste, maar niet als minste, mijn assistenten, Dianne Francis en Patricia Chichester, die als eersten het manuscript lezen, typen, corrigeren en van commentaar voorzien. Deze twee dames zijn mijn eerste echte vuurdoop, en als het waar is dat een heer geen held is voor zijn dienaar, dan is een schrijver zeker geen genie voor zijn assistenten.

Meer nog dan mijn literair agent, Nick Ellison, te bedanken, wil ik zijn uitstekende medewerkers dankzeggen. Ten eerste zijn assistente Megan Rickman, een vrouw uit Californië met de houding van een New Yorkse. Ook Aliëka Pistek, directeur rechten buitenland, een getalenteerde, meertalige dame die prachtig werk heeft geleverd door mijn boeken in de rest van de wereld te introduceren.

Weer zou ik Martin Bowe en Laura Flanagan van de Garden City Public Library willen bedanken, en Dan Starer van Research for Writers, in New York City. Research wordt de werkelijkheid waaromheen alle goede romans worden geschreven.

Tot slot, maar eigenlijk ten eerste, wil ik de eerste lezers van het manuscript bedanken. Iemand heeft ooit gezegd dat een schrijver, die de eerste versies van zijn manuscript laat lezen, lijkt op iemand die alles wat hij ophoest laat onderzoeken. Dat is waar, maar voor een goede diagnose is het eerste slijm nodig. Buiten mijn vrouw en mijn twee assistenten heb ik mijn eerste versies laten zien aan Tom Block, vriend sinds mijn kindertijd, schrijver, gepensioneerd vlieger bij US Airways, en samen met mij medeauteur van *Mayday*, en zijn vrouw, Sharon Block, voormalig stewardess bij US Airways, en uitstekende lezer.

Ten slotte heb ik het manuscript aan Rolf Zettersten gegeven, onderdirecteur van Warner Books, die een reputatie heeft hard, eerlijk en grondig te zijn – de droom of nachtmerrie van elke auteur. Ik bedank Rolf voor zijn zeer aandachtige lezen en uitstekende suggesties.

De kiem van het idee voor deze roman lag bij mijn relatie met de Vietnamese Veteranen van Amerika. De VVA heeft een programma dat het Veteranen Initiatief heet en dat tot doel heeft de Vietnamese regering te helpen bij het lokaliseren van hun vermiste soldaten. De VVA was zo behulpzaam mij dit programma onder ogen te brengen, en vooral wil ik Marc Leepson bedanken, kunstredacteur en columnist van *The VVA Veteran*, die mij de bijzonderheden van dit programma heeft verstrekt.

Wat het programma van Veteranen Initiatief betreft: mocht iemand die dit leest enige daadwerkelijke informatie bezitten betreffende het lot van voormalige vijandelijke soldaten in Vietnam – brieven, identificatiepapieren, kaarten, of soortgelijke documenten met een naam erop – stuur die dan alstublieft naar de Vietnam Veteranen van Amerika, Inc., Suite 400, 8650 Cameron Street, Silver Spring, 20910 Maryland. Sluit een brief bij met de beschrijving van wanneer, waar en hoe het object is gevonden en met het lot van de persoon, dat wil zeggen POW, MIA, KIA. De VVA zal deze informatie doorsturen naar Hanoi om hen bij te staan in hun pogingen hun 300.000 vermiste mannelijke en vrouwelijke soldaten te lokaliseren; dit zal tot gevolg hebben dat Vietnam ons blijft helpen in het vinden van de stoffelijke resten van onze tweeduizend oorlogsvermisten.

Ik heb zelf in werkelijkheid in mei 1968 in de A Shau-vallei een brief gevonden op het lichaam van een Noord-Vietnamese soldaat, en heb die een paar jaar geleden aan de VVA gegeven om door te sturen naar Hanoi. Hopelijk is hiermee een familie in Vietnam achter het lot gekomen van een vermiste zoon, echtgenoot of broer.

Verscheidene mensen hebben genereuze donaties gedaan aan liefdadigheidsinstellingen, in ruil voor het gebruik van hun naam als personage in deze roman. Het zijn: Rita Chang (donateur voor de Boys and Girls Club van East Norwich-Oyster Bay), John Eagan jr. (Great South Bay YMCA), Earl E. Ellis (Tilles Center for the Performing Arts), Marc Goodman (Diabetic Research Institute Foundation), Lisa Klose (C.W. Post/Long Island University), Victor Ort (Boys and Girls Club van East Norwich–Oyster Bay) en Janice Stanton (Muscular Dystrophy Association). Ik hoop dat deze mannen en vrouwen hebben genoten van hun bedachte alter ego's en dat ze hun goede werken voor wereldse zaken zullen voortzetten.